AUGSBURG COLLEGE & SEMINARY
George Sverdrup Library
MINNEAPOLIS 4. MINNESOTA

AWN

Motif de la vignette de couverture :

Lucien de Rubempré

Œuvres illustrées de Balzac, Paris, Marescq et Cie

Cl. B. N.

Illusions Perdues

Note. — On trouvera dans le texte d'*Illusions Perdues* des rappels placés entre [ ] : les premiers renvoient aux notes , ... les seconds aux variantes en fin de volume (p. ... à ...).

NOTA. - On trouvera dans le texte d'*Illusions Perdues* des chiffres et des lettres. Les premiers renvoient aux notes en bas des pages, les secondes aux variantes en fin de volume (p. 781 à 864).

H. de Balzac

Illusions Perdues

Éditions Garnier Frères
6, Rue des Saints-Pères, Paris

*Tous droits de reproduction, de traduction
et d'adaptation réservés pour tous pays.*
© Garnier Frères 1961

84
B219
XIL

Letterier 4.04

SEP 5 '62

53801

Introduction,
notes et relevé de variantes
par
Antoine Adam
Professeur à la Sorbonne

Seconde édition revue, corrigée
et illustrée

B. N. Imprimés *Cl. B. N.*

Le père Séchard
Dessin d'Henri Monnier pour l'édition Furne

B. N. Estampes

ANGOULÊME. Vue de l'Houmeau

Cl. B. N.

« *Depuis longtemps le bourg de l'Houmeau s'était agrandi comme une couche de champignons au pied du rocher...* » (Voir p. 37)

Lithographie d'après un dessin de Deroy

VOILA POURTANT COMME JE SERAI DIMANCHE !

B. N. Estampes

Cl. B. N.

« *Non... je ne paraîtrai pas fagoté comme je le suis devant madame d'Espard.* » (Voir p. 179)

Dessin de Gavarni

B. N. Estampes

Cl. B. N.

LES TUILERIES (L'Artiste, 1831)

« ... il s'babilla et alla faire un tour sur la terrasse des Feuillants. » (Voir p. 200)

B. N. Estampes Cl. B. N.

UNE LOGE A L'OPÉRA, dessin de Gavarni.

« *Pendant le second acte, la loge de madame de Listomère resta pleine de monde...* »
(Voir p. 190)

Musée Carnavalet

Cl. Bulloz

LES GALERIES DE BOIS DU PALAIS-ROYAL

« A cette époque, les Galeries de Bois constituaient une des curiosités parisiennes les plus illustres. » (Voir p. 288)

B. N. Imprimés

Cl. B. N.

CAMUSOT
Dessin d'Henri Monnier pour l'édition Furne

Cl. B. N.

LUCIEN DE RUBEMPRÉ
Œuvres illustrées de Balzac, Paris, Marescq et Cie

INTRODUCTION

C'est *à la fin de 1833 qu'est attesté pour la première fois,
dans l'histoire de Balzac, le projet d'un récit intitulé* Illusions
perdues. *Le premier volume des* Scènes de la vie de province,
*qui constitue l'édition originale d'Eugénie Grandet, offre en
effet une table générale des* Scènes, *et l'on peut y lire :* QUATRIÈME
VOLUME. FRAGMENS D'HISTOIRE GÉNÉRALE. ILLUSIONS
PERDUES*.

*Mais Balzac ne put avant le milieu de 1836 envisager l'exé-
cution de son dessein. C'est seulement dans la première moitié
du mois de juin qu'il décida d'éteindre ses obligations envers la
maison Béchet en écrivant les* Héritiers Boirouge *(c'est-à-dire*
Fragmens d'histoire générale*) et* Illusions perdues.
*Il est décidé alors à faire vite. Pour s'assurer quelques jours de
calme, il quitte Paris, et le 20 juin il est à Saché, chez son ami
M. de Margonne. Le 20 juin est un lundi. Il se repose deux jours.
Puis, du jeudi au dimanche, il écrit de verve les premières pages*

---

* Cette table, établie à la fin de 1833, nous explique qu'avant juin
1836, Balzac et son porte-parole Félix Davin aient fait trois fois mention de l'œuvre projetée, dans l'*Introduction* signée de Davin qui ouvre
le tome I des *Études de mœurs au XIX*e *siècle*, dans la préface des
Scènes de la vie de province et dans celle des *Scènes de la vie parisienne*.
Il s'agit certainement dès lors d'un récit sur le thème qui fut celui de
la « nouvelle » de 1836, car dès la fin de 1833 nous apprenons qu'*Illusions perdues* montre « un des mille phénomènes par lesquels la province et la capitale se marient incessamment » (J. A. Ducourneau,
Préfaces, p. 162). Une note de Balzac recueillie dans *Pensées, sujets,
fragmens* de Jacques Crépet (p. 112) invitait déjà les historiens à faire
remonter à la fin de 1833 le projet d'*Illusions perdues*.

*d'*Illusions perdues. *Travail ardent, qui commence le matin
au lever du soleil et qui chaque jour l'attache quinze heures à son
bureau. Le dimanche suivant, il en est au quarantième feuillet,
et comme son récit ne doit guère en comprendre que quatre-vingt-dix,
il peut croire que la moitié de l'œuvre environ est déjà faite.*

*Mais de mauvaises nouvelles venues de Paris, et plus encore
peut-être le surmenage de ces quatre jours, provoquent, dans
cette journée du 26 juin, une indisposition, un coup de sang peut-
être. Le lendemain lundi, Balzac croit qu'il est déjà remis et
qu'il pourra terminer* Illusions perdues *à la fin de la semaine.
Il se trompe. Lorsqu'il repart pour Paris, l'œuvre reste inachevée**.

*Dix semaines plus tard, nous en recevons des nouvelles, et
qui modifient, semble-t-il, l'image que nous nous en faisions.
Il ne s'agit plus maintenant d'un récit de quatre-vingt-dix feuilles
manuscrites, mais de deux volumes in-octavo. Les* Nouvelles
publications *de Werdet, en date du 15 septembre 1836, annoncent en effet : « Sous presse, pour paraître dans l'ordre suivant :
De Balzac, les* Illusions perdues, *deux volumes in-octavo
entièrement inédits. Prix : 15 francs* ** ».

Balzac avait promis les Illusions perdues *pour le 15 novembre.
Rien ne faisait prévoir des difficultés. Mais vers le 20 octobre
éclata la catastrophe : la déconfiture imminente de Werdet.
Les effets souscrits par lui à l'ordre de William Duckett avec
l'aval de garantie de Balzac allaient se trouver immédiatement
exigibles. Il fallait fuir, déménager le mobilier de la rue Cassini*

---

* Le récit le plus détaillé de cette semaine à Saché se trouve dans
une lettre de Balzac à la comtesse Hanska, du 13 juillet 1836 (*L. à
l'Étr.*, I, p. 342). Mais il convient de ne pas s'y fier aveuglément.
Une lettre à Émile Regnault, du 27 juin (Ducourneau, *Correspondance*,
p. 202), donne une image bien différente et moins pathétique. Balzac
ne dit pas qu'il est tombé foudroyé, il ne parle pas de nouvelles désas-
treuses arrivées de Paris. Il écrit simplement : « Ce torrent de travail
a porté sans doute le sang à la tête, mais en ce moment je vais beaucoup mieux. J'aurai, suivant toute probabilité, terminé les *Illusions
perdues* pour samedi prochain.»
** Ce document éclaire un passage dans une lettre à Mme Hanska.
Balzac lui parle, le 30 septembre 1836, de trois volumes in-8⁰. Il
s'agit du troisième dizain des *Contes drôlatiques* et des deux tomes
d'*Illusions perdues*.

et le mettre en lieu sûr. C'était, dans la vie de Balzac, après le désastre de 1828, une seconde Bérésina.

Un traité signé le 19 novembre le délivra, il est vrai, de ses inquiétudes les plus immédiates. Mais parmi les engagements souscrits figuraient au premier rang les Illusions perdues. *A nouveau, il se réfugia en Touraine. Trois jours de repos dans les bois de Saché lui rendirent force et courage*. De retour à Paris, il se donna tout entier à son roman : il voulait en avoir fini le 10 décembre. Le travail s'accomplit à un rythme étonnant. Dès le début de janvier 1837, Balzac procédait aux dernières corrections sur épreuves. Au cours du mois suivant, la maison Werdet mit en vente les tomes III et IV des* Scènes de la vie de province. *Le tome IV était occupé par une préface et par* Illusions perdues **.

*
* *

Telles qu'elles se présentaient alors, les Illusions perdues *étaient l'histoire de Lucien, d'Ève et de David. Elles se terminaient à Paris, au moment où Lucien s'y retrouvait seul, abandonné par Mme de Bargeton. Mais Balzac depuis le mois d'octobre ne voyait plus dans ce récit que le prélude d'un ensemble plus considérable. Il savait qu'il raconterait l'histoire de Lucien à Paris, il avait même choisi son titre :* Un grand homme de province à Paris ***. *Mais accablé par des besognes plus urgentes, il s'attendait à n'écrire cette deuxième partie que trois ans plus tard ****.*

---

* Le 19 novembre 1836, Balzac est encore à Paris, mais le 21, il est à Saché et le 23 il pousse jusqu'à Tours. Le 1er décembre il est de retour à Paris.

** Les tomes III et IV des *Scènes* sont annoncés dans la *Bibliographie de la France* le 11 février 1837.

*** Lettre du 22 octobre 1836 (*L. à l'Etr.*, I, p. 354).

**** Lettre du 27 décembre 1836 (*ib.*, p. 373).

*Il pensa longtemps à ce grand projet. Il lui tardait de l'accomplir. Au mois de mai 1837, puis au mois de juin, il disait à la comtesse Hanska son impatience. Ce fut seulement au mois de février 1838 qu'il crut trouver la liberté nécessaire. Il prit quelques jours sur ses occupations ordinaires, quitta Paris, s'établit à Frapesle chez ses amis les Carraud, et se mit à l'œuvre. Nous ne savons pas jusqu'où il poussa son travail, et nous manquons d'information sur les mois qui suivirent, mais le 15 octobre 1838 il pouvait annoncer à M*me *Hanska : « J'achève les* Illusions perdues ». *Il est vrai qu'il exagérait un peu.*

Un contrat passé avec Souverain vers la fin de décembre 1838 l'obligea de livrer le manuscrit le 15 janvier 1839. Trop occupé par d'autres tâches, il ne tint pas son engagement. Le 24 janvier, Souverain attendait encore, s'indignait, annonçait une « mise en demeure ». Le 10 février, ce Grand Homme *que quatre mois plus tôt il avait présenté comme presque fini, Balzac était obligé de reconnaître que seule la première moitié en était faite. Mais cette fois il s'y consacrait tout entier*. Au mois d'avril, on en était à la phase des corrections sur épreuves. La composition fut sans doute terminée au mois de mai. Le 8 juin 1839, l'Estafette publia deux fragments de l'ouvrage. Les volumes furent mis en vente vers le 12 juin**.*

*Balzac ne considérait pas l'œuvre comme achevée. Dans la préface d'*Un grand homme de province à Paris, *il annonçait une troisième et dernière partie, qui devait s'intituler* les Souffrances de l'inventeur. *Au mois de juillet suivant, il écrivait : « Je vais travailler à la dernière partie des* Illusions perdues. » *Il en parlait à nouveau dans une lettre du 14 février 1840.*

Dans la seconde moitié de 1841, Balzac envisagea de publier cette dernière partie dans le Musée des familles *de son ami Berthoud. Les choses furent menées si loin que le* Musée *annonça, au mois d'octobre, la prochaine publication de* David

---

* Lettre du 21 février 1839 (*ib.*, p. 507).
** Sur les rapports de Balzac et de Souverain au cours de l'impression du livre, voir les précieuses lettres publiées par W. S. Hastings, *Balzac and Souverain*, 1927, notamment les lettres du 20 et du 24 janvier et celle du 14 juin 1839.

Séchard* *dans ses colonnes. Le romancier s'était mis d'accord avec la direction de la revue. Il était entendu que si* David Séchard *ne dépassait pas trois mille lignes, le* Musée des familles *le ferait paraître. Puis le projet fut modifié, et la revue de Berthoud annonça, en janvier 1842, la publication prochaine des* Jeunes gens, *titre plus tard abandonné d'*Un Début dans la Vie.

D'autres tâches occupaient Balzac, et David Séchard *traînait dans ses cartons. Au milieu de 1842, un nouveau projet se précisa. Il s'agissait, cette fois, de faire paraître la fin des* Illusions perdues *dans le* Messager. *On prévoyait le mois d'août. Puis on parla du mois d'octobre. « J'achève les* Illusions perdues *pour le* Messager », *écrivait Balzac le 14 octobre. Il devait même livrer le manuscrit dans les huit jours. Mais de mois en mois la composition du roman traînait. Les vingt-cinq premières feuilles étaient sur le bureau de l'écrivain au mois de décembre 1842 sans qu'il pût se décider à le continuer. « J'ai toujours la fin des* Illusions perdues *sur les bras », écrivait-il au mois de mars 1843.*

Mais cette œuvre qu'il ne parvenait pas à finir, la nécessité allait le contraindre à la terminer rapidement. La Comédie humaine *s'imprimait avec régularité. Le tome VIII devait bientôt paraître ; il fallait y mettre, coûte que coûte, les* Illusions perdues *avec leurs trois parties annoncées* **. *D'autre part, un journal allait être bientôt créé pour lequel Balzac s'engageait, vers la fin d'avril, à donner son* David Séchard. *Enfin, pour se libérer d'un autre engagement plus ancien, Balzac promettait, au début de mai, de livrer le même* David Séchard *à un homme d'affaires de Lagny* ***.

---

* Au début, Balzac avait prévu pour titre *les Souffrances de l'inventeur.* Mais au mois d'octobre 1841, le titre est devenu *David Séchard.* Au mois de janvier 1842, Balzac parle à la comtesse Hanska d'*Eve et David* (*L. à l'Etr.*, II, p. 143). En avril 1843, il est revenu à *David Séchard.*

** La *Bibliographie de la France* annonce comme parus le tome V le 15 avril 1843 et le tome VI le 13 mai 1843. Un volume sortait chaque mois. Le tome VIII, et par conséquent les *Illusions* terminées devaient, de façon inéluctable, sortir au milieu de juillet.

*** Les rapports de Balzac avec *l'État* fondé par Charles Didier

*Il ne restait plus, pour Balzac, qu'à écrire ce roman trois
fois vendu ou en instance de l'être. Le 15 mai, dans les jours mêmes
où il rencontrait Charles Didier pour traiter avec lui, il écrivait
à la comtesse Hanska que la moitié de* David Séchard *était
faite. Mais il faut croire que l'inspiration manquait, ou le temps.
Car le 13 juin, alors que* l'État *paraissait depuis cinq jours
et publiait en feuilleton le début du roman, Balzac se trouvait
arrêté presque au même point qu'un mois plus tôt. Seule la première partie était terminée, et trente-deux pages de la seconde.
Tout le reste, c'est-à-dire 280 pages, était encore à faire.*

*Écrasé de soucis, courant de Paris à Lagny, surveillant lui-
même l'impression de son ouvrage, négociant avec Charles Didier,
qui de son côté succombait sous les difficultés de sa tâche *, Balzac*

---

viennent d'être mis au point par M. Maurice Regard dans un excellent article, *Balzac et Charles Didier*, Revue des Sciences humaines, oct.-
déc. 1955. Voici le schéma des négociations. Le 15 avril 1843, Didier
demande à Balzac sa collaboration au futur journal. Quelques jours
plus tard, Balzac propose *David Séchard*. Didier accepte de le lui payer
4.200 francs. Balzac a des entretiens avec lui les 12, 13 et 22 mai. Il
est très probable que l'accord se fait au cours de la dernière de ces
rencontres. — Parallèlement à cette affaire, il y en avait une autre. Le
16 novembre 1842, un traité avait été passé entre Balzac et un certain
Locquin, banquier à Lagny. Il prévoyait la publication de trois romans,
et notamment *Un député de province*. Mais l'éditeur Dumont, ayant eu
des doutes sur le succès de l'ouvrage, demanda qu'un autre lui fût substitué. Il fut d'abord question de *la Muse du Département*. Finalement
on se mit d'accord, au mois de mai, sur la troisième partie des *Illusions
perdues*. Le dossier de cette affaire se trouve dans la collection Lovenjoul,
A 255. Il en ressort que Balzac offrit à Locquin son *David Séchard* le
10 mai et que Locquin donna son acceptation le 11. Si l'on rapproche
de ces dates celles que M. Regard apporte dans son étude, on doit admettre que Balzac vendait à Locquin, pour paraître en volume, un texte
qu'il se disposait à publier dans le journal de Didier et pour lequel
l'accord était sinon conclu, du moins prévisible et prochain.

* *L'État* avait commencé de paraître le 9 juin 1843. Dès le 20 juin,
il était contraint de suspendre sa publication. Mais Charles Didier,
sans se décourager, chercha et trouva un moyen de se rétablir. Il se
mit d'accord avec J. Amynthas David, qui dirigeait *le Parisien* et se
trouvait lui aussi dans une situation difficile. Les deux hommes s'as-
socièrent et *le Parisien l'État* parut à partir du 27 juillet. Il donnait en
feuilleton, jusqu'au 14 août, la suite de *David Séchard*. Balzac finit par

trouva moyen pourtant de mener David Séchard *à son terme.
Le dernier jour de juin* 1843 *il y mit le point final. Au cours
du mois de juillet, l'ensemble des* Illusions perdues, *complet
en ses trois parties, parut dans le tome VIII de la* Comédie
humaine *.

$$* \atop *\ *$$

Dans leur première conception, les Illusions perdues *n'étaient
donc qu'une* Scène de la vie de province, *et, pour employer
le mot de Balzac, une nouvelle. Elles devaient illustrer un aspect
de la société française, les illusions où s'endorment, en province,
des âmes ardentes et naturellement généreuses, les erreurs que
nécessairement elles commettent, le désaccord entre la sincérité
de leurs efforts et le caractère dérisoire des résultats**.*

Balzac ne songeait pas, en juin 1836, *à écrire le poème de ses
luttes et de ses rêves déçus. S'il était décidé à mettre dans son livre
« d'amères tristesses », ce n'était pas pour faire au public la
confidence de ses découragements, c'est que l'œuvre les demandait.
Il venait de gagner son procès contre Buloz. Quand il avait quitté
Paris, c'est le calme qu'il venait chercher chez les Margonne,
et non pas un refuge. La catastrophe était encore à venir.*

---

toucher les sommes qui lui étaient dues. — Pour ce qui concerne l'édition imprimée à Lagny, il suffira de signaler qu'elle le fut sur les bonnes
feuilles de *la Comédie humaine* dont le tome VIII s'imprimait alors. Ce
n'est pas ici le lieu de parler des ennuis que cette affaire valut à Balzac.
On en trouvera le dossier dans la collection Lovenjoul, A 255.

* La 60ᵉ livraison de *la Comédie humaine*, terminant le tome VIII,
est annoncée dans la *Bibliographie de la France* le 29 juillet 1843. Il
ressort du dossier Balzac-Locquin (Lov., A 255) que l'impression fut
terminée le 1ᵉʳ juillet.

** Une précieuse note de Balzac sur la page de titre du manuscrit
nous éclaire sur cette première conception : « David et Ève perdent
leurs illusions sur Lucien. Mᵐᵉ de Bargeton idem. Lucien sur Mᵐᵉ de
Bargeton ». Voilà les « illusions perdues » quand Balzac aborda la
composition de l'œuvre, en juin 1836.

Ce n'est pas à lui-même qu'il songeait d'abord. Il avait dans l'esprit l'aventure de George Sand et de Jules Sandeau, leurs amours en Berry, la fuite scandaleuse à Paris, les désillusions qui n'avaient guère tardé à refroidir leur mutuelle passion. Les contemporains, les intéressés eux-mêmes ne s'y trompèrent pas. Charles Didier notait dans son journal : les Illusions per-dues « ne sont que l'histoire déguisée de George avec Sandeau. C'est une perfidie et une lâche inconvenance ; mais il y a des traits de caractère malheureusement trop bien saisis*. » Sandeau, qui se trouvait à Pornic au mois de janvier 1837, fut même alerté par quelque bonne âme de Paris. Il écrivit aussitôt à Balzac. « Qu'est-ce que les Illusions perdues ? lui demandait-il le 21 janvier. On m'a écrit de Paris que c'est mon histoire avec la personne que vous savez. » La lecture du roman enfin paru le rassura sur le point qui lui tenait le plus à cœur. Il comp-prit que George Sand restait en dehors de l'histoire. Mais il était contraint de reconnaître que certains traits le concernaient, et il avouait avec simplicité : « Je ne suis pas sans ressemblance avec les mauvais côtés de Lucien**. »

L'intention de Balzac n'est donc pas douteuse. Mais plus encore qu'à une anecdote de la chronique récente, c'est à son expérience que le grand visionnaire demandait les éléments de l'univers romanesque qu'il était occupé à construire. S'il choisissait Angoulême pour théâtre de l'action, c'est qu'il y était venu rendre plusieurs fois visite à ses amis, les Carraud. Pour rafraîchir ses souvenirs, il écrivit à Zulma Carraud ; celle-ci lui envoya des renseignements sur la ville et prit la peine de joindre à son texte un croquis***. Il n'avait pas non plus oublié les promenades que pendant un de ses séjours à Angoulême il avait faites avec un jeune lycéen, Albéric Second. Celui-ci a raconté plus tard quels interrogatoires épuisants le romancier lui avait infligés au cours des heures passées avec lui. On a parlé à Angoulême

---

* Sellards, *Charles Didier*, p. 69.
** Arrigon, *Balzac et la contesse*, p. 225-226.
*** On trouvera ce croquis reproduit dans la *Correspondance inédite avec Zulma Carraud* publiée par Marcel Bouteron.

d'un journalier nommé Séchart, fils de Séchart dit Chardon sec*.

Il connaissait à Paris une femme qui avait jadis tenu, en Angoulême, un rôle assez semblable à celui de Mme de Bargeton. Mme de Saint-Surin avait réuni dans son salon quelques beaux esprits de la province. Puis elle était venue se fixer à Paris, où le vénérable M. de Monmerqué l'avait prise pour maîtresse. Le mari, moins patient que M. de Bargeton, avait fini par obtenir la séparation légale. Elle publiait des livres et faisait accepter ses articles par le Journal des dames et par l'Écho français. A Angoulême, elle demandait à Balzac de venir faire une lecture dans son salon. Elle lui écrivait, et les mauvaises langues prétendirent même, en 1833, que le romancier avait obtenu ses faveurs**.

Mme de Saint-Surin ne nous importe guère. Mais d'autres noms nous viennent à l'esprit lorsque nous lisons l'histoire de Mme de Bargeton. Dans une des plus belles pages du roman, Balzac nous raconte la jeunesse de cette provinciale sensible, généreuse, supérieure aux médiocrités qui l'entourent et réduite par son isolement à s'enfoncer dans les ridicules d'un idéalisme

---

* On a même donné de suggestifs détails. Ce jeune Séchart, fils d'un tonnelier, aurait racheté à son père sa boutique et l'aurait payée un prix exorbitant. D'après le jeune homme, son grand-père préférait son fils aîné et considérait comme un bon à rien l'autre fils, celui qu'il appelait Chardon sec (A. Fouqueure, *H. de Balzac à Angoulême*, 1913). Il est nécessaire de rapporter cette tradition, encore qu'elle inquiète un peu par l'excès même de sa précision.

** Mme de Saint-Surin était née Marie-Caroline-Rosalie Richard de Cendrecourt. Elle avait épousé M. de Saint-Surin, directeur de l'École Centrale d'Angoulême, qui cultivait comme elle les Muses. Elle était, disent les malveillants, sans beauté, avec de longues dents. Dans son livre sur l'éditeur Renduel, Ad. Jullien a publié une lettre d'elle, adressée à Renduel le 30 novembre 1833 : elle lui demande, en vain d'ailleurs, d'éditer un de ses livres. E. Duban a retrouvé (*Ch. Weiss et la renaissance de la Franche-Comté*) une lettre intéressante de Weiss au bibliothécaire Pellu. Il demande à son ami de lui expliquer par quel miracle Mme de Saint-Surin, dont le mari n'est pas mort, a pu devenir Mme de Monmerqué. — M. Cadilhac, *le Centenaire des Illusions perdues*, Illustration, 5 novembre 1938, signale qu'en 1832 elle annonce, pour le 16 février, une lecture, par Balzac, dans son salon.

ILLUSIONS PERDUES. 3*

*chimérique ou à s'enfuir vers Paris et ses dangers. Cette étude
toute pénétrée de sympathie, nous devinons quels modèles Balzac
avait étudiés pour l'écrire. Il avait entendu George Sand lui
raconter son enfance, son mariage et ses désillusions, son départ
pour Paris. Il avait recueilli les confidences de cette Claire
Marbouty qui venait de faire avec lui le voyage d'Italie, et la jeune
femme lui avait dit son mariage avec un mari plus âgé qu'elle
de treize ans, ses révoltes, et, comme on disait alors, son « san-
disme » avant George Sand*.*

*Lorsqu'il nous racontait l'amour de Lucien pour cette femme
plus âgée que lui de vingt ans, Balzac se souvenait à coup sûr
de la* Dilecta. *Il s'en souvenait surtout quand Mme de Bargeton
encourageait les plus hautes ambitions de Lucien, lui parlait
avec mépris de sa famille**. Mme de Berny ne lui disait-elle pas :
« Vous êtes une fleur venue sur du fumier » ? Mais il n'oubliait
pas non plus ses « illusions perdues » de 1833, l'échec auprès de
Mme de Castries. Il venait d'écrire* la Duchesse de Langeais,
*et sa colère ne s'en trouvait pas encore calmée. Mme de Bargeton
a, comme Mme de Castries, la chevelure d'un blond ardent.
Dans ses conversations avec Lucien, elle se fait appeler d'un
prénom qui ne sert que pour lui, et c'est ce que Mme de Castries
avait fait pour Balzac. La vie de la reine d'Angoulême a été
traversée d'un grand amour, et la mort est venue consacrer cette
noble passion : allusion à peine voilée à la liaison de Mme de
Castries et de Victor de Metternich, à la mort du jeune diplo-*

---

* C'est seulement dans les derniers jours de février 1838 que Balzac
est allé à Nohant. Mais de 1830 à 1832, il avait beaucoup fréquenté
le ménage Sand-Sandeau. Si quelque trait semble faire une allusion
assez précise à la jeunesse de Sand, c'est quand Balzac décrit la « mâle
éducation » d'Anaïs, son mépris des hommes, son air cavalier. Tous
ces éléments se retrouvent dans l'*Histoire de ma vie*, et la concordance
est frappante.

** Mais lorsqu'il prête à Mme de Bargeton certains mots inhumains
sur les droits du génie, Balzac songe aussi à des propos qu'il avait lui-
même tenus. Le bon Borget les lui rappelait dans une lettre scan-
dalisée, en 1836 : « Je ne suis plus ni frère, ni fils, ni ami, je suis un cerveau. Vous souvenez-vous de ces paroles horribles ? Je les entends
toujours. Il faut que les autres existences concourent à la mienne :
vous avez encore dit cela ».

mate. Si bien que dans les pages où Mme de Bargeton abandonne ses mains, sa tête, ses beaux cheveux d'or aux baisers de Lucien, nous devons faire effort pour n'y pas soupçonner le souvenir possible de certaines heures passionnées que Balzac avait connues *.

Au centre de la scène se dressaient les deux figures de David et de Lucien. Que Balzac se soit représenté en David, c'est une remarque que la critique a faite depuis longtemps. Portrait physique. Mais aussi portrait moral d'une profondeur admirable, où Balzac met en relief l'intime combinaison, en lui, de puissances volcaniques et de secrètes faiblesses. Il a décrit la beauté de Lucien avec des complaisances d'amant. Nous aurions le droit de nous en étonner si nous ne savions la place que l'amitié a tenue en certaines périodes de sa vie orageuse, si nous n'avions compris notamment l'importance qu'avait eue pour lui la présence de Jules Sandeau à ses côtés, et combien cruel lui avait été son départ **.

Pour décrire l'imprimerie des Séchard, pour raconter les projets et les recherches de David, Balzac faisait appel à ses souvenirs. Depuis le livre de Gabriel Hanotaux et de Georges Vicaire, c'est chose connue que l'atelier d'Angoulême décrit exactement celui que Balzac avait jadis occupé, au 17 de la rue des Marais-

---

* Mme de Bargeton fait à Lucien la confidence de son amour pour M. de Cante-Croix. Le 15 juillet 1834, Balzac disait à Mme Hanska que la duchesse de Castries lui avait parlé de son amour pour Victor de Metternich. — On ne voit pas que Balzac ait songé à la comtesse Guidoboni-Visconti. Mais lorsqu'on remarque toute l'âpreté satirique qu'il met à peindre du Châtelet, on se demande s'il n'y a pas fait la caricature de Lionel de Bonneval. Celui-ci, dit le *Balzac mis à nu*, « jouait à tous les jeux », il « se connaissait en tableaux, en bijoux anciens, en objets d'art », il tenait de Mme de Récamier une façon nouvelle de danser. Cet homme, qui avait au plus haut point l'art et la science de la vie de société, lutta auprès de la comtesse contre l'influence de Balzac, il l'éclaira sur les défauts de l'écrivain, sur le scandale que ferait une liaison. Elle accueillit la leçon avec une apparence de fierté offensée. Ne dirait-on pas l'histoire de M. du Châtelet ? Il convient d'ailleurs d'observer que Lionel de Bonneval était né en 1802. Il n'a donc pas fourni les éléments de la carrière du personnage balzacien.

** Caroline Marbouty a écrit à Spoelberch de Lovenjoul : « La conduite de Jules Sandeau à l'égard de Balzac a été couverte (?). L'opinion n'a rien su de la vérité. Jules Sandeau a ruiné Balzac financière-

Saint-Germain, rue Visconti actuelle. Mais ce qu'il faut
dire aussi, c'est qu'en 1833, Balzac avait rêvé de faire fortune
par un moyen semblable à celui de David Séchard. Il avait couru
jusqu'à Besançon pour se mettre en rapport avec un fabricant de
papier, il avait mobilisé ses amis les Carraud. Il s'agissait
d'un papier nouveau, beaucoup moins cher que les papiers en usage.
La « prodigieuse économie des moyens » allait rendre possibles
« d'énormes bénéfices ». Et Balzac envoyait à Zulma Carraud
un échantillon de ce papier miraculeux, une feuille « absolument
pareille pour le blanc et la pâte, la finesse, le poli ». Mais les
papeteries de Besançon et d'Angoulême n'avaient pas compris
les plans de Balzac. Persuadé qu'il avait raison contre tous,
le romancier confiait à David le soin de développer ses preuves
et de justifier ses illusions.*

*Il est probable que dans la première conception du livre l'im-
primerie Séchard faisait faillite. Balzac étoffait peut-être ce
court récit par des épisodes auxquels il a plus tard renoncé, et
racontait par exemple une visite de Lucien chez le président
de la société d'agriculture. Il se souvenait d'*Eugénie Grandet,
et pour rendre dramatique cette Scène de la vie de province,
*il opposait à la belle figure de David, celle, décevante, de Lucien,
de la même manière qu'il avait opposé Eugénie à son égoïste
cousin**.*

---

ment et moralement » (*R. H. L.* 1924, p. 658). Il serait trop commode
d'écarter ce témoignage en soutenant que Mme Marbouty était folle.

* Il y aurait de l'imprudence à chercher des rapprochements plus
précis. Il est à vrai dire un peu troublant d'observer que l'associé
de Balzac, André Barbier, était un ancien prote et qu'il se trouva, en
fin de compte, le seul maître de l'imprimerie, comme Cérizet. Détail
plus curieux encore, Balzac écrivait à propos de Barbier : « C'est un
élève des Baudouin ». Or les Baudoin, à qui Balzac avait eu affaire,
étaient deux frères, comme les Cointet. Mais Balzac et Barbier restèrent amis. Si le romancier se souvient ici de la situation de 1827,
il donne à son récit un sens moral tout différent.

** Toutes ces indications résultent des précieuses notes jetées par
Balzac sur la page de titre du manuscrit, et qui datent probablement
de juin 1836. On y lit : « Désespoir du vieux Séchard quand on vend ses
ustensiles. » Autre note : « Lucien est présenté pour la première fois
à toute la société dans la grande soirée. Jusque là il n'a fait qu'être
aperçu. » Autre note : « Visite de Lucien chez le président de la société
d'agriculture. » Autre note : « Ève et David doivent être deux belles

***
* ***

Nous avons vu qu'au mois d'octobre au plus tard, Balzac avait élargi son projet et qu'à cette date déjà l'histoire de Lucien, d'Ève et de David n'était plus dans son esprit que la première partie d'une œuvre plus vaste. Les Illusions perdues *ne seront plus une* Scène de la vie de province, *ce sera une fresque où Balzac va peindre les luttes d'un homme lancé seul dans la jungle du journalisme et de la librairie.*

La montée vers Paris de toute une jeunesse déracinée était à ses yeux l'une des conséquences les plus importantes de la Révolution, l'un des traits essentiels de la nouvelle société. Il l'avait étudiée naguère dans le Père Goriot. *Certains exemples précis lui avaient permis de comprendre que nulle part le mal n'était plus grand que dans la carrière des lettres. Il savait les dures années qu'avait traversées Jules Sandeau. En 1835 Zulma Carraud lui avait recommandé un jeune homme d'Angoulême qui s'était jeté dans la littérature, était venu à Paris, avait échoué et avait dû s'enfuir, chassé par une misère poignante. Au mois d'octobre 1836, il comptait parmi ses amis le jeune Chaudesaigues, ce Grenoblois venu à Paris naguère, confiant dans ses talents et dans sa grande beauté, lancé avec une fougue imprudente dans le monde, amoureux des marquises, et qui s'était retrouvé un jour, dégrisé, sans argent, sur le seuil du suicide*.*

---

figures. David par rapport à Lucien comme Eugénie Grandet et son cousin. » D'autre part Balzac a dressé sur cette page la liste de ses personnages : Mirault de Bargeton, Anaïs de Champd'ours, Lucien Chardon, Ève Chardon, madame Chardon, Châtelet, Séchard, David Séchard.

* On lira dans le beau livre de Maurice Regard sur Gustave Planche une lettre de Sandeau qui est comme un commentaire des *Illusions perdues :* « Parviendrai-je à refaire une existence si misérablement gaspillée ?... Vous avez un désert dans votre cœur ; moi, j'ai le mien plein de ruines ». — Sur le jeune Chevalet, protégé de Zulma Carraud, voir les lettres de Balzac à son amie, *Corr. inéd. avec Z. Carraud,* p. 235 et surtout 242. — Il est curieux de noter que Dauriat tient à

Il se souvenait aussi de sa propre histoire. Il avait, de 1826 à 1832, fréquenté le monde de la presse, les équipes du Figaro et de la Silhouette, de la Mode et du Voleur, du Feuilleton des journaux politiques et de la Caricature. Lorsqu'il avait, comme Lucien, opéré son « changement de front », il avait donné des articles au Rénovateur légitimiste et à la Quotidienne, aux recueils collectifs de l'Émeraude et du Saphir. Puis le dégoût était venu ; au début de 1833, il avait décidé de cesser au plus vite sa collaboration aux journaux.

Comme Lucien de Rubempré, il avait tout récemment rêvé d'éblouir par son faste la société parisienne. Au mois de novembre 1834, il avait offert à ses amis un dîner d'une magnificence royale. Toute l'année 1835 s'était déroulée parmi les repas fins, les soirées dans le grand monde, les représentations à l'Opéra. On a compté qu'au mois de janvier 1836, en une seule quinzaine, l'écrivain avait donné six fois à dîner chez lui. Un soir, au cours d'un souper chez Werdet, ses amis lui avaient mis sur la tête une couronne de roses. Il ne sentit pas l'ironie, et l'épisode se retrouve dans les Illusions perdues, comme s'y retrouvent les cannes merveilleuses, les bagues, les boutons de diamants.

Les splendeurs de Lucien sont celles de Balzac. Comme elles, hélas, elles se terminent par une chute brusque et profonde. Les circonstances sont les mêmes. La faillite de Fendant et Cavalier rend les billets souscrits par Lucien immédiatement exigibles, et le jeune homme se voit poursuivi par Camusot. C'est la faillite de Werdet qui avait permis à Duckett de lancer les gardes du commerce aux trousses de Balzac. Camusot a soin d'établir l'endos de ses traites en des termes qui rendent Lucien justiciable du Tribunal de commerce et soumis à la contrainte par corps.

Lucien des propos que Renduel a bien réellement tenus à Chaudesaigues (infra, p. 307, n. 1), et que les conseils de Lousteau se résument dans une phrase de Marrast au jeune homme, curieux aussi que Chaudesaigues aux abois joua les 1.500 fr. qui lui restaient, les perdit et sortit de la maison de jeu sans un sou, décidé à se tuer. Chaudesaigues avait publié un recueil de vers chez Werdet. — Balzac avait lu et a cité l'article de Victor Hugo sur Ymbert Gallois dans l'Europe littéraire, en 1833. Il en parle dans la Semaine du 11 octobre 1846, à propos de Francis Girault.

De même Duckett avait réussi à faire admettre par le tribunal que Balzac n'était pas simplement homme de lettres et qu'il était, comme un quelconque négociant, passible de la prison pour dettes *.

Ce monde de la littérature et du journalisme, Balzac l'a peint avec une force et une vérité que seule pouvait lui donner une intime expérience. Mais il l'a peint aussi avec passion. Il le méprise et il le hait. En 1833, son éditeur lui a dit « le tarif des consciences de tous les feuilletonistes ». Depuis lors, l'affaire du Lys *dans la* Vallée, *les articles fielleux qui accueillent chacune de ses œuvres, ont achevé de l'irriter : « les journalistes en France, les hommes les plus infâmes que je sache... », écrit-il en 1836 à la comtesse Hanska.*

Autour de lui d'ailleurs, il retrouvait le même mépris, la même horreur. Les meilleurs de ses contemporains ouvraient les yeux sur les abus de cette liberté du journal, où des esprits généreux et naïfs avaient vu quelque temps le remède de tous les maux. A la presse servile du régime impérial avait succédé la presse des affairistes, des Coste et des Bohain. La presse libre, c'était le journalisme au service de l'argent. Les carlistes y dénonçaient

---

* Les poursuites de Duckett se placent à la fin de 1836 et dans les premiers mois de 1837, à l'heure même où Balzac entrevoit le premier dessin d'*Un grand homme de province à Paris*. Voici, ramenée à l'essentiel, la suite des faits. Dans la liquidation de la *Chronique de Paris*, Werdet a souscrit quinze effets de 1.000 fr. à l'ordre de Duckett. Il l'a fait par complaisance pour Balzac, mais il a exigé et obtenu que celui-ci donnât son aval de garantie. En novembre 1836, il en reste deux à payer. Lorsque éclate la déconfiture de Werdet, Duckett se retourne contre Balzac, en raison de l'article 444 du Code de commerce. Le premier effet est protesté le 20 décembre 1836. Duckett, qui ne pardonne pas à Balzac certains mots méprisants, porte l'affaire devant le Tribunal de commerce. Il réussit à faire admettre que Balzac, inscrit au registre du commerce, est passible de la contrainte par corps. Le tribunal fait droit à sa thèse le 10 janvier 1837. Balzac se cache, et seul son tilbury est saisi (8 février). Le 24 mars, nouveau jugement, qui menace encore une fois Balzac de la prison pour dettes. Il s'enfuit en Italie, puis au retour il se cache chez les Guidoboni-Visconti. On voit tout ce que l'histoire de David Séchard doit à cet épisode de la vie du romancier.

un ferment d'irrespect et d'anarchie auquel nul régime politique
ne saurait résister. Les républicains écœurés maudissaient cette
presse vendue. Les romantiques s'indignaient de voir dans les
journaux bourgeois tant d'hypocrites et vertueuses déclamations
contre « l'immoralité » de la nouvelle littérature. Tout récemment
la préface de Mademoiselle de Maupin (1834) avait marqué,
dans les termes les plus vifs, cette hostilité des lettres pures à
l'endroit du journalisme.

Une tentation pouvait s'offrir à l'esprit de Balzac. Il risquait
de composer son tableau avec des traits si particuliers que son
œuvre fût une satire ouverte des hommes qu'il connaissait et que
ses lecteurs auraient reconnus. Il prit le soin le plus attentif
à ne pas tomber dans ce piège. Le Grand homme de province
à Paris est autre chose qu'une galerie de silhouettes contemporaines :
il possède une signification toute générale.

Cette attention de Balzac explique qu'il ait placé en 1821-1822
l'action de son roman. Certains ont dit qu'il a raconté dans son
livre les années de ses débuts. La vérité est différente. Il a mêlé
librement des souvenirs tout récents à d'autres qui remontent
beaucoup plus haut. Mais en décrivant la presse de 1822, il
évitait les allusions trop précises. Cassagnac était peut-être son
porte-parole lorsqu'il écrivait dans la Presse, le 25 juillet 1837 :
« L'auteur a reculé de quinze ans dans le passé... un peu par
respect pour les noms propres ».

A comparer le manuscrit des Illusions perdues au texte
des éditions, on se rend mieux compte des préoccupations de l'auteur.
Car le manuscrit donne des précisions qui ne figurent plus dans
le texte imprimé. Il nous apprend le titre du journal de Finot.
C'est le Courrier des théâtres, et tout le monde savait que
Janin avait fait ses débuts dans cette « école ignoble », dans cet
« antre », comme disait Félix Pyat dans son article sur « le prince
des critiques ». Le manuscrit nous apprend aussi le titre de la
revue que Dauriat et Finot s'occupaient à ranimer : c'était le
Mercure de France, et les gens informés pouvaient se rappeler
qu'en 1827-1828 Ladvocat avait entrepris de lui rendre vie
et s'était entendu avec Amédée Pichot et avec le docteur Véron,
deux hommes qui nous font plus d'une fois penser à Finot. Comment enfin les lecteurs n'auraient-ils pas deviné Janin dans ce

Jules qui, jusque dans l'édition de 1839, collaborait au petit journal. A partir de 1843, un autre prénom, Frédéric, rend impossible toute interprétation trop précise.

*Une troisième raison nous interdit d'ailleurs de chercher dans les personnages d'*Un grand homme de province à Paris *le portrait de tel ou tel des contemporains de Balzac. C'est qu'il avait déjà parlé de Nathan et de Blondet, de Finot et de Lousteau. Le 2 juin 1839, il annonçait à Mᵐᵉ Hanska qu'elle allait retrouver ces « grands personnages » de son œuvre. Ils se présentaient avec un passé que le romancier n'était plus libre de modifier.*

Andoche Finot était, dans César Birotteau, *rédacteur au* Courrier des spectacles *et vivait de prospectus. On le voyait, dans la* Maison Nucingen, *à la fin de 1837, peu parleur, froid, gourmé et sans esprit, et c'est ce Finot-là qu'on retrouve dans certains passages d'*Illusions perdues. *Mais à d'autres moments, on a l'impression d'un Finot plus habile, ayant davantage des allures de bon garçon un peu vulgaire. Complexité qui pourrait bien trouver son explication dans le souvenir de plusieurs modèles successifs. On devine, dans Finot, des traits inspirés par Le Poitevin-Saint-Alme, par Amédée Pichot, par Victor Bohain, et les lecteurs contemporains n'auraient pas été longs à joindre aux noms de ces publicistes celui du docteur Véron si Balzac avait maintenu, dans le texte imprimé, le souvenir de cette pâte Regnault qui fut à l'origine de la fortune de Véron*.*

Pour le personnage de Lousteau, on a souvent parlé de Sandeau, et Balzac a sans doute pensé à son faible ami. Dans la Grande

---

* Le manuscrit range la pâte Regnault parmi les produits dont Finot assure la publicité (I, p. 272, n. *b*). Or le docteur Véron, habitant au 30 de la rue Caumartin en 1824, s'était intéressé à la pâte pectorale qu'un pharmacien de ses voisins, Regnault, 45 de la même rue, vendait à petit débit. Regnault lui expliqua que les capitaux lui manquaient pour développer sa vente. Véron ébaucha un projet d'association où il eût assuré la publicité. Regnault mourut. Véron s'associa à son successeur. *La Quotidienne* fit connaître la valeur inestimable de la pâte Regnault, et Véron tira de l'affaire des sommes très importantes, qui lui ouvrirent la route de la fortune (M. Binet, *le Docteur Véron*, 1945). Si Balzac avait maintenu la pâte Regnault dans son texte, tous les contemporains auraient reconnu Véron dans Finot.

Bretèche, *Lousteau, originaire de Sancerre, a été le condisciple de Bianchon au collège de Bourges comme Sandeau avait été, à Bourges, le condisciple du médecin Émile Regnault. Mais le rôle de Lousteau auprès de Lucien, c'était le rôle de Latouche dans les nouveaux débuts de Balzac, en 1829. Et Lousteau prend au petit journal la succession de Finot comme Latouche avait au Figaro succédé à Victor Bohain. C'est dans* la Muse du département *que Lousteau empruntera à Jules Janin ses traits les plus caractéristiques : le joli rez-de-chaussée et son ameublement splendide, la trahison qui avait si cruellement blessé Alfred de Musset, l'incroyable muflerie du fameux faire-part**.

Émile Blondet n'était pas non plus un inconnu pour les lecteurs de Balzac. Ils avaient rencontré, dans la Maison Nucingen, *ce journaliste brillant, capable et paresseux.* Une Fille d'Ève *l'avait à nouveau mis en scène. Il était l'image du feuilletoniste des* Débats, *il représentait assez exactement la critique intelligente, modérée, courtoise, mais complaisante et veule, que pratiquait le journal des Bertin***.

Balzac n'est pas cruel pour Blondet. Merlin et Vernou lui font horreur. Ce sont deux petits drôles. Ils apparaissent dans les Illusions perdues *pour la première fois, et Merlin ne figurera plus dans la* Comédie humaine. *Dans l'état définitif du roman, Balzac a fait de Merlin le type du journaliste vendu au ministère et qui, d'abord collaborateur dans un organe du centre droit,*

---

* Faut-il rappeler que Jules Janin occupait un très bel appartement de la rue de Tournon, que Lousteau a supplanté l'un de ses amis dans le cœur d'une marquise, et que Jules Janin avait volé à Musset sa maîtresse, la marquise de la Carte? On sait enfin que lorsque celle-ci eut un enfant dont Janin était le père, le prince des critiques fit imprimer un faire-part qui était un défi aux plus élémentaires convenances.

** M. Jean Savant, dans les précieuses notes de ses *Vrais Mémoires de Vidocq*, p. 278, note 29, nous apporte ce renseignement jusqu'ici insoupçonné que L'Héritier de l'Ain « est pour une grande part dans le Blondet de Balzac » et même que L'Héritier signait le plus souvent Blondet. On sait que L'Héritier de l'Ain fut le collaborateur de Balzac pour l'édition des *Mémoires de Sanson*.

finit par diriger le Réveil. *Vernou est au contraire un homme de gauche, haineux et jaloux, détestant les nobles et les prêtres, et qui prêche la morale et les joies domestiques comme faisait alors Reybaud dans* le Constitutionnel. *Bien plutôt que des individus, ils sont tous deux le symbole de certains aspects du journalisme contemporain* *.

Le monde de la littérature n'apparaît pas dans les Illusions perdues *avec les mêmes développements que celui de la presse. Canalis n'est guère qu'un nom, symbole des poètes de l'école religieuse et monarchique de la Restauration, et qui, pour cette raison, nous fait penser à Lamartine, à Vigny et à Victor Hugo* **. *Nathan est au contraire une des figures importantes du roman. Mais ses traits restent mal précisés, et c'est dans* Une Fille d'Ève *que Balzac a donné de cet esprit brillant, mais livré à toutes les tentations, un portrait qui compte parmi ses études les plus fortes* ***.

---

* A voir les hésitations de Balzac dans le manuscrit et les éditions, on se persuade qu'il a d'abord mal distingué Merlin et Vernou, que celui-ci n'a été créé qu'ensuite, et qu'au début, il n'y eut qu'un seul rôle, bientôt dédoublé. Il serait imprudent de mettre un nom sur les deux hommes. On notera seulement que dans le manuscrit, Merlin a d'abord été appelé Saint-Jean Verdelin, qui semble évoquer Saint-Marc Girardin. D'autre part le portrait que Balzac trace de Vernou rappelle étrangement sa diatribe contre Louis Reybaud dans la *Revue parisienne* du 20 août 1840. Ce Reybaud, rédacteur de l'infâme *Corsaire*, se faisant homme grave et posant au défenseur de l'ordre moral et de la société !

** Le nom de Canalis n'apparaît que dans l'édition de 1843, et son rôle ne se précise que dans le *Furne corrigé*, c'est-à-dire après que *Modeste Mignon* a fait de lui l'un des personnages notables de *la Comédie Humaine*. Dans la première édition des *Illusions perdues*, Balzac nous parle seulement d'un « grand poète anonyme ». Spoelberch de Lovenjoul a bien précisé que le personnage de Canalis est apparu pour la première fois à la fin du *Danger des mystifications*, publié dans *la Législature* du 26 juillet au 4 septembre 1842 (étude recueillie dans *Une page perdue d'H. de Balzac*, 1903).

*** On dit couramment que Nathan, c'est avant tout Gozlan. Il n'existe aucune raison de le penser. Gautier a fait le portrait physique de Gozlan (*Portraits contemporains*, p. 146-147) : nul rapport entre ce beau visage de juif oriental et la figure ravagée et détruite dont parle Balzac dans *Une Fille d'Ève*. Nul rapport non plus dans le portrait

On voit mal, parmi les contemporains de Balzac, l'écrivain qui aurait pu lui fournir l'essentiel de ce personnage. Claude Vignon est au contraire, et très nettement, Gustave Planche. Le beau travail de M. Maurice Regard ne nous a pas seulement permis de mieux connaître ce critique, qui fut l'une des autorités littéraires de son temps. Il a prouvé jusqu'à quel point Balzac avait poussé la fidélité du portrait et que le langage même de Claude Vignon est marqué par les habitudes et les tics de Gustave Planche. Il est vrai que Balzac n'en faisait pas mystère et reconnaissait qu'il avait fait Claude Vignon d'après Planche, avec le consentement de celui-ci *.

Parmi les journalistes contemporains, il en est un qui, sans se retrouver dans aucun des personnages du roman, se devine pourtant aux arrière-plans de l'histoire. Jules Janin n'est pas Merlin, ni Vernou, ni Blondet. Mais leur manque de convictions sérieuses, leur cynisme, l'abus qu'ils font de leur esprit, nul à cette époque n'en avait donné des exemples plus scandaleux que Janin. Le changement de front de Lucien surtout, s'il fait penser à celui de Balzac même, rappela aux contemporains les palinodies de Janin. Il avait collaboré au Drapeau blanc et pourtant mitraillé la Restauration dans le premier Figaro **. Puis il

_____

moral. Jules Lecomte le décrit redoutable, entouré de ses séides, Karr, Luchet, Reybaud, qui au moindre coup de sifflet tirent la plume du fourreau pour satisfaire les haines de leur maître. Karr, de son côté, le montre méticuleux, soupçonneux, menant une vie entièrement cachée, ne révélant même qu'à un petit nombre de personnes l'adresse où il habitait : c'est tout juste si l'on soupçonnait qu'il était marié. S'il fallait penser à un personnage d'*Illusions perdues*, ce ne serait certainement pas à Nathan, mais à Félicien Vernou.

* Planche avait d'abord parlé de Balzac avec son injustice habituelle. Mais les deux hommes s'étaient réconciliés en 1836, et Planche avait accepté de collaborer à *la Chronique de Paris*. Lorsque Claude Vignon parle du journalisme comme d'un sacerdoce, lorsqu'il mêle à des propos graves des images volontairement grossières ou brutales, lorsqu'il s'abrutit dans l'ivresse, c'est toujours Gustave Planche qui est en scène. Sur cette ressemblance avouée, voir *L. à l'Étr.*, II, p. 141.

** Il faut être juste, même avec Janin. En 1854, un article publié dans le journal de Villemessant lui reprocha, une fois de plus, d'avoir chevauché *la Quotidienne* et le *Figaro*. Il répondit qu'il avait été loyal

s'était fait le héraut de la dynastie déchue dans la Mode, *avant de se rallier à la monarchie de juillet et d'en devenir le thuriféraire. La presse carliste ne lui pardonnait pas ce dernier revirement. En 1836, Théodore Muret dressait dans* la Quotidienne *un tableau significatif des contradictions de ce journaliste corrompu, toujours prêt à invoquer la religion, l'ordre, le pouvoir pour son plus grand profit. Chez les républicains, le mépris était, si possible, plus profond encore. De même que Lucien reste d'abord en bonnes relations avec ses anciens amis du Cénacle, Janin avait feint d'être fidèle à Félix Pyat et à son groupe. Mais en 1835, Félix Pyat et Auguste Luchet avaient fait jouer* Ango. *Janin était allé jusqu'à leur offrir de faire eux-mêmes, sur la pièce, le feuilleton qu'il placerait au* Journal des Débats. *Or ils trouvèrent dans le journal une diatribe sanglante contre l'ouvrage. Auguste Vitu a dit que les* Illusions perdues, *dans l'épisode de Lucien, d'Arthez et Michel Chrestien, avaient rappelé l'histoire de Janin, Pyat et Luchet. Les ressemblances très frappantes entre l'affaire d'Ango et le roman de Balzac autorisent à considérer ce témoignage comme extrêmement vraisemblable. Et comme si Balzac ne pouvait se lasser de revenir à Janin, il raconte, en la mettant sur le compte de Nathan, l'histoire de la trahison dont Janin s'était rendu coupable envers son ami Étienne Béquet lorsqu'en 1833 il lui avait volé sa maîtresse, une pauvre actrice dont le brave Béquet faisait son bonheur*.*

Galerie d'hommes de lettres, les Illusions perdues *sont aussi une galerie de libraires. Dans l'état définitif du texte, à la suite*

à la Quotidienne et qu'il la quitta à l'heure où elle cessa d'être un journal d'opposition (Corresp., p.p. Clément Janin, p. 140).

* Sur un point encore il y a peut-être lieu de penser à Janin. Lorsque Lucien devient l'ami et le protégé de Martainville, J. Merlant soupçonne que Balzac se souvient des relations qu'il aurait eues, vers 1820-1822, avec le pamphlétaire royaliste. Mais de ces relations, nous ne savons rien. Au contraire, Jules Janin a raconté dans son Histoire de la littérature dramatique (III, p. 70 sq.) l'amitié qui se noua, vers 1828-1830, entre lui et le vieux lutteur épuisé. Si Janin ne nous trompe pas, il fut alors le jeune confident, l'ami de Martainville, comme Lucien. Balzac n'a certainement pas ignoré ces relations. C'est à elles probablement qu'il pense.

*de développements dont le manuscrit porte la trace, nous avons
devant nous Dauriat, Barbet, Doguereau, Chaboisseau, Vidal
et Porchon, Fendant et Cavalier. Ils représentent les divers
aspects de la librairie parisienne. On soupçonne aussi, à considérer les portraits qu'en donne le romancier, qu'il avait en vue
des mots réellement entendus, des attitudes observées. Le nom
de Doguereau rappelle de bien près celui de Pigoreau qu'il connut
à l'époque de ses débuts. Celui de Dauriat veut certainement
nous faire penser au fameux Ladvocat.*

*Bien des traits en effet, dans le portrait de Dauriat, s'inspirent
de Ladvocat : sa boutique au Palais-Royal, la fatuité de ce « grand
tutoyeur », les difficultés que les auteurs devaient vaincre pour
parvenir jusqu'à lui, et jusqu'à la beauté de sa main trop couverte
de bagues. Mais nous ne devons pas oublier l'autre libraire du
romantisme, Eugène Renduel. Si Dauriat est le pacha de la librairie, c'est le nom que Latouche donnait au libraire de la rue
des Grands Augustins, et si le cabriolet de Ladvocat était célèbre,
celui de Renduel, tout en ébène et en acier, inspirait à Théophile
Gautier respect et admiration*.*

------

* C'est Alphonse Karr qui appelle Ladvocat un « grand tutoyeur »
(*Livre de bord*, I, p. 240). Sainte-Beuve parle de son accès difficile, il
l'appelle « un assez grand fat qui est plus inabordable qu'un Napoléon
à Sainte-Hélène » (*Correspondance*, I, p. 269). Karr décrit son élégance
un peu suspecte, trop de bagues, trop d'épingles, trop de chaînes.
La lettre de Latouche qui traite Renduel de pacha se lit dans le livre
d'Ad. Jullien sur le libraire, p. 154. Le mot de Gautier est cité par
Jullien, p. 231, et par H. Bachelin, *Mercure de France* du 1er juillet
1927. H. Bachelin pense que Ladvocat valait mieux que Renduel,
et montrait plus de générosité. Certains traits dans le personnage
de Dauriat peuvent venir d'ailleurs. La librairie qui servait de lieu de
rencontre aux hommes politiques et aux journalistes libéraux, ce
n'était ni celle de Ladvocat ni celle de Renduel. Ils se réunissaient
chez Corréard (Werdet, *De la librairie française*). Sur les autres libraires,
on ne saurait pour le moment établir de rapprochements sérieux.
Fendant et Cavalier ont publié des traductions de Galt. Deux romans
de celui-ci avaient paru, l'un chez Gosselin, l'autre chez Lecointe et
Durey. Barbet a gagné beaucoup d'argent en publiant la relation
d'un fameux procès. Il s'agit presque certainement de l'*Histoire
et procès complet des assassins de Fualdès* par Latouche ; ce volume avait
paru chez Pillet en 1818. Mais ces faits, qu'il faut relever, ne permettent

En face de ce monde livré aux servitudes de l'or, Balzac a dressé celui de la pensée et de l'art. Aux antres du journalisme et du théâtre, il a opposé le Cénacle. L'étude du manuscrit prouve que l'idée n'a pris tout son développement que de façon progressive, et la longue description de ce groupe a été ajoutée sur épreuves. Le nombre même des membres du Cénacle s'est accru. Ils n'étaient que cinq dans le premier jet de l'œuvre.

L'un des aspects les plus curieux et les plus importants de l'époque romantique fut sans doute la formation de ces petits groupes de jeunes gens ou d'hommes jeunes, qui reconstruisaient hardiment la société pour la conformer à des principes généreux. Le cénacle saint-simonien est resté le plus célèbre, mais le comité fondateur de la Charbonnerie française, le petit groupe sur lequel Hippolyte Auger a laissé de si précieux *Souvenirs*, et, plus près de Balzac, le groupe des « Berrichons » offrent d'autres exemples de ces foyers où s'alimentait l'idéalisme de cette grande époque.

On pourrait s'étonner que Balzac, devenu l'un des écrivains du parti carliste, peigne avec tant d'admiration et de sympathie ce groupe révolutionnaire. Mais il était de ceux qui tendaient la main aux penseurs les plus audacieux et rêvaient de rapprocher carlistes et républicains dans une même guerre contre la bourgeoisie régnante et la démocratie individualiste. Une page de lui, dans la Revue parisienne du 20 août 1840, donne une juste idée de la position politique qui se dissimule dans les Illusions perdues. Il s'indigne de l'hypocrisie de Louis Reybaud, ce publiciste qui prêche la vertu dans le Constitutionnel et n'en collabore pas moins au Corsaire; et il ajoute : « Un rédacteur actuel de cet infâme petit journal, jugeant Fourier ! » Il défend contre cet « inventeur de puffs et de drôleries » Saint-Simon, Owen et Sand. Les Illusions perdues prêchent à leur manière l'association du carlisme et du socialisme naissant contre le règne des affairistes et de l'hypocrite bourgeoisie. Peut-être même ce tableau du Cénacle a-t-il dans l'esprit de Balzac la valeur d'un appel, peut-être le

---

pas de rien conclure. Lecointe et Durey, par exemple, ne peuvent avoir aucun rapport avec Fendant et Cavalier.

romancier carliste espérait-il convaincre les républicains de la possibilité d'une alliance fondée sur une estime réciproque et une communauté d'idéal.

Pour peindre ce tableau du Cénacle, Balzac se souvint avant tout de ce qu'il pouvait connaître des petits groupes successivement réunis par Buchez. Car il est clair que d'Arthez, c'est avant tout le portrait de Buchez. Le romancier ne fait même aucun effort pour dissimuler son intention, et il a placé les réunions du Cénacle rue des Quatre-Vents, qui était la rue où Buchez rassembla, en 1816, une « société diablement philosophique ». Et si d'Arthez est gentilhomme picard, c'est que le maître de Buchez, Saint-Simon, était gentilhomme et picard.

En 1828, deux disciples de Buchez, Hippolyte Auger et Carnot, s'étaient adressés à Balzac pour imprimer le Gymnase qu'ils fondaient. Balzac a connu dès lors Buchez et son groupe. Les traits essentiels du Cénacle s'inspirent des souvenirs qu'il avait gardés de cette rencontre. Les idées de d'Arthez sont celles de Buchez développées dans le Gymnase : doctrine de l'unité spirituelle du monde social opposée à l'individualisme de la philosophie du XVIIIe siècle, admiration pour l'œuvre du catholicisme et de la monarchie. Mais aussi, foi dans le progrès de l'humanité, et sentiment profond d'une dialectique de l'histoire. De même l'image de d'Arthez ressemble étrangement à celle qu'Auger et Juste Olivier nous ont laissée de Buchez. Nous reconnaissons en lui le jeune homme à l'esprit droit, à l'âme tendre, à l'imagination vive dont a parlé Hippolyte Auger, ce mélange de sévérité et d'indulgence, ce zèle d'apôtre qui s'emparait du cœur des gens. Et lorsque Juste Olivier nous parle des cheveux noirs et plats de Buchez* nous comprenons pourquoi Daniel d'Arthez fait penser aux portraits de Bonaparte.

Autour de Daniel d'Arthez, Balzac avait d'abord rassemblé Meyraux, Bianchon, Louis Lambert et Michel Chrestien. Le premier d'entre eux était le docteur Meyranx, collaborateur de

---

* Juste Olivier, *Paris en 1830*, 1951, p. 65. Ce précieux journal de Juste Olivier est un des témoignages les plus précis et les plus vivants que nous ayons sur le cénacle de Buchez et ses doctrines. La concordance des théories de Buchez et de d'Arthez y apparaît en plein.

Geoffroy Saint-Hilaire au Muséum, et qui, s'étant lié avec Balzac, l'orienta vers les questions scientifiques*. Sous la figure de Bianchon, nous reconnaissons sans peine le médecin Émile Regnault. Balzac avait connu et justement estimé cet ami dévoué de George Sand et de Sandeau, et avait fait de lui, en 1836, le gérant de la Chronique de Paris. *Bianchon est né à Sancerre comme Émile Regnault, et a fait ses études comme lui au lycée de Bourges avec Lousteau, c'est-à-dire avec Latouche**.*

Il est plus difficile de discerner de quels éléments est formé le personnage de Michel Chrestien. Comme l'a bien vu J. Merlant, il est probable que Balzac pensait à Armand Carrel. Le chef du parti républicain venait de périr tragiquement en 1836. Il méritait qu'on lui appliquât les belles paroles de Balzac, et ses adversaires mêmes n'auraient pas refusé de reconnaître en lui un homme d'État, une des plus nobles créatures qui foulassent le sol français. Il est même curieux d'observer que dans le texte du manuscrit, l'image de Carrel s'imposait avec plus de force encore et que Michel Chrestien, dans ce premier état du roman, n'était pas tant le symbole de la Fédération européenne que le symbole de la République***.

---

* Balzac dit Meyraux. Il faut lire Meyranx. La confusion était d'ailleurs courante, et le *Grand Larousse* s'y est trompé. Voir sur lui Cornilleau, *Un médecin ami de la jeunesse de Balzac* dans La Médecine internationale, avril 1939. Cette présence de médecins autour de Daniel d'Arthez ne doit pas étonner. Dans le groupe de Buchez figuraient deux jeunes médecins, P. Robert et Auguste Boulland, remarquables tous deux. P. Robert était un ami de Vigny. Il mourut le 13 septembre 1831, à l'âge de vingt-cinq ans, et sa mort plongea le Cénacle de Buchez dans un deuil qui fait penser à la consternation de d'Arthez et de ses amis lorsqu'ils apprennent que Louis Lambert est perdu. Buchez lui rend hommage dans la préface de son *Introduction à la science de l'histoire*.

** A côté de ces traits qui rappellent expressément Émile Regnault, il en est d'autres, essentiels, qui semblent de la façon la plus précise inspirés par le docteur Mardochée Marx, élève préféré de Dupuytren, ainsi que l'a signalé M. J. Borel dans un excellent article de la *Revue des Sciences humaines*, oct.-déc. 1955.

*** J. Merlant a consacré à Michel Chrestien une note extrêmement substantielle dans ses *Morceaux choisis* de Balzac, p. 285. Une variante du manuscrit donne une grande force à son interprétation du person-

A mesure qu'il avançait dans la composition de son roman, Balzac donnait plus d'importance à la peinture du Cénacle. Aux premiers membres du groupe il en joignait de nouveaux, Léon Giraud, Fulgence Ridal, Joseph Bridau.

On a dit que Léon Giraud était dessiné d'après Pierre Leroux. L'idée est séduisante et probable*. L'idole de Léon Giraud, c'est l'humanité : Pierre Leroux allait bientôt conclure ses études sur l'histoire des religions (1842) en proposant la religion de l'humanité. Léon Giraud prédit à Daniel d'Arthez la fin du christianisme, et Sainte-Beuve accusait Leroux d'être anti-chrétien. Léon Giraud est le chef d'une école morale et politique. Pierre Leroux a fait, entre 1835 et 1840, figure de chef d'école. Son passé enfin explique assez que Balzac ait songé à le ranger parmi les membres du Cénacle. Il avait été saint-simonien comme Buchez, et avait, comme Buchez, rompu avec Enfantin en 1831.

Balzac avait rêvé d'avoir, lui aussi, un Cénacle. Ce fut la plaisante entreprise du Cheval rouge*, et c'est en pensant au* Cheval rouge *que dans le groupe des amis de d'Arthez il a placé Fulgence Ridal. Car Fulgence Ridal, c'est Merle, le membre le plus sympathique de l'association. Fulgence Ridal, comme Merle, est célèbre pour son goût de la bonne chère, et Véron appelait Merle « le plus savant gourmet ». Il est comme Merle paresseux et sceptique. Il ne met pas tout son talent dans son œuvre, et garde pour ses amis ses plus jolies scènes. Au dire de Véron, Merle ne faisait ses vaudevilles que pour dîner et si on lui eût dit : Faites des comédies, il eût écrit de grandes comédies. Merle, enfin, étonnait ses amis par son désintéressement et son*

---

nage de Michel Chrestien. Lorsque celui-ci dit qu'il donnerait volontiers sa vie pour Louis Lambert, d'Arthez répond dans le texte des éditions : « Et que deviendrait la fédération européenne ? » Mais dans le manuscrit il demande : « Et que deviendrait la République ? » (*infra, notes critiques de la page* 374). J. Merlant a pensé à d'autres noms encore, et notamment au jeune Farcy, tué au cours des combats de juillet 1830, et dont la mort héroïque fit une forte impression dans le monde littéraire.

* Voir David Owen Evans, *Le socialisme romantique. Pierre Leroux et ses contemporains*, p. 44. Pierre Leroux est également le Pierre Biret de *Jérôme Paturot*, et l'Albertus des *Sept cordes de la lyre*.

manque d'ambition. Fulgence Ridal a pour trait particulier son dédain de la gloire*.

Purs comme Daniel et ses amis, ou corrompus comme Merlin, ou veules comme Blondet, les personnages du roman étaient les symboles d'une époque où quelques nobles esprits assistaient avec indignation au triomphe effronté des affairistes. Balzac avait compris que le caractère essentiel de son temps, c'était la toute-puissance de l'argent. La librairie, le théâtre, le journalisme, les belles-lettres étaient dominés par cette nouvelle et abjecte tyrannie. La peinture qu'il en fait est admirable de force et de vérité. Aux pages qu'il écrit sur les libraires-commissionnaires, sur les débuts du commis-voyageur en librairie, sur l'influence de la critique et ses combinaisons sordides, sur le trafic des billets de théâtre, sur les usages récents de l'annonce, sur les manœuvres de la claque, les témoignages contemporains apportent une sorte de commentaire continu et de justification**.

Il est vrai que pour l'essentiel, c'est-à-dire pour les mœurs du journalisme, ce sombre tableau a provoqué les protestations du vertueux Janin***. Celui-ci n'admettait pas que la réalité

---

* Balzac a mis dans le Cénacle le peintre Joseph Bridau. On admet communément que Bridau est l'image de Delacroix. Il y eut sans doute divers modèles, et le Bridau de *Pierre Grassou* n'est pas celui de *la Rabouilleuse*, ni celui d'*Un Début dans la Vie*. On notera seulement que Delacroix, dans sa lettre à Balzac après *Louis Lambert*, lui disait : « J'ai eu un ami comme Lambert, nous fondions des républiques. » (*Cor.* de Delacroix, I, p. 345). Il suggérait donc à Balzac l'idée de le ranger parmi les membres du Cénacle. D'autre part Joseph Bridau a un frère, Philippe, qui est un soudard. Il est curieux de noter dans le *Journal* de Delacroix, à propos de son frère, le général : « Lui, si franc et si loyal... vit entouré de brutaux et de canailles » (I, p. 11). La coïncidence peut d'ailleurs être fortuite.

** Pour éviter les répétitions inutiles, on ne donnera pas ici le détail de ces rapprochements suggestifs. Ils ont été indiqués dans les notes du commentaire.

*** Si l'on veut apprécier la vertu de Janin, qu'on lise, dans le journal du comte Apponyi, ces étonnantes confidences du journaliste : « Je suis comme une femme entretenue, je suis à la mode, il faut que j'exploite la folie ; dans un an, je serai peut-être à cent sous ». Pour le moment — 1834 — il « était » à mille francs l'article de louange (*Journal*, II, p. 397).

fût si noire, et d'autres ont fait chorus. Mais Balzac leur répon-
dait que bien loin d'avoir exagéré les traits, il les avait au con-
traire adoucis. Il ajoutait que volontairement la portée de son
livre avait été restreinte par la nature du sujet choisi. Il est
exact en effet qu'il n'a pas prétendu nous donner un tableau
complet du monde de la presse. Il a laissé hors de son livre les
grands quotidiens, et pour s'en tenir à ce qu'il connaissait mieux,
il a décrit l'équipe du Figaro *avec quelques rappels du* Courrier
des théâtres **. Et que son tableau de la petite presse soit d'une*
cruelle vérité, le témoignage de Paul Lacroix ne permet pas d'en
douter, ni celui de Jules Lecomte, qui s'étonne au contraire que
le réquisitoire des Illusions perdues *soit resté si incomplet **.*
Paul Lacroix a dit les consignes imposées par les rédacteurs en
chef, l'absence de toute bonne foi, les considérations d'argent
qui dictaient les indignations vertueuses. Alphonse Karr a décrit
les journalistes de la nouvelle école, viveurs, dîneurs, soupeurs,
bambocheurs***. Mais qu'on lise surtout la terrible page qu'Émile
de Girardin a laissée sur les petits journaux de la Restauration
et de la monarchie tricolore, sur « cette littérature à rançon
et à personnalités, à jeux de mots et à menaces sous-entendues »,
sur ce genre de journal « dont la spéculation financière est fondée
sur la rançon qu'il tire sans pitié de quelque acteur ou actrice qui
paient pour qu'il ne soit pas dit d'eux dans le feuilleton du len-
demain qu'ils sont gauches, laids ou détestables ». Ces lignes,

---

* Un détail précis montre que Balzac ne craignait pas d'orienter
de ce côté l'attention des lecteurs avertis. Le journal de Finot se
trouve rue Saint-Fiacre. Le Poitevin Saint-Alme avait installé le
Figaro au 6 du boulevard Poissonnière, à moins de cent mètres de la
rue Saint-Fiacre.

** Jules Lecomte, a écrit : « Que de révélations incroyables il me
serait facile de vous raconter pour l'histoire du journalisme en France !
que d'Illusions perdues, plus grandes et plus trompeuses que celles
de M. Charles *(sic)* de Rubempré ! » (Cité par J. Merlant, *Balzac
en guerre contre les journalistes*, Revue de Paris, 1ᵉʳ août 1914).

*** *Guêpes*, I, p. 21. Ce nouveau type de journaliste était en partie
une création de Jacques Coste. Il fut le premier à donner des soirées
au champagne, et ses réceptions se passaient en conversations d'un
entrain endiablé. Barante a parlé de son cynisme. « Sa façon d'être,
écrit-il, amusait ses collaborateurs et ses convives ».

publiées en 1834, *sont la meilleure justification des* Illusions perdues.

**
*

Lorsque Balzac reprit, en 1842, *ses* Illusions perdues *pour en écrire la troisième et dernière partie, les premiers signes étaient apparus qui lui annonçaient, pour une échéance plus ou moins proche, l'inévitable épuisement de son génie. L'élan manquait. Les difficultés de l'entreprise lui apparaissaient en pleine lumière. Il se rendait compte qu'après la fresque d'*Un grand homme de province à Paris, *le récit des embarras de l'imprimerie Séchard devait paraître d'un moindre intérêt.*

Pour leur donner les dimensions d'une tragédie, il conçut cette humble histoire comme une sorte de répétition moderne des malheurs de Bernard Palissy. Il avait nourri longtemps le projet d'écrire un livre dont ce grand homme fût le héros. En juin 1832, *il comptait que* Les souffrances d'un inventeur *termineraient le* IVe *volume des* Contes philosophiques. *Il avait même envoyé à sa mère des instructions précises en vue de la préparation de ce livre*. Au mois d'octobre* 1833, *il n'y avait pas renoncé. « Je suis forcé, écrivait-il, de courir à Saintes, capitale de la Saintonge, pour étudier le faubourg où vivait Bernard de Palissy, le héros des* Souffrances d'un inventeur, *que je ferai bien vite à Angoulême, à mon retour de Saintes** ». David Séchard, c'est Bernard Palissy ressuscité dans un siècle où la puissance de l'argent domine et exploite les activités de l'esprit.*

Balzac crut encore étoffer la matière de son récit en y traçant le tableau le plus vrai de la procédure française et des ressources

---

* *Lettres à sa famille*, p. 90.

** *L. à l'Étr.*, I, p. 52. En 1834, Balzac envisagea de donner ce titre au récit qui s'appela ensuite *la Recherche de l'absolu*, car on lit dans l'album publié par Jacques Crépet : «Si je ne suis pas rentré dans les *Souffrances de l'inventeur* (M. Claes)... » (*Pensées, sujets, fragmens* p. 132).

infinies qu'elle assure aux facultés inventives des plaideurs. Dans sa Physiologie des écrivains et des artistes, *Émile Deschanel a placé le très curieux récit d'un homme qui fut intimement mêlé aux travaux préparatoires de Balzac. J'étais alors, écrit Eugène Prévost, clerc chez Gavault, ami de Balzac. Celui-ci venait souvent à l'étude. Il aimait à causer procédure. Il se faisait expliquer cette petite guerre si variée des actes à échanger entre débiteur et créancier. « Le code en main, nous suivions avec lui toutes les formalités par lesquelles un débiteur peut être traqué, les moyens dilatoires à opposer, puis le coût de chaque acte, les frais de toute sorte et comment, en peu de temps, grâce à cet art ingénieux de la procédure, le fisc et l'huissier étaient seuls à s'engraisser, au grand détriment du débiteur, sans profit pour le créancier ». Les pages nombreuses où Balzac a décrit les poursuites des Cointet contre David Séchard sont, très évidemment, sorties de ces conversations du romancier avec l'avoué Gavault et ses clercs.*

Balzac ne doutait pas que ses lecteurs dussent prendre un vif intérêt à ce récit d'une procédure. Mais il sentait aussi combien la tâche entreprise était difficile. En face des Finot et des Lousteau, en face de Florine et de Coralie, les nobles figures de David et de sa femme risquaient de paraître sans relief et sans force. La trilogie des Illusions perdues *serait une œuvre imparfaite si la dernière partie restait inférieure aux deux autres. Balzac écrivait à la comtesse Hanska, le 7 décembre 1842 : « J'ai à faire le magnifique contraste de la vie de David Séchard en province, avec Ève Chardon, pendant que Lucien faisait toutes ses fautes à Paris. C'est les malheurs de la vertu opposés aux malheurs du vice. » Il ajoutait aussitôt : « C'est d'une difficulté prodigieuse. » Cette difficulté, il continuait d'en sentir le poids quatre mois plus tard : « C'est désespérant pour moi, disait-il. La beauté pure d'Ève Chardon et de David Séchard ne pourra jamais lutter contre le tableau de Paris du* Grand homme de Province à Paris. *» C'est apparemment ce qui explique le formidable travail de correction qu'il s'imposa. S'il faut le croire, — et nous n'avons aucune raison d'en douter — il lut, c'est-à-dire qu'il corrigea jusqu'à dix-sept, dix-huit et même dix-neuf fois les épreuves de* David Séchard. *« C'est comme*

si je l'avais re-écrit quinze à seize fois dans ce mois », écrivait-il
à Mme *Hanska*, le 7 juillet 1843.

Il n'est pas tout à fait certain qu'il ait entièrement vaincu
cette difficulté si durement sentie. Ce qui nous donne le droit d'en
douter, c'est que Balzac avoue dans sa préface qu'il n'a pas épuisé
toute la signification tragique du destin de David. Il a, dit-il
lui-même, « négligé » la mélancolie profonde de cette vie qui aboutit
à un échec. Il a « hésité » à montrer en David, dix ans plus tard,
le regret persistant de ses illusions perdues et le sentiment d'une
destinée manquée. Faisant ce qu'il ne faisait jamais, il laissait
aux « gens intelligents », aux plus avertis de ses lecteurs, le
soin d'achever cette figure dans leur pensée. Cet aveu public confirme les confidences de ses lettres, la fatigue de ces quelques mois,
et le sentiment d'une entreprise trop hardie. Il permet surtout
de deviner ce qu'eût été la dernière partie des Illusions perdues
si le romancier avait pu la développer comme il avait fait la
seconde.

$$* \atop {}^* \,^*$$

Mais en admettant même que les Souffrances de l'inventeur
ne se maintiennent pas au niveau des deux premières parties
d'Illusions perdues, il n'en reste pas moins que ce roman, pris
dans son ensemble, forme un des sommets de la Comédie humaine.
Nulle part n'apparaissent mieux, avec plus de force et de pureté,
les caractères du génie balzacien, le don de comprendre le réel,
de pénétrer jusqu'aux forces secrètes qui le dominent et de le
reconstruire ensuite en un univers nouveau.

La critique de ce temps insiste volontiers sur les aspects métaphysiques de l'œuvre balzacienne. Il est bien vrai, en effet, que
l'auteur de Séraphita, en dépit de sa puissante vitalité, se tournait
volontiers, dans son œuvre, vers les renoncements et les silences du
mystique, que certains de ses livres nous invitent à tuer en nous le
vouloir-vivre, à porter notre regard vers certains sommets, au-delà
des apparences éphémères. Mais il est encore plus vrai que ce génie
viril aimait la vie et ne croyait pas que la poésie consistât à lui

tourner le dos. Il l'aimait jusque dans ses formes grotesques ou odieuses. Il admirait que le ridicule des hobereaux d'Angoulême atteignît de telles dimensions, il trouvait une joie d'artiste à observer la corruption profonde de la presse parisienne.

Mais ce réalisme balzacien tend, comme celui de Proust, à pénétrer jusqu'aux lois. Lois du monde physique. Lois du monde politique et social. La veulerie de Blondet, le cynisme de Lousteau ne sont pas seulement des vices d'individu. Ils sont la conséquence d'un ordre social, et Balzac nous fait découvrir par quels mécanismes un monde livré aux affairistes doit créer des hommes comme ce Lousteau et ce Blondet. Ces lois sociales mêmes sont la conséquence d'autres lois, plus générales et plus profondes, qui déterminent dans tous les ordres les manifestations de la vie.

Il n'est sans doute pas une œuvre de Balzac où nous ne puissions admirer ce don d'observation et cette puissance d'interprétation. Mais il arrive parfois que le romancier s'attarde à noter les faits de la vie sociale et à les commenter. De ces lenteurs, David Séchard offre malheureusement des exemples. On n'en trouvera pas dans les deux premières parties des Illusions perdues.

C'est que dans ces deux récits l'élan est si puissant, la fougue de l'écrivain est à ce point irrésistible que tous les éléments d'observation et de réflexion sont emportés, fondus, transformés. La réalité, vécue par le génie, se retrouve dans le livre, plus chargée de signification, plus intense et, pour tout dire, plus réelle. La force créatrice du romancier nous la livre, dégagée de sa confusion, de son opacité, de son insignifiance. Les Illusions perdues sont beaucoup mieux qu'un roman. Elles sont, éminemment, œuvre de poésie, elles méritent que nous les appelions un poème.

Elles le sont par leur style, aussi audacieusement métaphorique que le plus grand style proustien. Elles le sont par les hautes images qu'elles dressent devant nous, allégories du bien et du mal. En face d'Ève et de David, le beau et faible Lucien. En face de Daniel d'Arthez, Lousteau. Celui-ci est le Satan de ce Paradis perdu. La sœur et l'ami de Lucien sont les anges gardiens qui, jusqu'à l'heure de la chute, veillent sur sa pureté, et qui se voilent la face de leurs ailes lorsque le malheureux enfant cède aux appels de l'enfer. Les Illusions perdues sont le poème d'une destinée, et d'une destinée qui est celle de chacun de nous.

C'est par là qu'elles offrent un intérêt qui ne se limite pas à un moment particulier de la société française. Si même demain un ordre social nouveau supprimait le règne des affairistes, réalisait une presse qui ne fût pas vénale, un monde où l'argent cessât d'être roi, il resterait encore, pour chaque homme, un choix à faire : ce choix qui est proposé à Lucien entre le travail et la facilité, entre le succès immédiat et l'efficacité lointaine, entre les lâches compromissions et la pureté qui ne transige pas. Parmi les créations de Balzac, les Illusions perdues *pourraient bien être celle qui conserve l'intérêt le plus vivant, celle qui nous atteint avec le plus de force et répond le mieux aux préoccupations que nous portons en nous.*

A la fin de cette introduction, qu'il me soit permis de citer quelques noms. M. Marcel Bouteron n'est pas seulement le maître des études balzaciennes : il veut bien être, pour ceux qui étudient Balzac, un guide et un ami. Je le prie d'accepter ici le témoignage de ma déférente et affectueuse gratitude. M. Jean Pommier, dans la direction de la bibliothèque Lovenjoul, se montre d'une obligeance égale à son admirable érudition. Mon ami Pierre Castex, qui depuis longtemps a fait la preuve de sa rare connaissance de Balzac, de son œuvre et de son temps, m'a donné généreusement les indications les plus utiles. M. Maurice Regard m'a permis d'utiliser, sans en attendre la publication, sa thèse sur Gustave Planche, si riche en documents inédits, et un article qu'il a depuis lors publié dans la Revue des Sciences humaines *sur les relations de Balzac et de Charles Didier.*

Antoine ADAM.

ILLUSIONS PERDUES

PREMIÈRE PARTIE

LES DEUX POÈTES

Nota. - On trouvera dans le texte d'*Illusions Perdues* des chiffres et des lettres. Les premiers renvoient aux notes en bas des pages, les secondes aux variantes en fin de volume (p. 781 à 864).

UNE IMPRIMERIE EN PROVINCE

A l'époque où commence cette histoire, la presse de Stanhope et les rouleaux à distribuer l'encre ne fonctionnaient pas encore dans les petites imprimeries de provinces [1a]. Malgré la spécialité qui la met en rapport avec la typographie parisienne, Angoulême se servait toujours des presses en bois, auxquelles la langue est redevable du mot faire gémir la presse, maintenant sans application [b]. L'imprimerie arriérée y employait encore les balles [c] en cuir frottées d'encre, avec lesquelles l'un des pressiers tamponnait les caractères [2]. Le plateau mobile où se place la *forme* pleine de lettres sur laquelle s'applique la feuille de papier était encore en pierre et

---

1. Les procédés de l'imprimerie n'avaient guère fait de progrès depuis le XVIᵉ siècle jusqu'au début du XIXᵉ. Une première nouveauté fut constituée par la presse à un coup avec marbre et platine en fonte, employée d'abord par Pierre Didot aîné. En Angleterre, on utilisait depuis 1807 la presse dite de Stanhope, conçue par Charles Stanhope (1753-1816). Elle fut introduite en France en 1818, à la veille de l'époque où se passe l'action d'*Illusions perdues*.

2. C'est en 1819 que les *balles*, tampons de laine couverts de cuir qui distribuaient l'encre, furent remplacées par des rouleaux en matière élastique inventés par Gannal. Cette découverte est considérée comme décisive, car elle rendit possibles les progrès de l'imprimerie à partir de 1820.

justifiait son nom de *marbre* [1a]. Les dévorantes presses [b]
mécaniques ont aujourd'hui si bien fait oublier ce mécanisme, auquel nous devons, malgré ses imperfections,
les beaux livres des Elzevier, des Plantin, des Alde et
des Didot, qu'il est nécessaire de mentionner les vieux
outils auxquels Jérôme-Nicolas Séchard [2] portait une
superstitieuse affection ; car ils jouent leur rôle dans
cette grande petite histoire [c].

Ce Séchard était un ancien compagnon pressier que
dans leur argot typographique les ouvriers chargés d'as-
sembler les lettres appellent un Ours. Le mouvement
de va-et-vient, qui ressemble assez à celui d'un ours
en cage, par lequel les pressiers se portent de l'encrier
à la presse et de la presse à l'encrier, leur a sans doute
valu ce sobriquet. En revanche, les Ours ont nommé
les compositeurs des Singes, à cause du continuel exercice que font ces messieurs [d] pour attraper les lettres dans
les cent cinquante-deux petites cases où elles sont conte-
nues. A la désastreuse époque de 1793, Séchard, âgé
d'environ cinquante ans, se trouva marié. Son âge et
son mariage le firent échapper à la grande réquisition
qui emmena presque tous les ouvriers aux armées. Le
vieux pressier resta seul dans l'imprimerie dont le maître, autrement dit le Naïf, venait de mourir en laissant
une veuve sans enfants. L'établissement parut menacé
d'une destruction immédiate : l'Ours solitaire était incapable de se transformer en Singe [e] ; car, en sa qualité
d'imprimeur, il ne sut jamais ni lire ni écrire. Sans avoir

---

1. L'imprimerie Séchard disposait là d'un matériel tout à fait périmé.
Car avant même les presses de Didot et de Stanhope, on avait, depuis
la fin du XVIIIᵉ siècle, abandonné le marbre fixe. Il avait été remplacé
par une plaque de fonte montée sur un chariot mobile qui apportait
sous la presse la forme déjà encrée.

2. Dans son étude sur les *Illusions perdues* (1913), M. André Fouqueure rapporte que Balzac aurait rencontré dans la campagne d'Angoulême un paysan qui lui dit s'appeler Séchart, surnommé Chardon,
ou Chardon sec. Le manuscrit et les épreuves prouvent que Balzac
avait d'abord hésité entre les prénoms de Nicolas et de Jean-Nicolas.

égard à ses incapacités, un Représentant du Peuple, pressé
de répandre les beaux décrets de la Convention, investit
le pressier du brevet de maître imprimeur [a], et mit sa
typographie en réquisition [b]. Après avoir accepté ce
périlleux brevet, le citoyen Séchard indemnisa la veuve
de son maître en lui apportant les économies de sa femme,
avec lesquelles il paya le matériel de l'imprimerie à moitié
de la valeur. Ce n'était rien. Il fallait imprimer sans faute
ni retard les décrets républicains. En cette conjoncture
difficile, Jérôme-Nicolas Séchard eut le bonheur de rencontrer un noble Marseillais [c] qui ne voulait ni émigrer
pour ne pas perdre ses terres, ni se montrer pour ne pas
perdre sa tête, et qui ne pouvait trouver de pain que par
un travail quelconque. Monsieur le comte de Maucombe [1]
endossa donc l'humble veste d'un prote de province :
il composa, lut et corrigea [d] lui-même les décrets qui
portaient la peine de mort contre les citoyens qui cachaient des nobles ; l'Ours devenu Naïf les tira, les fit
afficher ; et tous deux ils restèrent sains et saufs. En 1795,
le grain de la Terreur étant passé, Nicolas Séchard fut obligé
de chercher un autre maître Jacques qui pût être compositeur, correcteur et prote. Un abbé, depuis évêque sous
la Restauration et qui refusait alors de prêter le serment,
remplaça le comte de Maucombe jusqu'au jour où le
Premier Consul rétablit la religion catholique. Le comte
et l'évêque se rencontrèrent plus tard sur le même banc
de la Chambre des Pairs. Si en 1802 Jérôme-Nicolas

---

1. Dans le manuscrit, ce collaborateur de Séchard est le comte de
Grandlieu. En 1837-1839, il est le comte de Marsay, et il vient du pays
de Foix. Balzac, en 1843, introduit le comte de Maucombe, en se
souvenant des *Mémoires d'une jeune mariée* parus dans *la Presse* à la fin
de 1841 et jusqu'au 15 janvier 1842. — Cet épisode n'est pas une pure
invention de Balzac. Il connaissait un noble qui s'était fait imprimeur
pour vivre *incognito*. Il écrit, dans la préface du *Lys dans la Vallée* :
« Quand un éloquent député de la Restauration se faisait imprimeur
à la presse et gagnait trois francs en tirant le décret qui le condamnait
à mort, il n'avouait pas son noble nom ». Malheureusement la *Biographie des députés* de Massay de Tyrane et Dentu, en 1826, ne donne
aucune indication qui éclaire cette phrase curieuse.

Séchard ne savait pas mieux lire et écrire qu'en 1793,
il s'était ménagé d'assez belles *étoffes* pour pouvoir payer
un prote. Le compagnon si insoucieux de son avenir
était devenu très redoutable à ses Singes et à ses Ours.
L'avarice commence où la pauvreté cesse. Le jour où
l'imprimeur entrevit la possibilité de se faire une fortune, l'intérêt développa chez lui une intelligence matérielle de son état, mais avide, soupçonneuse et pénétrante. Sa pratique narguait la théorie. Il avait fini par
toiser d'un coup d'œil le prix d'une page et d'une feuille
selon chaque espèce de caractère. Il prouvait à ses ignares
chalands que les grosses lettres coûtaient plus cher à remuer
que les fines ; s'agissait-il des petites, il disait qu'elles étaient
plus difficiles à manier. La *composition* étant la partie typographique à laquelle il ne comprenait rien, il avait si peur
de se tromper qu'il ne faisait jamais que des marchés
léonins. Si ses compositeurs travaillaient à l'heure, son
œil ne les quittait jamais. S'il savait un fabricant dans
la gêne, il achetait ses papiers à vil prix et les emmaga-
sinait. Aussi dès ce temps possédait-il déjà la maison
où l'imprimerie était logée depuis un temps immémorial.
Il eut toute espèce de bonheur : il devint veuf et n'eut
qu'un fils ; il le mit au lycée de la ville, moins pour lui
donner de l'éducation que pour se préparer un successeur ; il le traitait sévèrement afin de prolonger la durée
de son pouvoir paternel[a] ; aussi les jours de congé, le
faisait-il travailler à la casse en lui disant d'apprendre à
gagner sa vie pour pouvoir un jour récompenser son
pauvre père, qui se saignait pour l'élever. Au départ
de l'abbé, Séchard choisit pour prote celui de ses quatre
compositeurs que le futur évêque lui signala comme
ayant autant de probité que d'intelligence. Par ainsi, le
bonhomme fut en mesure d'atteindre le moment où son
fils pourrait diriger l'établissement, qui s'agrandirait
alors sous des mains jeunes et habiles. David Séchard fit
au lycée d'Angoulême les plus brillantes études. Quoiqu'un Ours, parvenu sans connaissances ni éducation,
méprisât considérablement la science, le père Séchard

envoya son fils à Paris pour y étudier la haute typographie [a] ; mais il lui fit une si violente recommandation d'amasser une bonne somme dans un pays qu'il appelait le paradis des ouvriers, en lui disant de ne pas compter sur la bourse paternelle, qu'il voyait sans doute un moyen d'arriver à ses fins dans ce séjour *au pays de Sapience* [b]. Tout en apprenant son métier, David acheva son éducation à Paris. Le prote des Didot [1] devint un savant. Vers la fin de l'année 1819 [c], David Séchard quitta Paris sans y avoir coûté un rouge liard à son père, qui le rappelait pour mettre entre ses mains le timon des affaires. L'imprimerie de Nicolas Séchard possédait alors le seul journal d'annonces judiciaires qui existât dans le Département, la pratique de la Préfecture et celle de l'Évêché, trois clientèles qui devaient procurer une grande fortune à un jeune homme actif.

Précisément à cette époque, les frères Cointet [2], fabricants de papiers, achetèrent le second brevet d'imprimeur à la résidence d'Angoulême, que jusqu'alors le

---

1. La dynastie des Didot remontait à François Didot (1689-1757). Ses deux fils, François-Ambroise (1730-1804) et Pierre-François (1732-1795) l'avaient rendue illustre. Sous Louis XV, François avait commencé à donner aux caractères des formes plus exactes. On lui devait aussi la fabrication du papier vélin et la presse à un coup. Werdet, dans son livre *De la librairie française*, parle de lui avec admiration et lui attribue les plus grands progrès que l'imprimerie eût faits depuis le XVIe siècle (p. 78 et 201). Pierre-François s'occupait aussi de la fonte des caractères et de la fabrication du papier, dans la papeterie d'Essonnes qu'il avait fondée. David Séchard n'a pu, naturellement, travailler sous les ordres de ces deux hommes. Mais la maison Didot continuait à se développer, dirigée par les trois fils de Pierre-François, Henri Didot (1765-1852), célèbre comme graveur et fondeur de caractères, Didot Saint-Léger, dont on reparlera plus loin (p. 117, n. 2), et Didot jeune. François-Ambroise avait eu, de son côté, deux fils, Pierre (1760-1853) et Firmin (1764-1836) que David Séchard pouvait avoir eus pour maîtres.
2. La principale imprimerie d'Angoulême était, dans la rue de Beaulieu, celle du Grand Broquisse. Elle avait pour concurrente celle d'un certain Trémeau, prêtre assermenté et père de famille (P. E. Cadilhac, *op. cit.*).

vieux Séchard avait su réduire à la plus complète inaction, à la faveur des crises militaires qui, sous l'Empire, comprimèrent tout mouvement industriel ; par cette raison, il n'en avait point fait l'acquisition, et sa parcimonie fut une cause de ruine pour la vieille imprimerie. En apprenant cette nouvelle, le vieux Séchard pensa joyeusement que la lutte qui s'établirait entre son établissement et les Cointet serait soutenue par son fils, et non par lui. — J'y aurais succombé, se dit-il ; mais un jeune homme élevé chez messieurs Didot s'en tirera. Le septuagénaire soupirait [a] après le moment où il pourrait vivre à sa guise. S'il avait peu de connaissances en haute typographie, en revanche il passait pour être extrêmement fort dans un art que les ouvriers ont plaisamment nommé la soûlographie, art bien estimé par le divin auteur du *Pantagruel*, mais dont la culture, persécutée par les sociétés dites de *tempérance*, est de jour en jour plus abandonnée. Jérôme-Nicolas Séchard, fidèle à la destinée que son nom lui avait faite, était doué d'une soif inextinguible. Sa femme avait pendant longtemps contenu dans de justes bornes cette passion pour le raisin pilé, goût si naturel aux Ours que monsieur de Chateaubriand l'a remarqué chez les véritables ours de l'Amérique [1] ; mais les philosophes ont observé que les habitudes du jeune âge reviennent avec force dans la vieillesse de l'homme. Séchard confirmait cette loi morale : plus il vieillissait, plus il aimait à boire. Sa passion laissait sur sa physionomie oursine des marques qui la rendaient originale ; son nez avait pris le développement et la forme d'un A majuscule corps de triple canon, ses deux joues veinées ressemblaient à ces feuilles de vigne pleines de gibbosités violettes, purpurines et souvent panachées ; vous eussiez dit d'une truffe monstrueuse enveloppée par les pampres de l'automne. Cachés sous deux gros sourcils pareils à deux buissons [b] chargés

---

1. Balzac se souvient d'une phrase d'*Atala* : « De l'extrémité des avenues, on aperçoit des ours enivrés de raisins, qui chancellent sur les branches des ormeaux ».

de neige, ses petits yeux gris, où pétillait la ruse d'une avarice qui tuait tout en lui, même la paternité, conservaient
leur esprit jusque dans l'ivresse. Sa tête chauve et découron-
née, mais ceinte de cheveux grisonnants qui frisotaient
encore, rappelait à l'imagination les Cordeliers des *Contes*
de la Fontaine [1]. Il était court et ventru comme beaucoup
de ces vieux lampions qui consomment plus d'huile que de
mèche ; car les excès en toute chose poussent le corps
dans la voie qui lui est propre. L'ivrognerie, comme
l'étude, engraisse encore l'homme gras et maigrit l'homme
maigre. Jérôme-Nicolas Séchard portait depuis trente ans
le fameux tricorne municipal qui, dans quelques provinces,
se retrouve encore sur la tête du tambour de la ville. Son
gilet et son pantalon étaient en velours verdâtre. Enfin,
il avait une vieille redingote brune, des bas de coton chinés
et des souliers à boucles d'argent. Ce costume où l'ouvrier
se retrouvait encore dans le bourgeois convenait si bien à
ses vices et à ses habitudes, il exprimait si bien sa vie, que
ce bonhomme semblait avoir été créé tout habillé : vous
ne l'auriez pas plus imaginé sans ses vêtements qu'un oignon
sans sa pelure. Si le vieil imprimeur n'eût pas depuis longtemps donné la mesure de son aveugle avidité, son abdication suffirait à peindre son caractère. Malgré les connaissances que son fils devait rapporter de la grande École
des Didot, il se proposa de faire avec lui la bonne affaire
qu'il ruminait depuis longtemps. Si le père en faisait une
bonne, le fils devait en faire une mauvaise. Mais, pour le
bonhomme, il n'y avait ni fils ni père en affaire. S'il avait
d'abord vu dans David son unique enfant, plus tard il y
vit un acquéreur naturel de qui les intérêts étaient opposés
aux siens : il voulait vendre cher, David devait acheter à
bon marché ; son fils devenait donc un ennemi à vaincre.
Cette transformation du sentiment en intérêt personnel,
ordinairement lente, tortueuse et hypocrite chez les gens
bien élevés, fut rapide et directe chez le vieil Ours, qui
montra [a] combien la soûlographie rusée l'emportait sur

---

1. Allusion aux *Cordeliers de Catalogne* (*Contes*, II, 2).

la typographie instruite. Quand son fils arriva, le bonhomme lui témoigna la tendresse commerciale que les gens habiles ont pour leurs dupes : il s'occupa de lui comme un amant se serait occupé de sa maîtresse ; il lui donna le bras, il lui dit où il fallait mettre les pieds pour ne pas se crotter; il lui avait fait bassiner son lit, allumer du feu, préparer un souper. Le lendemain, après avoir essayé de griser son fils durant un plantureux dîner, Jérôme-Nicolas Séchard, fortement aviné, lui dit un : — *Causons d'affaires ?* qui passa si singulièrement entre deux hoquets, que David le pria de remettre les affaires au lendemain. Le vieil Ours savait trop bien tirer parti de son ivresse pour abandonner une bataille préparée depuis si longtemps. D'ailleurs, après avoir porté son boulet pendant cinquante ans, il ne voulait pas, dit-il, le garder une heure de plus. Demain son fils serait le Naïf.

Ici peut-être est-il nécessaire de dire un mot de l'établissement [a]. L'imprimerie, située dans l'endroit où la rue de Beaulieu débouche sur la place du Mûrier [1], s'était établie dans cette maison vers la fin du règne de Louis XIV. Aussi depuis longtemps les lieux avaient-ils été disposés pour l'exploitation de cette industrie. Le rez-de-chaussée formait une immense pièce éclairée sur la rue par un vieux vitrage, et par un grand châssis sur une cour intérieure [2]. On pouvait d'ailleurs arriver au bureau du maître par une allée. Mais en province les procédés de la typographie

1. Sur le plan dessiné par Zulma Carraud et qu'elle envoya à Balzac le 28 juin 1836, on voit la place du Mûrier, sur laquelle débouche la rue de Beaulieu. L'imprimerie Séchard se trouvait donc à l'emplacement de l'hôtel des Postes actuel, et M. Cadilhac a donné la photographie de la rue de Beaulieu à son débouché sur la place.

2. La description de l'atelier ne doit rien à des souvenirs d'Angoulême. Elle s'inspire de l'imprimerie Balzac, rue des Marais Saint-Germain. On y retrouve l'immense pièce noire et basse formant atelier, avec, à son extrémité, le bureau de l'imprimeur. Par contre la disposition générale, l'allée aboutissant à une cour, l'atelier donnant sur cette cour, et les deux petites pièces au-dessus de l'atelier semblent s'inspirer de façon assez précise de la pharmacie Evangelista, que Balzac avait certainement remarquée, dans la Grand-Rue de l'Houmeau.

sont toujours l'objet d'une curiosité si vive, que les chalands aimaient mieux entrer par une porte vitrée pratiquée
dans la devanture donnant sur la rue, quoiqu'il fallût
descendre quelques marches, le sol de l'atelier se trouvant
au-dessous du niveau de la chaussée. Les curieux, ébahis,
ne prenaient jamais garde aux inconvénients du passage
à travers les défilés de l'atelier. S'ils regardaient les ber-
ceaux formés par les feuilles étendues sur des cordes atta-
chées au plancher, ils se heurtaient le long des rangs de
casses, ou se faisaient décoiffer par les barres de fer qui
maintenaient les presses. S'ils suivaient les agiles mouvements d'un compositeur grapillant ses lettres dans les
cent cinquante-deux cassetins de sa casse, lisant sa copie,
relisant sa ligne dans son composteur en y glissant une
interligne, ils donnaient dans une rame de papier trempé
chargée de ses pavés, ou s'attrapaient la hanche dans
l'angle d'un banc ; le tout au grand amusement des Singes
et des Ours. Jamais personne n'était arrivé sans accident
jusqu'à deux grandes cages situées au bout de cette caverne,
qui formaient deux misérables pavillons sur la cour, et
où trônaient d'un côté le prote, de l'autre le maître imprimeur. Dans la cour, les murs étaient agréablement décorés
par des treilles qui, vu la réputation du maître, avaient une
appétissante couleur locale [a]. Au fond, et adossé au noir
mur mitoyen, s'élevait un appentis en ruine où se trempait
et se façonnait le papier. Là, était l'évier sur lequel se
lavaient avant et après le tirage les Formes, ou, pour
employer le langage vulgaire, les planches de caractères ;
il s'en échappait une décoction d'encre mêlée aux eaux
ménagères de la maison, qui faisait croire aux paysans venus
les jours de marché que le diable se débarbouillait dans
cette maison. Cet appentis était flanqué d'un côté par la
cuisine, de l'autre par un bûcher. Le premier étage de
cette maison, au-dessus duquel il n'y avait que deux
chambres en mansardes, contenait trois pièces. La première,
aussi longue que l'allée, moins la cage du vieil escalier de
bois, éclairée sur la rue par une petite croisée oblongue,
et sur la cour par un œil-de-bœuf, servait à la fois d'anti-

chambre et de salle à manger. Purement et simplement
blanchie à la chaux, elle se faisait remarquer par la cynique
simplicité de l'avarice commerciale ; le carreau sale n'avait
jamais été lavé ; le mobilier consistait en trois mauvaises
chaises, une table ronde et un buffet situé entre deux portes
qui donnaient entrée dans une chambre à coucher et dans
un salon ; les fenêtres et la porte étaient brunes de crasse ;
des papiers blancs ou imprimés l'encombraient la plupart
du temps ; souvent le dessert, les bouteilles, les plats du
dîner de Jérôme-Nicolas Séchard se voyaient sur les
ballots. La chambre à coucher, dont la croisée avait un
vitrage en plomb qui tirait son jour de la cour, était tendue
de ces vieilles tapisseries que l'on voit en province le long
des maisons au jour de la Fête-Dieu. Il s'y trouvait un
grand lit à colonnes garni de rideaux, de bonnes-grâces
et d'un couvre-pied en serge rouge, deux fauteuils ver-
moulus, deux chaises en bois de noyer et en tapisserie,
un vieux secrétaire, et sur la cheminée un cartel. Cette
chambre, où se respirait une bonhomie patriarcale et
pleine de teintes brunes, avait été arrangée par le sieur
Rouzeau, prédécesseur et maître de Jérôme-Nicolas
Séchard. Le salon, modernisé par feu madame Séchard,
offrait d'épouvantables boiseries peintes en bleu de per-
ruquier ; les panneaux étaient décorés d'un papier à scènes
orientales, coloriées en bistre sur un fond blanc ; le meuble
consistait en six chaises garnies de basane bleue dont
les dossiers représentaient des lyres. Les deux fenêtres
grossièrement cintrées, et par où l'œil embrassait la place
du Mûrier, étaient sans rideaux ; la cheminée n'avait
ni flambeau, ni pendule, ni glace ᵃ. Madame Séchard était
morte au milieu de ses projets d'embellissement, et l'Ours
ne devinant pas l'utilité d'améliorations qui ne rapportaient
rien, les avait abandonnées. Ce fut là que, *pede titubante*,
Jérôme-Nicolas Séchard amena son fils et lui montra
sur la table ronde un état du matériel de son imprimerie
dressé sous sa direction par le prote.

— Lis cela, mon garçon, dit Jérôme-Nicolas Séchard
en roulant ses yeux ivres du papier à son fils et de son

fils au papier. Tu verras quel bijou d'imprimerie je te donne [a].

— Trois presses en bois maintenues par des barres en fer, à marbre en fonte...

— Une amélioration que j'ai faite, dit le vieux Séchard en interrompant son fils.

— Avec tous leurs ustensiles : encriers, balles et bancs, etc., seize cents francs ! Mais, mon père, dit David Séchard en laissant tomber l'inventaire, vos presses sont des sabots qui ne valent pas cent écus, et dont il faut faire du feu.

— Des sabots ?... s'écria le vieux Séchard, des sabots ?... Prends l'inventaire et descendons ! Tu vas voir si vos inventions de méchante serrurerie manœuvrent comme ces bons vieux outils éprouvés. Après, tu n'auras pas le cœur d'injurier d'honnêtes presses qui roulent comme des voitures en poste, et qui iront encore pendant toute ta vie sans nécessiter la moindre réparation. Des sabots ! Oui c'est des sabots où tu trouveras du sel pour cuire des œufs ! des sabots que ton père a manœuvrés pendant vingt ans, qui lui ont servi à te faire ce que tu es.

Le père dégringola l'escalier raboteux, usé, tremblant, sans y chavirer ; il ouvrit la porte de l'allée qui donnait dans l'atelier, se précipita sur la première de ses presses sournoisement huilées et nettoyées, il montra les fortes jumelles en bois de chêne frotté par son apprenti.

— Est-ce là un amour de presse ? dit-il.

Il s'y trouvait le *billet de faire part* d'un mariage. Le vieil Ours abaissa la frisquette sur le tympan, et le tympan sur le marbre qu'il fit rouler sous la presse ; il tira le barreau, déroula la corde pour ramener le marbre, releva tympan et frisquette avec l'agilité qu'aurait mise un jeune Ours. La presse ainsi manœuvrée jeta un si joli cri que vous eussiez dit d'un oiseau qui serait venu heurter à une vitre et se serait enfui.

— Y a-t-il une seule presse anglaise capable d'aller ce train-là ? dit le père à son fils étonné.

Le vieux Séchard courut successivement à la seconde, à la troisième presse, sur chacune desquelles il fit la même manœuvre avec une égale habileté. La dernière offrit à

son œil troublé de vin un endroit négligé par l'apprenti ;
l'ivrogne, après avoir notablement juré, prit le pan de sa
redingote pour la frotter, comme un maquignon qui lustre
le poil d'un cheval à vendre.

— Avec ces trois presses-là, sans prote, tu peux gagner
tes neuf mille francs par an, David. Comme ton futur
associé, je m'oppose à ce que tu les remplaces par ces
maudites presses en fonte qui usent les caractères. Vous
avez crié miracle à Paris en voyant l'invention de ce maudit Anglais, un ennemi de la France, qui a voulu faire la
fortune des fondeurs. Ah ! ᵃ vous avez voulu des Stanhope !
merci de vos Stanhope qui coûtent chacune deux mille cinq
cents francs, presque deux fois plus que valent mes trois
bijoux ensemble, et qui vous échinent la lettre par leur défaut
d'élasticité ᵇ. Je ne suis pas instruit comme toi, mais retiens
bien ceci : la vie des Stanhope est la mort du caractère. Ces
trois presses te feront un bon user, l'ouvrage sera proprement
tirée, et les Angoumoisins ne t'en demanderont pas
davantage. Imprime avec du fer ou avec du bois, avec de
l'or ou de l'argent, ils ne t'en paieront pas un liard de plus.

— *Item*, dit David, cinq milliers de livres de caractères,
provenant de la fonderie de monsieur Vaflard... A ce nom,
l'élève des Didot ne put s'empêcher de sourire.

— Ris, ris ! Après douze ans, les caractères sont encore
neufs. Voilà ce que j'appelle un fondeur ! M. Vaflard est
un honnête homme qui fournit de la matière dure ; et,
pour moi, le meilleur fondeur est celui chez lequel on
va le moins souvent.

— Estimés dix mille francs, reprit David en continuant. Dix mille francs, mon père ! mais c'est à quarante
sous la livre, et messieurs Didot ne vendent leur cicéro
neuf que trente-six sous la livre. Vos têtes de clous ne
valent que le prix de la fonte, dix sous la livre.

— Tu donnes le nom de têtes de clous aux Bâtardes,
aux Coulées, aux Rondes de monsieur Gillé ¹, ancienne-

---

1. Joseph Gillé était fondeur de caractères, 4, rue Garancière.
La société Balzac, Laurent et Barbier acheta son fonds après sa mort.

ment imprimeur de l'Empereur, des caractères qui valent
six francs la livre, des chefs-d'œuvre de gravure achetés
il y a cinq ans, et dont plusieurs ont encore le blanc
de la fonte, tiens ! Le vieux Séchard attrapa quelques cornets
pleins de *sortes* qui n'avaient jamais servi et les montra.

— Je ne suis pas savant, je ne sais ni lire ni écrire,
mais j'en sais encore assez pour deviner que les caractères d'écriture de la maison Gillé ont été les pères des
anglaises de tes messieurs Didot. Voici une *ronde*, dit-il
en désignant une casse et y prenant un M, une *ronde*
de cicéro qui n'a pas encore été dégommée.

David s'aperçut qu'il n'y avait pas moyen de discuter
avec son père. Il fallait tout admettre ou tout refuser,
il se trouvait entre un non et un oui. Le vieil Ours avait
compris dans l'inventaire jusqu'aux cordes de l'étendage.
La plus petite ramette, les ais, les jattes, la pierre et les
brosses à laver, tout était chiffré avec le scrupule d'un
avare. Le total allait à trente mille francs, y compris le
brevet de maître imprimeur et l'achalandage. David
se demandait en lui-même si l'affaire était ou non faisable.
En voyant son fils muet sur le chiffre, le vieux Séchard
devint inquiet ; car il préférait un débat violent à une
acceptation silencieuse. En ces sortes de marchés, le débat
annonce un négociant capable qui défend ses intérêts.
Qui tope à tout, disait le vieux Séchard, *ne paye rien*. Tout
en épiant la pensée de son fils, il fit le dénombrement
des méchants ustensiles nécessaires à l'exploitation d'une
imprimerie en province ; il amena successivement David
devant une presse à satiner, une presse à rogner pour faire
les ouvrages de ville, et il lui en vanta l'usage et la
solidité.

— Les vieux outils sont toujours les meilleurs, dit-il.
On devrait en imprimerie les payer plus cher que les
neufs, comme cela se fait chez les batteurs d'or.

D'épouvantables vignettes représentant des Hymens,
des Amours, des morts qui soulevaient la pierre de leurs
sépulcres en décrivant un V ou un M, d'énormes cadres
à masques pour les affiches de spectacles, devinrent [a],

par l'effet de l'éloquence avinée de Jérôme-Nicolas, des objets de la plus immense valeur. Il dit à son fils que les habitudes des gens de province étaient fortement enracinées, qu'il essaierait en vain de leur donner de plus belles choses. Lui, Jérôme-Nicolas Séchard, avait tenté de leur vendre des almanachs meilleurs que le *Double Liégeois* [1] imprimé sur du papier à sucre ! eh ! bien, le vrai *Double Liégeois* avait été préféré aux plus magnifiques almanachs. David reconnaîtrait bientôt l'importance de ces vieilleries, en les vendant plus cher que les plus coûteuses nouveautés.

— Ha ! ha ! mon garçon, la province est la province, et Paris est Paris. Si un homme de l'Houmeau t'arrive pour faire faire son billet de mariage, et que tu le lui imprimes sans un Amour avec des guirlandes, il ne se croira point marié, et te le rapportera s'il n'y voit qu'un *M*, comme chez tes messieurs Didot, qui sont la gloire de la typographie, mais dont les inventions ne seront pas adoptées avant cent ans dans les provinces. Et voilà [a].

Les gens généreux font de mauvais commerçants. David était une de ces natures pudiques et tendres qui s'effraient d'une discussion, et qui cèdent au moment où l'adversaire leur pique un peu trop le cœur. Ses sentiments élevés et l'empire que le vieil ivrogne avait conservé sur lui le rendaient encore plus impropre à soutenir un débat d'argent avec son père, surtout quand il lui croyait les meilleures intentions ; car il attribua d'abord la voracité de l'intérêt à l'attachement que le pressier avait

---

1. L'Almanach Liégeois était le prototype de l'almanach populaire. On le faisait remonter à Mathieu Laensberg. Il était, selon son importance, simple, double ou triple. Si par son caractère populaire il se distinguait de l'almanach dit *de cabinet*, il s'adressait pourtant au public qui savait lire. Plus populaires encore, d'autres almanachs, dits Almanachs des bergers, consistaient en représentations figurées. On verra dans la troisième partie des *Illusions perdues* qu'Ève essaie de gagner quelque argent en imprimant un almanach des bergers. Ce nom venait du *Compost et Kalendrier des Bergers* qui remontait au Moyen Age et avait été imprimé couramment aux XVIe et XVIIe siècles.

pour ses outils. Cependant, comme Jérôme-Nicolas Séchard avait eu le tout de la veuve Rouzeau pour dix mille francs en assignats, et qu'en l'état actuel des choses trente mille francs étaient un prix exorbitant, le fils s'écria :

— Mon père, vous m'égorgez !

— Moi qui t'ai donné la vie ?... dit le vieil ivrogne en levant la main vers l'étendage. Mais, David, à quoi donc évalues-tu le brevet ? Sais-tu ce que vaut le Journal d'Annonces à dix sous la ligne, privilège qui, à lui seul, a rapporté cinq cents francs le mois dernier ? Mon gars, ouvre les livres, vois ce que produisent les affiches et les registres de la Préfecture, la pratique de la Mairie et celle de l'Évêché ! Tu es un fainéant qui ne veux pas faire sa fortune. Tu marchandes le cheval qui doit te conduire à quelque beau domaine comme celui de Marsac.

A cet inventaire était joint un acte de société entre le père et le fils. Le bon père louait à la société sa maison pour une somme de douze cents francs, quoiqu'il ne l'eût achetée que six mille livres, et il s'y réservait une des deux chambres pratiquées dans les mansardes. Tant que David Séchard n'aurait pas remboursé les trente mille francs, les bénéfices se partageraient par moitié ; le jour où il aurait remboursé cette somme à son père, il deviendrait seul et unique propriétaire de l'imprimerie. David estima le brevet, la clientèle et le journal, sans s'occuper des outils ; il crut pouvoir se libérer et accepta ces conditions. Habitué aux finasseries de paysan, et ne connaissant rien aux larges calculs des Parisiens, le père fut étonné d'une si prompte conclusion [a].

— Mon fils se serait-il enrichi ? se dit-il, ou invente-t-il en ce moment de ne pas me payer ? Dans cette pensée, il le questionna pour savoir s'il apportait de l'argent, afin de le lui prendre en à-compte. La curiosité du père éveilla la défiance du fils. David resta boutonné jusqu'au menton. Le lendemain, le vieux Séchard fit transporter par son apprenti dans la chambre au deuxième étage ses meubles qu'il comptait faire apporter à sa campagne par les charrettes qui y reviendraient à vide. Il livra les trois chambres du premier étage toutes nues à son fils, de même qu'il le mit en possession de l'imprimerie sans lui donner un centime pour payer les ouvriers. Quand David pria son père, en sa qualité d'associé, de contribuer à la mise nécessaire à l'exploitation commune, le vieux pressier fit l'ignorant. Il ne s'était pas obligé, dit-il, à donner de l'argent en donnant son imprimerie ; sa mise de fonds était faite. Pressé par la logique de son fils, il lui répondit que, quand il avait acheté l'imprimerie à la veuve Rouzeau, il s'était tiré d'affaire sans un sou. Si lui, pauvre ouvrier dénué de connaissances, avait réussi, un élève de Didot ferait encore mieux. D'ailleurs David avait gagné de l'argent qui provenait de l'éducation payée à la sueur du front de son vieux père, il pouvait bien l'employer aujourd'hui.

— Qu'as-tu fait de tes *banques* ? lui dit-il en revenant à la charge afin d'éclaircir le problème que le silence de son fils avait laissé la veille indécis.

— Mais n'ai-je pas eu à vivre, n'ai-je pas acheté des livres ? répondit David indigné.

— Ah ! tu achetais des livres ? tu feras de mauvaises affaires. Les gens qui achètent des livres ne sont guère propres à en imprimer, répondit l'Ours.

David éprouva la plus horrible des humiliations, celle que cause l'abaissement d'un père : il lui fallut subir le flux de raisons viles, pleureuses, lâches, commerciales par lesquelles le vieil avare formula son refus. Il refoula ses douleurs dans son âme, en se voyant seul, sans appui, en trouvant un spéculateur dans son père que, par curiosité philosophique, il voulut connaître à fond. Il lui fit observer qu'il ne lui avait jamais demandé compte de la fortune de sa mère. Si cette fortune ne pouvait entrer en compensation du prix de l'imprimerie, elle devait au moins servir à l'exploitation en commun.

— La fortune de ta mère, dit le vieux Séchard, mais c'était son intelligence et sa beauté !

A cette réponse, David devina son père tout entier, et comprit que, pour en obtenir un compte, il faudrait lui intenter un procès interminable, coûteux et déshonorant. Ce noble cœur accepta le fardeau qui allait peser sur lui, car il savait avec combien de peines il acquitterait les engagements pris envers son père.

— Je travaillerai, se dit-il. Après tout, si j'ai du mal, le bonhomme en a eu. Ne sera-ce pas d'ailleurs travailler pour moi-même ?

— Je te laisse un trésor, dit le père inquiet du silence de son fils[a].

David demanda quel était ce trésor.

— Marion, dit le père.

Marion était une[b] grosse fille de campagne indispensable à l'exploitation de l'imprimerie : elle trempait le papier et le rognait, faisait les commissions et la cuisine, blanchissait le linge, déchargeait les voitures de papier, allait toucher l'argent et nettoyait les tampons. Si Marion eût su lire, le vieux Séchard l'aurait mise à la composition.

Le père partit à pied pour la campagne. Quoique très heureux de sa vente, déguisée sous le nom d'association, il était inquiet de la manière dont il serait payé. Après les angoisses de la vente, viennent toujours celles de sa réalisation. Toutes les passions sont essentiellement jésuitiques. Cet homme, qui regardait l'instruction comme inutile, s'efforça de croire à l'influence de l'instruction. Il hypothéquait ses trente mille francs sur les idées d'honneur que l'éducation devait avoir développées chez son fils. En jeune homme bien élevé, David suerait sang et eau pour payer ses engagements, ses connaissances lui feraient trouver des ressources, il s'était montré plein de beaux sentiments, il payerait ! Beaucoup de pères, qui agissent ainsi, croient avoir agi paternellement, comme le vieux Séchard avait fini par se le persuader en atteignant son vignoble situé à Marsac, petit village à quatre lieues[c] d'Angoulême[1]. Ce domaine, où le précédent propriétaire avait bâti une jolie habita-

---

1. En 1837 et 1839, Balzac n'indique que deux lieues. En réalité, Marsac est à 12 kilomètres d'Angoulême, à vol d'oiseau.

tion, s'était augmenté d'année en année depuis 1809, époque où le vieil Ours l'avait acquis [a]. Il y échangea les soins du pressoir contre ceux de la presse, et il était, comme il le disait, depuis trop longtemps dans les vignes pour ne pas s'y bien connaître [b].

Pendant la première année de sa retraite à la campagne, le père Séchard montra une figure soucieuse au-dessus de ses échalas ; car il était toujours dans son vignoble, comme jadis il demeurait au milieu de son atelier. Ces trente mille francs inespérés le grisaient encore plus que la purée septembrale [1], il les maniait idéalement entre ses pouces. Moins la somme était due, plus il désirait l'encaisser. Aussi, souvent accourait-il de Marsac à Angoulême, attiré par ses inquiétudes. Il gravissait les rampes du rocher sur le haut duquel est assise la ville, il entrait dans l'atelier pour voir si son fils se tirait d'affaire. Or les presses étaient à leurs places. L'unique apprenti, coiffé d'un bonnet de papier, décrassait les tampons. Le vieil Ours entendait crier une presse sur quelque billet de faire part, il reconnaissait ses vieux caractères, il apercevait son fils et le prote, chacun lisant dans sa cage un livre que l'Ours prenait pour des épreuves. Après avoir dîné avec David, il retournait alors à son domaine de Marsac en ruminant [c] ses craintes. L'avarice a comme l'amour un don de seconde vue sur les futurs contingents, elle les flaire, elle les presse. Loin de l'atelier où l'aspect de ses outils le fascinait en le reportant aux jours où il faisait fortune, le vigneron trouvait chez son fils d'inquiétants symptômes d'inactivité. Le nom de *Cointet frères* l'effarouchait, il le voyait dominant celui de *Séchard et fils*. Enfin le vieillard sentait le vent du malheur. Ce pressentiment était juste : le malheur planait sur la maison Séchard. Mais les avares ont un dieu. Par un concours de circonstances imprévues, ce dieu devait faire trébucher dans l'escarcelle de l'ivrogne le prix de sa vente usuraire.

---

1. C'est le vin nouveau encore trouble dont parle Rabelais au ch. XXXIV de *Pantagruel*.

Voici pourquoi l'imprimerie Séchard tombait malgré ses éléments de prospérité.

Indifférent [a] à la réaction religieuse que produisait la Restauration dans le gouvernement, mais également insouciant du Libéralisme, David gardait la plus nuisible des neutralités en matière politique et religieuse. Il se trouvait dans un temps où les commerçants de province devaient professer une opinion afin d'avoir des chalands, car il fallait opter entre la pratique des Libéraux et celle des Royalistes. Un amour qui vint au cœur de David et ses préoccupations scientifiques, son beau naturel l'empêchèrent d'avoir cette âpreté au gain qui constitue le vrai commerçant, et qui lui eût fait étudier les différences qui distinguent l'industrie provinciale de l'industrie parisienne. Les nuances si tranchées dans les Départements disparaissent dans le grand mouvement de Paris. Les frères Cointet se mirent à l'unisson des opinions monarchiques, ils firent ostensiblement maigre, hantèrent la cathédrale, cultivèrent les prêtres, et réimprimèrent les premiers livres religieux dont le besoin se fit sentir. Les Cointet prirent ainsi l'avance dans cette branche lucrative et calomnièrent David Séchard en l'accusant de libéralisme et d'athéisme. Comment, disaient-ils, employer un homme qui avait pour père un septembriseur, un ivrogne, un bonapartiste, un vieil avare qui devait tôt ou tard laisser des monceaux d'or ? Ils étaient pauvres, chargés de famille, tandis que David était garçon et serait puissamment riche ; aussi n'en prenait-il qu'à son aise, etc. Influencés par ces accusations portées contre David, la Préfecture et l'Évêché finirent par donner le privilège de leurs impressions aux frères Cointet. Bientôt ces avides antagonistes, enhardis par l'incurie de leur rival, créèrent un second journal d'annonces. La vieille imprimerie fut réduite aux impressions de la ville, et le produit de sa feuille d'annonces diminua de moitié [b]. Riche de gains considérables réalisés sur les livres d'église et de piété, la maison Cointet proposa bientôt aux Séchard de leur acheter leur journal, afin d'avoir les annonces du département et les insertions judiciaires sans partage. Aussitôt que David eut transmis cette nouvelle à son père, le vieux vigneron, épouvanté déjà par les progrès de la maison Cointet, fondit de Marsac sur la place du Mûrier avec la rapidité du corbeau qui a flairé les cadavres d'un champ de bataille.

— Laisse-moi manœuvrer les Cointet, ne te mêle pas de cette affaire, dit-il à son fils.

Le vieillard eut bientôt deviné l'intérêt des Cointet, il les effraya par la sagacité de ses aperçus. Son fils commettait une sottise qu'il venait empêcher, disait-il. — Sur quoi reposera notre clientèle, s'il cède notre journal ? Les avoués, les notaires, tous les négociants de l'Houmeau seront libéraux ; les Cointet ont voulu nuire aux Séchard en les accusant de Libéralisme, ils leur ont ainsi préparé une planche de salut, les annonces des Libéraux resteront aux Séchard ! Vendre le journal ?... mais autant vendre matériel et brevet. Il demandait alors aux Cointet soixante mille francs de l'imprimerie pour ne pas ruiner son fils : il aimait son fils, il défendait son fils. Le vigneron se servit de son fils comme les paysans se servent de leurs femmes : son fils voulait ou ne voulait pas, selon les propositions qu'il arrachait une à une aux Cointet, et il les amena, non sans efforts, à donner une somme de vingt-deux mille francs pour le *Journal de la Charente*. Mais David dut s'engager à ne jamais imprimer quelque journal que ce fût, sous peine de trente mille francs de dommages-intérêts. Cette vente était le suicide de l'imprimerie Séchard ; mais le vigneron ne s'en inquiétait guère. Après le vol vient toujours l'assassinat. Le bonhomme comptait appliquer cette somme au payement de son fonds ; et, pour la palper, il aurait donné David par-dessus le marché, d'autant plus que ce gênant fils avait droit à la moitié de ce trésor inespéré. En dédommagement, le généreux père lui abandonna l'imprimerie, mais en maintenant le loyer de la maison aux fameux douze cents francs [a].

Depuis la vente du journal aux Cointet, le vieillard vint rarement en ville, il allégua son grand âge ; mais la raison véritable était le peu d'intérêt qu'il portait à une imprimerie qui ne lui appartenait plus. Néanmoins il ne put entièrement répudier la vieille affection qu'il portait à ses outils. Quand ses affaires l'amenaient à Angoulême, il eût été très difficile de décider qui l'attirait le plus dans sa maison, ou de ses presses en bois ou de son fils, auquel il venait par forme demander ses loyers. Son ancien prote, devenu celui des Cointet, savait à quoi s'en tenir sur cette générosité paternelle ; il disait que ce fin renard se ménageait ainsi le droit d'intervenir dans les affaires de son fils, en devenant créancier privilégié par l'accumulation des loyers.

L'incurie de David Séchard avait des causes qui peindront le caractère de ce jeune homme [a]. Quelques jours après son installation dans l'imprimerie paternelle, il avait rencontré l'un de ses amis de collège, alors en proie à la plus profonde misère [b]. L'ami de David Séchard était un jeune homme, alors âgé d'environ vingt et un ans, nommé Lucien Chardon [1], et fils d'un ancien chirurgien-major des armées républicaines mis hors de service par une blessure. La nature avait fait un chimiste de monsieur Chardon le père, et le hasard l'avait [c] établi pharmacien à Angoulême. La mort le surprit au milieu des préparatifs nécessités par une lucrative découverte à la recherche de laquelle il avait consumé plusieurs années d'études scientifiques. Il voulait guérir toute espèce de goutte. La goutte est la maladie des riches , et les riches payent cher la santé quand ils en sont privés. Aussi le pharmacien avait-il choisi ce problème à résoudre parmi tous ceux qui s'étaient offerts à ses méditations. Placé entre la science et l'empirisme, feu Chardon comprit que la science pouvait seule assurer sa fortune : il avait donc étudié les causes de la maladie, et basé son remède sur un certain régime qui l'appropriait à chaque tempérament. Il mourut pendant un séjour à Paris, où il sollicitait l'approbation de l'Académie des sciences, et perdit ainsi le fruit de ses travaux [d]. Pressen-

---

1. On a vu plus haut (p. 4, n. 2) quelle serait la circonstance qui aurait, dit-on, suggéré à Balzac ce nom de Chardon.

tant sa fortune, le pharmacien n'avait rien négligé pour
l'éducation de son fils et de sa fille, en sorte que l'entretien de sa famille dévora constamment les produits
de sa pharmacie. Ainsi, non seulement il laissa ses enfants
dans la misère, mais encore, pour leur malheur, il les avait
élevés dans l'espérance de destinées brillantes qui s'étei-
gnirent avec lui. L'illustre Desplein [a], qui lui donna des
soins, le vit mourir dans des convulsions de rage. Cette
ambition eut pour principe le violent amour que l'ancien
chirurgien portait à sa femme, dernier rejeton de la famille
de Rubempré, miraculeusement sauvé par lui de l'échafaud
en 1793 [1]. Sans que la jeune fille eût voulu consentir à
ce mensonge, il avait gagné du temps en la disant enceinte.
Après s'être en quelque sorte créé le droit de l'épouser, il
l'épousa malgré leur commune pauvreté. Ses enfants [b],
comme tous les enfants de l'amour, eurent pour tout héritage la merveilleuse beauté de leur mère, présent si souvent
fatal quand la misère l'accompagne. Ces espérances, ces
travaux, ces désespoirs si vivement épousés avaient profondément altéré la beauté de madame Chardon, de même
que les lentes dégradations de l'indigence avaient changé
ses mœurs ; mais son courage et celui de ses enfants
égala leur infortune. La pauvre veuve vendit la pharmacie,
située dans la Grand'rue [c] de l'Houmeau [2], le principal
faubourg d'Angoulême. Le prix de la pharmacie lui permit
de se constituer trois cents francs de rente [d], somme insuf-
fisante pour sa propre existence ; mais elle et sa fille accep-
tèrent leur position sans en rougir, et se vouèrent à des
travaux mercenaires. La mère gardait les femmes en
couches, et ses bonnes façons la faisaient préférer à toute
autre dans les maisons riches, où elle vivait sans rien coûter
à ses enfants, tout en gagnant vingt sous par jour [e]. Pour
éviter à son fils le désagrément de voir sa mère dans un

---

1. Balzac ne pouvait ignorer le nom d'Alberthe de Rubempré,
qui était la cousine et fut un moment la maîtresse de Delacroix.
2. Elle est devenue la rue de Paris, et c'est à l'emplacement actuel
du n° 165 que se trouvait la pharmacie Évangélista.

pareil abaissement de condition, elle avait pris le nom de
madame Charlotte. Les personnes qui réclamaient ses
soins s'adressaient à monsieur Postel, le successeur de
monsieur Chardon. La sœur de Lucien travaillait chez une
très honnête femme considérée à l'Houmeau, nommée
madame Prieur [a], blanchisseuse de fin, sa voisine, et
gagnait environ quinze sous par jour. Elle conduisait
les ouvrières et jouissait, dans l'atelier, d'une espèce de
suprématie qui la sortait un peu de la classe des grisettes. Les
faibles produits de leur travail, joints aux trois cents livres
de rente [b] de madame Chardon, arrivaient environ à huit
cents francs par an, avec lesquels ces trois personnes
devaient vivre, s'habiller et se loger. La stricte économie de
ce ménage rendait à peine suffisante cette somme, presque
entièrement absorbée par Lucien. Madame Chardon et sa
fille Ève croyaient en Lucien comme la femme de Mahomet
crut en son mari ; leur dévouement à son avenir était sans
bornes. Cette pauvre famille demeurait à l'Houmeau
dans un logement loué pour une très modique somme par
le successeur de monsieur Chardon, et situé au fond d'une
cour intérieure, au-dessus du laboratoire. Lucien y occupait une misérable chambre en mansarde. Stimulé par un
père qui, passionné pour les sciences naturelles, l'avait
d'abord poussé dans cette voie, Lucien fut un des plus
brillants élèves du collège d'Angoulême, où il se trouvait
en Troisième lorsque Séchard y finissait ses études.

Quand le hasard fit rencontrer les deux camarades de
collège, Lucien, fatigué de boire à la grossière coupe
de la misère, était sur le point de prendre un de ces partis
extrêmes auxquels on se décide à vingt ans. Quarante
francs par mois que David donna généreusement à Lucien
en s'offrant à lui apprendre le métier de prote, quoiqu'un
prote lui fût parfaitement inutile, sauva Lucien de son désespoir. Les liens de cette amitié de collège ainsi renouvelés
se resserrèrent bientôt par les similitudes de leurs destinées
et par les différences de leurs caractères. Tous deux, l'esprit gros de plusieurs fortunes, ils possédaient cette haute
intelligence qui met l'homme de plain-pied avec toutes les

sommités, et se voyaient jetés au fond de la société. Cette
injustice du sort fut un nœud puissant. Puis tous deux
étaient arrivés à la poésie par une pente différente. Quoique
destiné aux spéculations les plus élevées des sciences naturelles, Lucien se portait avec ardeur vers la gloire littéraire ;
tandis que David, que son génie méditatif prédisposait
à la poésie, inclinait par goût vers les sciences exactes.
Cette interposition des rôles engendra comme une fraternité spirituelle. Lucien communiqua bientôt à David les
hautes vues qu'il tenait de son père sur les applications
de la Science à l'Industrie, et David fit apercevoir à Lucien
les routes nouvelles où il devait s'engager dans la littérature
pour s'y faire un nom et une fortune [a]. L'amitié de ces
deux jeunes gens devint en peu de jours une de ces passions
qui ne naissent qu'au sortir de l'adolescence. David entrevit
bientôt la belle Ève, et s'en éprit [b], comme se prennent
les esprits mélancoliques et méditatifs. L'*Et nunc et semper
et in secula seculorum* de la liturgie est la devise de ces sublimes
poètes inconnus dont les œuvres consistent en de magnifiques épopées enfantées et perdues entre deux cœurs !
Quand l'amant eut pénétré le secret des espérances que la
mère et la sœur de Lucien mettaient en ce beau front de
poète, quand leur dévouement aveugle lui fut connu, il
trouva doux de se rapprocher de sa maîtresse en partageant ses immolations et ses espérances. Lucien fut donc
pour David un frère choisi. Comme les Ultras qui voulaient
être plus royalistes que le Roi, David outra la foi que la
mère et la sœur de Lucien avaient en son génie, il le gâta
comme une mère gâte son enfant. Durant une de ces
conversations où, pressés par le défaut d'argent qui leur
liait les mains, ils ruminaient, comme tous les jeunes gens,
les moyens de réaliser une prompte fortune en secouant
tous les arbres déjà dépouillés par les premiers venus sans
en obtenir de fruits, Lucien se souvint de deux idées émises
par son père. Monsieur Chardon avait parlé de réduire de
moitié le prix du sucre par l'emploi d'un nouvel agent
chimique, et de diminuer d'autant le prix du papier, en
tirant de l'Amérique certaines matières végétales analogues

à celles dont se servent les Chinois et qui coûtaient peu.
David, qui connaissait l'importance de cette question
agitée déjà chez les Didot, s'empara de cette idée en y
voyant une fortune, et considéra Lucien comme un bienfaiteur envers lequel il ne pourrait jamais s'acquitter.

Chacun devine combien les pensées dominantes et la
vie intérieure des deux amis les rendaient impropres à
gérer une imprimerie. Loin de rapporter quinze à vingt
mille francs, comme celle des frères Cointet, imprimeurs-
libraires de l'Évêché, propriétaires du *Courrier de la
Charente* [a], désormais le seul journal du département, l'imprimerie de Séchard fils produisait à peine trois cents
francs par mois, sur lesquels il fallait prélever le traitement du prote, les gages de Marion, les impositions, le
loyer ; ce qui réduisait David à une centaine de francs par
mois. Des hommes actifs et industrieux auraient renouvelé les caractères, acheté des presses en fer, se seraient
procuré dans la librairie parisienne des ouvrages qu'ils
eussent imprimés à bas prix : mais le maître et le prote,
perdus dans les absorbants travaux de l'intelligence, se
contentaient des ouvrages que leur donnaient leurs derniers clients. Les frères Cointet avaient fini par connaître
le caractère et les mœurs de David, ils ne le calomniaient
plus ; au contraire, une sage politique leur conseillait de
laisser vivoter cette imprimerie, et de l'entretenir dans une
honnête médiocrité, pour qu'elle ne tombât point entre
les mains de quelque redoutable antagoniste ; ils y
envoyaient eux-mêmes les ouvrages dits de ville. Ainsi,
sans le savoir, David Séchard n'existait, commercialement
parlant, que par un habile calcul de ses concurrents. Heureux de ce qu'ils nommaient sa manie, les Cointet avaient
pour lui des procédés en apparence pleins de droiture et
de loyauté ; mais ils agissaient, en réalité, comme l'administration des Messageries, lorsqu'elle simule une concurrence pour en éviter une véritable [1] [b].

---

1. Un décret de 1807 autorisait les compagnies particulières de
messageries, mais les Messageries impériales, créées en 1805 et deve-

L'extérieur de la maison Séchard était en harmonie avec la crasse avarice qui régnait à l'intérieur, où le vieil Ours n'avait jamais rien réparé. La pluie, le soleil, les intempéries de chaque saison avaient donné l'aspect d'un vieux tronc d'arbre à la porte de l'allée [a], tant elle était sillonnée de fentes inégales. La façade, mal bâtie en pierres et en briques mêlées sans symétrie, semblait plier sous le poids d'un toit vermoulu surchargé de ces tuiles creuses qui composent toutes les toitures dans le midi de la France. Le vitrage vermoulu était garni de ces énormes volets maintenus par les épaisses traverses qu'exige la chaleur du climat. Il eût été difficile de trouver dans tout Angoulême une maison aussi lézardée que celle-là, qui ne tenait plus que [b] par la force du ciment. Imaginez cet atelier clair aux deux extrémités, sombre au milieu, ses murs couverts d'affiches, bruni en bas par le contact des ouvriers qui y avaient roulé depuis trente ans, son attirail de cordes au plancher, ses piles de papier, ses vieilles presses, ses tas de pavés à charger les papiers trempés, ses rangs de casses, et au bout les deux cages où, chacun de leur côté, se tenaient le maître et le prote; vous comprendrez alors l'existence des deux amis [c].

En 1821, dans les premiers jours du mois de mai [d], David et Lucien étaient près du vitrage de la cour au moment où, vers deux heures, leurs quatre ou cinq ouvriers quittèrent l'atelier pour aller dîner. Quand le maître vit son apprenti fermant la porte à sonnette qui donnait sur la rue, il emmena Lucien dans la cour, comme si la senteur des papiers, des encriers, des presses et des vieux bois lui eût été insupportable. Tous deux s'assirent sous un berceau d'où leurs yeux pouvaient voir quiconque entrerait dans l'atelier. Les rayons du soleil qui se jouaient dans les pampres de la treille caressèrent les deux poètes en les enveloppant de sa lumière comme

---

nues royales en 1815, s'efforçaient par tous les moyens de les faire disparaître. Elles leur faisaient notamment une *guerre des tarifs* qui les contraignit l'une après l'autre à cesser leur activité.

d'une auréole. Le contraste produit par l'opposition de
ces deux caractères et de ces deux figures fut alors si
vigoureusement accusé, qu'il aurait séduit la brosse
d'un grand peintre. David avait les formes que donne
la nature aux êtres destinés à de grandes luttes, éclatantes ou secrètes. Son large buste était flanqué par de
fortes épaules en harmonie avec la plénitude de toutes
ses formes. Son visage, brun de ton, coloré, gras, supporté par un gros cou, enveloppé d'une abondante forêt
de cheveux noirs, ressemblait au premier abord à celui
des chanoines chantés par Boileau ; mais un second
examen vous révélait dans les sillons des lèvres épaisses,
dans la fossette du menton, dans la tournure d'un nez
carré, fendu par un méplat tourmenté, dans les yeux
surtout ! le feu continu d'un unique amour [a], la sagacité du penseur, l'ardente mélancolie d'un esprit qui
pouvait embrasser les deux extrémités de l'horizon, en
en pénétrant toutes les sinuosités, et qui se dégoûtait
facilement des jouissances tout idéales en y portant les
clartés de l'analyse [b]. Si l'on devinait dans cette face les
éclairs du génie qui s'élance, on voyait aussi les cendres auprès du volcan ; l'espérance s'y éteignait dans
un profond sentiment du néant social où la naissance
obscure et le défaut de fortune maintiennent tant d'esprits supérieurs [1]. Auprès du pauvre imprimeur, à qui
son état, quoique si voisin de l'intelligence, donnait
des nausées, auprès de ce Silène lourdement appuyé sur
lui-même qui buvait à longs traits dans la coupe de la
science et de la poésie, en s'enivrant afin d'oublier les
malheurs de la vie de province, Lucien se tenait dans la
pose gracieuse trouvée par les sculpteurs pour le Bacchus

---

1. Ce portrait de David est évidemment celui de Balzac lui-même.
En 1842, le romancier l'a refait dans *Albert Savarus*. On y retrouve
le nez carré, le col blanc et rond. Mais maintenant des cheveux blancs
se mêlent aux cheveux noirs, et deux longues rides des joues dénoncent
une vie de douleurs. A ces deux portraits de Balzac par lui-même,
on joindra celui de Théophile Gautier *(Portraits contemporains)*,
très beau, mais qui va moins loin dans l'intelligence de l'homme.

indien[1]. Son visage avait la distinction des lignes de la
beauté antique : c'était un front et un nez grecs, la blancheur
veloutée des femmes, des yeux noirs tant ils étaient bleus,
des yeux pleins d'amour, et dont le blanc le disputait
en fraîcheur à celui d'un enfant. Ces beaux yeux étaient
surmontés de sourcils comme tracés par un pinceau
chinois et bordés de longs cils châtains. Le long des
joues brillait un duvet soyeux dont la couleur s'harmoniait à celle d'une blonde chevelure naturellement
bouclée [a]. Une suavité divine respirait dans ses tempes
d'un blanc doré. Une incomparable noblesse était empreinte dans son menton court, relevé sans brusquerie.
Le sourire des anges tristes errait sur ses lèvres de corail
rehaussées par de belles dents. Il avait les mains de l'homme
bien né, des mains élégantes, à un signe desquelles les
hommes devaient obéir et que les femmes aiment à baiser [b]. Lucien était mince et de taille moyenne. A voir
ses pieds, un homme aurait été d'autant plus tenté de le
prendre pour une jeune fille déguisée, que, semblable
à la plupart des hommes fins, pour ne pas dire astucieux,
il avait les hanches conformées comme celles d'une femme.
Cet indice, rarement trompeur, était vrai chez Lucien,
que la pente de son esprit remuant amenait souvent, quand
il analysait l'état actuel de la société, sur le terrain de la
dépravation particulière aux diplomates qui croient que
le succès est la justification de tous les moyens, quelque
honteux qu'ils soient. L'un des malheurs auxquels sont
soumises les grandes intelligences, c'est de comprendre
forcément toutes choses, les vices aussi bien que les vertus.

    Ces deux jeunes gens jugeaient la société d'autant plus
souverainement qu'ils s'y trouvaient placés plus bas, car

---

    1. Spoelberch de Lovenjoul a recueilli de la bouche du comte de
Solms une curieuse anecdote. C'est qu'Albéric Second aurait servi
de modèle à Balzac pour le portrait physique de Lucien (A 364, f⁰ 229).
Or Albéric Second a publié, en 1839, dans le *Figaro*, un article très
malveillant sur *Illusions perdues*. On peut se demander s'il avait été
irrité de se retrouver dans le roman. Mais peut-être que, tout simplement, il obéissait aux consignes de son journal.

les hommes méconnus se vengent de l'humilité de leur position par la hauteur de leur coup d'œil [a]. Mais aussi leur désespoir était d'autant plus amer qu'ils allaient ainsi plus rapidement là où les portait leur véritable destinée. Lucien avait beaucoup lu, beaucoup comparé ; David avait beaucoup pensé, beaucoup médité. Malgré les apparences d'une santé vigoureuse et rustique, l'imprimeur était un génie mélancolique et maladif, il doutait de lui-même ; tandis que Lucien, doué d'un esprit entreprenant, mais mobile, avait une audace en désaccord avec sa tournure molle, presque débile, mais pleine de grâces féminines. Lucien avait au plus haut degré le caractère gascon, hardi, brave, aventureux, qui s'exagère le bien et amoindrit le mal, qui ne recule point devant une faute s'il y a profit, et qui se moque du vice s'il s'en fait un marchepied. Ces dispositions d'ambitieux étaient alors comprimées par les belles illusions de la jeunesse, par l'ardeur qui le portait vers les nobles moyens que les hommes amoureux de gloire emploient avant tous les autres. Il n'était encore aux prises qu'avec ses désirs et non avec les difficultés de la vie, avec sa propre puissance et non avec la lâcheté des hommes, qui est d'un fatal exemple pour les esprits mobiles. Vivement séduit par le brillant de l'esprit de Lucien, David l'admirait tout en rectifiant les erreurs dans lesquelles le jetait la furie française. Cet homme juste avait un caractère timide en désaccord avec sa forte constitution, mais il ne manquait point de la persistance des hommes du Nord. S'il entrevoyait toutes les difficultés, il se promettait de les vaincre sans se rebuter ; et, s'il avait la fermeté d'une vertu vraiment apostolique, il la tempérait par les grâces d'une inépuisable indulgence. Dans cette amitié déjà vieille, l'un des deux aimait avec idolâtrie, et c'était David. Aussi Lucien commandait-il en femme qui se sait aimée. David obéissait avec plaisir. La beauté physique de son ami comportait une supériorité qu'il acceptait en se trouvant lourd et commun [b].

— Au bœuf l'agriculture patiente, à l'oiseau la vie

insouciante, se disait l'imprimeur. Je serai le bœuf, Lucien
sera l'aigle.

Depuis environ trois ans, les deux amis avaient donc
confondu leurs destinées si brillantes dans l'avenir. Ils
lisaient les grandes œuvres qui apparurent depuis la paix
sur l'horizon littéraire et scientifique, les ouvrages de
Schiller, de Gœthe, de lord Byron, de Walter Scott, de
Jean Paul, de Berzélius, de Davy, de Cuvier, de Lamartine,
etc. [1] Ils s'échauffaient à ces grands foyers, ils s'essayaient
en des œuvres avortées, ou prises, quittées et reprises avec
ardeur. Ils travaillaient continuellement sans lasser les
inépuisables forces de la jeunesse. Également pauvres,
mais dévorés par l'amour de l'art et de la science, ils ou-
bliaient la misère présente en s'occupant à jeter les fon-
dements de leur renommée.

— Lucien, sais-tu ce que je viens de recevoir de Paris ?
dit l'imprimeur en tirant de sa poche un petit volume
in-18. Écoute !

David lut, comme savent lire les poètes, l'idylle d'André
de Chénier intitulée *Néère*, puis celle du Jeune Malade,
puis l'élégie sur le suicide, celle dans le goût ancien, et
les deux derniers ïambes [2].

— Voilà donc ce qu'est André de Chénier ! s'écria
Lucien à plusieurs reprises. Il est désespérant, répétait-
il pour la troisième fois quand David trop ému pour
continuer lui laissa prendre le volume.

— Un poète retrouvé par un poète ! dit-il en voyant
la signature de la préface [3] [a].

---

1. A ces noms d'écrivains illustres, Balzac associe ceux du chimiste
Berzelius (1779-1848), du savant anglais sir Humphrey Davy (1778-
1829) et de Cuvier (1769-1832).
2. Ces lectures extasiées de Chénier, Balzac les a faites à Mme
Hanska. A la fin d'août 1833, il lui écrit : « Je vous apporterai votre
Chénier, et je vous le lirai au coin d'un rocher, devant votre lac. O
bonheur ! » (*L. Etr.*, I, p. 38). Et le 13 novembre 1833 : « Ne l'achetez
pas ; faites que je vous lise moi-même ces diverses poésies » (*ib.*, p. 83).
3. Il n'est pas sans intérêt pour l'histoire des relations de Balzac
et de Latouche d'observer que le manuscrit et certaines épreuves

— Après avoir produit ce volume, reprit David, Chénier croyait n'avoir rien fait qui fût digne d'être publié.

Lucien lut à son tour l'épique morceau de l'Aveugle et plusieurs élégies. Quand il tomba sur le fragment :

S'ils n'ont point de bonheur, en est-il sur la terre ?

il baisa le livre, et les deux amis pleurèrent, car tous deux aimaient avec idolâtrie. Les pampres s'étaient colorés, les vieux murs de la maison, fendillés, bossués, inégalement traversés par d'ignobles lézardes, avaient été revêtus de cannelures, de bossages, de bas-reliefs et des innombrables chefs-d'œuvre de je ne sais quelle architecture par les doigts d'une fée. La Fantaisie avait secoué ses fleurs et ses rubis sur la petite cour obscure. La Camille d'André Chénier était devenue pour David son Ève adorée, et pour Lucien, une grande dame qu'il courtisait. La poésie avait secoué les pans majestueux de sa robe étoilée sur l'atelier où grimaçaient les Singes et les Ours de la typographie. Cinq heures sonnaient, mais les deux amis n'avaient ni faim ni soif ; la vie leur était un rêve d'or [a], ils avaient tous les trésors de la terre à leurs pieds. Ils apercevaient ce coin d'horizon bleuâtre indiqué du doigt par l'Espérance à ceux dont la vie est orageuse, et auxquels sa voix de sirène dit : « Allez, volez, vous échapperez au malheur par cet espace d'or, d'argent ou d'azur. » En ce moment un apprenti nommé Cérizet [1], un gamin de Paris que David avait fait venir à Angoulême, ouvrit [b] la petite porte vitrée qui donnait de l'atelier dans la cour, et désigna les deux amis à un inconnu qui s'avança vers eux en les saluant.

— Monsieur, dit-il à David en tirant de sa poche un

---

parlaient de « la belle préface de M. de Latouche », mais que le texte publié ne contient plus cette mention flatteuse.

1. C'est seulement dans le *Furne corrigé* que Balzac a mis un nom sur l'apprenti de David. Cette correction et les développements que prend le personnage s'expliquent par la publication d'*Un Homme d'Affaires* en 1845.

énorme cahier, voici un mémoire que je désirerais faire
imprimer, voudriez-vous évaluer ce qu'il coûtera ?

— Monsieur, nous n'imprimons pas des manuscrits
si considérables, répondit David sans regarder le cahier,
voyez messieurs Cointet.

— Mais nous avons cependant un très joli caractère
qui pourrait convenir, reprit Lucien en prenant le manuscrit. Il faudrait que vous eussiez la complaisance de
revenir demain, et de nous laisser votre ouvrage pour
estimer les frais d'impression.

— N'est-ce pas à Monsieur Lucien Chardon que j'ai
l'honneur ?...

— Oui, monsieur, répondit le prote.

— Je suis heureux, monsieur, dit l'auteur, d'avoir pu
rencontrer un jeune poète promis à de si belles destinées. Je suis envoyé par madame de Bargeton.

En entendant ce nom, Lucien rougit et balbutia quelques mots pour exprimer sa reconnaissance de l'intérêt
que lui portait madame de Bargeton. David remarqua
la rougeur et l'embarras de son ami, qu'il laissa soutenant
la conversation avec le gentilhomme campagnard, auteur
d'un mémoire sur la culture des vers à soie, et que la
vanité poussait à se faire imprimer pour pouvoir être
lu par ses collègues de la Société d'agriculture.

— Hé ! bien, Lucien, dit David quand le gentilhomme
s'en alla, aimerais-tu madame de Bargeton ?

— Éperdument ! [a]

— Mais vous êtes plus séparés l'un de l'autre par les
préjugés que si vous étiez, elle à Pékin, toi dans le
Groenland.

— La volonté de deux amants triomphe de tout, dit
Lucien en baissant les yeux.

— Tu nous oublieras, répondit le craintif amant de
la belle Ève.

— Peut-être t'ai-je, au contraire, sacrifié ma maîtresse, s'écria Lucien.

— Que veux-tu dire ?

— Malgré mon amour, malgré les divers intérêts qui

me portent à m'impatroniser chez elle, je lui ai dit que
je n'y retournerais jamais si un homme de qui les talents
étaient supérieurs aux miens, dont l'avenir devait être
glorieux, si David Séchard, mon frère, mon ami, n'y
était reçu. Je dois trouver une réponse à la maison. Mais
quoique tous les aristocrates soient invités ce soir pour
m'entendre lire des vers, si la réponse est négative, je ne
remettrai jamais les pieds chez madame de Bargeton.

David serra violemment la main de Lucien, après s'être
essuyé les yeux. Six heures sonnèrent.

— Ève doit être inquiète, adieu, dit brusquement
Lucien.

Il s'échappa, laissant David en proie à l'une de ces
émotions que l'on ne sent aussi complètement qu'à cet
âge, surtout dans la situation où se trouvaient ces deux
jeunes cygnes auxquels la vie de province n'avait pas
encore coupé les ailes.

— Cœur d'or ! s'écria David en accompagnant de l'œil
Lucien qui traversait l'atelier.

Lucien descendit à l'Houmeau par la belle promenade
de Beaulieu, par la rue du Minage et la Porte-Saint-Pierre [1].
S'il prenait ainsi le chemin le plus long, dites-vous que la
maison de madame de Bargeton était située sur cette route.
Il éprouvait tant de plaisir à passer sous les fenêtres de
cette femme, même à son insu, que depuis deux mois
il ne revenait plus à l'Houmeau par la Porte-Palet [a] [2].

En arrivant sous les arbres de Beaulieu, il contempla

---

1. Zulma Carraud, dans la lettre déjà citée, avait parlé de la « belle
promenade de Beaulieu ». La rue du Minage, deux fois remaniée, en
1875 et en 1880-1890, a perdu son caractère ancien, mais M. Cadilhac
a donné la photographie d'une vieille maison aristocratique qui y
subsiste et peut nous aider à nous représenter l'hôtel de Bargeton.
La vieille porte Saint-Pierre a été depuis longtemps rasée. Une aqua-
relle d'E. Edwarney, au musée d'Angoulême, en conserve le souvenir.
Elle a été reproduite dans *l'Illustration* du 5 novembre 1938, avec
l'article de M. Cadilhac.

2. La lettre de Zulma Carraud expliquait que l'on descend
à l'Houmeau par deux portes, la porte Chandos et la rue du Palet
qui passe, disait-elle, sous le rempart et qui est moins fréquentée.

la distance qui séparait Angoulême de l'Houmeau. Les
mœurs du pays avaient élevé des barrières morales bien
autrement difficiles à franchir que les rampes par où
descendait Lucien. Le jeune ambitieux qui venait de
s'introduire dans l'hôtel de Bargeton en jetant la gloire
comme un pont volant entre la ville et le faubourg [a],
était inquiet de la décision de sa maîtresse comme un favori
qui craint une disgrâce après avoir essayé d'étendre son
pouvoir. Ces paroles doivent paraître obscures à ceux
qui n'ont pas encore observé les mœurs particulières aux
cités divisées en ville haute et ville basse ; mais il est
d'autant plus nécessaire d'entrer ici dans quelques explications sur Angoulême, qu'elles feront comprendre madame de Bargeton, un des personnages les plus importants de cette histoire.

MADAME DE BARGETON

Angoulême est une vieille ville, bâtie au sommet d'une
roche en pain de sucre qui domine les prairies où se roule
la Charente. Ce rocher tient vers le Périgord à une longue
colline qu'il termine brusquement sur la route de Paris à
Bordeaux, en formant une sorte de promontoire dessiné par trois pittoresques vallées. L'importance qu'avait
cette ville au temps des guerres religieuses est attestée
par ses remparts, par ses portes et par les restes d'une
forteresse assise sur le piton du rocher. Sa situation en
faisait jadis un point stratégique également précieux
aux catholiques et aux calvinistes ; mais sa force d'autrefois
constitue sa faiblesse aujourd'hui; en l'empêchant de s'étaler
sur la Charente, ses remparts et la pente trop rapide du
rocher l'ont condamnée à la plus funeste immobilité.
Vers le temps où cette histoire s'y passa, le Gouvernement
essayait de pousser la ville vers le Périgord en bâtissant

le long de la colline le palais de la préfecture, une école de marine, des établissements militaires, en préparant des routes. Mais le Commerce avait pris les devants ailleurs. Depuis longtemps le bourg de l'Houmeau s'était agrandi comme une couche de champignons au pied du rocher et sur les bords de la rivière, le long de laquelle passe la grande route de Paris à Bordeaux. Personne n'ignore la célébrité des papeteries d'Angoulême, qui, depuis trois siècles, s'étaient forcément établies sur la Charente et sur ses affluents où elles trouvèrent des chutes d'eau. L'État avait fondé à Ruelle sa plus considérable fonderie de canons pour la marine [1]. Le roulage, la poste, les auberges, le charronnage, les entreprises de voitures publiques, toutes les industries qui vivent par la route et par la rivière, se groupèrent au bas d'Angoulême pour éviter les difficultés que présentent ses abords. Naturellement les tanneries, les blanchisseries, tous les commerces aquatiques restèrent à la portée de la Charente [a] ; puis les magasins d'eaux-de-vie, les dépôts de toutes les matières premières voiturées par la rivière, enfin tout le transit borda la Charente de ses établissements [b]. Le faubourg de l'Houmeau devint donc une ville industrieuse et riche, une seconde Angoulême que jalousa la ville haute où restèrent le Gouvernement, l'Évêché, la justice, l'aristocratie. Ainsi, l'Houmeau, malgré son active et croissante puissance, ne fut qu'une annexe d'Angoulême. En haut la Noblesse et le Pouvoir, en bas le Commerce et l'Argent ; deux zones sociales constamment ennemies en tous lieux ; aussi est-il difficile de deviner qui des deux villes hait le plus sa rivale. La Restauration avait depuis neuf ans aggravé cet état de choses assez calme sous l'Empire. La plupart des maisons du Haut-Angoulême sont habitées ou par des familles nobles ou par d'antiques familles bourgeoises qui vivent de leurs revenus, et composent une sorte de nation autochtone dans

---

1. Cette fonderie, établie à Ruelle, à six kilomètres au nord d'Angoulême, a duré jusqu'à la dernière guerre.

laquelle les étrangers ne sont jamais reçus. A peine si,
après deux cents ans d'habitation, si après une alliance
avec l'une des familles primordiales, une famille venue
de quelque province voisine se voit adoptée ; aux yeux
des indigènes elle semble être arrivée d'hier dans le
pays. Les Préfets, les Receveurs généraux, les Administrations qui se sont succédé depuis quarante ans, ont
tenté de civiliser ces vieilles familles perchées sur leur
roche comme des corbeaux défiants : les familles ont
accepté leurs fêtes et leurs dîners ; mais quant à les admettre chez elles, elles s'y sont refusées constamment.
Moqueuses, dénigrantes, jalouses, avares, ces maisons
se marient, entre elles, se forment en bataillon serré pour
ne laisser ni sortir ni entrer personne ; les créations du
luxe moderne, elles les ignorent ᵃ. Pour elles, envoyer
un enfant à Paris, c'est vouloir le perdre. Cette prudence
peint les mœurs et les coutumes arriérées de ces familles
atteintes d'un royalisme inintelligent, entichées de dévo-
tion plutôt que religieuses, qui toutes vivent immobiles comme leur ville et son rocher. Angoulême jouit
cependant d'une grande réputation dans les provinces
adjacentes pour l'éducation qu'on y reçoit. Les villes
voisines y envoient leurs filles dans les pensions et dans
les couvents. Il est facile de concevoir combien l'esprit
de caste influe sur les sentiments qui divisent Angoulême
et l'Houmeau. Le Commerce est riche, la Noblesse est
généralement pauvre. L'une se venge de l'autre par un
mépris égal des deux côtés. La bourgeoisie d'Angoulême
épouse cette querelle. Le marchand de la haute ville dit
d'un négociant du faubourg, avec un accent indéfinissable :
— C'est un homme de l'Houmeau ! En dessinant la position de la noblesse en France et lui donnant des espérances qui ne pouvaient se réaliser sans un bouleversement général, la Restauration étendit la distance morale qui
séparait, encore plus fortement que la distance locale,
Angoulême de l'Houmeau. La société noble, unie alors
au gouvernement, devint là plus exclusive qu'en tout
autre endroit de la France. L'habitant de l'Houmeau

ressemblait assez à un paria. De là procédaient ces haines sourdes et profondes qui donnèrent une effroyable unanimité à l'insurrection de 1830, et détruisirent les éléments d'un durable État Social en France. La morgue de la noblesse de cour désaffectionna du trône la noblesse de province, autant que celle-ci désaffectionnait la bourgeoisie, en en froissant toutes les vanités. Un homme de l'Houmeau, fils d'un pharmacien, introduit chez madame de Bargeton, était donc une petite révolution. Quels en étaient les auteurs ? Lamartine et Victor Hugo, Casimir Delavigne et Canalis, Béranger et Chateaubriand, Villemain et monsieur Aignan, Soumet et Tissot, Étienne et d'Avrigny, Benjamin Constant et La Mennais, Cousin et Michaud [a], enfin les vieilles aussi bien que les jeunes illustrations littéraires [1], les Libéraux comme les Royalistes. Madame de Bargeton aimait les arts et les lettres, goût extravagant, manie hautement déplorée dans Angoulême, mais qu'il est nécessaire de justifier en esquissant la vie de cette femme née pour être célèbre, maintenue dans l'obscurité par de fatales circonstances, et dont l'influence détermina la destinée de Lucien.

Monsieur de Bargeton était l'arrière-petit-fils d'un Jurat de Bordeaux, nommé Mirault, anobli sous Louis XIII par suite d'un long exercice en sa charge. Sous Louis XIV, son fils, devenu Mirault de Bargeton, fut officier dans les Gardes de la Porte, et fit un si grand mariage d'argent, que, sous Louis XV, son fils fut appelé purement et simplement monsieur de Bargeton. Ce monsieur de Bargeton, petit-fils de monsieur Mirault-le-Jurat, tint si fort à se conduire en parfait gentilhomme, qu'il mangea tous les biens de la famille, et en arrêta la fortune. Deux de ses frères, grands-oncles du Bargeton actuel, redevinrent

---

1. Balzac mêle à dessein des noms demeurés illustres et d'autres qui, en 1836, avaient déjà beaucoup perdu de leur éphémère notoriété, l'académicien Aignan, le journaliste Tissot et son collaborateur Étienne, le vieux Michaud, l'obscur Davrigny, et cet Alexandre Soumet que les jeunes poètes du Cénacle appelaient sans rire le Grand Alexandre.

négociants, en sorte qu'il se trouve des Mirault dans le commerce à Bordeaux. Comme la terre de Bargeton, située en Angoumois dans la mouvance du fief de La Rochefoucauld, était substituée, ainsi qu'une maison d'Angoulême, appelée l'hôtel de Bargeton, le petit-fils de monsieur de Bargeton-le-mangeur hérita de ces deux biens. En 1789 il perdit ses droits utiles, et n'eut plus que le revenu de la terre, qui valait environ dix mille livres de rente. Si son grand-père eût suivi les glorieux exemples de Bargeton Ier et de Bargeton II, Bargeton V, qui peut se surnommer le Muet, aurait été marquis de Bargeton ; il se fût allié à quelque grande famille, se serait trouvé duc et pair comme tant d'autres ; tandis qu'en 1805, il fut très flatté d'épouser mademoiselle Marie-Louise Anaïs de Nègrepelisse, fille d'un gentilhomme oublié depuis longtemps dans sa gentilhommière, quoiqu'il appartînt à la branche cadette d'une des plus antiques familles du Midi de la France. Il y eut un Nègrepelisse parmi les otages de saint Louis ; mais le chef de la branche aînée porte l'illustre nom d'Espard, acquis sous Henri IV par un mariage avec l'héritière de cette famille[a]. Ce gentilhomme, cadet d'un cadet, vivait sur le bien de sa femme, petite terre située près de Barbezieux, qu'il exploitait à merveille en allant vendre son blé au marché, brûlant lui-même son vin, et se moquant des railleries pourvu qu'il entassât des écus, et que de temps en temps il pût amplifier son domaine[b].

Des circonstances assez rares au fond des provinces avaient inspiré à madame de Bargeton le goût de la musique et de la littérature. Pendant la Révolution, un abbé Niollant, le meilleur élève de l'abbé Roze[1], se cacha dans le petit castel d'Escarbas, en y apportant son bagage de compositeur. Il avait largement payé l'hospitalité du vieux gentilhomme en faisant l'éducation de sa fille, Anaïs, nommée Naïs par abréviation, et qui sans cette

---

1. L'abbé Nicolas Roze (1745-1819) avait été un maître de chapelle et un musicologue d'une certaine célébrité.

aventure eût été abandonnée à elle-même ou, par un
plus grand malheur, à quelque mauvaise femme de chambre. Non seulement l'abbé était musicien, mais il possédait des connaissances étendues en littérature, il savait
l'italien et l'allemand. Il enseigna donc ces deux langues
et le contrepoint à mademoiselle de Nègrepelisse ; il lui
expliqua les grandes œuvres littéraires de la France, de
l'Italie et de l'Allemagne, en déchiffrant avec elle la musique
de tous les maîtres. Enfin, pour combattre le désœuvrement de la profonde solitude à laquelle les condam-
naient les événements politiques, il lui apprit le grec et
le latin, et lui donna quelque teinture des sciences naturelles. La présence d'une mère ne modifia point cette
mâle éducation chez une jeune personne déjà trop portée
à l'indépendance par la vie champêtre. L'abbé Niollant,
âme enthousiaste et poétique, était surtout remarquable
par l'esprit particulier aux artistes qui comporte plusieurs
prisables qualités, mais qui s'élève au-dessus des idées
bourgeoises par la liberté des jugements et par l'étendue
des aperçus. Si, dans le monde, cet esprit se fait pardonner
ses témérités par son originale profondeur, il peut sembler
nuisible dans la vie privée par les écarts qu'il inspire. L'abbé
ne manquait point de cœur, ses idées furent donc conta-
gieuses pour une jeune fille chez qui l'exaltation naturelle
aux jeunes personnes se trouvait corroborée par la solitude de la campagne. L'abbé Niollant communiqua sa
hardiesse d'examen et sa facilité de jugement à son élève,
sans songer que ces qualités si nécessaires à un homme
deviennent des défauts chez une femme destinée aux
humbles occupations d'une mère de famille. Quoique
l'abbé recommandât continuellement à son élève d'être
d'autant plus gracieuse et modeste, que son savoir était
plus étendu, mademoiselle de Nègrepelisse prit une
excellente opinion d'elle-même, et conçut un robuste
mépris pour l'humanité. Ne voyant autour d'elle que des
inférieurs et des gens empressés de lui obéir, elle eut la
hauteur des grandes dames, sans avoir les douces four-
beries de leur politesse. Flattée dans toutes ses vanités

par un pauvre abbé qui s'admirait en elle comme un
auteur dans son œuvre, elle eut le malheur de ne rencontrer aucun point de comparaison qui l'aidât à se juger. Le
manque de compagnie est un des plus grands inconvénients de la vie de campagne. Faute de rapporter aux
autres les petits sacrifices exigés par le maintien et la
toilette, on perd l'habitude de se gêner pour autrui. Tout
en nous se vicie alors, la forme et l'esprit. N'étant pas
réprimée par le commerce de la société, la hardiesse des
idées de mademoiselle de Nègrepelisse passa dans ses manières, dans son regard ; elle eut cet air cavalier qui paraît
au premier abord original, mais qui ne sied qu'aux femmes
de vie aventureuse. Ainsi cette éducation, dont les aspé-
rités se seraient polies dans les hautes régions sociales,
devait la rendre ridicule à Angoulême, alors que ses adorateurs cesseraient de diviniser des erreurs, gracieuses
pendant la jeunesse seulement. Quant à monsieur de
Nègrepelisse, il aurait donné tous les livres de sa fille pour
sauver un bœuf malade [a] ; car il était si avare qu'il ne lui
aurait pas accordé deux liards au delà du revenu auquel
elle avait droit, quand même il eût été question de lui
acheter la bagatelle la plus nécessaire à son éducation.
L'abbé mourut en 1802, avant le mariage de sa chère
enfant, mariage qu'il aurait sans doute déconseillé. Le vieux
gentilhomme se trouva bien empêché de sa fille quand
l'abbé fut mort. Il se sentit trop faible pour soutenir la
lutte qui allait éclater entre son avarice et l'esprit indépendant de sa fille inoccupée. Comme toutes les jeunes personnes sorties de la route tracée où doivent cheminer
les femmes, Naïs avait jugé le mariage et s'en souciait peu.
Elle répugnait à soumettre son intelligence et sa personne
aux hommes sans valeur et sans grandeur personnelle
qu'elle avait pu rencontrer. Elle voulait commander, et
devait obéir. Entre obéir à des caprices grossiers, à des
esprits sans indulgence pour ses goûts, et s'enfuir avec un
amant qui lui plaisait, elle n'aurait pas hésité. Monsieur de
Nègrepelisse était encore assez gentilhomme pour craindre
une mésalliance. Comme beaucoup de pères, il se résolut

à marier sa fille, moins pour elle que pour sa propre tranquillité [a]. Il lui fallait un noble ou un gentilhomme peu
spirituel, incapable de chicaner sur le compte de tutelle
qu'il voulait rendre à sa fille, assez nul d'esprit et de volonté pour que Naïs pût se conduire à sa fantaisie, assez
désintéressé pour l'épouser sans dot. Mais comment trouver un gendre qui convînt également au père et à la fille ?
Un pareil homme était le phénix des gendres. Dans ce
double intérêt, monsieur de Nègrepelisse étudia les hommes
de la province, et monsieur de Bargeton lui parut être le
seul qui répondît à son programme. Monsieur de Bargeton,
quadragénaire fort endommagé par les dissipations amoureuses de sa jeunesse, était accusé d'une remarquable impuis-
sance d'esprit ; mais il lui restait précisément assez de bon sens
pour gérer sa fortune, et assez de manières pour demeurer
dans le monde d'Angoulême sans y commettre ni gau-
cheries ni sottises. Monsieur de Nègrepelisse expliqua
tout crûment à sa fille la valeur négative du mari modèle
qu'il lui proposait, et lui fit apercevoir le parti qu'elle
en pouvait tirer pour son propre bonheur : elle épousait
des armes déjà vieilles de deux cents ans, les Bargeton
écartèlent d'or à trois massacres de cerf de gueules, deux et
un croisés de trois rencontres de bœuf de sable, un et deux et
fascé d'azur et d'argent de six pièces, l'azur chargé de six coquilles
d'or, trois, deux et un [1] [b]. Munie d'un chaperon, elle conduirait à son gré sa fortune à l'abri d'une raison sociale,
et à l'aide des liaisons que son esprit et sa beauté lui pro-
cureraient à Paris. Naïs fut séduite par la perspective d'une
semblable liberté [c]. Monsieur de Bargeton crut faire un
brillant mariage, en estimant que son beau-père ne tarde-
rait pas à lui laisser la terre qu'il arrondissait avec amour ;

---

1. C'est le *Furne corrigé* qui nous instruit des armes de la famille
de Bargeton : témoignage de l'intervention du jeune comte de Gramont
dans la *Comédie humaine*. Ces corrections apparaissent à partir de 1844.
Cette année-là, l'édition nouvelle du *Lys dans la Vallée* introduit le
blason de Blamont-Chauvry. L'année suivante, la deuxième édition
d'*Un Début dans la Vie* ajoute les armes de Serisy.

mais en ce moment monsieur de Nègrepelisse paraissait
devoir écrire l'épitaphe de son gendre.

Madame de Bargeton se trouvait alors âgée de trente-six
ans, et son mari en avait cinquante-huit. Cette disparité
choquait d'autant plus que monsieur de Bargeton semblait
avoir soixante-dix ans, tandis que sa femme pouvait
impunément jouer à la jeune fille, se mettre en rose, ou
se coiffer à l'enfant. Quoique leur fortune n'excédât pas
douze mille livres de rente, elle était classée parmi les six
fortunes les plus considérables de la vieille ville, les négociants et les administrateurs exceptés. La nécessité de cultiver leur père, dont madame de Bargeton attendait l'héritage
pour aller à Paris, et qui le fit si bien attendre que son gendre
mourut avant lui, força monsieur et madame de Bargeton
d'habiter Angoulême, où les brillantes qualités d'esprit
et les richesses brutes cachées dans le cœur de Naïs devaient
se perdre sans fruit, et se changer avec le temps en ridicules.
En effet, nos ridicules sont en grande partie causés par un
beau sentiment, par des vertus ou par des facultés portées
à l'extrême. La fierté que ne modifie pas l'usage du grand
monde devient de la roideur en se déployant sur de petites
choses au lieu de s'agrandir dans un cercle de sentiments
élevés. L'exaltation, cette vertu dans la vertu, qui engendre
les saintes, qui inspire les dévouements cachés et les éclatantes poésies, devient de l'exagération en se prenant aux
riens de la province. Loin du centre où brillent les grands
esprits, où l'air est chargé de pensées, où tout se renouvelle,
l'instruction vieillit, le goût se dénature comme une eau
stagnante. Faute d'exercice, les passions se rapetissent en
grandissant des choses minimes. Là est la raison de l'avarice et du commérage qui empestent la vie de province.
Bientôt, l'imitation des idées étroites et des manières mesquines gagne la personne la plus distinguée. Ainsi périssent
des hommes nés grands, des femmes qui, redressées par
les enseignements du monde et formées par des esprits
supérieurs, eussent été charmantes. Madame de Bargeton
prenait la lyre à propos d'une bagatelle, sans distinguer
les poésies personnelles des poésies publiques. Il est en

effet des sensations incomprises qu'il faut garder pour
soi-même. Certes un coucher de soleil est un grand poème,
mais une femme n'est-elle pas ridicule en le dépeignant à
grands mots devant des gens matériels ? Il s'y rencontre
de ces voluptés qui ne peuvent se savourer qu'à deux, poète
à poète, cœur à cœur. Elle avait le défaut d'employer de
ces immenses phrases bardées de mots emphatiques, si
ingénieusement nommées des *tartines* dans l'argot du
journalisme qui tous les matins en taille à ses abonnés
de fort peu digérables, et que néanmoins ils avalent. Elle
prodiguait démesurément des superlatifs qui chargeaient [a]
sa conversation où les moindres choses prenaient des
proportions gigantesques. Dès cette époque elle commençait à tout *typiser, individualiser, synthétiser, dramatiser,*
supérioriser, analyser, poétiser, prosaïser, colossifier, angéliser,
néologiser et tragiquer ; car il faut violer pour un moment
la langue, afin de peindre des travers nouveaux que par-
tagent quelques femmes. Son esprit s'enflammait d'ailleurs
comme son langage. Le dithyrambe était dans son cœur
et sur ses lèvres. Elle palpitait, elle se pâmait, elle s'en-
thousiasmait pour tout événement : pour le dévouement
d'une sœur grise et l'exécution des frères Faucher [1], pour
l'Ipsiboé de monsieur d'Arlincourt [2] comme pour l'Anaconda de Lewis [3b], pour l'évasion de Lavalette [4] comme
pour une de ses amies qui avait mis des voleurs en fuite
en faisant la grosse voix. Pour elle, tout était sublime, extraordinaire, étrange, divin, merveilleux. Elle s'animait, se
courrouçait, s'abattait sur elle-même, s'élançait, retombait,

---

1. Les frères Faucher furent fusillés le 27 septembre 1815. Parmi
les crimes de la Terreur blanche, cet assassinat légal fut l'un des
plus scandaleux.

2. Ce roman du ridicule vicomte parut en 1823 chez Béchet.

3. En 1822 paraît chez Mme Renard le tome II de la traduction de
Blanche et Osbright de Lewis. A la fin du volume, le traducteur a placé
l'*Anaconda* du même auteur, avec pagination particulière.

4. Grâce à la ruse héroïque de sa femme, Lavalette, condamné
à mort par la cour martiale après les Cent-Jours, réussit à s'évader
de prison et à gagner l'étranger.

regardait le ciel ou la terre ; ses yeux se remplissaient de
larmes. Elle usait sa vie en de perpétuelles admirations
et se consumait en d'étranges dédains. Elle concevait
le pacha de Janina [1], elle aurait voulu lutter avec lui dans
son sérail, et trouvait quelque chose de grand à être cousue
dans un sac et jetée à l'eau. Elle enviait lady Esther Stanhope, ce bas-bleu du désert [2]. Il lui prenait envie de se faire
sœur de Sainte-Camille et d'aller mourir de la fièvre jaune
à Barcelone [3] en soignant les malades : c'était là une
grande, une noble destinée ! Enfin, elle avait soif de tout ce
qui n'était pas l'eau claire de sa vie, cachée entre les herbes.
Elle adorait lord Byron, Jean-Jacques Rousseau, toutes
les existences poétiques et dramatiques. Elle avait des
larmes pour tous les malheurs et des fanfares pour toutes
les victoires. Elle sympathisait avec Napoléon vaincu, elle
sympathisait avec Méhémet-Ali massacrant les tyrans
de l'Égypte [4]. Enfin elle revêtait les gens de génie d'une
auréole, et croyait qu'ils vivaient de parfums et de lumière.
A beaucoup de personnes, elle paraissait une folle dont la
folie était sans danger ; mais, certes, à quelque perspicace
observateur, ces choses eussent semblé les débris d'un
magnifique amour écroulé aussitôt que bâti, les restes d'une
Jérusalem céleste, enfin l'amour sans l'amant. Et c'était

---

1. Ali, pacha de Janina, se révolta contre la Porte, fut pris et exécuté en 1822. *Un début dans la vie* contient une allusion au même
fait. Georges songe à faire croire à ses compagnons de voyage qu'il
a commandé les troupes du pacha de Janina (éd. Robert, p. 64).

2. Cette nièce de Pitt avait réussi à se rendre célèbre en Europe,
et les historiens ont la bonté de s'intéresser encore à elle. Au cours
de son voyage en Orient, Lamartine alla lui rendre visite : le récit
qu'il a laissé de leur entretien diffère de façon plaisante et suggestive
des confidences que cette rencontre inspira à l'excentrique Anglaise.

3. La presse royaliste était pleine alors de relations édifiantes sur le
zèle des religieuses pendant la peste de Barcelone en 1820.

4. Méhémet-Ali avait massacré les Mamelouks en 1811. L'épisode
avait inspiré un tableau d'Horace Vernet, exposé au salon de 1819.
Un Début dans la Vie y fait également allusion. Georges, après avoir
commandé les troupes du pacha de Janina, est ensuite passé au service
de Méhémet-Ali.

vrai. L'histoire des dix-huit premières années du mariage de madame de Bargeton peut s'écrire en peu de mots. Elle vécut pendant quelque temps de sa propre substance et d'espérances lointaines. Puis, après avoir reconnu que la vie de Paris, à laquelle elle aspirait, lui était interdite par la médiocrité de sa fortune, elle se prit à examiner les personnes qui l'entouraient, et frémit de sa solitude. Il ne se trouvait autour d'elle aucun homme qui pût lui inspirer une de ces folies auxquelles les femmes se livrent, poussées par le désespoir que leur cause une vie sans issue, sans événement, sans intérêt. Elle ne pouvait compter sur rien, pas même sur le hasard, car il y a des vies sans hasard. Au temps où l'Empire brillait de toute sa gloire, lors du passage de Napoléon en Espagne, où il envoyait la fleur de ses troupes, les espérances de cette femme, trompées jusqu'alors, se réveillèrent. La curiosité la poussa naturellement à contempler ces héros qui conquéraient l'Europe sur un mot mis à l'Ordre du Jour, et qui renouvelaient les fabuleux exploits de la chevalerie. Les villes les plus avaricieuses et les plus réfractaires étaient obligées de fêter la Garde Impériale, au-devant de laquelle allaient les Maires et les Préfets, une harangue en bouche, comme pour la Royauté. Madame de Bargeton, venue à une redoute offerte par un régiment à la ville, s'éprit d'un gentilhomme, simple sous-lieutenant à qui le rusé Napoléon avait montré le bâton de maréchal de France. Cette passion contenue, noble, grande, et qui contrastait avec les passions alors si facilement nouées et dénouées, fut chastement consacrée par la main de la mort. A Wagram, un boulet de canon écrasa sur le cœur du marquis de Cante-Croix le seul portrait qui attestât la beauté de madame de Bargeton [1]. Elle pleura longtemps ce beau jeune homme [a], qui en deux campagnes était devenu colonel, échauffé par la gloire, par l'amour, et qui mettait une lettre de Naïs au-dessus des

---

1. Ce grand amour pour un jeune homme bientôt disparu fait une allusion presque évidente à celui de Mme de Castries pour le jeune Metternich. Voir *supra*, Introduction, p. x.

distinctions impériales. La douleur jeta sur la figure de
cette femme un voile de tristesse. Ce nuage ne se dissipa
qu'à l'âge terrible où la femme commence à regretter ses
belles années passées sans qu'elle en ait joui, où elle voit
ses roses se faner, où les désirs d'amour renaissent avec
l'envie de prolonger les derniers sourires de la jeunesse.
Toutes ses supériorités firent plaie dans son âme au moment
où le froid de la province la saisit. Comme l'hermine, elle
serait morte de chagrin si, par hasard, elle se fût souillée au
contact d'hommes qui ne pensaient qu'à jouer quelques
sous, le soir, après avoir bien dîné [a]. Sa fierté la préserva
des tristes amours de la province. Entre la nullité des
hommes qui l'entouraient et le néant, une femme si supérieure dut préférer le néant. Le mariage et le monde furent
donc pour elle un monastère. Elle vécut par la poésie, comme la carmélite vit par la religion. Les ouvrages des illustres
étrangers jusqu'alors inconnus qui se publièrent de 1815
à 1821, les grands traités de monsieur de Bonald et ceux
de monsieur de Maistre, ces deux aigles penseurs [b], enfin
les œuvres moins grandioses de la littérature française qui
poussa si vigoureusement ses premiers rameaux, lui embel-
lirent sa solitude, mais n'assouplirent ni son esprit ni sa
personne. Elle resta droite et forte comme un arbre qui
a soutenu un coup de foudre sans en être abattu. Sa dignité
se guinda, sa royauté la rendit précieuse et quintessenciée.
Comme tous ceux qui se laissent adorer par des courtisans
quelconques, elle trônait avec ses défauts. Tel était le
passé de madame de Bargeton, froide histoire, nécessaire
à dire pour faire comprendre sa liaison avec Lucien, qui
fut assez singulièrement introduit chez elle. Pendant ce
dernier hiver, il était survenu dans la ville une personne
qui avait animé la vie monotone que menait madame de
Bargeton [c]. La place de directeur des contributions indirectes étant venue à vaquer, monsieur de Barante [1] envoya

---

1. Après avoir été préfet de l'Empire, il était devenu sous la Restauration directeur général des Contributions indirectes.

pour l'occuper un homme de qui la destinée aventureuse plaidait assez en sa faveur pour que la curiosité féminine lui servît de passe-port chez la reine du pays.

Monsieur du Châtelet [1], venu au monde Sixte Châtelet tout court, mais qui dès 1806 avait eu le bon esprit de se qualifier, était un de ces agréables jeunes gens qui, sous Napoléon, échappèrent à toutes les conscriptions en demeurant auprès du soleil impérial. Il avait commencé sa carrière par la place de secrétaire des commandements d'une princesse impériale. Monsieur du Châtelet possédait toutes les incapacités exigées par sa place. Bien fait, joli homme, bon danseur, savant joueur de billard, adroit à tous les exercices, médiocre acteur de société, chanteur de romances, applaudisseur de bons mots, prêt à tout, souple, envieux, il savait et ignorait tout. Ignorant en musique, il accompagnait au piano tant bien que mal une femme qui voulait chanter par complaisance une romance apprise avec mille peines pendant un mois. Incapable de sentir la poésie, il demandait hardiment la permission de se promener pendant dix minutes pour faire un impromptu, quelque quatrain plat comme un soufflet, et [a] où la rime remplaçait l'idée. Monsieur du Châtelet était encore doué du talent de remplir la tapisserie dont les fleurs avaient été commencées par la princesse ; il tenait avec une grâce infinie les écheveaux de soie qu'elle dévidait, en lui disant des riens où la gravelure se cachait sous une gaze plus ou moins trouée [b]. Ignorant en peinture, il savait copier un paysage, crayonner un profil, croquer un costume et le colorier. Enfin il avait tous ces petits talents qui étaient de si grands véhicules de fortune dans un temps où les femmes ont eu plus d'influence qu'on ne le croit sur les affaires. Il se prétendait fort en diplomatie, la science de ceux qui n'en ont aucune et qui sont profonds par leur vide ; science d'ailleurs fort commode, en ce sens qu'elle se démontre par l'exercice même de ses hauts emplois ; que voulant

---

1. Sur ce personnage, peint avec tant de verve satirique et une sorte d'acharnement, voir *supra*. Introduction, p. XI, n. *.

des hommes discrets, elle permet aux ignorants de ne rien
dire, de se retrancher dans des hochements de tête mystérieux ; et qu'enfin l'homme le plus fort en cette science
est celui qui nage en tenant sa tête au-dessus du fleuve des
événements qu'il semble alors conduire, ce qui devient
une question de légèreté spécifique. Là, comme dans les
arts, il se rencontre mille médiocrités pour un homme de
génie. Malgré son service ordinaire et extraordinaire
auprès de l'Altesse Impériale, le crédit de sa protectrice
n'avait pu le placer au Conseil d'État : non qu'il n'eût
fait un délicieux Maître des Requêtes comme tant d'autres,
mais la princesse le trouvait mieux placé près d'elle que
partout ailleurs. Cependant il fut nommé baron, vint à
Cassel comme Envoyé Extraordinaire, et y parut en effet
très extraordinaire. En d'autres termes, Napoléon s'en
servit au milieu d'une crise comme d'un courrier diplomatique. Au moment où l'Empire tomba, le baron du
Châtelet avait la promesse d'être nommé Ministre en
Westphalie, près de Jérôme. Après avoir manqué ce qu'il
nommait une ambassade de famille, le désespoir le prit ;
il fit un voyage en Égypte avec le général Armand de
Montriveau. Séparé de son compagnon par des événements
bizarres, il avait erré pendant deux ans de désert en désert,
de tribu en tribu, captif des Arabes qui se le revendaient
les uns aux autres sans pouvoir tirer le moindre parti de
ses talents. Enfin, il atteignit les possessions de l'iman
de Mascate, pendant que Montriveau se dirigeait sur
Tanger ; mais il eut le bonheur de trouver à Mascate [1] un
bâtiment anglais qui mettait à la voile, et put revenir à
Paris un an avant son compagnon de voyage. Ses malheurs
récents, quelques liaisons d'ancienne date, des services
rendus à des personnages alors en faveur, le recomman-
dèrent au Président du Conseil, qui le plaça près de mon-

---

1. Mascate est une ville d'Arabie, alors capitale d'un imanat indépendant. Reste à savoir comment du Châtelet, esclave d'une tribu
africaine, put gagner Mascate, qui est placé sur la rive asiatique, et
non africaine, de la mer Rouge.

sieur de Barante, en attendant la première Direction libre.
Le rôle rempli par monsieur du Châtelet auprès de l'Altesse
Impériale, sa réputation d'homme à bonnes fortunes, les
événements singuliers de son voyage, ses souffrances, tout
excita la curiosité des femmes d'Angoulême. Ayant appris
les mœurs de la haute ville, monsieur le baron Sixte du
Châtelet se conduisit en conséquence. Il fit le malade [a],
joua l'homme dégoûté, blasé. A tout propos, il se prit la
tête comme si ses souffrances ne lui laissaient pas un moment
de relâche, petite manœuvre qui rappelait son voyage et le
rendait intéressant. Il alla chez les autorités supérieures, le
Général, le Préfet, le Receveur-Général et l'Évêque ;
mais il se montra partout poli, froid, légèrement dédaigneux comme les hommes qui ne sont pas à leur place
et qui attendent les faveurs du pouvoir. Il laissa deviner
ses talents de société [b] qui gagnèrent à ne pas être connus ;
puis, après s'être fait désirer, sans avoir lassé la curiosité,
après avoir reconnu la nullité des hommes et savamment
examiné les femmes pendant plusieurs dimanches à la
cathédrale, il reconnut en madame de Bargeton la personne
dont l'intimité lui convenait. Il compta sur la musique
pour s'ouvrir les portes de cet hôtel impénétrable aux
étrangers. Il se procura secrètement une messe de Miroir,
l'étudia au piano ; puis, un beau dimanche où toute la
société d'Angoulême était à la messe, il extasia les ignorants
en touchant l'orgue, et réveilla l'intérêt qui s'était attaché
à sa personne en faisant indiscrètement circuler son nom
par les gens du bas clergé. Au sortir de l'église, madame de
Bargeton le complimenta, regretta de ne pas avoir l'occasion de faire de la musique avec lui ; pendant cette rencontre cherchée, il se fit naturellement offrir le passe-port
qu'il n'eût pas obtenu s'il l'eût demandé. L'adroit baron
vint chez la reine d'Angoulême, à laquelle il rendit des
soins compromettants. Ce vieux beau, car il avait quarante-
cinq ans, reconnut dans cette femme toute une jeunesse
à ranimer, des trésors à faire valoir, peut-être une veuve
riche en espérances à épouser, enfin une alliance avec la
famille des Nègrepelisse, qui lui permettrait d'aborder

à Paris la marquise d'Espard, dont le crédit pouvait lui
rouvrir la carrière politique. Malgré le gui sombre et
luxuriant qui gâtait ce bel arbre [a], il résolut de s'y attacher,
de l'émonder, de le cultiver, d'en obtenir de beaux fruits.
L'Angoulême noble cria contre l'introduction d'un giaour
dans la Casbah [1], car le salon de madame de Bargeton
était le Cénacle d'une société pure de tout alliage. L'Évêque
seul y venait habituellement, le Préfet y était reçu deux ou
trois fois dans l'an ; le Receveur-Général n'y pénétrait
point ; madame de Bargeton allait à ses soirées, à ses
concerts, et ne dînait jamais chez lui. Ne pas voir le
Receveur-Général et agréer un simple Directeur des Contributions, ce renversement de la hiérarchie parut inconcevable aux autorités dédaignées.

Ceux qui peuvent s'initier par la pensée à des petitesses qui se retrouvent d'ailleurs dans chaque sphère
sociale, doivent comprendre combien l'hôtel de Bargeton
était imposant dans la bourgeoisie d'Angoulême. Quant
à l'Houmeau, les grandeurs de ce Louvre au petit pied,
la gloire de cet hôtel de Rambouillet angoumoisin brillaient à une distance solaire. Tous ceux qui s'y rassem-
blaient étaient les plus pitoyables esprits, les plus mesquines intelligences, les plus pauvres sires à vingt lieues
à la ronde. La politique se répandait en banalités verbeuses et passionnées [b] ; la Quotidienne y paraissait tiède,
Louis XVIII y était traité de Jacobin. Quant aux femmes,
la plupart sottes et sans grâces se mettaient mal, toutes
avaient quelque imperfection qui les faussait, rien n'y
était complet, ni la conversation ni la toilette, ni l'esprit
ni la chair. Sans ses projets sur madame de Bargeton,
Châtelet n'y eût pas tenu. Néanmoins, les manières et
l'esprit de caste, l'air gentilhomme, la fierté du noble au
petit castel, la connaissance des lois de la politesse y cou-
vraient tout ce vide. La noblesse des sentiments y était
beaucoup plus réelle que dans la sphère des grandeurs

---

1. Allusion au *Giaour* de Byron récemment traduit.

parisiennes ; il y éclatait un respectable attachement *quand même* aux Bourbons. Cette société pouvait se comparer, si cette image est admissible, à une argenterie de vieille forme, noircie, mais pesante. L'immobilité de ses opinions politiques ressemblait à de la fidélité. L'espace mis entre elle et la bourgeoisie, la difficulté d'y parvenir simulaient une sorte d'élévation et lui donnaient une valeur de convention. Chacun de ces nobles avait son prix pour les habitants, comme le cauris représente l'argent chez les nègres du Bambarra [1]. Plusieurs femmes, flattées par monsieur du Châtelet et reconnaissant en lui des supériorités qui manquaient aux hommes de leur société, calmèrent l'insurrection des amours-propres : toutes espéraient s'approprier la succession de l'Altesse Impériale. Les puristes pensèrent qu'on verrait l'intrus chez madame de Bargeton, mais qu'il ne serait reçu dans aucune autre maison. Du Châtelet essuya plusieurs impertinences, mais il se maintint dans sa position en cultivant le clergé. Puis il caressa les défauts que le terroir avait donnés à la reine d'Angoulême, il lui apporta tous les livres nouveaux, il lui lisait les poésies qui paraissaient. Ils s'extasiaient ensemble sur les œuvres des jeunes poètes, elle de bonne foi, lui s'ennuyant, mais prenant en patience les poètes romantiques, qu'en homme de l'école impériale il comprenait peu. Madame de Bargeton, enthousiasmée de la renaissance due à l'influence des lis, aimait monsieur de Chateaubriand de ce qu'il avait nommé Victor Hugo un enfant sublime. Triste de ne connaître le génie que de loin, elle soupirait après Paris, où vivaient les grands hommes. Monsieur du Châtelet crut alors faire merveille en lui apprenant [a] qu'il existait à Angoulême *un autre enfant sublime*, un jeune poète qui, sans le savoir, surpassait en éclat le lever sidéral des constellations parisiennes [2b]. Un grand homme futur

---

1. Le cauris, coquillage blanc employé comme monnaie par certains peuples d'Afrique, et par exemple les Bambaras du Soudan.
2. Le manuscrit fait allusion à *la Muse française* qui commença

était né dans l'Houmeau ! Le Proviseur du collège avait
montré d'admirables pièces de vers au baron. Pauvre
et modeste, l'enfant était un Chatterton sans lâcheté
politique, sans la haine féroce contre les grandeurs sociales
qui poussa le poète anglais à écrire des pamphlets contre
ses bienfaiteurs. Au milieu des cinq ou six personnes qui
partageaient son goût pour les arts et les lettres, celui-ci
parce qu'il raclait un violon, celui-là parce qu'il tachait plus
ou moins le papier blanc de quelque sépia, l'un en sa qualité
de président de la Société d'agriculture, l'autre en vertu
d'une voix de basse qui lui permettait de chanter en manière d'hallali le *Se fiato in corpo avete* ; parmi ces figures
fantasques, madame de Bargeton se trouvait comme un
affamé devant un dîner de théâtre où les mets sont en carton. Aussi rien ne pourrait-il peindre sa joie au moment
où elle apprit cette nouvelle. Elle voulut voir ce poète, cet
ange ! elle en raffola, elle s'enthousiasma, elle en parla
pendant des heures entières. Le surlendemain l'ancien
courrier diplomatique avait négocié par le Proviseur la
présentation de Lucien chez madame de Bargeton.

Vous seuls, pauvres ilotes de province pour qui les distances sociales sont plus longues à parcourir que pour
les Parisiens aux yeux desquels elles se raccourcissent
de jour en jour, vous sur qui pèsent si durement les grilles
entre lesquelles chacun des différents mondes du monde
s'anathématise [a] et se dit *Raca* [1], vous seuls comprendrez
le bouleversement qui laboura la cervelle et le cœur de
Lucien Chardon, quand son imposant Proviseur lui dit
que les portes de l'hôtel de Bargeton allaient s'ouvrir
devant lui ! la gloire les avait fait tourner sur leurs gonds !
il serait bien accueilli dans cette maison dont les vieux
pignons attiraient son regard quand il se promenait le

de paraître le 1er juillet 1823, un peu plus tard par conséquent que le
temps où se déroule l'action. Elle était animée, non pas par Victor
Hugo, mais par Soumet et les Deschamps. Elle était l'organe du
groupe des jeunes poètes romantiques, monarchistes et religieux.
   1. Allusion au texte de l'Évangile de saint Matthieu, 5, 22.

soir à Beaulieu avec David, en se disant que leurs noms
ne parviendraient peut-être jamais à ces oreilles dures à la
science lorsqu'elle partait de trop bas. Sa sœur fut seule
initiée à ce secret. En bonne ménagère, en divine devi-
neresse, Ève sortit quelques louis du trésor pour aller
acheter à Lucien des souliers fins chez le meilleur bottier d'Angoulême, un habillement neuf chez le plus célèbre tailleur. Elle lui garnit sa meilleure chemise d'un
jabot qu'elle blanchit et plissa elle-même. Quelle joie,
quand elle le vit ainsi vêtu ! combien elle fut fière de
son frère ! combien de recommandations ! Elle devina
mille petites niaiseries. L'entraînement de la méditation [a] avait donné à Lucien l'habitude de s'accouder
aussitôt qu'il était assis, il allait jusqu'à attirer une table
pour s'y appuyer ; Ève lui défendit de se laisser aller
dans le sanctuaire aristocratique à des mouvements sans
gêne. Elle l'accompagna jusqu'à la porte Saint-Pierre,
arriva presque en face de la cathédrale, le regarda prenant par la rue de Beaulieu, pour aller sur la Promenade
où l'attendait monsieur du Châtelet. Puis la pauvre fille
demeura tout émue comme si quelque grand événement
se fût accompli. Lucien chez madame de Bargeton,
c'était pour Ève l'aurore de la fortune. La sainte créature,
elle ignorait [b] que là où l'ambition commence, les naïfs
sentiments cessent. En arrivant dans la rue du Minage,
les choses extérieures n'étonnèrent point Lucien. Ce
Louvre tant agrandi par ses idées était une maison bâtie
en pierre tendre particulière au pays, et dorée par le temps.
L'aspect, assez triste sur la rue, était intérieurement fort
simple : c'était la cour de province, froide et proprette ;
une architecture sobre, quasi monastique, bien conservée. Lucien monta par un vieil escalier à balustres
de châtaignier dont les marches cessaient d'être en pierre
à partir du premier étage. Après avoir traversé une antichambre mesquine, un grand salon peu éclairé, il trouva
la souveraine dans un petit salon lambrissé de boiseries
sculptées dans le goût du dernier siècle et peintes en
gris. Le dessus des portes était en camaïeu. Un vieux damas

rouge, maigrement accompagné, décorait les panneaux.
Les meubles de vieille forme se cachaient piteusement
sous des housses à carreaux rouges et blancs. Le poète
aperçut madame de Bargeton assise sur un canapé à petit
matelas piqué, devant une table ronde couverte d'un tapis
vert, éclairée par un flambeau [a] de vieille forme, à deux
bougies et à garde-vue. La reine ne se leva point, elle se
tortilla fort agréablement sur son siège, en souriant au
poète, que ce trémoussement serpentin émut beaucoup,
il le trouva distingué.

L'excessive beauté de Lucien, la timidité de ses manières, sa voix, tout en lui saisit [b] madame de Bargeton.
Le poète était déjà la poésie. Le jeune homme examina,
par de discrètes œillades, cette femme qui lui parut en
harmonie avec son renom ; elle ne trompait aucune de
ses idées sur la grande dame. Madame de Bargeton portait,
suivant une mode nouvelle, un béret tailladé en velours
noir. Cette coiffure comporte un souvenir du Moyen-
Age, qui en impose à un jeune homme en amplifiant
pour ainsi dire la femme ; il s'en échappait une folle
chevelure d'un blond rouge, doré à la lumière, ardente
au contour des boucles. La noble dame avait le teint
éclatant par lequel une femme rachète les prétendus
inconvénients de cette fauve couleur. Ses yeux gris étincelaient, son front déjà ridé les couronnait bien par sa
masse blanche hardiment taillée ; ils étaient cernés par
une marge nacrée où, de chaque côté du nez deux veines
bleues faisaient ressortir la blancheur de ce délicat enca-
drement [c]. Le nez offrait une courbure bourbonnienne,
qui ajoutait au feu d'un visage long en présentant comme
un point brillant où se peignait le royal entraînement
des Condé. Les cheveux ne cachaient pas entièrement
le cou. La robe, négligemment croisée, laissait voir une
poitrine de neige, où l'œil devinait une gorge intacte
et bien placée. De ses doigts effilés et soignés, mais un peu
secs, madame de Bargeton fit au jeune poète un geste
amical, pour lui indiquer la chaise qui était près d'elle.

Monsieur du Châtelet prit un fauteuil. Lucien s'aperçut
alors qu'ils étaient seuls.

La conversation de madame de Bargeton enivra le poète
de l'Houmeau [a]. Les trois heures passées près d'elle
furent pour Lucien un de ces rêves que l'on voudrait
rendre éternels [b]. Il trouva cette femme plutôt maigrie
que maigre, amoureuse sans amour, maladive malgré
sa force ; ses défauts, que ses manières exagéraient, lui
plurent, car les jeunes gens commencent par aimer l'exagération, ce mensonge des belles âmes. Il ne remarqua
point la flétrissure des joues couperosées sur les pom-
mettes, et auxquelles les ennuis et quelques souffrances
avaient donné des tons de brique. Son imagination s'empara
d'abord de ces yeux de feu, de ces boucles élégantes où
ruisselait la lumière, de cette éclatante blancheur, points
lumineux auxquels il se prit comme un papillon aux bougies. Puis cette âme parla trop à la sienne pour qu'il pût
juger la femme. L'entrain de cette exaltation féminine,
la verve des phrases un peu vieilles que répétait depuis
longtemps madame de Bargeton, mais qui lui parurent
neuves, le fascinèrent d'autant mieux qu'il voulait trouver
tout bien. Il n'avait point apporté de poésie à lire ; mais
il n'en fut pas question : il avait oublié ses vers pour avoir
le droit de revenir ; madame de Bargeton n'en avait point
parlé pour l'engager à lui faire quelque lecture un autre
jour. N'était-ce pas une première entente ? Monsieur
Sixte du Châtelet [c] fut mécontent de cette réception.
Il aperçut tardivement un rival dans ce beau jeune homme
qu'il reconduisit jusqu'au détour de la première rampe
au-dessous de Beaulieu, dans le dessein de le soumettre
à sa diplomatie. Lucien ne fut pas médiocrement étonné
d'entendre le Directeur des Contributions indirectes
se vantant de l'avoir introduit, et lui donnant à ce titre
des conseils.

« Plût à Dieu qu'il fût mieux traité que lui, disait monsieur
du Châtelet. La Cour était moins impertinente que cette
société de ganaches. On y recevait des blessures mortelles,
on y essuyait d'affreux dédains. La révolution de 1789

recommencerait si ces gens-là ne se réformaient pas.
Quant à lui, s'il continuait d'aller dans cette maison,
c'était par goût pour madame de Bargeton, la seule femme
un peu propre qu'il y eût à Angoulême, à laquelle il avait
fait la cour par désœuvrement, et de laquelle il était devenu
follement amoureux. Il allait bientôt la posséder, il était
aimé, tout le lui présageait [a]. La soumission de cette
reine orgueilleuse serait la seule vengeance qu'il tirerait
de cette sotte maisonnée de hobereaux. »

Châtelet exprima sa passion en homme capable de
tuer un rival s'il en rencontrait un. Le vieux papillon impérial tomba de tout son poids sur le pauvre poète, en
essayant de l'écraser sous son importance et de lui faire
peur. Il se grandit en racontant les périls de son voyage
grossis ; mais, s'il imposa à l'imagination du poète, il
n'effraya point l'amant.

Depuis cette soirée, nonobstant le vieux fat, malgré
ses menaces et sa contenance de spadassin bourgeois,
Lucien était revenu chez madame de Bargeton, d'abord avec
la discrétion d'un homme de l'Houmeau ; puis il se familiarisa bientôt avec ce qui lui avait paru d'abord une
énorme faveur, et vint la voir de plus en plus souvent.
Le fils d'un pharmacien fut pris, par les gens de cette
société, pour un être sans conséquence [b]. Dans les commencements, si quelque gentilhomme ou quelques femmes
venus en visite chez Naïs rencontraient Lucien, tous
avaient pour lui l'accablante politesse dont usent les
gens comme il faut avec leurs inférieurs. Lucien trouva
d'abord ce monde fort gracieux ; mais, plus tard, il reconnut le sentiment d'où procédaient ces fallacieux égards.
Bientôt il surprit quelques airs protecteurs qui remuèrent
son fiel et le confirmèrent dans les haineuses idées républicaines par lesquelles beaucoup de ces futurs Patriciens
préludent avec la haute société. Mais combien de souffrances n'aurait-il pas endurées pour Naïs qu'il entendait
nommer ainsi, car entre eux les intimes de ce clan, de
même que les Grands d'Espagne et les personnages de la
crème à Vienne, s'appelaient, hommes et femmes, par

leurs petits noms, dernière nuance inventée pour mettre une distinction au cœur de l'aristocratie angoumoisine.

Naïs fut aimée comme tout jeune homme aime la première femme qui le flatte, car Naïs pronostiquait un grand avenir, une gloire immense à Lucien. Madame de Bargeton usa de toute son adresse pour établir chez elle son poète : non seulement elle l'exaltait outre mesure, mais elle le représentait comme un enfant sans fortune qu'elle voulait placer ; elle le rapetissait pour le garder ; elle en faisait son lecteur, son secrétaire ; mais elle l'aimait plus qu'elle ne croyait pouvoir aimer après l'affreux malheur qui lui était advenu. Elle se traitait fort mal intérieurement, elle se disait que ce serait une folie d'aimer un jeune homme de vingt ans, qui par sa position était déjà si loin d'elle. Ses familiarités étaient capricieusement démenties par les fiertés que lui inspiraient ses scrupules. Elle se montrait tour à tour altière et protectrice, tendre et flatteuse. D'abord intimidé par le haut rang de cette femme, Lucien eut donc toutes les terreurs, les espoirs et les désespérances qui martèlent le premier amour et le mettent si avant dans le cœur par les coups que frappent alternativement la douleur et le plaisir. Pendant deux mois il vit en elle une bienfaitrice qui allait s'occuper de lui maternellement. Mais les confidences commencèrent. Madame de Bargeton appela son poète cher Lucien ; puis cher, tout court. Le poète enhardi nomma cette grande dame Naïs. En l'entendant lui donner ce nom, elle eut une de ces colères qui séduisent tant un enfant ; elle lui reprocha de prendre le nom dont se servait tout le monde. La fière et noble Nègrepelisse offrit à ce bel ange celui de ses noms qui se trouvait encore neuf, [a] elle voulut être Louise pour lui [1]. Lucien atteignit au troisième ciel de l'amour. Un soir, Lucien étant entré pendant que Louise contemplait [b] un portrait qu'elle serra promptement, il voulut le voir. Pour calmer le désespoir d'un premier accès de jalousie,

---

1. Balzac se souvient que Mme de Castries, qui était née Henriette-Claudine de Maillé, se laissait appeler par lui du prénom de Marie.

Louise montra le portrait du jeune Cante-Croix et raconta, non sans larmes, la douloureuse histoire de ses amours, si purs et si cruellement étouffés [1]. S'essayait-elle à quelque infidélité envers son mort, ou avait-elle inventé de faire à Lucien un rival de ce portrait ? Lucien était trop jeune pour analyser sa maîtresse, il se désespéra naïvement, car elle ouvrit la campagne pendant laquelle les femmes font battre en brèche des scrupules plus ou moins ingénieusement fortifiés. Leurs discussions sur les devoirs, sur les convenances, sur la religion, sont comme des places fortes qu'elles aiment à voir prendre d'assaut. L'innocent Lucien n'avait pas besoin de ses coquetteries, il eût guerroyé tout naturellement.

— Je ne mourrai pas, moi, je vivrai pour vous, dit audacieusement un soir Lucien qui voulut en finir avec monsieur de Cante-Croix et qui jeta sur Louise un regard où se peignait une passion arrivée à terme.

Effrayée des progrès que ce nouvel amour faisait chez elle et chez son poète, elle lui demanda les vers promis pour la première page de son album, en cherchant un sujet de querelle dans le retard qu'il mettait à les faire. Que devint-elle en lisant les deux stances suivantes, qu'elle trouva naturellement plus belles que les meilleures du poète de l'aristocratie, Canalis ? [a]

> Le magique pinceau, les muses mensongères
> N'orneront pas toujours de mes feuilles légères
>   Le fidèle vélin ;
> Et le crayon furtif de ma belle maîtresse
> Me confîra souvent sa secrète allégresse
>   Ou son muet chagrin.
> Ah ! quand ses doigts plus lourds à mes pages fanées
> Demanderont raison des riches destinées
>   Que lui tient l'avenir ;

---

1. Mme de Castries avait, un jour de 1834, dit à Balzac qu'elle n'avait jamais aimé que le jeune Metternich et qu'elle l'aimait encore (*L. à l'Etr.*, I, p. 174).

Alors veuille l'Amour que de ce beau voyage
    Le fécond souvenir
Soit doux à contempler comme un ciel sans nuage ! [1]

— Est-ce bien moi qui vous les ai dictés ? dit-elle.
Ce soupçon, inspiré par la coquetterie d'une femme
qui se plaisait à jouer avec le feu, fit venir une larme aux
yeux de Lucien ; elle le calma en le baisant au front pour
la première fois. Lucien fut décidément un grand homme
qu'elle voulut former ; elle imagina de lui apprendre
l'italien et l'allemand [a], de perfectionner ses manières ;
elle trouva là des prétextes pour l'avoir toujours chez elle,
à la barbe de ses ennuyeux courtisans. Quel intérêt dans sa
vie ! Elle se remit à la musique pour son poète à qui elle
révéla le monde musical, elle lui joua quelques beaux
morceaux de Beethoven et le ravit ; heureuse de sa joie,
elle lui disait hypocritement en le voyant à demi pâmé : —
Ne peut-on pas se contenter de ce bonheur ? Le pauvre
poète avait la bêtise de répondre : — Oui.
Enfin, les choses arrivèrent à un tel point que Louise
avait fait dîner Lucien avec elle dans la semaine précédente [b],
en tiers avec monsieur de Bargeton. Malgré cette précaution, toute la ville sut le fait et le tint pour si exorbitant
que chacun se demanda s'il était vrai. Ce fut une rumeur
affreuse. A plusieurs, la Société parut à la veille d'un bouleversement. D'autres s'écrièrent : Voilà le fruit des doctrines
libérales. Le jaloux du Châtelet apprit alors que madame
Charlotte, qui gardait les femmes en couches, était madame
Chardon, mère du Chateaubriand de l'Houmeau, disait-il.
Cette expression passa pour un bon mot. Madame de
Chandour [2] accourut la première chez madame de Bargeton.

---

1. Ces vers de Balzac avaient paru dans les *Annales romantiques* de
1828. Le même volume contenait, entre autres, des pièces de prose et
de vers d'Hugo, Antony Deschamps, Loève-Veimars et un sonnet de
Monti traduit par Stendhal.
2. La première page du manuscrit prouve que Balzac avait d'abord
pensé pour Mme de Bargeton au nom d'Anaïs de Champd'ours.

— Savez-vous, chère Naïs, ce dont tout Angoulême parle ! lui dit-elle, ce petit poétriau a pour mère madame Charlotte qui gardait il y a deux mois ma belle-sœur en couches.

— Ma chère, dit madame de Bargeton en prenant un air tout à fait royal, qu'y a-t-il d'extraordinaire à ceci ? n'est-elle pas la veuve d'un apothicaire ? une pauvre destinée pour une demoiselle de Rubempré. Supposons-nous sans un sou vaillant ?... que ferions-nous pour vivre, nous ! comment nourririez-vous vos enfants ? [a]

Le sang-froid de madame de Bargeton tua les lamentations [b] de la noblesse. Les âmes grandes sont toujours disposées à faire une vertu d'un malheur. Puis, dans la persistance à faire un bien qu'on incrimine, il se trouve d'invincibles attraits : l'innocence a le piquant du vice. Dans la soirée, le salon de madame de Bargeton fut plein de ses amis, venus pour lui faire des remontrances. Elle déploya toute la causticité de son esprit : elle dit que si les gentilshommes ne pouvaient être ni Molière, ni Racine, ni Rousseau, ni Voltaire, ni Massillon, ni Beaumarchais, ni Diderot, il fallait bien accepter les tapissiers, les horlogers, les couteliers dont les enfants devenaient des grands hommes. Elle dit que le génie était toujours gentilhomme. Elle gourmanda les hobereaux sur le peu d'entente de leurs vrais intérêts. Enfin elle dit beaucoup de bêtises qui auraient éclairé des gens moins niais, mais ils en firent honneur à son originalité. Elle conjura donc l'orage à coups de canon [c]. Quand Lucien, mandé par elle, entra pour la première fois dans le vieux salon fané où l'on jouait au wisth à quatre tables, elle lui fit un gracieux accueil, et le présenta en reine qui voulait être obéie. Elle appela le Directeur des Contributions, monsieur Châtelet, et le pétrifia en lui faisant comprendre [b] qu'elle connaissait l'illégale superfétation de sa particule. Lucien fut dès ce

---

Puis l'on trouve dans les premières pages Naïs de Chandours. Enfin Balzac donne ce nom, légèrement modifié, à un personnage secondaire du roman.

soir violemment introduit dans la société de madame de
Bargeton ; mais il y fut accepté comme une substance
vénéneuse que chacun se promit d'expulser en la soumettant
aux réactifs de l'impertinence. Malgré ce triomphe, Naïs
perdit de son empire : il y eut des dissidents qui tentèrent
d'émigrer. Par le conseil de monsieur Châtelet, Amélie,
qui était madame de Chandour, résolut d'élever autel
contre autel en recevant chez elle les mercredis. Madame de
Bargeton ouvrait son salon tous les soirs, et les gens qui
venaient chez elle étaient si routiniers, si bien habitués à
se retrouver devant les mêmes tapis, à jouer aux mêmes
trictracs, à voir les gens, les flambeaux, à mettre leurs
manteaux, leurs doubles souliers, leurs chapeaux dans le
même couloir, qu'ils aimaient les marches de l'escalier
autant que la maîtresse de la maison. Tous se résignèrent
à subir le chardonneret du sacré bocage, dit Alexandre
de Brébian, autre bon mot [a]. Enfin le président de la Société
d'agriculture apaisa la sédition par une observation magis-
trale.

— Avant la révolution, dit-il, les plus grands seigneurs
recevaient Duclos, Grimm, Crébillon, tous gens qui,
comme ce petit poète de l'Houmeau, étaient sans
conséquence ; mais ils n'admettaient point les Receveurs
des Tailles, ce qu'est, après tout, Châtelet.

Du Châtelet paya pour Chardon, chacun lui marqua
de la froideur. En se sentant attaqué, le Directeur des
Contributions, qui, depuis le moment où elle l'avait
appelé Châtelet, s'était juré à lui-même de posséder madame
de Bargeton, entra dans les vues de la maîtresse du logis ;
il soutint le jeune poète en se déclarant son ami. Ce grand
diplomate dont s'était si maladroitement privé l'Empereur
caressa Lucien, il se dit son ami. Pour lancer le poète,
il donna un dîner [b] où se trouvèrent le Préfet, le Receveur-
Général, le colonel du régiment en garnison, le Directeur
de l'École de Marine, le Président du Tribunal, enfin toutes
les sommités administratives. Le pauvre poète fut fêté
si grandement que tout autre qu'un jeune homme de vingt-
deux ans aurait véhémentement soupçonné de mystification

les louanges au moyen desquelles on abusa de lui[a]. Au
dessert, Châtelet fit réciter à son rival une ode de Sarda-
napale mourant, le chef-d'œuvre du moment. En l'entendant, le Proviseur du collège, homme flegmatique,
battit des mains en disant que Jean-Baptiste Rousseau
n'avait pas mieux fait. Le baron Sixte Châtelet pensa que
le petit rimeur crèverait tôt ou tard dans la serre chaude
des louanges, ou que, dans l'ivresse de sa gloire anticipée, il se permettrait quelques impertinences qui le
feraient rentrer dans son obscurité primitive[b]. En attendant le décès de ce génie, il parut immoler ses prétentions
aux pieds de madame de Bargeton ; mais, avec l'habileté
des roués, il avait arrêté son plan, et suivit avec une attention stratégique la marche des deux amants en épiant
l'occasion d'exterminer Lucien. Il s'éleva dès lors dans
Angoulême et dans les environs un bruit sourd qui pro-
clamait l'existence d'un grand homme en Angoumois.
Madame de Bargeton était généralement louée pour les
soins qu'elle prodiguait à ce jeune aigle. Une fois sa conduite
approuvée, elle voulut obtenir une sanction générale. Elle
tambourina dans le département une soirée à glaces, à
gâteaux et à thé, grande innovation dans une ville où le
thé se vendait encore chez les apothicaires, comme une
drogue employée contre les indigestions. La fleur de l'aristocratie fut conviée pour entendre une grande œuvre que
devait lire Lucien.

Louise avait caché les difficultés vaincues à son ami,
mais elle lui toucha quelques mots de la conjuration formée contre lui par le monde ; car elle ne voulait pas lui
laisser ignorer les dangers de la carrière que doivent parcourir les hommes de génie, et où se rencontrent des obstacles infranchissables aux courages médiocres. Elle fit
de cette victoire un enseignement. De ses blanches mains,
elle lui montra la gloire achetée par de continuels supplices, elle lui parla du bûcher des martyrs à traverser, elle
lui beurra ses plus belles tartines et les panacha de ses plus
pompeuses expressions. Ce fut une contrefaçon des impro-
visations qui déparent le roman de *Corinne*. Louise se

trouva si grande par son éloquence, qu'elle aima davantage le Benjamin qui la lui inspirait ; elle lui conseilla de répudier audacieusement son père en prenant le noble nom de Rubempré, sans se soucier des criailleries soulevées par un échange que d'ailleurs le Roi légitimerait. Apparentée [a] à la marquise d'Espard, une demoiselle de Blamont-Chauvry, fort en crédit à la cour, elle se chargeait d'obtenir cette faveur. A ces mots, le roi, la marquise d'Espard, la cour, Lucien vit comme un feu d'artifice, et la nécessité de ce baptême lui fut prouvée.

— Cher petit, lui dit Louise d'une voix tendrement moqueuse, plus tôt il se fera, plus vite il sera sanctionné.

Elle souleva l'une après l'autre les couches successives de l'État Social, et fit compter au poète les échelons qu'il franchissait soudain par cette habile détermination. En un instant, elle fit abjurer à Lucien ses idées populacières sur la chimérique égalité de 1793, elle réveilla chez lui la soif des distinctions que la froide raison de David avait calmée, elle lui montra la haute société comme le seul théâtre sur lequel il devait se tenir. Le haineux libéral devint monarchique *in petto*. Lucien mordit à la pomme du luxe aristocratique et de la gloire. Il jura d'apporter aux pieds de sa dame [b] une couronne, fût-elle ensanglantée ; il la conquerrait à tout prix, *quibuscumque viis*. Pour prouver son courage, il raconta ses souffrances actuelles qu'il avait cachées à Louise, conseillé par cette indéfinissable pudeur attachée aux premiers sentiments, et qui défend au jeune homme d'étaler ses grandeurs, tant il aime à voir apprécier son âme dans son *incognito*. Il peignit les étreintes d'une misère supportée avec orgueil, ses travaux chez David, ses nuits employées à l'étude [c]. Cette jeune ardeur rappela le colonel de vingt-six ans [d] à madame de Bargeton, dont le regard s'amollit. En voyant la faiblesse gagner son imposante maîtresse, Lucien prit une main qu'on lui laissa prendre et la baisa avec la furie du poète, du jeune homme, de l'amant. Louise alla jusqu'à permettre au fils de l'apothicaire d'atteindre à son front et d'y imprimer ses lèvres palpitantes [e].

— Enfant ! enfant ! si l'on nous voyait, je serais bien
ridicule, dit-elle en se réveillant d'une torpeur extatique [a].

Pendant cette soirée, l'esprit de madame de Bargeton
fit de grands ravages dans ce qu'elle nommait les préjugés
de Lucien. A l'entendre, les hommes de génie n'avaient
ni frères ni sœurs, ni pères ni mères ; les grandes œuvres
qu'ils devaient édifier leur imposaient un apparent égoïsme,
en les obligeant de tout sacrifier à leur grandeur. Si la
famille souffrait d'abord des dévorantes exactions perçues
par un cerveau gigantesque, plus tard elle recevrait au
centuple le prix des sacrifices de tout genre exigés par les
premières luttes d'une royauté contrariée, en partageant
les fruits de la victoire. Le génie ne relevait que de lui-
même [1] ; il était seul juge de ses moyens, car lui seul
connaissait la fin : il devait donc se mettre au-dessus des
lois, appelé qu'il était à les refaire ; d'ailleurs, qui s'empare
de son siècle peut tout prendre, tout risquer, car tout est
à lui. Elle citait les commencements de la vie de Bernard
de Palissy, de Louis XI, de Fox, de Napoléon, de Christophe
Colomb, de César, de tous les illustres joueurs, d'abord
criblés de dettes ou misérables, incompris, tenus pour
fous, pour mauvais fils, mauvais pères, mauvais frères,
mais qui plus tard devenaient l'orgueil de la famille, du
pays, du monde.

Ces raisonnements abondaient dans les vices secrets
de Lucien et avançaient la corruption de son cœur ; car,
dans l'ardeur de ses désirs, il admettait les moyens *a priori*.
Mais ne pas réussir est un crime de lèse-majesté sociale.
Un vaincu n'a-t-il pas alors assassiné toutes les vertus
bourgeoises sur lesquelles repose la société qui chasse avec
horreur les Marius assis devant leurs ruines ? Lucien, qui
ne se savait pas entre l'infamie des bagnes et les palmes du

---

1. On a vu plus haut (Introduction, p. x, n. **) que ces idées,
c'étaient celles que Balzac affirmait dans des heures d'exaltation : « Je
ne suis plus ni frère, ni fils, ni ami, je suis un cerveau... Il faut que les
autres existences concourent à la mienne ».

génie, planait sur le Sinaï des prophètes sans voir au bas
la mer Morte, l'horrible suaire de Gomorrhe.

Louise débrida si bien le cœur et l'esprit de son poète
des langes dont les avait enveloppés la vie de province,
que Lucien voulut éprouver madame de Bargeton afin de
savoir s'il pouvait, sans éprouver la honte d'un refus,
conquérir cette haute proie. La soirée annoncée lui donna
l'occasion de tenter cette épreuve. L'ambition se mêlait
à son amour. Il aimait et voulait s'élever, double désir
bien naturel chez les jeunes gens qui ont un cœur à satisfaire et l'indigence à combattre. En conviant aujourd'hui
tous ses enfants à un même festin, la Société réveille leurs
ambitions dès le matin de la vie. Elle destitue la jeunesse
de ses grâces et vicie la plupart de ses sentiments généreux
en y mêlant des calculs. La poésie voudrait qu'il en fût
autrement ; mais le fait vient trop souvent démentir la
fiction à laquelle on voudrait croire, pour qu'on puisse
se permettre de représenter le jeune homme autrement
qu'il est au Dix-neuvième siècle. Le calcul de Lucien lui
parut fait au profit [a] d'un beau sentiment, de son amitié
pour David.

Lucien écrivit une longue lettre à sa Louise, car il
se trouva plus hardi la plume à la main que la parole à
la bouche. En douze feuillets trois fois recopiés, il raconta
le génie de son père, ses espérances perdues, et la misère
horrible à laquelle il était en proie. Il peignit sa chère
sœur [b] comme un ange, David comme un Cuvier futur,
qui, avant d'être un grand homme, était un père, un frère,
un ami pour lui ; il se croirait indigne d'être aimé de Louise,
sa première gloire, s'il ne lui demandait pas de faire pour
David ce qu'elle faisait pour lui-même. Il renoncerait à
tout plutôt que de trahir David Séchard, il voulait que
David assistât à son succès. Il écrivit une de ces lettres
folles où les jeunes gens opposent le pistolet à un refus,
où tourne le casuisme de l'enfance, où parle la logique
insensée des belles âmes ; délicieux verbiage brodé de ces
déclarations naïves échappées du cœur à l'insu de l'écrivain, et que les femmes aiment tant [c]. Après avoir remis

cette lettre à la femme de chambre, Lucien était venu
passer la journée à corriger des épreuves, à diriger quelques
travaux, à mettre en ordre les petites affaires de l'imprimerie, sans rien dire à David. Dans les jours où le cœur est
encore enfant, les jeunes gens ont de ces sublimes discré-
tions. D'ailleurs peut-être Lucien commençait-il à redouter
la hache de Phocion, que savait manier David ; peut-être
craignait-il la clarté d'un regard qui allait au fond de l'âme.
Après la lecture de Chénier, son secret avait passé de son
cœur sur ses lèvres, atteint par un reproche qu'il sentit
comme le doigt que pose un médecin sur une plaie.

Maintenant embrassez les pensées qui durent assaillir
Lucien[a] pendant qu'il descendait d'Angoulême à l'Houmeau. Cette grande dame s'était-elle fâchée ? allait-elle
recevoir David chez elle ? l'ambitieux ne serait-il pas
précipité dans son trou à l'Houmeau ? Quoique avant
de baiser Louise au front, Lucien eût pu mesurer la distance qui sépare une reine de son favori, il ne se disait
pas que David ne pouvait franchir en un clin d'œil l'espace
qu'il avait mis cinq mois à parcourir. Ignorant combien
était absolu l'ostracisme prononcé sur les petites gens, il
ne savait pas qu'une seconde tentative de ce genre serait
la perte de madame de Bargeton. Atteinte et convaincue de
s'être encanaillée, Louise serait obligée de quitter la ville,
où sa caste la fuirait comme au Moyen-Age on fuyait un
lépreux. Le clan de fine aristocratie et le clergé lui-même
défendraient Naïs envers et contre tous, au cas où elle se
permettrait une faute ; mais le crime de voir mauvaise
compagnie ne lui serait jamais remis ; car si l'on excuse
les fautes du pouvoir, on le condamne après son abdication. Or, recevoir David, n'était-ce pas abdiquer ? Si
Lucien n'embrassait pas ce côté de la question, son instinct
aristocratique lui faisait pressentir bien d'autres difficultés
qui l'épouvantaient. La noblesse des sentiments ne donne
pas inévitablement la noblesse des manières. Si Racine
avait l'air du plus noble courtisan, Corneille ressemblait
fort à un marchand de bœufs. Descartes avait la tournure
d'un bon négociant hollandais. Souvent, en rencontrant

Montesquieu son râteau sur l'épaule, son bonnet de nuit sur la tête, les visiteurs de La Brède le prirent pour un vulgaire jardinier. L'usage du monde, quand il n'est pas un don de haute naissance, une science sucée avec le lait ou transmise par le sang, constitue une éducation que le hasard doit seconder par une certaine élégance de formes, par une distinction dans les traits, par un timbre de voix. Toutes ces grandes petites choses manquaient à David, tandis que la nature en avait doué son ami. Gentilhomme par sa mère, Lucien avait jusqu'au pied haut courbé du Franc [1] ; tandis que David Séchard avait les pieds plats du Welche et l'encolure de son père le pressier. Lucien entendait les railleries qui pleuvraient sur David, il lui semblait voir le sourire que réprimerait madame de Bargeton. Enfin, sans avoir précisément honte de son frère, il se promettait de ne plus écouter ainsi son premier mouvement, et de le discuter à l'avenir.

Donc, après l'heure de la poésie et du dévouement, après une lecture qui venait de montrer aux deux amis les campagnes littéraires éclairées par un nouveau soleil, l'heure de la politique et des calculs sonnait pour Lucien [a]. En rentrant dans l'Houmeau il se repentait de sa lettre, il aurait voulu la reprendre ; car il apercevait par une échappée les impitoyables lois du monde. En devinant combien la fortune acquise favorisait l'ambition [b], il lui coûtait de retirer son pied du premier bâton de l'échelle par laquelle il devait monter à l'assaut des grandeurs. Puis les images de sa vie simple et tranquille, parée des plus vives fleurs du sentiment ; ce David plein de génie qui l'avait si noblement aidé, qui lui donnerait au besoin sa vie ; sa mère, si grande dame dans son abaissement, et qui le croyait aussi bon qu'il était spirituel ; sa sœur [c], cette fille si gracieuse dans sa résignation, son enfance si pure et sa cons-

---

1. A cette époque où l'on croit que la noblesse de France est d'origine franque et le peuple d'origine gauloise, le pied cambré est considéré comme un signe natif de noblesse. Lamartine était fier de la cambrure de son pied.

cience encore blanche ; ses espérances, qu'aucune bise n'avait effeuillées, tout refleurissait dans son souvenir. Il se disait alors qu'il était plus beau de percer les épais bataillons de la tourbe aristocratique ou bourgeoise à coups de succès que de parvenir par les faveurs d'une femme. Son génie luirait tôt ou tard comme celui de tant d'hommes, ses prédécesseurs, qui avaient dompté la société ; les femmes l'aimeraient alors ! L'exemple de Napoléon, si fatal au Dix-neuvième siècle par les prétentions qu'il inspire à tant de gens médiocres, apparut à Lucien qui jeta ses calculs au vent en se les reprochant. Ainsi était fait Lucien, il allait du mal au bien, du bien au mal avec une égale facilité [a]. Au lieu de l'amour que le savant porte à sa retraite, Lucien éprouvait depuis un mois une sorte de honte en apercevant la boutique où se lisait en lettres jaunes sur un fond vert :

Pharmacie de POSTEL, *successeur de* CHARDON.

Le nom de son père [b], écrit ainsi dans un lieu par où passaient toutes les voitures, lui blessait la vue. Le soir où il franchit sa porte ornée d'une petite grille à barreaux de mauvais goût, pour se produire à Beaulieu, parmi les jeunes gens les plus élégants de la haute ville en donnant le bras à madame de Bargeton, il avait étrangement déploré le désaccord qu'il reconnaissait entre cette habitation et sa bonne fortune.

— Aimer madame de Bargeton, la posséder bientôt peut-être, et loger dans ce nid à rats ! se disait-il en débouchant par l'allée dans la petite cour où plusieurs paquets d'herbes bouillies étaient étalés le long des murs, où l'apprenti récurait les chaudrons du laboratoire, où monsieur Postel, ceint d'un tablier de préparateur, une cornue à la main, examinait un produit chimique tout en jetant l'œil sur sa boutique ; et s'il regardait trop attentivement sa drogue, il avait l'oreille à la sonnette. L'odeur des camomilles, des menthes, de plusieurs plantes distillées, remplissait la cour et le modeste appartement où l'on montait par un de ces escaliers droits appelés des escaliers de meunier, sans autre rampe que deux cordes. Au-dessus était l'unique chambre en mansarde où demeurait Lucien.

— Bonjour, mon fiston, lui dit monsieur Postel, le véritable type du boutiquier de province. Comment va notre petite santé ? Moi, je viens de faire une expérience sur la mélasse, mais il aurait fallu votre père pour trouver ce que je cherche. C'était un fameux homme, celui-là ! Si j'avais connu son secret contre la goutte, nous roulerions tous deux carrosse aujourd'hui !

Il ne se passait pas de semaine que le pharmacien, aussi bête qu'il était bon homme, ne donnât un coup de poignard à Lucien, en lui parlant de la fatale discrétion que son père avait gardée sur sa découverte.

— C'est un grand malheur, répondit brièvement Lucien, qui commençait à trouver l'élève de son père prodigieusement commun après l'avoir souvent béni ; car plus d'une fois l'honnête Postel avait secouru la veuve et les enfants de son maître.

— Qu'avez-vous donc ? demanda monsieur Postel en posant son éprouvette sur la table du laboratoire.

— Est-il venu quelque lettre pour moi ?

— Oui, une qui flaire comme baume ! elle est auprès de mon pupitre sur le comptoir.

La lettre de madame de Bargeton mêlée aux bocaux de la pharmacie ! Lucien s'élança dans la boutique.

— Dépêche-toi, Lucien ! ton dîner t'attend depuis une heure, il sera froid, cria doucement une jolie voix à travers une fenêtre entr'ouverte et que Lucien n'entendit pas.

— Il est toqué, votre frère, mademoiselle, dit Postel en levant le nez [a].

Ce célibataire, assez semblable à une petite tonne d'eau-de-vie sur laquelle la fantaisie d'un peintre aurait mis une grosse figure grêlée de petite vérole et rougeaude, prit en regardant Ève un air cérémonieux et agréable qui prouvait qu'il pensait à épouser la fille de son prédécesseur, sans pouvoir mettre fin au combat que l'amour et l'intérêt se livraient dans son cœur [b]. Aussi disait-il souvent à

Lucien en souriant la phrase qu'il lui redit quand le jeune
homme repassa près de lui : — Elle est fameusement jolie,
votre sœur ! Vous n'êtes pas mal non plus ! Votre père
faisait tout bien.

Ève était une grande brune, aux cheveux noirs, aux
yeux bleus. Quoiqu'elle offrît les symptômes d'un caractère viril, elle était douce, tendre et dévouée. Sa candeur,
sa naïveté, sa tranquille résignation à une vie laborieuse,
sa sagesse que nulle médisance n'attaquait, avaient dû
séduire David Séchard. Aussi, depuis leur première entrevue, une sourde et simple passion s'était-elle émue entre
eux, à l'allemande, sans manifestations bruyantes ni déclarations empressées. Chacun d'eux avait pensé secrètement
à l'autre, comme s'ils eussent été séparés par quelque mari
jaloux que ce sentiment aurait offensé. Tous deux se
cachaient de Lucien, à qui peut-être ils croyaient porter
quelque dommage. David avait peur de ne pas plaire à
Ève, qui, de son côté, se laissait aller aux timidités de l'indigence. Une véritable ouvrière aurait eu de la hardiesse,
mais une enfant bien élevée et déchue se conformait à sa
triste fortune. Modeste en apparence, fière en réalité, Ève
ne voulait pas courir sus au fils d'un homme qui passait
pour riche. En ce moment, les gens au fait de la valeur
croissante des propriétés, estimaient à plus de quatre-
vingt mille [a] francs le domaine de Marsac, sans compter
les terres que le vieux Séchard, riche d'économies, heureux
à la récolte, habile à la vente, devait y joindre en guettant
les occasions. David était peut-être la seule personne qui
ne sût rien de la fortune de son père. Pour lui, Marsac
était une bicoque achetée en 1810 quinze ou seize mille
francs, où il allait une fois par an au temps des vendanges,
et où son père le promenait à travers les vignes, en lui
vantant des récoltes que l'imprimeur ne voyait jamais, et
dont il se souciait fort peu. L'amour d'un savant habitué
à la solitude et qui grandit encore les sentiments en s'en
exagérant les difficultés, voulait être encouragé ; car, pour
David, Ève était une femme plus imposante que ne l'est
une grande dame pour un simple clerc. Gauche et inquiet

près de son idole, aussi pressé de partir que d'arriver, l'imprimeur contenait sa passion au lieu de l'exprimer. Souvent, le soir, après avoir forgé quelque prétexte pour consulter Lucien, il descendait de la place du Mûrier jusqu'à l'Houmeau, par la porte Palet [a] ; mais en atteignant la porte verte à barreaux de fer, il s'enfuyait, craignant de venir trop tard ou de paraître importun à Ève qui sans doute était couchée. Quoique ce grand amour ne se révélât que par de petites choses, Ève [b] l'avait bien compris ; elle était flattée sans orgueil de se voir l'objet du profond respect empreint dans les regards, dans les paroles, dans les manières de David ; mais la plus grande séduction de l'imprimeur était son fanatisme pour Lucien : il avait deviné le meilleur moyen de plaire à Ève. Pour dire en quoi les muettes délices de cet amour différaient des passions tumultueuses, il faudrait le comparer aux fleurs champêtres opposées aux éclatantes fleurs des parterres. C'était des regards doux et délicats comme les lotus bleus qui nagent sur les eaux, des expressions fugitives comme les faibles parfums de l'églantine, des mélancolies tendres comme le velours des mousses ; fleurs de deux belles âmes qui naissent d'une terre riche, féconde, immuable. Ève avait plusieurs fois déjà deviné la force cachée sous cette faiblesse ; elle tenait si bien compte à David de tout ce qu'il n'osait pas, que le plus léger incident pouvait amener une plus intime union de leurs âmes.

Lucien trouva la porte ouverte par Ève, et s'assit, sans lui rien dire, à une petite table posée sur un X, sans linge, où son couvert était mis. Le pauvre petit ménage ne possédait que trois couverts d'argent, Ève les employait tous pour le frère chéri.

— Que lis-tu donc là ? dit-elle après avoir mis sur la table un plat qu'elle retira du feu, et après avoir éteint son fourneau mobile en le couvrant de l'étouffoir.

Lucien ne répondit pas. Ève prit une petite [c] assiette coquettement arrangée avec des feuilles de vigne, et la mit sur la table avec une jatte pleine de crème.

— Tiens, Lucien, je t'ai eu des fraises.

Lucien prêtait tant d'attention à sa lecture qu'il n'entendit point. Ève vint alors s'asseoir près de lui, sans laisser échapper un murmure ; car il entre dans le sentiment d'une sœur pour son frère un plaisir immense à être traitée sans façon.

— Mais qu'as-tu donc ? s'écria-t-elle en voyant briller des larmes dans les yeux de son frère.

— Rien, rien, Ève, dit-il en la prenant par la taille, l'attirant à lui, la baisant au front et sur les cheveux, puis sur le cou, avec une effervescence surprenante.

— Tu te caches de moi.

— Eh ! bien, elle m'aime.

— Je savais bien que ce n'était pas moi que tu embrassais, dit d'un ton boudeur la pauvre sœur en rougissant.

— Nous serons tous heureux, s'écria Lucien en avalant son potage à grandes cuillerées.

— Nous ? répéta Ève. Inspirée par le même pressentiment qui s'était emparé de David, elle ajouta : — Tu vas nous aimer moins !

— Comment peux-tu croire cela, si tu me connais ?

Ève lui tendit la main pour presser la sienne ; puis elle ôta l'assiette vide, la soupière en terre brune, et avança le plat qu'elle avait fait. Au lieu de manger, Lucien relut la lettre de madame de Bargeton, que la discrète Ève ne demanda point à voir, tant elle avait de respect pour son frère : s'il voulait la lui communiquer, elle devait attendre ; et s'il ne le voulait pas, pouvait-elle l'exiger ? Elle attendit. Voici cette lettre.

« Mon ami, pourquoi refuserais-je à votre frère en science l'appui que je vous ai prêté ? A mes yeux, les talents ont des droits égaux ; mais vous ignorez les préjugés des personnes qui composent ma société. Nous ne ferons pas reconnaître l'anoblissement de l'esprit à ceux qui sont l'aristocratie de l'ignorance. Si je ne suis pas assez puissante pour leur imposer monsieur David Séchard, je vous ferai volontiers le sacrifice de ces pauvres gens. Ce sera comme une hécatombe antique. Mais, cher ami, vous ne voulez sans doute pas me faire accepter la compagnie d'une personne dont l'esprit ou les manières pourraient ne pas me plaire. Vos flatteries m'ont appris combien l'amitié s'aveugle facilement ! m'en voudrez-vous, si je mets à mon consentement une restriction ? Je veux voir votre ami, le juger, savoir par moi-même, dans l'intérêt de votre avenir, si vous ne vous abusez point. N'est-ce pas un de ces soins maternels que doit avoir pour vous, mon cher poète,

LOUISE DE NÈGREPELISSE ? »

Lucien ignorait avec quel art le oui s'emploie dans le beau monde pour arriver au non, et le non pour amener un oui. Cette lettre fut un triomphe pour lui, David irait chez madame de Bargeton, il y brillerait de la majesté du génie. Dans l'ivresse que lui causait une victoire qui lui fit croire à la puissance de son ascendant sur les hommes, il prit une attitude si fière, tant d'espérances se reflétèrent sur son visage en y produisant un éclat radieux, que sa sœur ne put s'empêcher de lui dire qu'il était beau.

— Si elle a de l'esprit, elle doit bien t'aimer, cette femme ! Et alors ce soir elle sera chagrine, car toutes les femmes vont te faire mille coquetteries. Tu seras bien beau en lisant ton Saint Jean dans Pathmos ! Je voudrais être souris pour me glisser là ! Viens, j'ai apprêté ta toilette dans la chambre de notre mère.

Cette chambre était celle d'une misère décente. Il s'y trouvait un lit en noyer, garni de rideaux blancs, et au bas duquel s'étendait un maigre tapis vert. Puis une commode à dessus de bois, ornée d'un miroir, et des chaises en noyer complétaient le mobilier. Sur la cheminée, une pendule rappelait les jours de l'ancienne aisance disparue. La fenêtre avait des rideaux blancs. Les murs étaient tendus d'un papier gris à fleurs grises. Le carreau, mis en couleur et frotté par Ève, brillait de propreté. Au milieu de cette chambre était un guéridon où, sur un plateau rouge à rosaces dorées, se voyaient

trois tasses et un sucrier en porcelaine de Limoges. Ève
couchait dans un cabinet contigu [1] qui contenait un lit
étroit, une vieille bergère et une table à ouvrage près de
la fenêtre. L'exiguïté de cette cabine de marin exigeait
que la porte vitrée restât toujours ouverte, afin d'y donner
de l'air. Malgré la détresse qui se révélait dans les choses,
la modestie d'une vie studieuse respirait là. Pour ceux
qui connaissaient la mère et ses deux enfants, ce spectacle
offrait d'attendrissantes harmonies.

Lucien mettait sa cravate quand le pas de David se
fit entendre dans la petite cour, et l'imprimeur parut
aussitôt avec la démarche et les façons d'un homme pressé
d'arriver.

— Eh! bien, David, s'écria l'ambitieux, nous triom-
phons! elle m'aime! tu iras.

— Non, dit l'imprimeur d'un air confus, je viens te
remercier de cette preuve d'amitié qui m'a fait faire de
sérieuses réflexions. Ma vie, à moi, Lucien, est arrêtée.
Je suis David Séchard, imprimeur du roi à Angoulême,
et dont le nom se lit sur tous les murs au bas des affiches.
Pour les personnes de cette caste, je suis un artisan, un
négociant, si tu veux, mais un industriel établi en boutique,
rue de Beaulieu, au coin de la place du Mûrier. Je n'ai
encore ni la fortune d'un Keller, ni le renom d'un Desplein [a],
deux sortes de puissances que les nobles essaient encore
de nier, mais qui, je suis d'accord avec eux en ceci, ne sont
rien sans le savoir-vivre et les manières du gentilhomme.
Par quoi puis-je légitimer cette subite élévation? Je me
ferais moquer de moi par les bourgeois autant que par
les nobles. Toi, tu te trouves dans une situation différente. Un prote n'est engagé à rien. Tu travailles à acquérir des connaissances indispensables pour réussir,
tu peux expliquer tes occupations actuelles par ton ave-

---

1. M. Cadilhac, dans l'article déjà cité, croit retrouver dans la vieille
maison de l'Houmeau qui fut celle du pharmacien Évangélista la
chambre du premier étage, au-dessus du laboratoire du pharmacien,
et le petit cabinet contigu.

nir. D'ailleurs tu peux demain entreprendre autre chose,
étudier le Droit, la Diplomatie, entrer dans l'Administration. Enfin tu n'es ni chiffré ni casé. Profite de ta virginité sociale, marche seul et mets la main sur les honneurs ! Savoure joyeusement tous les plaisirs, même
ceux que procure la vanité. Sois heureux, je jouirai de
tes succès, tu seras un second moi-même. Oui, ma pensée me permettra de vivre de ta vie. A toi les fêtes,
l'éclat du monde et les rapides ressorts de ses intrigues.
A moi la vie sobre, laborieuse du commerçant, et les
lentes occupations de la science. Tu seras notre aristocratie, dit-il en regardant Ève. Quand tu chancelleras,
tu trouveras mon bras pour te soutenir. Si tu as à te plaindre de quelque trahison, tu pourras te réfugier dans
nos cœurs, tu y trouveras un amour inaltérable. La protection, la faveur, le bon vouloir des gens, divisés sur
deux têtes, pourraient se lasser, nous nous nuirions à
deux ; marche devant, tu me remorqueras s'il le faut.
Loin de t'envier, je me consacre à toi. Ce que tu viens de
faire pour moi, en risquant de perdre ta bienfaitrice, ta
maîtresse peut-être, plutôt que de m'abandonner, que de
me renier, cette simple chose, si grande, eh ! bien, Lucien,
elle me lierait à jamais à toi, si nous n'étions pas déjà
comme deux frères. N'aie ni remords ni soucis de paraître
prendre la plus forte part. Ce partage à la Montgommery
est dans mes goûts. Enfin, quand tu me causerais quelques
tourments, qui sait si je ne serais pas toujours ton obligé ?
En disant ces mots, il coula le plus timide des regards vers
Ève, qui avait les yeux pleins de larmes, car elle devinait
tout. — Enfin, dit-il à Lucien étonné, tu es bien fait, tu
as une jolie taille, tu portes bien tes habits, tu as l'air d'un
gentilhomme dans ton habit bleu à boutons jaunes, avec
un simple pantalon de nankin ; moi, j'aurais l'air d'un
ouvrier au milieu de ce monde, je serais gauche, gêné,
je dirais des sottises ou je ne dirais rien du tout : toi, tu
peux, pour obéir au préjugé des noms, prendre celui
de ta mère, te faire appeler Lucien de Rubempré ; moi,
je suis et serai toujours David Séchard. Tout te sert et

tout me nuit dans le monde où tu vas. Tu es fait pour
y réussir. Les femmes adoreront ta figure d'ange. N'est-ce
pas, Ève ?

Lucien sauta au cou de David et l'embrassa. Cette
modestie coupait court à bien des doutes, à bien des
difficultés. Comment n'eût-il pas redoublé de tendresse
pour un homme qui arrivait à faire par amitié les mêmes
réflexions qu'il venait de faire par ambition ? L'ambitieux et l'amoureux sentaient la route aplanie, le cœur
du jeune homme et de l'ami s'épanouissait. Ce fut un
de ces moments rares dans la vie où toutes les forces
sont doucement tendues, où toutes les cordes vibrent
en rendant des sons pleins. Mais cette sagesse d'une belle
âme excitait encore en Lucien la tendance qui porte l'homme
à tout rapporter à lui. Nous disons tous, plus ou moins,
comme Louis XIV : l'État, c'est moi ! L'exclusive tendresse
de sa mère et de sa sœur, le dévouement de David, l'habitude qu'il avait de se voir l'objet des efforts secrets de ces
trois êtres, lui donnaient les vices de l'enfant de famille,
engendraient en lui cet égoïsme qui dévore le noble, et que
madame de Bargeton caressait en l'incitant à oublier ses
obligations envers sa sœur, sa mère et David. Il n'en était
rien encore ; mais n'y avait-il pas à craindre, qu'en étendant
autour de lui le cercle de son ambition, il fût contraint
de ne penser qu'à lui pour s'y maintenir ?

Cette émotion passée, David fit observer à Lucien que
son poème de Saint Jean dans Pathmos était peut-être
trop biblique pour être lu devant un monde à qui la poésie
apocalyptique devait être peu familière. Lucien, qui se
produisait devant le public le plus difficile de la Charente,
parut inquiet. David lui conseilla d'emporter André de
Chénier, et de remplacer un plaisir douteux pour un plaisir
certain. Lucien lisait en perfection, il plairait nécessairement
et montrerait une modestie qui le servirait sans doute.
Comme la plupart des jeunes gens, ils donnaient aux
gens du monde leur intelligence et leurs vertus. Si la jeunesse, qui n'a pas encore failli, est sans indulgence pour
les fautes des autres, elle leur prête aussi ses magnifiques

croyances. Il faut en effet avoir bien expérimenté la vie avant de reconnaître que, suivant un beau mot de Raphaël, comprendre c'est égaler. En général, le sens nécessaire à l'intelligence de la poésie est rare en France, où l'esprit dessèche promptement la source des saintes larmes de l'extase, où personne ne veut prendre la peine de défricher le sublime, de le sonder pour en percevoir l'infini. Lucien allait faire sa première expérience des ignorances et des froideurs mondaines! Il passa chez David pour y prendre le volume de poésie [a].

Quand les deux amants furent seuls, David se trouva plus embarrassé qu'en aucun moment de sa vie. En proie à mille terreurs, il voulait et redoutait un éloge, il désirait s'enfuir, car la pudeur a sa coquetterie aussi! Le pauvre amant n'osait dire un mot qui aurait eu l'air de quêter un remercîment; il trouvait toutes les paroles compromettantes, et se taisait en gardant une attitude de criminel. Ève, qui devinait les tortures de cette modestie, se plut à jouir de ce silence ; mais quand David tortilla son chapeau pour s'en aller, elle sourit.

— Monsieur David, lui dit-elle, si vous ne passez pas la soirée chez madame de Bargeton, nous pouvons la passer ensemble. Il fait beau, voulez-vous aller nous promener le long de la Charente ? nous causerons de Lucien.

David eut envie de se prosterner devant cette délicieuse jeune fille. Ève avait mis dans le son de sa voix des récompenses inespérées ; elle avait, par la tendresse de l'accent, résolu les difficultés de cette situation; sa proposition était plus qu'un éloge, c'était la première faveur de l'amour.

— Seulement, dit-elle à un geste que fit David, laissez-moi quelques instants pour m'habiller.

David, qui de sa vie n'avait su ce qu'était un air, sortit en chanteronnant, ce qui surprit l'honnête Postel, et lui donna de violents soupçons sur les relations d'Ève et de l'imprimeur.

LA SOIRÉE DANS UN SALON
LA SOIRÉE AU BORD DE L'EAU [a]

Les plus petites circonstances de cette soirée agirent beaucoup sur Lucien que son caractère portait à écouter les premières impressions. Comme tous les amants inexpérimentés, il arriva de si bonne heure que Louise n'était pas encore au salon. Monsieur de Bargeton s'y trouvait seul. Lucien avait déjà commencé son apprentissage des petites lâchetés par lesquelles l'amant d'une femme mariée achète son bonheur, et qui donnent aux femmes la mesure de ce qu'elles peuvent exiger ; mais il ne s'était pas encore trouvé face à face avec monsieur de Bargeton. Ce gentilhomme était [b] un de ces petits esprits doucement établis entre l'inoffensive nullité qui comprend encore, et la fière stupidité qui ne veut ni rien accepter ni rien rendre. Pénétré de ses devoirs envers le monde, et s'efforçant de lui être agréable, il avait adopté le sourire du danseur pour unique langage. Content ou mécontent, il souriait. Il souriait à une nouvelle désastreuse aussi bien qu'à l'annonce d'un heureux événement. Ce sourire répondait à tout par les expressions que lui donnait monsieur de Bargeton. S'il fallait absolument une approbation directe, il renforçait son sourire par un rire complaisant, en ne lâchant une parole qu'à la dernière extrémité. Un tête-à-tête lui faisait éprouver le seul embarras qui compliquait sa vie végétative, il était alors obligé de chercher quelque chose dans l'immensité de son vide intérieur. La plupart du temps il se tirait de peine en reprenant les naïves coutumes de son enfance : il pensait tout haut, il vous initiait aux moindres détails de sa vie ; il vous exprimait ses besoins, ses petites sensations qui, pour lui, ressemblaient à des idées.

Il ne parlait ni de la pluie ni du beau temps ; il ne donnait pas dans les lieux communs de la conversation par
où se sauvent les imbéciles, il s'adressait aux plus intimes intérêts de la vie. — Par complaisance pour madame
de Bargeton, j'ai mangé ce matin du veau qu'elle aime
beaucoup, et mon estomac me fait bien souffrir, disait-
il. Je sais cela, j'y suis toujours pris ! expliquez-moi cela ?
Ou bien : — Je vais sonner pour demander un verre
d'eau sucrée, en voulez-vous un par la même occasion ?
Ou bien : — Je monterai demain à cheval, et j'irai
voir mon beau-père. Ces petites phrases, qui ne suppor-
taient pas la discussion, arrachaient un non ou un oui
à l'interlocuteur, et la conversation tombait à plat. Monsieur
de Bargeton implorait alors l'assistance de son visiteur
en mettant à l'ouest son nez de vieux carlin poussif ;
il vous regardait de ses gros yeux vairons d'une façon
qui signifiait : *Vous dites ?* Les ennuyeux empressés de
parler d'eux-mêmes, il les chérissait, il les écoutait avec
une probe et délicate attention qui le leur rendait si précieux que les bavards d'Angoulême lui accordaient une
sournoise intelligence, et le prétendaient mal jugé. Aussi
quand ils n'avaient plus d'auditeurs ces gens venaient-
ils achever leurs récits ou leurs raisonnements auprès
du gentilhomme, sûrs de trouver son sourire élogieux.
Le salon de sa femme étant toujours plein, il s'y trouvait
généralement à l'aise. Il s'occupait des plus petits détails :
il regardait qui entrait, saluait en souriant et conduisait
à sa femme le nouvel arrivé ; il guettait ceux qui partaient,
et leur faisait la conduite en accueillant leurs adieux par
son éternel sourire. Quand la soirée était animée et qu'il
voyait chacun à son affaire, l'heureux muet restait planté
sur ses deux hautes jambes comme une cigogne sur
ses pattes, ayant l'air d'écouter une conversation politique ; ou il venait étudier les cartes d'un joueur sans y
rien comprendre, car il ne savait aucun jeu ; ou il se promenait en humant son tabac et soufflant sa digestion.
Anaïs [a] était le beau côté de sa vie, elle lui donnait des
jouissances infinies. Lorsqu'elle jouait son rôle de maî-

tresse de maison, il s'étendait dans une bergère en l'admirant ; car elle parlait pour lui : puis il s'était fait un
plaisir de chercher l'esprit de ses phrases ; et comme
souvent il ne les comprenait que longtemps après qu'elles
étaient dites, il se permettait des sourires qui partaient
comme des boulets enterrés qui se réveillent. Son respect
pour elle allait d'ailleurs jusqu'à l'adoration. Une adoration quelconque ne suffit-elle pas au bonheur de la
vie ? En personne spirituelle et généreuse, Anaïs n'a-
vait pas abusé de ses avantages en reconnaissant chez
son mari la nature facile d'un enfant qui ne demandait
pas mieux que d'être gouverné. Elle avait pris soin de
lui comme on prend soin d'un manteau ; elle le tenait
propre, le brossait, le serrait, le ménageait ; et se sentant
ménagé, brossé, soigné, monsieur de Bargeton avait
contracté pour sa femme une affection canine. Il est si
facile de donner un bonheur qui ne coûte rien ! madame
de Bargeton ne connaissant à son mari aucun autre plaisir
que celui de la bonne chère, lui faisait faire d'excellents
dîners ; elle avait pitié de lui ; jamais elle ne s'en était plainte ;
et quelques personnes ne comprenant pas le silence de
sa fierté, prêtaient à monsieur de Bargeton des vertus
cachées. Elle l'avait d'ailleurs discipliné militairement,
et l'obéissance de cet homme aux volontés de sa femme
était passive. Elle lui disait : — Faites une visite à monsieur
ou à madame une telle, il y allait comme un soldat à sa
faction. Aussi devant elle se tenait-il au port d'armes et
immobile. Il était en ce moment question de nommer ce
muet député. Lucien ne pratiquait pas depuis assez longtemps la maison pour avoir soulevé le voile sous lequel
se cachait ce caractère inimaginable. Monsieur de Bargeton
enseveli dans sa bergère, paraissant tout voir et tout comprendre, se faisant une dignité de son silence, lui semblait
prodigieusement imposant. Au lieu de le prendre pour
une borne de granit, Lucien fit de ce gentilhomme un
sphinx redoutable, par suite du penchant qui porte les
hommes d'imagination à tout grandir ou à prêter une âme
à toutes les formes, et il crut nécessaire de le flatter.

— J'arrive le premier, dit-il en le saluant avec un peu plus de respect que l'on n'en accordait à ce bonhomme.

— C'est assez naturel, répondit monsieur de Bargeton.

Lucien prit ce mot pour l'épigramme d'un mari jaloux, il devint rouge, et se regarda dans la glace en cherchant une contenance.

— Vous habitez l'Houmeau, dit monsieur de Bargeton, les personnes qui demeurent loin arrivent toujours plus tôt que celles qui demeurent près.

— A quoi cela tient-il ? dit Lucien en prenant un air agréable.

— Je ne sais pas, répondit monsieur de Bargeton qui rentra dans son immobilité.

— Vous n'avez pas voulu le chercher, reprit Lucien. Un homme capable de faire l'observation peut trouver la cause.

— Ah ! fit monsieur de Bargeton, les causes finales ! Hé ! hé !...

Lucien se creusa la cervelle pour ranimer la conversation qui tomba là.

— Madame de Bargeton s'habille sans doute ? dit-il en frémissant de la niaiserie de cette demande.

— Oui, elle s'habille, répondit naturellement le mari.

Lucien leva les yeux pour regarder les deux solives saillantes, peintes en gris, et dont les entre-deux étaient plafonnés, sans trouver une phrase de rentrée; mais il ne vit pas alors sans terreur le petit lustre à vieilles pendeloques de cristal, dépouillé de sa gaze et garni de bougies. Les housses du meuble avaient été ôtées, et le lampasse rouge montrait ses fleurs fanées. Ces apprêts annonçaient une réunion extraordinaire. Le poète conçut des doutes sur la convenance de son costume, car il était en bottes. Il alla regarder avec la stupeur de la crainte un vase du Japon qui ornait une console à guirlandes du temps de Louis XV ; puis il eut peur de déplaire à ce mari en ne le courtisant pas, et il résolut de chercher si le bonhomme avait un dada que l'on pût caresser.

— Vous quittez rarement la ville, monsieur ? dit-il à monsieur de Bargeton vers lequel il revint.

— Rarement.

Le silence recommença. Monsieur de Bargeton épia comme une chatte soupçonneuse les moindres mouvements de Lucien qui troublait son repos. Chacun d'eux avait peur de l'autre.

— Aurait-il conçu des soupçons sur mes assiduités ? pensa Lucien, car il paraît m'être bien hostile !

En ce moment, heureusement pour Lucien fort embarrassé de soutenir les regards inquiets avec lesquels monsieur de Bargeton l'examinait allant et venant, le vieux domestique, qui avait mis une livrée, annonça du Châtelet. Le baron entra fort aisément, salua son ami Bargeton, et fit à Lucien une petite inclination de tête qui était alors à la mode, mais que le poète trouva financièrement impertinente. Sixte du Châtelet portait un pantalon d'une blancheur éblouissante, à sous-pieds intérieurs qui le maintenaient dans ses plis. Il avait des souliers fins et des bas de fil écossais. Sur son gilet blanc flottait le ruban noir de son lorgnon. Enfin son habit noir se recommandait par une coupe et une forme parisiennes. C'était bien le bellâtre que ses antécédents annonçaient ; mais l'âge l'avait déjà doté d'un petit ventre rond assez difficile à contenir dans les bornes de l'élégance. Il teignait ses cheveux et ses favoris blanchis par les souffrances de son voyage, ce qui lui donnait un air dur. Son teint autrefois très délicat avait pris la couleur cuivrée des gens qui reviennent des Indes ; mais sa tournure, quoique ridicule par les prétentions qu'il conservait, révélait néanmoins l'agréable Secrétaire des Commandements d'une Altesse Impériale. Il prit son lorgnon, regarda le pantalon de nankin, les bottes, le gilet, l'habit bleu fait à Angoulême de Lucien, enfin tout son rival. Puis il remit froidement le lorgnon dans la poche de son gilet comme s'il eût dit : — Je suis content. Écrasé déjà par l'élégance du financier, Lucien pensa qu'il aurait sa revanche quand il montrerait à l'assemblée son visage animé par la poésie ; mais il n'en éprouva pas moins une vive souffrance qui continua le malaise intérieur que la prétendue hostilité de monsieur de Bargeton lui avait donné. Le baron semblait faire peser sur Lucien tout le poids de sa fortune pour mieux humilier cette misère. Monsieur de Bargeton, qui comptait n'avoir plus rien à dire, fut consterné du silence que gardèrent les deux rivaux en s'examinant; mais, quand il se trouvait au bout de ses efforts, il avait une question qu'il se réservait comme une poire pour la soif, et il jugea nécessaire de la lâcher en prenant un air affairé.

— Hé! bien, monsieur, dit-il à du Châtelet, qu'y a-t-il de nouveau? dit-on quelque chose?

— Mais répondit méchamment le Directeur des Contributions, le nouveau, c'est monsieur Chardon. Adressez-vous à lui. Nous apportez-vous quelque joli poème? demanda le sémillant baron en redressant la boucle majeure d'une de ses faces [1] qui lui parut dérangée.

— Pour savoir si j'ai réussi, j'aurais dû vous consulter, répondit Lucien. Vous avez pratiqué la poésie avant moi.

— Bah! quelques vaudevilles assez agréables faits par complaisance, des chansons de circonstance, des romances que la musique a fait valoir, ma grande épître à une sœur de Buonaparte (l'ingrat!) ne sont pas des titres à la postérité!

En ce moment Madame de Bargeton se montra dans tout l'éclat d'une toilette étudiée. Elle portait un turban juif enrichi d'une agrafe orientale. Une écharpe de gaze sous laquelle brillaient les camées d'un collier était gracieusement tournée à son cou. Sa robe de mousseline peinte, à manches courtes, lui permettait de montrer plusieurs bracelets étagés sur ses beaux bras blancs. Cette mise théâtrale [a] charma Lucien. Monsieur du Châtelet adressa galamment à cette reine des compliments nauséabonds qui la firent

---

1. La grosse boucle que l'art des coiffeurs construisait alors sur les tempes.

sourire de plaisir, tant elle fut heureuse d'être louée devant
Lucien. Elle n'échangea qu'un regard avec son cher poète,
et répondit au Directeur des Contributions en le morti-
fiant par une politesse qui l'exceptait de son intimité.

En ce moment, les personnes invitées commencèrent
à venir. En premier lieu se produisirent l'Évêque et son
Grand-Vicaire, deux figures dignes et solennelles, mais
qui formaient un violent contraste : monseigneur était
grand et maigre, son acolyte était court et gras. Tous
deux, ils avaient des yeux brillants, mais l'Évêque était
pâle et son Grand-Vicaire offrait un visage empourpré
par la plus riche santé. Chez l'un et chez l'autre les gestes
et les mouvements étaient rares. Tous deux paraissaient
prudents, leur réserve et leur silence intimidaient, ils
passaient pour avoir beaucoup d'esprit.

Les deux prêtres furent suivis par madame de Chandour
et son mari, personnages extraordinaires que les gens
auxquels la province est inconnue seraient tentés de croire
une fantaisie. Le mari d'Amélie, la femme qui se posait
comme l'antagoniste de madame de Bargeton, monsieur
de Chandour, qu'on nommait Stanislas, était un ci-devant
jeune homme, encore mince à quarante-cinq ans, et dont
la figure ressemblait à un crible. Sa cravate était toujours
nouée de manière à présenter deux pointes menaçantes,
l'une à la hauteur de l'oreille droite, l'autre abaissée vers
le ruban rouge de sa croix. Les basques de son habit étaient
violemment renversées. Son gilet très ouvert laissait voir
une chemise gonflée, empesée, fermée par des épingles
surchagées d'orfèvrerie. Enfin tout son vêtement avait
un caractère exagéré qui lui donnait une si grande ressemblance avec les caricatures qu'en le voyant les étrangers
ne pouvaient s'empêcher de sourire. Stanislas se regardait
continuellement avec une sorte de satisfaction de haut
en bas, en vérifiant le nombre des boutons de son gilet,
en suivant les lignes onduleuses que dessinait son pantalon
collant, en caressant ses jambes par un regard qui s'arrêtait
amoureusement sur les pointes de ses bottes. Quand il
cessait de se contempler ainsi, ses yeux cherchaient une

glace, il examinait si ses cheveux tenaient la frisure ; il interrogeait les femmes d'un œil heureux en mettant un de ses doigts dans la poche de son gilet, se penchant en arrière et se posant de trois-quarts, agaceries de coq qui lui réussissaient dans la société aristocratique de laquelle il était le beau. La plupart du temps, ses discours comportaient des gravelures comme il s'en disait au dix-huitième siècle. Ce détestable genre de conversation lui procurait quelques succès auprès des femmes, il les faisait rire. Monsieur du Châtelet commençait à lui donner des inquiétudes. En effet, intriguées par le dédain du fat des contributions indirectes, stimulées par son affectation à prétendre qu'il était impossible de le faire sortir de son marasme, et piquées par son ton de sultan blasé, les femmes le recherchaient encore plus vivement qu'à son arrivée depuis que madame de Bargeton s'était éprise du Byron d'Angoulême. Amélie était une petite femme maladroitement comédienne, grasse, blanche, à cheveux noirs, outrant tout, parlant haut, faisant la roue avec sa tête chargée de plumes en été, de fleurs en hiver ; belle parleuse, mais ne pouvant achever sa période sans lui donner pour accompagnements les sifflements d'un asthme inavoué.

Monsieur de Saintot, nommé Astolphe, le Président de la Société d'Agriculture, homme haut en couleur, grand et gros, apparut remorqué par sa femme, espèce de figure assez semblable à une fougère desséchée, qu'on appelait Lili, abréviation d'Élisa [a]. Ce nom, qui supposait dans la personne quelque chose d'enfantin jurait avec le caractère, et les manières de madame de Saintot, femme solennelle, extrêmement pieuse, joueuse difficile et tracassière. Astolphe passait pour être un savant du premier ordre. Ignorant comme une carpe, il n'en avait pas moins écrit les articles Sucre et Eau-de-Vie dans un Dictionnaire d'agriculture, deux œuvres pillées en détail dans tous les articles des journaux et dans les anciens ouvrages où il était question de ces deux produits. Tout le département le croyait occupé d'un Traité sur la culture moderne. Quoiqu'il restât enfermé pendant toute la matinée dans son cabinet, il n'avait

pas encore écrit deux pages depuis douze ans. Si quelqu'un
venait le voir, il se laissait surprendre brouillant des papiers,
cherchant une note égarée ou taillant sa plume ; mais il
employait en niaiseries tout le temps qu'il demeurait dans
son cabinet : il y lisait longuement le journal, il sculptait
des bouchons avec son canif, il traçait des dessins fantastiques sur son garde-main, il feuilletait Cicéron pour y
prendre à la volée une phrase ou des passages dont le
sens pouvait s'appliquer aux événements du jour ; puis
le soir il s'efforçait d'amener la conversation sur un sujet
qui lui permît de dire : — Il se trouve dans Cicéron une
page qui semble avoir été écrite pour ce qui se passe de nos
jours. Il récitait alors son passage au grand étonnement
des auditeurs, qui se redisaient entre eux : — Vraiment
Astolphe est un puits de science. Ce fait curieux se contait
par toute la ville, et l'entretenait dans ses flatteuses croyances
sur monsieur de Saintot.

Après ce couple, vint monsieur de Bartas, nommé Adrien,
l'homme qui chantait les airs de basse-taille et qui avait
d'énormes prétentions en musique. L'amour-propre l'avait
assis sur le solfège : il avait commencé par s'admirer
lui-même en chantant, puis il s'était mis à parler musique,
et avait fini par s'en occuper exclusivement. L'art musical
était devenu chez lui comme une monomanie ; il ne s'animait qu'en parlant de musique, il souffrait pendant une
soirée jusqu'à ce qu'on le priât de chanter. Une fois qu'il
avait beuglé un de ses airs, sa vie commençait : il paradait,
il se haussait sur ses talons en recevant des compliments,
il faisait le modeste : mais il allait néanmoins de groupe en
groupe pour y recueillir des éloges ; puis, quand tout
était dit, il revenait à la musique en entamant une discussion à propos des difficultés de son air ou en vantant le
compositeur.

Monsieur Alexandre de Brebian, le héros de la sépia,
le dessinateur qui infestait les chambres de ses amis par des
productions saugrenues et gâtait tous les albums du département, accompagnait monsieur de Bartas. Chacun d'eux
donnait le bras à la femme de l'autre. Au dire de la chro-

nique scandaleuse, cette transposition était complète. Les deux femmes, Lolotte (madame Charlotte de Brebian) et Fifine (madame Joséphine de Bartas), également préoccupées d'un fichu, d'une garniture, de l'assortiment de quelques couleurs hétérogènes, étaient dévorées du désir de paraître Parisiennes, et négligeaient leur maison où tout allait à mal. Si les deux femmes, serrées comme des poupées dans des robes économiquement établies, offraient sur elles une exposition de couleurs outrageusement bizarres, les maris se permettaient, en leur qualité d'artistes, un laissez-aller de province qui les rendait curieux à voir. Leurs habits fripés leur donnaient l'air des comparses qui dans les petits théâtres figurent la haute société invitée aux noces.

Parmi les figures qui débarquèrent dans le salon, l'une des plus originales fut celle de monsieur le comte de Senonches, aristocratiquement nommé Jacques, grand chasseur, hautain, sec, à figure hâlée, aimable comme un sanglier, défiant comme un Vénitien, jaloux comme un More, et vivant en très bonne intelligence avec monsieur du Hautoy, autrement dit Francis, l'ami de la maison.

Madame de Senonches (Zéphirine) était grande et belle, mais couperosée déjà par une certaine ardeur de foie qui la faisait passer pour une femme exigeante. Sa taille fine, ses délicates proportions lui permettaient d'avoir des manières langoureuses qui sentaient l'affectation, mais qui peignaient la passion et les caprices toujours satisfaits d'une personne aimée.

Francis était un homme assez distingué, qui avait quitté le consulat de Valence et ses espérances dans la diplomatie, pour venir vivre à Angoulême auprès de Zéphirine, dite aussi Zizine. L'ancien consul prenait soin du ménage, faisait l'éducation des enfants, leur apprenait les langues étrangères, et dirigeait la fortune de monsieur et de madame de Senonches avec un entier dévouement. L'Angoulême noble, l'Angoulême administratif, l'Angoulême bourgeois avaient longtemps glosé sur la parfaite unité de ce ménage en trois personnes ; mais, à la longue, ce

mystère de trinité conjugale parut si rare et si joli, que
monsieur du Hautoy eût semblé prodigieusement immoral
s'il avait fait mine de se marier. D'ailleurs, on commençait
à soupçonner dans l'attachement excessif de madame de
Senonches pour une filleule, appelée mademoiselle de la
Haye, qui lui servait de demoiselle de compagnie, des mystères inquiétants, et malgré quelques impossibilités apparentes offertes par des dates, on trouvait des ressemblances frappantes entre Françoise de la Haye et Francis du Hautoy [a].
Quand Jacques chassait aux environs, chacun lui demandait
des nouvelles de Francis, et il racontait les petites indispo-
sitions de son intendant volontaire en lui donnant le pas
sur sa femme. Cet aveuglement paraissait si curieux chez
un homme jaloux, que ses meilleurs amis s'amusaient à le
faire poser, et l'annonçaient à ceux qui ne connaissaient pas
le mystère afin de les amuser. Monsieur du Hautoy était
un précieux dandy dont les petits soins personnels avaient
tourné à la mignardise et à l'enfantillage. Il s'occupait de
sa toux, de son sommeil, de sa digestion et de son manger.
Zéphirine avait amené son factotum à faire l'homme de
petite santé : elle le ouatait, l'embéguinait, le médicinait ;
elle l'empâtait de mets choisis comme un bichon de marquise ; elle lui ordonnait ou lui défendait tel ou tel aliment ; elle lui brodait des gilets, des bouts de cravates et
des mouchoirs ; elle avait fini par l'habituer à porter de si
jolies choses qu'elle le métamorphosait en une sorte d'idole
japonaise. Leur entente était d'ailleurs sans mécompte :
Zizine regardait à tout propos Francis, et Francis semblait
prendre ses idées dans les yeux de Zizine. Ils blâmaient,
ils souriaient ensemble, et semblaient se consulter pour
dire le plus simple bonjour.

Le plus riche propriétaire des environs, l'homme envié
de tous, monsieur le marquis de Pimentel et sa femme, qui
réunissaient à eux deux quarante mille livres de rente, et passaient l'hiver à Paris, vinrent de la campagne en calèche
avec leurs voisins, monsieur le baron et madame la baronne
de Rastignac, accompagnés de la tante de la baronne, et
de leurs filles, deux charmantes jeunes personnes, bien

élevées, pauvres, mais mises avec cette simplicité qui fait tant valoir les beautés naturelles. Ces personnes, qui certes étaient l'élite de la compagnie, furent reçues par un froid silence et par un respect plein de jalousie, surtout quand chacun vit la distinction de l'accueil que leur fit madame de Bargeton. Ces deux familles appartenaient à ce petit nombre de gens qui, dans les provinces, se tiennent au-dessus des commérages, ne se mêlent à aucune société, vivent dans une retraite silencieuse et gardent une imposante dignité. Monsieur de Pimentel et monsieur de Rastignac étaient appelés par leurs titres ; aucune familiarité ne mêlait leurs femmes ni leurs filles à la haute coterie d'Angoulême, ils approchaient trop la noblesse de cour pour se commettre avec les niaiseries de la province.

Le Préfet et le Général arrivèrent les derniers, accompagnés du gentilhomme campagnard qui, le matin, avait apporté son mémoire sur les vers à soie chez David. C'était sans doute quelque maire de canton recommandable par de belles propriétés ; mais sa tournure et sa mise trahissaient une désuétude complète de la société : il était gêné dans ses habits, il ne savait où mettre ses mains, il tournait autour de son interlocuteur en parlant, il se levait et se rasseyait pour répondre quand on lui parlait, il semblait prêt à rendre un service domestique ; il se montrait tour à tour obséquieux, inquiet, grave, il s'empressait de rire d'une plaisanterie, il écoutait d'une façon servile, et parfois il prenait un air sournois en croyant qu'on se moquait de lui. Plusieurs fois dans la soirée, oppressé par son mémoire, il essaya de parler vers à soie ; mais l'infortuné monsieur de Sévérac tomba sur monsieur de Bartas qui lui répondit musique et sur monsieur de Saintot qui lui cita Cicéron. Vers le milieu de la soirée, le pauvre maire finit par s'entendre avec une veuve et sa fille, madame et mademoiselle du Brossard, qui n'étaient pas les deux figures les moins intéressantes de cette société. Un seul mot dira tout : elles étaient aussi pauvres que nobles. Elles avaient dans leur mise cette prétention à la parure qui révèle une secrète misère. Madame du Brossard vantait fort maladroitement

et à tout propos sa grande et grosse fille, âgée de vingt-sept
ans, qui passait pour être forte sur le piano ; elle lui faisait
officiellement partager tous les goûts des gens à marier,
et, dans son désir d'établir sa chère Camille, elle avait
dans une même soirée prétendu que Camille aimait la
vie errante des garnisons, et la vie tranquille des propriétaires qui cultivent leur bien. Toutes deux, elles avaient [a]
la dignité pincée, aigre-douce des personnes que chacun
est enchanté de plaindre, auxquelles on s'intéresse par égoïsme, et qui ont sondé le vide des phrases consolatrices par
lesquelles le monde se fait un plaisir d'accueillir les malheureux. Monsieur de Séverac avait cinquante-neuf ans, il
était veuf et sans enfants ; la mère et la fille écoutèrent
donc avec une dévotieuse admiration les détails qu'il
leur donna sur ses magnaneries.

— Ma fille a toujours aimé les animaux, dit la mère.
Aussi, comme la soie que font ces petites bêtes intéresse
les femmes, je vous demanderai [b] la permission d'aller
à Séverac montrer à ma Camille comment ça se récolte.
Camille a tant d'intelligence qu'elle saisira sur-le-champ
tout ce que vous lui direz. N'a-t-elle pas compris un jour
la raison inverse du carré des distances ?

Cette phrase termina glorieusement la conversation
entre monsieur de Séverac et madame du Brossard, après
la lecture de Lucien.

Quelques habitués se coulèrent familièrement dans
l'assemblée, ainsi que deux ou trois fils de famille, timides, silencieux, parés comme des châsses, heureux
d'avoir été conviés à cette solennité littéraire et dont
le plus hardi causa beaucoup avec mademoiselle de la
Haye [c]. Toutes les femmes se rangèrent sérieusement
en un cercle derrière lequel les hommes se tinrent debout.
Cette assemblée de personnages bizarres, aux costumes hétéroclites, aux visages grimés, devint très imposante pour
Lucien, dont le cœur palpita quand il se vit l'objet de
tous les regards. Quelque hardi qu'il fût, il ne soutint
pas facilement cette première épreuve, malgré les encouragements de sa maîtresse, qui déploya le faste de

ses révérences et ses plus précieuses grâces en recevant les illustres sommités de l'Angoumois. Le malaise auquel il était en proie fut continué par une circonstance facile à prévoir, mais qui devait effaroucher un jeune homme encore peu familiarisé avec la tactique du monde. Lucien, tout yeux et tout oreilles, s'entendait appeler monsieur de Rubempré par Louise, par monsieur de Bargeton, par l'évêque, par quelques complaisants de la maîtresse du logis, et monsieur Chardon par la majorité de ce redouté public. Intimidé par les œillades interrogatives des curieux, il pressentait son nom bourgeois au seul mouvement des lèvres ; il devinait les jugements anticipés que l'on portait sur lui avec cette franchise provinciale, souvent un peu trop près de l'impolitesse. Ces continuels coups d'épingle inattendus le mirent encore plus mal avec lui-même. Il attendit avec impatience le moment de commencer sa lecture, afin de prendre une attitude qui fît cesser son supplice intérieur ; mais Jacques racontait sa dernière chasse à madame de Pimentel ; Adrien s'entretenait du nouvel astre musical, de Rossini, avec mademoiselle Laure de Rastignac ; Astolphe qui avait appris par cœur dans un journal la description d'une nouvelle charrue en parlait au baron. Lucien ne savait pas, le pauvre poète, qu'aucune de ces intelligences, excepté celle de madame de Bargeton, ne pouvait comprendre la poésie. Toutes ces personnes, privées d'émotions, étaient accourues en se trompant elles-mêmes sur la nature du spectacle qui les attendait. Il est des mots qui, semblables aux trompettes, aux cymbales, à la grosse caisse des saltimbanques, attirent toujours le public. Les mots beauté, gloire, poésie, ont des sortilèges qui séduisent les esprits les plus grossiers.

Quand tout le monde fut arrivé, quand les causeries eurent cessé, non sans mille avertissements donnés aux interrupteurs par monsieur de Bargeton, que sa femme envoya comme un suisse d'église qui fait retentir sa canne sur les dalles, Lucien se mit à la table ronde, près de madame de Bargeton, en éprouvant une violente secousse d'âme. Il annonça d'une voix troublée que, pour ne tromper l'attente de personne, il allait lire les chefs-d'œuvre récemment retrouvés d'un grand poète inconnu. Quoique les poésies d'André de Chénier eussent été publiées dès 1819, personne, à Angoulême, n'avait encore entendu parler d'André de Chénier. Chacun voulut voir, dans cette annonce, un biais trouvé par madame de Bargeton pour ménager l'amour-propre du poète et mettre les auditeurs à l'aise. Lucien lut d'abord le Jeune Malade, qui fut accueilli par des murmures flatteurs ; puis l'Aveugle, poème que ces esprits médiocres trouvèrent long. Pendant sa lecture, Lucien fut en proie à l'une de ces souffrances infernales qui ne peuvent être parfaitement comprises que par d'éminents artistes, ou par ceux que l'enthousiasme et une haute intelligence mettent à leur niveau. Pour être traduite par la voix, comme pour être saisie, la poésie exige une sainte attention. Il doit se faire entre le lecteur et l'auditoire une alliance intime, sans laquelle les électriques communications des sentiments n'ont plus lieu. Cette cohésion des âmes manque-t-elle, le poète se trouve alors comme un ange essayant de chanter un hymne céleste au milieu des ricanements de l'enfer. Or, dans la sphère où se développent leurs facultés, les hommes d'intelligence possèdent la vue circumspective du colimaçon, le flair du chien et l'oreille de la taupe ; ils voient, ils sentent, ils entendent tout autour d'eux. Le musicien et le poète se savent aussi promptement admirés ou incompris, qu'une plante se sèche ou se ravive dans une atmosphère amie ou ennemie. Les murmures des hommes qui n'étaient venus là que pour leurs femmes, et qui se parlaient de leurs affaires, retentissaient à l'oreille de Lucien par les lois de cette acoustique particulière ; de même qu'il voyait les hiatus sympathiques [1] de quelques mâchoires violemment entrebâillées, et dont les dents le narguaient. Lorsque, semblable à la colombe du déluge, il cherchait un coin favorable où son regard pût s'arrêter,

---

1. A la réflexion, le lecteur comprend que ces hiatus sympathiques sont très simplement des bâillements.

il rencontrait les yeux impatientés de gens qui pensaient évidemment à profiter de cette réunion pour s'interroger sur quelques intérêts positifs. A l'exception de Laure de Rastignac, de deux ou trois jeunes gens et de l'Évêque, tous les assistants s'ennuyaient. En effet, ceux qui comprennent la poésie cherchent à développer dans leur âme ce que l'auteur a mis en germe dans ses vers ; mais ces auditeurs glacés, loin d'aspirer l'âme du poète, n'écoutaient même pas ses accents. Lucien éprouva donc un si profond découragement, qu'une sueur froide mouilla sa chemise. Un regard de feu lancé par Louise, vers laquelle il se tourna, lui donna le courage d'achever ; mais son cœur de poète saignait de mille blessures.

— Trouvez-vous cela bien amusant, Fifine ? dit à sa voisine la sèche Lili qui s'attendait peut-être à des tours de force.

— Ne me demandez pas mon avis, ma chère, mes yeux se ferment aussitôt que j'entends lire.

— J'espère que Naïs ne nous donnera pas souvent des vers le soir, dit Francis. Quand j'écoute lire après mon dîner, l'attention que je suis forcé d'avoir trouble ma digestion.

— Pauvre chat, dit Zéphirine à voix basse, buvez un verre d'eau sucrée.

— C'est fort bien déclamé, dit Alexandre ; mais j'aime mieux le whist.

En entendant cette réponse qui passa pour spirituelle à cause de la signification anglaise du mot, quelques joueuses prétendirent que le lecteur avait besoin de repos. Sous ce prétexte, un ou deux couples s'esquivèrent dans le boudoir. Lucien, supplié par Louise, par la charmante Laure de Rastignac et par l'Évêque, réveilla l'attention, grâce à la verve contre-révolutionnaire des Iambes, que plusieurs personnes, entraînées par la chaleur du débit, applaudirent sans les comprendre. Ces sortes de gens sont influençables par la vocifération comme les palais grossiers sont excités par les liqueurs fortes. Pendant un moment où l'on prit des glaces, Zéphirine envoya

Francis voir le volume, et dit à sa voisine Amélie que les vers lus par Lucien étaient imprimés.

— Mais, répondit Amélie avec un visible bonheur, c'est bien simple, monsieur de Rubempré travaille chez un imprimeur. C'est, dit-elle en regardant Lolotte, comme si une jolie femme faisait elle-même ses robes.

— Il a imprimé ses poésies lui-même, se dirent les femmes.

— Pourquoi s'appelle-t-il donc alors monsieur de Rubempré ? demanda Jacques. Quand il travaille de ses mains, un noble doit quitter son nom.

— Il a effectivement quitté le sien, qui était roturier, dit Zizine, mais pour prendre celui de sa mère qui est noble.

— Puisque ses vers (en province on nomme [a] *verse*) sont imprimés, nous pouvons les lire nous-mêmes, dit Astolphe.

Cette stupidité compliqua la question jusqu'à ce que Sixte du Châtelet eût daigné dire à cette ignorante assemblée que l'annonce n'était pas une précaution oratoire, et que ces belles poésies appartenaient à un frère royaliste du révolutionnaire Marie-Joseph Chénier. La société d'Angoulême, à l'exception de l'Évêque, de madame de Rastignac et de ses deux filles, que cette grande poésie avait saisis, se crut mystifiée et s'offensa de cette supercherie. Un sourd murmure s'éleva ; mais Lucien ne l'entendit pas. Isolé de ce monde odieux par l'enivrement que produisait une mélodie intérieure, il s'efforçait de la répéter, et voyait les figures [b] comme à travers un nuage. Il lut la sombre élégie sur le suicide, celle dans le goût ancien où respire une mélancolie sublime ; puis celle où est ce vers :

> Tes vers sont doux, j'aime à les répéter.

Enfin, il termina par la suave idylle intitulée *Néère* [c].

Plongée dans une délicieuse rêverie, une main dans ses boucles, qu'elle avait défrisées sans s'en apercevoir, l'autre pendant, les yeux distraits, seule au milieu de son salon, madame de Bargeton se sentait pour la première fois de sa vie transportée dans la sphère qui lui était pro-

pre. Jugez combien elle fut désagréablement distraite par
Amélie, qui s'était chargée de lui exprimer les vœux publics.

— Naïs, nous étions venues pour entendre les poésies
de monsieur Chardon, et vous nous donnez des vers
(verse) imprimés. Quoique ces morceaux soient fort jolis,
par patriotisme ces dames aimeraient mieux le vin du cru.

— Ne trouvez-vous pas que la langue française se prête
peu à la poésie ? dit Astolphe au Directeur des Contributions. Je trouve la prose de Cicéron mille fois plus poétique.

— La vraie poésie française est la poésie légère, la
chanson [1], répondit du Châtelet.

— La chanson prouve que notre langue est très mu-
sicale, dit Adrien.

— Je voudrais bien connaître les vers *(verse)* qui ont
causé la perte de Naïs, dit Zéphirine ; mais d'après la
manière dont elle accueille la demande d'Amélie, elle
n'est pas disposée à nous en donner un échantillon.

— Elle se doit à elle-même de les lui faire dire, répondit
Francis, car le génie de ce petit bonhomme est sa justification.

— Vous qui avez été dans la diplomatie, obtenez-nous
cela, dit Amélie à monsieur du Châtelet.

— Rien de plus aisé, dit le baron.

L'ancien Secrétaire des Commandements, habitué à
ces petits manèges, alla trouver l'Évêque et sut le mettre
en avant. Priée par monseigneur, Naïs fut obligée de demander à Lucien quelque morceau qu'il sût par cœur.
Le prompt succès du baron dans cette négociation lui
valut un langoureux sourire d'Amélie.

— Décidément ce baron est bien spirituel, dit-elle à
Lolotte.

Lolotte se souvenait du propos aigre-doux d'Amélie
sur les femmes qui faisaient elles-mêmes leurs robes.

— Depuis quand reconnaissez-vous les barons de l'empire ? lui répondit-elle en souriant.

---

1. On a vu plus haut que les goûts littéraires de Du Châtelet en
sont restés aux modes de la poésie impériale, c'est-à-dire aux genres
légers, à la poésie érotique, au décasyllabe.

Lucien avait essayé de déifier sa maîtresse dans une ode qui lui était adressée sous un titre inventé par tous les jeunes gens au sortir du collège. Cette ode, si complaisamment caressée, embellie de tout l'amour qu'il se sentait au cœur, lui parut la seule œuvre capable de lutter avec la poésie de Chénier. Il regarda d'un air passablement fat madame de Bargeton, en disant : A ELLE ! Puis il se posa fièrement pour dérouler cette pièce ambitieuse, car [a] son amour-propre d'auteur se sentit à l'aise derrière la jupe de madame de Bargeton.

En ce moment, Naïs laissa échapper son secret aux yeux des femmes. Malgré l'habitude qu'elle avait de dominer ce monde de toute la hauteur de son intelligence, elle ne put s'empêcher de trembler pour Lucien. Sa contenance fut gênée, ses regards demandèrent en quelque sorte l'indulgence ; puis elle fut obligée de rester les yeux baissés, et de cacher son contentement à mesure que se déployèrent les strophes suivantes [1].

A ELLE [b]

Du sein de ces torrents de gloire et de lumière,
Où, sur des sistres d'or, les anges attentifs,
Aux pieds de Jéhova redisent la prière
　　　　De nos astres plaintifs ;

---

1. Comme le poème déjà reproduit (p. 60), celui-ci avait paru dans les *Annales romantiques* de 1827-1828. Une lettre de Balzac à Mme Hanska nous apprend l'origine de cette pièce. Elle s'adressait à la fille de Mme de Berny, Julie, alors ravissante de beauté. C'était en 1824, et l'on voulait la faire épouser au jeune homme (*L. à l'Etr.*, II, p. 331). — Avant de revenir à cette pièce, Balzac avait eu un autre projet. A la fin d'une lettre à Émile Regnault, en juin 1836, il ajoutait en *post-scriptum* : « Dites donc à ce bon Charles de Bernard que j'aurais besoin pour *Illusions perdues* d'un petit poème bien ronflant dans la manière de lord Byron ; c'est censé la plus belle œuvre d'un poète de province, en stances ou en alexandrins, en strophes mêlées, comme il voudrait ».

Souvent un chérubin à chevelure blonde
Voilant l'éclat de Dieu sur son front arrêté,
Laisse aux parvis des cieux son plumage argenté,
    Et descend sur le monde.

Il a compris de Dieu le bienfaisant regard :
Du génie aux abois il endort la souffrance ;
Jeune fille adorée, il berce le vieillard
    Dans les fleurs de l'enfance ;

Il inscrit des méchants les tardifs repentirs ;
A la mère inquiète, il dit en rêve : Espère !
Et, le cœur plein de joie, il compte les soupirs
    Qu'on donne à la misère.

De ces beaux messagers un seul est parmi nous,
Que la terre amoureuse arrête dans sa route ;
Mais il pleure, et poursuit d'un regard triste et doux
    La paternelle voûte.

Ce n'est point de son front l'éclatante blancheur
Qui m'a dit le secret de sa noble origine,
Ni l'éclair de ses yeux, ni la féconde ardeur
    De sa vertu divine.

Mais par tant de lueur mon amour ébloui
A tenté de s'unir à sa sainte nature,
Et du terrible archange il a heurté sur lui
    L'impénétrable armure.

Ah ! gardez, gardez bien de lui laisser revoir
Le brillant séraphin qui vers les cieux revole ;
Trop tôt il en saurait la magique parole
    Qui se chante le soir !

Vous les verriez alors, des nuits perçant les voiles,
Comme un point de l'aurore, atteindre les étoiles
    Par un vol fraternel ;
Et le marin qui veille, attendant un présage,
De leurs pieds lumineux, montrerait le passage,
    Comme un phare éternel.

— Comprenez-vous ce calembour ?[a] dit Amélie à monsieur du Châtelet en lui adressant un regard de coquetterie.

— C'est des vers comme nous en avons tous plus ou moins fait au sortir du collège, répondit le baron d'un air ennuyé pour obéir à son rôle de jugeur que rien n'étonnait. Autrefois nous donnions dans les brumes ossianiques. C'était[b] des Malvina, des Fingal, des apparitions nuageuses, des guerriers qui sortaient de leurs tombes avec des étoiles au-dessus de leurs têtes. Aujourd'hui, cette friperie poétique est remplacée par Jéhova, par les sistres, par les anges, par les plumes des séraphins, par toute la garde-robe du paradis remise à neuf avec les mots immense, infini, solitude, intelligence. C'est des lacs, des paroles de Dieu, une espèce de panthéisme christianisé, enrichi de rimes rares, péniblement cherchées, comme émeraude et fraude, aïeul et glaïeul, etc. Enfin, nous avons changé de latitude : au lieu d'être au nord, nous sommes dans l'orient : mais les ténèbres y sont tout aussi épaisses.

— Si l'ode est obscure, dit Zéphirine, la déclaration me semble très claire.

— Et l'armure de l'archange est une robe de mousseline assez légère, dit Francis.

Quoique la politesse voulût que l'on trouvât ostensiblement l'ode ravissante à cause de madame de Bargeton, les femmes, furieuses de ne pas avoir de poète à leur service pour les traiter d'anges, se levèrent comme ennuyées, en murmurant d'un air glacial : *très bien, joli, parfait.*

— Si vous m'aimez, vous ne complimenterez ni l'auteur ni son ange, dit Lolotte à son cher Adrien d'un air despotique auquel il dut obéir.

— Après tout, c'est des phrases [c], dit Zéphirine à Francis, et l'amour est une poésie en action.

— Vous avez dit là, Zizine, une chose que je pensais, mais que je n'aurais pas aussi finement exprimée, repartit Stanislas en s'épluchant de la tête aux pieds par un regard caressant.

— Je ne sais pas ce que je donnerais, dit Amélie à du Châtelet, pour voir rabaisser la fierté de Naïs qui se fait traiter d'archange, comme si elle était plus que nous, et qui nous encanaille avec le fils d'un apothicaire et d'une garde-malade, dont la sœur est une grisette, et qui travaille chez un imprimeur.

— Puisque le père vendait des biscuits contre les vers, dit Jacques, il aurait dû en faire manger à son fils.

— Il continue le métier de son père, car ce qu'il vient de nous donner me semble de la drogue, dit Stanislas en prenant une de ses poses les plus agaçantes. Drogue pour drogue, j'aime mieux autre chose.

En un moment chacun s'entendit pour humilier Lucien par quelque mot d'ironie aristocratique. Lili, la femme pieuse, y vit une action charitable en disant qu'il était temps d'éclairer Naïs, bien près de faire une folie. Francis, le diplomate, se chargea de mener à bien cette sotte conspiration à laquelle tous ces petits esprits s'intéressèrent comme au dénouement d'un drame, et dans laquelle ils virent une aventure à raconter le lendemain.

L'ancien consul, peu soucieux d'avoir à se battre avec un jeune poète qui, sous les yeux de sa maîtresse, enragerait d'un mot insultant, comprit qu'il fallait assassiner Lucien avec un fer sacré contre lequel la vengeance fût impossible. Il imita l'exemple que lui avait donné l'adroit du Châtelet quand il avait été question de faire dire des vers à Lucien. Il vint causer avec l'Évêque en feignant de partager l'enthousiasme que l'ode de Lucien avait inspiré à Sa Grandeur ; puis il le mystifia en lui faisant croire que la mère de Lucien était une femme supérieure et d'une excessive modestie, qui fournissait à son fils les sujets de toutes ses compositions. Le plus grand plaisir de Lucien était de voir rendre justice à sa mère, qu'il adorait. Une fois cette idée inculquée à l'Évêque, Francis s'en remit sur les hasards de la conversation pour amener le mot blessant qu'il avait médité de faire dire par monseigneur.

Quand Francis et l'Évêque revinrent dans le cercle au centre duquel était Lucien, l'attention redoubla parmi les personnes qui déjà lui faisaient boire la ciguë à petits coups. Tout à fait étranger au manège des salons, le pauvre poète ne savait que regarder madame de Bargeton, et répondre gauchement aux gauches questions qui lui étaient adressées. Il ignorait les noms et les qualités de la plupart des personnes présentes, et ne savait quelle conversation tenir avec des femmes qui lui disaient des niaiseries dont il avait honte. Il se sentait d'ailleurs à mille lieues de ces divinités angoumoisines en s'entendant nommer tantôt monsieur Chardon, tantôt monsieur de Rubempré, tandis qu'elles s'appelaient Lolotte, Adrien, Astolphe, Lili, Fifine. Sa confusion fut extrême quand, ayant pris Lili pour un nom d'homme, il appela monsieur Lili le brutal monsieur de Senonches. Le Nemrod interrompit Lucien[a] par un : — Monsieur Lulu ? qui fit rougir madame de Bargeton jusqu'aux oreilles.

— Il faut être bien aveuglée pour admettre ici et nous présenter ce petit bonhomme, dit-il à demi-voix.

— Madame la marquise, dit Zéphirine à madame de Pimentel à voix basse, mais de manière à se faire entendre, ne trouvez-vous pas une grande ressemblance entre monsieur Chardon et monsieur de Cante-Croix ?

— La ressemblance est idéale, répondit en souriant madame de Pimentel.

— La gloire a des séductions que l'on peut avouer, dit madame de Bargeton à la marquise. Il est des femmes qui s'éprennent de la grandeur comme d'autres de la petitesse, ajouta-t-elle en regardant Francis.

Zéphirine ne comprit pas, car elle trouvait son consul très grand ; mais la marquise se rangea du côté de Naïs en se mettant à rire.

— Vous êtes bien heureux, monsieur, dit à Lucien monsieur de Pimentel qui se reprit pour le nommer monsieur de Rubempré après l'avoir appelé Chardon, vous ne devez jamais vous ennuyer ?

— Travaillez-vous promptement ? lui demanda Lolotte de l'air dont elle eût dit à un menuisier : Êtes-vous longtemps à faire une boîte ?

Lucien resta tout abasourdi sous ce coup d'assommoir ; mais il releva la tête en entendant madame de Bargeton répondre en souriant : — Ma chère, la poésie ne pousse pas dans la tête de monsieur de Rubempré comme l'herbe dans nos cours.

— Madame, dit l'Évêque à Lolotte, nous ne saurions avoir trop de respect pour les nobles esprits en qui Dieu met un de ses rayons. Oui, la poésie est chose sainte. Qui dit poésie, dit souffrance. Combien de nuits silencieuses n'ont pas values les strophes que vous admirez ! Saluez avec amour le poète qui mène presque toujours une vie malheureuse, et à qui Dieu réserve sans doute une place dans le ciel parmi ses prophètes. Ce jeune homme est un poète, ajouta-t-il en posant la main sur la tête de Lucien, ne voyez-vous pas quelque fatalité imprimée sur ce beau front ?

Heureux d'être si noblement défendu, Lucien salua l'Évêque par un regard suave, sans savoir que le digne prélat allait être son bourreau. Madame de Bargeton lança sur le cercle ennemi des regards pleins de triomphe qui s'enfoncèrent, comme autant de dards, dans le cœur de ses rivales, dont la rage redoubla.

— Ah ! monseigneur, répondit le poète en espérant frapper ces têtes imbéciles de son sceptre d'or, le vulgaire n'a ni votre esprit, ni votre charité. Nos douleurs sont ignorées, personne ne sait nos travaux. Le mineur a moins de peine à extraire l'or de la mine, que nous n'en avons à arracher nos images aux entrailles de la plus ingrate des langues. Si le but de la poésie est de mettre les idées au point précis où tout le monde peut les voir et les sentir, le poète doit incessamment parcourir l'échelle des intelligences humaines afin de les satisfaire toutes ; il doit cacher sous les plus vives couleurs la logique et le sentiment, deux puissances ennemies ; il lui faut enfermer tout un monde de pensées dans un mot, résumer des philosophies entières par une peinture ; enfin ses vers sont des graines dont les fleurs doivent éclore dans les cœurs, en y cherchant les sillons creusés par les sentiments personnels. Ne faut-il

pas avoir tout senti pour tout rendre ? Et sentir vivement,
n'est-ce pas souffrir ? Aussi les poésies ne s'enfantent-
elles qu'après de pénibles voyages entrepris dans les vastes
régions de la pensée et de la société. N'est-ce pas des travaux immortels que ceux auxquels nous devons des créatures dont la vie devient plus authentique que celle des
êtres qui ont véritablement vécu, comme la *Clarisse* de
Richardson, la *Camille* de Chénier, la *Délie* de Tibulle,
l'*Angélique* de l'Arioste, la *Francesca* du Dante, l'*Alceste*
de Molière, le *Figaro* de Beaumarchais, la *Rebecca* de Walter
Scott, le *Don Quichotte* de Cervantès !

— Et que nous créerez-vous ? demanda du Châtelet.

— Annoncer de telles conceptions, répondit Lucien,
n'est-ce pas se donner un brevet d'homme de génie ?
D'ailleurs ces enfantements sublimes veulent une longue
expérience du monde, une étude des passions et des intérêts
humains que je ne saurais avoir faite ; mais je commence,
dit-il avec amertume en jetant un regard vengeur sur ce
cercle. Le cerveau porte longtemps...

— Votre accouchement sera laborieux, dit monsieur du
Hautoy en l'interrompant.

— Votre excellente mère pourra vous aider, dit l'Évêque.

Ce mot si habilement préparé, cette vengeance attendue
alluma dans tous les yeux un éclair de joie. Sur toutes les
bouches il courut un sourire de satisfaction aristocratique,
augmentée par l'imbécillité de monsieur de Bargeton qui
se mit à rire après coup.

— Monseigneur, vous êtes un peu trop spirituel pour
nous en ce moment, ces dames ne vous comprennent
pas, dit madame de Bargeton qui par ce seul mot paralysa
les rires et attira sur elle les regards étonnés. Un poète
qui prend toutes ses inspirations dans la Bible, a dans
l'Église une véritable mère. Monsieur de Rubempré, dites-
nous *Saint Jean dans Pathmos* [1], ou le *Festin de Balthasar*,

---

1. Balzac a pensé longtemps écrire un récit qui devait porter ce
titre. Il figure dans une note du 12 juin 1832, reparaît dans un autre

pour montrer à Monseigneur que Rome est toujours la *Magna parens* de Virgile.

Les femmes échangèrent un sourire en entendant Naïs disant les deux mots latins.

Au début de la vie, les plus fiers courages ne sont pas exempts d'abattement. Ce coup avait envoyé tout d'abord Lucien au fond de l'eau ; mais il frappa du pied et revint à la surface, en se jurant de dominer ce monde. Comme le taureau piqué de mille flèches, il se releva furieux, et allait obéir à la voix de Louise en déclamant *Saint Jean dans Pathmos*; mais la plupart des tables de jeu avaient attiré leurs joueurs qui retombaient dans l'ornière de leurs habitudes en y trouvant un plaisir que la poésie ne leur avait pas donné. Puis la vengeance de tant d'amours-propres irrités n'eût pas été complète sans le dédain négatif que l'on témoigna pour la poésie indigène, en désertant Lucien et madame de Bargeton. Chacun parut préoccupé : celui-ci alla causer d'un chemin cantonal avec le Préfet, celle-là parla de varier les plaisirs de la soirée en faisant un peu de musique. La haute société d'Angoulême, se sentant mauvais juge en fait de poésie, était surtout curieuse de connaître l'opinion des Rastignac, des Pimentel sur Lucien, et plusieurs personnes allèrent autour d'eux. La haute influence que ces deux familles exerçaient dans le département était toujours reconnue dans les grandes circonstances; chacun les jalousait et les courtisait, car tout le monde prévoyait avoir besoin de leur protection.

— Comment trouvez-vous notre poète et sa poésie ? dit Jacques à la marquise chez laquelle il chassait.

— Mais pour des vers de province, dit-elle en souriant, ils ne sont pas mal ; d'ailleurs un si beau poète ne peut rien faire mal.

Chacun trouva l'arrêt adorable, et l'alla répéter en y mettant plus de méchanceté que la marquise n'y en voulait mettre [a].

---

plan qui semble dater de la fin de 1833, et le projet n'était pas abandonné, semble-t-il, en 1836 (J. Crépet, *Pensées, sujets, fragmens*, p. 92, 97 et 151).

Du Châtelet fut alors requis d'accompagner monsieur de Bartas qui massacra le grand air de Figaro [1]. Une fois la porte ouverte à la musique il fallut écouter la romance chevaleresque faite sous l'Empire par Chateaubriand [2], chantée par Châtelet. Puis vinrent les morceaux à quatre mains exécutés par des petites filles, et réclamés par madame du Brossard qui voulait faire briller le talent de sa chère Camille aux yeux de monsieur de Séverac.

Madame de Bargeton, blessée du mépris que chacun marquait à son poète, rendit dédain pour dédain en s'en allant dans son boudoir pendant le temps que l'on fit de la musique. Elle fut suivie de l'Évêque à qui son Grand-Vicaire avait expliqué la profonde ironie de son involontaire épigramme, et qui voulait la racheter. Mademoiselle de Rastignac, que la poésie avait séduite, se coula dans le boudoir à l'insu de sa mère. En s'asseyant sur son canapé à matelas piqué où elle entraîna Lucien, Louise put, sans être entendue ni vue, lui dire à l'oreille : — Cher ange, ils ne t'ont pas compris ! mais...

Tes vers sont doux, j'aime à les répéter.

Lucien consolé par cette flatterie, oublia pour un moment ses douleurs.

— Il n'y a pas de gloire à bon marché, lui dit madame de Bargeton en lui prenant la main et la lui serrant. Souffrez, souffrez mon ami, vous serez grand, vos douleurs sont le prix de votre immortalité. Je voudrais bien avoir à supporter les travaux d'une lutte. Dieu vous garde d'une vie atone et sans combats, où les ailes de l'aigle ne trouvent pas assez d'espace. J'envie vos souffrances, car vous vivez au moins, vous ! Vous déploierez vos forces, vous espérerez une victoire ! Votre lutte sera glorieuse. Quand vous

---

1. L'opéra de Rossini fut joué à Paris le 26 octobre 1819 pour la première fois.

2. C'est la romance connue : Combien j'ai douce souvenance, du *Dernier des Abencérages.*

serez arrivé dans la sphère impériale où trônent les grandes intelligences, souvenez-vous des pauvres gens déshérités par le sort, dont l'intelligence s'annihile sous l'oppression d'un azote moral et qui périssent après avoir constamment su ce qu'était la vie sans pouvoir vivre, qui ont eu des yeux perçants et n'ont rien vu, de qui l'odorat était délicat et qui n'ont senti que des fleurs empestées. Chantez alors la plante qui se dessèche au fond d'une forêt, étouffée par des lianes, par des végétations gourmandes, touffues, sans avoir été aimée par le soleil, et qui meurt sans avoir fleuri ! Ne serait-ce pas un poème d'horrible mélancolie, un sujet tout fantastique ? Quelle composition sublime que la peinture d'une jeune fille née sous les cieux de l'Asie, ou de quelque fille du désert transportée dans quelque froid pays d'Occident, appelant son soleil bien-aimé, mourant de douleurs incomprises, également accablée de froid et d'amour ! Ce serait le type de beaucoup d'existences.

— Vous peindriez ainsi l'âme qui se souvient du ciel, dit l'évêque, un poème qui doit avoir été fait jadis, je me suis plu à en voir un fragment dans le Cantique des cantiques.

— Entreprenez cela, dit Laure de Rastignac en exprimant une naïve croyance au génie de Lucien.

— Il manque à la France un grand poème sacré, dit l'évêque. Croyez-moi ? la gloire et la fortune appartiendront à l'homme de talent qui travaillera pour la Religion.

— Il l'entreprendra, monseigneur, dit madame de Bargeton avec emphase. Ne voyez-vous pas l'idée du poème poindant déjà comme une flamme de l'aurore, dans ses yeux ?

— Naïs nous traite bien mal, disait Fifine. Que fait-elle donc ?

— Ne l'entendez-vous pas ? répondit Stanislas. Elle est à cheval sur ses grands mots qui n'ont ni queue ni tête.

Amélie, Fifine, Adrien et Francis apparurent à la porte du boudoir, en accompagnant madame de Rastignac qui venait chercher sa fille pour partir.

— Naïs, dirent les deux femmes enchantées de troubler

l'à parte du boudoir, vous seriez bien aimable de nous jouer
quelque morceau.

— Ma chère enfant, répondit madame de Bargeton,
monsieur de Rubempré va nous dire son Saint Jean dans
Pathmos, un magnifique poème biblique.

— Biblique ! répéta Fifine étonnée.

Amélie et Fifine rentrèrent dans le salon en y apportant
ce mot comme une pâture à moquerie. Lucien s'excusa de
dire le poème en objectant son défaut de mémoire. Quand
il reparut, il n'excita plus le moindre intérêt. Chacun causait
ou jouait. Le poète avait été dépouillé de tous ses rayons,
les propriétaires ne voyaient en lui rien de bien utile, les
gens à prétentions le craignaient comme un pouvoir hostile à leur ignorance ; les femmes jalouses de madame de
Bargeton, la Béatrix de ce nouveau Dante, selon le [a]
Vicaire-Général, lui jetaient des regards froidement
dédaigneux.

— Voilà donc le monde ! se dit Lucien en descendant à
l'Houmeau par les rampes de Beaulieu, car il est des instants dans la vie où l'on aime à prendre le plus long, afin
d'entretenir par la marche le mouvement d'idées où l'on
se trouve, et au courant desquelles on veut se livrer. Loin
de le décourager, la rage de l'ambitieux repoussé donnait
à Lucien de nouvelles forces. Comme tous les gens emme-
nés [b] par leur instinct dans une sphère élevée où ils arrivent
avant de pouvoir s'y soutenir, il se promettait de tout
sacrifier pour demeurer dans la haute société. Chemin faisant, il ôtait un à un les traits envenimés qu'il avait reçus,
il se parlait tout haut à lui-même, il gourmandait les niais
auxquels il avait eu affaire ; il trouvait des réponses fines
aux sottes demandes qu'on lui avait faites, et se désespérait d'avoir ainsi de l'esprit après coup. En arrivant sur la
route de Bordeaux qui serpente au bas de la montagne et
côtoie les rives de la Charente, il crut voir, au clair de lune,
Ève et David assis sur une solive au bord de la rivière, près
d'une fabrique, et descendit vers eux par un sentier.

Pendant que Lucien courait à sa torture chez madame de
Bargeton, sa sœur avait pris une robe de percaline rose

à mille raies, son chapeau de paille cousue, un petit châle
de soie ; mise simple qui faisait croire qu'elle était parée,
comme il arrive à toutes les personnes chez lesquelles une
grandeur naturelle rehausse les moindres accessoires.
Aussi, quand elle quittait son costume d'ouvrière, inti-
midait-elle prodigieusement David. Quoique l'imprimeur
se fût résolu à parler de lui-même, il ne trouva plus rien
à dire quand il donna le bras à la belle Ève pour traverser
l'Houmeau. L'amour se plaît dans ces respectueuses terreurs, semblables à celles que la gloire de Dieu cause aux
Fidèles. Les deux amants marchèrent silencieusement vers
le pont Sainte-Anne [1] afin de gagner la rive gauche de la
Charente. Ève, qui trouva ce silence gênant, s'arrêta vers le
milieu du pont pour contempler la rivière qui, de là jusqu'à
l'endroit où se construisait la poudrerie, forme une longue
nappe où le soleil couchant jetait alors une joyeuse traînée
de lumière.

— La belle soirée ! dit-elle en cherchant un sujet de
conversation, l'air est à la fois tiède et frais, les fleurs
embaument; le ciel est magnifique.

— Tout parle au cœur, répondit David en essayant
d'arriver à son amour par analogie. Il y a pour les gens
aimants un plaisir infini à trouver dans les accidents d'un
paysage, dans la transparence de l'air, dans les parfums de
la terre, la poésie qu'ils ont dans l'âme. La nature parle pour
eux.

— Et elle leur délie aussi la langue, dit Ève en riant.
Vous étiez bien silencieux en traversant l'Houmeau.
Savez-vous que j'étais embarrassée...

— Je vous trouvais si belle que j'étais saisi, répondit
naïvement David.

— Je suis donc moins belle en ce moment ? lui demanda-
t-elle.

— Non ; mais je suis si heureux de me promener seul
avec vous, que...

---

1. Ce pont Saint-Anne est en réalité le pont Saint-Cybard, dont
M. Cadilhac donne la photographie dans l'article déjà cité.

Il s'arrêta tout interdit et regarda les collines par où descend la route de Saintes.

— Si vous trouvez quelque plaisir à cette promenade, j'en suis ravie, car je me crois obligée à vous donner une soirée en échange de celle que vous m'avez sacrifiée. En refusant d'aller chez madame de Bargeton, vous avez été tout aussi généreux que l'était Lucien en risquant de la fâcher par sa demande.

— Non pas généreux, mais sage, répondit David. Puisque nous sommes seuls sous le ciel, sans autres témoins que les roseaux et les buissons qui bordent la Charente, permettez-moi, chère Ève, de vous exprimer quelques-unes des inquiétudes que me cause la marche actuelle de Lucien. Après ce que je viens de lui dire, mes craintes vous paraîtront, je l'espère, un raffinement d'amitié. Vous et votre mère, vous avez tout fait pour le mettre au-dessus de sa position ; mais en excitant son ambition, ne l'avez-vous pas imprudemment voué à de grandes souffrances ? Comment se soutiendra-t-il dans le monde où le portent ses goûts ? Je le connais ! il est de nature à aimer les récoltes sans le travail. Les devoirs de société lui dévoreront son temps, et le temps est le seul capital des gens qui n'ont que leur intelligence pour fortune ; il aime à briller, le monde irritera ses désirs qu'aucune somme ne pourra satisfaire, il dépensera de l'argent et n'en gagnera pas ; enfin, vous l'avez habitué à se croire grand ; mais avant de reconnaître une supériorité quelconque, le monde demande d'éclatants succès. Or les succès littéraires ne se conquièrent que dans la solitude et par d'obstinés travaux. Que donnera madame de Bargeton à votre frère en retour de tant de journées passées à ses pieds ? Lucien est trop fier pour accepter ses secours, et nous le savons encore trop pauvre pour continuer à voir sa société, qui est doublement ruineuse. Tôt ou tard cette femme abandonnera notre cher frère après lui avoir fait perdre le goût du travail, après avoir développé chez lui le goût du luxe, le mépris de notre vie sobre, l'amour des jouissances, son penchant à l'oisiveté, cette débauche des âmes poétiques. Oui, je

tremble que cette grande dame ne s'amuse de Lucien comme
d'un jouet : ou elle l'aime sincèrement et lui fera tout oublier, ou elle ne l'aime pas et le rendra malheureux, car
il en est fou.

— Vous me glacez le cœur, dit Ève en s'arrêtant au
barrage de la Charente [1]. Mais, tant que ma mère aura la
force de faire son pénible métier et tant que je vivrai, les
produits de notre travail suffiront peut-être aux dépenses
de Lucien, et lui permettront d'attendre le moment où
sa fortune commencera. Je ne manquerai jamais de courage, car l'idée de travailler pour une personne aimée,
dit Ève en s'animant, ôte au travail toute son amertume
et ses ennuis. Je suis heureuse en songeant pour qui je
me donne tant de peine, si toutefois c'est de la peine. Oui,
ne craignez rien, nous gagnerons assez d'argent pour que
Lucien puisse aller dans le beau monde. Là est sa fortune [a].

— Là est aussi sa perte, reprit David. Écoutez-moi,
chère Ève. La lente exécution des œuvres du génie exige
une fortune considérable toute venue ou le sublime cynisme d'une vie pauvre. Croyez-moi ! Lucien a une si grande
horreur des privations de la misère, il a si complaisamment savouré l'arome des festins, la fumée des succès,
son amour-propre a si bien grandi dans le boudoir de
madame de Bargeton, qu'il tentera tout plutôt que de
déchoir ; et les produits de votre travail ne seront jamais
en rapport avec ses besoins.

— Vous n'êtes donc qu'un faux ami ! s'écria Ève
désespérée. Autrement vous ne nous décourageriez pas
ainsi.

— Ève ! Ève ! répondit David, je voudrais être le frère
de Lucien. Vous seule pouvez me donner ce titre qui lui
permettrait de tout accepter de moi, qui me donnerait
le droit de me dévouer à lui avec le saint amour que vous
mettez à vos sacrifices, mais en y portant le discernement

---

1. Ce barrage existe en effet, et M. Cadilhac en a donné la
photographie.

du calculateur. Ève, chère enfant aimée, faites que Lucien
ait un trésor où il puisse puiser sans honte ? La bourse
d'un frère ne sera-t-elle pas comme la sienne ? si vous saviez
toutes les réflexions que m'a suggérées la position nouvelle
de Lucien ! S'il veut aller chez madame de Bargeton, il
ne doit plus être mon prote, il ne doit plus loger à l'Houmeau, vous ne devez plus rester ouvrière, votre mère, ne
doit plus faire son métier. Si vous consentiez à devenir ma
femme, tout s'aplanirait : Lucien pourrait demeurer au
second chez moi pendant que je lui bâtirais un appartement
au-dessus de l'appentis au fond de la cour, à moins que
mon père ne veuille élever un second étage. Nous lui
arrangerions ainsi une vie sans soucis, une vie indépendante.
Mon désir de soutenir Lucien me donnera pour faire
fortune un courage que je n'aurais pas s'il ne s'agissait
que de moi ; mais il dépend de vous d'autoriser mon
dévouement. Peut-être un jour ira-t-il à Paris, le seul
théâtre où il puisse se produire, et où ses talents seront
appréciés et rétribués. La vie de Paris est chère, et nous ne
serons pas trop de trois pour l'y entretenir. D'ailleurs, à
vous comme à votre mère, ne faudra-t-il pas un appui ?
Chère Ève, épousez-moi par amour pour Lucien. Plus
tard vous m'aimerez peut-être en voyant les efforts que
je ferai pour le servir et pour vous rendre heureuse. Nous
sommes tous deux également modestes dans nos goûts,
il nous faudra peu de chose ; le bonheur de Lucien sera
notre grande affaire, et son cœur sera le trésor où nous
mettrons fortune, sentiments, sensations, tout !

— Les convenances nous séparent, dit Ève émue en
voyant combien ce grand amour se faisait petit. Vous
êtes riche et je suis pauvre. Il faut aimer beaucoup pour
passer par-dessus une semblable difficulté.

— Vous ne m'aimez donc pas assez encore ? s'écria
David atterré.

— Mais votre père s'opposerait peut-être...

— Bien, bien, répondit David, s'il n'y a que mon père
à consulter, vous serez ma femme. Ève, ma chère Ève !
vous venez de me rendre la vie bien facile à porter en ce

moment. J'avais, hélas ! le cœur bien lourd de sentiments que je ne pouvais ni ne savais exprimer. Dites-moi seulement que vous m'aimez un peu, je prendrai le courage nécessaire pour vous parler de tout le reste.

— En vérité, dit-elle, vous me rendez tout honteuse ; mais puisque nous nous confions nos sentiments, je vous dirai que je n'ai jamais de ma vie pensé à un autre qu'à vous. J'ai vu en vous un de ces hommes auxquels une femme peut se trouver fière d'appartenir, et je n'osais espérer pour moi, pauvre ouvrière sans avenir, une si grande destinée [a].

— Assez, assez, dit-il en s'asseyant sur la traverse du barrage auprès duquel ils étaient revenus, car ils allaient et venaient comme des fous en parcourant le même espace.

— Qu'avez-vous ? lui dit-elle en exprimant pour la première fois cette inquiétude si gracieuse que les femmes éprouvent pour un être qui leur appartient.

— Rien que de bon, dit-il. En apercevant toute une vie heureuse, l'esprit est comme ébloui, l'âme est accablée. Pourquoi suis-je le plus heureux ? dit-il avec une expression de mélancolie. Mais je le sais.

Ève regarda David d'un air coquet et douteur qui voulait une explication.

— Chère Ève, je reçois plus que je ne donne. Aussi vous aimerai-je toujours mieux que vous ne m'aimerez, parce que j'ai plus de raison de vous aimer : vous êtes un ange et je suis un homme.

— Je ne suis pas si savante, répondit Ève en souriant. Je vous aime bien...

— Autant que vous aimez Lucien ? dit-il en l'interrompant.

— Assez pour être votre femme, pour me consacrer à vous et tâcher de ne vous donner aucune peine dans la vie, d'abord un peu pénible, que nous mènerons.

— Vous êtes-vous aperçue, chère Ève, que je vous ai aimée depuis le premier jour où je vous ai vue ?

— Quelle est la femme qui ne se sent pas aimée ? demanda-t-elle.

— Laissez-moi donc dissiper les scrupules que vous cause ma prétendue fortune. Je suis pauvre, ma chère Ève. Oui, mon père a pris plaisir à me ruiner, il a spéculé sur mon travail, il a fait comme beaucoup de prétendus bienfaiteurs avec leurs obligés. Si je deviens riche ce sera par vous. Ceci n'est pas une parole de l'amant, mais une réflexion du penseur. Je dois vous faire connaître mes défauts, et ils sont énormes chez un homme obligé de faire sa fortune. Mon caractère, mes habitudes, les occupations qui me plaisent me rendent impropre à tout ce qui est commerce et spéculation, et cependant nous ne pouvons devenir riches que par l'exercice de quelque industrie. Si je suis capable de découvrir une mine d'or, je suis singulièrement inhabile à l'exploiter. Mais vous, qui, par amour pour votre frère, êtes descendue aux plus petits détails, qui avez le génie de l'économie, la patiente attention du vrai commerçant, vous récolterez la moisson que j'aurai semée. Notre situation, car depuis longtemps je me suis mis au sein de votre famille, m'oppresse si fort le cœur que j'ai consumé mes jours et mes nuits à chercher une occasion de fortune. Mes connaissances en chimie et l'observation des besoins du commerce m'ont mis sur la voie d'une découverte lucrative. Je ne puis vous en rien dire encore, je prévois trop de lenteur. Nous souffrirons pendant quelques années peut-être : mais je finirai par trouver les procédés industriels à la piste desquels je ne suis pas seul, et qui, si j'arrive le premier, nous procureront[a] une grande fortune. Je n'ai rien dit à Lucien, car son caractère ardent gâterait tout, il convertirait mes espérances en réalités, il vivrait en grand seigneur et s'endetterait peut-être. Ainsi gardez-moi le secret. Votre douce et chère compagnie pourra seule me consoler pendant ces longues épreuves, comme le désir de vous enrichir vous et Lucien me donnera de la constance et de la ténacité...

— J'avais deviné aussi, lui dit Ève en l'interrompant, que vous étiez un de ces inventeurs auxquels il faut, comme à mon pauvre père, une femme qui prenne soin d'eux.

— Vous m'aimez donc ! Ah ! dites-le-moi sans crainte,

à moi qui ai vu dans votre nom un symbole de mon amour. Ève était la seule femme qu'il y eût dans le monde, et ce qui était matériellement vrai pour Adam l'est moralement pour moi. Mon Dieu ! m'aimez-vous ?

— Oui, dit-elle en allongeant cette simple syllabe par la manière dont elle la prononça comme pour peindre l'étendue de ses sentiments.

— Hé ! bien, asseyons-nous là, dit-il en conduisant Ève par la main vers une longue poutre qui se trouvait au bas des roues d'une papeterie. Laissez-moi respirer l'air du soir, entendre les cris des ranettes, admirer les rayons de la lune qui tremblent sur les eaux ; laissez-moi m'emparer de cette nature où je crois voir mon bonheur écrit en toute chose, et qui m'apparaît pour la première fois dans sa splendeur, éclairé par l'amour, embelli par vous, Ève, chère aimée ! voici le premier moment de joie sans mélange que le sort m'ait donné ! Je doute que Lucien soit aussi heureux que je le suis [a] !

En sentant la main d'Ève humide et tremblante dans la sienne, David y laissa tomber une larme [b].

— Ne puis-je avoir le secret ?.. dit Ève d'une voix câline.

— Vous y avez des droits, car votre père s'est occupé de cette question qui va devenir grave. Voici pourquoi. La chute de l'Empire va rendre l'usage du linge de coton presque général, à cause du bon marché de cette matière relativement au linge de fil. En ce moment, le papier se fait encore avec du chiffon de chanvre et de lin; mais cet ingrédient est cher, et sa cherté retarde le grand mouvement que la Presse française acquerra nécessairement. Or, on ne force pas la production du chiffon. Le chiffon est le résultat de l'usage du linge, et la population d'un pays n'en donne qu'une quantité déterminée. Cette quantité ne peut s'accroître que par une augmentation dans le chiffre des naissances. Pour opérer un changement sensible dans sa population, un pays veut un quart de siècle et de grandes révolutions dans les mœurs, dans le commerce ou dans l'agriculture. Si donc, les besoins de la papeterie deviennent supérieurs à ce que la France produit de chiffon,

soit du double soit du triple, il fallait, pour maintenir
le papier à bas prix, introduire dans la fabrication du papier
un élément autre que le chiffon. Ce raisonnement repose
sur un fait qui se passe ici. Les papeteries d'Angoulême,
les dernières où se fabriqueront des papiers avec du chiffon
de fil, voient le coton envahissant la pâte dans une pro-
gression effrayante [1].

A une question de la jeune ouvrière, qui ne savait pas
ce que voulait dire ce nom de Pot, David lui donna sur
la papeterie des renseignements qui ne seront point déplacés
dans une œuvre dont l'existence matérielle est due autant
au Papier qu'à la Presse ; mais cette longue parenthèse
entre cet amant et sa maîtresse gagnera sans doute à être
d'abord résumée.

Le papier, produit non moins merveilleux que l'impression à laquelle il sert de base, existait depuis longtemps
en Chine quand, par les filières souterraines du commerce,
il parvint dans l'Asie Mineure, où, vers l'an 750, selon
quelques traditions, on faisait usage d'un papier de coton
broyé et réduit en bouillie. La nécessité de remplacer
le parchemin, dont le prix était excessif, fit trouver, par une
imitation du *papier bombycien* (tel fut le nom du papier
de coton en Orient), le papier de chiffon, les uns disent
à Bâle, en 1170, par des Grecs réfugiés [2], les autres disent
à Padoue, en 1301, par un Italien nommé Pax. Ainsi le
papier se perfectionna lentement et obscurément, mais il
est certain que déjà sous Charles VI on fabriquait à Paris

1. Le problème était posé, avec moins de force, mais dans les
mêmes termes, au tome 42 du *Dictionnaire de la conversation* de Duckett,
en 1837 : « Les tentatives nombreuses, y lisait-on, provoquées par le
prix toujours croissant des chiffons de lin et de chanvre et leurs proportions insuffisantes pour les besoins, ne tendent qu'à procurer des
mélanges offrant des propriétés analogues ». Balzac avait les plus
fortes raisons de connaître Duckett, son créancier à la fin de 1836.
On observera quelque incohérence dans la phrase suivante. Ève
s'étonne du nom de Pot, lequel n'a pas été prononcé par David.
C'est que Balzac a bouleversé tout ce passage dans le *Furne corrigé*
(voir les *Notes critiques*) et ne s'y reconnaît pas tout à fait lui-même. —
Le *papier pot* est une sorte de papier employé notamment dans la
fabrication des cartes à jouer.

2. On lit dans le *Dictionnaire* de Duckett que l'invention du papier

la pâte des cartes à jouer. Lorsque les immortels Faust, Coster et Guttenberg[1] eurent inventé LE LIVRE, des artisans, inconnus comme tant de grands artistes de cette époque, approprièrent la papeterie aux besoins de la typographie. Dans ce quinzième siècle, si vigoureux et si naïf, les noms des différents formats de papier, de même que les noms donnés aux caractères, portèrent l'empreinte de la naïveté du temps. Ainsi le Raisin, le Jésus, le Colombier, le papier Pot, l'Écu, le Coquille, le Couronne furent ainsi nommés de la grappe, de l'image de Notre-Seigneur, de la couronne, de l'écu, du pot, enfin du filigrane marqué au milieu de la feuille, comme plus tard, sous Napoléon, on y mit un aigle : d'où le papier dit Grand-Aigle. De même, on appela les caractères Cicéro, Saint-Augustin, Gros-Canon, des livres de liturgie, des œuvres théologiques et des traités de Cicéron auxquels ces caractères furent d'abord employés. L'*italique* fut inventé par les Alde, à Venise : de là son nom. Avant l'invention du papier mécanique, dont la longueur est sans limites, les plus grands formats étaient le Grand-Jésus ou le Grand-Colombier ; encore ce dernier ne servait-il guère que pour les atlas ou pour les gravures. En effet, les dimensions du papier d'impression étaient soumises à celles des marbres de la presse. Au moment où David parlait, l'existence du papier continu paraissait une chimère en France, quoique déjà Denis Robert d'Essone[2]

de chiffon fut réclamée par des Allemands, des Italiens et des Grecs réfugiés à Bâle, qui en conçurent l'idée d'après la manière de faire chez eux le papier de coton qui dès le IXe siècle remplaça le papyrus chez les Orientaux

. Balzac confond avec Faust un bourgeois de Mayence nommé Jean Fust, qui fut l'associé de Schœffer et de Gutenberg. Coster était hollandais. Il fut un des premiers à imprimer des livres avec des caractères mobiles en bois. Il mourut vers 1440.

2. Robert était l'un des contremaîtres de Didot Saint-Léger. En 1799, il imagina une série d'appareils qui devaient produire un papier sans fin. Ses recherches aboutirent en 1803. Elles auraient probablement échoué sans les interventions de Didot Saint-Léger qui dirigeait les essais à Essonnes avec Robert et au Mesnil avec Robert et Guillot.

eût, vers 1799, inventé pour le fabriquer une machine que
depuis Didot-Saint-Léger essaya de perfectionner. Le papier
vélin, inventé par Ambroise Didot [1], ne date que de 1780.
Ce rapide aperçu démontre invinciblement que toutes
les grandes acquisitions de l'industrie et de l'intelligence
se sont faites avec une excessive lenteur et par des agré-
gations inaperçues, absolument comme procède la Nature.
Pour arriver à leur perfection, l'écriture, le langage
peut-être !... ont eu les mêmes tâtonnements que la typographie et la papeterie.

— Des chiffonniers ramassent dans l'Europe entière
les chiffons, les vieux linges, et achètent les débris de
toute espèce de tissus, dit l'imprimeur en terminant. Ces
débris, triés par sortes, s'emmagasinent chez les marchands
de chiffons en gros, qui fournissent les papeteries. Pour
vous donner une idée de ce commerce, sachez, Mademoiselle, qu'en 1814 le banquier Cardon, propriétaire des
cuves de Buges et de Langlée, où Léorier de l'Isle essaya
dès 1776 la solution du problème dont s'occupa votre
père, avait un procès avec un sieur Proust à propos d'une
erreur de deux millions pesant de chiffons dans un compte
de dix millions de livres, environ quatre millions de francs.
Le fabricant lave ses chiffons et les réduit en une bouillie
claire qui se passe, absolument comme une cuisinière
passe une sauce à son tamis, sur un châssis en fer appelé
forme, et dont l'intérieur est rempli par une étoffe métallique
au milieu de laquelle se trouve le filigrane qui donne son
nom au papier. De la grandeur de la *forme* dépend alors
la grandeur du papier. Dans le temps où j'étais chez messieurs Didot, on s'occupait déjà de cette question et l'on
s'en occupe encore ; car le perfectionnement cherché
par votre père est l'une des nécessités les plus impérieuses
de ce temps-ci. Voici pourquoi. Quoique la durée du fil,

Didot Saint-Léger se rendit en Angleterre pour y étudier les machines
anglaises. Enfin, en 1811, pour la première fois en France, la machine
à papier continu commença de fonctionner. On ne comprend donc pas
que Balzac écrive qu'en 1820 l'existence du papier continu paraissait
une chimère en France.

1. La découverte du papier vélin fut l'œuvre de François-Ambroise
Didot. Voir *supra*, p. 7, n. 1.

comparée à celle du coton, rende, en définitive, le fil moins
cher que le coton, comme il s'agit toujours pour les pauvres
de sortir une somme quelconque de leurs poches, ils
préfèrent donner moins que plus, et subissent, en vertu
du *vae victis* ! des pertes énormes. La classe bourgeoise
agit comme le pauvre. Ainsi le linge de fil manque. En
Angleterre, où le coton a remplacé le fil chez les quatre
cinquièmes de la population, on ne fabrique déjà plus que du
papier de coton. Ce papier, qui d'abord a l'inconvénient
de se couper et de se casser, se dissout dans l'eau si facilement qu'un livre en papier de coton s'y mettrait en bouillie
en y restant un quart d'heure tandis qu'un vieux livre ne
serait pas perdu en y restant deux heures. On ferait sécher
le vieux livre ; et, quoique jauni, passé, le texte en serait
encore lisible, l'œuvre ne serait pas détruite. Nous arrivons
à un temps où, les fortunes diminuant par leur égalisation,
tout s'appauvrira : nous voudrons du linge et des livres
à bon marché, comme on commence à vouloir de petits
tableaux, faute d'espace pour en placer de grands. Les
chemises et les livres ne dureront pas, voilà tout. La solidité
des produits s'en va de toutes parts. Aussi le problème à résoudre est-il de la plus haute importance pour la littérature, pour les sciences et pour la politique. Il y eut
donc un jour dans mon cabinet une vive discussion sur
les ingrédients dont on se sert en Chine pour fabriquer
le papier [1]. Là, grâce aux matières premières, la papeterie
a, dès son origine, atteint une perfection qui manque
à la nôtre. On s'occupait alors beaucoup du papier de
Chine, que sa légèreté, sa finesse rendent bien supérieur au nôtre, car ces précieuses qualités ne l'empêchent
pas d'être consistant ; et, quelque mince qu'il soit, il n'offre
aucune transparence. Un correcteur très instruit (à Paris

---

1. Le *Dictionnaire de la conversation* de Duckett contient des indications sur la fabrication du papier dans les diverses provinces de
Chine, et il s'agit toujours de matières végétales : celui de Fokien est
fait de pâte de jeune bambou, celui de Se-Chewen de chanvre, celui
de Sekieng de paille de blé ou de riz. Tout ce paragraphe est d'ailleurs
tiré du livre de Du Halde, que Balzac citera plus loin.

il se rencontre des savants parmi les correcteurs : Fourier et Pierre Leroux sont en ce moment correcteurs chez Lachevardière [1] !...) ; donc le comte de Saint-Simon, correcteur pour le moment, vint nous voir au milieu de la discussion. Il nous dit alors que, selon Kempfer et du Halde [2], le *broussonatia* fournissait aux Chinois la matière de leur papier, tout végétal, comme le nôtre d'ailleurs. Un autre correcteur soutint que le papier de Chine se fabriquait principalement avec une matière animale, avec la soie, si abondante en Chine. Un pari se fit devant moi. Comme messieurs Didot sont les imprimeurs de l'Institut, naturellement le débat fut soumis à des membres de cette assemblée de savants. Monsieur Marcel, ancien directeur de l'imprimerie impériale [3], désigné comme arbitre, renvoya les deux correcteurs par-devant monsieur l'abbé Grozier, bibliothécaire à l'Arsenal [4]. Au jugement de l'abbé Grozier, les correcteurs perdirent tous deux leur pari. Le papier de Chine ne se fabrique ni avec de la soie ni avec le *broussonatia* ; sa pâte provient des fibres du bambou triturées. L'abbé Grozier possédait un livre chinois, ouvrage à la fois iconographique et technologique, où se trouvaient de nombreuses figures représentant la fabrication du papier dans toutes ses phases, et il nous montra les tiges de

---

1. Pierre Leroux, compositeur dans une imprimerie de son cousin, fut ensuite prote à l'imprimerie Panckoucke, où il inventa le *pianotype* qu'il fallut abandonner. En 1824, il fonda *le Globe* avec Lachevardière.

2. Kempfer (1651-1716), médecin et naturaliste allemand, écrivit un volume intitulé *Icones selectæ plantarum quas in Japonia collegit etc...* — J.-B. du Halde (1674-1743) publia en 1735 sa monumentale *Description de la Chine*. On y lit, au tome II, tout un chapitre, *Du Papier, de l'encre, des pinceaux, de l'imprimerie et de la reliure des livres de la Chine*, où Balzac a pu trouver d'utiles indications. Il constatait notamment que le papier chinois était « tout végétal » et fait de l'écorce de bambou, lequel est semblable à un long roseau, plus gros, plus uni, plus dur, mais de nature identique.

3. Jean-Joseph Marcel (1776-1854) accompagna l'armée d'Égypte pour mener ses recherches d'orientaliste. En 1804, il fut nommé directeur de l'Imprimerie impériale.

4. L'abbé J.-B. Grozier fut nommé administrateur de l'Arsenal en 1818. Il a publié une *Description de la Chine*.

bambou peintes en tas dans le coin d'un atelier à papier
supérieurement dessiné. Quand Lucien m'a dit que ton
père, par une sorte d'intuition particulière aux hommes
de talent, avait entrevu le moyen de remplacer les débris
du linge par une matière végétale excessivement commune,
immédiatement prise à la production territoriale, comme
font les Chinois en se servant de tiges fibreuses, j'ai classé
tous les essais tentés par mes prédécesseurs et je me suis
mis enfin à étudier la question. Le bambou est un roseau :
j'ai naturellement pensé aux roseaux de notre pays [1].
La main-d'œuvre n'est rien en Chine ; une journée y vaut
trois sous ; aussi les Chinois peuvent-ils, au sortir de la
forme, appliquer leur papier feuille à feuille entre des tables
de porcelaine blanche chauffées, au moyen desquelles ils
le pressent et lui donnent ce lustre, cette consistance, cette
légèreté, cette douceur de satin, qui en font le premier
papier du monde [2]. Eh ! bien, il faut remplacer les procédés
du Chinois au moyen de quelque machine. On arrive par des
machines à résoudre le problème du bon marché que procure
à la Chine le bas prix de sa main-d'œuvre. Si nous parvenions
à fabriquer à bas prix du papier d'une qualité semblable
à celui de la Chine, nous diminuerions de plus de moitié le poids et l'épaisseur des livres. Un Voltaire relié, qui,
sur nos papiers vélins, pèse deux cent cinquante livres, n'en
pèserait pas cinquante sur papier de Chine. Et voilà, certes,
une conquête. L'emplacement nécessaire aux bibliothèques sera une question de plus en plus difficile à résoudre
à une époque où le rapetissement général des choses et
des hommes atteint tout, jusqu'à leurs habitations. A
Paris, les grands hôtels, les grands appartements seront
tôt ou tard démolis ; il n'y aura bientôt plus de fortunes
en harmonie avec les constructions de nos pères. Quelle

---

1. On vient de voir que Du Halde avait fait ce rapprochement entre
les roseaux de France et le bambou qui sert à la fabrication du papier
en Chine.
2. Du Halde vantait le papier chinois, blanc, doux et uni. Il observait notamment que ce papier a un tel éclat qu'on croirait qu'il est
argenté et vernissé. Balzac, de son côté, parle de *lustre*.

honte pour notre époque de fabriquer des livres sans durée ! Encore dix ans, et le papier de Hollande, c'est-à-dire le papier fait en chiffon de fil, sera complètement impossible. Or, votre généreux frère m'a communiqué l'idée qu'avait eue votre père d'employer certaines plantes fibreuses à la fabrication du papier, vous voyez que si je réussis, vous aurez droit à… En ce moment Lucien aborda sa sœur et interrompit la généreuse proposition de David [a].

— Je ne sais pas, dit-il, si vous avez trouvé cette soirée belle, mais elle a été cruelle pour moi.

— Mon pauvre Lucien, que t'est-il donc arrivé ? dit Ève en remarquant l'animation du visage de son frère.

Le poète irrité raconta ses angoisses, en versant dans ces cœurs amis les flots de pensées qui l'assaillaient. Ève et David écoutèrent Lucien en silence, affligés de voir passer ce torrent de douleurs qui révélait autant de grandeur que de petitesse.

— Monsieur de Bargeton, dit Lucien en terminant, est un vieillard qui sera sans doute bientôt emporté par quelque indigestion, eh ! bien, je dominerai ce monde orgueilleux, j'épouserai madame de Bargeton ! J'ai lu dans ses yeux ce soir un amour égal au mien. Oui, mes blessures, elle les a ressenties; mes souffrances elle les a calmées ; elle est aussi grande et noble qu'elle est belle et gracieuse ! Non, elle ne me trahira jamais !

— N'est-il pas temps de lui faire une existence tranquille ? dit à voix basse David à Ève.

Ève pressa silencieusement le bras de David, qui, comprenant ses pensées, s'empressa de raconter à Lucien les projets qu'il avait médités. Les deux amants étaient aussi pleins d'eux-mêmes que Lucien était plein de lui ; en sorte qu'Ève et David, empressés de faire approuver leur bonheur, n'aperçurent point le mouvement de surprise que laissa échapper l'amant de madame de Bargeton en apprenant le mariage de sa sœur et de David. Lucien, qui rêvait de faire faire à sa sœur une belle alliance quand il aurait saisi quelque haute position, afin d'étayer son ambition de l'intérêt que lui porterait une puissante famille, fut désolé de voir dans cette union un obstacle de plus à ses succès dans le monde.

— Si madame de Bargeton consent à devenir madame de Rubempré, jamais elle ne voudra se trouver être la belle-sœur de David Séchard ! Cette phrase est la formule nette et précise des idées qui tenaillèrent le cœur de Lucien.— Louise a raison ! les gens d'avenir ne sont jamais compris par leurs familles, pensa-t-il avec amertume.

Si cette union lui eût été présentée en un moment où il n'eût pas fantastiquement tué monsieur de Bargeton, il aurait sans doute fait éclater la joie la plus vive. En réfléchissant à sa situation actuelle, en interrogeant la destinée d'une fille belle et sans fortune, d'Ève Chardon, il eût regardé ce mariage comme un bonheur inespéré. Mais il habitait un de ces rêves d'or où les jeunes gens, montés sur des *si*, franchissent toutes les barrières. Il venait de se voir dominant la Société, le poète souffrait de tomber si vite dans la réalité. Ève et David pensè-rent que leur frère accablé de tant de générosité se taisait. Pour ces deux belles âmes, une acceptation silencieuse prouvait une amitié vraie. L'imprimeur se mit à peindre avec une éloquence douce et cordiale le bonheur qui les attendait tous quatre. Malgré les interjections d'Ève, il meubla son premier étage avec le luxe d'un amoureux ; il bâtit avec une ingénue bonne foi le second pour Lucien et le dessus de l'appentis pour madame Chardon, envers laquelle il voulait déployer tous les soins d'une filiale sollicitude. Enfin il fit la famille si heureuse et son frère si indépendant que Lucien, charmé par la voix de David et par les caresses d'Ève, oublia sous les ombrages de la route, le long de la Charente calme et brillante, sous la voûte étoilée et dans la tiède atmosphère de la nuit, la blessante couronne d'épines que la Société lui avait enfoncée sur la tête. Monsieur de Rubempré reconnut enfin David. La mobilité de son caractère le rejeta bientôt dans la vie pure, travailleuse et bourgeoise qu'il avait menée ; il la vit embellie et sans soucis. Le bruit du monde aris-tocratique s'éloigna de plus en plus. Enfin, quand il atteignit le pavé de l'Houmeau, l'ambitieux serra la main de son frère et se mit à l'unisson des heureux amants.

— Pourvu que ton père ne contrarie pas ce mariage ? dit-il à David.

— Tu sais s'il s'inquiète de moi ! le bonhomme vit pour lui ; mais j'irai demain le voir à Marsac, quand ce ne serait que pour obtenir de lui qu'il fasse les constructions dont nous avons besoin.

David accompagna le frère et la sœur jusque chez madame Chardon à laquelle il demanda [a] la main d'Ève, avec l'empressement d'un homme qui ne voulait aucun retard. La mère prit la main de sa fille, la mit dans celle de David avec joie, et l'amant enhardi baisa au front sa belle promise, qui lui sourit en rougissant.

— Voilà les accordailles des gens pauvres, dit la mère en levant les yeux comme pour implorer la bénédiction de Dieu. Vous avez du courage, mon enfant, dit-elle à David, car nous sommes dans le malheur, et je tremble qu'il ne soit contagieux.

— Nous serons riches et heureux, dit gravement David. Pour commencer, vous ne ferez plus votre métier de garde-malade, et vous viendrez demeurer avec votre fille et Lucien à Angoulême.

Les trois enfants s'empressèrent alors de raconter à leur mère étonnée leur charmant projet, en se livrant à l'une de ces folles causeries de famille où l'on se plaît à engranger toutes les semailles, à jouir par avance de toutes les joies. Il fallut mettre David à la porte ; il aurait voulu que cette soirée fût éternelle. Une heure du matin sonna quand Lucien reconduisit son futur beau-frère jusqu'à la Porte-Palet [b]. L'honnête Postel, inquiet de ces mouvements extraordinaires, était debout derrière sa persienne ; il avait ouvert la croisée et se disait, en voyant de la lumière à cette heure chez Ève. — Que se passe-t-il donc chez les Chardon ?

— Mon fiston, dit-il en voyant revenir Lucien, que vous arrive-t-il donc ? Auriez-vous besoin de moi ?

— Non, monsieur, répondit le poète ; mais comme vous êtes notre ami, je puis vous dire l'affaire : ma mère vient d'accorder la main de ma sœur à David Séchard.

Pour toute réponse, Postel ferma brusquement sa fenêtre, au désespoir de n'avoir pas demandé mademoiselle Chardon [a].

Au lieu de rentrer à Angoulême, David prit la route de Marsac. Il alla tout en se promenant chez son père, et arriva le long du clos attenant à la maison, au moment où le soleil se levait. L'amoureux aperçut sous un amandier la tête du vieil Ours qui s'élevait au-dessus d'une haie.

— Bonjour, mon père, lui dit David.

— Tiens, c'est toi, mon garçon ? par quel hasard te trouves-tu sur la route à cette heure ? Entre par là, dit le vigneron en indiquant à son fils une petite porte à claire-voie. Mes vignes ont toutes passé fleur, pas un cep de gelé ! Il y aura plus de vingt poinçons à l'arpent cette année ; mais aussi comme c'est fumé !

— Mon père, je viens vous parler d'une affaire importante.

— Eh ! bien, comment vont nos presses ? tu dois gagner de l'argent gros comme toi ?

— J'en gagnerai, mon père, mais pour le moment je ne suis pas riche.

— Ils me blâment tous ici de fumer à mort, répondit le père. Les bourgeois, c'est-à-dire monsieur le marquis, monsieur le comte, messieurs ci et ça prétendent que j'ôte de la qualité au vin. A quoi sert l'éducation ? à vous brouiller l'entendement. Écoute ! ces messieurs récoltent sept, quelquefois huit pièces à l'arpent, et les vendent soixante francs la pièce, ce qui fait au plus quatre cents francs par arpent dans les bonnes années. Moi, j'en récolte vingt pièces et les vends trente francs, total six cents francs ! Où sont les niais ? La qualité ! la qualité ! Qu'est-ce que ça me fait, la qualité ? qu'ils la gardent pour eux, la qualité, messieurs les marquis ! pour moi, la qualité, c'est des écus. Tu dis ?...

— Mon père, je me marie, je viens vous demander...

— Me demander ? Quoi ! rien du tout, mon garçon. Marie-toi, j'y consens ; mais pour te donner quelque chose, je me trouve sans un sou. Les façons m'ont ruiné ! Depuis deux ans, j'avance des façons, des impositions, des frais de toute nature ; le gouvernement prend tout, le plus clair va au gouvernement ! Voilà deux ans que les pauvres vignerons ne font rien. Cette année ne se présente pas mal, eh ! bien, mes gredins de poinçons valent déjà onze francs ! On récoltera pour le tonnelier. Pourquoi te marier avant les vendanges...

— Mon père, je ne viens vous demander que votre consentement.

— Ah ! c'est une autre affaire. A l'encontre de qui te maries-tu, sans curiosité ?

— J'épouse mademoiselle Ève Chardon.

— Qu'est-ce que c'est que ça ? qu'est-ce qu'elle mange ?

— Elle est fille de feu monsieur Chardon, le pharmacien de l'Houmeau.

— Tu épouses une fille de l'Houmeau, toi, un bourgeois ! toi, l'imprimeur du roi à Angoulême ! Voilà les fruits de l'éducation ! Mettez donc vos enfants au collège ! Ah ! ça, elle est donc bien riche, mon garçon ? dit le vieux vigneron en se rapprochant de son fils d'un air câlin ; car si tu épouses une fille de l'Houmeau, elle doit en avoir des mille et des cent ! Bon ! tu me payeras mes loyers. Sais-tu, mon garçon, que voilà deux ans trois mois de loyers dus, ce qui fait deux mille sept cents francs, qui me viendraient bien à point pour payer le tonnelier. A tout autre qu'à mon fils, je serais en droit de demander des intérêts ; car, après tout, les affaires sont les affaires ; mais je te les remets. Hé ! bien, qu'a-t-elle ?

— Mais elle a ce qu'avait ma mère.

Le vieux vigneron allait dire : — Elle n'a que dix mille francs ! Mais il se souvint d'avoir refusé des comptes à son fils, et s'écria : — Elle n'a rien !

— La fortune de ma mère était son intelligence et sa beauté.

— Va donc au marché [a] avec ça, et tu verras ce qu'on te donneras dessus ! Nom d'une pipe, les pères sont-ils malheureux dans leurs enfants ! David, quand je me suis marié, j'avais sur la tête un bonnet de papier pour toute fortune et mes deux bras, j'étais un pauvre Ours. mais avec la belle imprimerie que je t'ai *donnée*, avec ton industrie et tes connaissances, tu dois épouser une bourgeoise de la ville, une femme riche de trente à quarante mille francs. Laisse ta passion, et je te marierai, moi ! Nous avons à une lieue d'ici une veuve de trente-deux ans, meunière [b], qui a cent mille francs de bien au soleil ; voilà ton affaire. Tu peux réunir ses biens à ceux de Marsac, ils se touchent ! Ah ! le beau domaine que nous aurions, et comme je le gouvernerais ! On dit qu'elle va se marier avec Courtois, son premier garçon, tu vaux encore mieux que lui ! Je mènerais le moulin, tandis qu'elle ferait les beaux bras à Angoulême [c].

— Mon père, je suis engagé...

— David, tu n'entends rien au commerce, je te vois ruiné. Oui, si tu te maries avec cette fille de l'Houmeau, je me mettrai en règle vis-à-vis de toi, je t'assignerai pour me payer mes loyers, car je ne prévois rien de bon. Ah ! mes pauvres presses ! mes presses ! il vous fallait de l'argent pour vous huiler, vous entretenir et vous faire rouler. Il n'y a qu'une bonne année qui puisse me consoler de cela.

— Mon père, il me semble que jusqu'à présent je vous ai causé peu de chagrin...

— Et très peu payé de loyers, répondit le vigneron.

— Je venais vous demander, outre votre consentement à mon mariage, de me faire élever le second étage de votre maison et de construire un logement au-dessus de l'appentis.

— Bernique, je n'ai pas le sou, tu le sais bien. D'ailleurs, ce serait de l'argent jeté dans l'eau, car qu'est-ce que ça me rapporterait ? Ah ! tu te lèves dès le matin pour venir me demander des constructions à ruiner un roi. Quoiqu'on t'ait nommé David, je n'ai pas les trésors

de Salomon. Mais tu es fou ? On m'a changé mon enfant
en nourrice. En voilà-t-il un qui aura du raisin ! dit-il
en s'interrompant pour montrer un cep à David. Voilà
des enfants qui ne trompent pas l'espoir de leurs parents :
vous les fumez, ils vous rapportent. Moi, je t'ai mis au
lycée, j'ai payé des sommes énormes pour faire de toi
un savant, tu vas étudier chez les Didot ; et toutes ces
frimes aboutissent à me donner pour bru une fille de l'Houmeau, sans un sou de dot ! Si tu n'avais pas étudié, que tu
fusses resté sous mes yeux, tu te serais conduit à ma fantaisie, et tu te marierais aujourd'hui avec une meunière de
cent mille francs, sans compter le moulin. Ah ! ton esprit
te sert à croire que je te récompenserai de ce beau sentiment,
en te faisant construire des palais ?... Mais ne dirait-
on pas en vérité que, depuis deux cents ans, la maison
où tu es n'a logé que des cochons et que ta fille de l'Houmeau
ne peut pas y coucher. Ah ça ! c'est donc la reine de
France ?

— Eh ! bien, mon père, je construirai le second étage
à mes frais, ce sera le fils qui enrichira le père. Quoique ce
soit le monde renversé, cela se voit quelquefois.

— Comment, mon gars, tu as de l'argent pour bâtir,
et tu n'en as pas pour payer tes loyers ? Finaud, tu ruses
avec ton père ! [a]

La question ainsi posée devint difficile à résoudre, car
le bonhomme était enchanté de mettre son fils dans une
position qui lui permît de ne lui rien donner tout en paraissant paternel. Aussi David ne put-il obtenir de son père
qu'un consentement pur et simple au mariage et la permission de faire à ses frais, dans la maison paternelle, toutes les
constructions dont il pouvait avoir besoin. Le vieil Ours,
ce modèle des pères conservateurs, fit à son fils la grâce
de ne pas exiger ses loyers et de ne pas lui prendre les
économies qu'il avait eu l'imprudence de laisser voir.
David revint triste : il comprit que dans le malheur il
ne pourrait pas compter sur le secours de son père.

CATASTROPHES DE L'AMOUR EN PROVINCE[a]

Il ne fut question dans tout Angoulême que du mot de l'Évêque et de la réponse de madame de Bargeton. Les moindres événements furent si bien dénaturés, augmentés, embellis, que le poète devint le héros du moment. De la sphère supérieure où gronda cet orage de cancans, il en tomba quelques gouttes dans la bourgeoisie. Quand Lucien passa par Beaulieu pour aller chez madame de Bargeton, il s'aperçut de l'attention envieuse avec laquelle plusieurs jeunes gens le regardèrent, et saisit quelques phrases qui l'enorgueillirent.

— Voilà un jeune homme heureux, disait un clerc d'avoué nommé Petit-Claud, le camarade de collège de Lucien avec qui Lucien prenait de petits airs protecteurs et qui était laid.

— Oui, certes : il est joli garçon, il a du talent et madame de Bargeton en est folle ! répondait un fils de famille qui avait assisté à la lecture [b].

Il avait impatiemment attendu l'heure où il savait trouver Louise seule, il avait besoin de faire accepter le mariage de sa sœur à cette femme, devenue l'arbitre de ses destinées. Après la soirée de la veille, Louise serait peut-être plus tendre, et cette tendresse pouvait amener un moment de bonheur. Il ne s'était pas trompé : madame de Bargeton le reçut avec une emphase de sentiment qui parut à ce novice en amour un touchant progrès de passion. Elle abandonna ses beaux cheveux d'or, ses mains, sa tête aux baisers enflammés du poète qui, la veille, avait tant souffert [c] !

— Si tu avais vu ton visage pendant que tu lisais, dit-elle, car ils étaient arrivés la veille au tutoiement, à cette caresse du langage, alors que sur le canapé Louise avait de sa blanche main essuyé les gouttes de sueur qui par avance mettaient des perles sur le front où elle posait une couronne.

Il s'échappait des étincelles de tes beaux yeux ! je voyais
sortir de tes lèvres les chaînes d'or qui suspendent les
cœurs à la bouche des poètes. Tu me liras tout Chénier,
c'est le poète des amants. Tu ne souffriras plus, je ne le
veux pas ! Oui, cher ange, je te ferai une oasis où tu vivras
toute ta vie de poète, active, molle, indolente, laborieuse,
pensive tour à tour ; mais n'oubliez jamais que vos lauriers
me sont dus, que ce sera pour moi la noble indemnité
des souffrances qui m'adviendront. Pauvre cher, ce monde
ne m'épargnera pas plus qu'il ne t'épargne, il se venge de
tous les bonheurs qu'il ne partage pas. Oui, je serai toujours
jalousée, ne l'avez-vous pas vu hier ? Ces mouches buveuses
de sang sont-elles accourues assez vite pour s'abreuver
dans les piqûres qu'elles ont faites ? Mais j'étais heureuse !
je vivais ! Il y a si longtemps que toutes les cordes de mon
cœur n'ont résonné !

Des larmes coulèrent sur les joues de Louise, Lucien
lui prit une main, et pour toute réponse la baisa longtemps. Les vanités de ce poète furent donc caressées par
cette femme comme elles l'avaient été par sa mère, par sa
sœur et par David. Chacun autour de lui continuait à
exhausser le piédestal imaginaire sur lequel il se mettait.
Entretenu par tout le monde, par ses amis comme par la
rage de ses ennemis dans ses croyances ambitieuses, il
marchait dans une atmosphère pleine de mirages. Les
jeunes imaginations sont si naturellement complices de ces
louanges et de ces idées, tout s'empresse tant à servir un
jeune homme beau, plein d'avenir, qu'il faut plus d'une
leçon amère et froide pour dissiper de tels prestiges [a].

— Tu veux donc bien, ma belle Louise, être ma Béatrix,
mais une Béatrix qui se laisse aimer ?

Elle releva ses beaux yeux qu'elle avait tenus baissés,
et dit en démentant sa parole par un angélique sourire :
— Si vous le méritez... plus tard ! N'êtes-vous pas heureux ?
avoir un cœur à soi ! pouvoir tout dire avec la certitude
d'être compris, n'est-ce pas le bonheur ?

— Oui, répondit-il en faisant une moue d'amoureux
contrarié.

— Enfant ! dit-elle en se moquant, Allons, n'avez-vous pas quelque chose à me dire ? Tu es entré tout préoccupé, mon Lucien.

Lucien confia timidement à sa bien-aimée l'amour de David pour sa sœur, celui de sa sœur pour David, et le mariage projeté.

— Pauvre Lucien, dit-elle, il a peur d'être battu, grondé, comme si c'était lui qui se mariât ! Mais où est le mal ? reprit-elle en passant ses mains dans les cheveux de Lucien. Que me fait ta famille, où tu es une exception ? Si mon père épousait sa servante, t'en inquiéterais-tu beaucoup ? Cher enfant, les amants sont à eux seuls toute leur famille. Ai-je dans le monde un autre intérêt que mon Lucien ? Sois grand, sache conquérir de la gloire, voilà nos affaires !

Lucien fut l'homme du monde le plus heureux de cette égoïste réponse. Au moment où il écoutait les folles raisons par lesquelles Louise lui prouva qu'ils étaient seuls dans le monde monsieur de Bargeton entra. Lucien fronça le sourcil, et parut interdit ; Louise lui fit un signe et le pria de rester à dîner avec eux en lui demandant de lui lire André Chénier, jusqu'à ce que les joueurs et les habitués vinssent.

— Vous ne ferez pas seulement plaisir à elle, dit monsieur de Bargeton, mais à moi aussi. Rien ne m'arrange mieux que d'entendre lire après mon dîner.

Câliné par monsieur de Bargeton, câliné par Louise, servi par les domestiques avec le respect qu'ils ont pour les favoris de leurs maîtres, Lucien resta dans l'hôtel de Bargeton en s'identifiant à toutes les jouissances d'une fortune dont l'usufruit lui était livré. Quand le salon fut plein de monde, il se sentit si fort de la bêtise de monsieur de Bargeton et de l'amour de Louise, qu'il prit un air dominateur que sa belle maîtresse encouragea. Il savoura les plaisirs du despotisme conquis par Naïs et qu'elle aimait à lui faire partager. Enfin il s'essaya pendant cette soirée à jouer le rôle d'un héros de petite ville. En voyant la nouvelle attitude de Lucien, quelques personnes pensèrent qu'il était, suivant une expression de l'ancien temps, du

dernier bien avec madame de Bargeton. Amélie, venue avec
monsieur du Châtelet, affirmait ce grand malheur dans un
coin du salon où s'étaient réunis les jaloux et les envieux.

— Ne rendez pas Naïs comptable de la vanité d'un
petit jeune homme tout fier de se trouver dans un monde
où il ne croyait jamais pouvoir aller, dit Châtelet. Ne
voyez-vous pas que ce Chardon prend les phrases gracieuses d'une femme du monde pour des avances, il ne
sait pas encore distinguer le silence que garde la passion
vraie du langage protecteur que lui méritent[a] sa beauté, sa
jeunesse et son talent ! Les femmes seraient trop à plaindre si
elles étaient coupables de tous les désirs qu'elles nous inspirent. Il est certainement amoureux, mais quant à Naïs...

— Oh ! Naïs, répéta la perfide Amélie, Naïs est très
heureuse de cette passion. A son âge, l'amour d'un jeune
homme offre tant de séductions ! On redevient jeune auprès
de lui, l'on se fait jeune fille, on en prend les scrupules,
les manières, et l'on ne songe pas au ridicule... Voyez donc ?
le fils d'un pharmacien se donne des airs de maître chez
madame de Bargeton.

— L'amour ne connaît pas ces distances-là, chante-
ronna Adrien.

Le lendemain, il n'y eut pas une seule maison dans
Angoulême où l'on ne discutât le degré d'intimité dans
lequel se trouvaient monsieur Chardon, *alias* de Rubempré,
et madame de Bargeton : à peine coupables de quelques
baisers, le monde les accusait déjà du plus criminel bonheur. Madame de Bargeton portait la peine de sa royauté.
Parmi les bizarreries de la société, n'avez-vous pas remarqué les caprices de ses jugements et la folie de ses exigences ? Il est des personnes auxquelles tout est permis :
elles peuvent faire les choses les plus déraisonnables ;
d'elles, tout est bienséant ; c'est à qui justifiera leurs actions.
Mais il en est d'autres pour lesquelles le monde est d'une
incroyable sévérité : celles-là doivent faire tout bien, ne
jamais ni se tromper, ni faillir, ni même laisser échapper
une sottise ; vous diriez des statues admirées que l'on ôte
de leur piédestal dès que l'hiver leur a fait tomber un doigt

ou cassé le nez ; on ne leur permet rien d'humain, elles sont tenues d'être toujours divines et parfaites. Un seul regard de madame de Bargeton à Lucien équivalait aux douze années de bonheur de Zizine et de Francis. Un serrement de main entre les deux amants allait attirer sur eux toutes les foudres de la Charente.

David avait rapporté de Paris un pécule secret qu'il destinait aux frais nécessités par son mariage et par la construction du second étage de la maison paternelle. Agrandir cette maison, n'était-ce pas travailler pour lui ? tôt ou tard elle lui reviendrait, son père avait soixante-dix-huit ans. L'imprimeur fit donc construire en colombage l'appartement de Lucien, afin de ne pas surcharger les vieux murs de cette maison lézardée. Il se plut à décorer, à meubler galamment l'appartement du premier, où la belle Ève devait passer sa vie. Ce fut un temps d'allégresse et de bonheur sans mélange pour les deux amis. Quoique las des chétives proportions de l'existence en province, et fatigué de cette sordide économie qui faisait d'une pièce de cent sous une somme énorme, Lucien supporta sans se plaindre les calculs de la misère et ses privations. Sa sombre mélancolie avait fait place à la radieuse expression de l'espérance. Il voyait briller une étoile au-dessus de sa tête ; il rêvait une belle existence en asseyant son bonheur sur la tombe de monsieur de Bargeton, lequel avait de temps en temps des digestions difficiles, et l'heureuse manie de regarder l'indigestion de son dîner comme une maladie qui devait se guérir par celle du souper.

Vers le commencement du mois de septembre, Lucien n'était plus prote, il était monsieur de Rubempré, logé magnifiquement en comparaison de la misérable mansarde à lucarne où le petit Chardon demeurait à l'Houmeau ; il n'était plus un homme de l'Houmeau, il habitait le haut Angoulême, et dînait près de quatre fois par semaine chez madame de Bargeton. Pris en amitié par Monseigneur, il était admis à l'Évêché. Ses occupations le classaient parmi les personnes les plus élevées. Enfin il devait prendre place un jour parmi les illustrations de la France. Certes, en

parcourant un joli salon, une charmante chambre à coucher
et un cabinet plein de goût, il pouvait se consoler de prélever
trente francs par mois sur les salaires si péniblement
gagnés par sa sœur et par sa mère ; car il apercevait le jour
où le roman historique auquel il travaillait depuis deux ans,
L'ARCHER DE CHARLES IX, et un volume de poésies inti-
tulées LES MARGUERITES, répandraient son nom dans le
monde littéraire, en lui donnant assez d'argent pour s'acquitter envers sa mère, sa sœur et David. Aussi, se trouvant
grandi, prêtant l'oreille au retentissement de son nom
dans l'avenir, acceptait-il maintenant ces sacrifices avec
une noble assurance : il souriait de sa détresse, il jouissait
de ses dernières misères. Ève et David avaient fait passer
le bonheur de leur frère avant le leur. Le mariage était
retardé par le temps que demandaient encore les ouvriers
pour achever les meubles, les peintures, les papiers destinés au premier étage : car les affaires de Lucien avaient
eu la primauté. Quiconque connaissait Lucien ne serait
pas étonné de ce dévouement : il était si séduisant ! ses
manières étaient si câlines ! son impatience et ses désirs,
il les exprimait si gracieusement ! il avait toujours gagné
sa cause avant d'avoir parlé. Ce fatal privilège perd plus
de jeunes gens qu'il n'en sauve. Habitués aux prévenances
qu'inspire une jolie jeunesse, heureux de cette égoïste
protection que le Monde accorde à un être qui lui plaît,
comme il fait l'aumône au mendiant qui réveille un sentiment et lui donne une émotion, beaucoup de ces grands
enfants jouissent de cette faveur au lieu de l'exploiter.
Trompés sur le sens et le mobile des relations sociales, ils
croient toujours rencontrer de décevants sourires ; mais
ils arrivent nus, chauves, dépouillés, sans valeur ni fortune, au moment où, comme de vieilles coquettes et de
vieux haillons, le Monde les laisse à la porte d'un salon
et au coin d'une borne. Ève avait d'ailleurs désiré ce retard,
elle voulait établir économiquement les choses nécessaires
à un jeune ménage. Que pouvaient refuser deux amants
à un frère qui, voyant travailler sa sœur, disait avec un
accent parti du cœur : — Je voudrais savoir coudre !

Puis le grave et observateur David avait été complice de ce
dévouement. Néanmoins, depuis le triomphe de Lucien
chez madame de Bargeton, il eut peur de la transformation
qui s'opérait chez Lucien ; il craignit de lui voir mépriser les mœurs bourgeoises. Dans le désir d'éprouver
son frère, David le mit quelquefois entre les joies patriar-
cales de la famille et les plaisirs du grand monde, et, voyant
Lucien leur sacrifier ses vaniteuses jouissances, il s'était
écrié : — On ne nous le corrompra point ! Plusieurs fois
les trois amis et madame Chardon firent des parties de
plaisir, comme elles se font en province : ils allaient se
promener dans les bois qui avoisinent Angoulême et
longent la Charente ; ils dînaient sur l'herbe avec des
provisions que l'apprenti de David apportait à un certain
endroit et à une heure convenue ; puis ils revenaient le
soir, un peu fatigués, n'ayant pas dépensé trois francs.
Dans les grandes circonstances, quand ils dînaient à ce qui
se nomme un *restaurât*, espèce de restaurant champêtre
qui tient le milieu entre le *bouchon* des provinces et *la
guinguette* de Paris, ils allaient jusqu'à cent sous partagés
entre David et les Chardon. David savait un gré infini à
Lucien d'oublier, dans ces champêtres journées, les satis-
factions qu'il trouvait chez madame de Bargeton et les
somptueux dîners du monde. Chacun voulait alors fêter
le grand homme d'Angoulême.

Dans ces conjonctures, au moment où il ne manquait
presque plus rien au futur ménage, pendant un voyage
que David fit à Marsac pour obtenir de son père qu'il
vînt assister à son mariage, en espérant que le bonhomme,
séduit par sa belle-fille, contribuerait aux énormes dépenses nécessitées par l'arrangement de la maison, il arriva
l'un de ces événements qui, dans une petite ville, changent
entièrement la face des choses.

Lucien et Louise avaient dans du Châtelet un espion
intime qui guettait avec la persistance d'une haine mêlée
de passion et d'avarice l'occasion d'amener un éclat.
Sixte voulait forcer madame de Bargeton à si bien se
prononcer pour Lucien, qu'elle fût ce qu'on nomme

perdue. Il s'était posé comme un humble confident de
madame de Bargeton ; mais s'il admirait Lucien rue du
Minage, il le démolissait partout ailleurs. Il avait insensiblement conquis les petites entrées chez Naïs, qui ne
se défiait plus de son vieil adorateur ; mais il avait trop
présumé des deux amants dont l'amour restait plato-
nique, au grand désespoir de Louise et de Lucien. Il y a
en effet des passions qui s'embarquent mal ou bien, comme
on voudra. Deux personnes se jettent dans la tactique du
sentiment, parlent au lieu d'agir, et se battent en plein
champ au lieu de faire un siège. Elles se blasent ainsi souvent d'elles-mêmes en fatiguant leurs désirs dans le vide.
Deux amants se donnent alors le temps de réfléchir, de
se juger. Souvent des passions qui étaient entrées en campagne, enseignes déployées, pimpantes, avec une ardeur
à tout renverser, finissent alors par rentrer chez elles, sans
victoire, honteuses, désarmées, sottes de leur vain bruit.
Ces fatalités sont parfois explicables par les timidités de la
jeunesse et par les temporisations auxquelles se plaisent
les femmes qui débutent, car ces sortes de tromperies
mutuelles n'arrivent ni aux fats qui connaissent la pratique, ni aux coquettes habituées aux manèges de la passion.
   La vie de province est d'ailleurs singulièrement contraire aux contentements de l'amour, et favorise les débats intellectuels de la passion ; comme aussi les obstacles qu'elle oppose au doux commerce qui lie tant les
amants, précipite les âmes ardentes en des partis extrêmes.
Cette vie est basée sur un espionnage si méticuleux, sur
une si grande transparence des intérieurs, elle admet
si peu l'intimité qui console sans offenser la vertu, les
relations les plus pures y sont si déraisonnablement incri-
minées, que beaucoup de femmes sont flétries malgré
leur innocence. Certaines d'entre elles s'en veulent alors
de ne pas goûter toutes les félicités d'une faute dont tous
les malheurs les accablent. La société qui blâme ou critique sans aucun examen sérieux les faits patents par lesquels se terminent de longues luttes secrètes, est ainsi
primitivement complice de ces éclats ; mais la plupart

des gens qui déblatèrent contre les prétendus scandales
offerts par quelques femmes calomniées sans raison n'ont
jamais pensé aux causes qui déterminent chez elles une
résolution publique. Madame de Bargeton allait se trouver
dans cette bizarre situation où se sont trouvées beaucoup
de femmes qui ne se sont perdues qu'après avoir été injustement accusées.

Au début de la passion, les obstacles effraient les gens
inexpérimentés ; et ceux que rencontraient les deux amants,
ressemblaient fort aux liens par lesquels les Lilliputiens
avaient garrotté Gulliver. C'était des riens multipliés
qui rendaient tout mouvement impossible et annulaient
les plus violents désirs. Ainsi, madame de Bargeton devait
rester toujours visible. Si elle avait fait fermer sa porte
aux heures où venait Lucien, tout eût été dit, autant aurait
valu s'enfuir avec lui. Elle le recevait à la vérité dans ce
boudoir auquel il s'était si bien accoutumé, qu'il s'en
croyait le maître, mais les portes demeuraient conscien-
cieusement ouvertes. Tout se passait le plus vertueusement
du monde. Monsieur de Bargeton se promenait chez lui
comme un hanneton sans croire que sa femme voulût
être seule avec Lucien. S'il n'y avait eu d'autre obstacle
que lui, Naïs aurait très bien pu le renvoyer ou l'occuper ;
mais elle était accablée de visites, et il y avait d'autant
plus de visiteurs que la curiosité était plus éveillée. Les
gens de province sont naturellement taquins, ils aiment
à contrarier les passions naissantes. Les domestiques
allaient et venaient dans la maison sans être appelés ni
sans prévenir de leur arrivée, par suite de vieilles habitudes
prises, et qu'une femme qui n'avait rien à cacher leur
avait laissé prendre. Changer les mœurs intérieures de
sa maison, n'était-ce pas avouer l'amour dont doutait
encore tout Angoulême ? Madame de Bargeton ne pouvait pas mettre le pied hors de chez elle sans que la ville
sût où elle allait. Se promener seule avec Lucien hors de
la ville était une démarche décisive : il aurait été moins
dangereux de s'enfermer avec lui chez elle. Si Lucien
était resté après minuit chez madame de Bargeton, sans

y être en compagnie, on en aurait glosé le lendemain.
Ainsi au dedans comme au dehors, madame de Bargeton
vivait toujours en public. Ces détails peignent toute la
province : les fautes y sont ou avouées ou impossibles.

Louise, comme toutes les femmes entraînées par une
passion sans en avoir l'expérience, reconnaissait une à
une les difficultés de sa position ; elle s'en effrayait. Sa
frayeur réagissait alors sur [a] ces amoureuses discussions
qui prennent les plus belles heures où deux amants se
trouvent seuls. Madame de Bargeton n'avait pas de terre
où elle pût emmener son cher poète, comme font quelques femmes qui, sous un prétexte habilement forgé,
vont s'enterrer à la campagne. Fatiguée de vivre en public,
poussée à bout par cette tyrannie dont le joug était plus
dur que ses plaisirs n'étaient doux, elle pensait à l'Escarbas,
et méditait d'y aller voir son vieux père, tant elle s'irritait
de ces misérables obstacles.

Châtelet [b] ne croyait pas à tant d'innocence. Il guettait
les heures auxquelles Lucien venait chez madame de
Bargeton, et s'y rendait quelques instants après, en se faisant toujours accompagner de monsieur de Chandour,
l'homme le plus indiscret de la coterie, et auquel il cédait
le pas pour entrer, espérant toujours une surprise en cherchant si opiniâtrément un hasard. Son rôle et la réussite de son plan étaient d'autant plus difficiles, qu'il devait rester neutre, afin de diriger tous les acteurs du drame
qu'il voulait faire jouer. Aussi, pour endormir Lucien
qu'il caressait et madame de Bargeton qui ne manquait
pas de perspicacité, s'était-il attaché par contenance à
la jalouse Amélie. Pour mieux faire espionner Louise et
Lucien, il avait réussi depuis quelques jours à établir
entre monsieur de Chandour et lui une controverse au
sujet des deux amoureux. Du Châtelet prétendait que
madame de Bargeton se moquait de Lucien, qu'elle était
trop fière, trop bien née pour descendre jusqu'au fils
d'un pharmacien. Ce rôle d'incrédule allait au plan qu'il
s'était tracé, car il désirait passer pour le défenseur de
madame de Bargeton. Stanislas soutenait que Lucien n'é-

tait pas un amant malheureux. Amélie aiguillonnait la discussion en souhaitant savoir la vérité. Chacun donnait ses raisons. Comme il arrive dans les petites villes, souvent quelques intimes de la maison Chandour arrivaient au milieu d'une conversation où du Châtelet et Stanislas justifiaient à l'envi leur opinion par d'excellentes observations. Il était bien difficile que chaque adversaire ne cherchât pas des partisans en demandant à son voisin : — Et vous, quel est votre avis ? Cette controverse tenait madame de Bargeton et Lucien constamment en vue. Enfin, un jour du Châtelet fit observer que toutes les fois que monsieur de Chandour et lui se présentaient chez madame de Bargeton et que Lucien s'y trouvait, aucun indice ne trahissait de relations suspectes : la porte du boudoir était ouverte, les gens allaient et venaient, rien de mystérieux n'annonçait les jolis crimes de l'amour, etc. Stanislas, qui ne manquait pas d'une certaine dose de bêtise, se promit d'arriver le lendemain sur la pointe du pied, ce à quoi la perfide Amélie l'engagea fort.

Ce lendemain fut pour Lucien une de ces journées où les jeunes gens s'arrachent quelques cheveux en se jurant à eux-mêmes de ne pas continuer le sot métier de soupirant. Il s'était accoutumé à sa position. Le poète qui avait si timidement pris une chaise dans le boudoir sacré de la reine d'Angoulême, s'était métamorphosé en amoureux exigeant. Six mois avaient suffi pour qu'il se crût l'égal de Louise, et il voulait alors en être le maître. Il partit de chez lui se promettant d'être très déraisonnable, de mettre sa vie en jeu, d'employer toutes les ressources d'une éloquence enflammée, de dire qu'il avait la tête perdue, qu'il était incapable d'avoir une pensée ni d'écrire une ligne. Il existe chez certaines femmes une horreur des partis pris qui fait honneur à leur délicatesse, elles aiment à céder à l'entraînement, et non à des conventions. Généralement, personne ne veut d'un plaisir imposé. Madame de Bargeton remarqua sur le front de Lucien, dans ses yeux, dans sa physionomie et dans ses manières, cet *air agité* qui trahit une résolution arrêtée : elle se proposa de la déjouer, un peu par esprit de contradiction, mais aussi par une noble entente de l'amour. En femme exagérée, elle s'exagérait la valeur de sa personne. A ses yeux, madame de Bargeton était une souveraine, une Béatrix, une Laure. Elle s'asseyait, comme au Moyen-Age, sous le dais du tournoi littéraire, et Lucien devait la mériter après plusieurs victoires, il avait à effacer *l'enfant sublime*, Lamartine, Walter Scott, Byron. La noble créature considérait son amour comme un principe généreux : les désirs qu'elle inspirait à Lucien devaient être une cause de gloire pour lui. Ce *donquichottisme* féminin est un sentiment qui donne à l'amour une consécration respectable, elle l'utilise, elle l'agrandit, elle l'honore. Obstinée à jouer le rôle de Dulcinée dans la vie de Lucien pendant sept à huit ans, Madame de Bargeton voulait, comme beaucoup de femmes de province, faire acheter sa personne par une espèce de servage, par un temps de constance qui lui permît de juger son ami.

Quand Lucien eut engagé la lutte par une de ces fortes bouderies dont se rient les femmes encore libres d'elles-mêmes, et qui n'attristent que les femmes aimées, Louise prit un air digne, et commença l'un de ses longs discours bardés de mots pompeux.

— Est-là ce que vous m'aviez promis, Lucien ? dit-elle en finissant. Ne mettez pas dans un présent si doux des remords qui plus tard empoisonneraient ma vie. Ne gâtez pas l'avenir ! Et je le dis avec orgueil, ne gâtez pas le présent ! N'avez-vous pas tout mon cœur ? Que vous faut-il donc ? votre amour se laisserait-il influencer par les sens, tandis que le plus beau privilège d'une femme aimée est de leur imposer silence ? Pour qui me prenez-vous donc ? ne suis-je donc plus votre Béatrix ? Si je ne suis pas pour vous quelque chose de plus qu'une femme, je suis moins qu'une femme.

— Vous ne diriez pas autre chose à un homme que vous n'aimeriez pas, s'écria Lucien furieux.

— Si vous ne sentez pas tout ce qu'il y a de véritable amour dans mes idées, vous ne serez jamais digne de moi.

— Vous mettez mon amour en doute pour vous dispenser d'y répondre, dit Lucien en se jetant à ses pieds et pleurant.

Le pauvre garçon pleura [a] sérieusement en se voyant pour si longtemps à la porte du paradis. Ce fut des larmes de poète qui se croyait humilié dans sa puissance, des larmes d'enfant au désespoir de se voir refuser le jouet qu'il demande.

— Vous ne m'avez jamais aimé, s'écria-t-il.

— Vous ne croyez pas ce que vous dites, répondit-elle flattée de cette violence.

— Prouvez-moi donc que vous êtes à moi, dit Lucien échevelé.

En ce moment, Stanislas arriva sans être entendu, vit Lucien à demi renversé, les larmes aux yeux et la tête appuyée sur les genoux de Louise. Satisfait de ce tableau suffisamment suspect, Stanislas se replia brusquement sur du Châtelet, qui se tenait à la porte du salon. Madame de Bargeton s'élança vivement, mais elle n'atteignit pas les deux espions, qui s'étaient précipitamment retirés comme des gens importuns.

— Qui donc est venu ? demanda-t-elle à ses gens.

— Messieurs de Chandour et du Châtelet, répondit Gentil, son vieux valet de chambre.

Elle rentra dans son boudoir pâle et tremblante.

— S'ils vous ont vu ainsi, je suis perdue, dit-elle à Lucien.

— Tant mieux ! s'écria le poète.

Elle sourit à ce cri d'égoïsme plein d'amour. En province, une semblable aventure s'aggrave par la manière dont elle se raconte. En un moment, chacun sut que Lucien avait été surpris aux genoux de Naïs. Monsieur de Chandour, heureux de l'importance que lui donnait cette affaire, alla d'abord raconter le grand événement au Cercle, puis de maison en maison. Du Châtelet s'empressa de dire partout qu'il n'avait rien vu ; mais en se mettant ainsi en dehors du fait, il excitait Stanislas à parler, il lui faisait enchérir sur les détails ; et Stanislas, se trouvant spirituel, en ajoutait de nouveaux à chaque récit. Le soir, la société afflua chez Amélie ; car le soir les versions les plus exagérées circulaient dans l'Angoulême noble, où chaque narrateur avait imité Stanislas. Femmes et hommes étaient impatients de connaître la vérité. Les femmes qui se voilaient la face en criant le plus au scandale, à la perversité, étaient précisément Amélie, Zéphirine, Fifine, Lolotte, qui toutes étaient plus ou moins grevées de bonheurs illicites. Le cruel thème se variait sur tous les tons.

— Eh ! bien, disait l'une, cette pauvre Naïs, vous savez ? Moi, je ne le crois pas, elle a devant elle toute une vie irréprochable ; elle est beaucoup trop fière pour être autre chose que la protectrice de monsieur Chardon. Mais si cela est, je la plains de tout mon cœur.

— Elle est d'autant plus à plaindre, qu'elle se donne un ridicule affreux ; car elle pourrait être la mère de monsieur Lulu, comme l'appelait Jacques. Ce poétriau a tout au plus vingt-deux ans, et Naïs, entre nous soit dit, a bien quarante ans.

— Moi, disait Châtelet, je trouve que la situation même dans laquelle était monsieur de Rubempré prouve l'innocence de Naïs. On ne se met pas à genoux pour redemander ce qu'on a déjà eu.

— C'est selon ! dit Francis d'un air égrillard qui lui valut de Zéphirine une œillade improbative.

— Mais dites-nous donc bien ce qui en est ? demandait-on à Stanislas en se formant en comité secret dans un coin du salon.

Stanislas avait fini par composer un petit conte plein de gravelures, et l'accompagnait de gestes et de poses qui incriminaient prodigieusement la chose.

— C'est incroyable, répétait-on.

— A midi, disait l'une.

— Naïs aurait été la dernière que j'eusse soupçonnée.

— Que va-t-elle faire ?

Puis des commentaires, des suppositions infinies !... Du Châtelet défendait madame de Bargeton ; mais il la défendait si maladroitement qu'il attisait le feu du commérage au lieu de l'éteindre. Lili, désolée de la chute

du plus bel ange de l'olympe angoumoisin, alla tout
en pleurs colporter la nouvelle à l'Évêché. Quand la ville
entière fut bien certainement en rumeur, l'heureux du
Châtelet alla chez madame de Bargeton, où il n'y avait,
hélas ! qu'une seule table de wisth ; il demanda diploma-
tiquement à Naïs d'aller causer avec elle dans son boudoir.
Tous deux s'assirent sur le petit canapé.

— Vous savez sans doute, dit du Châtelet à voix basse,
ce dont tout Angoulême s'occupe ?...

— Non, dit-elle.

— Eh ! bien, reprit-il, je suis trop votre ami pour
vous le laisser ignorer. Je dois vous mettre à même de
faire cesser des calomnies sans doute inventées par Amélie,
qui a l'outrecuidance de se croire votre rivale. Je venais
ce matin vous voir avec ce singe de Stanislas qui me précédait de quelques pas, lorsqu'en arrivant là, dit-il en montrant la porte du boudoir, il prétend vous avoir *vue* avec
monsieur de Rubempré dans une situation qui ne lui
permettait pas d'entrer ; il est revenu sur moi tout ef-
faré en m'entraînant, sans me laisser le temps de me
reconnaître ; et nous étions à Beaulieu, quand il me dit
la raison de sa retraite. Si je l'avais connue, je n'aurais
pas bougé de chez vous, afin d'éclaircir cette affaire à
votre avantage ; mais revenir chez vous après en être
sorti ne prouvait plus rien. Maintenant, que Stanislas
ait vu de travers, ou qu'il ait raison, *il doit avoir tort.* Chère
Naïs, ne laissez pas jouer votre vie, votre honneur, votre
avenir par un sot ; imposez-lui silence à l'instant. Vous
connaissez ma situation ici ? Quoique j'y aie besoin de
tout le monde, je vous suis entièrement dévoué. Disposez
d'une vie qui vous appartient. Quoique vous ayez repoussé
mes vœux, mon cœur sera toujours à vous, et en toute
occasion je vous prouverai combien je vous aime. Oui,
je veillerai sur vous comme un fidèle serviteur, sans espoir
de récompense, uniquement pour le plaisir que je trouve
à vous servir, même à votre insu. Ce matin, j'ai partout
dit que j'étais à la porte du salon, et que je n'avais rien vu.
Si l'on vous demande qui vous a instruite des propos

tenus sur vous, servez-vous de moi. Je serais bien glorieux
d'être votre défenseur avoué ; mais, entre nous, monsieur
de Bargeton est le seul qui puisse demander raison à
Stanislas... Quand ce petit Rubempré aurait fait quelque
folie, l'honneur d'une femme ne saurait être à la merci
du premier étourdi qui se met à ses pieds. Voilà ce que
j'ai dit.

Naïs remercia du Châtelet par une inclination de tête,
et demeura pensive. Elle était fatiguée, jusqu'au dégoût,
de la vie de province. Au premier mot de du Châtelet,
elle avait jeté les yeux sur Paris. Le silence de madame
de Bargeton mettait son savant adorateur dans une situation gênante.

— Disposez de moi, dit-il, je vous le répète.

— Merci, répondit-elle.

— Que comptez-vous faire ?

— Je verrai.

Long silence.

— Aimez-vous donc tant ce petit Rubempré[a] ?

Elle laissa échapper un superbe sourire, et se croisa
les bras en regardant les rideaux de son boudoir. Du
Châtelet sortit sans avoir pu déchiffrer ce cœur de femme
altière. Quand Lucien et les quatre fidèles vieillards qui
étaient venus faire leur partie sans s'émouvoir de ces
cancans problématiques furent partis, madame de Bargeton
arrêta son mari, qui se disposait à s'aller coucher, en ouvrant la bouche pour souhaiter une bonne nuit à sa femme.

— Venez par ici, mon cher, j'ai à vous parler, dit-elle
avec une sorte de solennité.

Monsieur de Bargeton suivit sa femme dans le boudoir.

— Monsieur, lui dit-elle, j'ai peut-être eu tort de mettre
dans mes soins protecteurs envers monsieur de Rubempré
une chaleur aussi mal comprise par les sottes gens de cette
ville que par lui-même. Ce matin, Lucien s'est jeté à mes
pieds, là, en me faisant une déclaration d'amour. Stanislas
est entré dans le moment où je relevais cet enfant. Au mépris des devoirs que la courtoisie impose à un gentilhomme
envers une femme en toute espèce de circonstance, il a

prétendu m'avoir surprise dans une situation équivoque avec ce garçon, que je traitais alors comme il le mérite. Si ce jeune écervelé savait les calomnies auxquelles sa folie donne lieu, je le connais, il irait insulter Stanislas et le forcerait à se battre. Cette action serait comme un aveu public de son amour. Je n'ai pas besoin de vous dire que votre femme est pure ; mais vous penserez qu'il y a quelque chose de déshonorant pour vous et pour moi à ce que ce soit monsieur de Rubempré qui la défende. Allez à l'instant chez Stanislas, et demandez-lui sérieusement raison des insultants propos qu'il a tenus sur moi ; songez que vous ne devez pas souffrir que l'affaire s'arrange, à moins qu'il ne se rétracte en présence de témoins nombreux et importants. Vous conquerrez ainsi l'estime de tous les honnêtes gens ; vous vous conduirez en homme d'esprit, en galant homme, et vous aurez des droits à mon estime. Je vais faire partir Gentil à cheval pour l'Escarbas, mon père doit être votre témoin ; malgré son âge, je le sais homme à fouler aux pieds cette poupée qui noircit la réputation d'une Nègrepelisse. Vous avez le choix des armes, battez-vous au pistolet, vous tirez à merveille.

— J'y vais, reprit monsieur de Bargeton qui prit sa canne et son chapeau.

— Bien, mon ami, dit sa femme émue ; voilà comme j'aime les hommes. Vous êtes un gentilhomme.

Elle lui présenta son front à baiser, que le vieillard baisa tout heureux et fier. Cette femme, qui portait une espèce de sentiment maternel à ce grand enfant, ne put réprimer une larme en entendant retentir la porte cochère quand elle se referma sur lui.

— Comme il m'aime ! se dit-elle. Le pauvre homme tient à la vie, et cependant il la perdrait sans regret pour moi.

Monsieur de Bargeton ne s'inquiétait pas d'avoir à s'aligner le lendemain devant un homme, à regarder froidement la bouche d'un pistolet dirigé sur lui ; non, il n'était embarrassé que d'une seule chose, et il en frémissait tout en allant chez monsieur de Chandour. — Que vais-je

dire ? pensait-il. Naïs aurait bien dû me faire un thème !
Et il se creusait la cervelle afin de formuler quelques phrases
qui ne fussent point ridicules.

Mais les gens qui vivent, comme vivait monsieur de
Bargeton, dans un silence imposé par l'étroitesse de leur
esprit et leur peu de portée, ont, dans les grandes circonstances de la vie, une solennité toute faite. Parlant
peu, il leur échappe naturellement peu de sottises ; puis,
réfléchissant beaucoup à ce qu'ils doivent dire, leur extrême défiance d'eux-mêmes les porte à si bien étudier
leurs discours qu'ils s'expriment à merveille par un phénomène pareil à celui qui délia la langue à l'ânesse de Balaam.
Aussi monsieur de Bargeton se comporta-t-il comme un
homme supérieur. Il justifia l'opinion de ceux qui le regardaient comme un philosophe de l'école de Pythagore.
Il entra chez Stanislas à onze heures du soir, et y trouva
nombreuse compagnie. Il alla saluer silencieusement
Amélie, et offrir à chacun son niais sourire, qui, dans les
circonstances présentes, parut profondément ironique.
Il se fit alors un grand silence, comme dans la nature à
l'approche d'un orage. Châtelet, qui était revenu, regarda
tour à tour d'une façon très significative monsieur de
Bargeton et Stanislas, que le mari offensé aborda poliment.

Du Châtelet comprit le sens d'une visite faite à une
heure où ce vieillard était toujours couché : Naïs agitait
évidemment ce bras débile ; et comme sa position auprès
d'Amélie lui donnait le droit de se mêler des affaires du
ménage, il se leva, prit monsieur de Bargeton à part et lui
dit : — Vous voulez parler à Stanislas ?

— Oui, dit le bonhomme heureux d'avoir un entre-
metteur qui peut-être prendrait la parole pour lui.

— Eh ! bien, allez dans la chambre à coucher d'Amélie, lui répondit le Directeur des Contributions, heureux
de ce duel qui pouvait rendre madame de Bargeton veuve
en lui interdisant d'épouser Lucien, la cause du duel.

— Stanislas, dit du Châtelet à monsieur de Chandour,
Bargeton vient sans doute vous demander raison des propos que vous teniez sur Naïs. Venez chez votre femme,

et conduisez-vous tous deux en gentilshommes. Ne faites point de bruit, affectez beaucoup de politesse, ayez enfin toute la froideur d'une dignité britannique.

En un moment Stanislas et du Châtelet vinrent trouver Bargeton.

— Monsieur, dit le mari offensé, vous prétendez avoir trouvé madame de Bargeton dans une situation équivoque avec monsieur de Rubempré ?

— Avec monsieur Chardon, reprit ironiquement Stanislas qui ne croyait pas Bargeton un homme. fort.

— Soit, reprit le mari. Si vous ne démentez pas ce propos en présence de la société qui est chez vous en ce moment, je vous prie de prendre un témoin. Mon beau-père, monsieur de Nègrepelisse, viendra vous chercher à quatre heures du matin. Faisons chacun nos dispositions, car l'affaire ne peut s'arranger que de la manière que je viens d'indiquer. Je choisis le pistolet, je suis l'offensé [a].

Durant le chemin, monsieur de Bargeton avait ruminé ce discours, le plus long qu'il eût fait en sa vie, il le dit sans passion et de l'air le plus simple du monde. Stanislas pâlit et se dit en lui-même : — Qu'ai-je vu, après tout ? Mais, entre la honte de démentir ses propos devant toute la ville, en présence de ce muet qui paraissait ne pas vouloir entendre raillerie, et la peur, la hideuse peur qui lui serrait le cou de ses mains brûlantes, il choisit le péril le plus éloigné.

— C'est bien. A demain, dit-il à monsieur de Bargeton en pensant que l'affaire pourrait s'arranger.

Les trois hommes rentrèrent, et chacun étudia leur physionomie : du Châtelet souriait, monsieur de Bargeton était absolument comme s'il se trouvait chez lui ; mais Stanislas se montra blême. A cet aspect quelques femmes devinèrent l'objet de la conférence. Ces mots : — Ils se battent ! circulèrent d'oreille en oreille. La moitié de l'assemblée pensa que Stanislas avait tort, sa pâleur et sa contenance accusaient un mensonge ; l'autre moitié admira la tenue de monsieur de Bargeton. Du Châtelet fit le grave et le mystérieux. Après être resté quelques instants à examiner les visages, monsieur de Bargeton se retira.

— Avez-vous des pistolets? dit Châtelet à l'oreille de Stanislas qui frissonna de la tête aux pieds.

Amélie comprit tout et se trouva mal, les femmes s'empressèrent de la porter dans sa chambre à coucher. Il y eut une rumeur affreuse, tout le monde parlait à la fois. Les hommes restèrent dans le salon et déclarèrent d'une voix unanime que monsieur de Bargeton était dans son droit.

— Auriez-vous cru le bonhomme capable de se conduire ainsi? dit monsieur de Saintot.

— Mais, dit l'impitoyable Jacques, dans sa jeunesse, il était un des plus forts sous les armes. Mon père m'a souvent parlé des exploits de Bargeton.

— Bah! vous les mettrez à vingt pas, et ils se manqueront si vous prenez des pistolets de cavalerie, dit Francis à Châtelet.

Quand tout le monde fut parti, Châtelet rassura Stanislas et sa femme en leur expliquant que tout irait bien, et que dans un duel entre un homme de soixante ans et un homme de trente-six, celui-ci avait tout l'avantage.

Le lendemain matin, au moment où Lucien déjeunait avec David, qui était revenu de Marsac sans son père, madame Chardon entra tout effarée.

— Hé! bien, Lucien, sais-tu la nouvelle dont on parle jusque dans le marché? Monsieur de Bargeton a presque tué monsieur de Chandour, ce matin à cinq heures, dans le pré de monsieur Tulloye, un nom qui donne lieu à des calembours. Il paraît que monsieur de Chandour a dit hier qu'il t'avait surpris avec madame de Bargeton.

— C'est faux! Madame de Bargeton est innocente, s'écria Lucien.

— Un homme de la campagne à qui j'ai entendu raconter les détails avait tout vu de dessus sa charrette. Monsieur de Nègrepelisse était venu dès trois heures du matin pour assister monsieur de Bargeton ; il a dit à monsieur de Chandour que s'il arrivait malheur à son gendre, il se chargeait de le venger. Un officier du régiment de cavalerie a prêté ses pistolets, ils ont été essayés à plusieurs reprises par monsieur de Nègrepelisse. Monsieur du Châtelet voulait s'opposer à ce qu'on exerçât les pistolets, mais l'officier que l'on avait pris pour arbitre a dit qu'à moins de se conduire comme des enfants, on devait se servir d'armes en état. Les témoins ont placé les deux adversaires à vingt-cinq pas l'un de l'autre. Monsieur de Bargeton, qui était là comme s'il se promenait, a tiré le premier et logé une balle dans le cou de monsieur de Chandour, qui est tombé sans pouvoir riposter. Le chirurgien de l'hôpital a déclaré tout à l'heure que monsieur de Chandour aura le cou de travers pour le reste de ses jours. Je suis venue te dire l'issue de ce duel pour que tu n'ailles pas chez madame de Bargeton, ou que tu ne te montres pas dans Angoulême, car quelques amis de monsieur de Chandour pourraient te provoquer.

En ce moment, Gentil, le valet de chambre de monsieur de Bargeton, entra conduit par l'apprenti de l'imprimerie, et remit à Lucien une lettre de Louise.

« Vous avez sans doute appris, mon ami, l'issue du duel entre Chandour [a] et mon mari. Nous ne recevrons personne aujourd'hui; soyez prudent, ne vous montrez pas, je vous le demande au nom de l'affection que vous avez pour moi. Ne trouvez-vous pas que le meilleur emploi de cette triste journée est de venir écouter votre Béatrix, dont la vie est toute changée par cet événement et qui a mille choses à vous dire? »

— Heureusement, dit David, mon mariage est arrêté pour après-demain; tu auras une occasion d'aller moins souvent chez madame de Bargeton.

— Cher David, répondit Lucien, elle me demande de venir la voir aujourd'hui; je crois qu'il faut lui obéir, elle saura mieux que nous comment je dois me conduire dans les circonstances actuelles.

— Tout est donc prêt ici? demanda madame Chardon.

— Venez voir, s'écria David heureux de montrer la transformation qu'avait subie l'appartement du premier étage où tout était frais et neuf.

Là respirait ce doux esprit qui règne dans les jeunes ménages où les fleurs d'oranger, le voile de la mariée couronnent encore la vie intérieure, où le printemps de l'amour se reflète dans les choses, où tout est blanc, propre et fleuri.

— Ève sera comme une princesse, dit la mère ; mais vous avez dépensé trop d'argent, vous avez fait des folies !

David sourit sans rien répondre, car madame Chardon avait mis le doigt dans le vif d'une plaie secrète qui faisait cruellement souffrir le pauvre amant : ses prévisions avaient été si grandement dépassées par l'exécution qu'il lui était impossible de bâtir au-dessus de l'appentis. Sa belle-mère ne pouvait avoir de longtemps l'appartement qu'il voulait lui donner. Les esprits généreux éprouvent les plus vives douleurs de manquer à ces sortes de promesses qui sont en quelque sorte les petites vanités de la tendresse. David cachait soigneusement sa gêne, afin de ménager le cœur de Lucien qui aurait pu se trouver accablé des sacrifices faits pour lui.

Ève et ses amies ont bien travaillé de leur côté, disait madame Chardon. Le trousseau, le linge de ménage, tout est prêt. Ces demoiselles l'aiment tant qu'elles lui ont, sans qu'elle en sût rien, couvert les matelas en futaine blanche, bordée de lisérés roses. C'est joli ! ça donne envie de se marier.

La mère et la fille avaient employé toutes leurs économies à fournir la maison de David des choses auxquelles ne pensent jamais les jeunes gens. En sachant combien il déployait de luxe, car il était question d'un service de porcelaine demandé à Limoges, elles avaient tâché de mettre de l'harmonie entre les choses qu'elles apportaient et celles que s'achetait David. Cette petite lutte d'amour et de générosité devait amener les deux époux à se trouver gênés dès le commencement de leur mariage, au milieu de tous les symptômes d'une aisance bourgeoise qui pouvait passer pour du luxe dans une ville arriérée comme l'était alors Angoulême. Au moment où Lucien vit sa mère et David passant dans la chambre à coucher dont la tenture bleue et blanche, dont le joli mobilier lui était connu, il s'esquiva chez madame de Bargeton. Il trouva Naïs déjeunant avec son mari, qui, mis en appétit par sa promenade matinale, mangeait sans aucun souci de ce qui s'était passé. Le vieux gentilhomme campagnard, monsieur de Nègrepelisse, cette imposante figure, reste de la vieille noblesse française, était auprès de sa fille. Quand Gentil eut annoncé monsieur de Rubempré, le vieillard à tête blanche lui jeta le regard inquisitif d'un père empressé de juger l'homme que sa fille a distingué. L'excessive beauté de Lucien le frappa si vivement, qu'il ne put retenir un regard d'approbation; mais il semblait voir dans la liaison de sa fille une amourette plutôt qu'une passion, un caprice plutôt qu'une passion durable. Le déjeuner finissait, Louise put se lever, laisser son père et monsieur de Bargeton, en faisant signe à Lucien de la suivre.

— Mon ami, dit-elle d'un son de voix triste et joyeux en même temps, je vais à Paris, et mon père emmène Bargeton à l'Escarbas, où il restera pendant mon absence. Madame d'Espard, une demoiselle de Blamont-Chauvry [a], à qui nous sommes alliés par les d'Espard, les aînés de la famille des Nègrepelisse, est en ce moment très influente par elle-même et par ses parents. Si elle daigne nous reconnaître, je veux la cultiver beaucoup : elle peut nous obtenir par son crédit une place pour Bargeton. Mes sollicitations pourront le faire désirer par la Cour pour député de la Charente, ce qui aidera sa nomination ici. La députation pourra plus tard favoriser mes démarches à Paris. C'est toi, mon enfant chéri, qui m'as inspiré ce changement d'existence. Le duel de ce matin me force à fermer ma maison pour quelque temps, car il y aura des gens qui prendront parti pour les Chandour contre nous. Dans la situation où nous sommes, et dans une petite ville, une absence est toujours nécessaire pour laisser aux haines le temps de s'assoupir. Mais ou je réussirai et ne reverrai plus Angoulême, ou je ne réussirai pas et veux attendre à Paris le moment où je pourrai passer tous les étés à l'Escarbas et les hivers à Paris. C'est la seule vie d'une femme

comme il faut, j'ai trop tardé à la prendre. La journée
suffira pour tous nos préparatifs, je partirai demain dans
la nuit et vous m'accompagnerez, n'est-ce pas? Vous irez
en avant. Entre Mansle et Ruffec [1][a], je vous prendrai
dans ma voiture, et nous serons bientôt à Paris. Là, cher,
est la vie des gens supérieurs. On ne se trouve à l'aise
qu'avec ses pairs, partout ailleurs on souffre. D'ailleurs
Paris, capitale du monde intellectuel, est le théâtre de vos
succès! franchissez promptement l'espace qui vous en
sépare! Ne laissez pas vos idées se rancir en province,
communiquez promptement avec les grands hommes qui
représenteront le dix-neuvième siècle. Rapprochez-vous
de la cour et du pouvoir. Ni les distinctions ni les dignités
ne viennent trouver le talent qui s'étiole dans une petite
ville. Nommez-moi d'ailleurs les belles œuvres exécutées
en province! Voyez au contraire le sublime et le pauvre
Jean-Jacques invinciblement attiré par ce soleil moral,
qui crée les gloires en échauffant les esprits par le frotte-
ment des rivalités. Ne devez-vous pas vous hâter de prendre
votre place dans la pléiade qui se produit à chaque époque?
Vous ne sauriez croire combien il est utile à un jeune talent
d'être mis en lumière par la haute société. Je vous ferai
recevoir chez madame d'Espard; personne n'a facilement l'entrée de son salon, où vous trouverez tous les
grands personnages, les ministres, les ambassadeurs,
les orateurs de la chambre, les pairs les plus influents,
des gens riches ou célèbres. Il faudrait être bien mala-
droit pour ne pas exciter leur intérêt, quand on est beau,
jeune et plein de génie. Les grands talents n'ont pas de
petitesse, ils vous prêteront leur appui. Quand on vous
saura haut placé, vos œuvres acquerront une immense
valeur. Pour les artistes, le grand problème à résoudre
est de se mettre en vue. Il se rencontrera donc là pour vous
mille occasions de fortune, des sinécures, une pension
sur la cassette. Les Bourbons aiment tant à favoriser les

---

1. Ruffec est à 48 kilomètres au nord d'Angoulême, sur la route de
Paris. Manles est à mi-route entre Angoulême et Ruffec.

lettres et les arts! aussi soyez à la fois poète religieux et poète royaliste. Non seulement ce sera bien, mais vous ferez fortune. Est-ce l'Opposition, est-ce le libéralisme qui donne les places, les récompenses, et qui fait la fortune des écrivains? Ainsi prenez la bonne route et venez là où vont tous les hommes de génie. Vous avez mon secret, gardez le plus profond silence, et disposez-vous à me suivre. Ne le voulez-vous pas? ajouta-t-elle étonnée de la silencieuse attitude de son amant.

Lucien, hébété par le rapide coup d'œil qu'il jeta sur Paris, en entendant ces séduisantes paroles, crut n'avoir jusqu'alors joui que [a] de la moitié de son cerveau; il lui sembla que l'autre moitié se découvrait, tant ses idées s'agrandirent : il se vit, dans Angoulême, comme une grenouille sous sa pierre au fond d'un marécage. Paris et ses splendeurs, Paris, qui se produit dans toutes les imaginations de province comme un Eldorado, lui apparut avec sa robe d'or, la tête ceinte de pierreries royales, les bras ouverts aux talents. Les gens illustres allaient lui donner l'accolade fraternelle. Là tout souriait au génie. Là ni gentillâtres jaloux qui lançassent [b] des mots piquants pour humilier l'écrivain, ni sotte indifférence pour la poésie. De là [c] jaillissaient les œuvres des poètes, là elles étaient payées et mises en lumière. Après avoir lu les premières pages de *l'Archer de Charles IX*, les libraires ouvriraient leurs caisses et lui diraient : — Combien voulez-vous? Il comprenait d'ailleurs qu'après un voyage où ils seraient mariés par les circonstances, madame de Bargeton serait à lui tout entière, qu'ils vivraient ensemble.

A ces mots : — Ne le voulez-vous pas? il répondit par une larme, saisit Louise par la taille, la serra sur son cœur et lui marbra le cou par de violents baisers. Puis il s'arrêta tout à coup, comme frappé par un souvenir, et s'écria : — Mon Dieu, ma sœur se marie après-demain!

Ce cri fut le dernier soupir de l'enfant noble et pur. Les liens si puissants qui attachent les jeunes cœurs à leur famille, à leur premier ami, à tous les sentiments primitifs, allaient recevoir un terrible coup de hache.

— Hé! bien, s'écria l'altière Nègrepelisse, qu'a de commun le mariage de votre sœur et la marche de notre amour? tenez-vous tant à être le coryphée de cette noce de bourgeois et d'ouvriers que vous ne puissiez m'en sacrifier les nobles joies? Le beau sacrifice! dit-elle avec mépris. J'ai envoyé ce matin mon mari se battre à cause de vous! Allez, monsieur, quittez-moi! je me suis trompée.

Elle tomba pâmée sur son canapé. Lucien l'y suivit en demandant pardon, en maudissant sa famille, David et sa sœur.

— Je croyais tant en vous! dit-elle. Monsieur de Cante-Croix avait une mère qu'il idolâtrait, mais pour obtenir une lettre où je lui disais : *Je suis contente!* il est mort au milieu du feu. Et vous, quand il s'agit de voyager avec moi, vous ne savez point renoncer à un repas de noces!

Lucien voulut se tuer, et son désespoir fut si vrai, si profond, que Louise pardonna, mais en faisant sentir à Lucien qu'il aurait à racheter cette faute.

— Allez donc, dit-elle enfin, soyez discret, et trouvez-vous demain soir à minuit à une centaine de pas après Mansle.

Lucien sentit la terre petite sous ses pieds, il revint chez David suivi de ses espérances comme Oreste l'était par ses furies, car il entrevoyait mille difficultés qui se comprenaient toutes dans ce mot terrible : — Et de l'argent? La perspicacité de David l'épouvantait si fort, qu'il s'enferma dans son joli cabinet pour se remettre de l'étourdissement que lui causait sa nouvelle position. Il fallait donc quitter cet appartement si chèrement établi, rendre inutiles tant de sacrifices. Lucien pensa que sa mère pourrait loger là. David économiserait ainsi la coûteuse bâtisse qu'il avait projeté de faire au fond de la cour. Ce départ devait arranger sa famille, il trouva mille raisons péremptoires à sa fuite, car il n'y a rien de jésuite comme un désir. Aussitôt il courut à l'Houmeau chez sa sœur, pour lui apprendre sa nouvelle destinée et se concerter avec elle. En arrivant devant la boutique de Postel, il pensa que, s'il n'y avait pas d'autres moyens, il emprunterait au successeur de son père la somme nécessaire à son séjour durant un an.

— Si je vis avec Louise, un écu par jour sera pour moi comme une fortune, et cela ne fait que mille francs pour un an, se dit-il. Or, dans six mois, je serai riche !

Ève et sa mère entendirent, sous la promesse d'un profond secret, les confidences de Lucien. Toutes deux pleurèrent en écoutant l'ambitieux ; et, quand il voulut savoir la cause de ce chagrin, elles lui apprirent que tout ce qu'elles possédaient avait été absorbé par le linge de table et de maison, par le trousseau d'Ève, par une multitude d'acquisitions auxquelles n'avait pas pensé David, et qu'elles étaient heureuses d'avoir faites, car l'imprimeur reconnaissait à Ève une dot de dix mille francs. Lucien leur fit part alors de son idée d'emprunt, et madame Chardon se chargea d'aller demander à monsieur Postel mille francs pour un an.

— Mais, Lucien, dit Ève avec un serrement de cœur, tu n'assisteras donc pas à mon mariage? Oh! reviens, j'attendrai quelques jours ! Elle te laissera bien revenir ici dans une quinzaine, une fois que tu l'auras accompagnée ! Elle nous accordera bien huit jours, à nous qui t'avons élevé pour elle ! Notre union tournera mal si tu n'y es pas... Mais auras-tu assez de mille francs? dit-elle en s'interrompant tout à coup. Quoique ton habit t'aille divinement, tu n'en as qu'un ! Tu n'as que deux chemises fines, et les six autres sont en grosse toile. Tu n'as que trois cravates de batiste, les trois autres sont en jaconas commun [1]; et puis tes mouchoirs ne sont pas beaux. Trouveras-tu dans Paris une sœur pour te blanchir ton linge dans la journée où tu en auras besoin? il t'en faut bien davantage. Tu n'as qu'un pantalon de nankin fait cette année, ceux de l'année dernière te sont justes, il faudra donc te faire habiller à Paris, les prix de Paris ne sont pas ceux d'Angoulême. Tu n'as que deux gilets blancs de mettables, j'ai déjà raccommodé les autres. Tiens, je te conseille d'emporter deux mille francs.

---

1. Le *jaconas* est une étoffe de coton à bon marché.

En ce moment David, qui entrait, parut avoir entendu ces deux derniers mots, car il examina le frère et la sœur en gardant le silence.

— Ne me cachez rien, dit-il.

— Eh! bien, s'écria Ève, il part avec elle.

— Postel, dit madame Chardon en entrant sans voir David, consent à prêter les mille francs, mais pour six mois seulement, et il veut une lettre de change de toi acceptée par ton beau-frère, car il dit que tu n'offres aucune garantie.

La mère se retourna, vit son gendre, et ces quatre personnes gardèrent un profond silence. La famille Chardon sentait combien elle avait abusé de David. Tous étaient honteux. Une larme roula dans les yeux de l'imprimeur.

— Tu ne seras donc pas à mon mariage? dit-il, tu ne resteras donc pas avec nous? Et moi qui ai dissipé tout ce que j'avais! Ah, Lucien, moi qui apportais à Ève ses pauvres petits bijoux de mariée, je ne savais pas, dit-il en essuyant ses yeux et tirant des écrins de sa poche, avoir à regretter de les avoir achetés.

Il posa plusieurs boîtes couvertes en maroquin sur la table, devant sa belle-mère.

— Pourquoi pensez-vous tant à moi? dit Ève avec un sourire d'ange qui corrigeait sa parole.

— Chère maman, dit l'imprimeur, allez dire à monsieur Postel que je consens à donner ma signature, car je vois sur ta figure, Lucien, que tu es bien décidé à partir.

Lucien inclina mollement et tristement la tête en ajoutant un moment après : — Ne me jugez pas mal, mes anges aimés. Il prit Ève et David, les embrassa, les rapprocha de lui, les serra en disant : — Attendez les résultats, et vous saurez combien je vous aime. David, à quoi servirait notre hauteur de pensée, si elle ne nous permettait pas de faire abstraction des petites cérémonies dans lesquelles les lois entortillent les sentiments? Malgré la distance, mon âme ne sera-t-elle pas ici? la pensée ne nous réunira-t-elle pas? N'ai-je pas une destinée à accomplir? Les libraires viendront-ils chercher ici mon *Archer de Charles IX*, et les

Marguerites? Un peu plus tôt, un peu plus tard, ne faut-il pas toujours faire ce que je fais aujourd'hui, puis-je jamais rencontrer des circonstances plus favorables? N'est-ce pas toute ma fortune que d'entrer pour mon début à Paris dans le salon de la marquise d'Espard?

— Il a raison, dit Ève. Vous-même ne me disiez-vous pas qu'il devait aller promptement à Paris?

David prit Ève par la main, l'emmena dans cet étroit cabinet où elle dormait depuis sept années, et lui dit à l'oreille : — Il a besoin de deux mille francs, disais-tu, mon amour? Postel n'en prête que mille.

Ève regarda son prétendu par un regard affreux qui disait toutes ses souffrances.

— Écoute, mon Ève adorée, nous allons mal commencer la vie. Oui, mes dépenses ont absorbé tout ce que je possédais. Il ne me reste que deux mille francs, et la moitié est l'indispensable pour faire aller l'imprimerie. Donner mille francs à ton frère, c'est donner notre pain, compromettre notre tranquillité. Si j'étais seul, je sais ce que je ferais; mais nous sommes deux. Décide.

Ève éperdue se jeta dans les bras de son amant, le baisa tendrement et lui dit à l'oreille, tout en pleurs : — Fais comme si tu étais seul, je travaillerai pour regagner cette somme !

Malgré le plus ardent baiser que deux fiancés aient jamais échangé [a], David laissa Ève abattue, et revint trouver Lucien.

— Ne te chagrine pas, lui dit-il, tu auras tes deux mille francs.

— Allez voir Postel, dit madame Chardon, car vous devez signer tous deux le papier.

Quand les deux amis remontèrent, ils surprirent Ève et sa mère à genoux, qui priaient Dieu. Si elles savaient combien d'espérances le retour devait réaliser, elles sentaient en ce moment tout ce qu'elles perdaient dans cet adieu; car elles trouvaient le bonheur à venir payé trop cher par une absence qui allait briser leur vie, et les jeter dans mille craintes sur les destinées de Lucien.

— Si jamais, tu oubliais cette scène dit David à l'oreille de Lucien, tu serais le dernier des hommes.

L'imprimeur jugea sans doute ces graves paroles nécessaires, l'influence de madame de Bargeton ne l'épouvantait pas moins que la funeste mobilité de caractère qui pouvait tout aussi bien jeter Lucien dans une mauvaise comme dans une bonne voie. Ève eut bientôt fait le paquet de Lucien. Ce Fernand Cortès littéraire emportait peu de chose. Il garda sur lui sa meilleure redingote, son meilleur gilet et l'une de ses deux chemises fines. Tout son linge, son fameux habit, ses effets et ses manuscrits formèrent un si mince paquet, que, pour le cacher aux regards de madame de Bargeton, David proposa de l'envoyer par la diligence à son correspondant, un marchand de papier, auquel il écrirait de le tenir à la disposition de Lucien.

Malgré les précautions prises par madame de Bargeton pour cacher son départ, monsieur du Châtelet l'apprit et voulut savoir si elle ferait le voyage seule ou accompagnée de Lucien; il envoya son valet de chambre à Ruffec, avec la mission d'examiner toutes les voitures qui relaieraient à la poste.

— Si elle enlève son poète, pensa-t-il, elle est à moi.

Lucien partit le lendemain au petit jour, accompagné de David qui s'était procuré un cabriolet et un cheval en annonçant qu'il allait traiter d'affaires avec son père, petit mensonge qui dans les circonstances actuelles était probable. Les deux amis se rendirent à Marsac, où ils passèrent une partie de la journée chez le vieil Ours; puis le soir ils allèrent au delà de Mansle attendre ᵃ madame de Bargeton, qui arriva vers le matin. En voyant la vieille calèche sexagénaire qu'il avait tant de fois regardée sous la remise, Lucien éprouva l'une des plus vives émotions de sa vie, il se jeta dans les bras de David, qui lui dit : — Dieu veuille que ce soit pour ton bien !

L'imprimeur remonta dans son méchant cabriolet, et disparut le cœur serré, car il avait d'horribles pressentiments sur les destinées de Lucien à Paris.

DEUXIÈME PARTIE

UN GRAND HOMME DE PROVINCE
A PARIS

DEUXIÈME PARTIE

UN GRAND HOMME DE PROVINCE
À PARIS

ÉDITIONS PADUTS

LES PRÉMICES DE PARIS[a]

Nɪ Lucien, ni madame de Bargeton, ni Gentil, ni Albertine, la femme de chambre, ne parlèrent jamais des événements de ce voyage; mais il est à croire que la présence continuelle des gens le rendit fort maussade pour un amoureux qui s'attendait à tous les plaisirs d'un enlèvement. Lucien, qui allait en poste pour la première fois de sa vie [b], fut très ébahi de voir semer sur la route d'Angoulême à Paris presque toute la somme qu'il destinait à sa vie d'une année. Comme les hommes qui unissent les grâces de l'enfance à la force du talent, il eut le tort d'exprimer ses naïfs étonnements à l'aspect des choses nouvelles pour lui. Un homme doit bien étudier une femme avant de lui laisser voir ses émotions et ses pensées comme elles se produisent. Une maîtresse aussi tendre que grande sourit aux enfantillages et les comprend; mais pour peu qu'elle ait de la vanité, elle ne pardonne pas à son amant de s'être montré enfant, vain ou petit. Beaucoup de femmes portent une si grande exagération dans leur culte, qu'elles veulent toujours trouver un dieu dans leur idole; tandis que celles qui aiment un homme pour lui-même avant de l'aimer pour elles, adorent ses petitesses autant que ses grandeurs. Lucien n'avait pas encore deviné que chez madame de Bargeton l'amour était greffé sur l'orgueil. Il eut le tort de ne pas s'expliquer certains sourires qui échappèrent à Louise durant ce voyage, quand, au lieu de les contenir, il se laissait aller à ses gentillesses de jeune rat sorti de son trou.

Les voyageurs [a] débarquèrent à l'hôtel du Gaillard-
Bois, rue de l'Échelle, avant le jour. Les deux amants
étaient si fatigués l'un et l'autre, qu'avant tout Louise
voulut se coucher et se coucha, non sans avoir ordonné
à Lucien de demander une chambre au-dessus de l'appartement qu'elle prit. Lucien dormit jusqu'à quatre heures
du soir. Madame de Bargeton le fit éveiller pour dîner,
il s'habilla précipitamment en apprenant l'heure, et trouva
Louise dans une de ces ignobles chambres qui sont la
honte de Paris, où, malgré tant de prétentions à l'élégance,
il n'existe pas encore un seul hôtel où tout voyageur riche
puisse retrouver son chez soi. Quoiqu'il eût sur les yeux
ces nuages que laisse un brusque réveil, Lucien ne reconnut
pas sa Louise dans cette chambre froide, sans soleil, à rideaux passés, dont le carreau frotté semblait misérable, où le
meuble était usé, de mauvais goût, vieux ou d'occasion.
Il est en effet certaines personnes qui n'ont plus ni le même
aspect ni la même valeur, une fois séparées des figures,
des choses, des lieux qui leur servent de cadre. Les physionomies vivantes ont une sorte d'atmosphère qui leur est
propre, comme le clair-obscur des tableaux flamands est
nécessaire à la vie des figures qu'y a placées le génie des
peintres. Les gens de province sont presque tous ainsi.
Puis madame de Bargeton parut plus digne, plus pensive
qu'elle ne devait l'être en un moment où commençait
un bonheur sans entraves. Lucien ne pouvait se plaindre :
Gentil et Albertine les servaient. Le dîner n'avait plus ce
caractère d'abondance et d'essentielle bonté qui distingue
la vie en province. Les plats coupés par la spéculation
sortaient d'un restaurant voisin, ils étaient maigrement
servis, ils sentaient la portion congrue. Paris n'est pas beau
dans ces petites choses auxquelles sont condamnés les gens
à fortune médiocre. Lucien attendit la fin du repas pour
interroger Louise dont le changement lui semblait inexplicable. Il ne se trompait point. Un événement grave,
car les réflexions sont les événements de la vie morale,
était survenu pendant son sommeil.

Sur les deux heures après midi, Sixte du Châtelet s'était

présenté à l'hôtel, avait fait éveiller Albertine, avait manifesté le désir de parler à sa maîtresse, et il était revenu après avoir à peine laissé le temps à madame de Bargeton de faire sa toilette. Anaïs dont la curiosité fut excitée par cette singulière apparition de monsieur du Châtelet, elle qui se croyait si bien cachée, l'avait reçu vers trois heures.

— Je vous ai suivie en risquant d'avoir une réprimande à l'Administration, dit-il en la saluant, car je prévoyais ce qui vous arrive. Mais dussé-je perdre ma place, au moins vous ne serez pas perdue, vous !

— Que voulez-vous dire ? s'écria madame de Bargeton.

— Je vois bien que vous aimez Lucien, reprit-il d'un air tendrement résigné, car il faut bien aimer un homme pour ne réfléchir à rien, pour oublier toutes les convenances, vous qui les connaissez si bien ! Croyez-vous donc, chère Naïs adorée, que vous serez reçue chez madame d'Espard ou dans quelque salon de Paris que ce soit, du moment où l'on saura que vous vous êtes comme enfuie d'Angoulême avec un jeune homme, et surtout après le duel de monsieur de Bargeton et de monsieur Chandour ? Le séjour de votre mari à l'Escarbas à l'air d'une séparation. En un cas semblable, les gens comme il faut commencent par se battre pour leurs femmes, et les laissent libres après. Aimez monsieur de Rubempré, protégez-le, faites-en tout ce que vous voudrez, mais ne demeurez pas ensemble ! Si quelqu'un ici savait que vous avez fait le voyage dans la même voiture, vous seriez mise à l'index par le monde que vous voulez voir. D'ailleurs, Naïs, ne faites pas encore de ces sacrifices à un jeune homme que vous n'avez encore comparé à personne, qui n'a été soumis à aucune épreuve, et qui peut vous oublier ici pour une Parisienne en la croyant plus nécessaire que vous à ses ambitions. Je ne veux pas nuire à celui que vous aimez, mais vous me permettrez de faire passer vos intérêts avant les siens, et de vous dire : « Étudiez-le ! Connaissez bien toute l'importance de votre démarche. » Si vous trouvez les portes fermées, si les femmes refusent de vous recevoir, au moins n'ayez aucun regret de tant de sacrifices, en songeant que celui auquel vous les faites en sera toujours digne, et les comprendra. Madame d'Espard est d'autant plus prude et sévère qu'elle-même est séparée de son mari, sans que le monde ait pu pénétrer la cause de leur désunion ; mais les Navarreins, les Blamont-Chauvry, les Lenoncourt [a], tous ses parents l'ont entourée, les femmes les plus collet-monté vont chez elle et l'accueillent avec respect, en sorte que le marquis d'Espard a tort. Dès la première visite que vous lui ferez, vous reconnaîtrez la justesse de mes avis. Certes, je puis vous le prédire, moi qui connais Paris : en entrant chez la marquise vous seriez au désespoir qu'elle sût que vous êtes à l'hôtel du Gaillard-Bois avec le fils d'un apothicaire, tout monsieur de Rubempré qu'il veut être. Vous aurez ici des rivales bien autrement astucieuses et rusées qu'Amélie, elles ne manqueront pas de savoir qui vous êtes, où vous êtes, d'où vous venez, et ce que vous faites. Vous avez compté sur l'incognito, je le vois ; mais vous êtes de ces personnes pour lesquelles l'incognito n'existe point. Ne rencontrerez-vous pas Angoulême partout ? c'est les députés de la Charente qui viennent pour l'ouverture des Chambres ; c'est le Général qui est à Paris en congé ; mais il suffira d'un seul habitant d'Angoulême qui vous aperçoive pour que votre vie soit arrêtée d'une étrange manière : vous ne seriez plus que la maîtresse de Lucien. Si vous avez besoin de moi pour quoi que ce soit, je suis chez le Receveur-Général, rue du Faubourg-Saint-Honoré, à deux pas de chez madame d'Espard. Je connais assez la maréchale de Carigliano, Madame de Sérizy et le Président du Conseil pour vous y présenter ; mais vous verrez tant de monde chez madame d'Espard, que vous n'aurez pas besoin de moi. Loin d'avoir à désirer d'aller dans tel ou tel salon, vous serez désirée dans tous les salons.

Du Châtelet put parler sans que madame de Bargeton l'interrompît : elle était saisie par la justesse de ces observations. La reine d'Angoulême avait en effet compté sur l'incognito.

— Vous avez raison, cher ami, dit-elle ; mais comment faire ?

— Laissez-moi, répondit Châtelet, vous chercher un appartement tout meublé, convenable ; vous mènerez ainsi une vie moins chère que la vie des hôtels, et vous serez chez vous ; et, si vous m'en croyez, vous y coucherez ce soir.

— Mais comment avez-vous connu mon adresse ? dit-elle.

— Votre voiture était facile à reconnaître, et d'ailleurs je vous suivais. A Sèvres, le postillon qui vous a menée a dit votre adresse au mien. Me permettrez-vous d'être votre maréchal-des-logis ? je vous écrirai bientôt pour vous dire où je vous aurai casée.

— Hé ! bien, faites, dit-elle.

Ce mot ne semblait rien, et c'était tout. Le baron du Châtelet avait parlé la langue du monde à une femme du monde. Il s'était montré dans toute l'élégance d'une mise parisienne ; un joli cabriolet bien attelé l'avait amené. Par hasard, madame de Bargeton se mit à la croisée pour réfléchir à sa position, et vit partir le vieux dandy. Quelques instants après, Lucien, brusquement éveillé, brusquement habillé, se produisit à ses regards dans son pantalon de nankin de l'an dernier, avec sa méchante petite redingote. Il était beau, mais ridiculement mis. Habillez l'Apollon du Belvéder ou l'Antinoüs en porteur d'eau, reconnaîtrez-vous alors la divine création du ciseau grec ou romain ? Les yeux comparent avant que le cœur n'ait rectifié ce rapide jugement machinal. Le contraste entre Lucien et Châtelet fut trop brusque pour ne pas frapper les yeux de Louise. Lorsque vers six heures le dîner fut terminé, madame de Bargeton fit signe à Lucien de venir près d'elle sur un méchant canapé de calicot rouge à fleurs jaunes, où elle s'était assise.

— Mon Lucien, dit-elle, n'es-tu pas d'avis que si nous avons fait une folie qui nous tue également, il y a de la raison à la réparer ? Nous ne devons, cher enfant, ni demeurer ensemble à Paris, ni laisser soupçonner

que nous y soyons venus de compagnie. Ton avenir dépend beaucoup de ma position, et je ne dois la gâter d'aucune manière. Ainsi, dès ce soir, je vais aller me loger
à quelques pas d'ici ; mais tu demeureras dans cet hôtel,
et nous pourrons nous voir tous les jours sans que personne y trouve à redire.

Louise expliqua les lois du monde à Lucien, qui ouvrit
de grands yeux. Sans savoir que les femmes qui reviennent
sur leurs folies reviennent sur leur amour, il comprit
qu'il n'était plus le Lucien d'Angoulême. Louise ne
lui parlait que d'elle, de ses intérêts, de sa réputation,
du monde ; et pour excuser son égoïsme, elle essayait
de lui faire croire qu'il s'agissait de lui-même. Il n'avait
aucun droit sur Louise, si promptement redevenue madame
de Bargeton, et, chose plus grave ! il n'avait aucun pouvoir.
Aussi ne put-il retenir de grosses larmes qui roulèrent
dans ses yeux.

— Si je suis votre gloire, vous êtes encore plus pour
moi, vous êtes ma seule espérance et tout mon avenir.
J'ai compris que si vous épousiez mes succès, vous deviez
épouser mon infortune, et voilà que déjà nous nous séparons.

— Vous jugez ma conduite, dit-elle, vous ne m'aimez
pas. Lucien la regarda avec une expression si douloureuse qu'elle ne put s'empêcher de lui dire : — Cher
petit, je resterai si tu veux, nous nous perdrons et resterons sans appui. Mais quand nous serons également
misérables et tous deux repoussés ; quand l'insuccès,
car il faut tout prévoir, nous aura rejetés à l'Escarbas,
souviens-toi, mon amour, que j'aurai prévu cette fin,
et que je t'aurai proposé d'abord de parvenir selon les
lois du monde en leur obéissant.

— Louise, répondit-il en l'embrassant, je suis effrayé
de te voir si sage. Songe que je suis un enfant, que je
me suis abandonné tout entier à ta chère volonté. Moi,
je voulais triompher des hommes et des choses de vive
force ; mais si je puis arriver plus promptement par ton
aide que seul, je serai bien heureux de te devoir toutes
mes fortunes. Pardonne ! j'ai trop mis en toi pour ne

pas tout craindre. Pour moi, une séparation est l'avant-coureur de l'abandon ; et l'abandon, c'est la mort.

— Mais, cher enfant, le monde te demande peu de choses, répondit-elle. Il s'agit seulement de coucher ici, et tu demeureras tout le jour chez moi sans qu'on y trouve à redire.

Quelques caresses achevèrent de calmer Lucien. Une heure après, Gentil apporta un mot par lequel Châtelet apprenait à madame de Bargeton qu'il lui avait trouvé un appartement rue Neuve-du-Luxembourg [1]. Elle se fit expliquer la situation de cette rue, qui n'était pas très éloignée de la rue de l'Échelle, et dit à Lucien : — Nous sommes voisins. Deux heures après, Louise monta dans une voiture que lui envoyait du Châtelet pour se rendre chez elle. L'appartement, un de ceux où les tapissiers mettent des meubles et qu'ils louent à de riches députés ou à de grands personnages venus pour peu de temps à Paris, était somptueux [a], mais incommode. Lucien retourna sur les onze heures à son petit hôtel du Gaillard-Bois, n'ayant encore vu de Paris que la partie de la rue Saint-Honoré qui se trouve entre la rue Neuve-du-Luxembourg et la rue de l'Échelle. Il se coucha dans sa misérable petite chambre, qu'il ne put s'empêcher de comparer au magnifique appartement de Louise. Au moment où il sortit de chez madame de Bargeton, le baron Châtelet y arriva, revenant de chez le Ministre des Affaires Étrangères, dans la splendeur d'une mise de bal. Il venait rendre compte de toutes les conventions qu'il avait faites pour madame de Bargeton. Louise était inquiète, ce luxe l'épouvantait. Les mœurs de la province avaient fini par réagir sur elle, elle était devenue méticuleuse dans ses comptes ; elle avait tant d'ordre, qu'à Paris, elle allait passer pour avare. Elle avait emporté près de vingt mille francs en un bon du Receveur-Général, en destinant cette somme à couvrir l'excédent de ses dépenses pendant quatre années ;

---

1. La rue Neuve du Luxembourg est devenue la rue Cambon.

elle craignait déjà de ne pas avoir assez et de faire des
dettes. Châtelet lui apprit que son appartement ne lui
coûtait que six cent francs [a] par mois.

— Une misère, dit-il en voyant le haut-le-corps que fit
Naïs. — Vous avez à vos ordres une voiture pour cinq
cents francs par mois, ce qui fait en tout cinquante louis.
Vous n'aurez plus qu'à penser à votre toilette. Une femme
qui voit le grand monde ne saurait s'arranger autrement.
Si vous voulez faire de monsieur de Bargeton un Receveur-
Général, ou lui obtenir une place dans la maison du Roi,
vous ne devez pas avoir un air misérable. Ici l'on ne donne
qu'aux riches. Il est fort heureux, dit-il, que vous ayez
Gentil pour vous accompagner, et Albertine pour vous
habiller, car les domestiques sont une ruine à Paris. Vous
mangerez rarement chez vous, lancée comme vous allez l'être.

Madame de Bargeton et le baron causèrent de Paris. Du
Châtelet raconta les nouvelles du jour, les mille riens
qu'on doit savoir sous peine de ne pas être de Paris. Il
donna bientôt à Naïs des conseils sur les magasins où
elle devait se fournir : il lui indiqua Herbault [1] pour les
toques, Juliette pour les chapeaux et les bonnets ; il
lui donna l'adresse de la couturière qui pouvait remplacer
Victorine ; enfin il lui fit sentir la nécessité de se *désangou-
lêmer*. Puis il partit sur le dernier trait d'esprit qu'il eut
le bonheur de trouver.

— Demain, dit-il négligemment, j'aurai sans doute une
loge à quelque spectacle, je viendrai vous prendre vous et
monsieur de Rubempré, car vous me permettrez de vous
faire à vous deux les honneurs de Paris.

— Il a dans le caractère plus de générosité que je ne
le pensais, se dit madame de Bargeton en lui voyant inviter Lucien.

---

1. Cette maison est, au n° 8 de la rue Neuve Saint-Augustin, le
fournisseur attitré des élégantes du grand monde. En 1823, à la suite
du succès de Lamartine dans *la Mort de Socrate*, elle a lancé la robe
couleur manteau de Socrate, et Musset dit, dans *Une bonne fortune* :
   « Comme on va chez Herbault faire un peu de toilette. »

Au mois de juin [1] [a], les Ministres ne savent que faire de leurs loges aux théâtres : les députés ministériels et leurs commettants font leurs vendanges ou veillent à leurs moissons, leurs connaissances les plus exigeantes sont à la campagne ou en voyage; aussi, vers cette époque, les plus belles loges des théâtres de Paris reçoivent-elles des hôtes hétéroclites que les habitués ne revoient plus et qui donnent au public l'air d'une tapisserie usée. Du Châtelet avait déjà pensé que, grâce à cette circonstance, il pourrait, sans dépenser beaucoup d'argent, procurer à Naïs les amusements qui affriandent le plus les provinciaux. Le lendemain, pour la première fois qu'il venait, Lucien ne trouva pas Louise. Madame de Bargeton était sortie pour quelques emplettes indispensables. Elle était allée tenir conseil avec les graves et illustres autorités en matière de toilette féminine que Châtelet lui avait citées, car elle avait écrit son arrivée à la marquise d'Espard. Quoique madame de Bargeton eût en elle-même cette confiance que donne une longue domination, elle avait singulièrement peur de paraître provinciale. Elle avait assez de tact pour savoir combien les relations entre femmes dépendent des premières impressions; et, quoiqu'elle se sût de force à se mettre promptement au niveau des femmes supérieures comme madame d'Espard, elle sentait avoir besoin de bienveillance à son début, et voulait surtout ne manquer d'aucun élément de succès. Aussi sut-elle à Châtelet un gré infini de lui avoir indiqué les moyens de se mettre à l'unisson du beau monde parisien. Par un singulier hasard, la marquise se trouvait dans une situation à être enchantée de rendre service à une personne de la famille de son mari. Sans cause apparente, le marquis d'Espard s'était retiré du monde; il

---

1. Balzac, en corrigeant son texte dans l'édition de 1843, a commis une double bévue. Voulant avancer l'arrivée de Lucien à Paris, il remplace *septembre* par *juin* sans s'apercevoir que sa phrase corrigée place les vendanges au mois de juin. Et d'autre part il oublie que dans la première partie il a dit que Lucien avait cessé de loger à l'Houmeau au début de septembre.

ne s'occupait ni de ses affaires, ni des affaires politiques, ni de sa famille, ni de sa femme [1]. Devenue ainsi maîtresse d'elle-même, la marquise sentait le besoin d'être approuvée par le monde; elle était donc heureuse de remplacer le marquis en cette circonstance en se faisant la protectrice de sa famille. Elle allait mettre de l'ostentation à son patronage afin de rendre les torts de son mari plus évidents. Dans la journée même, elle écrivit à *madame de Bargeton, née Nègrepelisse,* un de ces charmants billets où la forme est si jolie, qu'il faut bien du temps avant d'y reconnaître le manque de fond :

« Elle était heureuse d'une circonstance qui rapprochait de la famille une personne de qui elle avait entendu parler, et qu'elle souhaitait connaître, car les amitiés de Paris n'étaient pas si solides qu'elle ne désirât avoir quelqu'un de plus à aimer sur la terre; et si cela ne devait pas avoir lieu, ce ne serait qu'une illusion à ensevelir avec les autres. Elle se mettait tout entière à la disposition de la cousine, qu'elle serait allée voir sans une indisposition qui la retenait chez elle; mais elle se regardait déjà comme son obligée de ce qu'elle eût songé à elle. »

Pendant sa première promenade vagabonde à travers les boulevards et la rue de la Paix, Lucien, comme tous les nouveaux venus, s'occupa beaucoup plus des choses que des personnes. A Paris, les masses s'emparent tout d'abord de l'attention : le luxe [a] des boutiques, la hauteur des maisons, l'affluence des voitures, les constantes oppositions que présentent un extrême luxe et une extrême misère saisissent avant tout [b]. Surpris de cette foule à laquelle il était étranger, cet homme d'imagination éprouva comme une immense diminution de lui-même. Les personnes

---

1. Balzac fait allusion aux faits qu'il a racontés dans *l'Interdiction* (*Chronique de Paris*, janvier-février 1836). Le marquis Andoche d'Espard a découvert que sa fortune repose sur un crime et une spoliation qui remontent au temps de Louis XIV. Il entreprend de satisfaire aux exigences de sa conscience. Comme la marquise d'Espard, sa femme, ne veut rien entendre de ce sacrifice héroïque, il vient de se séparer d'elle et vit d'une existence retirée et austère.

qui jouissent en province d'une considération quelconque, et qui y rencontrent à chaque pas une preuve de leur importance, ne s'accoutument point à cette perte totale et subite de leur valeur. Être quelque chose dans son pays et n'être rien à Paris, sont deux états qui veulent des transitions; et ceux qui passent trop brusquement de l'un à l'autre, tombent dans une espèce d'anéantissement. Pour un jeune poète qui trouvait un écho à tous ses sentiments, un confident pour toutes ses idées, une âme pour partager ses moindres sensations, Paris allait être un affreux désert. Lucien n'était pas allé chercher son bel habit bleu, en sorte qu'il fut gêné par la mesquinerie, pour ne pas dire le délabrement de son costume en se rendant chez madame de Bargeton à l'heure où elle devait être rentrée; il y trouva le baron du Châtelet, qui les emmena tous deux dîner au Rocher-de-Cancale[1]. Lucien, étourdi de la rapidité du tournoiement parisien, ne pouvait rien dire à Louise, ils étaient tous les trois dans la voiture; mais il lui pressa la main, elle répondit amicalement à toutes les pensées qu'il exprimait ainsi. Après le dîner, Châtelet conduisit ses deux convives au Vaudeville[2]. Lucien éprouvait un secret mécontentement à l'aspect de du Châtelet, il maudissait le hasard qui l'avait conduit à Paris. Le Directeur[a] des Contributions mit le sujet de son voyage sur le compte de son ambition : il espérait être nommé Secrétaire-Général d'une Administration, et entrer au Conseil-d'État comme Maître des Requêtes; il venait demander raison des promesses qui lui avaient été faites, car un homme comme lui ne pouvait pas rester Directeur des Contributions; il aimait mieux ne rien être, devenir député, rentrer dans la diplomatie. Il se grandissait ; Lucien reconnaissait vaguement dans ce vieux beau la supériorité de l'homme du monde

---

1. Ce restaurant, établi rue Montorgueil, avait le renom d'être « la carte la plus chère de Paris. »

2. Deux auteurs de vaudevilles, De Piis et Barré, avaient fondé le Vaudeville, rue de Chartres. Barré en avait été le directeur de 1792 à 1815. Désaugiers avait pris sa succession.

au fait de la vie parisienne; il était surtout honteux de lui
devoir ses jouissances. Là où le poète ª était inquiet et gêné,
l'ancien Secrétaire des Commandements se trouvait comme
un poisson dans l'eau. Du Châtelet souriait aux hésitations,
aux étonnements, aux questions, aux petites fautes que
le manque d'usage arrachait à son rival, comme les vieux
loups de mer se moquent des novices qui n'ont pas le pied
marin. Le plaisir qu'éprouvait Lucien, en voyant pour la
première fois le spectacle à Paris, compensa le déplaisir
que lui causaient ses confusions. Cette soirée fut remarquable par la répudiation secrète d'une grande quantité
de ses idées sur la vie de province. Le cercle s'élargissait,
la société prenait d'autres proportions. Le voisinage de
plusieurs jolies Parisiennes si élégamment, si fraîchement
mises, lui fit remarquer la vieillerie de la toilette de madame
de Bargeton, quoiqu'elle fût passablement ambitieuse : ni
les étoffes, ni les façons, ni les couleurs n'étaient de mode.
La coiffure qui le séduisait tant à Angoulême lui parut
d'un goût affreux comparée aux délicates inventions par
lesquelles se recommandait chaque femme. — Va-t-elle
rester comme ça ? se dit-il, sans savoir que la journée
avait été employée à préparer une transformation. En
province il n'y a ni choix ni comparaison à faire : l'habitude de voir les physionomies leur donne une beauté
conventionnelle. Transportée à Paris, une femme qui
passe pour jolie en province n'obtient pas la moindre
attention, car elle n'est belle que par l'application du proverbe : *Dans le royaume des aveugles, les borgnes sont rois*.
Les yeux de Lucien faisaient la comparaison que madame
de Bargeton avait faite la veille entre lui et Châtelet. De
son côté, madame de Bargeton se permettait d'étranges
réflexions sur son amant. Malgré son étrange beauté, le
pauvre poète n'avait point de tournure. Sa redingote dont
les manches étaient trop courtes, ses méchants gants de
province, son gilet étriqué, le rendaient prodigieusement
ridicule auprès des jeunes gens du balcon : madame de
Bargeton lui trouvait un air piteux. Châtelet, occupé
d'elle sans prétention, veillant sur elle avec un soin qui

trahissait une passion profonde; Châtelet, élégant et à son aise comme un acteur qui retrouve les planches de son théâtre, regagnait en deux jours tout le terrain qu'il avait perdu en six mois. Quoique le vulgaire n'admette pas que les sentiments changent brusquement, il est certain que deux amants se séparent souvent plus vite qu'ils ne se sont liés. Il se préparait chez madame de Bargeton et chez Lucien un désenchantement sur eux-mêmes dont la cause était Paris. La vie s'y agrandissait aux yeux du poète, comme la société prenait une face nouvelle aux yeux de Louise. A l'un et à l'autre, il ne fallait plus qu'un accident pour trancher les liens qui les unissaient. Ce coup [a] de hache, terrible pour Lucien, ne se fit pas longtemps attendre. Madame de Bargeton mit le poète à son hôtel, et retourna chez elle accompagnée de du Châtelet, ce qui déplut horriblement au pauvre amoureux.

— Que vont-ils dire de moi? pensait-il en montant dans sa triste chambre.

— Ce pauvre garçon est singulièrement ennuyeux, dit du Châtelet en souriant quand la portière fut refermée.

— Il en est ainsi de tous ceux qui ont un monde de pensées dans le cœur et dans le cerveau. Les hommes qui ont tant de choses à exprimer en de belles œuvres long-temps rêvées professent un certain mépris pour la conversation, commerce où l'esprit s'amoindrit en se monnayant, dit la fière Nègrepelisse qui eut encore le courage de défendre Lucien, moins pour Lucien que pour elle-même.

— Je vous accorde volontiers ceci, reprit le baron, mais nous vivons avec les personnes et non avec les livres. Tenez, chère Naïs, je le vois, il n'y a encore rien entre vous et lui, j'en suis ravi. Si vous vous décidez à mettre dans votre vie un intérêt qui vous a manqué jusqu'à présent, je vous en supplie, que ce ne soit pas pour ce prétendu homme de génie. Si vous vous trompiez ! si dans quelques jours, en le comparant aux véritables talents, aux hommes sérieusement remarquables, que vous allez voir, vous reconnaissiez, chère belle sirène, avoir pris sur votre dos éblouissant et conduit, au port, au lieu d'un homme armé de la lyre, un petit singe, sans manières, sans portée, sot et avantageux, qui peut avoir de l'esprit à l'Houmeau, mais qui devient à Paris un garçon extrêmement ordinaire? Après tout, il se publie ici par semaine des volumes de vers dont le moindre vaut encore mieux que toute la poésie de monsieur Chardon. De grâce, attendez et comparez! Demain, vendredi, il y a opéra, dit-il en voyant la voiture entrant dans la rue Neuve-du-Luxembourg, madame d'Espard dispose de la loge des Premiers Gentilshommes de la Chambre, et vous y mènera sans doute. Pour vous voir dans votre gloire, j'irai dans la loge de madame de Sérizy. On donne *Les Danaïdes* [1].

— Adieu, dit-elle.

Le lendemain, Mme de Bargeton tâcha de se composer une mise du matin convenable pour aller voir sa cousine, madame d'Espard. Il faisait légèrement froid, elle ne trouva rien de mieux dans ses vieilleries d'Angoulême qu'une certaine robe de velours vert, garnie d'une manière assez extravagante. De son côté, Lucien sentit la nécessité d'aller chercher son fameux habit bleu, car il avait pris en horreur sa maigre redingote, et il voulait se montrer toujours bien mis en songeant qu'il pourrait rencontrer la marquise d'Espard, ou aller chez elle à l'improviste. Il monta dans un fiacre afin de rapporter immédiatement son paquet. En deux heures de temps, il dépensa trois ou quatre francs, ce qui lui donna beaucoup à penser sur les proportions financières de la vie parisienne. Après être arrivé au superlatif de sa toilette, il vint rue Neuve-du-Luxembourg, où, sur le pas de la porte, il rencontra Gentil en compagnie d'un chasseur magnifiquement emplumé.

— J'allais chez vous, monsieur ; madame m'envoie ce petit mot pour vous, dit Gentil qui ne connaissait pas les formules du respect parisien, habitué qu'il était à la bonhomie des mœurs provinciales.

Le chasseur prit le poète pour un domestique. Lucien

---

1. Cet opéra d'Antonio Salieri datait de 1784, mais il était encore au répertoire.

décacheta le billet, par lequel il apprit que madame de Bargeton passait la journée chez la marquise d'Espard et allait le soir à l'Opéra ; mais elle disait à Lucien de s'y trouver, sa cousine lui permettait de donner une place dans sa loge au jeune poète, à qui la marquise était enchantée de procurer ce plaisir.

— Elle m'aime donc ! mes craintes sont folles, se dit Lucien, elle me présente à sa cousine dès ce soir.

Il bondit de joie, et voulut passer joyeusement le temps qui le séparait de cette heureuse soirée. Il s'élança vers les Tuileries en rêvant de s'y promener jusqu'à l'heure où il irait dîner chez Véry [1]. Voilà Lucien gabant, sautillant, léger de bonheur, qui débouche sur la terrasse des Feuillants et la parcourt en examinant les promeneurs, les jolies femmes avec leurs adorateurs, les élégants, deux par deux, bras dessus bras dessous, se saluant les uns les autres par un coup d'œil en passant. Quelle différence de cette terrasse avec Beaulieu ! Les oiseaux de ce magnifique perchoir étaient autrement jolis que ceux d'Angoulême ! C'était tout le luxe de couleurs qui brille sur les familles ornithologiques des Indes ou de l'Amérique, comparé aux couleurs grises des oiseaux de l'Europe. Lucien passa deux cruelles heures dans les Tuileries : il y fit un violent retour sur lui-même et se jugea. D'abord il ne vit pas un seul habit à ces jeunes élégants. S'il apercevait un homme en habit, c'était un vieillard hors la loi, quelque pauvre diable, un rentier venu du Marais, ou quelque garçon de bureau. Après avoir reconnu qu'il y avait une mise du matin et une mise du soir, le poète aux émotions vives, au regard pénétrant, reconnut la laideur de sa défroque, les défectuosités qui frappaient de ridicule son habit dont la coupe était passée de mode, dont le bleu était faux, dont le collet était outrageusement disgracieux, dont les basques de devant, trop longtemps portées, penchaient l'une vers l'autre ; les boutons avaient

---

1. Restaurant de la première classe, au Palais-Royal.

rougi, les plis dessinaient de fatales lignes blanches.
Puis son gilet était trop court et la façon si grotesquement provinciale que, pour le cacher, il boutonna
brusquement son habit. Enfin il ne voyait de pantalon
de nankin qu'aux gens communs. Les gens comme il faut
portaient de délicieuses étoffes de fantaisie ou le blanc
toujours irréprochable ! D'ailleurs tous les pantalons
étaient à sous-pieds, et le sien se mariait très mal avec les
talons de ses bottes, pour lesquels les bords de l'étoffe
recroquevillée manifestaient une violente antipathie. Il
avait une cravate blanche à bouts brodés par sa sœur,
qui, après en avoir vu de semblables à monsieur du Hautoy,
à monsieur de Chandour, s'était empressée d'en faire de
pareilles à son frère. Non seulement personne, excepté
les gens graves, quelques vieux financiers, quelques
sévères administrateurs, ne portait de cravate blanche le
matin ; mais encore le pauvre Lucien vit passer de l'autre
côté de la grille, sur le trottoir de la rue de Rivoli, un
garçon épicier tenant un panier sur sa tête, et sur qui
l'homme d'Angoulême surprit deux bouts de cravate
brodés par la main de quelque grisette adorée. A cet
aspect, Lucien reçut un coup à la poitrine, à cet organe
encore mal défini où se réfugie notre sensibilité, où,
depuis qu'il existe des sentiments, les hommes portent
la main, dans les joies comme dans les douleurs excessives.
Ne taxez pas ce récit de puérilité ? Certes, pour les riches
qui n'ont jamais connu ces sortes de souffrances, il se trouve
ici quelque chose de mesquin et d'incroyable ; mais les
angoisses des malheureux ne méritent pas moins d'attention que les crises qui révolutionnent la vie des puissants
et des privilégiés de la terre. Puis ne se rencontre-t-il
pas autant de douleur de part et d'autre ? La souffrance
agrandit tout. Enfin, changez les termes : au lieu d'un
costume plus ou moins beau, mettez un ruban, une distinction, un titre ? Ces apparentes petites choses n'ont-
elles pas tourmenté de brillantes existences ? La question
du costume est d'ailleurs énorme chez ceux qui veulent
paraître avoir ce qu'ils n'ont pas ; car c'est souvent le meil-

leur moyen de le posséder plus tard. Lucien eut [a] une
sueur froide en pensant que le soir il allait comparaître
ainsi vêtu devant la marquise d'Espard, la parente d'un
Premier Gentilhomme de la chambre du roi, devant une
femme chez laquelle allaient les illustrations de tous les
genres, des illustrations choisies.

— J'ai l'air du fils d'un apothicaire, d'un vrai cour-
taud de boutique ! se dit-il à lui-même avec rage en voyant
passer les gracieux, les coquets, les élégants jeunes gens
des familles du faubourg Saint-Germain, qui tous avaient
une manière à eux qui les rendait tous semblables
par la finesse des contours, par la noblesse de la
tenue, par l'air du visage ; et tous différents par le cadre
que chacun s'était choisi pour se faire valoir. Tous [b]
faisaient ressortir leurs avantages par une espèce de mise
en scène que les jeunes gens entendent à Paris aussi bien
que les femmes. Lucien tenait de sa mère les précieuses
distinctions physiques dont les privilèges éclataient à ses
yeux ; mais cet or était dans sa gangue, et non mis en œuvre.
Ses cheveux étaient mal coupés. Au lieu de maintenir
sa figure haute par une souple baleine, il se sentait enseveli
dans un vilain col de chemise ; et sa cravate, n'offrant
pas de résistance, lui laissait pencher sa tête attristée.
Quelle femme eût deviné ses jolis pieds dans la botte
ignoble qu'il avait apportée d'Angoulême ? Quel jeune
homme eût envié sa jolie taille déguisée par le sac bleu
qu'il avait cru jusqu'alors être un habit ? Il voyait de ravis-
sants boutons sur des chemises étincelantes de blancheur,
la sienne était rousse ! Tous ces élégants gentilshommes
étaient merveilleusement gantés, et il avait des gants
de gendarme ! Celui-ci badinait avec une canne délicieusement montée. Celui-là portait une chemise à poi-
gnets retenus par de mignons boutons d'or. En parlant à une femme, l'un tordait une charmante cravache,
et les plis abondants de son pantalon tacheté de quelques
petites éclaboussures, ses éperons retentissants, sa petite
redingote serrée montraient qu'il allait remonter sur un
des deux chevaux tenus par un tigre gros comme le poing.

Un autre tirait de la poche de son gilet une montre plate
comme une pièce de cent sous, et regardait l'heure en
homme qui avait avancé ou manqué l'heure d'un rendez-
vous. En regardant ces jolies bagatelles que Lucien ne
soupçonnait pas, le monde des superfluités nécessaires
lui apparut, et il frissonna en pensant qu'il fallait un capital
énorme pour exercer l'état de joli garçon ! Plus il admirait
ces jeunes gens à l'air heureux et dégagé, plus il avait conscience de son air étrange, l'air d'un homme qui ignore
où aboutit le chemin qu'il suit, qui ne sait où se trouve le
Palais-Royal quand il y touche, et qui demande où est
le Louvre à un passant qui répond : — Vous y êtes. Lucien
se voyait séparé de ce monde par un abîme, il se demandait
par quels moyens il pouvait le franchir, car il voulait être
semblable à cette svelte et délicate jeunesse parisienne.
Tous ces patriciens saluaient des femmes divinement
mises et divinement belles, des femmes pour lesquelles
Lucien se serait fait hacher pour prix d'un seul baiser,
comme le page de la comtesse de Konigsmarck[1]. Dans
les ténèbres de sa mémoire, Louise, comparée à ces souve-
raines, se dessina comme une vieille femme. Il rencontra
plusieurs de ces femmes dont on parlera dans l'histoire
du dix-neuvième siècle, de qui l'esprit, la beauté, les
amours ne seront pas moins célèbres que celles des reines
du temps passé. Il vit passer une fille sublime, mademoiselle
des Touches, si connue sous le nom de Camille Maupin,
écrivain éminent, aussi grande par sa beauté [a] que par un
esprit supérieur, et dont le nom fut répété tout bas par les
promeneurs et par les femmes.

— Ha ! se dit-il, voilà la poésie.

1. Cette histoire est de celles qui avaient frappé l'imagination de
Balzac. Il écrivait dans une lettre de 1834 : « Je résiste à des folies
comme celles du jeune seigneur haché par l'Électeur. » Il s'était fait
raconter l'affaire par un ami de la comtesse Hanska. On lit dans son
album : « Histoire Wielopolski racontée par le comte Zaluski, et
la comtesse de Kœnigsmarck. L'amant haché, enterré, fils du prince
électeur George I » (J. Crépet, *op. cit.*, p. 127).

Qu'était madame de Bargeton auprès de cet ange brillant de jeunesse, d'espoir, d'avenir, au doux sourire, et dont l'œil noir était vaste comme le ciel, ardent comme le soleil ! Elle riait en causant avec madame Firmiani, l'une des plus charmantes femmes de Paris. Une voix lui cria bien : « L'intelligence est le levier avec lequel on remue le monde. » Mais une autre voix lui cria que le point d'appui de l'intelligence était l'argent. Il ne voulut pas rester au milieu de ses ruines et sur le théâtre de sa défaite, il prit la route du Palais-Royal, après l'avoir demandée, car il ne connaissait pas encore la topographie de son quartier. Il entra chez Véry, commanda, pour s'initier aux plaisirs de Paris, un dîner qui le consolât de son désespoir. Une bouteille de vin de Bordeaux, des huîtres d'Ostende, un poisson, une perdrix, un macaroni, des fruits furent le *nec plus ultra* de ses désirs. Il savoura cette petite débauche en pensant à faire preuve d'esprit ce soir auprès de la marquise d'Espard, et à racheter la mesquinerie de son bizarre accoutrement par le déploiement de ses richesses intellectuelles. Il fut tiré de ses rêves par le total de la carte qui lui enleva les cinquante francs avec lesquels il croyait aller fort loin dans Paris. Ce dîner coûtait un mois de son existence d'Angoulême. Aussi ferma-t-il respectueusement la porte de ce palais, en pensant qu'il n'y remettrait jamais les pieds.

— Ève avait raison, se dit-il en s'en allant par la Galerie-de-pierre chez lui pour y reprendre de l'argent, les prix de Paris ne sont pas ceux de l'Houmeau.

Chemin faisant, il admira les boutiques des tailleurs, et songeant aux toilettes qu'il avait vues le matin : — Non, s'écria-t-il, je ne paraîtrai pas fagoté comme je le suis devant madame d'Espard. Il courut avec une vélocité de cerf jusqu'à l'hôtel du Gaillard-Bois, monta dans sa chambre, y prit cent écus, et redescendit au Palais-Royal pour s'y habiller de pied en cap. Il avait vu des bottiers, des lingers, des giletiers, des coiffeurs au Palais-Royal où sa future élégance était éparse dans dix boutiques. Le premier tailleur chez lequel il entra lui fit essayer autant

d'habits qu'il voulut en mettre, et lui persuada qu'ils étaient
tous de la dernière mode. Lucien sortit possédant un habit
vert, un pantalon blanc et un gilet de fantaisie pour la
somme de deux cents francs. Il eut bientôt trouvé une paire
de bottes fort élégante et à son pied. Enfin après avoir
fait emplette de tout ce qui lui était nécessaire, il demanda
le coiffeur chez lui où chaque fournisseur apporta sa marchandise. A sept heures du soir, il monta dans un fiacre
et se fit conduire à l'Opéra, frisé comme un saint Jean
de procession, bien gileté, bien cravaté, mais un peu
gêné dans cette espèce d'étui où il se trouvait pour la
première fois. Suivant la recommandation de madame de
Bargeton, il demanda la loge des Premiers Gentilshommes
de la Chambre. A l'aspect d'un homme dont l'élégance
empruntée le faisait ressembler à un premier garçon de
noces, le Contrôleur le pria de montrer son coupon.

— Je n'en ai pas.

— Vous ne pouvez pas entrer, lui répondit-on sèchement.

— Mais je suis de la société de madame d'Espard, dit-il.

— Nous ne sommes pas tenus de savoir cela, dit l'employé qui ne put s'empêcher d'échanger un imperceptible
sourire avec ses collègues du Contrôle.

En ce moment une voiture s'arrêta sous le péristyle.
Un chasseur, que Lucien ne reconnut pas, déplia le marchepied d'un coupé d'où sortirent deux femmes parées.
Lucien, qui ne voulut pas recevoir du Contrôleur quelque
impertinent avis pour se ranger, fit place aux deux femmes.

— Mais cette dame est la marquise d'Espard que vous
prétendez connaître, monsieur, dit ironiquement le Contrôleur à Lucien.

Lucien fut d'autant plus abasourdi que madame de
Bargeton n'avait pas l'air de le reconnaître dans son nouveau plumage ; mais quand il l'aborda, elle lui sourit
et lui dit : — Cela se trouve à merveille, venez!

Les gens du Contrôle étaient redevenus sérieux. Lucien
suivit madame de Bargeton, qui, tout en montant le vaste
escalier de l'Opéra, présenta son Rubempré à sa cousine. La loge des Premiers Gentilshommes est celle qui

se trouve dans l'un des deux pans coupés au fond de la salle : on y est vu comme on y voit de tous côtés. Lucien se mit derrière sa cousine, sur une chaise, heureux d'être dans l'ombre.

— Monsieur de Rubempré, dit la marquise d'un ton de voix flatteur, vous venez pour la première fois à l'Opéra, ayez-en tout le coup d'œil, prenez ce siège, mettez-vous sur le devant, nous vous le permettons [a].

Lucien obéit, le premier acte de l'opéra finissait.

— Vous avez bien employé votre temps, lui dit Louise à l'oreille dans le premier moment de surprise que lui causa le changement de Lucien.

Louise était restée la même. Le voisinage d'une femme à la mode, de la marquise d'Espard, cette madame de Bargeton de Paris, lui nuisait tant ; la brillante Parisienne faisait si bien ressortir les imperfections de la femme de province, que Lucien, doublement éclairé par le beau monde de cette pompeuse salle et par cette femme éminente, vit enfin dans la pauvre Anaïs de Nègrepelisse la femme réelle, la femme que les gens de Paris voyaient : une femme grande, sèche, couperosée, fanée, plus que rousse, anguleuse, guindée, précieuse, prétentieuse, provinciale dans son parler, mal arrangée surtout ! En effet, les plis d'une vieille robe de Paris attestent encore du goût, on se l'explique, on devine ce qu'elle fut, mais une vieille robe de province est inexplicable, elle est risible. La robe et la femme étaient sans grâce ni fraîcheur, le velours était miroité comme le teint. Lucien, honteux d'avoir aimé cet os de seiche, se promit de profiter du premier accès de vertu de sa Louise pour la quitter. Son excellente vue lui permettait de voir les lorgnettes braquées sur la loge aristocratique par excellence. Les femmes les plus élégantes examinaient certainement madame de Bargeton, car elles souriaient toutes en se parlant. Si madame d'Espard reconnut, aux gestes et aux sourires féminins, la cause des sarcasmes, elle y fut tout à fait insensible. D'abord chacun devait reconnaître dans sa compagne la pauvre parente venue de province, de la-

quelle peut être affligée toute famille parisienne. Puis sa
cousine lui avait parlé toilette en lui manifestant quelque
crainte ; elle l'avait rassurée en s'apercevant qu'Anaïs,
une fois habillée, aurait bientôt pris les manières parisiennes.
Si madame de Bargeton manquait d'usage, elle avait la
hauteur native d'une femme noble et ce *je ne sais quoi*
que l'on peut nommer *la race*. Le lundi suivant elle prendrait
donc sa revanche. D'ailleurs, une fois que le public aurait
appris que cette femme était sa cousine, la marquise
savait qu'il suspendrait le cours de ses railleries et attendrait un nouvel examen avant de la juger. Lucien ne devinait pas le changement que feraient dans la personne de
Louise une écharpe roulée autour du cou, une jolie robe,
une élégante coiffure et les conseils de madame d'Espard.
En montant l'escalier, la marquise avait déjà dit à sa
cousine de ne pas tenir son mouchoir déplié à la main.
Le bon ou le mauvais goût tiennent à mille petites nuances
de ce genre, qu'une femme d'esprit saisit promptement,
et que certaines femmes ne comprendront jamais. Madame
de Bargeton, déjà pleine de bon vouloir, était plus spirituelle qu'il ne le fallait pour reconnaître en quoi elle péchait.
Madame d'Espard, sûre que son élève lui ferait honneur,
ne s'était pas refusée à la former. Enfin il s'était fait entre
ces deux femmes un pacte cimenté par leur mutuel intérêt.
Madame de Bargeton avait soudain voué un culte à l'idole
du jour, dont les manières, l'esprit et l'entourage l'avaient
séduite, éblouie, fascinée. Elle avait reconnu chez madame
d'Espard l'occulte pouvoir de la grande dame ambitieuse,
et s'était dit qu'elle parviendrait en se faisant le satellite
de cet astre : elle l'avait donc franchement admirée. La
marquise avait été sensible à cette naïve conquête, elle
s'était intéressée à sa cousine en la trouvant faible et pauvre; puis elle s'était assez bien arrangée d'avoir une élève
pour faire école, et ne demandait pas mieux que d'acquérir
en madame de Bargeton une espèce de dame d'atour, une
esclave qui chanterait ses louanges, trésor encore plus rare
parmi les femmes de Paris qu'un critique dévoué dans la
gent littéraire. Cependant le mouvement de curiosité

devenait trop visible pour que la nouvelle débarquée ne s'en aperçût pas, et madame d'Espard voulut poliment lui faire prendre le change sur cet émoi.

— S'il nous vient des visites, lui dit-elle, nous saurons peut-être à quoi nous devons l'honneur d'occuper ces dames...

— Je soupçonne fort ma vieille robe de velours et ma figure angoumoisine d'amuser les Parisiennes, dit en riant madame de Bargeton.

— Non, ce n'est pas vous, il y a quelque chose que je ne m'explique pas, ajouta-t-elle en regardant le poète qu'elle regarda pour la première fois et qu'elle parut trouver singulièrement mis.

— Voici monsieur du Châtelet, dit en ce moment Lucien en levant le doigt pour montrer la loge de madame de Sérizy où le vieux beau remis à neuf venait d'entrer.

A ce signe madame de Bargeton se mordit les lèvres de dépit, car la marquise ne put retenir un regard et un sourire d'étonnement, qui disait si dédaigneusement :
— D'où sort ce jeune homme ? que Louise se sentit humiliée dans son amour, la sensation la plus piquante pour une Française, et qu'elle ne pardonne pas à son amant de lui causer. Dans ce monde où les petites choses deviennent grandes, un geste, un mot perdent un débutant. Le principal mérite des belles manières et du ton de la haute compagnie est d'offrir un ensemble harmonieux où tout est si bien fondu que rien ne choque. Ceux mêmes qui, soit par ignorance, soit par un emportement quelconque de la pensée, n'observent pas les lois de cette science, comprendront tous qu'en cette matière une seule dissonance est, comme en musique, une négation complète de l'Art lui-même, dont toutes les conditions doivent être exécutées dans la moindre chose sous peine de ne pas être.

— Qui est ce monsieur ? demanda la marquise en montrant Châtelet. Connaissez-vous donc déjà madame de Sérizy ?

— Ah ! cette personne est la fameuse madame de Sérizy qui a eu tant d'aventures, et qui néanmoins est reçue partout !

— Une chose inouïe, ma chère, répondit la marquise, une chose explicable, mais inexpliquée ! Les hommes les plus redoutables sont ses amis, et pourquoi ? Personne n'ose sonder ce mystère. Ce monsieur est-il donc le lion d'Angoulême ?

— Mais monsieur le baron du Châtelet, dit Anaïs qui par vanité rendit à Paris le titre qu'elle contestait à son adorateur, est un homme qui a fait beaucoup parler de lui. C'est le compagnon de monsieur de Montriveau.

— Ah ! fit la marquise, je n'entends jamais ce nom sans penser à la pauvre duchesse de Langeais, qui a disparu comme une étoile filante. Voici, reprit-elle en montrant une loge, monsieur de Rastignac et madame de Nucingen, la femme d'un fournisseur, banquier, homme d'affaires, brocanteur en grand, un homme qui s'impose au monde de Paris par sa fortune, et qu'on dit peu scrupuleux sur les moyens de l'augmenter ; il se donne mille peines pour faire croire à son dévouement pour les Bourbons, il a déjà tenté de venir chez moi. En prenant la loge de madame de Langeais, sa femme a cru qu'elle en aurait les grâces, l'esprit et le succès ! Toujours la fable du geai qui prend les plumes du paon !

— Comment font monsieur et madame de Rastignac, à qui nous ne connaissons pas mille écus de rente, pour soutenir leur fils à Paris ? dit Lucien à madame de Bargeton en s'étonnant de l'élégance et du luxe que révélait la mise de ce jeune homme.

— Il est facile de voir que vous venez d'Angoulême, répondit la marquise assez ironiquement sans quitter sa lorgnette.

Lucien ne comprit pas, il était tout entier à l'aspect des loges où il devinait les jugements qui s'y portaient sur madame de Bargeton et la curiosité dont il était l'objet. De son côté, Louise était singulièrement mortifiée du peu d'estime que la marquise faisait de la beauté de Lucien.

— Il n'est donc pas si beau que je le croyais ! se disait-elle. De là à le trouver moins spirituel, il n'y avait qu'un pas. La toile était baissée. Châtelet, qui était venu faire une visite à la duchesse de Carigliano, dont la loge avoisinait celle de madame d'Espard, y salua madame de Bargeton qui répondit par une inclination de tête. Une femme du monde voit tout, et la marquise remarqua la tenue supérieure de du Châtelet. En ce moment quatre personnes entrèrent successivement dans la loge de la marquise, quatre célébrités parisiennes.

Le premier était monsieur de Marsay, homme fameux par les passions qu'il inspirait, remarquable surtout par une beauté de jeune fille, beauté molle, efféminée, mais corrigée par un regard fixe, calme, fauve et rigide comme celui d'un tigre : on l'aimait, et il effrayait. Lucien était aussi beau ; mais chez lui le regard était si doux, son œil bleu était si limpide, qu'il ne paraissait pas susceptible d'avoir cette force et cette puissance à laquelle s'attachent tant de femmes. D'ailleurs rien ne faisait encore valoir le poète, tandis que de Marsay avait un entrain d'esprit, une certitude de plaire, une toilette appropriée à sa nature qui écrasait autour de lui tous ses rivaux. Jugez de ce que pouvait être dans son voisinage Lucien, gourmé, gommé, roide et neuf comme ses habits. De Marsay avait conquis le droit de dire des impertinences par l'esprit qu'il leur donnait et par la grâce de manière dont il les accompagnait. L'accueil de la marquise indiqua soudain à madame de Bargeton la puissance de ce personnage. Le second était l'un des deux Vandenesse, celui qui avait causé l'éclat de lady Dudley, un jeune homme doux, spirituel, modeste, qui réussissait par des qualités tout opposées à celles dont se glorifiait de Marsay et que la cousine de la marquise, madame de Mortsauf lui avait chaudement recommandé [a]. Le troisième était le général Montriveau, l'auteur de la perte de la duchesse de Langeais. Le quatrième était monsieur de Canalis, un des plus illustres poètes de cette époque, un jeune homme encore à l'aube de sa gloire et qui, plus fier d'être gentilhomme que de son talent, se posait comme l'*attentif* de madame d'Espard pour cacher sa passion pour la duchesse de Chaulieu. On devinait, malgré ses grâces entachées déjà d'affectation l'immense ambition qui plus tard le lança dans les orages politiques. Sa beauté presque mignarde, ses sourires caressants déguisaient mal un profond égoïsme et les calculs perpétuels d'une existence alors problématique, mais le choix qu'il avait fait de madame de Chaulieu, femme de quarante ans passés, lui valait alors les bienfaits de la Cour, les applaudissements du faubourg Saint-Germain et les injures des libéraux qui le nommaient un poète de sacristie [1] [a].

En voyant ces quatre figures si remarquables, madame de Bargeton s'expliqua le peu d'attention de la marquise pour Lucien. Puis quand la conversation commença, quand chacun de ces esprits si fins, si délicats, se révéla par des traits qui avaient plus de sens, plus de profondeur que ce qu'Anaïs entendait durant un mois en province ; quand surtout le grand poète fit entendre une parole vibrante où se retrouvait le positif de cette époque, mais doré de poésie, Louise comprit ce que du Châtelet lui avait dit la veille : Lucien ne fut plus rien. Chacun regardait le pauvre inconnu avec une si cruelle indifférence, il était si bien là comme un étranger qui ne savait pas la langue, que la marquise en eut pitié.

— Permettez-moi, monsieur, dit-elle à Canalis [b], de vous présenter monsieur de Rubempré. Vous occupez une posi-

---

1. Les variantes de ce passage laissent deviner plusieurs conceptions successives. Dans le texte de 1837-1839, le « grand poète » est manifestement une synthèse de Lamartine *(façons byroniennes)*, de Victor Hugo *(prétentions impériales)* et de Vigny *(plénitude de lui-même)*. L'édition de 1843 nomme Canalis et nous invite à voir en lui Lamartine (orages politiques... beauté froide et compassée). Le texte définitif n'apparaît que dans le *Furne corrigé*. C'est que la liaison de Canalis et de Mme de Chaulieu ne figure dans *la Comédie humaine* qu'à partir de 1844. Même en 1842, dans les *Mémoires de deux jeunes mariées*, l'amant de Mme de Chaulieu s'appelait Saint-Héréen. C'est *Modeste Mignon*, en 1844, qui a mis en pleine lumière l'égoïsme et la médiocrité de Canalis, et sa liaison avec la duchesse. S'il fallait dire un nom, on prononcerait celui de Vigny. Car Canalis a écrit les *Amours des anges*, qui est le titre même de l'œuvre de Moore imitée par Vigny dans *Eloa*, et il est alambiqué et flatteur comme Vigny. Mais ces raisons, faut-il le dire, ne sont pas suffisantes pour fixer la conviction.

tion trop haute dans le monde littéraire pour ne pas accueillir un débutant. Monsieur de Rubempré arrive d'Angoulême, il aura sans doute besoin de votre protection auprès de ceux qui mettent ici le génie en lumière. Il n'a pas encore d'ennemis qui puissent faire sa fortune en l'attaquant. N'est-ce pas une entreprise assez originale pour la tenter, que de lui faire obtenir par l'amitié ce que vous tenez de la haine ?

Les quatre personnages regardèrent alors Lucien pendant le temps que la marquise parla. Quoiqu'à deux pas du nouveau venu, de Marsay prit son lorgnon pour le voir ; son regard allait de Lucien à madame de Bargeton, et de madame de Bargeton à Lucien, en les appareillant par une pensée moqueuse qui les mortifia cruellement l'un et l'autre ; il les examinait comme deux bêtes curieuses, et il souriait. Ce sourire fut un coup de poignard pour le grand homme de province. Félix de Vandenesse eut un air charitable. Montriveau jeta sur Lucien un regard pour le sonder jusqu'au tuf.

— Madame, dit monsieur de Canalis [a] en s'inclinant, je vous obéirai, malgré l'intérêt personnel qui nous porte à ne pas favoriser nos rivaux ; mais vous nous avez habitués aux miracles.

— Hé ! bien, faites-moi le plaisir de venir dîner lundi chez moi avec monsieur de Rubempré, vous causerez plus à l'aise qu'ici des affaires littéraires ; je tâcherai de racoler quelques-uns des tyrans de la littérature et les célébrités qui la protègent, l'auteur d'*Ourika* et quelques jeunes poètes bien pensants [b][1].

— Madame la marquise, dit de Marsay, si vous patronez monsieur pour son esprit, moi je le protégerai pour sa beauté ; je lui donnerai des conseils qui en feront le plus heureux dandy de Paris. Après cela, il sera poète s'il veut.

---

1. La variante de 1839 ajoute au nom de Mme de Duras, auteur d'*Ourika*, d'amusantes déformations des noms de Villemain, Guizot, Soumet et Ancelot.

Madame de Bargeton remercia sa cousine par un regard
plein de reconnaissance.

— Je ne vous savais pas jaloux des gens d'esprit, dit
Montriveau à de Marsay. Le bonheur tue les poètes.

— Est-ce pour cela que monsieur cherche à se marier ?
reprit le dandy en s'adressant à Canalis afin de voir si madame d'Espard serait atteinte par ce mot. Canalis haussa
les épaules et madame d'Espard, amie de madame de
Chaulieu, se mit à rire [a].

Lucien, qui se sentait dans ses habits comme une statue
égyptienne dans sa gaine, était honteux de ne rien répondre.
Enfin il dit de sa voix tendre à la marquise : — Vos bontés,
madame, me condamnent à n'avoir que des succès.

Du Châtelet entra dans ce moment, en saisissant aux
cheveux l'occasion de se faire appuyer auprès de la marquise par Montriveau, un des rois de Paris [b]. Il salua
madame de Bargeton, et pria madame d'Espard de lui
pardonner la liberté qu'il prenait d'envahir sa loge : il
était séparé depuis si longtemps de son compagnon de
voyage ! Montriveau et lui se revoyaient pour la première
fois après s'être quittés au milieu du désert.

— Se quitter dans le désert et se retrouver à l'Opéra !
dit Lucien.

— C'est une véritable reconnaissance de théâtre, dit
Canalis.

Montriveau présenta le baron du Châtelet à la marquise,
et la marquise fit à l'ancien Secrétaire des Commandements
de l'Altesse impériale [c] un accueil d'autant plus flatteur,
qu'elle l'avait déjà vu bien reçu dans trois loges, que madame
de Sérizy n'admettait que des gens bien posés, et qu'enfin
il était le compagnon de Montriveau. Ce dernier titre
avait une si grande valeur, que madame de Bargeton put
remarquer dans le ton, dans les regards et dans les manières
des quatre personnages, qu'ils reconnaissaient du Châtelet
pour un des leurs sans discussion. La conduite sultanesque
tenue par Châtelet en province fut tout à coup expliquée
à Naïs. Enfin du Châtelet vit Lucien, et lui fit un de ces
petits saluts secs et froids par lesquels un homme en déconsi-

dère un autre, en indiquant aux gens du monde la place
infime qu'il occupe dans la société. Il accompagna son salut
d'un air sardonique par lequel il semblait dire : Par quel
hasard se trouve-t-il là? Du Châtelet fut bien compris,
car de Marsay se pencha vers Montriveau pour lui dire à
l'oreille, de manière à se faire entendre du baron : —
Demandez-lui donc quel est ce singulier jeune homme qui
a l'air d'un mannequin habillé à la porte d'un tailleur.

Du Châtelet parla pendant un moment à l'oreille de
son compagnon, en ayant l'air de renouveler connaissance,
et sans doute il coupa son rival en quatre. Surpris par
l'esprit d'à-propos, par la finesse avec laquelle ces hommes
formulaient leurs réponses, Lucien était étourdi par ce
qu'on nomme le trait, le mot, surtout par la désinvolture
de la parole et l'aisance des manières. Le luxe qui l'avait
épouvanté le matin dans les choses, il le retrouvait dans
les idées. Il se demandait par quel mystère ces gens trouvaient à brûle-pourpoint des réflexions piquantes, des reparties qu'il n'aurait imaginées qu'après de longues méditations. Puis, non seulement ces cinq hommes du monde
étaient à l'aise par la parole, mais ils l'étaient dans leurs
habits : ils n'avaient rien de neuf ni rien de vieux. En eux,
rien ne brillait, et tout attirait le regard. Leur luxe d'aujour-
d'hui était celui d'hier, il devait être celui du lendemain.
Lucien devina qu'il avait l'air d'un homme qui s'était
habillé pour la première fois de sa vie.

— Mon cher, disait de Marsay à Félix de Vandenesse,
ce petit Rastignac se lance comme un cerf-volant! Le
voilà chez la marquise de Listomère, il fait des progrès,
il nous lorgne! Il connaît sans doute monsieur, reprit
le dandy en s'adressant à Lucien mais sans le regarder.

— Il est difficile, répondit madame de Bargeton, que le
nom du grand homme dont nous sommes fiers ne soit
pas venu jusqu'à lui, sa sœur a entendu dernièrement
monsieur de Rubempré nous lire de très beaux vers.

Félix de Vandenesse et de Marsay saluèrent la marquise et
se rendirent chez madame de Listomère, la sœur de Vandenesse. Le second acte commença, et chacun laissa madame

d'Espard, sa cousine et Lucien seuls. Les uns allèrent expliquer madame de Bargeton aux femmes intriguées de sa présence, les autres racontèrent l'arrivée du poète et se moquè-
rent de sa toilette, Canalis regagna la loge de la duchesse de
Chaulieu et ne revint plus [a]. Lucien fut heureux de la diver-
sion que produisait le spectacle. Toutes les craintes de madame de Bargeton relativement à Lucien furent augmentées
par l'attention que sa cousine avait accordée au baron du
Châtelet, et qui avait un tout autre caractère que sa politesse protectrice envers Lucien. Pendant le second acte,
la loge de madame de Listomère resta pleine de monde,
et parut agitée par une conversation où il s'agissait de
madame de Bargeton et de Lucien. Le jeune Rastignac
était évidemment l'*amuseur* de cette loge, il donnait le
branle à ce rire parisien qui, se portant chaque jour sur une
nouvelle pâture, s'empresse d'épuiser le sujet présent
en en faisant quelque chose de vieux et d'usé dans un
seul moment. Madame d'Espard, inquiète, savait qu'on ne
laisse pas ignorer longtemps une médisance [b] à ceux qu'elle
blesse, elle attendit la fin de l'acte. Quand les sentiments
se sont retournés sur eux-mêmes comme chez Lucien et
chez madame de Bargeton, il se passe d'étranges choses
en peu de temps : les révolutions morales s'opèrent par
des lois d'un effet rapide. Louise avait présentes à la mémoire
les paroles sages et politiques que du Châtelet lui avait
dites sur Lucien en revenant du Vaudeville; chaque
phrase était une prophétie, et Lucien prit à tâche de les
accomplir toutes. En perdant ses illusions sur madame de
Bargeton, comme madame de Bargeton perdait les siennes
sur lui, le pauvre enfant, de qui la destinée ressemblait un
peu à celle de J.-J. Rousseau, l'imita en ce point qu'il fut
fasciné par madame d'Espard; et il s'amouracha d'elle
aussitôt. Les jeunes gens ou les hommes qui se souviennent
de leurs émotions de jeunesse comprendront que cette
passion était extrêmement probable et naturelle. Les jolies
petites manières, ce parler délicat, ce son de voix fin, cette
femme fluette, si noble, si haut placée, si enviée, cette reine
apparaissait au poète comme madame de Bargeton lui

était apparue à Angoulême. La mobilité de son caractère le poussa promptement à désirer cette haute protection; le plus sûr moyen était de posséder la femme, il aurait tout alors! Il avait réussi à Angoulême, pourquoi ne réussirait-il pas à Paris? Involontairement et malgré les magies de l'Opéra toutes nouvelles pour lui, son regard, attiré par cette magnifique Célimène, se coulait à tout moment vers elle; et plus il la voyait, plus il avait envie de la voir! Madame de Bargeton surprit un des regards pétillants de Lucien; elle l'observa et le vit plus occupé de la marquise que du spectacle. Elle se serait de bonne grâce résignée à être délaissée pour les cinquante filles de Danaüs; mais quand un regard plus ambitieux, plus ardent, plus significatif que les autres lui expliqua ce qui se passait dans le cœur de Lucien, elle devint jalouse, mais moins pour l'avenir que pour le passé. — Il ne m'a jamais regardée ainsi, pensa-t-elle. Mon Dieu, Châtelet avait raison! Elle reconnut alors l'erreur de son amour. Quand une femme arrive à se repentir de ses faiblesses, elle passe comme une éponge sur sa vie, afin d'en effacer tout. Quoique chaque regard de Lucien la courrouçât, elle demeura calme.

De Marsay revint à l'entr'acte en amenant monsieur de Listomère. L'homme grave et le jeune fat apprirent bientôt à l'altière marquise que le garçon de noces endimanché qu'elle avait eu le malheur d'admettre dans sa loge ne se nommait pas plus monsieur de Rubempré qu'un Juif n'a de nom de baptême. Lucien était le fils d'un apothicaire nommé Chardon. Monsieur de Rastignac, très au fait des affaires d'Angoulême, avait fait rire déjà deux loges aux dépens de cette espèce de momie que la marquise nommait sa cousine, et de la précaution que cette dame prenait d'avoir près d'elle un pharmacien pour pouvoir sans doute entretenir par des drogues sa vie artificielle. Enfin de Marsay rapporta quelques-unes des mille plaisanteries auxquelles se livrent en un instant les Parisiens, et qui sont aussi promptement oubliées que dites, mais derrière lesquelles était Châtelet, l'artisan de cette trahison carthaginoise.

— Ma chère, dit sous l'éventail madame d'Espard à

madame de Bargeton, de grâce, dites-moi si votre protégé
se nomme réellement monsieur de Rubempré?

— Il a pris le nom de sa mère, dit Anaïs embarrassée.

— Mais quel est le nom de son père?

— Chardon.

— Et que faisait ce Chardon!

— Il était pharmacien.

— J'étais bien sûre, ma chère amie, que tout Paris ne
pouvait se moquer d'une femme que j'adopte. Je ne me
soucie pas de voir venir ici des plaisants enchantés de me
trouver avec le fils d'un apothicaire; si vous m'en croyez,
nous nous en irons ensemble, et à l'instant a.

Madame d'Espard prit un air assez impertinent, sans
que Lucien pût deviner en quoi il avait donné lieu à ce
changement de visage. Il pensa que son gilet était de
mauvais goût, ce qui était vrai; que la façon de son habit
était d'une mode exagérée, ce qui était encore vrai. Il
reconnut avec une secrète amertume qu'il fallait se faire
habiller par un habile tailleur, et il se promit bien le lendemain d'aller chez le plus célèbre, afin de pouvoir, lundi
prochain, rivaliser avec les hommes qu'il trouverait chez
la marquise. Quoique perdu dans ses réflexions, ses yeux,
attentifs au troisième acte, ne quittaient pas la scène. Tout
en regardant les pompes de ce spectacle unique, il se livrait
à son rêve sur madame d'Espard. Il fut au désespoir de
cette subite froideur qui contrariait étrangement l'ardeur
intellectuelle avec laquelle il attaquait ce nouvel amour,
insouciant des difficultés immenses qu'il apercevait, et qu'il
se promettait de vaincre. Il sortit de sa profonde contemplation pour revoir sa nouvelle idole; mais en tournant
la tête, il se vit seul; il avait entendu quelque léger bruit,
la porte se fermait, madame d'Espard entraînait sa cousine.
Lucien fut surpris au dernier point de ce brusque abandon,
mais il n'y pensa pas longtemps, précisément parce qu'il
le trouvait inexplicable.

Quand les deux femmes furent montées dans leur
voiture et qu'elle roula par la rue de Richelieu vers le
faubourg Saint-Honoré, la marquise dit avec un ton de

colère déguisée : — Ma chère enfant, à quoi pensez-vous? mais attendez donc que le fils d'un apothicaire soit réellement célèbre avant de vous y intéresser. La duchesse de Chaulieu n'avoue pas encore Canalis, et il est célèbre, et il est gentilhomme. Ce garçon n'est [a] ni votre fils ni votre amant, n'est-ce pas? dit cette femme hautaine en jetant à sa cousine un regard inquisitif et clair.

— Quel bonheur pour moi d'avoir tenu ce petit drôle à distance et de ne lui avoir rien accordé! pensa madame de Bargeton.

— Eh! bien, reprit la marquise qui prit l'expression des yeux de sa cousine pour une réponse, laissez-le là, je vous en conjure. S'arroger un nom illustre?... mais c'est une audace que la société punit. J'admets que ce soit celui de sa mère; mais songez donc, ma chère, qu'au roi seul appartient le droit de conférer, par une ordonnance, le nom des Rubempré au fils d'une demoiselle de cette maison; si elle s'est mésalliée, la faveur serait énorme et pour l'obtenir, il faut une immense fortune, des services rendus, de très hautes protections. Cette mise de boutiquier endimanché prouve que ce garçon n'est ni riche ni gentilhomme; sa figure est belle, mais il me paraît fort sot, il ne sait ni se tenir ni parler; enfin il n'est pas *élevé*. Par quel hasard le protégez-vous?

Madame de Bargeton qui renia Lucien, comme Lucien l'avait reniée en lui-même, eut une effroyable peur que sa cousine n'apprît la vérité sur son voyage.

— Mais, chère cousine, je suis au désespoir de vous avoir compromise.

— On ne me compromet pas, dit en souriant madame d'Espard. Je ne songe qu'à vous.

— Mais vous l'avez invité à venir dîner lundi.

— Je serai malade, répondit vivement la marquise, vous l'en préviendrez, et je le consignerai sous son double nom à ma porte.

Lucien imagina de se promener pendant l'entr'acte dans le foyer en voyant que tout le monde y allait. D'abord aucune des personnes qui étaient venues dans la loge de madame d'Espard ne le salua ni ne parut faire attention à lui, ce qui sembla fort extraordinaire au poète de province. Puis du Châtelet, auquel il essaya de s'accrocher, le guettait du coin de l'œil, et l'évita constamment. Après s'être convaincu, en voyant les hommes qui vaguaient dans le foyer, que sa mise était assez ridicule, Lucien vint se replacer au coin de sa loge et demeura, pendant le reste de la représentation, absorbé tour à tour par le pompeux spectacle du ballet du cinquième acte, si célèbre par son *Enfer*, par l'aspect de la salle dans laquelle son regard alla de loge en loge, et par ses propres réflexions qui furent profondes en présence de la société parisienne.

— Voilà donc mon royaume! se dit-il, voilà le monde que je dois dompter.

Il retourna chez lui à pied en pensant à tout ce qu'avaient dit les personnages qui étaient venus faire leur cour à madame d'Espard; leurs manières, leurs gestes, la façon d'entrer et de sortir, tout revint à sa mémoire avec une étonnante fidélité. Le lendemain, vers midi, sa première occupation fut de se rendre chez Staub [1], le tailleur le plus célèbre de cette époque. Il obtint, à force de prières et par la vertu de l'argent comptant, que ses habits fussent faits pour le fameux lundi. Staub alla jusqu'à lui promettre une délicieuse redingote, un gilet et un pantalon pour le jour décisif. Lucien se commanda des chemises, des mouchoirs, enfin tout un petit trousseau, chez une lingère, et se fit prendre mesure de souliers et de bottes par un cordonnier célèbre. Il acheta une jolie canne chez Verdier [2], des gants et des boutons de chemise chez madame Irlande [3]; enfin

---

1. Staub, 92, rue de Richelieu, est le tailleur à la mode. Dans un projet de pièce de Balzac, *Catilina, parodie,* on voit figurer Staubæus, tailleur de Rome (Arrigon, *Années romantiques,* p. 100). Balzac le nomme encore dans *l'Oisif et le Travailleur* (*la Mode,* 8 mai 1830).

2. Verdier, marchand de cannes, 95, rue de Richelieu. Lucien n'eut donc qu'à traverser la rue pour passer du magasin de Staub à celui de Verdier.

3. Il s'agit de la maison de nouveautés Irlande, au Palais-Royal, Galerie de Pierre, nº 28.

il tâcha de se mettre à la hauteur des dandies. Quand il eut satisfait ses fantaisies, il alla rue Neuve-du-Luxembourg, et trouva Louise sortie.

— Elle dîne chez madame la marquise d'Espard, et reviendra tard, lui dit Albertine.

Lucien alla dîner dans un restaurant à quarante sous au Palais-Royal[1], et se coucha de bonne heure. Le dimanche, il alla dès onze heures chez Louise; elle n'était pas levée. A deux heures il revint.

— Madame ne reçoit pas encore, lui dit Albertine, mais elle m'a donné un petit mot pour vous.

— Elle ne reçoit pas encore, répéta Lucien; mais je ne suis pas quelqu'un...

— Je ne sais pas, dit Albertine d'un air fort impertinent.

Lucien, moins surpris de la réponse d'Albertine que de recevoir une lettre de madame de Bargeton, prit le billet et lut dans la rue ces lignes désespérantes :

« Madame d'Espard est indisposée, elle ne pourra pas vous recevoir lundi; moi-même je ne suis pas bien, et cependant je vais m'habiller pour aller lui tenir compagnie. Je suis désespérée de cette petite contrariété; mais vos talents me rassurent et vous percerez sans charlatanisme. »

— Et pas de signature! se dit Lucien, qui se trouva dans les Tuileries, sans croire avoir marché. Le don de seconde vue que possèdent les gens de talent lui fit soupçonner la catastrophe annoncée par ce froid billet[a]. Il allait, perdu dans ses pensées, il allait devant lui, regardant les monuments de la place Louis XV. Il faisait beau. De belles voitures passaient incessamment sous ses yeux en se dirigeant vers la grande avenue des Champs-Élysées. Il suivit la foule des promeneurs et vit alors les trois ou quatre mille voitures qui, par une belle journée, affluent en cet endroit le dimanche, et improvisent un Longchamp.

1. Un restaurant où l'on dîne pour quarante sous est modeste, mais non misérable. On dînait pour vingt sous chez Flicoteaux, et pour douze sous chez Miserey (*Monographie du rentier*, 1840, *O. D.*, III, p. 219).

Étourdi par le luxe des chevaux, des toilettes et des livrées,
il allait toujours, et arriva devant l'Arc-de-Triomphe
commencé [1]. Que devint-il quand, en revenant, il vit venir
à lui madame d'Espard et madame de Bargeton dans une
calèche admirablement attelée, et derrière laquelle ondu-
laient les plumes du chasseur dont l'habit vert brodé d'or
les lui fit reconnaître. La file s'arrêta par suite d'un encom-
brement, Lucien put voir Louise dans sa transformation,
elle n'était pas reconnaissable : les couleurs de sa toilette
étaient choisies de manière à faire valoir son teint; sa
robe était délicieuse; ses cheveux arrangés gracieusement
lui seyaient bien, et son chapeau d'un goût exquis était
remarquable à côté de celui de madame d'Espard, qui
commandait à la mode. Il y a une indéfinissable façon de
porter un chapeau : mettez le chapeau un peu trop en
arrière, vous avez l'air effronté, mettez-le trop en avant,
vous avez l'air sournois; de côté, l'air devient cavalier;
les femmes comme il faut posent leurs chapeaux comme
elles veulent et ont toujours bon air. Madame de Bargeton
avait sur-le-champ résolu cet étrange problème. Une jolie
ceinture dessinait sa taille svelte. Elle avait pris les gestes
et les façons de sa cousine; assise comme elle, elle jouait
avec une élégante cassolette attachée à l'un des doigts
de sa main droite par une petite chaîne, et montrait ainsi
sa main fine et bien gantée sans avoir l'air de vouloir la
montrer. Enfin elle s'était faite semblable à madame
d'Espard sans la singer; elle était la digne cousine de la
marquise, qui paraissait être fière de son élève. Les femmes
et les hommes qui se promenaient sur la chaussée regardaient la brillante voiture aux armes des d'Espard et des
Blamont-Chauvry [a], dont les deux écussons étaient ados-
sés. Lucien fut étonné du grand nombre de personnes

---

1. Les travaux de l'Arc de triomphe, prévus par un décret impérial
du 18 février 1806, avaient été interrompus au retour des Bourbons.
C'est donc devant un chantier abandonné que Lucien passe, en cet
automne de 1821. Deux ans plus tard, Louis XVIII ordonna la reprise
des travaux. Ils devaient aboutir seulement en 1836.

qui saluaient les deux cousines; il ignorait que tout ce
Paris, qui consiste en vingt salons, savait déjà la parenté
de madame de Bargeton et de madame d'Espard. Des
jeunes gens à cheval, parmi lesquels Lucien remarqua
de Marsay et Rastignac, se joignirent à la calèche pour
conduire les deux cousines au bois. Il fut facile à Lucien
de voir, au geste des deux fats, qu'ils complimentaient
madame de Bargeton sur sa métamorphose. Madame
d'Espard pétillait de grâce et de santé : ainsi son indisposition était un prétexte pour ne pas recevoir Lucien,
puisqu'elle ne remettait pas son dîner à un autre jour. Le
poète furieux s'approcha de la calèche, alla lentement,
et, quand il fut en vue des deux femmes, il les salua :
madame de Bargeton ne voulut pas le voir, la marquise le
lorgna et ne répondit pas à son salut. La réprobation
de l'aristocratie parisienne n'était pas comme celle des
souverains d'Angoulême : en s'efforçant de blesser Lucien,
les hobereaux admettaient son pouvoir et le tenaient
pour un homme; tandis que, pour madame d'Espard, il
n'existait même pas. Ce n'était pas un arrêt, mais un déni
de justice. Un froid mortel saisit le pauvre poète quand
de Marsay le lorgna; le lion parisien laissa retomber son
lorgnon si singulièrement qu'il semblait à Lucien que ce
fût le couteau de la guillotine. La calèche passa. La rage,
le désir de la vengeance s'emparèrent de cet homme dédaigné : s'il avait tenu madame de Bargeton, il l'aurait égor-
gée; il se fit Fouquier-Tinville pour se donner la jouissance d'envoyer madame d'Espard à l'échafaud, il aurait
voulu pouvoir faire subir à de Marsay un de ces supplices
raffinés qu'ont inventés les sauvages. Il vit passer Canalis [a]
à cheval, élégant comme devait l'être le plus câlin des
poètes, et saluant [b] les femmes les plus jolies [1].

— Mon Dieu! de l'or à tout prix! se disait Lucien,

1. Dans le manuscrit, ce passage manque. En 1839, Balzac parle
du « grand poète » sans le nommer. En 1843, nous apprenons de Canalis
qu'il oublie qu'il est sublime. Dans le *Furne corrigé*, Canalis n'est plus
que « le plus câlin des poètes ».

l'or est la seule puissance devant laquelle ce monde s'age-
nouille. Non! lui cria sa conscience, mais la gloire, et
la gloire c'est le travail! Du travail! c'est le mot de David.
Mon Dieu! pourquoi suis-je ici? mais je triompherai?
Je passerai dans cette avenue en calèche à chasseur!
j'aurai des marquises d'Espard!

En lançant ces paroles enragées, il dînait chez Hurbain [1] a
à quarante sous. Le lendemain, à neuf heures, il alla chez
Louise dans l'intention de lui reprocher sa barbarie : non
seulement madame de Bargeton n'y était pas pour lui, mais
encore le portier ne le laissa pas monter, il resta dans la rue,
faisant le guet, jusqu'à midi. A midi, du Châtelet sortit
de chez madame de Bargeton, vit le poète du coin de l'œil
et l'évita. Lucien, piqué au vif, poursuivit son rival;
du Châtelet se sentant serré, se retourna et le salua dans
l'intention évidente d'aller au large après cette politesse.

— De grâce, monsieur, dit Lucien, accordez-moi une
seconde, j'ai deux mots à vous dire. Vous m'avez témoi-
gné de l'amitié, je l'invoque pour vous demander le plus
léger des services. Vous sortez de chez madame de Bargeton,
expliquez-moi la cause de ma disgrâce auprès d'elle et de
madame d'Espard?

— Monsieur Chardon, répondit du Châtelet avec une
fausse bonhomie, savez-vous pourquoi ces dames vous ont
quitté à l'Opéra ?

— Non, dit le pauvre poète.

— Hé! bien, vous avez été desservi dès votre début par
monsieur de Rastignac. Le jeune dandy, questionné sur
vous, a purement et simplement dit que vous vous nom-
miez monsieur Chardon et non monsieur de Rubempré;
que votre mère gardait les femmes en couches, que votre
père était en son vivant apothicaire à l'Houmeau, faubourg
d'Angoulême; que votre sœur était une charmante jeune
fille qui repassait admirablement les chemises, et qu'elle
allait épouser un imprimeur d'Angoulême nommé Séchard.

---

1. Restaurateur au Palais-Royal, Galerie de Pierre, nᵒ 65 et 67.

Voilà le monde. Mettez-vous en vue? il vous discute.
Monsieur de Marsay est venu rire de vous avec madame
d'Espard, et aussitôt ces deux dames se sont enfuies en
se croyant compromises auprès de vous. N'essayez pas
d'aller chez l'une ou chez l'autre. Madame de Bargeton
ne serait pas reçue par sa cousine si elle continuait à vous
voir. Vous avez du génie, tâchez de prendre votre revanche.
Le monde vous dédaigne, dédaignez le monde. Réfugiez-
vous dans une mansarde, faites-y des chefs-d'œuvre,
saisissez un pouvoir quelconque, et vous verrez le monde
à vos pieds; vous lui rendrez alors les meurtrissures qu'il
vous aura faites là où il vous les aura faites. Plus madame
de Bargeton vous a marqué d'amitié, plus elle aura d'éloi-
gnement pour vous. Ainsi vont les sentiments féminins.
Mais il ne s'agit pas en ce moment de reconquérir l'amitié
d'Anaïs, il s'agit de ne pas l'avoir pour ennemie, et je
vais vous en donner le moyen. Elle vous a écrit, renvoyez-
lui toutes ses lettres, elle sera sensible à ce procédé de
gentilhomme; plus tard, si vous avez besoin d'elle, elle
ne vous sera pas hostile. Quant à moi, j'ai une si haute
opinion de votre avenir, que je vous ai partout défendu,
et que dès à présent, si je puis ici faire quelque chose pour
vous, vous me trouverez toujours prêt à vous rendre
service.

Lucien était si morne, si pâle, si défait, qu'il ne rendit
pas au vieux beau rajeuni par l'atmosphère parisienne le
salut sèchement poli qu'il reçut de lui. Il revint à son hôtel,
où il trouva Staub lui-même, venu moins pour lui essayer
ses habits, qu'il lui essaya, que pour savoir de l'hôtesse
du Gaillard-Bois ce qu'était sous le rapport financier sa
pratique inconnue. Lucien était arrivé en poste, madame de
Bargeton l'avait ramené du Vaudeville jeudi dernier en
voiture. Ces renseignements étaient bons. Staub nomma
Lucien monsieur le comte, et lui fit voir avec quel talent
il avait mis ses charmantes formes en lumières.

— Un jeune homme mis ainsi, lui dit-il, peut s'aller
promener aux Tuileries; il épousera une riche Anglaise
au bout de quinze jours.

Cette plaisanterie de tailleur allemand et la perfection de ses habits, la finesse du drap, la grâce qu'il se trouvait à lui-même en se regardant dans la glace, ces petites choses rendirent Lucien moins triste. Il se dit vaguement que Paris était la capitale du hasard, et il crut au hasard pour un moment. N'avait-il pas un volume de poésies et un magnifique roman, l'Archer de Charles IX, en manuscrit? il espéra dans sa destinée. Staub promit la redingote et le reste des habillements pour le lendemain.

Le lendemain, le bottier, la lingère et le tailleur revinrent tous munis de leurs factures. Lucien ignorant la manière de les congédier, Lucien encore sous le charme des coutumes de province, les solda; mais après les avoir payés, il ne lui resta plus que trois cent soixante francs sur les deux mille francs qu'il avait apportés à Paris : il y était depuis une semaine! Néanmoins il s'habilla et alla faire un tour sur la terrasse des Feuillants. Il y prit une revanche. Il était si bien mis, si gracieux, si beau, que plusieurs femmes le regardèrent, et deux ou trois furent assez saisies par sa beauté pour se retourner. Lucien étudia la démarche et les manières des jeunes gens, et fit son cours de belles manières tout en pensant à ses trois cent soixante francs.

Le soir, seul dans sa chambre, il lui vint à l'idée d'éclaircir le problème de sa vie à l'hôtel du Gaillard-Bois, où il déjeunait des mets les plus simples, en croyant économiser. Il demanda son mémoire en homme qui voulait déménager, il se vit débiteur d'une centaine de francs. Le lendemain, il courut au pays latin, que David lui avait recommandé pour le bon marché. Après avoir cherché pendant longtemps, il finit par rencontrer rue de Cluny [1], près de la Sorbonne, un misérable hôtel garni, où il eut une chambre pour le prix qu'il voulait y mettre. Aussitôt il paya son hôtesse du Gaillard-Bois et vint s'installer rue de Cluny dans la journée. Son déménagement ne lui coûta qu'une course de fiacre. Après avoir pris possession de sa pauvre

1. Elle est devenue la rue Victor Cousin. L'hôtel de Cluny se trouve au n° 8.

chambre, il rassembla toutes les lettres de madame de Bargeton, en fit un paquet, le posa sur sa table, et avant de lui écrire, il se mit à penser à cette fatale semaine. Il ne se dit pas qu'il avait, lui le premier, étourdiment renié son amour, sans savoir ce que deviendrait sa Louise à Paris : il ne vit pas ses torts, il vit sa situation actuelle; il accusa madame de Bargeton : au lieu de l'éclairer, elle l'avait perdu. Il se courrouça, il devint fier, et se mit à écrire la lettre suivante dans le paroxysme de sa colère.

« Que diriez-vous, madame, d'une femme à qui aurait plu
« quelque pauvre enfant timide, plein de ces croyances
« nobles que plus tard l'homme appelle des illusions, et
« qui aurait employé les grâces de la coquetterie, les
« finesses de son esprit, et les plus beaux semblants de
« l'amour maternel pour détourner cet enfant? Ni les
« promesses les plus caressantes, ni les châteaux de cartes
« dont il s'émerveille ne lui coûtent; elle l'emmène, elle
« s'en empare, elle le gronde de son peu de confiance, elle
« le flatte tour à tour; quand l'enfant abandonne sa famille,
« et la suit aveuglément, elle le conduit au bord d'une mer
« immense, le fait entrer par un sourire dans un frêle
« esquif, et le lance seul, sans secours, à travers les orages;
« puis, du rocher où elle reste, elle se met à rire et lui
« souhaite bonne chance. Cette femme c'est vous, cet
« enfant c'est moi[a]. Aux mains de cet enfant se trouve
« un souvenir qui pourrait trahir les crimes de votre
« bienfaisance et les faveurs de votre abandon. Vous
« pourriez avoir à rougir en rencontrant l'enfant aux
« prises avec les vagues, si vous songiez que vous l'avez
« tenu sur votre sein. Quand vous lirez cette lettre, vous
« aurez le souvenir en votre pouvoir. Libre à vous de tout
« oublier. Après les belles espérances que votre doigt
« m'a montrées dans le ciel, j'aperçois les réalités de la
« misère dans la boue de Paris. Pendant que vous irez,
« brillante et adorée, à travers les grandeurs de ce monde,
« sur le seuil duquel vous m'avez amené, je grelotterai
« dans le misérable grenier où vous m'avez jeté. Mais

« peut-être un remords viendra-t-il vous saisir au sein
« des fêtes et des plaisirs, peut-être penserez-vous à l'en-
« fant que vous avez plongé dans un abîme. Eh! bien,
« madame, pensez-y sans remords! Du fond de sa misère,
« cet enfant vous offre la seule chose qui lui reste, son par-
« don dans un dernier regard. Oui, madame, grâce à vous,
« il ne me reste rien. Rien? n'est-ce pas ce qui a servi à
« faire un monde? le génie doit imiter Dieu : je commence
« par avoir sa clémence sans savoir si j'aurai sa force. Vous
« n'aurez à trembler que si j'allais à mal; vous seriez com-
« plice de mes fautes. Hélas! je vous plains de ne pou-
« voir plus rien être à la gloire vers laquelle je vais tendre
« conduit par le travail. »

Après avoir écrit cette lettre emphatique, mais pleine
de cette sombre dignité que l'artiste de vingt et un ans
exagère souvent, Lucien se reporta par la pensée au milieu
de sa famille : il revit le joli appartement que David lui
avait décoré en y sacrifiant une partie de sa fortune, il
eut une vision des joies tranquilles, modestes, bourgeoises
qu'il avait goûtées; les ombres de sa mère, de sa sœur,
de David vinrent autour de lui, il entendit de nouveau
les larmes qu'ils avaient versées au moment de son départ,
et il pleura lui-même, car il était seul dans Paris, sans amis,
sans protecteurs.

Quelques jours après, voici ce que Lucien écrivit à sa
sœur [b] :

« Ma chère Ève, les sœurs ont le triste privilège d'é-
» pouser plus de chagrins que de joies en partageant
» l'existence de frères voués à l'Art, et je commence
» à craindre de te devenir bien à charge. N'ai-je pas abusé
» déjà de vous tous, qui vous êtes sacrifiés pour moi?
» Ce souvenir de mon passé, si rempli par les joies de
» la famille, m'a soutenu contre la solitude de mon pré-

» sent [a]. Avec quelle rapidité d'aigle, revenant à son nid,
» n'ai-je pas traversé la distance qui nous sépare pour
» me trouver dans une sphère d'affections vraies, après
» avoir éprouvé les premières misères et les premières
» déceptions du monde parisien ! Vos lumières ont-
» elles pétillé ? Les tisons de votre foyer ont-ils roulé ?
» Avez-vous entendu des bruissements dans vos oreilles !
» Ma mère a-t-elle dit : « Lucien pense à nous » ? David
» a-t-il répondu : « Il se débat [b] avec les hommes et les
» choses » ? Mon Ève, je n'écris cette lettre qu'à toi
» seule. A toi seule j'oserai confier le bien et le mal qui
» m'adviendront, en rougissant de l'un et de l'autre, car
» ici le bien est aussi rare que devrait l'être le mal. Tu vas
» apprendre beaucoup de choses en peu de mots [c]. Madame
» de Bargeton a eu honte de moi, m'a renié, congédié,
» répudié le neuvième jour de mon arrivée. En me voyant,
» elle a détourné la tête, et moi, pour la suivre dans le
» monde où elle voulait me lancer, j'avais dépensé dix-
» sept cent soixante francs sur les deux mille emportés
» d'Angoulême et si péniblement trouvés. A quoi ? diras-
» tu. Ma pauvre sœur, Paris est un étrange gouffre : on
» y trouve à dîner pour dix-huit sous, et le plus simple
» dîner d'un *restaurat* élégant coûte cinquante francs ;
» il y a des gilets et des pantalons à quatre francs et qua-
» rante sous, les tailleurs à la mode ne vous les font pas
» moins de cent francs. On donne un sou pour passer
» les ruisseaux des rues quand il pleut. Enfin la moindre
» course en voiture vaut trente-deux sous. Après avoir
» habité le beau quartier, je suis aujourd'hui hôtel de
» Cluny, rue de Cluny, dans l'une des plus pauvres et
» des plus sombres petites rues de Paris, serrée entre
» trois églises et les vieux bâtiments de la Sorbonne.
» J'occupe une chambre garnie au quatrième étage de
» cet hôtel, et, quoique bien sale et dénué, je la paye encore
» quinze francs par mois [d]. Je déjeune d'un petit pain
» de deux sous et d'un sou de lait, mais je dîne très bien
» pour vingt-deux sous au restaurat d'un nommé Flicoteaux,
» lequel est situé sur la place même de la Sorbonne. Jusqu'à

» l'hiver ma dépense n'excédera pas soixante francs par
» mois, tout compris, du moins je l'espère. Ainsi mes
» deux cent quarante francs suffiront aux quatre premiers
» mois. D'ici là, j'aurai sans doute vendu l'Archer de
» Charles IX et les Marguerites. N'ayez donc aucune in-
» quiétude à mon sujet. Si le présent est froid, nu, mesquin,
» l'avenir est bleu, riche et splendide. La plupart des
» grands hommes ont éprouvé les vicissitudes qui m'af-
» fectent sans m'accabler. Plaute, un grand poète comique,
» a été garçon de moulin. Machiavel écrivait *le Prince*
» le soir, après avoir été confondu parmi les ouvriers
» pendant la journée. Enfin le grand Cervantès, qui avait
» perdu le bras à la bataille de Lépante en contribuant
» au gain de cette fameuse journée, appelé *vieux et ignoble*
» *manchot* par les écrivailleurs de son temps, mit, faute
» de libraire, dix ans d'intervalle entre la première et la
» seconde partie de son sublime Don Quichotte [1]. Nous
» n'en sommes pas là aujourd'hui. Les chagrins et la
» misère ne peuvent atteindre que les talents inconnus ;
» mais quand ils se sont fait jour, les écrivains deviennent
» riches, et je serai riche. Je vis d'ailleurs par la pensée,
» je passe la moitié de la journée à la bibliothèque Sainte-

---

[1]. Balzac emprunte ces deux détails sur Machiavel et Cervantes
aux articles de la Biographie Michaud. L'article sur Machiavel contenait une lettre de l'auteur du *Prince* à Francesco Vettori, publiée
pour la première fois en 1810. Machiavel y disait : « Je me lève avec le soleil,
je vais dans un bois que je fais couper, j'y reste deux heures... à passer
le temps avec ces bûcherons... Après le repas, je retourne à l'auberge,
j'y trouve ordinairement réunis l'hôte, un boucher, un meunier, un
chaufournier. Je me mets à leur niveau le reste du jour ». L'article
sur Cervantes signale le livre signé du nom d'Alonso Fernandez
Avellaneda, où l'auteur anonyme appelle Cervantes un vieux manchot,
misérable, hargneux, bavard et calomniateur. Ce même article s'indigne
qu'on ait insulté à l'infirmité glorieuse du blessé de Lépante : il insiste
longuement sur l'idée que Cervantes fut longtemps méconnu. La
1re partie de *Don Quichotte* a paru en 1605, la deuxième en 1616.
L'article ne dit pas que Cervantes ne trouvait pas d'imprimeur, mais
qu'il « ne fut point assez encouragé dans son pays pour se presser de
publier la continuation de *Don Quichotte* ».

» Geneviève, où j'acquiers l'instruction qui me manque,
» et sans laquelle je n'irais pas loin. Aujourd'hui je me
» trouve donc presque heureux. En quelques jours je me
» suis conformé joyeusement à ma position. Je me livre
» dès le jour à un travail que j'aime ; la vie matérielle est
» assurée ; je médite beaucoup, j'étudie, je ne vois pas où
» je puis être maintenant blessé, après avoir renoncé au
» monde où ma vanité pouvait souffrir à tout moment.
» Les hommes illustres d'une époque sont tenus de vivre
» à l'écart. Ne sont-ils pas [a] les oiseaux de la forêt ? ils
» chantent, ils charment la nature, et nul ne doit les aper-
» cevoir. Ainsi ferai-je, si tant est que je puisse réaliser
» les plans ambitieux de mon esprit. Je ne regrette pas
» madame de Bargeton. Une femme qui se conduit ainsi
» ne mérite pas un souvenir. Je ne regrette pas non plus
» d'avoir quitté Angoulême. Cette femme avait raison de
» me jeter dans Paris en m'y abandonnant à mes propres
» forces. Ce pays est celui des écrivains, des penseurs,
» des poètes. Là seulement se cultive la gloire, et je connais
» les belles récoltes qu'elle produit aujourd'hui. Là seule-
» ment les écrivains peuvent trouver, dans les musées
» et dans les collections, les vivantes œuvres des génies
» du temps passé qui réchauffent les imaginations et les
» stimulent. Là seulement d'immenses bibliothèques sans
» cesse ouvertes offrent à l'esprit des renseignements et
» une pâture. Enfin, à Paris, il y a dans l'air et dans les
» moindres détails un esprit qui se respire et s'empreint
» dans les créations littéraires. On apprend plus de choses
» en conversant au café, au théâtre pendant une demi-
» heure qu'en province en dix ans. Ici, vraiment, tout est
» spectacle, comparaison et instruction. Un excessif bon
» marché, une cherté excessive, voilà Paris, où toute
» abeille rencontre son alvéole, où toute âme s'assimile
» ce qui lui est propre. Si donc je souffre en ce moment,
» je ne me repens de rien. Au contraire, un bel avenir
» se déploie et réjouit mon cœur un moment endolori [b].
» Adieu, ma chère sœur, ne t'attends pas à recevoir régu-
» lièrement mes lettres : une des particularités de Paris

» est qu'on ne sait réellement pas comment le temps passe.
» La vie y est d'une effrayante rapidité. J'embrasse ma mère,
» David, et toi plus tendrement que jamais. »

FLICOTEAUX [a]

Flicoteaux [1] est un nom inscrit dans bien des mémoires.
Il est peu d'étudiants logés au quartier latin pendant les
douze premières années de la Restauration qui n'aient
fréquenté ce temple de la faim et de la misère. Le dîner
composé de trois plats, coûtait dix-huit sous, avec un
carafon de vin ou une bouteille de bière, et vingt-deux
sous avec une bouteille de vin. Ce qui, sans doute, a
empêché cet ami de la jeunesse de faire une fortune colos-
sale, est un article de son programme imprimé en grosses
lettres dans les affiches de ses concurrents et ainsi conçu :
PAIN A DISCRÉTION, c'est-à-dire jusqu'à l'indiscrétion.
Bien des gloires ont eu Flicoteaux pour père-nourricier.
Certes le cœur de plus d'un homme célèbre doit éprouver
les jouissances de mille souvenirs indicibles à l'aspect
de la devanture à petits carreaux donnant sur la place
de la Sorbonne et sur la rue Neuve-de-Richelieu, que
Flicoteaux II ou III avait encore respectée, avant les journées de Juillet, en leur laissant ces teintes brunes, cet air
ancien et respectable qui annonçait un profond dédain
pour le charlatanisme des dehors, espèce d'annonce faite

---

1. Balzac avait déjà parlé de Flicoteaux dans *la Mode* du 12 juin 1830.
« Le séculaire Flicoteaux, disait-il, qui ne donna jamais d'indigestion
à personne, mais qui, de père en fils, eut le privilège d'empoisonner
les enfants d'Hippocrate et de Cujas », autrement dit, les étudiants
de médecine et de droit (*O. D.*, II, p. 54).

pour les yeux aux dépens du ventre par presque tous les
restaurateurs d'aujourd'hui. Au lieu de ces tas de gibier
empaillé destinés à ne pas cuire, au lieu de ces poissons
fantastiques qui justifient le mot du saltimbanque : « J'ai
vu une belle carpe, je compte l'acheter dans huit jours »;
au lieu de ces primeurs, qu'il faudrait appeler *postmeurs*,
exposées en de fallacieux étalages pour le plaisir des caporaux et de leurs *payses*, l'honnête Flicoteaux exposait
des saladiers ornés de maint raccommodage, où des
tas de pruneaux cuits réjouissaient le regard du consommateur, sûr que ce mot, trop prodigué sur d'autres
affiches, *dessert*, n'était pas une charte. Les pains de six
livres, coupés en quatre tronçons, rassuraient sur la promesse du pain à discrétion. Tel était le luxe d'un établissement que, de son temps, Molière eût célébré, tant est
drolatique l'épigramme du nom. Flicoteaux subsiste,
il vivra tant que les étudiants voudront vivre [a]. On y
mange, rien de moins, rien de plus; mais on y mange
comme on travaille, avec une activité sombre ou joyeuse,
selon les caractères ou les circonstances. Cet établissement
célèbre consistait alors en deux salles disposées en équerre,
longues, étroites et basses, éclairées l'une sur la place de
la Sorbonne, l'autre sur la rue Neuve-de-Richelieu; toutes
deux meublées de tables venues de quelque réfectoire
abbatial, car leur longueur a quelque chose de monastique,
et les couverts y sont préparés avec les serviettes des
abonnés passées dans des coulants de moiré métallique
numérotés. Flicoteaux Ier ne changeait ses nappes que tous
les dimanches; mais Flicoteaux II les a changées, dit-on,
deux fois par semaine, dès que la concurrence a menacé
sa dynastie. Ce restaurant [b] est un atelier avec ses ustensiles, et non la salle de festin avec son élégance et ses plaisirs : chacun en sort promptement. Au dedans, les mouvements intérieurs sont rapides. Les garçons y vont et
viennent sans flâner, ils sont tous occupés, tous nécessaires.
Les mets sont peu variés. La pomme de terre y est éternelle, il n'y aurait pas une pomme de terre en Irlande,
elle manquerait partout, qu'il s'en trouverait chez Fli-

coteaux. Elle s'y produit depuis trente ans sous cette
couleur blonde affectionnée par Titien, semée de verdure
hachée, et jouit d'un privilège envié par les femmes :
telle vous l'avez vue en 1814, telle vous la trouverez
en 1840. Les côtelettes de mouton, le filet de bœuf sont à
la carte de cet établissement ce que les coqs de bruyère,
les filets d'esturgeon sont à celle de Véry, des mets extraordinaires qui exigent la commande dès le matin. La femelle
du bœuf y domine et son fils y foisonne sous les aspects
les plus ingénieux. Quand le merlan, les maquereaux
donnent sur les côtes de l'Océan, ils rebondissent chez
Flicoteaux. Là, tout est en rapport avec les vicissitudes
de l'agriculture et les caprices des saisons françaises. On
y apprend des choses dont ne se doutent pas les riches,
les oisifs, les indifférents aux phases de la nature. L'étudiant
parqué dans le quartier latin y a la connaissance la plus
exacte des Temps : il sait quand les haricots et les petits
pois réussissent, quand la Halle regorge de choux, quelle
salade y abonde, et si la betterave a manqué. Une vieille
calomnie, répétée au moment où Lucien y venait, consistait à attribuer l'apparition des beafteaks à quelque
mortalité sur les chevaux [a]. Peu de restaurants parisiens
offrent un si beau spectacle. Là vous ne trouvez que
jeunesse et foi, que misère gaiement supportée, quoique
cependant les visages ardents et graves, sombres et inquiets n'y manquent pas. Les costumes sont généralement négligés. Aussi remarque-t-on les habitués qui
viennent bien mis. Chacun sait que cette tenue extraordinaire signifie : maîtresse attendue, partie de spectacle ou visite dans les sphères supérieures. Il s'y est,
dit-on, formé quelques amitiés entre plusieurs étudiants
devenus plus tard célèbres, comme on le verra dans cette
histoire. Néanmoins, excepté les jeunes gens du même
pays réunis au même bout de table, généralement les
dîneurs ont une gravité qui se déride difficilement, peut-
être à cause de la catholicité du vin qui s'oppose à toute
expansion. Ceux qui ont cultivé Flicoteaux peuvent
se rappeler plusieurs personnages sombres et mysté-

rieux, enveloppés dans les brumes de la plus froide misère, qui ont pu dîner là pendant deux ans, et disparaître sans qu'aucune lumière ait éclairé ces farfadets parisiens aux yeux des plus curieux habitués. Les amitiés ébauchées chez Flicoteaux se scellaient dans les cafés voisins aux flammes d'un punch liquoreux, ou à la chaleur d'une demi-tasse de café bénie par un *gloria* quelconque[a].

Pendant les premiers jours de son installation à l'hôtel de Cluny, Lucien[b], comme tout néophyte, eut des allures timides et régulières. Après la triste épreuve de la vie élégante qui venait d'absorber ses capitaux, il se jeta[c] dans le travail avec cette première ardeur que dissipent si vite les difficultés et les amusements que Paris offre à toutes les existences, aux plus luxueuses comme aux plus pauvres, et qui, pour être domptés, exigent la sauvage énergie du vrai talent ou le sombre vouloir de l'ambition[d]. Lucien tombait[e] chez Flicoteaux vers quatre heures et demie, après avoir remarqué l'avantage d'y arriver des premiers ; les mets étaient alors plus variés, celui qu'on préférait s'y trouvait encore. Comme tous les esprits poétiques, il avait affectionné une place, et son choix annonçait assez de discernement. Dès le premier jour de son entrée chez Flicoteaux, il avait distingué, près du comptoir, une table où les physionomies des dîneurs, autant que leurs discours saisis à la volée, lui dénoncèrent des compagnons littéraires. D'ailleurs, une sorte d'instinct lui fit deviner qu'en se plaçant près du comptoir il pourrait parlementer avec les maîtres du restaurant. A la longue la connaissance s'établirait, et au jour des détresses financières il obtiendrait sans doute un crédit nécessaire[f]. Il s'était donc assis à une petite table carrée à côté du comptoir, où il ne vit que deux couverts ornés de deux serviettes blanches sans coulant, et destinées probablement aux allants et venants. Le vis-à-vis de Lucien était un maigre et pâle jeune homme, vraisemblablement aussi pauvre que lui, dont le beau visage déjà flétri annonçait que des espérances envolées avaient fatigué son front et laissé dans son âme des sillons où les graines ensemencées

ne germaient point. Lucien se sentit poussé vers l'inconnu
par ces vestiges de poésie et par un irrésistible élan de
sympathie.

Ce jeune homme, le premier avec lequel le poète
d'Angoulême put échanger quelques paroles, au bout
d'une semaine de petits soins, de paroles et d'observations échangées, se nommait Étienne Lousteau [1].
Comme Lucien, Étienne avait quitté sa province, une
ville du Berry, depuis deux ans. Son geste animé, son
regard brillant, sa parole brève par moment, trahissaient
une amère connaissance de la vie littéraire. Étienne
était venu de Sancerre, sa tragédie en poche [a], attiré par
ce qui poignait Lucien : la gloire, le pouvoir et l'argent.
Ce jeune homme, qui dîna d'abord quelques jours de
suite, ne se montra bientôt plus que de loin en loin.
Après cinq ou six jours d'absence, en retrouvant une
fois son poète, Lucien espérait le revoir le lendemain ;
mais le lendemain la place était prise par un inconnu.
Quand, entre jeunes gens, on s'est vu la veille, le feu
de la conversation d'hier se reflète sur celle d'aujour-
d'hui ; mais ces intervalles obligeaient Lucien à rompre
chaque fois la glace, et retardaient d'autant une intimité
qui, durant les premières semaines, fit peu de progrès [b].
Après avoir interrogé la dame du comptoir, Lucien apprit
que son ami futur était rédacteur d'un petit journal,
où il faisait des articles sur les livres nouveaux,
et rendait compte des pièces jouées à l'Ambigu-
Comique, à la Gaieté, au Panorama-Dramatique [2]. Ce
jeune homme devint tout à coup un personnage aux
yeux de Lucien, qui compta bien engager la conversa-

---

1. Sur ce personnage où l'on devine surtout des traits empruntés
à Latouche, voir l'introduction, p. xvii. Le nom de Lousteau était
celui du chef ouvrier de l'imprimerie Balzac (Léger, *A la recherche de
Balzac*, p. 33). Le manuscrit prouve que Balzac avait d'abord donné à
Lousteau le prénom d'Émile.
2. Sur l'Ambigu comique et la Gaîté, voir *infra*, p. 312, n. 3. — Sur
le Panorama dramatique, voir *infra*, p. 311, n. 1.

tion avec lui d'une manière un peu plus intime, et faire quelques sacrifices pour obtenir une amitié si nécessaire à un débutant. Le journaliste resta quinze jours absent. Lucien ne savait pas encore qu'Étienne ne dînait chez Flicoteaux que quand il était sans argent, ce qui lui donnait cet air sombre et désenchanté, cette froideur à laquelle Lucien opposait de flatteurs sourires et de douces paroles. Néanmoins cette liaison exigeait de mûres réflexions, car ce journaliste obscur paraissait mener une vie coûteuse, mélangée de petits-verres, de tasses de café, de bols de punch, de spectacles et de soupers. Or, pendant les premiers jours de son installation dans le quartier, la conduite de Lucien fut celle d'un pauvre enfant étourdi par sa première expérience de la vie parisienne. Aussi, après avoir étudié le prix des consommations et soupesé sa bourse, Lucien n'osa-t-il pas prendre les allures d'Étienne, en craignant de recommencer les bévues dont il se repentait encore. Toujours sous le joug des religions de la province, ses deux anges gardiens, Ève et David, se dressaient à la moindre pensée mauvaise, et lui rappelaient les espérances mises en lui, le bonheur dont il était comptable à sa vieille mère, et toutes les promesses de son génie [a]. Il passait ses matinées à la bibliothèque Sainte-Geneviève à étudier l'histoire. Ses premières recherches lui avaient fait apercevoir d'effroyables erreurs dans son roman de l'Archer de Charles IX. La bibliothèque fermée, il venait dans sa chambre humide et froide corriger son ouvrage, y recoudre, y supprimer des chapitres entiers. Après avoir dîné chez Flicoteaux, il descendait au passage du Commerce [1], lisait [b] au cabinet littéraire de Blosse les œuvres de la littérature contemporaine, les journaux, les recueils périodiques, les livres de poésie pour se mettre au courant du mouvement de l'intelligence, et regagnait

---

1. Il existe encore, dans le bas du quartier Latin, entre le boulevard Saint-Germain et la rue Saint-André des Arts. Lucien n'avait donc que quelques pas à faire pour s'y rendre. Le cabinet de Blosse se trouvait au n° 7.

son misérable hôtel vers minuit sans avoir usé de bois ni de
lumière. Ces lectures changeaient si énormément ses
idées, qu'il revit son recueil de sonnets sur les fleurs,
ses chères Marguerites, et les retravailla si bien qu'il
n'y eut pas cent vers de conservés. Ainsi, d'abord, Lucien
mena la vie innocente et pure des pauvres enfants de la
province qui trouvent du luxe chez Flicoteaux en le
comparant à l'ordinaire de la maison paternelle, qui se
récréent par de lentes promenades sous les allées du
Luxembourg en y regardant les jolies femmes d'un œil
oblique et le cœur gros de sang, qui ne sortent pas du
quartier, et s'adonnent saintement au travail en songeant à leur avenir [a]. Mais Lucien, né poète, soumis
bientôt à d'immenses désirs, se trouva sans force contre
les séductions des affiches de spectacle. Le Théâtre-Français,
le Vaudeville, les Variétés, l'Opéra-Comique [1], où il
allait au parterre, lui enlevèrent une soixantaine de francs.
Quel étudiant pouvait résister au bonheur de voir Talma
dans les rôles qu'il a illustrés ? Le théâtre, ce premier amour
de tous les esprits poétiques, fascina Lucien [b]. Les acteurs
et les actrices lui semblaient des personnages imposants ;
il ne croyait pas à la possibilité de franchir la rampe et de
les voir familièrement. Ces auteurs de ses plaisirs étaient
pour lui des êtres merveilleux que les journaux traitaient
comme les grands intérêts de l'État [c]. Être auteur dramatique, se faire jouer, quel rêve caressé ! Ce rêve, quelques
audacieux, comme Casimir Delavigne [2], le réalisaient !

---

1. Sur le Théâtre-Français et l'Opéra-Comique, voir *infra*, p. 393,
n. 1 et 2. Sur le Vaudeville, voir *supra*, p. 171, n. 2. Les Variétés étaient
l'ancien théâtre Montansier, transformé en 1807.

2. Balzac se place, pour écrire cette phrase, dans la perspective
des premières années de la Restauration, lorsque la médiocrité littéraire et morale du poète pouvait faire illusion. L'opinion fut assez
vite détrompée, et Stendhal ne faisait que la résumer sous une forme
cruelle lorsqu'il écrivait, dans son Courrier anglais, que cet écrivain
libéral, si libéral qu'il fût, était encore plus intrigant et adroit, et que
ce jeune poète n'était, pour le caractère, ni jeune, ni poétique (*Courrier
anglais*, éd. du Divan, V, p. 65).

Ces fécondes pensées, ces moments de croyance en soi suivis de désespoir agitèrent Lucien et le maintinrent dans la sainte voie du travail et de l'économie, malgré les grondements sourds de plus d'un fanatique désir [a]. Par excès de sagesse, il se défendit de pénétrer dans le Palais-Royal, ce lieu de perdition où, pendant une seule journée, il avait dépensé cinquante francs chez Véry, et près de cinq cents francs en habits. Aussi quand il cédait à la tentation de voir Fleury, Talma, les deux Baptiste, ou Michot [1], n'allait-il pas [b] plus loin que l'obscure galerie où l'on faisait queue dès cinq heures et demie, et où les retardataires étaient obligés d'acheter pour dix sous une place auprès du bureau. Souvent, après être resté là pendant deux heures, ces mots : *il n'y a plus de billets!* retentissaient à l'oreille de plus d'un étudiant désappointé. Après le spectacle, Lucien revenait [c] les yeux baissés, ne regardant point dans les rues alors meublées de séductions vivantes. Peut-être lui arriva-t-il quelques-unes de ces aventures d'une excessive simplicité, mais qui prennent une place immense dans les jeunes imaginations timorées. Effrayé de la baisse de ses capitaux, un jour où il compta ses écus, Lucien eut des sueurs froides en songeant à la nécessité de s'enquérir d'un libraire et de chercher quelques travaux payés. Le jeune journaliste dont il s'était fait, à lui seul, un ami, ne venait plus chez Flicoteaux. Lucien attendait un hasard qui ne se présentait pas. A Paris, il n'y a de hasard que pour les gens extrêmement répandus; le nombre des relations y augmente les chances du succès en tout genre, et le hasard aussi est du côté des gros bataillons. En homme chez qui la prévoyance

---

1. Il est inutile de parler ici de Talma. L'acteur Fleury était, au dire de Maurice Alhoy (*Dictionnaire théâtral*, 1825), le dernier et admirable représentant de l'ancienne comédie. Maurice Alhoy mentionne également Baptiste aîné, qui joue au Théâtre-Français, maintenant confiné dans les rôles de pères et de raisonneurs. L'acteur Antoine Michaut, *dit* Michot (1765-1826), ne doit naturellement pas être confondu avec Michelot, du Théâtre-Français.

des gens de la province subsistait encore[a], Lucien ne voulut pas arriver au moment où il n'aurait plus que quelques écus : il résolut d'affronter les libraires.

DEUX VARIÉTÉS DE LIBRAIRES[b]

Par une assez froide matinée du mois de septembre[1], il descendit la rue de la Harpe, ses deux manuscrits sous le bras. Il chemina jusqu'au quai des Augustins, se promena le long du trottoir en regardant alternativement l'eau de la Seine et les boutiques des libraires, comme si un bon génie lui conseillait de se jeter à l'eau plutôt que de se jeter dans la littérature. Après des hésitations poignantes, après un examen approfondi des figures plus ou moins tendres, récréatives, refrognées, joyeuses ou tristes qu'il observait à travers les vitres ou sur le seuil des portes[c], il avisa une maison devant laquelle des commis empressés emballaient des livres. Il s'y faisait des expéditions, les murs étaient couverts d'affiches. *En vente :* LE SOLITAIRE, *par monsieur le vicomte d'Arlincourt. Troisième édition.* LÉONIDE, *par Victor Ducange; cinq volumes*

---

1. Cette indication ne peut s'expliquer ni par la chronologie du manuscrit ni par celle des éditions. Dans la première, la lettre de Lucien à sa famille est du 25 septembre 1821. Il ne peut donc s'agir, pour sa démarche chez les libraires, de septembre 1821 — délai trop court — mais encore moins de septembre 1822. Dans les éditions, Balzac a prudemment supprimé la date de la lettre, mais il a placé au début de septembre — et il ne peut s'agir que de 1821 — le moment où, à Angoulême, Lucien est venu loger dans la haute ville. En fait, Balzac a dans l'esprit les derniers jours de septembre 1821, mais il imprima, dans le premier jet de son texte, un rythme évidemment trop rapide au déroulement de l'action, et il réussit mal, ensuite, à corriger son erreur.

in-12 imprimés sur papier fin. Prix, 12 francs. INDUCTIONS
MORALES [a], *par Kératry* [1].

— Ils sont heureux ceux-là ! s'écria Lucien.

L'affiche, création neuve et originale du fameux Ladvocat,
florissait alors pour la première fois sur les murs. Paris
fut bientôt bariolé par les imitateurs de ce procédé d'annonce, la source d'un des revenus publics [b]. Enfin le cœur
gonflé de sang et d'inquiétude, Lucien, si grand naguère
à Angoulême et à Paris si petit, se coula le long des maisons
et rassembla son courage pour entrer dans cette boutique [c]
encombrée de commis, de chalands, de libraires ! — Et
peut-être d'auteurs, pensa Lucien.

— Je voudrais parler à monsieur Vidal ou à monsieur
Porchon [d], dit-il à un commis.

Il avait lu sur l'enseigne en grosses lettres : VIDAL ET
PORCHON [e], *libraires-commissionnaires pour la France et
l'étranger.*

— Ces messieurs sont tous deux en affaires, lui répondit un commis affairé.

— J'attendrai.

On laissa le poète dans la boutique où il examina les
ballots; il resta deux heures occupé à regarder les titres,
à ouvrir les livres, à lire des pages çà et là. Lucien finit
par s'appuyer l'épaule à un vitrage garni de petits rideaux
verts, derrière lequel il soupçonna que se tenait ou Vidal
ou Porchon, et il entendit la conversation suivante :

— Voulez-vous m'en prendre cinq cents exemplaires ?
je vous les passe alors à cinq francs et vous donne double
treizième.

---

1. La troisième édition du *Solitaire*, par le vicomte d'Arlincourt, est
annoncée dans la Bibliographie de la France du 23 mars 1821. Le
roman de Victor Ducange, *Léonide ou la Vieille de Suresnes*, cinq volumes
in-12, parut en 1823. La variante *Instructions morales* de 1839 est une
coquille. Il s'agit bien des *Inductions morales* de Kératry, ce philosophe
que lady Morgan appelait « franc libéral, habile écrivain et honnête
homme », et dont Delécluze se moquait dans son *Journal*, parce qu'il
écrivait infatigablement sur la nature du beau, quoi qu'il fût, pour
son compte, extrêmement laid (*Journal*, p. 245).

— A quel prix ça les mettrait-il?

— A seize sous de moins.

— Quatre francs quatre sous, dit Vidal ou Porchon à celui qui offrait ses livres.

— Oui, répondit le vendeur.

— En compte? demanda l'acheteur.

— Vieux farceur! et vous me régleriez dans dix-huit mois, en billets à un an?

— Non, réglés immédiatement, répondit Vidal ou Porchon.

— A quel terme, neuf mois? demanda le libraire ou l'auteur qui offrait sans doute un livre.

— Non, mon cher, à un an, répondit l'un des deux libraires-commissionnaires [a].

Il y eut un moment de silence.

— Vous m'égorgez, s'écria l'inconnu.

— Mais, aurons-nous placé dans un an cinq cents exemplaires de *Léonide*? répondit le libraire-commissionnaire à l'éditeur de Victor Ducange [1]. Si les livres allaient au gré des éditeurs, nous serions millionnaires, mon cher maître; mais ils vont au gré du public [b]. On donne les romans de Walter Scott à dix-huit sous le volume, trois livres douze sous l'exemplaire, et vous voulez que je vende vos bouquins plus cher? Si vous voulez que je vous pousse ce roman-là, faites-moi des avantages.

— Vidal!

Un gros homme quitta la caisse et vint, une plume passée entre son oreille et sa tête.

— Dans ton dernier voyage, combien as-tu placé de Ducange, lui demanda Porchon.

— J'ai fait *deux cents Petit Vieillard de Calais*; mais il a fallu, pour les placer, déprécier deux autres ouvrages sur lesquels on ne nous faisait pas de si fortes remises, et qui sont devenus de fort jolis *rossignols*.

---

1. Victor Ducange, dont le nom reviendra deux fois encore dans les *Illusions perdues*, s'était d'abord occupé de théâtre. Il fit ses débuts dans le roman avec *Agathe ou le Petit Vieillard de Calais*, 2 volumes in-12, 1819.

Plus tard Lucien apprit que ce sobriquet de rossignol était donné par les libraires aux ouvrages qui restent perchés sur les casiers dans les profondes solitudes de leurs magasins [a].

— Tu sais d'ailleurs, reprit Vidal, que Picard [1] prépare des romans. On nous promet vingt pour cent de remise sur le prix ordinaire de librairie, afin d'organiser un succès.

— Hé! bien, à un an, répondit piteusement l'éditeur foudroyé par la dernière observation confidentielle de Vidal à Porchon.

— Est-ce dit? demanda nettement Porchon à l'inconnu.

— Oui.

Le libraire sortit. Lucien entendit Porchon disant à Vidal : — Nous en avons trois cents exemplaires de demandés, nous lui allongerons son règlement, nous vendrons les Léonide cent sous à l'unité, nous nous les ferons régler à six mois, et...

— Et, dit Vidal, voilà quinze cents francs de gagnés.

— Oh! j'ai bien vu qu'il était gêné.

— Il s'enfonce! il paye quatre mille francs à Ducange pour deux mille exemplaires.

Lucien arrêta Vidal en bouchant la petite porte de cette cage.

— Messieurs, dit-il aux deux associés, j'ai l'honneur de vous saluer.

Les libraires le saluèrent à peine.

— Je suis auteur d'un roman sur l'histoire de France, à la manière de Walter Scott et qui a pour titre l'Archer

---

1. Louis-Benoit Picard (1769-1828) s'est, plus encore que Ducange, consacré aux choses du théâtre : il a été acteur, auteur, directeur de l'Opéra et de l'Odéon. Mais en 1821, à l'époque même des *Illusions perdues*, il se retire et désormais va se consacrer au roman. En 1822, il donna, en collaboration avec Droz, les *Mémoires de Jacques Fauvel*. En 1823 il publiera *l'Exalté*, en 1824 *le Gil Blas de la Révolution*, en 1825 *l'Honnête homme ou le Niais*, etc... Avant cette époque, il n'avait publié qu'un roman, *les Aventures d'Eugène de Senneville et de Guillaume Delorme*, 1813.

de Charles IX ; je vous propose d'en faire l'acquisition ?

Porchon jeta sur Lucien un regard sans chaleur en posant sa plume sur son pupitre.

Vidal, lui, regarda l'auteur d'un air brutal, et lui répondit : — Monsieur, nous ne sommes pas libraires-éditeurs, nous sommes libraires-commissionnaires [1]. Quand nous faisons des livres pour notre compte, ils constituent des opérations que nous entreprenons alors avec des *noms faits*, nous n'achetons d'ailleurs que des livres sérieux, des histoires, des résumés.

— Mais mon livre est très sérieux, il s'agit de peindre sous son vrai jour la lutte des catholiques qui tenaient pour le gouvernement absolu, et des protestants qui voulaient établir la république [a] [2].

— Monsieur Vidal ! cria un commis.

Vidal s'esquiva.

— Je ne vous dis pas, monsieur, que votre livre ne soit pas un chef-d'œuvre, reprit Porchon en faisant un geste assez impoli, mais nous ne nous occupons que des livres fabriqués. Allez voir ceux qui achètent des manuscrits, le père Doguereau [3], rue du Coq, auprès du Louvre [b], il est un de ceux qui font le roman. Si vous aviez parlé

---

1. Dans une page curieuse, Werdet nous apprend que Balzac ne se lassait pas de prononcer des diatribes contre cette branche de la librairie. Il ne voyait dans les libraires-commissionnaires que des intermédiaires inutiles et des parasites. Werdet soutient qu'il avait tort et qu'ils étaient nécessaires.

2. C'est l'idée même de Balzac, et qu'il partageait avec les Saint-Simoniens, avec en particulier le cénacle de Buchez. Le catholicisme l'intéressait, non comme religion, mais comme politique. Le protestantisme était lié, dans son esprit, à l'esprit de critique et représentait donc un principe d'anarchie.

3. On a depuis longtemps noté que ce nom évoque celui de Pigoreau, avec qui Balzac avait été en rapport dans sa jeunesse. — On serait heureux de savoir pour quelle raison Balzac avait dans le manuscrit placé la boutique de Doguereau rue des Prêtres, et la mit ensuite rue du Coq. Deux libraires tenaient boutique rue du Coq, Papinot et Leroy.

plus tôt, vous venez de voir Pollet [1], le concurrent de Doguereau, et des libraires des Galeries-de-Bois.

— Monsieur, j'ai un recueil de poésie...

— Monsieur Porchon ! cria-t-on.

— De la poésie, s'écria Porchon en colère. Et pour qui me prenez-vous ? ajouta-t-il en lui riant au nez et disparaissant dans son arrière-boutique [a].

Lucien traversa le Pont-Neuf en proie à mille réflexions. Ce qu'il avait compris de cet argot commercial lui fit deviner que, pour ces libraires, les livres étaient comme des bonnets de coton pour des bonnetiers, une marchandise à vendre cher, à acheter bon marché.

— Je me suis trompé, se dit-il frappé néanmoins du brutal et matériel aspect que prenait la littérature.

Il avisa rue du Coq [b] une boutique modeste devant laquelle il avait déjà passé, sur laquelle étaient peints en lettres jaunes, sur un fond vert, ces mots : DOGUEREAU, LIBRAIRE. Il se souvint d'avoir vu ces mots répétés au bas du frontispice de plusieurs des romans qu'il avait lus au cabinet littéraire de Blosse. Il entra non sans cette trépidation intérieure que cause à tous les hommes d'imagination la certitude d'une lutte. Il trouva dans la boutique un singulier vieillard, l'une des figures originales de la librairie sous l'Empire. Doguereau portait un habit noir à grandes basques carrées, et la mode taillait alors les fracs en queue de morue. Il avait un gilet d'étoffe commune à carreaux de diverses couleurs d'où pendaient, à l'endroit du gousset, une chaîne d'acier et une clef de cuivre qui jouaient sur une vaste culotte noire. La montre devait avoir la grosseur d'un oignon. Ce costume était complété par des bas drapés, couleur gris de fer, et par des souliers ornés de boucles en argent. Le vieillard avait la tête nue, décorée de cheveux grisonnants, et assez poétiquement épars. Le père Doguereau, comme l'avait surnommé

---

1. Ce libraire-éditeur était établi au nº 36 de la rue du Temple. Balzac fit paraître chez lui deux de ses romans de jeunesse, *le Centenaire* et *le Vicaire des Ardennes*.

Porchon, tenait par l'habit, par la culotte et par les souliers
au professeur de belles-lettres, et au marchand par le gilet,
la montre et les bas. Sa physionomie ne démentait point
cette singulière alliance : il avait l'air magistral, dogmatique,
la figure creusée du maître de rhétorique, et les yeux vifs,
la bouche soupçonneuse, l'inquiétude vague du libraire [a].

— Monsieur Doguereau? dit Lucien.

— C'est moi, monsieur...

— Je suis auteur d'un roman, dit Lucien.

— Vous êtes bien jeune, dit le libraire.

— Mais, monsieur, mon âge ne fait rien à l'affaire.

— C'est juste, dit le vieux libraire en prenant le manuscrit. Ah, diantre! L'Archer de Charles IX, un bon titre.
Voyons, jeune homme, dites-moi votre sujet en deux
mots.

— Monsieur, c'est une œuvre historique dans le genre
de Walter Scott, où le caractère de la lutte entre les protestants et les catholiques est présenté comme un combat
entre deux systèmes de gouvernement, et où le trône était
sérieusement menacé. J'ai pris parti pour les catholiques [b].

— Hé! mais, jeune homme, voilà des idées. Eh! bien,
je lirai votre ouvrage, je vous le promets. J'aurais mieux
aimé un roman dans le genre de madame Radcliffe [1];
mais si vous êtes travailleur, si vous avez un peu de style,
de la conception, des idées, l'art de la mise en scène, je
ne demande pas mieux que de vous être utile. Que nous
faut-il?... de bons manuscrits.

— Quand pourrai-je venir?

— Je vais ce soir à la campagne, je serai de retour après-
demain, j'aurai lu votre ouvrage, et s'il me va, nous
pourrons traiter le jour même.

---

1. Cette romancière anglaise avait publié, entre 1789 et 1795, cinq
« romans noirs » qui avaient créé une mode et engendré une littérature
romanesque nouvelle. En France ses *Mystères d'Udolphe* et *l'Italien ou
le Confessionnal des pénitents noirs* avaient été traduits dès 1797. Un
moment réprimée sous l'Empire, la vogue avait repris en 1815. Les
premiers romans de Balzac sont, à leur manière, des « romans noirs »
(Alice M. Killen, *le Roman terrifiant ou Roman noir*, 1923).

Lucien, le voyant si bonhomme, eut la fatale idée de sortir le manuscrit des Marguerites.

— Monsieur, j'ai fait aussi un recueil de vers...

— Ah! vous êtes poète, je ne veux plus de votre roman, dit le vieillard en lui tendant le manuscrit. Les rimailleurs échouent quand ils veulent faire de la prose. En prose, il n'y a pas de chevilles, il faut absolument dire quelque chose.

— Mais, monsieur, Walter Scott a fait des vers aussi...

— C'est vrai, dit Doguereau qui se radoucit, devina la pénurie du jeune homme, et garda le manuscrit. Où demeurez-vous? J'irai vous voir.

Lucien donna son adresse, sans soupçonner chez ce vieillard la moindre arrière-pensée, il ne reconnaissait pas en lui le libraire de la vieille école, un homme du temps où les libraires souhaitaient tenir dans un grenier et sous clef Voltaire et Montesquieu mourant de faim [a].

— Je reviens précisément par le quartier latin, lui dit le vieux libraire après avoir lu l'adresse.

— Le brave homme! pensa Lucien en saluant le libraire. J'ai donc rencontré un ami de la jeunesse, un connaisseur qui sait quelque chose. Parlez-moi de celui-là? Je le disais bien à David : le talent parvient facilement à Paris.

Lucien revint heureux et léger, il rêvait la gloire. Sans plus songer aux sinistres paroles qui venaient de frapper son oreille dans le comptoir de Vidal et Porchon, il se voyait riche d'au moins douze cents francs. Douze cents francs représentaient une année de séjour à Paris, une année pendant laquelle il préparerait de nouveaux ouvrages. Combien de projets bâtis sur cette espérance? Combien de douces rêveries en voyant sa vie assise sur le travail? Il se casa, s'arrangea, peu s'en fallut qu'il ne fît quelques acquisitions [b]. Il ne trompa son impatience que par des lectures constantes au cabinet de Blosse. Deux jours après, le vieux Doguereau, surpris du style que Lucien avait dépensé dans sa première œuvre, enchanté de l'exagération des caractères qu'admettait l'époque où se développait le drame, frappé de la fougue d'imagination avec laquelle un jeune auteur dessine toujours son premier plan, il n'était pas gâté, le père Doguereau! vint à l'hôtel où demeurait son Walter Scott en herbe. Il était décidé à payer mille francs la propriété entière de l'*Archer de Charles IX*, et à lier Lucien par un traité pour plusieurs ouvrages. En voyant l'hôtel, le vieux renard se ravisa [a]. — Un jeune homme logé là n'a que des goûts modestes, il aime l'étude, le travail; je peux ne lui donner que huit cents francs. L'hôtesse, à laquelle il demanda monsieur Lucien de Rubempré, lui répondit : — Au quatrième! Le libraire leva le nez, et n'aperçut que le ciel au-dessus du quatrième. — Ce jeune homme, pensa-t-il, est joli garçon, il est même très beau; s'il gagnait trop d'argent, il se dissiperait, il ne travaillerait plus. Dans notre intérêt commun, je lui offrirai six cents francs; mais en argent, pas de billets. Il monta l'escalier, frappa trois coups à la porte de Lucien, qui vint ouvrir. La chambre était d'une nudité désespérante. Il y avait sur la table un bol de lait et une flûte de deux sous. Ce dénûment du génie frappa le bonhomme Doguereau.

— Qu'il conserve, pensa-t-il, ces mœurs simples, cette frugalité, ces modestes besoins. J'éprouve du plaisir à vous voir, dit-il à Lucien. Voilà, monsieur, comment vivait Jean-Jacques, avec qui vous aurez plus d'un rapport. Dans ces logements-ci brille le feu du génie et se composent les bons ouvrages. Voilà comment devraient vivre les gens de lettres, au lieu de faire ripaille dans les cafés, dans les restaurants, d'y perdre leur temps, leur talent et notre argent [b]. Il s'assit. Jeune homme, votre roman n'est pas mal. J'ai été professeur de rhétorique [1], je connais l'histoire de France; il y a d'excellentes choses. Enfin vous avez de l'avenir.

— Ah! monsieur.

— Non, je vous le dis, nous pouvons faire des affaires ensemble. Je vous achète votre roman...

---

1. En 1821, il existe deux libraires qui ont été professeurs de belles-lettres, Lequien, 45, rue des Noyers, et Letellier, 25, rue Traversière Saint-Honoré. Werdet avait commencé sa carrière comme associé de Lequien fils et publié avec lui une collection des classiques français.

Le cœur de Lucien s'épanouit, il palpitait d'aise, il allait entrer dans le monde littéraire, il serait enfin imprimé.

— Je vous l'achète quatre cents francs, dit Doguereau d'un ton mielleux et en regardant Lucien d'un air qui semblait annoncer un effort de générosité.

— Le volume? dit Lucien.

— Le roman, dit Doguereau sans s'étonner de la surprise de Lucien. Mais ajouta-t-il, ce sera comptant. Vous vous engagerez à m'en faire deux par an pendant six ans. Si le premier s'épuise en six mois, je vous payerai les suivants six cents francs. Ainsi, à deux par an, vous aurez cent francs par mois, vous aurez votre vie assurée, vous serez heureux. J'ai des auteurs que je ne paye que trois cents francs par roman. Je donne deux cents francs pour une traduction de l'anglais. Autrefois, ce prix eût été exorbitant.

— Monsieur, nous ne pourrons pas nous entendre, je vous prie de me rendre mon manuscrit, dit Lucien glacé.

Le voilà, dit le vieux libraire. Vous ne connaissez pas les affaires, monsieur. En publiant le premier roman d'un auteur, un éditeur doit risquer seize cents francs d'impression et de papier. Il est plus facile de faire un roman que de trouver une pareille somme. J'ai cent manuscrits de romans chez moi, et n'ai pas cent soixante mille francs dans ma caisse. Hélas! je n'ai pas gagné cette somme depuis vingt ans que je suis libraire. On ne fait donc pas fortune au métier d'imprimer des romans. Vidal et Porchon ne nous les prennent qu'à des conditions qui deviennent de jour en jour plus onéreuses pour nous. Là où vous risquez votre temps, je dois, moi, débourser deux mille francs. Si nous sommes trompés, car *habent sua fata libelli*, je perds deux mille francs; quant à vous, vous n'avez qu'à lancer une ode contre la stupidité publique. Après avoir médité sur ce que j'ai l'honneur de vous dire, vous viendrez me revoir. — Vous reviendrez à moi, répéta le libraire avec autorité pour répondre à un geste plein de superbe que Lucien laissa échapper [a]. Loin de trouver un libraire qui veuille risquer deux mille francs pour un jeune inconnu, vous ne trouverez pas un commis qui se donne la peine de lire votre griffonnage. Moi, qui l'ai lu, je puis vous y signaler plusieurs fautes de français. Vous avez mis *observer* pour *faire observer*, et *malgré que*. Malgré veut un régime direct. Lucien parut humilié [a]. — Quand je vous reverrai, vous aurez perdu cent francs, ajouta-t-il, je ne vous donnerai plus alors que cent écus. Il se leva, salua, mais sur le pas de la porte il dit : — Si vous n'aviez pas du talent, de l'avenir, si je ne m'intéressais pas aux jeunes gens studieux, je ne vous aurais pas proposé de si belles conditions. Cent francs par mois! Songez-y. Après tout, un roman dans un tiroir, ce n'est pas comme un cheval à l'écurie, ça ne mange pas de pain. A la vérité, ça n'en donne pas non plus!

Lucien prit son manuscrit, le jeta par terre en s'écriant :
— J'aime mieux le brûler, monsieur!
— Vous avez une tête de poète, dit le vieillard.

Lucien dévora sa flûte, lappa son lait et descendit. Sa chambre n'était pas assez vaste, il y aurait tourné sur lui-même comme un lion dans sa cage au Jardin-des-Plantes.

UN PREMIER AMI [b]

A la bibliothèque Sainte-Geneviève [c], où Lucien comptait aller, il avait toujours aperçu dans le même coin un jeune homme d'environ vingt-cinq ans qui travaillait avec cette application soutenue que rien ne distrait ni dérange, et à laquelle se reconnaissent les véritables ouvriers littéraires. Ce jeune homme y venait sans doute depuis longtemps, les employés et le bibliothécaire lui-même avaient pour lui des complaisances; le bibliothécaire lui laissait emporter des livres que Lucien voyait rapporter le lendemain par le studieux inconnu, dans lequel le poète reconnaissait un frère de misère et d'espérance. Petit, maigre et pâle, ce travailleur cachait un beau front sous une épaisse chevelure noire assez mal tenue, il avait de belles mains, il attirait le regard des indifférents par une vague ressemblance avec le portrait de Bonaparte gravé d'après Robert Lefebvre [1]. Cette gravure est tout un poème de mélancolie ardente, d'ambition contenue, d'activité cachée. Examinez-la bien ? Vous y trouverez du génie et de la discrétion, de la finesse et de la grandeur. Les yeux ont de l'esprit comme des yeux de femme. Le coup d'œil est avide de l'espace et désireux de difficultés à vaincre. Le nom de Bonaparte ne serait pas écrit au-dessous, vous le contempleriez tout aussi longtemps [a]. Le jeune homme qui réalisait cette gravure avait ordinairement un pantalon à pied dans des souliers à grosses semelles, une redingote de drap commun, une cravate noire, un gilet de drap gris, mélangé de blanc, boutonné [b] jusqu'en haut, et un chapeau à bon marché. Son dédain pour toute toilette inutile était visible. Ce mystérieux inconnu, marqué du sceau que le génie imprime au front de ses esclaves, Lucien le retrouvait chez Flicoteaux le plus régulier de tous les habitués ; il y mangeait pour vivre, sans faire attention à des aliments avec lesquels il paraissait familiarisé, il buvait de l'eau. Soit à la Bibliothèque, soit chez Flicoteaux, il déployait en tout une sorte de dignité qui venait sans doute de la conscience d'une vie occupée par quelque chose de grand et qui le rendait inabordable. Son regard était penseur. La méditation habitait sur son beau front noblement coupé. Ses yeux noirs et vifs, qui voyaient bien et promptement, annonçaient une habitude d'aller au fond des choses. Simple en ses gestes, il avait une contenance grave. Lucien éprouvait un respect involontaire pour lui. Déjà plusieurs fois, l'un et l'autre ils s'étaient mutuellement regardés comme pour se parler à l'entrée ou à la sortie de la bibliothèque ou du restaurant, mais ni l'un ni l'autre ils n'avaient osé. Ce silencieux jeune homme allait au fond de la salle, dans la partie située en retour sur la place de la Sorbonne.

1. Peintre (1756-1831). Il fut le portraitiste à la mode dans le premier tiers du XIXe siècle, aussi bien sous la Restauration que durant l'Empire.

Lucien n'avait donc pu se lier avec lui, quoiqu'il se sentît porté vers ce jeune travailleur en qui se trahissaient les indicibles symptômes de la supériorité. L'un et l'autre, ainsi qu'ils le reconnurent plus tard, ils étaient deux natures vierges et timides, adonnées à toutes les peurs dont les émotions plaisent aux hommes solitaires [a]. Sans leur subite rencontre au moment du désastre qui venait d'arriver à Lucien, peut-être ne se seraient-ils jamais mis en communication. Mais en entrant dans la rue des Grès, Lucien aperçut le jeune inconnu qui revenait de Sainte-Geneviève [b].

— La bibliothèque est fermée, je ne sais pourquoi, monsieur, lui dit-il.

En ce moment Lucien avait des larmes dans les yeux, il remercia l'inconnu par un de ces gestes qui sont plus éloquents que le discours, et qui, de jeune homme à jeune homme, ouvrent aussitôt les cœurs. Tous deux descendirent la rue des Grès en se dirigeant vers la rue de La Harpe.

— Je vais alors me promener au Luxembourg, dit Lucien. Quand on est sorti, il est difficile de revenir travailler.

— On n'est plus dans le courant d'idées nécessaires, reprit l'inconnu. Vous paraissez chagrin, monsieur ?

— Il vient de m'arriver une singulière aventure, dit Lucien.

Il raconta sa visite sur le quai, puis celle au vieux libraire et les propositions qu'il venait de recevoir ; il se nomma, et dit quelques mots de sa situation. Depuis un mois environ, il avait dépensé soixante francs pour vivre, trente francs à l'hôtel, vingt francs au spectacle, dix francs au cabinet littéraire, en tout cent vingt francs ; il ne lui restait plus que cent vingt francs [c].

— Monsieur, lui dit l'inconnu, votre histoire est la mienne et celle de mille à douze cents [d] jeunes gens qui, tous les ans, viennent de la province à Paris. Nous ne sommes pas encore les plus malheureux. Voyez-vous ce théâtre ? dit-il en lui montrant les cimes de l'Odéon. Un jour vint se loger, dans une des maisons qui sont sur la place, un homme de talent qui avait roulé dans des abîmes

de misère; marié, surcroît de malheur qui ne nous afflige
encore ni l'un ni l'autre ᵃ, à une femme qu'il aimait;
pauvre ou riche, comme vous voudrez, de deux enfants;
criblé de dettes, mais confiant dans sa plume. Il présente à
l'Odéon une comédie en cinq actes, elle est reçue, elle obtient
un tour de faveur, les comédiens la répètent, et le directeur
active les répétitions. Ces cinq bonheurs constituent cinq
drames encore plus difficiles à réaliser que cinq actes à
écrire. Le pauvre auteur, logé dans un grenier que vous
pouvez voir d'ici épuise ses dernières ressources pour
vivre pendant la mise en scène de sa pièce, sa femme met
ses vêtements au Mont-de-Piété, la famille ne mange que
du pain. Le jour de la dernière répétition, la veille de la
représentation, le ménage devait cinquante francs dans le
quartier, au boulanger, à la laitière, au portier. Le poète
avait conservé le strict nécessaire : un habit, une chemise,
un pantalon, un gilet et des bottes. Sûr du succès, il vient
embrasser sa femme, il lui annonce la fin de leurs infortunes. — Enfin il n'y a plus rien contre nous! s'écrie-t-il.
— Il y a le feu, dit la femme, regarde, l'Odéon brûle.
Monsieur, l'Odéon brûlait. Ne vous plaignez donc pas.
Vous avez des vêtements, vous n'avez ni femme ni enfants,
vous avez pour cent vingt francs de hasard dans votre
poche, et vous ne devez rien à personne. La pièce a eu
cent cinquante représentations au théâtre Louvois [1]. Le
roi a fait une pension à l'auteur. Buffon l'a dit, le génie,
c'est la patience. La patience est en effet ce qui, chez l'homme, ressemble le plus au procédé que la nature emploie
dans ses créations. Qu'est-ce que l'Art, monsieur ? c'est
la nature concentrée.

Les deux jeunes gens arpentaient alors le Luxembourg,
Lucien apprit bientôt le nom, devenu depuis célèbre,
de l'inconnu qui s'efforçait de le consoler. Ce jeune homme

---

1. L'Odéon brûla deux fois en vingt ans. Il brûla d'abord en 1799.
Sa troupe se réfugia dans la salle du théâtre Louvois, au nᵒ 8 de la rue
de Louvois. Elle y resta jusqu'en 1807. Onze ans plus tard, dans la
nuit du 20 mars 1818, l'Odéon était à nouveau détruit par un incendie.

était Daniel d'Arthez [a], aujourd'hui l'un des plus illustres écrivains de notre époque, et l'un des gens rares qui, selon la belle pensée d'un poète, offrent

« L'accord d'un beau talent et d'un beau caractère. »

— On ne peut pas être grand homme à bon marché, lui dit Daniel de sa voix douce. Le génie arrose ses œuvres de ses larmes. Le talent est une créature morale qui a, comme tous les êtres, une enfance sujette à des maladies. La Société repousse les talents incomplets comme la Nature emporte les créatures faibles ou mal conformées. Qui veut s'élever au-dessus des hommes doit se préparer à une lutte, ne reculer devant aucune difficulté. Un grand écrivain est un martyr qui ne mourra pas, voilà tout. Vous avez au front le sceau du génie, dit d'Arthez à Lucien en lui jetant un regard qui l'enveloppa; si vous n'en avez pas au cœur la volonté, si vous n'en avez pas la patience angélique, si à quelque distance du but que vous mettent les bizarreries de la destinée vous ne reprenez pas, comme les tortues en quelque pays qu'elles soient, le chemin de votre infini, comme elles prennent celui de leur cher océan, renoncez dès aujourd'hui.

— Vous vous attendez donc, vous, à des supplices? dit Lucien.

— A des épreuves en tout genre, à la calomnie, à la trahison, à l'injustice de mes rivaux; aux effronteries, aux ruses, à l'âpreté du commerce, répondit le jeune homme d'une voix résignée. Si votre œuvre est belle, qu'importe une première perte...

— Voulez-vous lire et juger la mienne? dit Lucien.

— Soit, dit d'Arthez. Je demeure rue des Quatre-Vents, dans une maison où l'un des hommes les plus illustres, un des plus beaux génies de notre temps, un phénomène dans la science, Desplein, le plus grand chirurgien connu, souffrit son premier martyre en se débattant avec les premières difficultés de la vie et de la gloire à

Paris[1]. Ce souvenir me donne tous les soirs la dose de courage dont j'ai besoin tous les matins [a]. Je suis dans cette chambre où il a souvent mangé, comme Rousseau, du pain et des cerises, mais sans Thérèse. Venez dans une heure, j'y serai.

Les deux poètes se quittèrent en se serrant la main avec une indicible effusion de tendresse mélancolique. Lucien alla chercher son manuscrit. Daniel d'Arthez alla mettre au Mont-de-Piété sa montre pour pouvoir acheter deux falourdes, afin que son nouvel ami trouvât du feu chez lui, car il faisait froid [2]. Lucien fut exact et vit d'abord une maison moins décente que son hôtel et qui avait une allée sombre, au bout de laquelle se développait un escalier obscur [3]. La chambre de Daniel d'Arthez, située au cinquième étage, avait deux méchantes croisées entre lesquelles était une bibliothèque en bois noirci, pleine de cartons étiquetés. Une maigre couchette en bois peint, semblable aux couchettes de collège, une table de nuit achetée d'occasion, et deux fauteuils couverts en crin occupaient le fond de cette pièce tendue d'un papier écossais verni par la fumée et par le temps. Une longue table chargée de papiers était placée entre la cheminée et l'une des croisées. En face de cette cheminée, il y avait une mauvaise commode en bois d'acajou. Un tapis de hasard couvrait entièrement le carreau. Ce luxe nécessaire évitait du chauffage. Devant la table, un vulgaire fauteuil de bureau en basane rouge blanchie par l'usage, puis six mauvaises chaises complétaient l'ameublement. Sur la cheminée,

---

1. Balzac fait ici allusion à son récit de *la Messe de l'athée*, paru dans la *Chronique de Paris* du 3 janvier 1836.
2. Cette première conversation de Lucien et de Daniel a lieu à une époque où la mauvaise saison a déjà commencé. En effet, d'après la chronologie du manuscrit, la lettre de Lucien à sa famille date de la fin de septembre 1821, et la rencontre avec d'Arthez a lieu cinquante jours plus tard, donc vers le 15 novembre 1821.
3. *La Messe de l'athée* donne une description plus forte de cette affreuse maison, de son escalier tortueux et obscur, de sa façade verdâtre, de la misère qui s'étalait à chacun de ses étages.

Lucien aperçut un vieux flambeau de bouillotte à garde-vue, muni de quatre bougies. Quand Lucien demanda la raison des bougies, en reconnaissant en toutes choses les symptômes d'une âpre misère, d'Arthez lui répondit qu'il lui était impossible de supporter l'odeur de la chandelle. Cette circonstance indiquait une grande délicatesse de sens, l'indice d'une exquise sensibilité.

La lecture dura sept heures. Daniel écouta religieusement, sans dire un mot ni faire une observation, une des plus rares preuves de bon goût que puissent donner les auteurs.

— Eh! bien, dit Lucien à Daniel en mettant le manuscrit sur la cheminée.

— Vous êtes dans une belle et bonne voie, répondit gravement le jeune homme; mais votre œuvre est à remanier. Si vous voulez ne pas être le singe de Walter Scott, il faut vous créer une manière différente, et vous l'avez imité. Vous commencez, comme lui, par de longues conversations pour poser vos personnages; quand ils ont causé, vous faites arriver la description et l'action. Cet antagonisme nécessaire à toute œuvre dramatique vient en dernier. Renversez-moi les termes du problème. Remplacez ces diffuses causeries, magnifiques chez Scott, mais sans couleur chez vous, par des descriptions auxquelles se prête si bien notre langue. Que chez vous le dialogue soit la conséquence attendue qui couronne vos préparatifs. Entrez tout d'abord dans l'action. Prenez-moi votre sujet tantôt en travers, tantôt par la queue; enfin variez vos plans, pour n'être jamais le même [a]. Vous serez neuf tout en adaptant à l'histoire de France la forme du drame dialogué de l'Écossais. Walter Scott est sans passion, il l'ignore, ou peut-être lui était-elle interdite par les mœurs hypocrites de son pays. Pour lui, la femme est le devoir incarné [b]. A de rares exceptions près, ses héroïnes sont absolument les mêmes, il n'a eu pour elles qu'un seul poncif, selon l'expression des peintres. Elles procèdent toutes de Clarisse Harlowe; en les ramenant toutes à une idée, il ne pouvait que tirer des exemplaires

d'un même type, variés par un coloriage plus ou moins
vif. La femme porte le désordre dans la société par la passion. La passion a des accidents infinis. Peignez donc les
passions, vous aurez les ressources immenses dont s'est
privé ce grand génie pour être lu dans toutes les familles
de la prude Angleterre [a]. En France, vous trouverez les
fautes charmantes et les mœurs brillantes du catholicisme [b]
à opposer aux sombres figures du calvinisme pendant la
période la plus passionnée de notre histoire. Chaque règne
authentique, à partir de Charlemagne, demandera tout au
moins un ouvrage [1][c], et quelquefois quatre ou cinq, comme
pour Louis XIV, Henri IV, François Ier. Vous ferez ainsi
une histoire de France pittoresque où vous peindrez les
costumes, les meubles, les maisons, les intérieurs, la vie
privée, tout en donnant l'esprit du temps, au lieu de nar-
rer péniblement des faits connus. Vous avez un moyen
d'être original en relevant les erreurs populaires qui défi-
gurent la plupart de nos rois. Osez, dans votre première
œuvre, rétablir la grande et magnifique figure de Catherine [d]
que vous avez sacrifiée aux préjugés qui planent encore sur
elle. Enfin peignez Charles IX comme il était, et non comme

---

1. L'idée était courante vers 1820-1825. Le *Journal de la librairie*
du 26 avril 1823 annonce *la France romantique* qui promettait autant
de romans qu'il y avait de règnes dans l'histoire de France. Ce projet,
Balzac l'avait caressé de bonne heure pour son propre compte. En
1821, il songeait à un roman sur Charles VI, à un autre sur la Conspiration d'Amboise, ou sur la Saint-Barthélemy, ou sur les premiers
temps de l'histoire de France (*L. à sa famille*, p. 57). En fait, ce fut
son ami Paul Lacroix qui réalisa ce projet, dans la mesure où il pouvait
l'être, et la plume trop féconde de ce polygraphe donna au public
des romans sur les règnes de Charles VII, de Louis XII, de François
Ier, de Louis XIV, sans parler du xve siècle, de l'Empire et de la
Restauration. Mais Balzac, à l'époque même où il composait les
Illusions perdues, n'avait pas renoncé à son dessein. Il écrivait le 19
décembre 1836 dans son album : « Résolu d'introduire dans les Études
philosophiques autant de scènes historiques qu'il y a de siècles depuis
l'invasion des Francs jusqu'en 1800 pour montrer le ravage des hautes
idées dans la politique, ce qui a fait l'esprit des siècles, l'antagonisme...
Environ 15 scènes » (J. Crépet, *op. cit.*, p. 138).

l'ont fait les écrivains protestants. Au bout de dix ans de
persistance, vous aurez gloire et fortune [1].

Il était alors neuf heures. Lucien imita l'action secrète
de son futur ami en lui offrant à dîner chez Edon [2], où
il dépensa douze francs. Pendant ce dîner Daniel
livra le secret de ses espérances et de ses études
à Lucien. D'Arthez n'admettait pas de talent hors
ligne sans de profondes connaissances métaphysiques.
Il procédait en ce moment au dépouillement de toutes
les richesses philosophiques des temps anciens et modernes
pour se les assimiler. Il voulait, comme Molière [3], être un
profond philosophe [a] avant de faire des comédies. Il étudiait le monde écrit et le monde vivant, la pensée et le
fait. Il avait pour amis de savants naturalistes, de jeunes
médecins, des écrivains politiques et des artistes, société de
gens studieux, sérieux, pleins d'avenir. Il vivait d'articles
consciencieux et peu payés mis dans des dictionnaires

---

1. Balzac a commencé dès 1821 à s'intéresser aux guerres de religion. On vient de voir qu'en 1821 il pensait faire un roman sur la
conjuration d'Amboise ou sur la Saint-Barthélemy. Mais c'est aux
environs de 1827 qu'il prit la défense de Catherine de Médicis, défenseur calomnié selon lui de l'unité nationale. Il se conformait en cela
aux vues de Buchez et du groupe du *Gymnase*. Elles expliquent la
façon dont il parlera désormais de Catherine. On notera à ce sujet,
mais sans en tirer de conséquence, que le *Figaro* du 16 août 1826
contient cette phrase curieuse et anonyme : « Comment, MM. du
Constitutionnel, vous prétendez que j'ai appelé la Saint-Barthélemy
une rigueur nécessaire? Fi donc! Cela se pense et ne se dit pas ».
Le 28 mai 1837, Balzac écrivait à la comtesse Hanska qu'il venait
d'achever *le Martyr*, qui avec *le Secret des Ruggieri* et *les Deux Rêves*,
complète l'étude de Catherine de Médicis (*L. à l'Etr.*, I, p. 369).
2. Restaurateur installé rue de l'Ancienne Comédie au faubourg
Saint-Germain. Le *Nouvel almanach des gourmets* (1826) loue sa cuisine
fine et délicate, et ses prix modérés. C'est chez Édon que Véron
fit son premier dîner littéraire (*Mémoires*, I, p. 239).
3. Balzac avait d'abord pensé à Machiavel et à sa *Mandragore*. Il
a jugé ensuite qu'il était plus prudent de parler à un public français
de Molière. L'exemple a naturellement beaucoup moins de force.
Mais peut-être Balzac pensait-il à ses débuts. Lui aussi, il avait voulu,
avant d'écrire des œuvres d'imagination, s'assimiler « les richesses
philosophiques des temps anciens et modernes ».

biographiques, encyclopédiques ou de sciences naturelles [1];
il n'en écrivait ni plus ni moins que ce qu'il en fallait pour
vivre et pouvoir suivre sa pensée. D'Arthez avait une œuvre
d'imagination, entreprise uniquement pour étudier les
ressources de la langue. Ce livre, encore inachevé, pris
et repris par caprice, il le gardait pour les jours de grande
détresse. C'était une œuvre psychologique et de haute
portée, sous la forme du roman. Quoique Daniel se décou-
vrît modestement, il parut gigantesque à Lucien. En sortant
du restaurant, à onze heures, Lucien s'était pris d'une vive
amitié pour cette vertu sans emphase, pour cette nature
sublime sans le savoir. Le poëte ne discuta par les conseils de
Daniel, il les suivit à la lettre. Ce beau talent déjà mûri
par la pensée et par une critique solitaire, inédite, faite
pour lui non pour autrui, lui avait tout à coup poussé
la porte des plus magnifiques palais de la fantaisie. Les
lèvres du provincial avaient été touchées d'un charbon
ardent, et la parole du travailleur parisien trouva dans
le cerveau du poète d'Angoulême une terre préparée.
Lucien se mit à refondre son œuvre.

LE CÉNACLE [a]

Heureux d'avoir rencontré dans le désert de Paris un
cœur où abondaient des sentiments généreux en harmonie avec les siens, le grand homme de province [b] fit
ce que font tous les jeunes gens affamés d'affection : il

---

1. Dans l'article qu'il avait consacré à Ymbert Galloix dans *l'Europe
littéraire*, « V. Hugo avait parlé de ces travaux de librairie où s'usent
tant de jeunes gens capables peut-être de grandes choses » : dictionnaires, compilations, biographies des contemporains à vingt francs
la colonne (*Europe litt.*, II, p. 266). Balzac avait lu cet article. Il l'a
cité.

s'attacha comme une maladie chronique à d'Arthez, il
alla le chercher pour se rendre à la bibliothèque, il se promena près de lui au Luxembourg par les belles journées,
il l'accompagna tous les soirs jusque dans sa pauvre chambre,
après avoir dîné près de lui chez Flicoteaux, enfin il
se serra contre lui comme un soldat se pressait sur son voisin
dans les plaines glacées de la Russie. Pendant les premiers
jours de sa connaissance avec Daniel, Lucien ne remarqua
pas sans chagrin une certaine gêne causée par sa présence
dès que les intimes étaient réunis. Les discours de ces
êtres supérieurs, dont lui parlait d'Arthez avec un enthousiasme concentré, se tenaient dans les bornes d'une réserve
en désaccord avec les témoignages visibles de leur vive
amitié. Lucien sortait alors discrètement en ressentant
une sorte de peine causée par l'ostracisme dont il était
l'objet et par la curiosité qu'excitaient en lui ces personnages inconnus; car tous s'appelaient par leurs noms de
baptême. Tous portaient au front, comme d'Arthez, le
sceau d'un génie spécial. Après de secrètes oppositions
combattues à son insu par Daniel, Lucien fut enfin jugé
digne d'entrer dans ce Cénacle de grands esprits. Lucien
put dès lors connaître ces personnes unies par les plus
vives sympathies, par le sérieux de leur existence intellectuelle, et qui se réunissaient presque tous les soirs chez
d'Arthez. Tous pressentaient en lui le grand écrivain : ils
le regardaient comme leur chef depuis qu'ils avaient
perdu l'un des esprits les plus extraordinaires de ce temps,
un génie mystique, leur premier chef, qui, pour des raisons
inutiles à rapporter, était retourné dans sa province, et
dont Lucien entendait souvent parler sous le nom de Louis[1].
On comprendra facilement combien ces personnages
avaient dû réveiller l'intérêt et la curiosité d'un poète, à
l'indication de ceux qui depuis ont conquis, comme
d'Arthez, toute leur gloire; car plusieurs succombèrent[a].

---

1. Le lecteur comprend bien qu'il s'agit de Louis Lambert.

Parmi ceux qui vivent encore [1] était Horace Bianchon [2] alors interne à l'Hôtel-Dieu [a], devenu depuis l'un des flambeaux de l'École de Paris, et trop connu maintenant pour qu'il soit nécessaire de peindre sa personne ou d'expliquer son caractère et la nature de son esprit. Puis venait Léon Giraud [3], ce profond philosophe, ce hardi théoricien qui remue tous les systèmes, les juge, les exprime, les formule et les traîne aux pieds de son idole : l'Humanité; toujours grand, même dans ses erreurs, ennoblies par sa bonne foi. Ce travailleur intrépide, ce savant consciencieux est devenu chef d'une école morale et politique sur le mérite de laquelle le temps seul pourra prononcer. Si ses convictions lui ont fait une destinée en des régions étrangères à celles où ses camarades se sont élancés, il n'en est pas moins resté leur fidèle ami. L'Art était représenté par Joseph Bridau, l'un des meilleurs peintres de la jeune École. Sans les malheurs secrets auxquels le condamne une nature trop impressionnable, Joseph, dont le dernier mot n'est d'ailleurs pas dit, aurait pu continuer les grands maîtres de l'école italienne : il a le dessin de Rome et la couleur de Venise; mais l'amour le tue et ne traverse pas que son cœur : l'amour lui lance ses flèches dans le cerveau, lui dérange sa vie et lui fait faire les plus étranges zigzags. Si sa maîtresse éphémère le rend ou trop heureux

---

1. Sur les éléments de réalité que l'on distingue avec plus ou moins de netteté dans les portraits qui vont suivre, voir l'Introduction, p. XXIII-XXVII. L'étude du manuscrit démontre qu'au début, le Cénacle ne comprenait que cinq membres : Daniel d'Arthez, Bianchon, Meyraux, Louis Lambert et Michel Chrestien (*notes critiques*, p. 239, n. *c*). Mais plus loin, ils sont sept : Ridal et Giraud ont été ajoutés (*notes critiques*, p. 373, n. *a*). Il ne manque plus alors que Joseph Bridau, dont la phrase est donnée à Léon Giraud.

2. Le docteur Mardochée Marx fut interne à l'Hôtel-Dieu en 1819. A partir de 1830, il eut la clientèle la plus brillante, dans le monde catholique et aristocratique. Il ne cachait pourtant pas ses fermes convictions matérialistes. Il est notable qu'il fut l'ami d'Armand Carrel, comme Bianchon est le compagnon de Michel Chrestien.

3. Sur la signification de Léon Giraud, image probable de Pierre Leroux, voir l'Introduction, p. XXVI.

ou trop misérable, Joseph enverra pour l'exposition tantôt des esquisses où la couleur empâte le dessin, tantôt des tableaux qu'il a voulu finir sous le poids de chagrins imaginaires, et où le dessin l'a si bien préoccupé que la couleur, dont il dispose à son gré, ne s'y retrouve pas. Il trompe incessamment et le public et ses amis. Hoffmann l'eût adoré pour ses pointes poussées avec hardiesse dans le champ des Arts, pour ses caprices, pour sa fantaisie. Quand il est complet, il excite l'admiration, il savoure, et s'effarouche alors de ne plus recevoir d'éloges pour les œuvres manquées où les yeux de son âme voient tout ce qui est absent pour l'œil du public. Fantasque au suprême degré, ses amis lui ont vu détruire un tableau achevé auquel il trouvait l'air trop peigné. — C'est trop fait, disait-il, c'est trop écolier. Original et sublime parfois, il a tous les malheurs et toutes les félicités des organisations nerveuses, chez lesquelles la perfection tourne en maladie. Son esprit est frère de celui de Sterne, mais sans le travail littéraire. Ses mots, ses jets de pensée ont une saveur inouïe. Il est éloquent et sait aimer, mais avec ses caprices, qu'il porte dans les sentiments comme dans son *faire*. Il était cher au Cénacle précisément à cause de ce que le monde bourgeois eût appelé ses défauts [1]. Enfin Fulgence Ridal, l'un des auteurs de notre temps qui ont le plus de verve comique, un poète insouciant de gloire, ne jetant sur le théâtre que ses productions les plus vulgaires, et gardant dans le sérail de son cerveau, pour lui, pour ses amis, les plus jolies scènes [2], ne demandant au public que l'argent nécessaire à son indépendance, et ne voulant plus rien faire dès qu'il l'aura obtenu. Pares-

---

1. Joseph Bridau, dans les *Illusions perdues*, peut faire penser à Eugène Delacroix, mais aucun trait précis ne vient confirmer ce rapprochement et lui donner quelque intérêt pour l'interprétation du personnage.

2. C'est à peu près ce que Véron dit de Merle. « Celui-ci, écrit-il, était bien supérieur à son œuvre et ne faisait ses vaudevilles que pour dîner. Il aurait écrit de grandes comédies si on lui en avait demandé » (*Mémoires*, I, p. 213).

seux [1] et fécond comme Rossini, obligé, comme les grands poètes comiques, comme Molière et Rabelais, de considérer toute chose à l'endroit du pour et à l'envers du contre, il était sceptique, il pouvait rire et riait de tout. Fulgence Ridal est un grand philosophe pratique. Sa science du monde, son génie d'observation, son dédain de la gloire, qu'il appelle la parade, ne lui ont point desséché le cœur. Aussi actif pour autrui qu'il est indifférent à ses intérêts [2], s'il marche, c'est pour un ami. Pour ne pas mentir à son masque vraiment rabelaisien, il ne hait pas [a] la bonne chère [3] et ne la recherche point, il est à la fois mélancolique et gai. Ses amis le nomment le *chien du régiment*, rien ne le peint mieux que ce sobriquet. Trois autres, au moins aussi supérieurs que ces quatre amis peints de profil, devaient succomber par intervalles : Meyraux d'abord, qui mourut après avoir ému la célèbre dispute entre Cuvier et Geoffroy-Saint-Hilaire, grande question qui devait partager le monde scientifique entre ces deux génies égaux, quelques mois avant la mort de celui qui tenait pour une science étroite et analyste contre le

---

1. Ici encore, le trait est conforme au portrait de Merle par Véron. Il était, dit celui-ci, le plus spirituel paresseux.

2. Gozlan trace ce portrait de Merle : « Merle n'avait pas le plus léger grain d'ambition dans la peau, il n'était rien, n'avait voulu rien être, et il ne voulait rien devenir. Je vous servirai tant que vous voudrez, tant que je pourrai, disait-il, mais, je vous prie, ne vous occupez pas de moi » (*Balzac chez lui*, p. 183-184). Ce texte n'a pas seulement l'intérêt de prouver avec certitude que Merle et Fulgence Ridal ne font qu'un. Il explique les phrases de Balzac. Celui-ci fait allusion à l'histoire du *Cheval rouge*. Il a offert à Merle l'appui de son association pour obtenir une place du gouvernement. Merle l'a laissé dire, mais a bien précisé que, tout prêt à servir les autres membres de la société imaginée par Balzac, il était, pour lui-même, sans ambition et ne leur demandait rien. Balzac a voulu, sans le nommer, laisser un témoignage dans les *Illusions perdues* sur l'admirable désintéressement de son ami.

3. Merle faisait mieux que de ne le point haïr. Véron l'a appelé « le plus savant gourmet », et Léon Gozlan a écrit : « Merle était une fourchette d'or tombée du ciel. Personne, depuis Néron, depuis Lucullus, depuis Grimod de la Reynière, n'a su manger comme lui ».

panthéiste qui vit encore et que l'Allemagne révère [1]. Meyraux était l'ami de ce Louis [a] qu'une mort anticipée allait bientôt ravir au monde intellectuel. A ces deux hommes, tous deux marqués par la mort, tous deux obscurs aujourd'hui malgré l'immense portée de leur savoir et de leur génie, il faut joindre Michel Chrestien [b], républicain d'une haute portée qui rêvait la fédération de l'Europe et qui fut en 1830 pour beaucoup dans le mouvement moral des Saint-Simoniens. Homme politique de la force de Saint-Just et de Danton, mais simple et doux comme une jeune fille, plein d'illusions et d'amour, doué d'une voix mélodieuse qui aurait ravi Mozart, Weber ou Rossini, et chantant certaines chansons de Béranger à enivrer le cœur de poésie, d'amour ou d'espérance, Michel Chrestien, pauvre comme Lucien, comme Daniel, comme tous ses amis, gagnait sa vie avec une insouciance diogénique. Il faisait des tables de matières pour de grands ouvrages, des prospectus pour les libraires, muet d'ailleurs sur ses doctrines comme est muette une tombe sur les secrets de la mort. Ce gai bohémien de l'intelligence, ce grand homme d'État, qui peut-être eût changé la face du monde, mourut au cloître Saint-Méry comme un simple soldat [2].

---

1. C'est dans la séance de l'Académie des sciences du 15 février 1830 que Geoffroy Saint-Hilaire fit son rapport sur le mémoire de Laurencet et Meyranx, *Considérations sur l'organisation des mollusques*. Ce mémoire, approuvé par Geoffroy Saint-Hilaire, mettait en cause les conceptions de Cuvier. Une polémique de presse s'ensuivit. « Celui qui tenait pour une science étroite et analyste » est naturellement Cuvier. Si Balzac appelle Geoffroy Saint-Hilaire « le panthéiste... que l'Allemagne révère », c'est qu'il avait été frappé par le fait que le triomphe de Geoffroy Saint-Hilaire fut salué par le dernier article qu'écrivit le grand Gœthe, comme il le dit lui-même dans l'avant-propos de *la Comédie humaine* en 1842. Le docteur Meyranx mourut en juin 1832, à quarante-deux ans.

2. Aucun artiste, aucun écrivain ne fut tué dans l'atroce massacre du cloître Saint-Merri. J. Merlant a pensé que ce trait fut suggéré à Balzac par la mort héroïque de Farcy, au cours des combats de juillet 1830 (Voir sur cette belle figure Saint-Beuve, *Portraits littéraires*). D'autre part, l'ami de Balzac, Étienne Arago, fut parmi les combattants du cloître Saint-Merri, et n'échappa que de justesse au massacre. Alexandre Dumas a rappelé le fait dans ses *Mémoires*.

La balle de quelque négociant tua là l'une des plus nobles créatures qui foulassent le sol français. Michel Chrestien périt pour d'autres doctrines que les siennes. Sa fédération menaçait beaucoup plus que la propagande républicaine l'aristocratie européenne [1] ; elle était plus rationnelle et moins folle que les affreuses idées de liberté indéfinie proclamées par les jeunes insensés qui se portent héritiers de la Convention. Ce noble plébéien fut pleuré [a] de tous ceux qui le connaissaient ; il n'est aucun d'eux qui ne songe, et souvent, à ce grand homme politique inconnu [b].

Ces neuf personnes [c] composaient un Cénacle où l'estime et l'amitié faisaient régner la paix entre les idées et les doctrines les plus opposées. Daniel d'Arthez, gentilhomme picard, tenait pour la Monarchie [d] avec une conviction égale à celle qui faisait tenir Michel Chrestien à son fédéralisme européen. Fulgence Ridal se moquait des doctrines philosophiques de Léon Giraud, qui lui-même prédisait à d'Arthez la fin du christianisme et de la Famille. Michel Chrestien, qui croyait à la religion du Christ, le divin législateur de l'Égalité, défendait l'immortalité de l'âme contre le scalpel de Bianchon, l'analyste par excellence. Tous discutaient sans disputer. Ils n'avaient point de vanité, étant eux-mêmes leur auditoire. Ils se communiquaient leurs travaux, et se consultaient avec l'adorable bonne foi de la jeunesse. S'agissait-il d'une affaire sérieuse ? l'opposant quittait son opinion pour entrer dans les idées de son ami, d'autant plus apte à l'aider, qu'il était impartial dans une cause ou dans une œuvre en dehors de ses idées. Presque tous avaient l'esprit doux et tolérant, deux qualités qui prouvaient leur supériorité. L'Envie, cet horrible trésor de nos espé-

---

1. Le texte du manuscrit donne une idée profondément différente. La fédération rêvée par Michel Chrestien menaçait beaucoup plus l'Europe qu'elle ne tendait à cette république anarchique avec laquelle on a cru définir la pensée de ce grand politique. Balzac pensait-il alors plus particulièrement à Carrel, dont le but essentiel était en effet de détruire l'Europe des traités de Vienne ?

rances trompées, de nos talents avortés, de nos succès
manqués, de nos prétentions blessées, leur était inconnue.
Tous marchaient d'ailleurs dans des voies différentes.
Aussi, ceux qui furent admis, comme Lucien, dans leur
société, se sentaient-ils à l'aise. Le vrai talent est toujours
bon enfant et candide, ouvert, point gourmé ; chez lui,
l'épigramme caresse l'esprit, et ne vise jamais l'amour-
propre. Une fois la première émotion que cause le respect
dissipée, on éprouvait des douceurs infinies auprès de ces
jeunes gens d'élite. La familiarité n'excluait pas la conscience
que chacun avait de sa valeur, chacun sentait une profonde estime pour son voisin ; enfin, chacun se sentant
de force à être à son tour le bienfaiteur ou l'obligé, tout
le monde acceptait sans façon. Les conversations pleines
de charmes et sans fatigue, embrassaient ª les sujets les
plus variés. Légers à la manière des flèches, les mots allaient à fond tout en allant vite ᵇ. La grande misère extérieure et la splendeur des richesses intellectuelles pro-
duisaient un singulier contraste. Là, personne ne pensait
aux réalités de la vie que pour en tirer d'amicales plaisanteries. Par une journée où le froid se fit prématurément
sentir, cinq des amis de d'Arthez arrivèrent ayant eu chacun
la même pensée, tous apportaient du bois sous leur manteau,
comme dans ces repas champêtres où, chaque invité devant
fournir son plat, tout le monde donne ᶜ un pâté. Tous
doués de cette beauté morale qui réagit sur la forme,
et qui, non moins que les travaux et les veilles, dore les
jeunes visages d'une teinte divine, ils offraient ces traits
un peu tourmentés que la pureté de la vie et le feu de
la pensée régularisent et purifient. Leurs fronts se recom-
mandaient par une ampleur poétique. Leurs yeux vifs
et brillants déposaient d'une vie sans souillures. Les
souffrances de la misère, quand elles se faisaient sentir,
étaient si gaiement supportées, épousées avec une telle
ardeur par tous, qu'elles n'altéraient point la sérénité
particulière aux visages des jeunes gens encore exempts
de fautes graves, qui ne se sont amoindris dans aucune
des lâches transactions qu'arrachent la misère mal supportée,

l'envie de parvenir sans aucun choix de moyens, et la facile complaisance avec laquelle les gens de lettres accueillent ou pardonnent les trahisons. Ce qui rend les amitiés indissolubles et double leur charme, est un sentiment qui manque à l'amour, la certitude. Ces jeunes gens étaient sûrs d'eux-mêmes : l'ennemi de l'un devenait l'ennemi de tous, ils eussent brisé leurs intérêts les plus urgents pour obéir à la sainte solidarité de leurs cœurs. Incapables tous d'une lâcheté, ils pouvaient opposer [a] un *non* formidable à toute accusation, et se défendre les uns les autres avec sécurité. Également nobles par le cœur et d'égale force dans les choses de sentiments ils pouvaient tout penser et se tout dire sur le terrain [b] de la science et de l'intelligence; de là, l'innocence de leur commerce, la gaieté de leur parole. Certains de se comprendre, leur esprit divaguait à l'aise; aussi ne faisaient-ils point de façon entre eux, ils se confiaient leurs peines et leurs joies, ils pensaient et souffraient à plein cœur [c]. Les charmantes délicatesses qui font de la fable des DEUX AMIS un trésor pour les grandes âmes étaient habituelles chez eux. Leur sévérité pour admettre dans leur sphère un nouvel habitant se conçoit. Ils avaient trop la conscience de leur grandeur et de leur bonheur pour le troubler en y laissant entrer des éléments nouveaux et inconnus.

Cette fédération de sentiments et d'intérêts dura sans choc ni mécomptes pendant vingt années. La mort, qui leur enleva Louis Lambert, Meyraux et Michel Chrestien, put seule diminuer cette noble Pléiade. Quand, en 1832, ce dernier succomba, Horace Bianchon, Daniel d'Arthez, Léon Giraud, Joseph Bridau, Fulgence Ridal allèrent, malgré le péril de la démarche [d], retirer son corps à Saint-Merry, pour lui rendre les derniers devoirs à la face brûlante de la Politique. Ils accompagnèrent ces restes chéris jusqu'au cimetière du Père-Lachaise pendant la nuit, Horace Bianchon leva toutes les difficultés à ce sujet, et ne recula devant aucune; il sollicita les ministres en leur confessant sa vieille amitié pour le fédéraliste expiré. Ce fut une scène touchante gravée dans la mémoire des amis peu nombreux qui assistèrent les cinq hommes célèbres. En vous promenant dans cet élégant cimetière, vous verrez un terrain acheté à perpétuité, où s'élève une tombe de gazon surmontée d'une croix en bois noir sur laquelle sont gravés en lettres rouges ces deux noms : MICHEL CHRESTIEN. C'est le seul monument qui soit dans ce style. Les cinq amis ont pensé qu'il fallait rendre hommage à cet homme simple par cette simplicité.

Dans cette froide mansarde se réalisaient donc les plus beaux rêves du sentiment. Là, des frères [a] tous également forts [b] en différentes régions de la science, s'éclairaient mutuellement avec bonne foi, se disant tout, même leurs pensées mauvaises, tous d'une instruction immense et tous éprouvés au creuset de la misère. Une fois admis parmi ces êtres d'élite et pris pour un égal, Lucien y représenta la Poésie et la beauté. Il y lut des sonnets qui furent admirés. On lui demandait un sonnet, comme il priait Michel Chrestien de lui chanter une chanson. Dans le désert de Paris, Lucien trouva donc une oasis rue des Quatre-Vents.

LES FLEURS DE LA MISÈRE [c]

Au commencement du mois d'octobre, Lucien, après avoir employé le reste de son argent pour se procurer un peu de bois, resta [d] sans ressources au milieu du plus ardent travail, celui du remaniement de son œuvre. Daniel d'Arthez, lui, brûlait des mottes, et supportait héroïquement la misère : il ne se plaignait point, il était rangé comme une vieille fille, et ressemblait à un avare, tant il avait de méthode. Ce courage excitait celui de Lucien qui, nouveau venu dans le Cénacle, éprouvait une invincible répugnance à parler de sa détresse. Un matin, il alla jusqu'à la rue du Coq pour vendre l'Archer de Charles IX à Doguereau, qu'il ne rencontra pas. Lucien ignorait combien les grands esprits ont d'indulgence. Chacun de ses amis concevait les faiblesses [a] particulières aux hommes de poésie, les abattements qui suivent les efforts de l'âme surexcitée par les contemplations de la nature qu'ils ont mission de reproduire. Ces hommes si forts contre leurs propres maux étaient tendres pour les douleurs de Lucien. Ils avaient compris son manque d'argent. Le Cénacle couronna [b] donc les douces soirées de causeries, de profondes méditations, de poésies, de confidences, de courses à pleines ailes dans les champs de l'intelligence, dans l'avenir des nations, dans les domaines de l'histoire, par un trait qui prouve combien Lucien avait peu compris ses nouveaux amis [c].

— Lucien, mon ami, lui dit Daniel, tu n'es pas venu dîner hier chez Flicoteaux, et nous savons pourquoi.

Lucien ne put retenir des larmes qui coulèrent sur ses joues.

— Tu as manqué de confiance en nous, lui dit Michel Chrestien, nous ferons une croix à la cheminée et quand nous serons à dix...

— Nous avons tous, dit Bianchon, trouvé quelque travail extraordinaire : moi j'ai gardé pour le compte de Desplein un riche malade ; d'Arthez a fait un article pour la Revue encyclopédique [1]; Chrestien a voulu aller chanter un soir dans les Champs-Élysées avec un mouchoir et quatre chandelles; mais il a trouvé une brochure à faire pour un homme qui veut devenir un homme politique, et il lui a donné pour six cents francs de Machiavel; Léon Giraud a emprunté cinquante francs à son libraire, Joseph a vendu des croquis, et Fulgence a fait donner sa pièce dimanche, il a eu salle pleine.

— Voilà deux cents francs, dit Daniel, accepte-les et qu'on ne t'y reprenne plus.

— Allons, ne va-t-il pas nous embrasser, comme si

---

1. Cette revue avait été fondée le 1er janvier 1819. C'était une revue grave et savante, estimée surtout pour le sérieux de ses publications. Elle vécut jusqu'en 1833.

nous avions fait quelque chose d'extraordinaire ? dit
Chrestien.

Pour faire comprendre quelles délices ressentait Lucien
au milieu de cette vivante encyclopédie d'esprits angéliques, de jeunes gens empreints des originalités diverses
que chacun d'eux tirait de la science qu'il cultivait, il
suffira de rapporter les réponses que Lucien reçut, le
lendemain, à une lettre écrite à sa famille, chef-d'œuvre
de sensibilité, de bon vouloir, un horrible cri que lui
avait arraché sa détresse [a].

DAVID SÉCHARD A LUCIEN

« Mon cher Lucien, tu trouveras ci-joint un effet à
» quatre-vingt-dix jours et à ton ordre de deux cents francs.
» Tu pourras le négocier chez monsieur Métivier, mar-
» chand de papier, notre correspondant à Paris, rue Ser-
» pente. Mon bon Lucien, nous n'avons absolument
» rien. Ma femme s'est mise à diriger l'imprimerie, et
» s'acquitte de sa tâche avec un dévouement, une pa-
» tience, une activité qui me font bénir le ciel de m'avoir
» donné pour femme un pareil ange. Elle-même a cons-
» taté l'impossibilité où nous sommes de t'envoyer le
» plus léger secours. Mais, mon ami, je te crois dans un
» si beau chemin, accompagné de cœurs si grands et
» si nobles, que tu ne saurais faillir à ta belle destinée
» en te trouvant aidé par les intelligences presque divines
» de messieurs Daniel d'Arthez, Michel Chrestien et Léon
» Giraud, conseillé par messieurs Meyraux, Bianchon
» et Ridal [b] que ta chère lettre nous a fait connaître. A
» l'insu d'Ève, je t'ai donc souscrit cet effet, que je trouverai
» moyen d'acquitter à l'échéance. Ne sors pas de ta voie :
» elle est rude ; mais elle sera glorieuse. Je préférerais
» souffrir mille maux à l'idée de te savoir tombé dans
» quelques bourbiers de Paris où j'en ai tant vu. Aie le
» courage d'éviter, comme tu le fais, les mauvais endroits,
» les méchantes gens, les étourdis et certains gens de lettres
» que j'ai appris à estimer à leur juste valeur pendant

» mon séjour à Paris. Enfin, sois le digne émule de ces
» esprits célestes que tu m'a rendus chers. Ta conduite
» sera bientôt récompensée. Adieu, mon frère bien aimé,
» tu m'as ravi le cœur, je n'avais pas attendu de toi tant
» de courage.

» DAVID. »

ÈVE SÉCHARD A LUCIEN

« Mon ami, ta lettre nous a fait pleurer tous. Que ces
» nobles cœurs vers lesquels ton bon ange te guide le
» sachent : une mère, une pauvre jeune femme prieront
» Dieu soir et matin pour eux ; et si les prières les plus
» ferventes montent jusqu'à son trône, elles obtien-
» dront quelques faveurs pour vous tous. Oui, mon
» frère, leurs noms sont gravés dans mon cœur. Ah !
» je les verrai quelque jour. J'irai, dussé-je faire la route
» à pied, les remercier de leur amitié pour toi, car elle
» a répandu comme un baume sur mes plaies vives. Ici,
» mon ami, nous travaillons comme de pauvres ouvriers.
» Mon mari, ce grand homme inconnu que j'aime chaque
» jour davantage en découvrant de moments en moments
» de nouvelles richesses dans son cœur, délaisse son
» imprimerie, et je devine pourquoi : ta misère, la nôtre,
» celle de notre mère l'assassinent. Notre adoré David
» est comme Prométhée dévoré par un vautour, un chagrin
» jaune à bec aigu. Quant à lui, le noble homme il n'y
» pense guère, il a l'espoir d'une fortune. Il passe toutes
» ses journées à faire des expériences sur la fabrication du
» papier ; il m'a priée de m'occuper à sa place des affaires,
» dans lesquelles il m'aide autant que lui permet sa préoc-
» cupation. Hélas ! je suis grosse. Cet événement, qui
» m'eût comblée de joie, m'attriste dans la situation où
» nous sommes tous. Ma pauvre mère est redevenue
» jeune, elle a retrouvé des forces pour son fatigant
» métier de garde-malade. Aux soucis de fortune près,
» nous serions heureux. Le vieux père Séchard ne veut
» pas donner un liard à son fils ; David est allé le voir

» pour lui emprunter quelques deniers afin de te secou-
» rir, car ta lettre l'avait mis au désespoir. « Je connais
» Lucien, il perdra la tête, et fera des sottises, » disait-il.
» Je l'ai bien grondé. Mon frère, manquer à quoi que
» ce soit?... lui ai-je répondu, Lucien sait que j'en mourrais
» de douleur. Ma mère et moi, sans que David s'en doute,
» nous avons engagé quelques objets, ma mère les retirera
» dès qu'elle rentrera dans quelque argent. Nous avons
» pu faire ainsi cent francs que je t'envoie par les messa-
» geries. Si je n'ai pas répondu à ta première lettre, ne m'en
» veux pas, mon ami. Nous étions dans une situation à
» passer les nuits, je travaillais comme un homme. Ah!
» je ne me savais pas autant de force. Madame de Bargeton
» est une femme sans âme ni cœur; elle se devait toujours,
» même en ne t'aimant plus, de te protéger et de t'aider
» après t'avoir arraché de nos bras pour te jeter dans cette
» affreuse mer parisienne où il faut une bénédiction de
» Dieu pour rencontrer des amitiés vraies parmi ces
» flots d'hommes et d'intérêts. Elle n'est pas à regret-
» ter. Je te voulais auprès de toi quelque femme dévouée,
» une seconde moi-même; mais maintenant que je te
» sais des amis qui continuent nos sentiments, me
» voilà tranquille. Déploie tes ailes, mon beau génie
» aimé! Tu seras notre gloire, comme tu es déjà notre
» amour.

» Ève. »

« Mon enfant chéri, je ne puis que te bénir après ce
» que te dit ta sœur, et t'assurer que mes prières et mes
» pensées ne sont, hélas! pleines que de toi, au détriment
» de ceux que je vois; car il est des cœurs où les absents
» ont raison, et il en est ainsi dans le cœur de

» Ta mère. »[1]

1. Il ressort du texte du manuscrit que cette lettre fut écrite en décembre. Cette chronologie est claire et cohérente. La conversation
avec Daniel a eu lieu vers le 15 novembre 1821. Nous sommes maintenant en décembre. Balzac, dans les éditions, a supprimé ces précisions.
Les indications nouvelles, et d'ailleurs rares, qu'il a placées dans son
texte, sont ou confuses ou impossibles.

Ainsi [a], deux jours après, Lucien put rendre à ses amis leur prêt si gracieusement offert. Jamais peut-être la vie ne lui sembla plus belle [b] mais le mouvement de son amour-propre n'échappa point aux regards profonds de ses amis et à leur délicate sensibilité.

— On dirait que tu as peur de nous devoir quelque chose, s'écria Fulgence.

— Oh! le plaisir qu'il manifeste est bien grave à mes yeux, dit Michel Chrestien, il confirme les observations que j'ai faites : Lucien a de la vanité.

— Il est poète, dit d'Arthez.

— M'en voulez-vous d'un sentiment aussi naturel que le mien?

— Il faut lui tenir compte de ce qu'il ne nous l'a pas caché, dit Léon Giraud, il est encore franc; mais j'ai peur que plus tard il ne nous redoute.

— Et pourquoi? demanda Lucien.

— Nous lisons dans ton cœur, répondit Joseph Bridau.

— Il y a chez toi, lui dit Michel Chrestien, un esprit diabolique avec lequel tu justifieras à tes propres yeux les choses les plus contraires à nos principes : au lieu d'être un sophiste d'idées, tu seras un sophiste d'action.

— Ah! j'en ai peur, dit d'Arthez. Lucien, tu feras en toi-même des discussions admirables où tu seras grand, et qui aboutiront à des faits blâmables... Tu ne seras jamais d'accord avec toi-même.

— Sur quoi donc appuyez-vous votre réquisitoire? demanda Lucien.

— Ta vanité, mon cher poète, est si grande, que tu en mets jusque dans ton amitié? s'écria Fulgence. Toute vanité de ce genre accuse un effroyable égoïsme, et l'égoïsme est le poison de l'amitié.

— Oh! mon Dieu, s'écria Lucien, vous ne savez donc pas combien je vous aime.

— Si tu nous aimais comme nous nous aimons, aurais-tu mis tant d'empressement et tant d'emphase à nous rendre ce que nous avions tant de plaisir à te donner?

— On ne se prête rien ici, on se donne, lui dit brutalement Joseph Bridau.

— Ne nous crois pas rudes, mon cher enfant, lui dit Michel Chrestien, nous sommes prévoyants. Nous avons peur de te voir un jour préférant les joies d'une petite vengeance aux joies de notre pure amitié. Lis le Tasse de Gœthe, la plus grande œuvre de ce beau génie, et tu y verras que le poète aime les brillantes étoffes, les festins, les triomphes, l'éclat : eh ! bien, sois le Tasse sans sa folie. Le monde et ses plaisirs t'appelleront ? reste ici... Transporte dans la région des idées tout ce que tu demandes à tes vanités. Folie pour folie, mets la vertu dans tes actions et le vice dans tes idées ; au lieu, comme te le disait d'Arthez, de bien penser et de te mal conduire.

Lucien baissa la tête : ses amis avaient raison.

— J'avoue que je ne suis pas aussi fort que vous l'êtes, dit-il en leur jetant un adorable regard. Je n'ai pas des reins et des épaules à soutenir Paris, à lutter avec courage. La nature nous a donné des tempéraments et des facultés différents, et vous connaissez mieux que personne l'envers des vices et des vertus. Je suis déjà fatigué, je vous le confie.

— Nous te soutiendrons, dit d'Arthez, voilà précisément à quoi servent les amitiés fidèles.

— Le secours que je viens de recevoir est précaire et nous sommes tous aussi pauvres les uns que les autres ; le besoin me poursuivra bientôt. Chrestien, aux gages du premier venu, ne peut rien en librairie. Bianchon est en dehors de ce cercle d'affaires. D'Arthez ne connaît que les libraires de science ou de spécialités, qui n'ont aucune prise sur les éditeurs de nouveautés. Horace, Fulgence Ridal et Bridau travaillent dans un ordre d'idées qui les met à cent lieues des libraires. Je dois prendre un parti.

— Tiens-toi donc au nôtre, souffrir ! dit Bianchon, souffrir courageusement et se fier au Travail !

— Mais ce qui n'est que souffrance pour vous est la mort pour moi, dit vivement Lucien.

— Avant que le coq ait chanté trois fois, dit Léon Giraud en souriant, cet homme aura trahi la cause du Travail pour celle de la Paresse et des vices de Paris.

— Où le travail vous a-t-il menés? dit Lucien en riant.

— Quand on part de Paris pour l'Italie, on ne trouve pas Rome à moitié chemin, dit Joseph Bridau. Pour toi, les petits pois devraient pousser tout accommodés au beurre.

— Ils ne poussent ainsi que pour les fils aînés des pairs de France, dit Michel Chrestien. Mais, nous autres, nous les semons, les arrosons et les trouvons meilleurs.

La conversation devint plaisante, et changea de sujet. Ces esprits perspicaces, ces cœurs délicats cherchèrent à faire oublier cette petite querelle à Lucien, qui comprit dès lors combien il était difficile de les tromper. Il arriva bientôt à un désespoir intérieur qu'il cacha soigneusement à ses amis, en les croyant des mentors implacables. Son esprit méridional, qui parcourait si facilement le clavier des sentiments, lui faisait prendre les résolutions les plus contraires.

A plusieurs reprises il parla de se jeter dans les journaux, et toujours ses amis lui dirent : — Gardez-vous-en bien.

— Là serait la tombe du beau, du suave Lucien que nous aimons et connaissons, dit d'Arthez.

— Tu ne résisterais pas à la constante opposition de plaisir et de travail qui se trouve dans la vie des journalistes; et, résister, c'est le fond de la vertu. Tu serais si enchanté d'exercer le pouvoir, d'avoir droit de vie et de mort sur les œuvres de la pensée, que tu serais journaliste en deux mois. Être journaliste, c'est passer proconsul dans la république des lettres. Qui peut tout dire, arrive à tout faire! Cette maxime est de Napoléon et se comprend [1] [a].

---

1. On lit en effet dans les *Maximes et pensées de Napoléon* parues en 1838 sous le nom de Gaudy, et qui étaient en réalité de Balzac : « Un peuple qui peut tout dire arrive à tout faire ». (max. 258).

— Ne serez-vous pas près de moi? dit Lucien.

— Nous n'y serons plus, s'écria Fulgence. Journaliste, tu ne penserais pas plus à nous que la fille d'Opéra brillante, adorée, ne pense, dans sa voiture doublée de soie, à son village, à ses vaches, à ses sabots. Tu n'as que trop les qualités du journaliste : le brillant et la soudaineté de la pensée. Tu ne te refuserais jamais à un trait d'esprit, dût-il faire pleurer ton ami. Je vois les journalistes aux foyers de théâtre, ils me font horreur. Le journalisme est un enfer, un abîme d'iniquités, de mensonges, de trahisons, que l'on ne peut traverser et d'où l'on ne peut sortir pur, que protégé comme Dante par le divin laurier de Virgile [a].

Plus le Cénacle défendait cette voie à Lucien, plus son désir de connaître le péril l'invitait à s'y risquer, et il commençait à discuter en lui-même : n'était-il pas ridicule de se laisser encore une fois surprendre par la détresse sans avoir rien fait contre elle ? En voyant l'insuccès de ses démarches à propos de son premier roman, Lucien était peu tenté d'en composer un second. D'ailleurs, de quoi vivrait-il pendant le temps de l'écrire? Il avait épuisé sa dose de patience durant un mois de privations. Ne pourrait-il faire noblement ce que les journalistes faisaient sans conscience ni dignité? Ses amis l'insultaient avec leurs défiances, il voulait leur prouver sa force d'esprit. Il les aiderait peut-être un jour, il serait le héraut de leurs gloires !

— D'ailleurs, qu'est donc une amitié qui recule devant la complicité? demanda-t-il un soir à Michel Chrestien qu'il avait reconduit jusque chez lui, en compagnie de Léon Giraud.

— Nous ne reculons devant rien, répondit Michel Chrestien. Si tu avais le malheur de tuer ta maîtresse, je t'aiderais à cacher ton crime et pourrais t'estimer encore ; mais, si tu devenais espion, je te fuirais avec horreur, car tu serais lâche et infâme par système. Voilà le journalisme en deux mots. L'amitié pardonne l'erreur, le mouvement irréfléchi de la passion; elle doit être implacable pour le parti pris de trafiquer de son âme, de son esprit et de sa pensée.

— Ne puis-je me faire journaliste pour vendre mon recueil de poésies et mon roman, puis abandonner aussitôt le journal?

— Machiavel se conduirait ainsi, mais non Lucien de Rubempré, dit Léon Giraud.

— Eh! bien, s'écria Lucien, je vous prouverai que je vaux Machiavel.

— Ah! s'écria Michel en serrant la main de Léon, tu viens de le perdre. Lucien, dit-il, tu as trois cents francs, c'est de quoi vivre pendant trois mois à ton aise ; eh! bien, travaille, fais un second roman, d'Arthez et Fulgence t'aideront pour le plan, tu grandiras, tu seras un romancier. Moi, je pénétrerai dans un de ces *lupanars* de la pensée, je serai journaliste pendant trois mois, je te vendrai tes livres à quelque librairie de qui j'attaquerai les publications, j'écrirai les articles, j'en obtiendrai pour toi; nous organiserons un succès, tu seras un grand homme, et tu resteras notre Lucien.

— Tu me méprises donc bien en croyant que je périrais là où tu te sauveras! dit le poète.

— Pardonnez-lui, mon Dieu, c'est un enfant! s'écria Michel Chrestien.

LE DEHORS DU JOURNAL[a]

Après s'être dégourdi l'esprit pendant les soirées passées chez d'Arthez, Lucien avait étudié les plaisanteries et les articles des petits journaux. Sûr d'être au moins l'égal des plus spirituels rédacteurs, il s'essaya secrètement à cette gymnastique de la pensée, et sortit un matin avec la triomphante idée d'aller demander du service à quelque colonel de ces troupes légères de la Presse[b]. Il se mit dans sa tenue la plus distinguée et passa les ponts en pensant que des auteurs, des journalistes, des écrivains, enfin

ses frères futurs auraient un peu plus de tendresse et de
désintéressement que les deux genres de libraires contre
lesquels s'étaient heurtées ses espérances. Il rencontrerait
des sympathies, quelque bonne et douce affection comme
celle qu'il trouvait au Cénacle de la rue des Quatre-Vents.
En proie [a] aux émotions du pressentiment écouté, combattu, qu'aiment tant les hommes d'imagination, il arriva
rue Saint-Fiacre [1] auprès du boulevard Montmartre, devant
la maison où se trouvaient les bureaux du petit journal et
dont l'aspect lui fit éprouver les palpipations du jeune
homme entrant dans un mauvais lieu. Néanmoins il
monta dans les bureaux situés à l'entresol. Dans la première
pièce, que divisait en deux parties égales une cloison
moitié en planche et moitié grillagée jusqu'au plafond, il
trouva un invalide manchot qui de son unique main
tenait plusieurs rames de papier sur la tête et avait entre
ses dents le livret voulu par l'administration du Timbre.
Ce pauvre homme, dont la figure était d'un ton jaune
et semée de bulles rouges, ce qui lui valait le surnom de
Coloquinte, lui montra derrière le grillage le Cerbère du
journal. Ce personnage était un vieil officier [b] décoré, le
nez enveloppé de moustaches grises, un bonnet de soie
noire sur la tête, et enseveli dans une ample redingote
bleue comme une tortue sous sa carapace.

— De quel jour monsieur veut-il que parte son abonnement? lui demanda l'officier de l'Empire.

— Je ne viens pas pour un abonnement, répondit
Lucien. Le poète regarda sur la porte qui correspondait
à celle par laquelle il était entré, la pancarte où se lisaient
ces mots : BUREAU DE RÉDACTION, et au-dessous : *Le
public n'entre pas ici.*

---

1. Balzac a décrit dans *la Rabouilleuse* les bureaux du même journal.
Il y fait plus longuement le portrait de Giroudeau et de Coloquinte,
il montre avec plus de force l'aspect misérable des lieux. Mais l'adresse
du journal n'est pas la même. Les bureaux sont installés, dans *la Rabouilleuse*, rue du Sentier, et non pas rue Saint-Fiacre, qui lui est d'ailleurs
parallèle.

— Une réclamation sans doute, reprit le soldat de Napoléon. Ah ! oui: nous avons été durs pour Mariette [a] [1]. Que voulez-vous, je ne sais pas encore pourquoi. Mais si vous demandez raison, je suis prêt, ajouta-t-il en regardant des fleurets et des pistolets, la panoplie moderne groupée en faisceau dans un coin [b].

— Encore moins, monsieur. Je viens pour parler au rédacteur en chef.

— Il n'y a jamais personne ici avant quatre heures.

— Voyez-vous, mon vieux Giroudeau [2], je trouve onze colonnes, lesquelles à cent sous pièce font cinquante-cinq francs ; j'en ai reçu quarante, donc vous me devez encore quinze francs, comme je vous le disais...

Ces paroles partaient d'une petite figure chafouine [3], claire comme un blanc d'œuf mal cuit, percée de deux yeux d'un bleu tendre, mais effrayants de malice, et qui appartenait à un jeune homme mince, caché derrière le corps opaque de l'ancien militaire. Cette voix glaça Lucien, elle tenait du miaulement des chats et de l'étouffement asthmatique de l'hyène [c].

— Oui, mon petit milicien, répondit l'officier en retraite; mais vous comptez les titres et les blancs [4], j'ai ordre de

---

1. Au lieu de Mariette, le manuscrit nomme la Montessu. Cette artiste n'est nullement un personnage fictif de *la Comédie humaine*. Elle s'appelait avant son mariage Mlle Paul. En 1825, Maurice Alhoy signale qu'elle avait donné sa démission. Puis le *Figaro* du 7 octobre 1826 annonce sa rentrée à l'Opéra. Dès la première édition, Balzac lui a substitué le personnage de Mariette. Celle-ci est seulement nommée dans cette phrase des *Illusions perdues*. Elle sera présentée dans *la Rabouilleuse*. Nous apprendrons alors son histoire, nous saurons qu'elle fut l'élève de Vestris, qu'elle avait espéré débuter au Panorama dramatique, mais qu'elle fit mieux et entra à la Porte-Saint-Martin, puis à l'Opéra.

2. Parmi les créanciers de Balzac, en 1827, figurait le sieur Giroudot, mécanicien, rue du Val-de-Grâce, pour une somme de 2.700 francs.

3. On apprendra plus loin que ce journaliste est Hector Merlin.

4. Balzac connaissait bien ces conflits des écrivains et des directeurs de revues sur les blancs. Dans une lettre à Amédée Pichot, en date du 24 mars 1833, il parlait des difficultés assez honteuses qui

Finot d'additionner le total des lignes et de les diviser par le nombre voulu pour chaque colonne. Après avoir pratiqué cette opération strangulatoire sur votre rédaction, il s'y trouve trois colonnes de moins.

— Il ne paye pas les blancs, l'arabe! et il les compte à son associé dans le prix de sa rédaction en masse. Je vais aller voir Étienne Lousteau, Vernou...

— Je ne puis enfreindre la consigne, mon petit, dit l'officier. Comment, pour quinze francs, vous criez contre votre nourrice, vous qui faites des articles aussi facilement que je fume un cigare! Eh! vous payerez un bol de punch de moins à vos amis, ou vous gagnerez une partie de billard de plus, et tout sera dit!

— Finot réalise des économies qui lui coûteront bien cher, répondit le rédacteur qui se leva et partit.

— Ne dirait-on pas qu'il est Voltaire et Rousseau? se dit à lui-même le caissier en regardant le poète de province.

— Monsieur, reprit Lucien, je reviendrai vers quatre heures.

Pendant la discussion, Lucien avait vu sur les murs les portraits de Benjamin Constant, du général Foy, des dix-sept orateurs illustres du parti libéral, mêlés à des caricatures contre le gouvernement. Il avait surtout regardé la porte du sanctuaire où devait s'élaborer la feuille spirituelle qui l'amusait tous les jours et qui jouissait du droit de ridiculiser les rois, les événements les plus graves, enfin de mettre tout en question par un bon mot. Il alla flâner sur les boulevards, plaisir tout nouveau pour lui, mais si attrayant qu'il vit les aiguilles des pendules chez les horlogers sur quatre heures sans s'apercevoir qu'il n'avait pas déjeuné. Le poète rabattit promptement vers la rue Saint-Fiacre, il monta l'escalier, ouvrit la porte,

---

naissaient parfois sur ce sujet (J. Ducourneau, *Correspondance*, p. 126), et dans une lettre à sa mère, le 13 août 1833, il lui recommande d'exiger de *la Revue de Paris* deux cents francs par feuille « sans contestation de blancs » (*Lettres à sa famille*, p. 119).

ne trouva plus le vieux militaire et vit l'invalide assis sur son papier timbré mangeant une croûte de pain et gardant le poste d'un air résigné, fait au journal comme jadis à la corvée, et ne le comprenant pas plus qu'il ne connaissait le pourquoi des marches rapides ordonnées par l'Empereur[a]. Lucien conçut la pensée hardie de tromper ce redoutable fonctionnaire; il passa le chapeau sur la tête, et ouvrit, comme s'il était de la maison, la porte du sanctuaire. Le bureau de rédaction offrit à ses regards avides une table ronde couverte d'un tapis vert, et six chaises en merisier garnies de paille encore neuve. Le petit carreau de cette pièce, mis en couleur, n'avait pas encore été frotté; mais il était propre, ce qui annonçait une fréquentation publique assez rare. Sur la cheminée une glace, une pendule d'épicier couverte de poussière, deux flambeaux où deux chandelles avaient été brutalement fichées, enfin des cartes de visite éparses. Sur la table grimaçaient de vieux journaux autour d'un encrier où l'encre séchée ressemblait à de la laque et décoré de plumes tortillées en soleils. Il lut sur de méchants bouts de papier quelques articles d'une écriture illisible et presque hiéroglyphique, déchirés en haut par les compositeurs de l'imprimerie, à qui cette marque sert à reconnaître les articles faits. Puis çà et là, sur des papiers gris, il admira des caricatures dessinées assez spirituellement par des gens qui sans doute avaient tâché de tuer le temps en tuant quelque chose pour s'entretenir la main. Sur le petit papier de tenture couleur vert d'eau, il vit collés avec des épingles neuf dessins différents faits en charge et à la plume sur le Solitaire, livre qu'un succès inouï recommandait alors à l'Europe et qui devait fatiguer les journalistes [1].

---

1. Les inversions du vicomte d'Arlincourt avaient fait la risée de la presse libérale et même des royalistes sensés. Stendhal en 1826 signalait les ridicules de celui qu'on appelait le « vicomte inversif » et Mme Ancelot cite cette phrase du *Solitaire* : « Bleu était le ruban qui d'Élodie ceignait la taille ». Le *Figaro* s'acharnait, en 1827, sur les inversions du vicomte. On lit par exemple dans les *Coups*

Le Solitaire en province, paraissant, les femmes étonne.
— Dans un château, le Solitaire, lu. — Effet du Solitaire
sur les domestiques animaux. — Chez les sauvages, le
Solitaire expliqué, le plus succès brillant obtient. — Le
Solitaire traduit en chinois et présenté, par l'auteur, de
Pékin à l'empereur. — Par le Mont-Sauvage, Élodie violée[a].
Cette caricature sembla très impudique à Lucien, mais
elle le fit rire.

— Par les journaux, le Solitaire sous un dais promené
processionnellement. — Le Solitaire, faisant éclater une
presse, les Ours blesse. — Lu à l'envers, étonne le Solitaire
les académiciens par des supérieures beautés.

Lucien aperçut sur une bande de journal un dessin
représentant un rédacteur qui tendait son chapeau, et
dessous : *Finot, mes cent francs ?* signé d'un nom devenu
fameux, qui ne sera jamais illustre[b]. Entre la cheminée et
la croisée se trouvaient une table à secrétaire, un fauteuil
d'acajou, un panier à papiers et un tapis oblong appelé
devant de cheminée ; le tout couvert d'une épaisse couche de
poussière. Les fenêtres n'avaient que de petits rideaux.
Sur le haut de ce secrétaire, il y avait environ vingt ouvrages
déposés pendant la journée, des gravures, de la musique,
des tabatières à la Charte [1], un exemplaire de la neuvième
édition du Solitaire [2] toujours la grande plaisanterie du

---

de lancette du 9 janvier 1827 : « De la Chambre du roi, M. d'Arlincourt le vicomte nommé vient d'être homme gentil ordinaire ;
de son européen talent les admirateurs compliment lui font ».
Dans les *Mémoires d'un claqueur*, par Robert (1829), un moqueur a
nommé sa chienne Élodie, et l'attache « par un bleu ruban » quand
il traverse « un public jardin » (p. 44).

1. Ces tabatières, dites aussi tabatières Touquet, avaient été créées
par Touquet, colonel impérial, installé rue de la Huchette, et dont
la boutique répandait des livres d'opposition politique et religieuse
au meilleur marché possible. Vendues à vil prix, ces tabatières Touquet
présentaient sur leur couvercle le texte de la Chartre imprimé en
caractères minuscules et entouré de figures allégoriques.

2. Balzac oublie que trois mois plus tôt, lorsque Lucien est allé chez
Vidal et Porchon, on en était encore à la troisième édition du *Solitaire*. La neuvième fut publiée au début de novembre 1822, dix-huit
mois après la troisième.

moment, et une dizaine de lettres cachetées. Quand Lucien eut inventorié cet étrange mobilier, eut fait des réflexions à perte de vue, que cinq heures eurent sonné, il revint à l'invalide pour le questionner. Coloquinte avait fini sa croûte et attendait avec la patience du factionnaire le militaire décoré qui peut-être se promenait sur le boulevard. En ce moment, une femme parut sur le seuil de la porte après avoir fait entendre le murmure de sa robe dans l'escalier et ce léger pas féminin si facile à reconnaître. Elle était assez jolie.

— Monsieur, dit-elle à Lucien, je sais pourquoi vous vantez tant les chapeaux de mademoiselle Virginie [1], et je viens vous demander d'abord un abonnement d'un an; mais dites-moi ses conditions...

— Madame, je ne suis pas du journal.

— Ah!

— Un abonnement à dater d'octobre? demanda l'invalide.

— Que réclame madame? dit le vieux militaire qui reparut.

Le vieil officier entra en conférence avec la belle marchande de modes. Quand Lucien, impatienté d'attendre, rentra dans la première pièce, il entendit cette phrase finale : — Mais je serai très enchantée, monsieur. Mademoiselle Florentine pourra venir à mon magasin et choisira ce qu'elle voudra [2]. Je tiens les rubans. Ainsi tout est bien entendu : vous ne parlerez plus de Virginie, une saveteuse incapable d'inventer une forme, tandis que j'invente, moi!

Lucien entendit tomber un certain nombre d'écus dans

---

1. Ce trait confirme que Balzac a en vue le *Figaro*. Celui-ci contenait des annonces de modistes et de parfumeurs habilement glissées parmi les *Bigarrures*.

2. Ce trait isolé n'offre guère de sens au lecteur. Mais dans *la Rabouilleuse* nous apprenons que Giroudeau est l'amant de cœur de Florentine, une petite, grasse et agile figurante de la Gaîté, entretenue par le vieux Cardot. Florentine ne figure pas dans le manuscrit qui dit seulement : « Cette dame pourra venir... » sans donner le nom.

la caisse. Puis le militaire se mit à faire son compte journalier.

— Monsieur, je suis là depuis une heure, dit le poète d'un air assez fâché.

— *Ils* ne sont pas venus, dit le vétéran napoléonien en manifestant un émoi par politesse. Ça ne m'étonne pas. Voici quelque temps que je ne *les* aperçois plus. Nous sommes au milieu du mois, voyez-vous. Ces lapins-là ne viennent que quand on paye du 29 au 30 [a].

— Et monsieur Finot? dit Lucien qui avait retenu le nom du directeur.

— Il est chez lui, rue Feydeau [b]. Coloquinte, mon vieux, porte lui tout ce qui est venu aujourd'hui en portant le papier à l'imprimerie.

— Où se fait donc le journal? dit Lucien en se parlant à lui-même.

— Le journal? dit l'employé qui reçut de Coloquinte le reste de l'argent du timbre, le journal?... broum! broum! — Mon vieux, sois demain à six heures à l'imprimerie pour voir à faire filer les porteurs. — Le journal, monsieur, se fait dans la rue, chez les auteurs, à l'imprimerie, entre onze heures et minuit. Du temps de l'Empereur, monsieur, ces boutiques de papier gâté n'étaient pas connues [c]. Ah! il vous aurait fait secouer ça par quatre hommes et un caporal, et ne se serait pas laissé embêter comme ceux-ci par des phrases. Mais, assez causé. Si mon neveu y trouve son compte, et que l'on écrive pour le fils de *l'autre*, — broum! broum! — après tout, ce n'est pas un mal. Ah ça, les abonnés ne m'ont pas l'air d'arriver en colonne serrée, je vais quitter le poste.

— Monsieur, vous me paraissez être au fait de la rédaction du journal.

— Sous le rapport financier, broum! broum! dit le soldat en ramassant les phlegmes qu'il avait dans le gosier. Selon les talents, cent sous ou trois francs la colonne, de cinquante lignes à quarante lettres sans blancs. voilà [1].

---

1. Les collaborateurs du *Figaro* étaient fort mal payés. Au dire d'Alphonse Karr, c'était chose rare pour eux de gagner 150 fr. par

Quant aux rédacteurs, c'est de singuliers pistolets, de petits jeunes gens dont je n'aurais pas voulu pour des soldats du train, et qui, parce qu'ils mettent des pattes de mouche sur du papier blanc, ont l'air de mépriser un vieux capitaine des dragons de la Garde Impériale, retraité chef de bataillon, entré dans toutes les capitales de l'Europe avec Napoléon...

Lucien, poussé vers la porte par le soldat de Napoléon, qui brossait sa redingote bleue et manifestait l'intention de sortir, eut le courage de se mettre en travers.

— Je viens [a] pour être rédacteur, dit-il, et vous jure que je suis plein de respect pour un capitaine de la Garde Impériale, des hommes de bronze.

— Bien dit, mon petit pékin, reprit l'officier en frappant sur le ventre de Lucien. Mais dans quelle classe des rédacteurs voulez-vous entrer? répliqua le soudard en passant sur le ventre de Lucien et descendant l'escalier. Il ne s'arrêta que pour allumer son cigare [b] chez le portier.

— S'il vient des abonnements, recevez-les et prenez-en note, mère Chollet. Toujours l'abonnement, je ne connais que l'abonnement, reprit-il en se tournant vers Lucien qui l'avait suivi. Finot est mon neveu, le seul de ma famille qui m'ait adouci ma position. Aussi quiconque cherche querelle à Finot trouve-t-il le vieux Giroudeau, capitaine aux dragons de la garde, parti simple cavalier à l'armée de Sambre-et-Meuse, cinq ans maître d'armes au premier hussard, armée d'Italie! Une, deux, et le plaignant serait à l'ombre! ajouta-t-il en faisant le geste de se fendre. Or donc, mon petit, nous avons différents corps dans les rédacteurs : il y a le rédacteur qui rédige et qui a sa solde, le rédacteur qui rédige et qui n'a rien, ce que nous appelons un volontaire ; enfin le rédacteur qui ne rédige rien et qui n'est pas le plus bête, il ne fait pas de fautes celui-là, il se donne pour un écrivain [c], il appartient au journal, il nous paye

mois (*Le livre de bord*, I, p. 112). Il est vrai qu'ils se rattrapaient d'autre façon, mais Karr a la pudeur de n'en pas parler. Au *Figaro* de Le Poitevin, Nestor Roqueplan gagnait 50 fr. par mois. Il était le mieux payé. Janin n'en gagnait que quarante-cinq.

à dîner, il flâne dans les théâtres, il entretient une actrice [a],
il est très heureux. Que voulez-vous être?

— Mais rédacteur travaillant bien, et partant bien payé.

— Vous voilà comme tous les conscrits qui veulent
être maréchaux de France! Croyez-en le vieux Giroudeau,
par file à gauche, pas accéléré, allez ramasser des clous
dans le ruisseau comme ce brave homme qui a servi, ça
se voit à sa tournure. Est-ce pas une horreur qu'un vieux
soldat qui est allé mille fois à la gueule du brutal ramasse
des clous dans Paris? Dieu de Dieu, tu n'es qu'un gueux,
tu n'as pas soutenu l'Empereur! [b] Enfin, mon petit, ce
particulier que vous avez vu ce matin a gagné quarante
francs dans son mois. Ferez-vous mieux? Et selon Finot,
c'est le plus spirituel de ses rédacteurs [c].

— Quand vous êtes allé dans Sambre-et-Meuse, on vous
a dit qu'il y avait du danger.

— Parbleu!

— Eh! bien?

— Eh! bien, allez voir mon neveu Finot, un brave
garçon, le plus loyal garçon que vous rencontrerez, si
vous pouvez le rencontrer; car il se remue comme un
poisson. Dans son métier, il ne s'agit pas d'écrire, voyez-
vous, mais de faire que les autres écrivent. Il paraît que
les paroissiens aiment mieux se régaler avec les actrices
que de barbouiller du papier. Oh! c'est de singuliers pistolets! A l'honneur de vous revoir.

Le caissier fit mouvoir sa redoutable canne plombée,
une des protectrices de Germanicus [1], et laissa Lucien sur
le boulevard, aussi stupéfait de ce tableau de la rédaction
qu'il l'avait été des résultats définitifs de la littérature
chez Vidal et Porchon. Lucien courut dix fois chez Andoche

---

1. *Germanicus* est une tragédie d'Arnault. Il l'avait envoyée de
Bruxelles où il était exilé. Elle fut jouée le 22 mars 1817 et immédiatement interdite. La représentation fut marquée par une bagarre
d'une extrême violence entre les gardes du corps et les bonapartistes.
Il y eut plusieurs blessés et, dit-on, un mort. Les combattants se ser-
virent de cannes de bambou que l'on appela ensuite des *germanicus*.
Voilà la canne de Giroudeau.

Finot, directeur du journal, rue Feydeau, sans jamais le trouver[1]. De grand matin, Finot n'était pas rentré. A midi Finot était en course : — il déjeunait, disait-on, à tel café. Lucien allait au café, demandait Finot à la limonadière, en surmontant des répugnances inouïes : Finot venait de sortir. Enfin Lucien, lassé, regarda Finot comme un personnage apocryphe et fabuleux, il trouva plus simple de guetter Étienne Lousteau chez Flicoteaux[a]. Ce jeune journaliste expliquerait sans doute le mystère qui planait sur la vie du journal auquel il était attaché.

LES SONNETS[b]

Depuis le jour béni cent fois où Lucien fit la connaissance de Daniel d'Arthez, il avait changé de place chez Flicoteaux : les deux amis dînaient à côté l'un de l'autre, et causaient à voix basse de haute littérature, des sujets à traiter, de la manière de les présenter, de les entamer, de les dénouer. En ce moment, Daniel d'Arthez corrigeait le manuscrit de l'Archer de Charles IX, il y refaisait des chapitres, il y écrivait les belles pages qui y sont, il y mettait la magnifique préface qui peut-être domine le livre, et qui jeta tant de clartés dans la jeune littérature[2]. Un jour,

---

1. Les directeurs de périodiques étaient souvent aussi introuvables que Finot. C'était par exemple le cas de Ricourt, au temps où il dirigeait *l'Artiste*. Decamps lui écrivait : « Voilà quatre jours que je cours après vous ». Et Gustave Planche, en août 1831 : « Mais je ne puis me résoudre à courir inutilement après vous, sans avoir aucune chance de vous rencontrer ». (Maurice Regard, *Corr. de G. Planche*).

2. Puisqu'à ce moment des *Illusions perdues*, Balzac a dans l'esprit la collaboration de Félix Pyat et de Janin, on peut se demander si cette préface de d'Arthez, magnifique et qui fait le succès du roman de Lucien, n'est pas une allusion à la préface de *Barnave*. Janin avoua plus tard, en 1860, que cette préface, écrite par Pyat, avait fait le succès du livre.

au moment où Lucien s'asseyait à côté de Daniel, qui l'avait
attendu et dont la main était dans la sienne, il vit à la porte
Étienne Lousteau qui tournait le bec de cane. Lucien quitta [a]
brusquement la main de Daniel, et dit au garçon qu'il voulait dîner à son ancienne place auprès du comptoir.
D'Arthez jeta sur Lucien un de ces regards angéliques,
où le pardon enveloppe le reproche, et qui tomba si vivement dans le cœur du poète qu'il reprit la main de Daniel
pour la lui serrer de nouveau.

— Il s'agit pour moi d'une affaire importante, je vous
en parlerai, lui dit-il.

Lucien fut à son ancienne place au moment où Lousteau
prit la sienne; le premier, il salua, la conversation s'engagea
bientôt, et fut si vivement poussée entre eux, que Lucien
alla chercher le manuscrit des *Marguerites* pendant que
Lousteau finissait de dîner. Il avait obtenu de soumettre
ses sonnets au journaliste, et comptait sur sa bienveillance
de parade pour avoir un éditeur ou pour entrer au journal. A
son retour, Lucien vit, dans le coin du restaurant, Daniel
tristement accoudé qui le regarda mélancoliquement;
mais dévoré par la misère et poussé par l'ambition, il
feignit de ne pas voir son frère du Cénacle, et suivit Lousteau. Avant la chute du jour, le journaliste et le néophyte
allèrent s'asseoir sous les arbres dans cette partie du Luxembourg qui de la grande allée de l'Observatoire conduit à
la rue de l'Ouest [1]. Cette rue était alors un long bourbier,
bordé de planches et de marais où les maisons se trouvaient
seulement vers la rue de Vaugirard, et ce passage était
si peu fréquenté, qu'au moment où Paris dîne, deux
amants [b] pouvaient s'y quereller et s'y donner les arrhes
d'un raccommodement sans crainte d'y être vus. Le

---

1. Jules Janin a consacré plusieurs pages de son *Histoire de la
littérature dramatique* (V, p. 24 sqq) au jardin du Luxembourg et à la
paix qu'y trouvaient les poètes et les artistes. Il a raconté la lecture
que lui fit un jour Soulié de ses premiers vers, sous ces beaux arbres,
au bruit des eaux jaillissantes, parmi ce peuple de statues. Dans ce
coin paisible de Paris, on entendait encore les coqs chanter, et le
meuglement d'une vache.

seul trouble-fête possible était le vétéran en faction à la petite grille de la rue de l'Ouest, si le vénérable soldat s'avisait d'augmenter le nombre de pas dont se compose sa promenade monotone. Ce fut dans cette allée, sur un banc de bois, entre deux tilleuls, qu'Étienne écouta les sonnets choisis pour échantillons parmi les Marguerites. Étienne Lousteau [a], qui, depuis deux ans d'apprentissage, avait le pied à l'étrier en qualité de rédacteur [1] [b], et qui comptait quelques amitiés parmi les célébrités de cette époque, était un imposant personnage aux yeux de Lucien. Aussi, tout en détortillant le manuscrit des Marguerites, le poète de province jugea-t-il nécessaire de faire une sorte de préface.

— Le sonnet, monsieur, est une des œuvres les plus difficiles de la poésie. Ce petit poème a été généralement abandonné. Personne en France n'a pu rivaliser [c] Pétrarque, dont la langue, infiniment plus souple que la nôtre, admet des jeux de pensée repoussés par notre *positivisme* (pardonnez-moi ce mot). Il m'a donc paru original de débuter par un recueil de sonnets. Victor Hugo a pris l'ode, Canalis donne dans la poésie fugitive, Béranger monopolise la chanson, Casimir Delavigne accapare la tragédie et Lamartine la Méditation [d].

— Êtes-vous classique ou romantique? lui demanda Lousteau.

L'air étonné de Lucien dénotait une si complète ignorance de l'état des choses dans la République des Lettres, que Lousteau jugea nécessaire de l'éclairer.

---

1. Le manuscrit nous apprend le titre de la revue à laquelle collabore Lousteau. Il s'agit du *Courrier des théâtres*. C'était au *Courrier* que Janin avait fait ses premières armes. C'est dans cet antre qu'il avait été nourri, écrit Félix Pyat. Il ajoute que le *Courrier* vivait des rançons qu'il tirait des pauvres comédiens, contraints de racheter leur peau de ses flèches. Une lettre de Janin, le 25 février 1825, confirme sa collaboration au *Courrier des théâtres* (*Corresp.* de J. Janin, p. 9). D'après Hatin, le *Courrier des théâtres* ne commença que le 12 avril 1823. Mais en 1821 il y avait eu un *Courrier des spectacles*, et Balzac peut les avoir mal distingués.

— Mon cher, vous arrivez au milieu d'une bataille acharnée, il faut vous décider promptement. La littérature est partagée d'abord en plusieurs zones ; mais nos grands hommes sont divisés en deux camps. Les Royalistes sont romantiques, les Libéraux sont classiques. La divergence des opinions littéraires se joint à la divergence des opinions politiques[1], et il s'ensuit une guerre à toutes armes, encre à torrents, bons mots à fer aiguisé, calomnies pointues, sobriquets à outrance, entre les gloires naissantes et les gloires déchues. Par une singulière bizarrerie, les Royalistes romantiques demandent la liberté littéraire et la révocation des lois qui donnent des formes convenues à notre littérature ; tandis que les Libéraux veulent maintenir les unités, l'allure de l'alexandrin et le thème classique. Les opinions littéraires sont donc en désaccord, dans chaque camp, avec les opinions politiques. Si vous êtes éclectique, vous n'aurez personne pour vous. De quel côté vous rangez-vous ?

— Quels sont les plus forts ?

— Les journaux libéraux ont beaucoup plus d'abonnés que les journaux royalistes et ministériels[2] ; néanmoins Canalis[a] perce, quoique monarchique et religieux, quoique protégé par la cour et par le clergé. — Bah !

---

1. Ce tableau des controverses littéraires n'est pas exact pour l'année 1821. Ni Lamartine ni le groupe de Soumet n'acceptent d'être considérés comme romantiques. Même attitude aux Bonnes Lettres, et Duvicquet y fait en 1821 une conférence où il prétend démontrer que le romantisme n'existe pas. Le mot est alors une raillerie que les écrivains de tradition rationaliste adressent aux poètes monarchiques et religieux. La vraie querelle ne commencera qu'en 1823.

2. Malgré les apparences, les deux mots ne sont pas équivalents. La presse royaliste, ce sont les organes des opinions aristocratiques et ultramontaines ; la presse ministérielle est celle qui est aux mains du gouvernement. Un journal de 1826 publia les chiffres d'abonnés de divers journaux, et sa division est celle de Balzac. Sur 63.000 abonnés des journaux parisiens, les organes libéraux en avaient 43.000, les opinions aristocratiques et ultramontaines n'en comptaient que 6.000, et les « opinions dépendantes » 14.000. Hatin a reproduit ce document p. 355-356.

des sonnets, c'est de la littérature d'avant Boileau, dit
Étienne en voyant Lucien effrayé d'avoir à choisir entre
deux bannières. Soyez romantique [a]. Les romantiques
se composent de jeunes gens, et les classiques sont des
perruques : les romantiques l'emporteront.

Le mot perruque était le dernier mot trouvé par le journalisme romantique, qui en avait affublé les classiques.

— LA PAQUERETTE ! dit Lucien [b] en choisissant le premier des deux sonnets qui justifiaient le titre et servaient
d'inauguration.

Pâquerettes des prés, vos couleurs assorties
Ne brillent pas toujours pour égayer les yeux ;
Elles disent encor les plus chers de nos vœux
En un poème où l'homme apprend ses sympathies :

Vos étamines d'or par de l'argent serties
Révèlent les trésors dont il fera ses dieux ;
Et vos filets, où coule un sang mystérieux,
Ce que coûte un succès en douleurs ressenties !

Est-ce pour être éclos le jour où du tombeau
Jésus, ressuscité sur un monde plus beau,
Fit pleuvoir des vertus en secouant ses ailes,

Que l'automne revoit vos courts pétales blancs
Parlant à nos regards de plaisirs infidèles
Ou pour nous rappeler la fleur de nos vingt ans ? [c][1]

Lucien fut piqué de la parfaite immobilité de Lousteau
pendant qu'il écoutait ce sonnet ; il ne connaissait pas
encore la déconcertante impassibilité que donne l'habitude
de la critique, et qui distingue les journalistes fatigués
de prose, de drames et de vers. Le poète, habitué à recevoir
des applaudissements, dévora son désappointement ;

---

1. On a vu dans les notes critiques que ce sonnet est de Lassailly,
et que des observations de Balzac entraînèrent de nombreuses
corrections.

il lut le sonnet préféré par Madame de Bargeton et par quelques-uns de ses amis du Cénacle.

— Celui-ci lui arrachera peut-être un mot, pensa-t-il [a].

DEUXIÈME SONNET
LA MARGUERITE.

Je suis la marguerite, et j'étais la plus belle
Des fleurs dont s'étoilait le gazon velouté.
Heureuse, on me cherchait pour ma seule beauté,
Et mes jours se flattaient d'une aurore éternelle.

Hélas ! malgré mes vœux, une vertu nouvelle
A versé sur mon front sa fatale clarté ;
Le sort m'a condamnée au don de vérité,
Et je souffre et je meurs : la science est mortelle.

Je n'ai plus de silence et n'ai plus de repos ;
L'amour vient m'arracher l'avenir en deux mots,
Il déchire mon cœur pour y lire qu'on l'aime.

Je suis la seule fleur qu'on jette sans regret :
On dépouille mon front de son blanc diadème,
Et l'on me foule aux pieds dès qu'on a mon secret [1] [b].

Quand il eut fini, le poète regarda son aristarque, Étienne Lousteau contemplait les arbres de la pépinière.

— Eh ! bien ? lui dit Lucien.

— Eh ! bien ? mon cher, allez ! Ne vous écouté-je pas ? A Paris, écouter sans mot dire est un éloge.

— En avez-vous assez ? dit Lucien.

— Continuez, répondit assez brusquement le journaliste.

Lucien lut le sonnet suivant; mais il le lut la mort au cœur, car le sang-froid impénétrable de Lousteau lui glaça son débit. Plus avancé dans la vie littéraire, il aurait

---

1. Ce deuxième sonnet est de Delphine de Girardin, et l'autographe est conservé à Chantilly.

su que, chez les auteurs, le silence et la brusquerie en pareille circonstance trahissent la jalousie que cause une belle œuvre, de même que leur admiration annonce le plaisir inspiré par une œuvre médiocre qui rassure leur amour-propre [a].

TRENTIÈME SONNET

LE CAMÉLIA.

Chaque fleur dit un mot du livre de nature :
La rose est à l'amour et fête la beauté,
La violette exhale une âme aimante et pure,
Et le lis resplendit de sa simplicité.

Mais le camélia, monstre de la culture,
Rose sans ambroisie et lis sans majesté,
Semble s'épanouir, aux saisons de froidure,
Pour les ennuis coquets de la virginité.

Cependant, au rebord des loges de théâtre,
J'aime à voir, évasant leurs pétales d'albâtre,
Couronne de pudeur, de blancs camélias

Parmi les cheveux noirs des belles jeunes femmes
Qui savent inspirer un amour pur aux âmes,
Comme les marbres grecs du sculpteur Phidias [1].

— Que pensez-vous de mes pauvres sonnets? demanda formellement Lucien.
— Voulez-vous la vérité? dit Lousteau.
— Je suis assez jeune pour l'aimer, et je veux trop réussir pour ne pas l'entendre sans me fâcher, mais non sans désespoir, répondit Lucien.

---

1. Ce troisième sonnet est de Lassailly.

— Hé! bien, mon cher, les entortillages du premier annoncent une œuvre faite à Angoulême et qui vous a sans doute trop coûté pour y renoncer; le second et le troisième sentent déjà Paris; mais lisez-m'en un autre encore? ajouta-t-il en faisant un geste qui parut charmant au grand homme de province.

Encouragé par cette demande, Lucien lut avec plus de confiance le sonnet que préféraient d'Arthez et Bridau, peut-être à cause de sa couleur [a].

CINQUANTIÈME SONNET

LA TULIPE.

Moi, je suis la tulipe, une fleur de Hollande;
Et telle est ma beauté que l'avare Flamand
Paye un de mes oignons plus cher qu'un diamant,
Si mes fonds sont bien purs, si je suis droite et grande.

Mon air est féodal, et, comme une Yolande
Dans sa jupe à longs plis étoffée amplement,
Je porte des blasons peints sur mon vêtement;
Gueules fascé d'argent, or avec pourpre en bande;

Le jardinier divin a filé de ses doigts
Les rayons du soleil et la pourpre des rois
Pour me faire une robe à trame douce et fine.

Nulle fleur du jardin n'égale ma splendeur,
Mais la nature, hélas! n'a pas versé d'odeur
Dans mon calice fait comme un vase de Chine [1].

— Eh! bien? dit Lucien après un moment de silence qui lui sembla d'une longueur démesurée.

---

1. Ce quatrième sonnet est de Théophile Gautier.

UN BON CONSEIL [a]

— Mon cher, dit gravement Étienne Lousteau [b] en voyant le bout des bottes que Lucien avait apportées d'Angoulême et qu'il achevait d'user, je vous engage à noircir vos bottes avec votre encre afin de ménager votre cirage, à faire des curedents de vos plumes pour vous donner l'air d'avoir dîné quand vous vous promenez, en sortant de chez Flicoteaux, dans la belle allée de ce jardin, et à chercher une place quelconque. Devenez petit-clerc d'huissier si vous avez du cœur, commis si vous avez du plomb dans les reins, ou soldat si vous aimez la musique militaire. Vous avez l'étoffe de trois poètes ; mais, avant [c] d'avoir percé, vous avez six fois le temps de mourir de faim, si vous comptez sur les produits de votre poésie pour vivre. Or, vos intentions sont, d'après vos trop jeunes discours, de battre monnaie avec votre encrier. Je ne juge pas votre poésie, elle est de beaucoup supérieure à toutes les poésies qui encombrent les magasins de la librairie. Ces élégants rossignols, vendus un peu plus cher que les autres à cause de leur papier vélin, viennent presque tous s'abattre sur les rives de la Seine, où vous pouvez aller étudier leurs chants, si vous voulez faire un jour quelque pèlerinage instructif sur les quais de Paris, depuis l'étalage du père Jérôme, au pont Notre-Dame, jusqu'au Pont-Royal [d]. Vous rencontrerez là tous les Essais poétiques, les Inspirations, les Élévations, les Hymnes, les Chants, les Ballades, les Odes, enfin toutes les couvées écloses depuis sept années [1], des muses couvertes

---

1. Ce chiffre nous obligerait à penser aux années 1814-1821. Mais lorsqu'on observe que Balzac parle d'odes et de ballades, on se persuade qu'il ne se place pas en 1821. La véritable perspective est celle

de poussière, éclaboussées par les fiacres, violées par tous
les passants qui veulent voir la vignette du titre [a]. Vous ne
connaissez personne, vous n'avez d'accès dans aucun
journal : vos Marguerites resteront chastement pliées
comme vous les tenez : elles n'écloront jamais au soleil
de la publicité dans la prairie des grandes marges, émaillée
des fleurons que prodigue l'illustre Dauriat, le libraire
des célébrités, le roi des Galeries de Bois. Mon pauvre
enfant, je suis venu comme vous le cœur plein d'illusions,
poussé par l'amour de l'Art, porté par d'invincibles élans
vers la gloire : j'ai trouvé les réalités du métier, les difficultés de la librairie et le positif de la misère. Mon exaltation,
maintenant comprimée, mon effervescence première me
cachaient le mécanisme du monde; il a fallu le voir, se
cogner à tous les rouages, heurter les pivots, me graisser
aux huiles, entendre le cliquetis des chaînes et des volants.
Comme moi, vous allez savoir que, sous toutes ces belles
choses rêvées, s'agitent des hommes, des passions et des
nécessités. Vous vous mêlerez forcément à d'horribles
luttes, d'œuvre à œuvre, d'homme à homme, de parti à
parti, où il faut se battre systématiquement pour ne pas
être abandonné par les siens. Ces combats ignobles désen-
chantent l'âme, dépravent le cœur et fatiguent en pure
perte ; car vos efforts servent souvent à faire couronner
un homme que vous haïssez, un talent secondaire présenté
malgré vous comme un génie [b]. La vie littéraire a ses coulisses. Les succès surpris ou mérités, voilà ce qu'applaudit
le parterre; les moyens, toujours hideux, les comparses
enluminés, les claqueurs et les garçons de service, voilà
ce que recèlent les coulisses. Vous êtes encore au parterre.

---

des dernières années de la Restauration, à une époque où les noms
de Lamartine, d'Hugo, de Vigny, des frères Deschamps, empêchaient
mille petits jeunes gens de dormir. Dans un article de *la Revue de
Paris* (octobre 1829), Philarète Chasles prétend que pour la seule année
1828, on avait vu éclore 463 poèmes ou recueils de poésie, et seulement
267 contes ou romans. Quelques années plus tard, en 1834, *la France
littéraire* parlera d'une « inondation véritable » (H. Guillemin, *le
Jocelyn de Lamartine*, 1936, p. 60).

Il en est temps, abdiquez avant de mettre un pied sur la première marche du trône [a] que se disputent tant d'ambitions, et ne vous déshonorez pas comme je le fais pour vivre. (Une larme mouilla les yeux d'Étienne Lousteau). Savez-vous comment je vis? reprit-il avec un accent de rage. Le peu d'argent que pouvait me donner ma famille fut bientôt mangé. Je me trouvai sans ressource après avoir fait recevoir une pièce au Théâtre-Français. Au Théâtre-Français, la protection d'un prince ou d'un Premier Gentilhomme de la Chambre du Roi ne suffit pas pour faire obtenir un tour de faveur : les comédiens ne cèdent qu'à ceux qui menacent leur amour-propre [b]. Si vous aviez le pouvoir de faire dire que le jeune premier a un asthme, la jeune première une fistule où vous voudrez, que la soubrette tue les mouches au vol, vous seriez joué demain. Je ne sais pas si dans deux ans d'ici je serai, moi qui vous parle, en état d'obtenir un semblable pouvoir : il faut trop d'amis [c]. Où, comment et par quoi gagner mon pain, fut une question que je me suis faite en sentant les atteintes de la faim. Après bien des tentatives, après avoir écrit un roman anonyme payé deux cents francs par Doguereau, qui n'y a pas gagné grand'chose, il m'a été prouvé que le journalisme seul pourrait me nourrir. Mais comment entrer dans ces boutiques? Je ne vous raconterai pas [d] mes démarches et mes sollicitations inutiles, ni six mois passés à travailler comme surnuméraire et à m'entendre dire que j'effarouchais l'abonné, quand au contraire je l'apprivoisais. Passons sur ces avanies [e]. Je rends compte aujourd'hui des théâtres du boulevard, presque gratis, dans le journal qui appartient à [f] Finot, ce gros garçon qui déjeune encore deux ou trois fois par mois au café Voltaire [1] (mais vous n'y allez pas!). Finot est rédacteur en chef [g]. Je vis en vendant les billets que me donnent les directeurs de ces théâtres pour solder ma sous-bienveillance au journal,

---

1. Il était situé place de l'Odéon et fréquenté par la jeunesse élégante du boulevard Saint-Germain.

les livres que m'envoient les libraires et dont je dois parler. Enfin je trafique, une fois Finot satisfait, des tributs
en nature qu'apportent les industries pour lesquelles ou
contre lesquelles il me permet de lancer des articles. L'*Eau
carminative*, la *Pâte des Sultanes*, l'*Huile céphalique*, la *Mixture
brésilienne* [1] [a] payent un article goguenard vingt ou trente
francs. Je suis forcé d'aboyer après le libraire qui donne
peu d'exemplaires au journal : le journal en prend deux que
vend Finot, il m'en faut deux à vendre. Publiât-il un
chef-d'œuvre, le libraire avare d'exemplaires est assommé.
C'est ignoble, mais je vis de ce métier, moi comme cent
autres ! Ne croyez pas le monde politique beaucoup
plus beau que ce monde littéraire : tout dans ces deux
mondes est corruption, chaque homme y est ou corrup-
teur ou corrompu [b]. Quand il s'agit d'une entreprise de
librairie un peu considérable, le libraire me paye, de peur
d'être attaqué. Aussi mes revenus sont-ils en rapport avec
les prospectus. Quand le Prospectus sort en éruptions
miliaires, l'argent entre à flots dans mon gousset, je régale
alors mes amis. Pas d'affaires en librairie, je dîne chez
Flicoteaux [c]. Les actrices payent aussi les éloges, mais les
plus habiles payent les critiques, le silence est ce qu'elles
redoutent le plus. Aussi une critique, faite pour être rétor-
quée ailleurs, vaut-elle mieux et se paye-t-elle plus cher
qu'un éloge tout sec, oublié le lendemain. La polémique,
mon cher, est le piédestal des célébrités [d]. A ce métier
de spadassin des idées et des réputations industrielles
littéraires et dramatiques, je gagne cinquante écus par mois,
je puis vendre un roman cinq cents francs, et je commence
à passer pour un homme redoutable. Quand, au lieu de
vivre chez Florine aux dépens d'un droguiste qui se

---

1. L'*Huile céphalique* et la *Mixture brésilienne*, de même que la
Pâte de Regnault qui figure dans le texte du manuscrit, apparaissent
dans *César Birotteau*. Il existait une Eau des Sultanes, en vente chez
Nacquet, Galerie de Pierre du Palais-Royal. Elle est annoncée dans
les *Bigarrures* du *Figaro*, le 15 août 1826. Quant à la Pâte Regnault,
ce n'était nullement une invention de Balzac, et le docteur Véron
avait fait sa fortune avec elle (cf. *supra*, Introduction, p. XVII).

donne des airs de milord [1], je serai dans mes meubles, que je passerai dans un grand journal où j'aurai un feuilleton, ce jour-là, mon cher, Florine deviendra une grande actrice; quand à moi, je ne sais pas alors ce que je puis devenir : ministre ou honnête homme [a], tout est encore possible. (Il releva sa tête humiliée, jeta vers le feuillage un regard de désespoir accusateur et terrible.) Et j'ai une belle tragédie reçue! Et j'ai dans mes papiers un poème qui mourra! Et j'étais bon! J'avais le cœur pur : j'ai pour maîtresse une actrice du Panorama-Dramatique [b], moi, qui rêvais de belles amours parmi les femmes les plus distinguées du grand monde! Enfin, pour un exemplaire refusé par le libraire à mon journal, je dis du mal d'un livre que je trouve beau!

Lucien, ému aux larmes, serra la main d'Étienne [c].

— En dehors du monde littéraire, dit le journaliste en se levant et se dirigeant vers la grande allée de l'Observatoire où les deux poètes se promenèrent comme pour donner plus d'air à leurs poumons, il n'existe pas une seule personne qui connaisse l'horrible odyssée par laquelle on arrive à ce qu'il faut nommer, selon les talents, la vogue, la mode, la réputation, la renommée, la célébrité, la faveur publique, ces différents échelons qui mènent à la gloire, et qui ne la remplacent jamais. Ce phénomène moral, si brillant, se compose de mille accidents qui varient avec tant de rapidité, qu'il n'y a pas exemple de deux hommes parvenus par une même voie. Canalis et Nathan sont deux faits dissemblables et qui ne se renouvelleront pas. D'Arthez, qui s'éreinte à travailler, deviendra célèbre par un autre hasard [d]. Cette réputation tant désirée est presque toujours une prostituée couronnée. Oui, pour les basses œuvres de la littérature, elle représente la pauvre fille qui gèle au coin des bornes; pour la littérature secondaire, c'est la femme entretenue qui sort des mauvais lieux

---

1. Florine a pour amant de cœur Lousteau et pour amant sérieux le droguiste Matifat, comme Florentine a pour protecteur le vieux Cardot et pour amant Giroudeau.

du journalisme et à qui je sers de souteneur ; pour la littérature heureuse, c'est la brillante courtisane insolente qui a des meubles, paye des contributions à l'État, reçoit les grands seigneurs, les traite et les maltraite, a sa livrée, sa voiture, et qui peut faire attendre ses créanciers altérés. Ah ! ceux pour qui elle est, pour moi jadis, pour vous aujourd'hui, un ange aux ailes diaprées, revêtu de sa tunique blanche, montrant une palme verte dans sa main, une flamboyante épée dans l'autre, tenant à la fois de l'abstraction mythologique qui vit au fond d'un puits et de la pauvre fille vertueuse exilée dans un faubourg, ne s'enrichissant qu'aux clartés de la vertu par les efforts d'un noble courage, et revolant aux cieux avec un caractère immaculé, quand elle ne décède pas souillée, fouillée, violée, oubliée, dans le char des pauvres ; ces hommes à cervelle cerclée de bronze, aux cœurs encore chauds sous les tombées de neige de l'expérience, ils sont rares dans le pays [a] que vous voyez à nos pieds, dit-il en montrant la grande ville qui fumait au déclin du jour.

Une vision du Cénacle passa rapidement aux yeux de Lucien et l'émut, mais il fut entraîné par Lousteau qui continua son effroyable lamentation [b].

— Ils sont rares et clairsemés dans cette cuve en fermentation, rares comme les vrais amants dans le monde amoureux, rares comme les fortunes honnêtes dans le monde financier, rares comme un homme pur dans le journalisme. L'expérience du premier qui m'a dit ce que je vous dis a été perdue, comme la mienne sera sans doute inutile pour vous. Toujours la même ardeur précipite chaque année, de la province ici, un nombre égal, pour ne pas dire croissant, d'ambitions imberbes qui s'élancent la tête haute, le cœur altier, à l'assaut de la Mode, cette espèce de princesse Tourandocte des Mille et Un jours pour qui chacun veut être le prince Calaf [1][c] ! Mais aucun

---

1. La princesse Tourandocte et le prince Calaf sont des personnages des *Mille et un jours* de Pétis de la Croix, parus en 1710-1712, quelques années après le grand succès des *Mille et une nuits*.

ne devine l'énigme. Tous tombent dans la fosse du malheur, dans la boue du journal, dans les marais de la librairie. Ils glanent, ces mendiants, des articles biographiques, des tartines, des faits-Paris, aux journaux, ou des livres commandés par de logiques marchands de papier noirci qui préfèrent une bêtise débitée en quinze jours à un chef-d'œuvre qui veut du temps pour se vendre. Ces chenilles, écrasées avant d'être papillons, vivent de honte et d'infamie, prêtes à mordre ou à vanter un talent naissant, sur l'ordre d'un pacha du *Constitutionnel*, de la *Quotidienne*, des *Débats*, au signal des libraires, à la prière d'un camarade jaloux, souvent pour un dîner. Ceux qui surmontent les obstacles oublient les misères de leur début. Moi qui vous parle, j'ai fait pendant six mois des articles où j'ai mis la fleur de mon esprit pour un misérable qui les disait de lui, qui sur ces échantillons a passé rédacteur d'un feuilleton : il ne m'a pas pris pour collaborateur, il ne m'a pas même donné cent sous, je suis forcé de lui tendre la main et de lui serrer la sienne [a].

— Et pourquoi ? dit fièrement Lucien.

— Je puis avoir besoin de mettre dix lignes dans son feuilleton, répondit froidement Lousteau. Enfin, mon cher, travailler n'est pas le secret de la fortune en littérature, il s'agit d'exploiter le travail d'autrui. Les propriétaires de journaux sont des entrepreneurs, nous sommes des maçons [b]. Aussi plus un homme est médiocre, plus promptement arrive-t-il ; il peut avaler des crapauds vivants, se résigner à tout, flatter les petites passions basses des sultans littéraires, comme un nouveau venu de Limoges, Hector Merlin, qui fait déjà de la politique dans un journal du centre droit, et qui travaille à notre petit journal [1] : je lui ai vu ramasser le chapeau tombé d'un rédac-

---

1. Le manuscrit porte la trace des hésitations de Balzac. Il appelle ce journaliste Saint-Jean Verdelin, qui semble fabriqué sur Saint-Marc Girardin. Puis il change ce nom en Félicien Vernou et il fait de ce journaliste un collaborateur du *Courrier* libéral, mais qui s'apprête à passer dans le camp ministériel. On serait tenté de songer à Capo

teur en chef [a]. En n'offusquant personne, ce garçon-là
passera entre les ambitions rivales pendant qu'elles se
battront. Vous me faites pitié [b]. Je me vois en vous comme
j'étais, et je suis sûr que vous serez, dans un ou deux ans,
comme je suis. Vous croirez à quelque jalousie secrète,
à quelque intérêt personnel dans ces conseils amers [c] ;
mais ils sont dictés par le désespoir du damné qui ne peut
plus quitter l'Enfer. Personne n'ose dire ce que je vous crie
avec la douleur de l'homme atteint au cœur et comme un
autre Job sur le fumier : Voici mes ulcères !

— Lutter sur ce champ, ou ailleurs, je dois lutter, dit
Lucien.

— Sachez-le donc ! reprit Lousteau, cette lutte sera
sans trêve si vous avez du talent, car votre meilleure
chance serait de n'en pas avoir. L'austérité de votre conscience aujourd'hui pure fléchira devant ceux à qui vous
verrez votre succès entre les mains ; qui, d'un mot, peuvent
vous donner la vie et qui ne voudront pas le dire [d] : car,
croyez-moi, l'écrivain à la mode est plus insolent, plus dur
envers les nouveaux-venus que ne l'est le plus brutal libraire. Où le libraire ne voit qu'une perte, l'auteur redoute
un rival : l'un vous éconduit, l'autre vous écrase [e]. Pour
faire de belles œuvres, mon pauvre enfant, vous puiserez
à pleines plumées d'encre dans votre cœur la tendresse,
la sève, l'énergie, et vous l'étalerez en passions, en sentiments, en phrases ! Oui, vous écrirez au lieu d'agir, vous
chanterez au lieu de combattre, vous aimerez, vous haïrez,
vous vivrez dans vos livres ; mais quand vous aurez réservé
vos richesses pour votre style, votre or, votre pourpre
pour vos personnages, que vous vous promènerez en guenilles dans les rues de Paris, heureux d'avoir lancé, en riva-
lisant avec l'État Civil, un être nommé Adolphe, Corinne,

de Feuillide, qui sous la Restauration se fit remarquer par un changement de convictions analogue. Mais Balzac, en 1839, met un autre
nom, celui d'Hector Merlin, et enfin, en 1843, cet Hector Merlin
devient journaliste monarchique et centre droit, ce qui ne peut guère
désigner qu'un collaborateur du *Journal des Débats*.

Clarisse, ou Manon [a], que vous aurez gâté votre vie et votre estomac pour donner la vie à cette création, vous la verrez calomniée, trahie, vendue, déportée dans les lagunes de l'oubli par les journalistes, ensevelie par vos meilleurs amis. Pourrez-vous attendre le jour où votre créature s'élancera réveillée par qui? quand? comment? Il existe un magnifique livre, le *pianto* de l'incrédulité, Obermann [1], qui se promène solitaire dans le désert des magasins, et que dès lors les libraires appellent ironiquement un rossignol : quand Pâques arrivera-t-il pour lui? personne ne le sait! [b] Avant tout, essayez de trouver un libraire assez osé pour imprimer les Marguerites? Il ne s'agit pas de vous les faire payer, mais de les imprimer. Vous verrez alors des scènes curieuses.

Cette rude tirade, prononcée avec les accents divers des passions qu'elle exprimait, tomba comme une avalanche de neige dans le cœur de Lucien et y mit un froid glacial. Il demeura debout et silencieux pendant un moment. Enfin, son cœur, comme stimulé par l'horrible poésie des difficultés, éclata. Lucien serra la main de Lousteau [c], et lui cria : — Je triompherai !

— Bon ! dit le journaliste, encore un chrétien qui descend dans l'arène pour se livrer aux bêtes. Mon cher, il y a ce soir une première représentation au Panorama-Dramatique, elle ne commencera qu'à huit heures, il est six heures, allez mettre votre meilleur habit, enfin soyez convenable. Venez me prendre. Je demeure rue de La Harpe, au-dessus du café Servel, au quatrième étage. Nous passe-

---

1. *Oberman* est, en 1821 et à plus forte raison en 1839, un livre déjà ancien puisqu'il a paru en 1804. Mais il a connu après 1830 une vogue nouvelle et a marqué profondément la jeune littérature de l'époque. Une deuxième édition, en 1833, est la preuve de ce succès retardé. *L'Europe littéraire* consacra à Senancour et son livre un important article. Mais le grand public continua d'ignorer Senancour. On s'en rend compte tristement lorsqu'on lit une lettre de Sainte-Beuve, du 8 juillet 1836 (*C. G.*, II, p. 75). Il parle des *Libres méditations* de l'auteur d'*Oberman* comme d'un ouvrage « assuré d'un succès lent » et pour lequel l'écrivain n'aurait que « des prétentions fort modestes ».

rons chez Dauriat d'abord. Vous persistez, n'est-ce pas ?
Eh ! bien, je vous ferai connaître ce soir un des rois de la
librairie et quelques journalistes. Après le spectacle, nous
souperons chez ma maîtresse avec des amis, car notre dîner
ne peut pas compter pour un repas. Vous y trouverez
Finot, le rédacteur en chef et le propriétaire de mon
journal [a]. Vous savez le mot de Minette du Vaudeville :
Le temps est un grand maigre [1] ? eh ! bien, pour nous le hasard
est aussi un grand maigre, il faut le tenter [b].

— Je n'oublierai jamais cette journée, dit Lucien.

— Munissez-vous de votre manuscrit, et soyez en tenue,
moins à cause de Florine que du libraire [c].

La bonhomie de camarade, qui succédait au cri violent
du poète peignant la guerre littéraire, toucha Lucien tout
aussi vivement qu'il l'avait été naguère à la même place
par la parole grave et religieuse de d'Arthez. Animé par la
perspective d'une lutte immédiate entre les hommes et lui,
l'inexpérimenté jeune homme ne soupçonna point la réalité
des malheurs moraux que lui dénonçait le journaliste. Il
ne se savait pas placé entre deux voies distinctes, entre
deux systèmes représentés par le Cénacle et par le Journalisme, dont l'un était long, honorable, sûr ; l'autre semé
d'écueils et périlleux, plein de ruisseaux fangeux où devait
se crotter sa conscience. Son caractère le portait à prendre le
chemin le plus court, en apparence le plus agréable, à saisir les moyens décisifs et rapides. Il ne vit en ce moment

---

1. Balzac aimait ce genre de plaisanterie. Il écrit dans *Un Début
dans la Vie* : « En ce moment, la mode d'estropier les proverbes régnait
dans les ateliers de peinture. C'était un triomphe que de trouver un
changement de quelques lettres ou d'un mot à peu près semblable,
qui laissait au proverbe un sens baroque ou cocasse. » Ces proverbes
estropiés sont nombreux dans *Un Début dans la Vie*. On retrouve celui-
ci dans les notes de Balzac publiées par J. Crépet (*Pensées, sujets et
fragmens*, p. 64). Dans *Un Début dans la Vie*, c'est Mistrigris qui déclare
que le temps est un grand maigre. Ici, c'est Minette. Cette actrice du
Vaudeville avait, au dire de Maurice Alhoy, de la verve et un talent
remarquable pour la parodie. « On la dit auteur de plusieurs vaudevilles
charmants », dit la *Petite biographie* des *Acteurs et Actrices des théâtres
de Paris*.

aucune différence entre la noble amitié de d'Arthez et la facile camaraderie de Lousteau. Cet esprit mobile aperçut dans le Journal une arme à sa portée, il se sentait habile à la manier, il la voulut prendre. Ébloui par les offres de son nouvel ami dont la main frappa la sienne avec un laisser-aller qui lui parut gracieux, pouvait-il savoir que, dans l'armée de la Presse, chacun a besoin d'amis, comme les généraux ont besoin de soldats ! Lousteau, lui voyant de la résolution, le racolait en espérant se l'attacher. Le journaliste en était à son premier ami, comme Lucien à son premier protecteur : l'un voulait passer caporal, l'autre voulait être soldat.

TROISIÈME VARIÉTÉ DE LIBRAIRE [a]

Le néophyte [b] revint joyeusement à son hôtel, où il fit une toilette aussi soignée que le jour néfaste où il avait voulu se produire dans la loge de la marquise d'Espard à l'Opéra ; mais déjà ses habits lui allaient mieux, il se les était appropriés. Il mit son beau pantalon collant de couleur claire, de jolies bottes à glands qui lui avaient coûté quarante francs, et son habit de bal. Ses abondants et fins cheveux blonds, il les fit friser, parfumer, ruisseler en boucles brillantes. Son front se para d'une audace puisée dans le sentiment de sa valeur et de son avenir. Ses mains de femme furent soignées, leurs ongles en amande devinrent nets et rosés. Sur son col de satin noir, les blanches rondeurs de son menton étincelèrent. Jamais un plus joli jeune homme ne descendit la montagne du pays latin.

Beau comme un dieu grec, Lucien prit un fiacre, et fut à sept heures moins un quart à la porte de la maison du café Servel. La portière l'invita à grimper quatre étages en lui donnant des notions topographiques assez compliquées. Armé de ces renseignements, il trouva, non sans

peine, une porte ouverte au bout d'un long corridor
obscur, et reconnut la chambre classique du quartier latin.
La misère des jeunes gens le poursuivait là comme rue de
Cluny, chez d'Arthez, chez Chrestien, partout ! Mais,
partout, elle se recommande par l'empreinte que lui donne
le caractère du patient. Là cette misère était sinistre [a].
Un lit en noyer, sans rideaux, au bas duquel grimaçait
un méchant tapis d'occasion; aux fenêtres, des rideaux
jaunis par la fumée d'une cheminée qui n'allait pas et
par celle du cigare ; sur la cheminée, une lampe Carcel
donnée par Florine et encore échappée au Mont-de-Piété ;
puis, une commode d'acajou terni, une table chargée de
papiers, deux ou trois plumes ébouriffées là-dessus, pas
d'autres livres que ceux apportés la veille ou pendant la
journée : tel était le mobilier de cette chambre dénuée
d'objets de valeur, mais qui offrait un ignoble assemblage
de mauvaises bottes bâillant dans un coin [b], de vieilles
chaussettes à l'état de dentelle ; dans un autre, des cigares
écrasés, des mouchoirs sales, des chemises en deux volumes,
des cravates à trois éditions. C'était enfin un bivouac littéraire meublé de choses négatives et de la plus étrange
nudité qui se puisse imaginer. Sur la table de nuit, chargée
des livres lus pendant la matinée, brillait le rouleau rouge
de Fumade [1]. Sur le manteau de la cheminée erraient un
rasoir, une paire de pistolets, une boîte à cigares. Dans un
panneau, Lucien vit des fleurets croisés sous un masque.
Trois chaises et deux fauteuils, à peine dignes du plus
méchant hôtel garni de cette rue, complétaient cet ameublement. Cette chambre, à la fois sale et triste, annonçait
une vie sans repos et sans dignité : on y dormait, on y travaillait à la hâte, elle était habitée par force, on éprouvait
le besoin de la quitter. Quelle différence entre ce désordre
cynique et la propre, la décente misère de d'Arthez ?...
Ce conseil enveloppé dans un souvenir, Lucien ne l'écouta
pas, car Étienne lui fit une plaisanterie pour masquer le
nu du Vice [c].

---

1. Inventeur d'un briquet au phosphore.

— Voilà mon chenil, ma grande représentation est rue de Bondy, dans le nouvel appartement que notre droguiste a meublé pour Florine, et que nous inaugurons ce soir [a].

Étienne Lousteau avait un pantalon noir, des bottes bien cirées, un habit boutonné jusqu'au cou ; sa chemise, que Florine devait sans doute lui changer, était cachée par un col de velours, et il brossait [b] son chapeau pour lui donner l'apparence du neuf.

— Partons, dit Lucien.

— Pas encore, j'attends un libraire pour avoir de la monnaie, on jouera peut-être. Je n'ai pas un liard ; et, d'ailleurs, il me faut des gants.

En ce moment les deux nouveaux amis entendirent les pas d'un homme dans le corridor.

— C'est lui, dit Lousteau. Vous allez voir, mon cher, la tournure que prend la Providence quand elle se manifeste aux poètes. Avant de contempler dans sa gloire Dauriat le libraire fashionable, vous aurez vu le libraire du quai des Augustins, le libraire escompteur, le marchand de ferraille littéraire, le Normand ex-vendeur de salade [1c]. Arrivez donc, vieux Tartare ? cria Lousteau.

— Me voilà, dit une voix fêlée comme celle d'une cloche cassée.

— Avec de l'argent ?

— De l'argent ? il n'y a en plus en librairie, répondit un jeune homme qui entra en regardant Lucien d'un air curieux.

— Vous me devez cinquante francs d'abord, reprit Lousteau. Puis voici deux exemplaires d'un Voyage en Égypte qu'on dit une merveille, il y foisonne des gravures, il se vendra : Finot a été payé pour deux articles que je

---

1. L'expression est commentée par Balzac dans une note de *la Propriété littéraire* (O. D., III, p. 424). Elle signifie le libraire ignorant et sans lettres. « Nous comptons, écrit Balzac, vingt de ces libraires si plaisamment notés marchands de salade ». Hébrard, dans son étude sur la librairie contemporaine, p. 53, range dans la quatrième classe de la profession « certains prétendus libraires (qui) seraient fort embarrassés si, pour vendre des livres, il fallait les lire soi-même ».

dois faire. *Item*, deux des derniers romans de Victor Ducange, un auteur illustre au Marais. *Item*, deux exemplaires du second ouvrage d'un commençant, Paul de Kock, qui travaille dans le même genre. *Item*, deux d'Yseult de Dôle, un joli ouvrage de province [1]. En tout cent francs, au prix fort [a]. Ainsi vous me devez cent francs, mon petit Barbet.

Barbet regarda les livres en en examinant les tranches et les couvertures avec soin.

— Oh! ils sont dans un état parfait de conservation, s'écria Lousteau! Le Voyage n'est pas coupé, ni le Paul de Kock, ni le Ducange, ni celui-là sur la cheminée, *Considérations sur la symbolique*, je vous l'abandonne, le mythe est si ennuyeux, que je le donne pour ne pas en voir sortir des milliers de mites [b].

— Eh! bien, dit Lucien, comment ferez-vous vos articles?

Barbet jeta sur Lucien un regard de profond étonnement, et reporta ses yeux sur Étienne en ricanant : — On voit que monsieur n'a pas le malheur d'être homme de lettres.

— Non, Barbet, non. Monsieur est un poète, un grand poète qui enfoncera Canalis [c], Béranger et Delavigne. Il ira loin, à moins qu'il ne se jette à l'eau, encore irait-il jusqu'à Saint-Cloud.

---

1. La *Bibliographie de la France* de 1821 signale les *Voyages en Égypte et en Nubie, contenant le récit des recherches et découvertes archéologiques faites dans les Pyramides, ruines et tombes de ce pays*, par G. Belzoni. — Sur Victor Ducange, voir p. 216, n. 1. — Paul de Kock, né en 1784, avait commencé en 1813 la série de ses romans. Ce fabricant de littérature était donc, en 1821, à la fois jeune et en pleine vogue. — Les *Considérations sur la Symbolique* sont peut-être le grand ouvrage de Creutzer, dont le titre allemand est *Symbolik und Mythologie der alten Völker* (1819-1823). La traduction commença à paraître en 1825, sous un titre, il est vrai, un peu différent : *les Religions de l'antiquité considérées principalement dans leurs formes symboliques et mythologiques*. Ni le catalogue de la Nationale, ni le *Dictionnaire bibliographique* de Quérard ne citent *Yseult de Dole* de Mme Périé-Candeille. Mais ils signalent des titres analogues de cette distinguée romancière : *Agnès de France* (1821), *Mathilde, reine des Francs* (1818), *Blanche d'Évreux* (1824).

— Si j'avais un conseil à donner à monsieur, dit Barbet, ce serait de laisser les vers et de se mettre à la prose. On ne veut plus de vers sur le quai.

Barbet avait une méchante redingote boutonnée par un seul bouton, son col était gras, il gardait son chapeau sur la tête, il portait des souliers, son gilet entr'ouvert laissait voir une bonne grosse chemise de toile forte. Sa figure ronde, percée de deux yeux avides, ne manquait pas de bonhomie ; mais il avait dans le regard l'inquiétude vague des gens habitués à s'entendre demander de l'argent et qui en ont. Il paraissait rond et facile, tant sa finesse était cotonnée d'embonpoint. Après avoir été commis [1] [a], il avait pris depuis deux ans une misérable petite boutique sur le quai, d'où il s'élançait chez les journalistes, chez les auteurs, chez les imprimeurs, y achetant à bas prix les livres qui leur étaient donnés, et gagnant ainsi quelque dix ou vingt francs par jour. Riche de ses économies, il flairait les besoins de chacun, il espionnait quelque bonne affaire, il escomptait au taux de quinze ou vingt pour cent, chez les auteurs gênés, les effets des libraires auxquels il allait le lendemain acheter, à prix débattus au comptant, quelques bons livres demandés ; puis il leur rendait leurs propres effets au lieu d'argent. Il avait fait ses études, et son instruction lui servait à éviter soigneusement la poésie et les romans modernes. Il affectionnait les petites entreprises, les livres d'utilité dont l'entière propriété coûtait mille francs et qu'il pouvait exploiter à son gré, tels que l'*Histoire de France mise à la portée des enfants*, la *Tenue des livres en vingt leçons*, la *Botanique des jeunes filles* [2] [b].

---

1. Il existe un libraire qui a d'abord été commis et qui, depuis 1833, a ouvert une maison d'édition sans disposer d'un capital suffisant. C'est Werdet, l'ancien ami de Balzac et que depuis la fin de 1836 celui-ci dénonce comme l'auteur de sa ruine.

2. Parmi les titres cités ici, on n'en découvre que deux qui puissent rappeler un ouvrage publié dans les années 1818-1823. La *Tenue des livres rendue facile* de E. Desgrange en était à sa 11e édition en 1819, et la *Tenue des livres on ne peut plus simplifiée ou Nouvelle méthode que l'on*

Il avait laissé échapper déjà deux ou trois bons livres, après avoir fait revenir vingt fois les auteurs chez lui, sans se décider à leur acheter leur manuscrit. Quand on lui reprochait sa couardise, il montrait la relation d'un fameux procès dont le manuscrit, pris dans les journaux, ne lui coûtait rien, et lui avait rapporté deux ou trois mille francs [1].

Barbet était le libraire trembleur, qui vit de noix et de pain, qui souscrit peu de billets, qui grappille sur les factures, les réduit, colporte lui-même ses livres on ne sait où, mais qui les place et se les fait payer. Il était la terreur des imprimeurs, qui ne savaient comment le prendre : il les payait sous escompte et rognait leurs factures en devinant des besoins urgents ; puis il ne se servait plus de ceux qu'il avait étrillés, en craignant quelque piège.

— Hé ! bien, continuons-nous nos affaires ? dit Lousteau.

— Eh ! mon petit, dit familièrement Barbet, j'ai dans ma boutique six mille volumes à vendre. Or, selon le mot d'un vieux libraire, les *livres* ne sont pas des *francs* [2]. La librairie va mal.

— Si vous alliez dans sa boutique, mon cher Lucien, dit Étienne [a], vous trouveriez sur un comptoir en bois de chêne, qui vient de la vente après faillite de quelque marchand de vin, une chandelle non mouchée, elle se consume alors moins vite. A peine éclairé par cette lueur

---

peut apprendre en vingt-quatre heures par H. Masquelier avait paru en 1820. D'autre part une *Histoire de France à la portée des enfants* avait paru en 1818 chez l'éditeur Vauquelin.

1. Il s'agit presque certainement de l'*Histoire et procès complet de Fualdès* par Latouche. Ce travail de librairie avait paru en 1818 chez Pillet. Cette indication ne suffit naturellement pas à prouver que Barbet soit le portrait de Pillet.

2. Il n'est pas nécessaire de relever le jeu de mots de Barbet, livre-volume et livre-monnaie. On trouve la même plaisanterie dans la vie d'Arsène Houssaye. Lorsqu'il eut publié *la Couronne de bleuets* (1836), un éditeur lui proposa de lui prendre un roman et de le payer en livres. Houssaye répondit : « Bien obligé ! je paie mon propriétaire en francs. »

anonyme, vous apercevriez des casiers vides. Pour garder
ce néant, un petit garçon en veste bleue souffle dans ses
doigts, bat la semelle, ou se brasse comme un cocher de
fiacre sur son siège. Regardez ! pas plus de livres que je
n'en ai ici. Personne ne peut deviner le commerce qui se
fait là.

— Voici un billet de cent francs à trois mois, dit Barbet
qui ne put s'empêcher de sourire en sortant un papier
timbré de sa poche, et j'emporterai vos bouquins. Voyez-
vous, je ne peux plus donner d'argent comptant, les ventes
sont trop difficiles. J'ai pensé que vous aviez besoin de moi,
j'étais sans le sou, j'ai souscrit un effet pour vous obliger
car je n'aime pas à donner ma signature.

— Ainsi, vous voulez encore mon estime et des remercîments ? dit Lousteau.

— Quoiqu'on ne paye pas ses billets avec des sentiments,
j'accepterai tout de même votre estime répondit Barbet.

— Mais il me faut des gants, et les parfumeurs auront
la lâcheté de refuser votre papier, dit Lousteau. Tenez,
voilà une superbe gravure, là, dans le premier tiroir de la
commode, elle vaut quatre-vingts francs, elle est avant
la lettre et après l'article, car j'en ai fait un assez bouffon.
Il y avait à mordre sur Hippocrate refusant les présents
d'Artaxerxès [1]. Hein ! cette belle planche convient à tous
les médecins qui refusent les dons exagérés des satrapes
parisiens. Vous trouverez encore sous la gravure une trentaine de romances. Allons, prenez le tout, et donnez-moi
quarante francs.

— Quarante francs ! dit le libraire en jetant un cri de
poule effrayée, tout au plus vingt. Encore puis-je les perdre,
ajouta Barbet.

— Où sont les vingt francs ? dit Lousteau.

— Ma foi, je ne sais pas si je les ai, dit Barbet en se
fouillant. Les voilà. Vous me dépouillez, vous avez sur
moi un ascendant...

---

[1]. Tableau de Girodet-Trioson (1791).

— Allons, partons, dit Lousteau qui prit le manuscrit de Lucien et fit un trait à l'encre sous la corde.

— Avez-vous encore quelque chose ? demanda Barbet.

— Rien, mon petit Shylock. Je te ferai faire une affaire excellente (où tu perdras mille écus, pour t'apprendre à me voler ainsi), dit à voix basse Étienne à Lucien [a].

— Et vos articles ? dit Lucien en roulant vers le Palais-Royal.

— Bah ! vous ne savez pas comment cela se bâcle. Quant au voyage en Égypte, j'ai ouvert le livre et lu des endroits çà et là sans le couper, j'y ai découvert onze fautes de français. Je ferai une colonne en disant que si l'auteur a appris le langage des canards gravés sur les cailloux égyptiens appelés des obélisques [b], il ne connaît pas sa langue, et je le lui prouverai. Je dirai qu'au lieu de nous parler d'histoire naturelle et d'antiquités, il aurait dû ne s'occuper que de l'avenir de l'Égypte, du progrès de la civilisation, des moyens de rallier l'Égypte à la France, qui après l'avoir conquise et perdue, peut se l'attacher encore par l'ascendant moral. Là-dessus une tartine patriotique, le tout entrelardé de tirades sur Marseille, sur le Levant, sur notre commerce.

— Mais s'il avait fait cela, que diriez-vous ?

— Hé ! bien, je dirais qu'au lieu de nous ennuyer de politique, il aurait dû s'occuper de l'Art, nous peindre le pays sous son côté pittoresque et territorial. Le critique se lamente alors. La politique, dit-il, nous déborde [c], elle nous ennuie, on la trouve partout. Je regretterais ces charmants voyages où l'on nous expliquait les difficultés de la navigation, le charme des débouquements, les délices du passage de la Ligne, enfin ce qu'ont besoin de savoir ceux qui ne voyageront jamais. Tout en les approuvant, on se moque des voyageurs qui célèbrent comme de grands événements un oiseau qui passe, un poisson volant, une pêche, les points géographiques relevés, les bas-fonds reconnus. On redemande ces choses scientifiques parfaitement [d] inintelligibles, qui fascinent comme tout ce qui est profond, mystérieux, incompréhensible.

L'abonné rit, il est servi [a]. Quant aux romans, Florine est la plus grande liseuse de romans qu'il y ait au monde, elle m'en fait l'analyse, et je broche mon article d'après son opinion. Quand elle a été ennuyée [b] par ce qu'elle nomme les *phrases d'auteur*, je prends le livre en considération, et fais redemander un exemplaire au libraire qui l'envoie, enchanté d'avoir un article favorable.

— Bon Dieu ! mais la critique, la sainte critique ! dit Lucien imbu des doctrines de son Cénacle.

— Mon cher, dit Lousteau, la critique est une brosse qui ne peut pas s'employer sur les étoffes légères, où elle emporterait tout. Écoutez, laissons là le métier. Voyez-vous cette marque ? lui dit-il en lui montrant le manuscrit des Marguerites. J'ai uni par un peu d'encre votre corde au papier [1]. Si Dauriat lit votre manuscrit, il lui sera certes impossible de remettre la corde exactement. Ainsi votre manuscrit est comme scellé. Ceci n'est pas inutile pour l'expérience que vous voulez faire. Encore, remarquez que vous n'arriverez pas, seul et sans parrain, dans cette boutique, comme ces petits jeunes gens qui se présentent chez dix libraires avant d'en trouver un qui leur présente une chaise...

Lucien avait éprouvé déjà la vérité de ce détail. Lousteau paya le fiacre en lui donnant trois francs, au grand ébahissement de Lucien surpris de la prodigalité qui succédait à tant de misère. Puis les deux amis entrèrent dans les Galeries de Bois, où trônait alors la Librairie dite de Nouveautés.

---

1. Ce trait fait penser à une anecdote de la vie de Paul Lacroix, le collaborateur de Balzac au *Figaro*. Lorsqu'il porta le manuscrit de sa folie-vaudeville *les Dieux remis à neuf* au théâtre de la Porte Saint-Martin, il eut soin de coller les feuilles deux à deux. Un mois plus tard, on lui rendit son manuscrit avec un refus tout enveloppé de compliments sur les beautés de sa pièce, mais il constata que les pages n'avaient pas été décollées.

LES GALERIES DE BOIS

A cette époque, les Galeries de Bois constituaient une des curiosités parisiennes les plus illustres [1]. Il n'est pas inutile de peindre ce bazar ignoble ; car, pendant trente-six ans, il a joué dans la vie parisienne [a] un si grand rôle, qu'il est peu d'hommes âgés de quarante ans à qui cette description incroyable pour les jeunes gens, ne fasse encore plaisir. En place de la froide, haute et large galerie d'Orléans, espèce de serre sans fleurs, se trouvaient des baraques, ou, pour être plus exact, des huttes en planches, assez mal couvertes, petites, mal éclairées sur la cour et sur le jardin par des jours de souffrance appelés croisées, mais qui ressemblaient aux plus sales ouvertures des guinguettes hors barrière. Une triple rangée de boutiques y formait deux galeries, hautes d'environ douze pieds. Les boutiques sises au milieu donnaient sur les deux galeries dont l'atmosphère leur livrait un air méphitique, et dont la toiture laissait passer peu de jour à travers des vitres toujours sales. Ces alvéoles avaient acquis un tel prix par suite de l'affluence du monde, que malgré l'étroitesse de certaines, à peine larges de six pieds et longues de huit à dix, leur location coûtait mille écus. Les boutiques éclairées sur le jardin et sur la cour [b] étaient protégées par de petits treillages verts, peut-être pour empêcher la foule de

---

1. Le docteur Véron donne des Galeries de Bois une description qui s'accorde avec celle de Balzac : ses boutiques étaient tenues par quelques libraires et des marchandes de mode. Filous, joueurs, filles, oisifs, se côtoyaient dans ces cloaques tortueux, éblouissants de lumière. Les commerçants demandèrent au Gouvernement de la Restauration d'y interdire la prostitution. A compter de ce jour, le Palais-Royal fut ruiné (*Mémoires*, I, p. 139-141).

démolir, par son contact, les murs en mauvais plâtras
qui formaient le derrière des magasins. Là donc se trouvait
un espace de deux ou trois pieds où végétaient les produits
les plus bizarres d'une botanique inconnue à la science,
mêlés à ceux de diverses industries non moins florissantes.
Une maculature coiffait un rosier, en sorte que les fleurs
de rhétorique étaient embaumées par les fleurs avortées
de ce jardin mal soigné, mais fétidement arrosé. Des rubans
de toutes les couleurs ou des prospectus fleurissaient
dans les feuillages. Les débris de modes étouffaient la végé-
tation : vous trouviez un nœud de ruban sur une touffe
de verdure, et vous étiez déçu dans vos idées sur la fleur
que vous veniez admirer en apercevant une cóque de
satin qui figurait un dahlia [a]. Du côté de la cour, comme du
côté du jardin, l'aspect de ce palais fantasque offrait tout
ce que la saleté parisienne a produit de plus bizarre : des
badigeonnages [b] lavés, des plâtras refaits, de vieilles
peintures, des écriteaux fantastiques. Enfin le public parisien salissait énormément les treillages verts, soit sur le
jardin, soit sur la cour. Ainsi, des deux côtés, une bordure
infâme et nauséabonde semblait [c] défendre l'approche des
Galeries aux gens délicats ; mais les gens délicats ne reculaient pas plus devant ces horribles choses que les princes
des contes de fées ne reculent devant les dragons et les
obstacles interposés par un mauvais génie entre eux et les
princesses. Ces Galeries étaient comme aujourd'hui per-
cées au milieu par un passage, et comme aujourd'hui [d] l'on
y pénétrait encore par les deux péristyles actuels commencés
avant la Révolution et abandonnés faute d'argent [e]. La
belle galerie de pierre qui mène au Théâtre-Français formait alors un passage étroit d'une hauteur démesurée et
si mal couvert qu'il y pleuvait souvent. On la nommait
Galerie-Vitrée, pour la distinguer des Galeries-de-Bois.
Les toitures de ces bouges étaient toutes d'ailleurs en si
mauvais état, que la maison d'Orléans eut un procès avec
un célèbre marchand de cachemire et d'étoffes qui, pendant
une nuit, trouva des marchandises avariées pour une
somme considérable. Le marchand eut gain de cause. Une

double toile goudronnée servait de couverture en quelques endroits. Le sol de la Galerie-Vitrée, où Chevet commença sa fortune [1], et celui des Galeries-de-Bois étaient le sol naturel de Paris, augmenté du sol factice amené par les bottes et les souliers des passants. En tout temps, les pieds heurtaient des montagnes et des vallées de boue durcie, incessamment balayées par les marchands, et qui demandaient aux nouveaux-venus une certaine habitude pour y marcher.

Ce sinistre amas de crottes, ces vitrages encrassés par la pluie et par la poussière, ces huttes plates et couvertes de haillons au dehors, la saleté des murailles commencées, cet ensemble de choses qui tenait du camp des bohémiens, des baraques d'une foire, des constructions provisoires avec lesquelles on entoure à Paris [a] les monuments qu'on ne bâtit pas, cette physionomie grimaçante allait admirablement aux différents commerces qui grouillaient sous ce hangar impudique, effronté, plein de gazouillements et d'une gaieté folle, où, depuis la Révolution de 1789 jusqu'à la Révolution de 1830, il s'est fait d'immenses affaires. Pendant vingt années, la Bourse s'est tenue en face, au rez-de-chaussée du Palais. Ainsi, l'opinion publique, les réputations se faisaient et se défaisaient là, aussi bien que les affaires politiques et financières. On se donnait rendez-vous dans ces galeries avant et après la Bourse. Le Paris des banquiers et des commerçants encombrait souvent la cour du Palais-Royal, et refluait sous ces abris par les temps de pluie [b]. La nature de ce bâtiment, surgi sur ce point on ne sait comment, le rendait d'une étrange sonorité. Les éclats de rire y foisonnaient. Il n'arrivait pas une querelle à un bout qu'on ne sût à l'autre de quoi il s'agissait. Il n'y avait là que des libraires, de la poésie, de la politique et de la prose, des marchandes de modes, enfin des filles de joie qui venaient seulement le soir. Là fleurissaient

---

1. Beauvais-Chevet, traiteur, au n° 22 de la Galerie-Vitrée du Palais-Royal, était fournisseur breveté du roi et de S. A. R. le duc d'Orléans.

les nouvelles et les livres, les jeunes et les vieilles gloires, les conspirations de la Tribune et les mensonges de la Librairie. Là se vendaient les nouveautés au public, qui s'obstinait à ne les acheter que là. Là, se sont vendus dans une seule soirée plusieurs milliers de tel ou tel pamphlet de Paul-Louis Courier, ou des *Aventures de la fille d'un roi* [a], le premier coup de feu tiré par la maison d'Orléans sur la charte de Louis XVIII [1] [b]. A l'époque où Lucien s'y produisait, quelques boutiques avaient des devantures, des vitrages assez élégants ; mais ces boutiques appartenaient aux rangées donnant sur le jardin ou sur la cour. Jusqu'au jour où périt cette étrange colonie sous le marteau de l'architecte Fontaine [2], les boutiques sises entre les deux galeries furent entièrement ouvertes, soutenues par des piliers comme les boutiques des foires de province, et l'œil plongeait sur les deux galeries à travers les marchandises ou les portes vitrées. Comme il était impossible d'y avoir du feu, les marchands n'avaient que des chaufferettes et faisaient eux-mêmes la police du feu, car une imprudence pouvait enflammer en un quart d'heure cette république de planches desséchées par le

---

1. *Les Aventures de la fille d'un roi* sont l'œuvre de Jean Vatout. Celui-ci, né en 1798, entra à la fin de 1822 dans la maison du duc d'Orléans, avec le titre de bibliothécaire, et l'histoire a retenu surtout son long dévoûment au prince, avant et après son accession au trône, et jusque dans l'exil. En 1820-1821, il avait publié *les Aventures de la fille d'un roi racontées par elle-même*. On lit dans la *Biographie* de Rabbe : « Cette allégorie charmante, qui sous le voile léger d'une spirituelle plaisanterie cachait de hautes vérités politiques, eut un succès prodigieux : sept éditions suffirent à peine à la curiosité publique ». Le livre était sans doute inspiré par Stanislas de Girardin, protecteur de Vatout, et dont les convictions progressistes étaient notoires. La variante du *Furne corrigé* reprend une formule de la *Monographie de la presse*. Déjà Balzac appelait le livre de Vatout « le premier coup de feu de la Maison d'Orléans sur la Charte de Louis XVIII » (*O. D.*, III, p. 571).

2. P. F. L. Fontaine (1762-1853), adjoint à Percier pour les bâtiments de la Couronne sous l'Empire, fut l'un des principaux architectes de la Restauration.

soleil et comme enflammées déjà par la prostitution, encom-
brées de gaze, de mousseline, de papiers, quelquefois
ventilées par des courants d'air. Les boutiques de modistes
étaient pleines de chapeaux inconcevables, qui semblaient
être là moins pour la vente que pour l'étalage, tous accro-
chés par centaines à des broches de fer terminées en cham-
pignon, et pavoisant les galeries de leurs mille couleurs.
Pendant vingt ans, tous les promeneurs se sont demandé
sur quelles têtes ces chapeaux poudreux achevaient leur
carrière. Des ouvrières généralement laides, mais égrillardes,
raccrochaient les femmes par des paroles astucieuses, suivant la coutume et avec le langage de la Halle. Une grisette [a] dont la langue était aussi déliée que les yeux étaient
actifs, se tenait sur un tabouret et harcelait les passants :
— Achetez-vous un joli chapeau, madame? — Laissez-moi
donc vous vendre quelque chose, monsieur? Leur vocabu-
laire fécond et pittoresque était varié par les inflexions de
voix, par des regards et par des critiques sur les passants.
Les libraires et les marchands de modes vivaient en bonne
intelligence. Dans le passage nommé si fastueusement la
Galerie-Vitrée, se trouvaient les commerces les plus singuliers. Là s'établissaient les ventriloques, les charlatans de
toute espèce, les spectacles où l'on ne voit rien et ceux où
l'on vous montre le monde entier. Là s'est établi pour la
première fois un homme qui a gagné sept ou huit cent
mille francs à parcourir les foires. Il avait pour enseigne
un soleil tournant dans un cadre noir, autour duquel éclataient ces mots écrits en rouge [b] : *Ici l'homme voit ce que*
Dieu ne saurait voir. Prix : deux sous. L'aboyeur ne vous
admettait jamais seul, ni jamais plus de deux. Une fois
entré, vous vous trouviez nez à nez avec une grande glace.
Tout à coup une voix, qui eût épouvanté Hoffmann le Ber-
linois, partait comme une mécanique dont le ressort est
poussé : « Vous voyez là, messieurs, ce que dans toute
« l'éternité Dieu ne saurait voir, c'est-à-dire votre sem-
« blable. Dieu n'a pas son semblable ! » Vous vous en
alliez honteux sans oser avouer votre stupidité. De toutes
les petites portes partaient des voix semblables qui vous

vantaient des Cosmoramas [1], des vues de Constantinople, des spectacles de marionnettes, des automates qui jouaient aux échecs, des chiens qui distinguaient la plus belle femme de la société. Le ventriloque Fitz-James [2] a fleuri là dans le café Borel avant d'aller mourir à Montmartre [a], mêlé aux élèves de l'École Polytechnique. Il y avait des fruitières et des marchandes de bouquets, un fameux tailleur dont les broderies militaires reluisaient le soir comme des soleils. Le matin, jusqu'à deux heures après midi, les Galeries-de-Bois étaient muettes, sombres et désertes. Les marchands y causaient comme chez eux. Le rendez-vous que s'y est donné la population parisienne ne commençait que vers trois heures, à l'heure de la Bourse. Dès que la foule venait, il se pratiquait des lectures gratuites à l'étalage des libraires par les jeunes gens affamés de littérature et dénués d'argent. Les commis chargés de veiller sur les livres exposés laissaient charitablement les pauvres gens tournant les pages. Quand il s'agissait d'un in-12 de deux cents pages, comme Smarra, Pierre Schlémilh, Jean Sbogar, Jocko [3 b], en deux séances il était dévoré. En ce temps-là les cabinets de lecture n'existaient pas, il fallait acheter un livre pour le lire; aussi les romans se vendaient-ils alors à des nombres qui paraîtraient fabuleux aujourd'hui. Il y avait donc je ne sais quoi de français dans

---

1. Le cosmorama avait été inventé vers 1805. Un salon de cosmorama avait été ouvert en 1808, Galerie Vitrée du Palais-Royal. C'est de lui que parle Balzac. Il dura jusqu'en 1828, un peu après l'action que racontent les *Illusions perdues*.

2. L'un des plus célèbres ventriloques des débuts du XIXe siècle. Beaucoup plus clairement que le texte imprimé, le manuscrit fait allusion à sa mort héroïque dans les combats qui précédèrent la chute de Paris en 1814.

3. *Smarra*, de Nodier, avait paru en 1821. *Pierre Schlémihl* est le conte célèbre de Chamisso. *Jean Sbogar*, de Nodier, date de 1818. *Jocko* est un épisode des *Lettres inédites sur l'instinct des animaux* de Charles Pougens. On en tira une comédie-clownerie, *Jocko ou le Singe du Brésil* dont le succès fut prodigieux. Il y eut des habits à la Jocko, des robes, des petits pains, des éventails à la Jocko (Georges Cain, *Anciens théâtres de Paris*, p. 191).

cette aumône faite à l'intelligence jeune, avide et pauvre.
La poésie de ce terrible bazar éclatait à la tombée du jour [a].
De toutes rues adjacentes allaient et venaient un grand
nombre de filles qui pouvaient s'y promener sans rétribution. De tous les points de Paris, une fille de joie accourait *faire son Palais*. Les Galeries-de-Pierre appartenaient
à des maisons privilégiées qui payaient le droit d'exposer
des créatures habillées comme des princesses, entre telle
ou telle arcade, et à la place correspondante dans le jardin;
tandis que les Galeries-de-Bois étaient pour la prostitution
un terrain public, le Palais par excellence, mot qui signifiait alors le temple de la prostitution [b]. Une femme pouvait y venir, en sortir accompagnée de sa proie, et l'emmener
où bon lui semblait. Ces femmes attiraient donc le soir aux
Galeries-de-Bois une foule si considérable qu'on y marchait
au pas, comme à la procession ou au bal masqué. Cette
lenteur, qui ne gênait personne, servait à l'examen. Ces
femmes avaient une mise qui n'existe plus; la manière
dont elles se tenaient décolletées jusqu'au milieu du dos,
et très bas aussi par devant [1]; leurs bizarres coiffures
inventées pour attirer les regards : celle-ci en Cauchoise,
celle-là en Espagnole; l'une bouclée comme un caniche,
l'autre en bandeaux lisses; leurs jambes serrées par des bas
blancs et montrées on ne sait comment, mais toujours à
propos, toute cette infâme poésie est perdue. La licence
des interrogations et des réponses, ce cynisme public en
harmonie avec le lieu ne se retrouve plus, ni au bal masqué,
ni dans les bals si célèbres qui se donnent aujourd'hui.
C'était horrible et gai. La chair éclatante des épaules et
des gorges étincelait au milieu des vêtements d'hommes
presque toujours sombres, et produisait les plus magnifiques oppositions. Le brouhaha des voix et le bruit de la

---

1. Ces décolletages hardis étaient un des traits particuliers du public
des Galeries de Bois. Alphonse Karr écrit : « Je n'avais vu de femmes
décolletées qu'une fois ou deux en traversant, au Palais-Royal, les
Galeries de Bois, où les filles, qui y étaient alors parquées, étaient
avec raison, et par probité, des échantillons de ce qui était à vendre
ou à louer » (*le Livre de bord*, I, p. 145).

promenade formait un murmure qui s'entendait dès le milieu du jardin, comme une basse continue brodée des éclats de rire des filles ou des cris de quelque rare dispute. Les personnes comme il faut, les hommes les plus marquants y étaient coudoyés par des gens à figure patibulaire. Ces monstrueux assemblages avaient je ne sais quoi de piquant, les hommes les plus insensibles étaient émus. Aussi tout Paris est-il venu là jusqu'au dernier moment; il s'y est promené sur le plancher de bois que l'architecte a fait au-dessus des caves pendant qu'il les bâtissait. Des regrets immenses et unanimes ont accompagné la chute de ces ignobles morceaux de bois.

Le libraire Ladvocat s'était établi depuis quelques jours à l'angle du passage qui partageait ces galeries par le milieu, devant Dauriat, jeune homme maintenant oublié, mais audacieux, et qui défricha la route où brilla depuis son concurrent[a]. La boutique de Dauriat se trouvait sur une des rangées donnant sur le jardin, et celle de Ladvocat était sur la cour. Divisée en deux parties, la boutique de Dauriat offrait un vaste magasin à sa librairie, et l'autre portion lui servait de cabinet. Lucien, qui venait là pour la première fois le soir, fut étourdi de cet aspect, auquel ne résistaient pas les provinciaux ni les jeunes gens. Il perdit bientôt son introducteur.

— Si tu étais beau comme ce garçon-là, je te donnerais du retour, dit une créature à un vieillard en lui montrant Lucien.

Lucien devint honteux comme le chien d'un aveugle, il suivit le torrent dans un état d'hébétement et d'excitation difficile à décrire. Harcelé par les regards des femmes, sollicité par des rondeurs blanches, par des gorges audacieuses qui l'éblouissaient, il se raccrochait à son manuscrit qu'il serrait pour qu'on ne le lui volât point, l'innocent !

— Hé ! bien, monsieur, cria-t-il en se sentant pris par un bras et croyant que sa poésie avait alléché quelque auteur.

Il reconnut son ami Lousteau qui lui dit : — Je savais bien que vous finiriez par passer là !

PHYSIONOMIE D'UNE BOUTIQUE DE
LIBRAIRE AUX GALERIES DE BOIS

Le poète était sur la porte du magasin où Lousteau le fit entrer [a] et qui était plein de gens attendant le moment de parler au Sultan [b] de la librairie. Les imprimeurs, les papetiers et les dessinateurs, groupés autour des commis, les questionnaient sur des affaires en train ou qui se méditaient.

— Tenez, voilà Finot, le directeur de mon journal : il cause avec un jeune homme qui a du talent, Félicien Vernou, un petit drôle méchant comme une maladie secrète.

— Hé ! bien, tu as une première représentation, mon vieux, dit Finot en venant avec Vernou à Lousteau. J'ai disposé de la loge.

— Tu l'as vendue à Braulard ?

— Eh ! bien, après ? tu te feras placer. Que viens-tu demander à Dauriat ? Ah ! il est convenu que nous pousserons Paul de Kock, Dauriat en a pris deux cents exemplaires et Victor Ducange lui refuse un roman. Dauriat veut, dit-il, faire un nouvel auteur dans le même genre. Tu mettras Paul de Kock au-dessus de Ducange.

— Mais j'ai une pièce avec Ducange à la Gaieté, dit Lousteau.

— Hé ! bien, tu lui diras que l'article est de moi, je serai censé l'avoir fait atroce, tu l'auras adouci, il te devra des remerciements.

— Ne pourrais-tu me faire escompter ce petit bon de cent francs par le caissier de Dauriat ? dit Étienne à Finot. Tu sais ! nous soupons ensemble pour inaugurer le nouvel appartement de Florine.

— Ah ! oui, tu nous traites, dit Finot en ayant l'air de

faire un effort de mémoire. Hé ! bien, Gabusson, dit Finot en prenant le billet de Barbet et le présentant au caissier, donnez quatre-vingt-dix francs pour moi à cet homme-là. Endosse le billet, mon vieux ?

Lousteau prit la plume du caissier pendant que le caissier comptait l'argent, et signa. Lucien, tout yeux et tout oreilles, ne perdit pas une syllabe de cette conversation.

— Ce n'est pas tout, mon cher ami, reprit Étienne, je ne te dis pas merci, c'est entre nous à la vie à la mort. Je dois présenter monsieur à Dauriat, et tu devrais le disposer à nous écouter.

— De quoi s'agit-il ? demanda Finot.

— D'un recueil de poésies, répondit Lucien.

— Ah ! dit Finot en faisant un haut-le-corps.

— Monsieur, dit Vernou en regardant Lucien, ne pratique pas depuis longtemps la librairie, il aurait déjà serré son manuscrit dans les coins les plus sauvages de son domicile.

En ce moment un beau jeune homme [a], Émile Blondet, qui venait de débuter au journal des Débats par des articles de la plus grande portée, entra, donna la main à Finot, à Lousteau, et salua légèrement Vernou.

— Viens souper avec nous, à minuit, chez Florine, lui dit Lousteau.

— J'en suis, dit le jeune homme. Mais qu'y a-t-il ?

— Ah ! il y a, dit Lousteau, Florine et Matifat le droguiste [1] ; Du Bruel, l'auteur qui a donné un rôle à Florine pour son début; un petit vieux, le père Cardot et son gendre Camusot ; puis Finot [b]...

— Fait-il les choses convenablement, ton droguiste ?

— Il ne nous donnera pas de drogues, dit Lucien.

— Monsieur a beaucoup d'esprit, dit sérieusement Blondet en regardant Lucien. Il est du souper, Lousteau ?

---

1. Laure Balzac nous a conté la naissance du personnage. Son frère lui dit un jour : « J'ai trouvé Matifat, rue de la Perle, au Marais. Je vois déjà mon Matifat : il aura une face pâlotte de chat, un petit embonpoint... » (*H. de Balzac*, 1878, p. 182).

— Oui.

— Nous rirons bien.

Lucien avait rougi jusqu'aux oreilles.

— En as-tu pour longtemps, Dauriat ? dit Blondet en
frappant à la vitre qui donnait au-dessus du bureau de
Dauriat.

— Mon ami, je suis à toi.

— Bon, dit Lousteau à son protégé. Ce jeune homme,
presque aussi jeune que vous [1], est aux Débats. Il est
un des princes de la critique : il est redouté, Dauriat viendra
le cajoler, et nous pourrons alors dire notre affaire au Pacha
des vignettes et de l'imprimerie. Autrement, à onze heures
notre tour ne serait pas venu. L'audience se grossira de
moment en moment.

Lucien et Lousteau s'approchèrent alors de Blondet,
de Finot, de Vernou, et allèrent former un groupe à l'extrémité de la boutique.

— Que fait-il ? dit Blondet à Gabusson, le premier
commis qui se leva pour venir le saluer.

— Il achète un journal hebdomadaire [2] qu'il veut restaurer [a] afin de l'opposer à l'influence de la Minerve [3]

---

1. Ce mot s'explique mieux lorsqu'on observe que dans le manuscrit, Blondet a vingt-deux ans seulement (*notes critiques*, p. 297, *note* a).
Il est né en 1799.

2. Le manuscrit nous apprend quel était le nom de cette revue.
C'est le *Mercure*. Or il est très exact qu'en 1827 une tentative fut faite
pour ranimer le vieux *Mercure* et qu'à ce projet fut mêlé le libraire
Ladvocat. Il y eut chez lui un dîner où l'on discuta des chances de
l'opération. Véron y assistait. L'affaire n'aboutit pas. On observa
pourtant, en 1827, une orientation nouvelle du *Mercure*, et des collaborateurs nouveaux. Les principaux rédacteurs furent alors Amédée
Pichot et Paul Lacroix.

3. Il ne peut s'agir que de *la Minerve française* qui parut de février 1818
au mois de mars 1820, animée par Benjamin Constant et par Étienne.
Elle fut écrasée par la censure en 1820 et n'existait donc plus quand
Lucien se présente chez Dauriat, aux dernières semaines de 1821.
Elle fut d'abord publiée par la maison Eymery, Fruger et Cⁱᵉ, 30,
rue Mazarine. Elle fut pendant sa courte existence, un des principaux
organes du parti libéral. *Le Conservateur* représentait au contraire
les opinions de Chateaubriand et d'une fraction des *ultras*. On ne saurait

qui sert trop exclusivement Eymery, et au Conservateur qui est trop aveuglément romantique.

— Payera-t-il bien ?

— Mais comme toujours... trop ! dit le caissier.

En ce moment un jeune homme entra, qui venait de faire paraître un magnifique roman, vendu rapidement et couronné par le plus beau succès, un roman dont la seconde édition s'imprimait pour Dauriat. Ce jeune homme, doué de cette tournure extraordinaire et bizarre qui signale les natures artistes, frappa vivement Lucien.

— Voilà Nathan, dit Lousteau à l'oreille du poète de province.

Nathan, malgré la sauvage fierté de sa physionomie, alors dans toute sa jeunesse, aborda les journalistes chapeau bas, et se tint presque humble devant Blondet qu'il ne connaissait encore que de vue. Blondet et Finot gardèrent leurs chapeaux sur la tête.

— Monsieur, je suis heureux de l'occasion que me présente le hasard...

— Il est si troublé, qu'il fait un pléonasme, dit Félicien à Lousteau.

— ... de vous peindre ma reconnaissance pour le bel article que vous avez bien voulu me faire au journal des Débats. Vous êtes pour la moitié dans le succès de mon livre.

— Non, mon cher, non, dit Blondet d'un air où la protection se cachait sous la bonhomie [a]. Vous avez du talent, le diable m'emporte, et je suis enchanté de faire votre connaissance.

— Comme votre article a paru, je ne paraîtrai plus être le flatteur du pouvoir : nous sommes maintenant à l'aise vis-à-vis l'un de l'autre. Voulez-vous [b] me faire l'honneur et le plaisir de dîner avec moi demain ? Finot en sera. Lousteau, mon vieux, tu ne me refuseras pas ? ajouta

d'ailleurs décider si Balzac songe au *Conservateur* proprement dit ou au *Conservateur littéraire*, qui en fut, de 1819 au mois de mars 1821, comme le supplément et qu'animait le jeune Victor Hugo.

Nathan en donnant une poignée de main à Étienne. Ah!
vous êtes dans un beau chemin, monsieur, dit-il à Blondet,
vous continuez les Dussault, les Fiévée, les Geoffroi [1] [a] !
Hoffmann a parlé de vous à Claude Vignon, son élève,
un de mes amis, et lui a dit qu'il mourrait tranquille, que
le journal des Débats vivrait éternellement. On doit vous
payer énormément ?

— Cent francs la colonne, reprit Blondet. Ce prix est
peu de choses, quand on est obligé de lire les livres, d'en
lire cent pour en trouver un dont on peut s'occuper, comme
le vôtre. Votre œuvre m'a fait plaisir, parole d'honneur.

— Et il lui a rapporté quinze cents francs, dit Lousteau
à Lucien.

— Mais vous faites de la politique ? reprit Nathan.

— Oui, par-ci, par-là, répondit Blondet.

Lucien, qui se trouvait là comme un embryon [b], avait
admiré le livre de Nathan, il révérait l'auteur à l'égal
d'un Dieu, et il fut stupide de tant de lâcheté devant ce
critique dont le nom et la portée lui étaient inconnus.
— Me conduirais-je jamais ainsi ? faut-il donc abdiquer
sa dignité ? se dit-il. Mets donc ton chapeau, Nathan ?
tu as fait un beau livre et le critique n'a fait qu'un article.
Ces pensées lui fouettaient le sang dans les veines. Il
apercevait, de moment en moment, des jeunes gens timides,
des auteurs besogneux qui demandaient à parler à Dauriat ;
mais qui, voyant la boutique pleine, désespéraient d'avoir
audience et disaient en sortant : — Je reviendrai. Deux

---

1. Dussault, Fiévée, Geoffroi, et Hoffman que Balzac cite dans la
phrase suivante, ont été les critiques les plus considérables de l'Empire,
et Geoffroi avait réussi à se faire accepter pour un grand critique.
Stendhal lui-même ne prenait plaisir à son petit déjeuner que s'il
pouvait, dans le même temps, lire le dernier feuilleton de Geoffroi.
Dussault fut surtout connu par ses articles contre Mme de Staël. Fiévée
l'était pour son rôle d'espion auprès de Napoléon d'abord, puis auprès des Bourbons, pour la pureté de ses principes et la corruption
de ses mœurs. Hoffman était un esprit libre et aimable, conservateur
sans fanatisme, apprécié de ceux mêmes qui ne partageaient pas ses
goûts.

ou trois hommes politiques causaient de la convocation
des Chambres et des affaires publiques au milieu d'un groupe
composé de célébrités politiques. Le journal hebdomadaire
duquel traitait Dauriat avait le droit de parler politique [a].
Dans ce temps les tribunes de papier timbré devenaient
rares. Un journal était un privilège aussi couru que celui
d'un théâtre. Un des actionnaires les plus influents du Constitutionnel [1] se trouvait au milieu du groupe politique.
Lousteau s'acquittait à merveille de son office de cicérone.
Aussi, de phrase en phrase, Dauriat grandissait-il dans
l'esprit de Lucien, qui voyait la politique et la littérature
convergeant dans cette boutique. A l'aspect d'un poète
éminent y prostituant la muse à un journaliste, y humi-
liant l'Art, comme la Femme était humiliée, prostituée
sous ces galeries ignobles, le grand homme de province
recevait des enseignements terribles. L'argent ! était le
mot de toute énigme. Lucien se sentait seul, inconnu,
rattaché par le fil d'une amitié douteuse au succès et à la
fortune. Il accusait ses tendres, ses vrais amis du Cénacle
de lui avoir peint le monde sous de fausses couleurs, de
l'avoir empêché de se jeter dans cette mêlée, sa plume à la
main. — Je serais déjà Blondet, s'écria-t-il en lui-même [b].
Lousteau, qui venait de crier sur les sommets du Luxembourg comme un aigle blessé, qui lui avait paru si grand,
n'eut plus alors que des proportions minimes. Là, le libraire fashionable, le moyen de toutes ces existences, lui
parut être l'homme important. Le poète ressentit [c], son
manuscrit à la main, une trépidation qui ressemblait à de
la peur. Au milieu de cette boutique, sur des piédestaux

---

1. Ce journal avait commencé à paraître le 29 octobre 1815, il
avait suspendu sa publication le 23 juillet 1817, mais il l'avait reprise
le 2 mai 1819. Il était devenu le principal organe de la bourgeoisie
libérale dans sa lutte contre la Restauration. Un document de 1826
nous apprend que *le Constitutionnel* avait plus de 20.000 abonnés à
une date où *la Quotidienne* en avait 5.000, et *la Gazette de France* 800.
En 1836, *le Constitutionnel* montrait le vrai visage du parti, son idolâtrie de l'argent, son conformisme bourgeois, sa haine des idées
nouvelles et de la jeune littérature.

de bois peint en marbre, il vit des bustes [1], celui de Byron, celui de Gœthe et celui de monsieur de Canalis [a], de qui Dauriat espérait obtenir un volume, et qui, le jour où il vint dans cette boutique, avait pu mesurer la hauteur à laquelle le mettait la Librairie. Involontairement, Lucien perdait de sa propre valeur, son courage faiblissait, il entrevoyait quelle était l'influence de ce Dauriat sur sa destinée et il en attendait impatiemment l'apparition.

QUATRIÈME VARIÉTÉ DE LIBRAIRE [b]

— Hé ! bien, mes enfants, dit un petit homme gros et gras à figure assez semblable à celle d'un proconsul romain, mais adoucie par un air de bonhomie auquel se prenaient les gens superficiels, me voilà propriétaire du seul journal hebdomadaire qui pût être acheté et qui a deux mille abonnés [c].

— Farceur ! le Timbre en accuse sept cents, et c'est déjà bien joli, dit Blondet.

— Ma parole d'honneur la plus sacrée, il y en a douze cents. J'ai dit deux mille, ajouta-t-il à voix basse, à cause des papetiers et des imprimeurs qui sont là. Je te croyais plus de tact, mon petit, reprit-il à haute voix.

— Prenez-vous des associés ? demanda Finot.

— C'est selon, dit Dauriat. Veux-tu d'un tiers pour quarante mille francs ?

---

1. Il était dans les coutumes de la librairie, à l'époque de la Restauration, de placer au milieu de ses rayons le buste des écrivains en vogue. *Le Globe* du 2 décembre 1824 annonce que Gosselin a fait venir de Londres le buste de Walter Scott. Il y avait également chez Renduel des bustes d'écrivains, et même celui de Paul Lacroix. On peut lire dans A. Jullien, *le Romantisme et l'éditeur Renduel*, une lettre amusante où Paul Lacroix se plaint des camouflets et traitements indignes infligés à son buste par des clients peu respectueux.

— Ça va, si vous acceptez pour rédacteurs Émile Blondet que voici, Claude Vignon, Scribe, Théodore Leclercq, Félicien Vernou, Jay, Jouy, Lousteau [1][a]...

— Et pourquoi pas Lucien de Rubempré ? dit hardiment le poète de province en interrompant Finot.

— Et Nathan ? dit Finot en terminant.

— Et pourquoi pas les gens qui se promènent ? dit le libraire en fronçant le sourcil et se tournant vers l'auteur des Marguerites. A qui ai-je l'honneur de parler ? dit-il en regardant Lucien d'un air impertinent.

— Un moment, Dauriat, répondit Lousteau. C'est moi qui vous amène monsieur. Pendant que Finot réfléchit à votre proposition, écoutez-moi.

Lucien eut sa chemise mouillée dans le dos en voyant l'air froid et mécontent de ce redoutable padischa [b] de la librairie, qui tutoyait Finot [2] quoique Finot lui dît vous, qui appelait le redouté Blondet *mon petit*, qui avait tendu royalement sa main à Nathan en lui faisant un signe de familiarité.

— Une nouvelle affaire, mon petit, s'écria Dauriat. Mais, tu le sais, j'ai onze cents manuscrits ? Oui, messieurs, cria-t-il, on m'a offert onze cents manuscrits, demandez à Gabusson ? [c] Enfin j'aurai bientôt besoin d'une administration pour régir le dépôt des manuscrits, un bureau de lecture pour les examiner; il y aura des séances pour voter sur leur mérite, avec des jetons de présence, et un Secrétaire Perpétuel pour me présenter les rapports. Ce sera la succursale de l'Académie française, et les académiciens seront mieux payés aux Galeries-de-Bois qu'à l'Institut.

— C'est une idée, dit Blondet.

---

1. Balzac mêle ici, comme fera Proust, des personnages imaginaires, Vignon, Vernou, Lousteau, à des noms d'auteurs contemporains, Scribe, Théodore Leclercq, Jay et Jouy. A lire ces noms, on comprend mieux qu'il s'agit de lancer une revue libérale. Il est exact que Jay et Jouy ont collaboré au *Mercure*.

2. On a vu (Introduction, p. XXII, n. I) qu'Alphonse Karr trouvait Ladvocat « grand tutoyeur ».

— Une mauvaise idée, reprit Dauriat [a]. Mon affaire n'est pas de procéder au dépouillement des élucubrations de ceux d'entre vous qui se mettent littérateurs quand ils ne peuvent être ni capitalistes, ni bottiers, ni caporaux, ni domestiques, ni administrateurs, ni huissiers [1]! On n'entre ici qu'avec une réputation faite! Devenez célèbre, et vous y trouverez des flots d'or. Voilà depuis deux ans [b] trois grands hommes de ma façon, j'ai fait trois ingrats! Nathan parle de six mille francs pour la seconde édition de son livre qui m'a coûté trois mille francs d'articles et ne m'a pas rapporté mille francs. Les deux articles de Blondet, je les ai payés mille francs et un dîner de cinq cents francs...

— Mais, monsieur, si tous les libraires disent ce que vous dites, comment peut-on publier un premier livre? demanda Lucien aux yeux de qui Blondet perdit énormément de sa valeur quand il apprit le chiffre auquel Dauriat devait les articles des Débats [c].

— Cela ne me regarde pas, dit Dauriat en plongeant un regard assassin sur le beau Lucien qui le regarda d'un air agréable. Moi, je ne m'amuse pas à publier un livre, à risquer deux mille francs pour en gagner deux mille ; je fais des spéculations en littérature [d] : je publie quarante volumes à dix mille exemplaires, comme font Panckoucke et les Beaudouin [2]. Ma puissance et les articles que j'ob-

---

1. C'était là une idée chère à Balzac. A Zulma Carraud qui lui avait recommandé le jeune Émile Chevalet, il répondait : « Ce jeune homme est toute notre époque. Quand on ne peut rien faire, on se fait homme de plume, homme de talent » (*Corr. inéd. avec Z. Carraud*, p. 242). Dans un article de *l'Europe littéraire* que Balzac avait certainement lu, Édouard Soulié avait développé avec plus de force la même idée : « Le grand déclassement des fortunes arrivé en 1830 a précipité dans la littérature, seule industrie non patentée, toutes les capacités tombées du comptoir et de l'établi. Tel, qui n'a pu rester tailleur, libraire, bottier ou marchand de volaille, s'est fait homme de lettres; tel autre, qui n'a pu devenir ni ministre, ni préfet, ni sous-préfet, ni commissaire de police, ni sergent de ville, a pris le même parti » (II, p. 159).

2. Balzac pense d'abord à Louis Panckoucke, fils de Charles-Joseph. Né en 1780, il ne devait mourir qu'en 1844. En 1812 il avait commencé

tiens poussent une affaire de cent mille écus au lieu de pousser un volume de deux mille francs. Il faut autant de peine pour faire prendre un nom nouveau, un auteur et son livre, que pour faire réussir les Théâtres Étrangers, Victoires et Conquêtes, ou les Mémoires sur la Révolution [1] qui sont une fortune. Je ne suis pas ici pour être le marche-pied des gloires à venir, mais pour gagner de l'argent et pour en donner aux hommes célèbres. Le manuscrit que j'achète cent mille francs est moins cher que celui dont l'auteur inconnu me demande six cents francs ! Si je ne suis pas tout à fait un Mécène, j'ai droit à la reconnais-sance de la littérature : j'ai déjà fait hausser de plus du double le prix des manuscrits [a]. Je vous donne ces raisons, parce que vous êtes l'ami de Lousteau, mon petit, dit Dauriat au poète en le frappant sur l'épaule par un geste d'une révol-tante familiarité. Si je causais avec tous les auteurs qui veulent que je sois leur éditeur, il faudrait fermer ma boutique, car je passerais mon temps en conversations extrêmement agréables, mais beaucoup trop chères. Je ne suis pas encore assez riche pour écouter les monologues de chaque amour-propre. Ça ne se voit qu'au théâtre, dans les tragédies classiques [b].

Le luxe de la toilette de ce terrible Dauriat appuyait

---

de publier son grand *Dictionnaire des sciences médicales* en soixante volumes. Puis, en 1817, il inaugura *Victoires et Conquêtes des Français*, qui de 1817 à 1821 parurent en 24 volumes et furent reprises en 1828-1829 avec 34 volumes. Louis Panckoucke commença également en 1828 sa *Bibliothèque latine-française*. Elle finit par comprendre 174 volumes in-octavo. — Balzac se trompe pour l'orthographe de Bau-douin (*et non* Beaudouin), mais il dit très justement *les* Baudouin, car il a en vue, non François-Joseph Baudouin (1759-1838) qui depuis 1805 avait abandonné la librairie, mais ses fils, qui avaient repris son affaire et l'avaient développée.

1. Les *Chefs-d'œuvre des Théâtres étrangers* parurent chez Ladvocat en 23 volumes in-8° à partir de 1822. On vient de voir que Louis Panckoucke faisait alors paraître *Victoires et Conquêtes des Français* et que la première série (1817-1821) forme 24 volumes. Enfin la col-lection des *Mémoires relatifs à la Révolution française*, inaugurée en 1822, allait former un ensemble de 40 volumes.

aux yeux du poète de province ce discours cruellement
logique.

— Qu'est-ce que c'est que ça? dit-il à Lousteau.

— Un magnifique volume de vers.

— En entendant ce mot, Dauriat se tourna vers Gabusson
par un mouvement digne de Talma : — Gabusson, mon
ami, à compter d'aujourd'hui, quiconque viendra ici pour
me proposer des manuscrits... Entendez-vous ça, vous
autres ? dit-il en s'adressant à trois commis qui sortirent
de dessous les piles de livres à la voix colérique de leur
patron qui regardait ses ongles et sa main qu'il avait
belle [1]. A quiconque m'apportera des manuscrits, vous
demanderez si c'est des vers ou de la prose. En cas de vers,
congédiez-le aussitôt. Les vers dévoreront la librairie [2]!

— Bravo ! Il a bien dit cela, Dauriat, crièrent les journalistes.

— C'est vrai, s'écria le libraire en arpentant sa boutique
le manuscrit de Lucien à la main ; vous ne connaissez pas,
messieurs, le mal que les succès de lord Byron, de Lamartine,
de Victor Hugo, de Casimir Delavigne, de Canalis et de
Béranger ont produit [a]. Leur gloire nous vaut une invasion
de Barbares. Je suis sûr qu'il y a dans ce moment en librairie mille volumes [b] de vers proposés qui commencent
par des histoires interrompues, et sans queue ni tête, à
l'imitation du Corsaire et de Lara. Sous prétexte d'originalité les jeunes gens se livrent à des strophes incompré-
hensibles, à des poèmes descriptifs où la jeune École se
croit nouvelle en inventant Delille [3] ! Depuis deux ans [c],

1. Le trait tombe très particulièrement sur Ladvocat. Alphonse
Karr signale que ce libraire portait trop de bagues (le Livre de bord,
I, p. 240) et le Figaro du 2 mai 1839 écrivait : « Ses doigts pliaient
sous une rivière de diamants, et une pâte blanche, dont le secret
a été perdu, relevait la blancheur de neige de ses ongles ».

2. Ce propos est presque littéralement celui que Bohain tint
à Alphonse Karr quand celui-ci se présenta aux bureaux du Figaro :
« Surtout, pas de vers ! Quand j'ai acheté le Figaro à Saint-Alme,
les vers s'y étaient mis, et ça avait vingt-huit abonnés » (ib., I, p. 105).

3. Ces propos de Dauriat reproduisent avec exactitude les réactions
de la critique, entre 1820 et 1825, devant les poésies de la nouvelle

les poètes ont pullulé comme les hannetons. J'y ai perdu
vingt mille francs l'année dernière! Demandez à Gabusson? Il peut y avoir dans le monde des poètes immortels,
j'en connais de roses et de frais qui ne se font pas encore
la barbe, dit-il à Lucien; mais en librairie, jeune homme,
il n'y a que quatre poètes : Béranger, Casimir Delavigne,
Lamartine et Victor Hugo [1] ; car Canalis!... c'est un
poète fait à coup d'articles [2] [a].

Lucien ne se sentit pas le courage de se redresser et
de faire de la fierté devant ces hommes influents qui riaient
de bon cœur. Il comprit qu'il serait perdu de ridicule,
mais il éprouvait une démangeaison violente de sauter
à la gorge du libraire, de lui déranger l'insultante harmonie
de son nœud de cravate, de briser la chaîne d'or qui brillait
sur sa poitrine [b], de fouler sa montre et de le déchirer.
L'amour-propre irrité ouvrit la porte à la vengeance, il
jura une haine mortelle à ce libraire auquel il souriait.

— La poésie est comme le soleil qui fait pousser les
forêts éternelles et qui engendre les cousins, les mouche-
rons, les moustiques, dit Blondet. Il n'y a pas une vertu
qui ne soit doublée d'un vice. La littérature engendre bien
les libraires.

---

manière. *La Minerve littéraire* découvrait dans les *Méditations* des
énigmes inintelligibles, des nuages métaphysiques et des vapeurs
mystiques. Et derrière Lamartine comme derrière la jeune équipe
du *Conservateur littéraire*, on devinait Byron, l'auteur du *Corsaire*
et de *Lara*. Delécluze notait dans son journal ce rapprochement inattendu de Byron et de Delille que fait ici Dauriat : Lamartine, écrit-il,
a pris le style brillanté de Delille pour en habiller les idées sombres et
gigantesques de Byron.
    1. Ce mot de Dauriat, c'est celui de Renduel à Chaudesaigues :
« Mon cher enfant, un seul mot. Pour votre gouverne, vous saurez
qu'il n'y a en librairie que cinq grands génies : Victor Hugo, Lamartine,
Béranger, Alfred de Musset, Auguste Barbier. Il n'y en a pas six.
M. le comte de Vigny lui-même ne peut pas passer. Comprenez bien
ce que j'ai l'honneur de vous dire. Bonjour! »
    2. On observera que la phrase sur Canalis, poète fait à coup d'articles,
a été ajoutée par Balzac en 1843. On croira très difficilement qu'il
puisse avoir en vue Lamartine.

— Et les journalistes ! dit Lousteau.

Dauriat partit d'un éclat de rire.

— Qu'est-ce que ça, enfin ? dit-il en montrant le manuscrit.

— Un recueil de sonnets à faire honte à Pétrarque, dit Lousteau.

— Comment l'entends-tu ? demanda Dauriat.

— Comme tout le monde, dit Lousteau qui vit un sourire fin sur toutes les lèvres.

Lucien ne pouvait se fâcher, mais il suait dans son harnais.

— Eh ! bien, je le lirai, dit Dauriat en faisant un geste royal qui montrait toute l'étendue de cette concession. Si tes sonnets sont à la hauteur du dix-neuvième siècle, je ferai de toi, mon petit, un grand poète [a].

— S'il a autant d'esprit qu'il est beau, vous ne courrez pas de grands risques, dit un des plus fameux orateurs de la Chambre qui causait avec un des rédacteurs du *Constitutionnel* et le directeur de la *Minerve* [1].

— Général, dit Dauriat, la gloire c'est douze mille francs d'articles et mille écus de dîners, demandez à l'auteur du *Solitaire* ? [2] Si monsieur Benjamin de Constant veut faire un article sur ce jeune poète, je ne serai pas longtemps à conclure l'affaire.

Au mot de général et en entendant nommer l'illustre Benjamin Constant, la boutique prit aux yeux du grand homme de province les proportions de l'Olympe.

— Lousteau, j'ai à te parler, dit Finot ; mais je te retrou-

---

1. *Le Constitutionnel* est l'organe du parti libéral, et la *Minerve* est une revue littéraire du même parti. La librairie Dauriat est nettement une librairie de gauche, comme l'était celle de Renduel, comme l'était moins celle de Ladvocat. L'orateur que Balzac ne nomme pas, c'est le général Foy : il nous l'apprend quelques lignes plus loin.

2. Stendhal tient au sujet du vicomte d'Arlincourt, auteur du *Solitaire*, les mêmes propos que Dauriat. Le vicomte, écrit Stendhal, dépense trente mille francs par an pour soudoyer les critiques, payer les articles, acheter ses propres éditions. Il est le type même du *puffing* (*Courrier anglais*, II, p. 274).

verai au théâtre. Dauriat, je fais l'affaire, mais à des conditions. Entrons dans votre cabinet.

— Viens, mon petit ? dit Dauriat en laissant passer
Finot devant lui et faisant un geste d'homme occupé à
dix personnes qui attendaient, il allait disparaître, quand
Lucien, impatient, l'arrêta.

— Vous gardez mon manuscrit, à quand la réponse ?

— Mais, mon petit poète, reviens ici dans trois ou
quatre jours, nous verrons.

Lucien fut entraîné par Lousteau qui ne lui laissa pas
le temps de saluer Vernou, ni Blondet, ni Raoul Nathan,
ni le général Foy, ni Benjamin Constant dont l'ouvrage
sur les Cent-Jours venait de paraître [1]. Lucien entrevit
à peine cette tête blonde et fine, ce visage oblong, ces
yeux spirituels, cette bouche agréable, enfin l'homme qui
pendant vingt ans avait été le Potemkin de madame de
Staël, et qui faisait la guerre aux Bourbons après l'avoir
faite à Napoléon, mais qui devait mourir atterré de sa
victoire [2].

LES COULISSES[a]

— Quelle boutique ! s'écria Lucien quand il fut assis
dans un cabriolet de place à côté de Lousteau.

— Au Panorama-Dramatique, et du train ! tu as trente
sous pour ta course, dit Étienne au cocher. Dauriat est un
drôle qui vend pour quinze ou seize cent mille francs de

---

1. Allusion aux *Lettres sur les Cent jours* qui parurent d'abord
dans *la Minerve française* en 1819.

2. On observe avec curiosité qu'Hippolyte Auger, que Balzac
a fréquenté pendant plusieurs années, avait bien connu la veuve de
Benjamin Constant, et que dans ses *Mémoires* il parle de Constant
« affaibli, affaissé, navré, subissant, dans ses derniers jours, les conséquences de sa vie entière » (*Mémoires*, p. 385).

livres par an, il est comme le ministre de la littérature, répondit Lousteau dont l'amour-propre était agréablement chatouillé et qui se posait en maître devant Lucien. Son avidité, tout aussi grande que celle de Barbet [a], s'exerce sur des masses. Dauriat a des formes, il est généreux, mais il est vain ; quant à son esprit, ça se compose de tout ce qu'il entend dire autour de lui ; sa boutique est un lieu très excellent à fréquenter. On peut y causer avec les gens supérieurs de l'époque. Là, mon cher, un jeune homme en apprend plus en une heure qu'à pâlir sur des livres pendant dix ans. On y discute des articles, on y brasse des sujets, on s'y lie avec des gens célèbres ou influents qui peuvent être utiles. Aujourd'hui, pour réussir, il est nécessaire d'avoir des relations. Tout est hasard, vous le voyez. Ce qu'il y a de plus dangereux est d'avoir de l'esprit tout seul dans son coin.

— Mais quelle impertinence ! dit Lucien.

— Bah ! nous nous moquons tous de Dauriat [b], répondit Étienne. Vous avez besoin de lui, il vous marche sur le ventre ; il a besoin du Journal des Débats [1], Émile Blondet le fait tourner comme une toupie [c]. Oh ! si vous entrez dans la littérature, vous en verrez bien d'autres. Eh ! bien, que vous disais-je ?

— Oui, vous avez raison, répondit Lucien. J'ai souffert dans cette boutique encore plus cruellement que je ne m'y attendais, d'après votre programme.

---

1. Le nombre des abonnés aux *Débats* était inférieur à celui du *Constitutionnel* : 14.000 contre 21.000 en 1826. Mais son autorité dans la critique littéraire était grande. Les *Débats* avaient compté parmi leurs rédacteurs Geoffroy, Feletz, Dussault, Hoffman. Ils étaient classiques, mais avec une largeur de vues que Philarète Chasles, comme Mme Ancelot, ont louée. En 1826-1827, lorsque l'ancienne équipe eut disparu, les *Débats* en formèrent une nouvelle avec Duviquet, Béquet, Castil-Blaze, et bientôt Jules Janin. Au dire de Gozlan, il y eut un temps où un article élogieux dans les *Débats* faisait vendre 1.500 exemplaires d'un ouvrage : à la même époque, le même article, au *Constitutionnel*, n'en faisait vendre que 800, au *Courrier français* 400 (*Balzac chez lui*, p. 270).

— Et pourquoi vous livrer à la souffrance ? Ce qui nous coûte notre vie, le sujet qui, durant des nuits studieuses, a ravagé notre cerveau ; toutes ces courses à travers les champs de la pensée, notre monument construit avec notre sang devient pour les éditeurs une affaire bonne ou mauvaise. Les libraires vendront ou ne vendront pas votre manuscrit. Voilà pour eux tout le problème. Un livre, pour eux, représente des capitaux à risquer. Plus le livre est beau, moins il a de chances d'être vendu. Tout homme supérieur s'élève au-dessus des masses, son succès est donc en raison directe avec le temps nécessaire pour apprécier l'œuvre. Aucun libraire ne veut attendre. Le livre d'aujourd'hui doit être vendu demain. Dans ce système-là, les libraires refusent les livres substantiels auxquels il faut de hautes, de lentes approbations.

— D'Arthez a raison, s'écria Lucien.

— Vous connaissez d'Arthez ? dit Lousteau. Je ne sais rien de plus dangereux que les esprits solitaires qui pensent, comme ce garçon-là, pouvoir attirer le monde à eux. En fanatisant les jeunes imaginations par une croyance qui flatte la force immense que nous sentons d'abord en nous-mêmes, ces gens à gloire posthume les empêchent de se remuer à l'âge où le mouvement est possible et profitable. Je suis pour le système de Mahomet, qui après avoir commandé à la montagne de venir à lui, s'est écrié : — Si tu ne viens pas à moi, j'irai donc vers toi !

Cette saillie, où la raison prenait une forme incisive, était de nature à faire hésiter Lucien entre le système de pauvreté soumise que prêchait le Cénacle, et la doctrine militante que Lousteau lui exposait. Aussi le poète d'Angoulême garda-t-il le silence jusqu'au boulevard du Temple [a].

Le Panorama-Dramatique [1], aujourd'hui remplacé par

---

1. Le Panorama-Dramatique fut créé au boulevard du Temple, en face du Jardin turc. Le privilège avait été accordé à un peintre-décorateur nommé Alaux, en 1819, et la construction fut achevée au début de 1821. La salle contenait 1.400 places. L'inauguration eut lieu

une maison, était une charmante salle de spectacle située
vis-à-vis la rue Charlot, sur le boulevard du Temple, et
où deux [a] administrations succombèrent sans obtenir un
seul succès, quoique Vignol [1] [b], l'un des acteurs qui se sont
partagé la succession de Potier [2], y ait débuté, ainsi que
Florine, actrice qui, cinq ans [c] plus tard, devint si célèbre.
Les théâtres, comme les hommes, sont soumis à des fatalités. Le Panorama-Dramatique avait à rivaliser avec
l'Ambigu, la Gaîté, la Porte-Saint-Martin et les théâtres
de vaudeville [3] ; il ne put résister à leurs manœuvres, aux

le 14 avril 1821. Entravé dans son fonctionnement, le Panorama-
Dramatique n'obtint d'abord qu'un succès insuffisant, si bien que le
1ᵉʳ avril 1822, une nouvelle direction dut en prendre la charge. Le
baron Taylor s'y intéressa, et Nodier fut du comité de lecture. La
phrase de Balzac « deux administrations... » est donc très exacte.
De même, le romancier explique bien les causes de l'échec : « il ne put
résister... aux restrictions de son privilège » : le privilège de 1819 n'autorisait en effet pas plus de deux acteurs parlants. Un moment, le
ministère ferma les yeux sur l'inobservation de cette disposition
draconienne. Mais le 1ᵉʳ janvier 1823, Sosthène de La Rochefoucauld
eut soin de la rappeler. Le résultat fut que le 21 juillet 1823, le
Panorama-Dramatique dut fermer ses portes. Balzac semble si bien
informé de toute cette histoire, il rappelle si exactement la représentation de *Bertram* et les noms de Bouffé, des actrices Maria et Florville,
qu'on peut avec vraisemblance voir en tout ceci des souvenirs de sa
jeunesse. Voir sur le *Panorama-Dramatique* le petit livre d'une information très précise et complète que L. Henry Lecomte lui a consacré.
    1. Jusqu'à l'édition de 1843 inclusivement, Balzac a parlé de l'acteur
Bouffé qui fit en effet ses débuts au Panorama-Dramatique. Puis dans
le *Furne corrigé*, il lui a substitué Vignol. Ce nom a été, semble-t-il,
formé sur celui de l'acteur J. J. Signol, né en 1780, qui fut deuxième
comique à la Porte Saint-Martin de 1822 à 1826. Maurice Alhoy, en
1825, l'appelait « un comique raisonnable à qui je souhaite un peu
de gaîté ».
    2. Celui-ci fut, au dire des contemporains, le meilleur acteur comique
de l'époque, et Bouffé ne fut que l'un de ses imitateurs. Il l'imita
notamment dans l'art du travestissement.
    3. L'Ambigu Comique était établi depuis 1769 au boulevard
du Temple, il était donc voisin et immédiat concurrent du Panorama-
Dramatique. C'est seulement le 13 juillet 1827 qu'il fut détruit par
un incendie : il passa à cette occasion au nº 2 du boulevard Saint-
Martin. — Le théâtre de la Gaîté était également, à l'époque où Lucien

restrictions de son privilège et au manque de bonnes pièces. Les auteurs ne voulurent pas se brouiller avec les théâtres existants pour un théâtre dont la vie semblait problématique [a]. Cependant l'administration comptait sur la pièce nouvelle, espèce de mélodrame comique d'un jeune auteur [b], collaborateur de quelques célébrités, nommé du Bruel qui disait l'avoir faite à lui seul. Cette pièce avait été composée pour le début de Florine, jusqu'alors comparse à la Gaîté, où depuis un an elle jouait des petits rôles dans lesquels elle s'était fait remarquer, sans pouvoir obtenir d'engagement, en sorte que le Panorama l'avait enlevée à son voisin. Coralie [1], une autre actrice, devait y débuter aussi. Quand les deux amis [c] arrivèrent, Lucien fut stupéfait par l'exercice du pouvoir de la Presse.

— Monsieur est avec moi, dit Étienne au Contrôle qui s'inclina tout entier.

— Vous trouverez bien difficilement à vous placer, dit le contrôleur en chef. Il n'y a plus de disponible que la loge du directeur.

Étienne et Lucien perdirent un certain temps à errer dans les corridors et à parlementer avec les ouvreuses.

— Allons dans la salle, nous parlerons au directeur qui nous prendra dans sa loge. D'ailleurs je vous présenterai à l'héroïne de la soirée, à Florine.

Sur un signe de Lousteau, le portier de l'orchestre prit une petite clef et ouvrit une porte perdue dans un gros

---

de Rubempré devenait journaliste, le voisin du *Panorama-Dramatique.* Il avait été créé en 1760 au boulevard du Temple. Un incendie le détruisit le 21 février 1835. Il fut reconstruit sur place. — Le théâtre de la Porte-Saint-Martin avait été inauguré le 27 septembre 1802, fermé le 15 août 1807, rouvert le 26 décembre 1814 et depuis lors était devenu l'une des salles les plus populaires de Paris.

1. Il y eut, vers 1826, à la Porte-Saint-Martin, une actrice nommée Coralie, dont les contemporains ne faisaient pas grand cas. « Ce qu'elle a de mieux, écrit la *Petite biographie dramatique,* c'est la jambe, dont elle sait, dit-on, tirer parti ». Mais rien n'autorise à penser que Balzac ait eu en vue cette actrice pour son portrait de la touchante Coralie. Ce qui est sûr au contraire, c'est qu'aucune actrice de ce nom n'a joué au *Panorama-Dramatique* durant la brève existence de ce théâtre.

mur. Lucien suivit son ami, et passa soudain du corridor
illuminé au trou noir qui, dans presque tous les théâtres,
sert de communication entre la salle et les coulisses. Puis,
en montant quelques marches humides, le poète de province aborda la coulisse, où l'attendait le spectacle le plus
étrange. L'étroitesse des *portants*, la hauteur du théâtre,
les échelles à quinquets, les décorations si horribles vues
de près, les acteurs plâtrés, leurs costumes si bizarres et
faits d'étoffes si grossières, les garçons à vestes huileuses, les
cordes qui pendent, le régisseur qui se promène son chapeau sur la tête, les comparses assises, les toiles de fond
suspendues, les pompiers, cet ensemble de choses bouf-
fonnes, tristes, sales, affreuses, éclatantes ressemblait si peu
à ce que Lucien avait vu de sa place au théâtre que son
étonnement fut sans bornes. On achevait un gros bon
mélodrame intitulé Bertram, pièce imitée d'une tragédie de
Maturin qu'estimaient infiniment Nodier, lord Byron et
Walter Scott [a], mais qui n'obtint aucun succès à Paris [1].

— Ne quittez pas mon bras si vous ne voulez pas tomber
dans une trappe, recevoir une forêt sur la tête, renverser
un palais ou accrocher une chaumière, dit Étienne à
Lucien. Florine est-elle dans sa loge, mon bijou ? dit-il
à une actrice qui se préparait à son entrée en scène en écoutant les acteurs [b].

— Oui, mon amour. Je te remercie de ce que tu as dit
de moi. Tu es d'autant plus gentil que Florine entrait ici.

— Allons, ne manque pas ton effet, ma petite, lui dit
Lousteau. Précipite-toi, haut la patte ! dis-moi bien :
Arrête, malheureux ! car il y a deux mille francs de recette.

Lucien stupéfait vit l'actrice se composant et s'écriant :

---

1. Le *Bertram* de Maturin avait été traduit en 1821. Le 26 novembre
1822 le Panorama-Dramatique donna *Bertram ou le Pirate*, mélodrame
en trois actes par Raimond (Pichat avec Taylor et Nodier), musique
d'Alexandre (Piccini), ballets de Renaudy (L. Henry Lecomte, *op.
cit.*). Il résulte de ces précisions que Lucien assistant à *Bertram* constitue
un léger anachronisme. Mais on peut être à peu près assuré que Balzac
y avait assisté.

Arrête, malheureux ! de manière à le glacer d'effroi. Ce n'était plus la même femme.

— Voilà donc le théâtre, dit-il à Lousteau.

— C'est comme la boutique des Galeries de Bois et comme un journal pour la littérature, une vraie cuisine, lui répondit son nouvel ami.

Nathan parut.

— Pour qui venez-vous donc ici ? lui demanda Lousteau.

— Mais je fais les petits théâtres à la Gazette, en attendant mieux, répondit Nathan.

— Eh ! soupez donc avec nous ce soir, et traitez bien Florine, à charge de revanche, lui dit Lousteau.

— Tout à votre service, répondit Nathan.

— Vous savez, elle demeure maintenant rue de Bondy [a].

— Qui donc est ce beau jeune homme avec qui tu es, mon petit Lousteau ? dit l'actrice en rentrant de la scène dans la coulisse [b].

— Ah ! ma chère, un grand poète, un homme qui sera célèbre. Comme vous devez souper ensemble, monsieur Nathan, je vous présente monsieur Lucien de Rubempré.

— Vous portez un beau nom, monsieur, dit Raoul à Lucien.

— Lucien ? monsieur Raoul Nathan, fit Étienne à son nouvel ami.

— Ma foi, monsieur, je vous lisais il y a deux jours, et je n'ai pas conçu, quand on a fait votre livre et votre recueil de poésies, que vous soyez si humble devant un journaliste.

— Je vous attends à votre premier livre, répondit Nathan en laissant échapper un fin sourire.

— Tiens, tiens, les Ultras et les Libéraux se donnent [c] donc des poignées de main, s'écria Vernou en voyant ce trio [1].

---

1. Une variante du manuscrit nous apprend qu'il s'agit de la *Gazette de France* et du *Miroir*. La *Gazette de France* portait ce titre depuis le 19 décembre 1797. Elle était après 1814 devenue l'un des organes

— Le matin je suis des opinions de mon journal, dit Nathan, mais le soir je pense ce que je veux, *la nuit tous les rédacteurs sont gris* [1] [a].

— Étienne, dit Félicien en s'adressant à Lousteau, Finot est venu avec moi, il te cherche. Et... le voilà.

— Ah ! ça, il n'y a donc pas une place ? dit Finot.

— Vous en avez toujours une dans nos cœurs, lui dit l'actrice qui lui adressa le plus agréable sourire.

— Tiens, ma petite Florville [2], te voilà déjà guérie de ton amour [b]. On te disait enlevée par un prince russe.

— Est-ce qu'on enlève les femmes aujourd'hui ? dit la Florville qui était l'actrice d'*Arrête, malheureux*. Nous sommes restés dix jours à Saint-Mandé, mon prince en a été quitte pour une indemnité payée à l'Administration. Le directeur, reprit Florville en riant, va prier Dieu qu'il vienne beaucoup de princes russes, leurs indemnités lui feraient des recettes sans frais.

— Et toi, ma petite, dit Finot à une jolie paysanne qui les écoutait, où donc as-tu volé les boutons de diamants que tu as aux oreilles ? As-tu *fait* un prince indien ?

— Non, mais un marchand de cirage, un Anglais qui est déjà parti ! N'a pas qui veut, comme Florine et Coralie,

---

des ultras. Nathan est donc un journaliste de ce parti. Pour le *Miroir*, il ne peut s'agir que du *Miroir des spectacles, des lettres, des mœurs et des arts*, publié par Jouy, Arnault, Dupaty, Cauchois-Lemaire, c'est-à-dire les meilleurs publicistes du parti libéral. Il parut du 15 février 1821 au 24 juin 1823. Cette publication très spirituelle a servi de modèle à l'équipe du premier *Figaro*.

1. Ici encore, comme plus haut (p. 278, n. 1), proverbe déformé.

2. Dans le manuscrit, le nom de Florville n'apparaît pas et Balzac avait d'abord mis tout ce qui la concerne sous le nom de Coralie. On peut imaginer qu'il a corrigé son texte pour rendre plus pure l'image de celle-ci. Mais il n'eut pas à créer le personnage de Florville, et cette comédienne devrait disparaître du *Dictionnaire biographique des personnages fictifs de la Comédie humaine*. Elle fut en effet actrice au *Panorama-Dramatique* dès sa création. Il faut croire qu'elle était fort appréciée, car en avril 1822 elle touchait 1.100 fr. d'appointements quand Bouffé n'en recevait que 300 (L. Henry Lecomte, *op. cit.*, p. 97-98). D'après le *Dictionnaire* de Lyonnet, elle avait débuté au Vaudeville en 1819 : c'était une « jolie actrice ».

des négociants millionnaires ennuyés de leur ménage : sont-elles heureuses ? [a]

— Tu vas manquer ton entrée, Florville, s'écria Lousteau, le cirage de ton amie te monte à la tête.

— Si tu veux avoir du succès, lui dit Nathan, au lieu de crier comme une furie : *Il est sauvé !* entre tout uniment, arrive jusqu'à la rampe et dis d'une voix de poitrine : *Il est sauvé*, comme la Pasta dit : *O ! patria* dans *Tancrède* [1]. Va donc ! ajouta-t-il en la poussant.

— Il n'est plus temps, elle rate son effet ! dit Vernou.

— Qu'a-t-elle fait ? la salle applaudit à tout rompre, dit Lousteau.

— Elle leur a montré sa gorge en se mettant à genoux, c'est sa grande ressource, dit l'actrice veuve du cirage [b].

— Le directeur nous donne sa loge, tu m'y retrouveras, dit Finot à Étienne.

Lousteau conduisit alors Lucien derrière le théâtre à travers le dédale des coulisses, des corridors et des escaliers jusqu'au troisième étage, à une petite chambre où ils arrivèrent suivis de Nathan et de Félicien Vernou.

— Bonjour ou bonsoir, messieurs, dit Florine. Monsieur, dit-elle en se tournant vers un homme gros et court qui se tenait dans un coin, ces messieurs sont les arbitres de mes destinées, mon avenir est entre leurs mains ; mais ils seront, je l'espère, sous notre table demain matin, si monsieur Lousteau n'a rien oublié...

— Comment ! vous aurez Blondet des *Débats*, lui dit Étienne, le vrai Blondet, Blondet lui-même, enfin Blondet [c].

— Oh ! mon petit Lousteau, tiens, il faut que je t'embrasse, dit-elle en lui sautant au cou.

A cette démonstration, Matifat, le gros homme, prit un air sérieux. A seize ans, Florine était maigre. Sa beauté, comme un bouton de fleur plein de promesses, ne pouvait

---

1. Judith Pasta chanta à Paris en 1821. *Tancrède* de Rossini était un de ses triomphes.

plaire qu'aux artistes [a] qui préfèrent les esquisses aux
tableaux. Cette charmante actrice avait dans les traits toute
la finesse qui la caractérise, et ressemblait alors à la Mignon
de Gœthe. Matifat, riche droguiste de la rue des Lombards,
avait pensé qu'une petite actrice des boulevards serait
peu dispendieuse ; mais, en onze mois, Florine lui coûta
soixante mille francs [b]. Rien ne parut plus extraordinaire à Lucien que cet honnête et probe négociant posé
là comme un dieu Terme dans un coin de ce réduit de
dix pieds carrés, tendu d'un joli papier, décoré d'une
psyché, d'un divan, de deux chaises, d'un tapis, d'une
cheminée et plein d'armoires. Une femme de chambre
achevait d'habiller l'actrice en Espagnole. La pièce était
un imbroglio où Florine faisait le rôle d'une comtesse [c].

— Cette créature sera dans cinq ans [d] la plus belle
actrice de Paris, dit Nathan à Félicien.

— Ah ! ça, mes amours, dit Florine en se retournant
vers les trois journalistes, soignez-moi demain : d'abord,
j'ai fait garder des voitures cette nuit, car je vous renverrai soûls comme des mardi-gras. Matifat a eu des
vins, oh ! mais des vins dignes de Louis XVIII, et il
a pris le cuisinier du ministre de Prusse.

— Nous nous attendons à des choses énormes en voyant
monsieur, dit Nathan.

— Mais il sait qu'il traite les hommes les plus dangereux
de Paris, répondit Florine.

Matifat regardait Lucien d'un air inquiet, car la grande
beauté de ce jeune homme excitait sa jalousie.

— Mais en voilà un que je ne connais pas, dit Florine
en avisant Lucien. Qui de vous a ramené de Florence [e]
l'Apollon du Belvédère ? Monsieur est gentil comme une
figure de Girodet [f].

— Mademoiselle, dit Lousteau, monsieur est un poète
de province que j'ai oublié de vous présenter. Vous êtes
si belle ce soir qu'il est impossible de songer à la civilité
puérile et honnête...

— Est-il riche, qu'il fait de la poésie ? demanda Florine.

— Pauvre comme Job, répondit Lucien.

— C'est bien tentant pour nous autres, dit l'actrice.

Du Bruel, l'auteur de la pièce, un jeune homme en redingote, petit, délié, tenant à la fois du bureaucrate, du propriétaire et de l'agent de change, entra soudain.

— Ma petite Florine, vous savez bien votre rôle, hein ? pas de défaut de mémoire. Soignez la scène du second acte, du mordant, de la finesse ! Dites bien : *Je ne vous aime pas*, comme nous en sommes convenus [a].

— Pourquoi prenez-vous des rôles où il y a de pareilles phrases ? dit Matifat à Florine.

Un rire universel accueillit l'observation du droguiste.

— Qu'est-ce que cela vous fait, lui dit-elle, puisque ce n'est pas à vous que je parle, animal-bête ? Oh ! il fait mon bonheur avec ses niaiseries, ajouta-t-elle en regardant les auteurs. Foi d'honnête fille, je lui payerais tant par bêtise, si ça ne devait pas me ruiner [b].

— Oui , mais vous me regardez en disant cela comme quand vous répétez votre rôle, et ça me fait peur, répondit le droguiste.

— Hé ! bien, je regarderai mon petit Lousteau, répondit-elle.

Une cloche retentit dans les corridors.

— Allez-vous-en tous, dit Florine, laissez-moi relire mon rôle et tâcher de le comprendre.

Lucien et Lousteau partirent les derniers. Lousteau baisa les épaules de Florine, et Lucien entendit l'actrice disant : — Impossible pour ce soir. Cette vieille bête a dit à sa femme qu'il allait à la campagne.

— La trouvez-vous gentille ? dit Étienne à Lucien.

— Mais, mon cher, ce Matifat... s'écria Lucien.

— Eh ! mon enfant, vous ne savez rien encore de la vie parisienne, répondit Lousteau. Il est des nécessités qu'il faut subir ! C'est comme si vous aimiez une femme mariée, voilà tout. On se fait une raison.

UTILITÉ DES DROGUISTES[a]

Étienne et Lucien entrèrent dans une loge d'avant-scène, au rez-de-chaussée, où ils trouvèrent le directeur du théâtre et Finot. En face, Matifat était dans la loge opposée, avec un de ses amis nommé Camusot, un marchand de soieries qui protégeait Coralie, et accompagné d'un honnête petit vieillard, son beau-père. Ces trois bourgeois [1][b], nettoyaient le verre de leurs lorgnettes en regardant le parterre dont les agitations les inquiétaient. Les loges offraient la société bizarre des premières représentations : des journalistes et leurs maîtresses, des femmes entretenues et leurs amants, quelques vieux habitués des théâtres friands de premières représentations, des personnes du beau monde qui aiment ces sortes d'émotions. Dans une première loge se trouvait le Directeur général et sa famille qui avait casé Du Bruel dans une administration financière où le faiseur de vaudevilles touchait les appointements d'une sinécure [c]. Lucien, depuis son dîner, voyageait d'étonnements en étonnements. La vie littéraire, depuis deux mois [2] si pauvre, si dénuée à ses yeux, si horrible [d]

---

1. En 1839 il est seulement question de deux négociants. C'est que le personnage de Cardot n'est entré dans les *Illusions perdues* qu'en 1843. L'année précédente, dans *Un Début dans la Vie*, Balzac venait d'étudier le fonctionnement du Cocon d'or, la maison de soierie dirigée par Cardot, qui l'a donnée à sa fille quand elle s'est mariée à Camusot. Les érudits ont découvert que le père de Balzac avait eu pour collègue, en 1793, officier municipal comme lui, un marchand de drap qui s'appelait Cardot.

2. On s'explique mal la correction que Balzac a apportée au texte du manuscrit. Il était tout à fait vraisemblable que quinze jours se fussent écoulés entre la première démarche au *Courrier des théâtres* et la représentation où Lucien voit jouer Coralie. Il est au contraire impossible de supposer que cette période ait duré deux mois.

dans la chambre de Lousteau, si humble et si insolente à la fois aux Galeries de Bois, se déroulait avec d'étranges magnificences et sous des aspects singuliers. Ce mélange de hauts et de bas, de compromis avec la conscience, de suprématies et de lâchetés, de trahisons et de plaisirs, de grandeurs et de servitudes, le rendait hébété comme un homme attentif à un spectacle inouï.

— Croyez-vous que la pièce de Du Bruel vous fasse de l'argent ? dit Finot au directeur.

— La pièce est une pièce d'intrigue où Du Bruel a voulu faire du Beaumarchais. Le public des boulevards n'aime pas ce genre, il veut être bourré d'émotions. L'esprit n'est pas apprécié ici. Tout, ce soir, dépend de Florine et de Coralie qui sont ravissantes de grâce, de beauté. Ces deux créatures ont des jupes très courtes, elles dansent un pas espagnol, elles peuvent enlever le public. Cette représentation est un coup de cartes. Si les journaux me font quelques articles spirituels, en cas de réussite, je puis gagner cent mille écus[a].

— Allons, je le vois, ce ne sera qu'un succès d'estime, dit Finot.

— Il y a une cabale montée par les trois théâtres voisins[1], on va siffler quand même ; mais je me suis mis en mesure de déjouer ces mauvaises intentions. J'ai surpayé les claqueurs envoyés contre moi, ils siffleront maladroitement. Voilà trois négociants qui, pour procurer un triomphe à Coralie et à Florine, ont pris chacun cent billets et les ont donnés à des connaissances capables de faire mettre la cabale à la porte. La cabale, deux fois payée, se laissera renvoyer, et cette exécution dispose toujours bien le public.

---

1. Il semble bien, en effet, que le Panorama-Dramatique fut victime d'une coalition de ses concurrents et plus particulièrement de ses voisins. On ne peut expliquer autrement la lettre de Sosthène de La Rochefoucauld, en date du 1er janvier 1823, qui reproche au directeur du *Panorama* de disputer la vogue à ses deux voisins, et qui pour l'étrangler lui rappelle qu'une clause de son privilège l'obligeait à s'en tenir à un jeu de décorations animées par quelques pantomimes.

— Deux cents billets ! quels gens précieux ! s'écria Finot.

— Oui ! avec deux autres jolies actrices aussi richement entretenues que Florine et Coralie, je me tirerais d'affaire.

Depuis deux heures, aux oreilles de Lucien, tout se résolvait par de l'argent. Au Théâtre comme en Librairie, en Librairie comme au Journal, de l'art et de la gloire, il n'en était pas question. Ces coups [a] du grand balancier de la Monnaie, répétés sur sa tête et sur son cœur, les lui martelaient. Pendant que l'orchestre jouait l'ouverture, il ne put s'empêcher d'opposer aux applaudissements et aux sifflets du parterre en émeute les scènes de poésie calme et pure qu'il avait goûtées dans l'imprimerie de David, quand tous deux ils voyaient les merveilles de l'Art, les nobles triomphes du génie, la Gloire aux ailes blanches. En se rappelant les soirées du Cénacle une larme brilla dans les yeux du poète.

— Qu'avez-vous ? lui dit Étienne Lousteau.

— Je vois la poésie dans un bourbier, dit-il.

— Eh ! mon cher, vous avez encore des illusions.

— Mais faut-il donc ramper et subir ici ces gros Matifat et Camusot, comme les actrices subissent les journalistes, comme nous subissons les libraires.

— Mon petit, lui dit à l'oreille Étienne en lui montrant Finot, vous voyez ce lourd garçon, sans esprit ni talent, mais avide, voulant la fortune à tout prix et habile en affaires, qui, dans la boutique de Dauriat, m'a pris quarante pour cent en ayant l'air de m'obliger ?... eh ! bien, il y a des lettres où plusieurs génies en herbe sont à genoux devant lui pour cent francs [b].

Une contraction causée par le dégoût serra le cœur de Lucien qui se rappela : *Finot, mes cent francs* ? ce dessin laissé sur le tapis vert de la Rédaction.

— Plutôt mourir, dit-il.

— Plutôt vivre, lui répondit Étienne [c].

Au moment où la toile se leva, le directeur sortit et alla dans les coulisses pour donner quelques ordres [d].

— Mon cher, dit alors Finot à Étienne, j'ai la parole de Dauriat, je suis pour un tiers dans la propriété du jour-

nal hebdomadaire. J'ai traité pour trente mille francs comptant à condition d'être fait rédacteur en chef et directeur.
C'est une affaire superbe. Blondet m'a dit qu'il se prépare
des lois restrictives contre la Presse, les journaux existants
seront seuls conservés. Dans six mois, il faudra un million
pour entreprendre un nouveau journal. J'ai donc conclu
sans avoir à moi plus de dix mille francs. Écoute-moi. Si
tu peux faire acheter la moitié de ma part, un sixième, à
Matifat, pour trente mille francs [a], je te donnerai la rédaction en chef de mon petit journal, avec deux cent cinquante
francs par mois. Tu seras mon prête-nom. Je veux pouvoir
toujours diriger la rédaction, y garder tous mes intérêts
et ne pas avoir l'air d'y être pour quelque chose. Tous les
articles te seront payés à raison de cent sous la colonne;
ainsi tu peux te faire un boni de quinze francs par jour
en ne les payant que trois francs, et en profitant de la rédaction gratuite. C'est encore quatre cent cinquante francs
par mois [b]. Mais je veux rester maître de faire attaquer
ou défendre les hommes et les affaires à mon gré dans
le journal, tout en te laissant satisfaire les haines et les
amitiés qui ne gêneront point ma politique. Peut-être serai-je
ministériel ou ultra, je ne sais pas encore ; mais je veux
conserver, en dessous main, mes relations libérales. Je
te dis tout, à toi qui es un bon enfant. Peut-être te ferais-je
avoir les Chambres dans le journal où je les fais [1] [c], je ne
pourrai sans doute pas les garder. Ainsi, emploie Florine
à ce petit maquignonnage; et dis-lui de presser vivement
le bouton au droguiste : je n'ai que quarante-huit heures
pour me dédire, si je ne peux pas payer. Dauriat a vendu
l'autre tiers trente mille francs à son imprimeur et à son
marchand de papier. Il a, lui, son tiers *gratis*, et gagne dix
mille francs, puisque le tout ne lui en coûte que cinquante
mille. Mais dans un an le recueil vaudra deux cent mille

---

1. Le manuscrit contient une précision importante. Ce journal,
c'est *le Constitutionnel*, le puissant organe du parti libéral. Finot y fait
le compte rendu des séances parlementaires.

francs à vendre à la Cour, si elle a, comme on le prétend, le bon sens d'amortir les journaux [1] [a].

— Tu as du bonheur, s'écria Lousteau.

— Si tu avais passé par les jours de misère que j'ai connus, tu ne dirais pas ce mot-là. Mais dans ce temps-ci, vois-tu, je jouis d'un malheur sans remède : je suis fils d'un chapelier qui vend encore des chapeaux rue du Coq. Il n'y a qu'une révolution qui puisse me faire arriver ; et, faute d'un bouleversement social, je dois avoir des millions. Je ne sais pas si, de ces deux choses, la révolution n'est pas la plus facile. Si je portais le nom de ton ami [b], je serais dans une belle passe. Silence. Voici le directeur. Adieu, dit Finot en se levant. Je vais à l'Opéra, j'aurai peut-être un duel demain : je fais et signe d'un F un article foudroyant contre deux danseuses qui ont des généraux pour amis. J'attaque, et raide, l'Opéra.

— Ah ! bah ? dit le directeur.

— Oui, chacun lésine avec moi, répondit Finot. Celui-ci me retranche mes loges, celui-là refuse de me prendre cinquante abonnements. J'ai donné mon ultimatum à l'Opéra : je veux maintenant cent abonnements et quatre loges par mois. S'ils acceptent, mon journal aura huit cents abonnés servis et mille payants. Je sais [c] les moyens d'avoir encore deux cents autres abonnements : nous serons à douze cents en janvier...

— Vous finirez par nous ruiner, dit le directeur.

— Vous êtes bien malade, vous, avec vos dix abonne-

---

1. Balzac fait allusion à l'*amortissement* de 1824. Ne pouvant supprimer les journaux par voie d'autorité, Villèle décida de refuser toute autorisation nouvelle et d'*amortir* les feuilles existantes en les achetant l'une après l'autre. L'affaire, menée avec toute la discrétion possible, fit pourtant un bruit affreux. Michaud, à *la Quotidienne*, refusa de se laisser acheter et porta devant l'opinion son conflit avec le ministère. Des interpellateurs, à la Chambre, dénoncèrent des opérations ruineuses pour le Trésor et signalèrent par exemple que *l'Oriflamme* avait été racheté 300.000 francs alors qu'il ne comptait seulement quarante abonnés. Balzac loue pourtant le projet de Villèle parce qu'en 1838 il obéit aux mots d'ordre de la politique carliste.

ments. Je vous ai fait faire deux bons articles au *Consti-tutionnel*.

— Oh! je ne me plains pas de vous, s'écria le directeur.

— A demain soir, Lousteau, reprit Finot. Tu me donneras réponse aux Français, où il y a une première représentation ; et comme je ne pourrai pas faire l'article, tu prendras ma loge au journal. Je te donne la préférence : tu t'es échiné pour moi, je suis reconnaissant. Félicien Vernou m'offre de me faire remise des appointements pendant un an et me propose vingt mille francs pour un tiers dans la propriété du journal; mais j'y veux rester maître absolu. Adieu.

— Il ne se nomme pas Finot pour rien, celui-là, dit Lucien à Lousteau.

— Oh! c'est un pendu qui fera son chemin, lui répondit Étienne sans se soucier d'être ou non entendu par l'homme habile qui fermait la porte de la loge.

— Lui?... dit le directeur, il sera millionnaire, il jouira de la considération générale, et peut-être aura-t-il des amis...

— Bon Dieu! dit Lucien, quelle caverne! Et vous allez faire entamer par cette délicieuse fille une pareille négociation ? dit-il en montrant Florine qui leur lançait des œillades.

— Et elle réussira. Vous ne connaissez pas le dévoue-ment et la finesse de ces chères créatures, répondit Lousteau.

— Elles rachètent tous leurs défauts, elles effacent toutes leurs fautes par l'étendue, par l'infini de leur amour quand elles aiment, dit le directeur en continuant. La passion d'une actrice est une chose d'autant plus belle qu'elle pro-duit un plus violent contraste avec son entourage.

— C'est trouver dans la boue un diamant digne d'orner la couronne la plus orgueilleuse, répliqua Lousteau.

— Mais, reprit le directeur, Coralie est distraite. Notre ami *fait* Coralie sans s'en douter et [a] va lui faire manquer tous ses effets ; elle n'est plus à ses répliques, voilà deux fois qu'elle n'entend pas le souffleur. Monsieur, je vous en prie, mettez-vous dans ce coin, dit-il à Lucien. Si Coralie

est amoureuse de vous, je vais aller lui dire que vous êtes
parti.

— Eh! non, s'écria Lousteau, dites-lui que monsieur
est du souper, qu'elle en fera ce qu'elle voudra, et elle
jouera comme mademoiselle Mars.

Le directeur partit.

— Mon ami, dit Lucien à Étienne, comment! vous
n'avez aucun scrupule de faire demander par mademoiselle
Florine trente mille francs à ce droguiste pour la moitié
d'une chose que Finot vient d'acheter à ce prix-là [a] ?

Lousteau ne laissa pas à Lucien le temps de finir son
raisonnement.

— Mais, de quel pays êtes-vous donc, mon cher enfant ?
ce droguiste n'est pas un homme, c'est un coffre-fort
donné par l'amour.

— Mais votre conscience ?

— La conscience, mon cher, est un de ces bâtons que
chacun prend pour battre son voisin, et dont il ne se
sert jamais pour lui. Ah! ça, à qui diable en avez-vous ?
Le hasard fait pour vous en un jour un miracle que j'ai
attendu pendant deux ans, et vous vous amusez à en
discuter les moyens [b] ? Comment! vous qui me paraissez
avoir de l'esprit, qui arriverez à l'indépendance d'idées
que doivent avoir les aventuriers intellectuels dans le
monde où nous sommes, vous barbotez dans des scrupules
de religieuse qui s'accuse d'avoir mangé son œuf avec
concupiscence [c] ?... Si Florine réussit, je deviens rédacteur en chef, je gagne deux cent cinquante francs de fixe,
je prends les grands théâtres, je laisse à Vernou les théâtres
de vaudeville, vous mettez le pied à l'étrier en me succé-
dant dans tous les théâtres des boulevards. Vous aurez
alors trois francs par colonne et vous en écrirez une par
jour, trente par mois qui vous produiront quatre-vingt-
dix francs ; vous aurez pour soixante francs de livres à
vendre à Barbet ; puis vous pouvez demander mensuelle-
ment à vos théâtres dix billets, en tout quarante billets,
que vous vendrez quarante francs au Barbet des théâtres,
un homme avec qui je vous mettrai en relation. Ainsi

je vous vois deux cents francs par mois. Vous pourriez, en vous rendant utile à Finot, placer un article de cent francs dans son nouveau journal hebdomadaire, au cas où vous déploieriez un talent transcendant; car là on signe, et il ne faut plus rien *lâcher* comme dans le petit journal. Vous auriez alors cent écus par mois. Mon cher, il y a des gens de talent, comme ce pauvre d'Arthez qui dîne tous les jours chez Flicoteaux, ils sont dix ans avant de gagner cent écus. Vous vous ferez avec votre plume quatre mille francs par an, sans compter les revenus de la Librairie, si vous écrivez pour elle. Or, un Sous-Préfet n'a que mille écus d'appointements, et s'amuse comme un bâton de chaise dans son Arrondissement [a]. Je ne vous parle pas du plaisir d'aller au Spectacle sans payer, car ce plaisir deviendra bientôt une fatigue; mais vous aurez [b] vos entrées dans les coulisses de quatre théâtres. Soyez dur et spirituel pendant un ou deux mois, vous serez accablé d'invitations, de parties avec les actrices; vous serez courtisé par leurs amants; vous ne dînerez chez Flicoteaux qu'aux jours où vous n'aurez pas trente sous dans votre poche, ni pas un dîner en ville. Vous ne saviez où donner de la tête à cinq heures dans le Luxembourg, vous êtes à la veille de devenir une des cent personnes privilégiées qui imposent des opinions à la France. Dans trois jours, si nous réussissons, vous pouvez, avec trente bons mots imprimés à raison de trois par jour, faire maudire la vie à un homme; vous pouvez vous créer des rentes de plaisir chez toutes les actrices de vos théâtres [c], vous pouvez faire tomber une bonne pièce et faire courir tout Paris à une mauvaise. Si Dauriat refuse d'imprimer les Marguerites sans vous en rien donner, vous pouvez le faire venir, humble et soumis, chez vous, vous les acheter deux mille francs [1]. Ayez du talent, et flanquez dans trois

---

1. Cette page où Lousteau énumère les avantages du métier de feuilletoniste, on en trouvait déjà le thème, en 1829, dans le curieux *Roman d'un claqueur*. « Une fois connu comme rédacteur, tu auras

journaux différents trois articles qui menacent de tuer
quelques-unes des spéculations de Dauriat ou un livre
sur lequel il compte, vous le verrez grimpant à votre
mansarde et y séjournant comme une clématite. Enfin
votre roman, les libraires, qui dans ce moment vous met-
traient tous à la porte plus ou moins poliment, feront queue
chez vous, et le manuscrit, que le père Doguereau vous
estimerait quatre cents francs, sera surenchéri jusqu'à
quatre mille francs ! Voilà les bénéfices du métier de
journaliste. Aussi défendons-nous l'approche des journaux à tous les nouveaux venus ; non seulement il faut
un immense talent, mais encore bien du bonheur pour
y pénétrer. Et vous chicanez votre bonheur a !... Voyez ?
si nous ne nous étions pas rencontrés aujourd'hui chez
Flicoteaux, vous pouviez faire le pied de grue encore pendant trois ans ou mourir de faim, comme d'Arthez, dans
un grenier. Quand d'Arthez sera devenu aussi instruit
que Bayle et aussi grand écrivain que Rousseau, nous aurons fait notre fortune, nous serons maîtres de la sienne
et de sa gloire. Finot sera député, propriétaire d'un grand
journal ; et nous serons, nous, ce que nous aurons voulu
être : pairs de France ou détenus à Sainte-Pélagie pour
dettes b.

— Et Finot vendra son grand journal aux ministres qui
lui donneront le plus d'argent, comme il vend ses éloges
à madame Bastienne en dénigrant mademoiselle Virginie,
et prouvant que les chapeaux de la première sont supérieurs à ceux que le journal vantait d'abord ! s'écria Lucien
en se rappelant la scène dont il avait été témoin.

— Vous êtes un niais, mon cher, répondit Lousteau
d'un ton sec. Finot, il y a trois ans, marchait sur les tiges
de ses bottes, dînait chez Tabar à dix-huit sous, brochait
un prospectus pour dix francs, et son habit lui tenait
sur le corps par un mystère aussi impénétrable que celui

---

des loges et des billets, tu feras recevoir et jouer des pièces, tu goberas
de bons dîners chez des directeurs, et passeras des soirées très agréables
chez des actrices » (p. 135).

de l'Immaculée Conception : Finot a maintenant à lui seul son journal estimé cent mille francs ; avec les abonnements payés et non servis, avec les abonnements réels et les contributions indirectes perçues par son oncle, il gagne vingt mille francs par an [a] ; il a tous les jours les plus somptueux dîners du monde, il a cabriolet depuis un mois [1] ; enfin le voilà demain à la tête d'un journal hebdomadaire, avec un sixième de la propriété pour rien, avec cinq cents francs par mois de traitement auxquels il ajoutera mille francs de rédaction obtenue gratis et qu'il fera payer à ses associés. Vous, le premier, si Finot consent à vous payer cinquante francs la feuille, serez trop heureux de lui apporter trois articles pour rien. Quand vous serez dans une position analogue [b], vous pourrez juger Finot : on ne peut être jugé que par ses pairs. N'avez-vous pas un immense avenir, si vous obéissez aveuglément aux haines de position, si vous attaquez quand Finot vous dira : Attaque ! si vous louez quand il vous dira : Loue [2] ! Lorsque vous aurez une vengeance à exercer contre quelqu'un, vous pourrez rouer votre ami ou votre ennemi par une phrase insérée tous les matins à notre journal en me disant : Lousteau, tuons cet homme-là [c] ! Vous réassassinerez votre victime par un grand article dans le journal hebdomadaire. Enfin, si l'affaire est capitale pour vous, Finot, à qui vous vous serez rendu nécessaire, vous laissera porter un dernier coup d'assommoir dans un grand journal qui aura dix ou douze mille abonnés.

— Ainsi vous croyez que Florine pourra décider son droguiste à faire le marché ? dit Lucien ébloui.

---

1. Alphonse Karr a vu Bohain et Roqueplan, à l'époque où ils dirigeaient le *Figaro*, descendre d'une voiture de maître (*le Livre de bord*, I, p. 86).

2. Lorsqu'il se présenta au *Figaro*, Alphonse Karr reçut de Roqueplan des consignes du même ordre : « Vous attaquez, vous blâmez et vous blaguez tout ce qui se fait au gouvernement ; ses lois sont mauvaises, ses ministres imbéciles, les maîtresses de ses ministres sont laides et vieilles ». Et Bohain ajouta : « Ce n'est pas plus difficile que cela ».

— Je le crois bien, voici l'entr'acte, je vais déjà lui en aller dire deux mots, cela se conclura cette nuit. Une fois sa leçon faite, Florine aura tout mon esprit et le sien.

— Et cet honnête négociant qui est là, bouche béante, admirant Florine, sans se douter qu'on va lui extirper trente mille francs !...

— Encore une autre sottise ! Ne dirait-on pas qu'on le vole ? s'écria Lousteau. Mais, mon cher, si le Minist re achète le journal, dans six mois le droguiste aura peut-être cinquante mille francs de ses trente mille. Puis, Matifat ne verra pas le journal, mais les intérêts de Florine. Quand on saura que Matifat et Camusot (car ils se partageront l'affaire) sont propriétaires d'une Revue, il y aura dans tous les journaux des articles bienveillants pour Florine et Coralie. Florine va devenir célèbre, elle aura peut-être un engagement de douze mille francs [a] dans un autre théâtre. Enfin, Matifat économisera les mille francs par mois que lui coûteraient les cadeaux et les dîners aux journalistes. Vous ne connaissez ni les hommes, ni les affaires.

— Pauvre homme ! dit Lucien, il compte avoir une nuit agréable.

— Et, reprit Lousteau, il sera scié [b] en deux par mille raisonnements jusqu'à ce qu'il ait montré à Florine l'acquisition du sixième acheté à Finot. Et moi le lendemain, je serai rédacteur en chef, et je gagnerai mille francs par mois. Voici donc la fin de mes misères ! s'écria l'amant de Florine.

Lousteau sortit laissant Lucien abasourdi, perdu dans un abîme de pensées, volant au-dessus du monde comme il est [c]. Après avoir vu aux Galeries-de-Bois les ficelles de la Librairie et la cuisine [d] de la gloire, après s'être promené dans les coulisses du théâtre, le poète apercevait l'envers des consciences, le jeu des rouages de la vie parisienne, le mécanisme de toute chose. Il avait envié le bonheur de Lousteau en admirant Florine en scène. Déjà pendant quelques instants, il avait oublié Matifat. Il demeura là durant un temps inappréciable, peut-être cinq minutes.

Ce fut une éternité. Des pensées ardentes enflammaient
son âme, comme ses sens étaient embrasés par le spectacle de ces actrices aux yeux lascifs et relevés par le rouge,
à gorges étincelantes, vêtues de basquines voluptueuses
à plis licencieux, à jupes courtes, montrant leurs jambes
en bas rouges à coins verts, chaussées de manière à mettre
un parterre en émoi. Deux corruptions marchaient sur
deux lignes parallèles, comme deux nappes qui, dans une
inondation, veulent se rejoindre ; elles dévoraient le
poète accoudé dans le coin de la loge, le bras sur le velours
rouge de l'appui, la main pendante, les yeux fixés sur la
toile, et d'autant plus accessible aux enchantements de
cette vie mélangée d'éclairs et de nuages qu'elle brillait
comme un feu d'artifice après la nuit profonde de sa vie
travailleuse, obscure, monotone [1].

CORALIE[a]

Tout à coup la lumière amoureuse d'un œil ruissela sur
les yeux inattentifs de Lucien, en trouvant [b] le rideau du
théâtre. Le poète, réveillé de son engourdissement, reconnut l'œil de Coralie qui le brûlait; il [c] baissa la tête, et
regarda Camusot qui rentrait alors dans la loge en face.

Cet amateur était un bon gros et gras marchand de
soieries de la rue des Bourdonnais, Juge au Tribunal
de Commerce, père de quatre enfants, marié pour la
seconde fois, riche de quatre-vingt mille livres de rentes,
mais âgé de cinquante-six ans, ayant comme un bonnet

---

1. L'édition de 1839 donne ici une précision : *pendant deux mois*,
qui n'est pas dans le manuscrit, et que Balzac a supprimée en 1843.
Elle était impossible à justifier. La vie monotone et travailleuse de
Lucien a duré du 25 septembre 1821 jusqu'à la fin de décembre pour
le moins : trois mois par conséquent.

de cheveux gris sur la tête, l'air papelard d'un homme qui jouissait de son reste, et qui ne voulait pas quitter la vie sans son compte de bonne joie, après avoir avalé les mille et une couleuvres du commerce. Ce front couleur beurre frais, ces joues monastiques et fleuries semblaient n'être pas assez larges pour contenir l'épanouissement d'une jubilation superlative. Camusot était sans sa femme, et entendait applaudir Coralie à tout rompre. Coralie était toutes les vanités réunies de ce riche bourgeois, il tranchait chez elle du grand seigneur d'autrefois. En ce moment il se croyait de moitié dans le succès de l'actrice, et il le croyait d'autant mieux qu'il l'avait soldé. Cette conduite était sanctionnée par la présence du beau-père de Camusot, un petit vieux, à cheveux poudrés, aux yeux égrillards, et néanmoins très digne [a]. Les répugnances de Lucien se réveillèrent, il se souvint de l'amour pur, exalté, qu'il avait ressenti pendant un an pour madame de Bargeton. Aussitôt l'amour des poètes déplia ses ailes blanches : mille souvenirs environnèrent de leurs horizons bleuâtres le grand homme d'Angoulême qui retomba dans la rêverie. La toile se leva. Coralie et Florine étaient en scène.

— Ma chère, il pense à toi comme au grand Turc, dit Florine à voix basse pendant que Coralie débitait une réplique.

Lucien ne put s'empêcher de rire, et regarda Coralie. Cette femme, une des plus charmantes et des plus délicieuses actrices de Paris, la rivale de madame Perrin et de mademoiselle Fleuriet [1] [b] auxquelles elle ressemblait

---

1. La mort de Mlle Fleuriet avait laissé un souvenir ému au public des théâtres. C'était, paraît-il, une délicieuse créature, jolie, fraîche et mignonne. Elle jouait au Gymnase. Elle avait eu quelque temps pour amant Ferdinand Langlée, auteur d'une douzaine de vaudevilles. Elle fut, à dix-neuf ans, en 1823, emportée par une fièvre cérébrale. Comme elle avait été un moment en relations avec Castaing, il arriva qu'à l'arrestation de celui-ci, on reparla de la mort de Mlle Fleuriet, et l'opinion se persuada qu'elle avait été, elle aussi, victime de l'empoisonneur (Voir les *Mémoires* d'Alexandre Dumas, qui revient à

et dont le sort devait être le sien, était le type des filles qui exercent à volonté la fascination sur les hommes [1]. Coralie montrait le type sublime de la figure juive [a], ce long visage ovale d'un ton d'ivoire blond, à bouche rouge comme une grenade, à menton fin comme le bord d'une coupe. Sous des paupières brûlées par une prunelle de jais, sous des cils recourbés, on devinait un regard languissant où scintillaient à propos les ardeurs du désert. Ces yeux obombrés d'un cercle olivâtre, étaient surmontés de sourcils arqués et fournis. Sur un front brun, couronné de deux bandeaux d'ébène où brillaient alors les lumières comme sur du vernis, siégeait une magnificence de pensée qui aurait pu faire croire à du génie. Mais semblable à beaucoup d'actrices, Coralie sans esprit malgré son ironie de coulisses, sans instruction malgré son expérience de boudoir, n'avait que l'esprit des sens et la bonté des femmes amoureuses [b]. Pouvait-on d'ailleurs s'occuper du moral, quand elle éblouissait le regard avec ses bras ronds et polis, ses doigts tournés en fuseaux, ses épaules dorées, avec la gorge chantée par le Cantique des Cantiques [2], avec un col mobile et

---

plusieurs reprises sur ce sujet). — Sur Mme Perrin, femme de l'acteur Perrin, Maurice Alhoy écrit dans son *Dictionnaire théâtral* : « Ce nom rappelle une actrice charmante et une mort prématurée ».

1. Dans le portrait qu'on va lire, Balzac s'efforce visiblement de rivaliser avec son ami Théophile Gautier. Celui-ci avait, dans le *Figaro*, entre la fin de 1837 et les premières semaines de 1838, écrit une série de portraits des plus belles actrices de Paris. Balzac ne reprend aucune formule, mais tente d'obtenir des effets analogues. Deux études, celles de Mlle Falcon et de Mme Damoreau, semblent l'avoir tout particulièrement retenu. De Mlle Falcon, Gautier louait les sourcils d'une courbure orientale, se joignant presque à la racine du nez, le front noble et intelligent, lustré par des frissons de lumière sur les portions saillantes. Les cheveux de Coralie sont ceux de Mme Damoreau. « Ces cheveux, disait Gautier, n'ont guère de rivaux pour l'abondance et la noirceur..., les ailes vernissées du corbeau, le jais, l'ébène n'approchent pas de ce lustre miroitant... La lumière frissonne en reflets métalliques et bleuâtres sur ces bandeaux si bien séparés. »

2. Balzac pense peut-être à cet endroit du texte sacré : « Ces deux seins sont comme deux faons, jumeaux d'une gazelle, qui paissent au milieu des lys » (4, 6) ; peut-être à cet autre : « Que tes seins soient

recourbé, avec des jambes d'une élégance adorable, et chaussées en soie rouge[a] ? Ces beautés d'une poésie vraiment orientale étaient encore mises en relief par le costume espagnol convenu dans nos théâtres. Coralie faisait la joie de la salle où tous les yeux serraient sa taille bien prise dans sa basquine, et flattaient sa croupe andalouse qui imprimait des torsions lascives à la jupe. Il y eut un moment où Lucien, en voyant cette créature jouant pour lui seul, se souciant de Camusot autant que le gamin du paradis se soucie de la pelure d'une pomme, mit l'amour sensuel au-dessus de l'amour pur, la jouissance au-dessus du désir, et le démon de la luxure lui souffla d'atroces pensées.

« J'ignore tout de l'amour qui se roule dans la bonne chère, dans le vin, dans les joies de la matière, se dit-il. J'ai plus encore vécu par la Pensée que par le Fait. Un homme qui veut tout peindre doit tout connaître. Voici mon premier souper fastueux, ma première orgie avec un monde étrange, pourquoi ne goûterais-je pas une fois ces délices si célèbres où se ruaient les grands seigneurs du dernier siècle en vivant avec des impures ? Quand ce ne serait que pour les transporter dans les belles régions de l'amour vrai, ne faut-il pas apprendre les joies, les perfections, les transports, les ressources, les finesses de l'amour des courtisanes et des actrices ? N'est-ce pas, après tout, la poésie des sens ? Il y a deux mois, ces femmes me semblaient des divinités gardées par des dragons inabordables ; en voilà une dont la beauté surpasse celle de Florine que j'enviais à Lousteau ; pourquoi ne pas profiter de sa fantaisie, quand les plus grands seigneurs achètent de leurs plus riches trésors une nuit à ces femmes-là ? Les ambassadeurs, quand ils mettent le pied dans ces gouffres, ne se soucient ni de la veille ni du lendemain [b]. Je serais un niais d'avoir plus de délicatesse que les princes, surtout quand je n'aime encore personne.

Lucien ne pensait plus à Camusot. Après avoir mani-

---

comme les grappes de la vigne » (7, 9), ou encore : « mes seins sont comme des tours » (8, 10).

festé à Lousteau le plus profond dégoût pour le plus odieux partage, il tombait dans cette fosse, il nageait dans un désir, entraîné par le jésuitisme de la passion.

— Coralie est folle de vous, lui dit Lousteau en entrant. Votre beauté, digne des plus illustres marbres de la Grèce, fait un ravage inouï [a] dans les coulisses. Vous êtes heureux, mon cher. A dix-huit ans, Coralie pourra dans quelques jours avoir soixante mille francs par an pour sa beauté [b]. Elle est encore très sage. Vendue par sa mère, il y a trois ans, soixante mille francs [1], elle n'a encore récolté que des chagrins, et cherche le bonheur. Elle est entrée au théâtre par désespoir, elle avait en horreur de Marsay, son premier acquéreur; et, au sortir de la galère, car elle a été bientôt lâchée par le roi de nos dandies, elle a trouvé ce bon Camusot qu'elle n'aime guère : mais il est comme un père pour elle, elle le souffre et se laisse aimer. Elle a refusé déjà les plus riches propositions, et se tient à Camusot qui ne la tourmente pas. Vous êtes donc son premier amour. Oh ! elle a reçu comme un coup de pistolet dans le cœur en vous voyant, et Florine est allée l'arraisonner [c] dans sa loge où elle pleure de votre froideur. La pièce va tomber, Coralie ne sait plus son rôle, et adieu l'engagement au Gymnase que Camusot lui préparait !...

— Bah ?... pauvre fille ! dit Lucien dont toutes les vanités furent caressées par ces paroles et qui se sentit le cœur gonflé d'amour-propre. Il m'arrive, mon cher, dans une soirée, plus d'événements que dans les dix-huit premières années de ma vie.

---

1. Cette histoire d'une fillette vendue par sa mère semble rappeler celle d'Olympe Pélissier, vendue par sa mère 40.000 francs à un jeune duc. Plus tard, quand un Américain lui eut assuré 25.000 francs de rente, elle tint un salon où se rencontraient bien des amis de Balzac, le duc de Fitz-James, Émile de Girardin, Eugène Sue, le Dr Véron, Lautour-Mézeray. Malgré ses dénégations, il semble certain que Balzac essaya de lui plaire et que ses amis ne se trompaient pas tout à fait lorsqu'ils prétendaient que, dans *la Peau de chagrin*, l'épisode de Valentin, caché la nuit dans le cabinet de la belle Fœdora, n'était pas imaginaire.

Et Lucien raconta ses amours avec madame de Bargeton, et sa haine contre le baron Châtelet.

— Tiens, le journal manque de bête noire, nous allons l'empoigner. Ce baron est un beau de l'empire, il est ministériel, il nous va, je l'ai vu souvent à l'Opéra. J'aperçois d'ici votre grande dame, elle est souvent dans la loge de la marquise d'Espard. Le baron fait la cour à votre ex-maîtresse, un os de seiche. Attendez ! Finot vient de m'envoyer un exprès me dire que le journal est sans *copie*, un tour que lui joue un de nos rédacteurs, un drôle, le petit Hector Merlin, à qui l'on a retranché ses blancs. Finot au désespoir broche un article contre l'Opéra. Eh ! bien, mon cher, faites l'article sur cette pièce, écoutez-la, pensez-y. Moi, je vais aller dans le cabinet du directeur méditer trois colonnes sur votre homme et sur votre belle dédaigneuse qui ne seront pas à la noce demain...

— Voilà donc où et comment se fait le journal ? dit Lucien.

— Toujours comme ça, répondit Lousteau. Depuis dix mois que j'y suis, le journal est toujours sans copie à huit heures du soir.

On nomme, en argot typographique, copie, le manuscrit à composer, sans doute parce que les auteurs sont censés n'envoyer que la copie de leur œuvre. Peut-être aussi est-ce une ironique traduction du mot latin *copia* (abondance), car la copie manque toujours !... [a]

— Le grand projet qui ne se réalisera jamais est d'avoir quelques numéros d'avance, reprit Lousteau. Voilà dix heures, et il n'y a pas une ligne. Je vais dire à Vernou et à Nathan, pour finir brillamment le numéro, de nous prêter une vingtaine d'épigrammes sur les députés, sur le chancelier *Cruzoé* [1] [b], sur les ministres, et sur nos amis

---

1. Il s'agit du chancelier Dambray et d'une mésaventure qui lui advint. Louis XVIII avait alors pour favorite Zoé du Cayla. Un jour que le chancelier frappait à la porte de la pièce où le roi se tenait, celui-ci crut que c'était Mme du Cayla qui se présentait. Il cria : Entrez, Zoé. La presse libérale appela désormais Dambray le chancelier Cru-Zoé, ou plus simplement le chancelier Cruzoé.

au besoin. Dans ce cas-là, on massacrerait son père, on
est comme un corsaire qui charge ses canons avec les écus
de sa prise pour ne pas mourir. Soyez spirituel dans votre
article, et vous aurez fait un grand pas dans l'esprit de
Finot : il est reconnaissant par calcul. C'est la meilleure
et la plus solide des reconnaissances, après toutefois celles
du Mont-de-Piété !

— Quels hommes sont donc les journalistes ?... s'écria
Lucien. Comment, il faut se mettre à une table et avoir
de l'esprit...

— Absolument comme on allume un quinquet... jusqu'à ce que l'huile manque [a].

Au moment où Lousteau ouvrait la porte de la loge,
le directeur et Du Bruel entrèrent.

— Monsieur, dit l'auteur de la pièce à Lucien, laissez-
moi dire de votre part à Coralie que vous vous en irez
avec elle après souper, ou ma pièce va tomber. La pauvre
fille ne sait plus ce qu'elle dit ni ce qu'elle fait, elle va
pleurer quand il faudra rire, et rira quand il faudra pleurer.
On a déjà sifflé. Vous pouvez encore sauver la pièce. Ce
n'est pourtant pas un malheur que le plaisir qui vous attend.

— Monsieur, je n'ai pas l'habitude d'avoir des rivaux,
répondit Lucien.

— Ne lui répétez pas ce propos, s'écria le directeur en
regardant l'auteur, Coralie est fille à jeter Camusot par la
fenêtre, et se ruinerait très bien. Ce digne propriétaire du
Cocon d'Or [b] donne à Coralie deux mille francs par mois,
paye tous ses costumes et ses claqueurs.

— Comme votre promesse ne m'engage à rien, sauvez
votre pièce, dit sultanesquement Lucien.

— Mais n'ayez pas l'air de rebuter cette charmante
fille, dit le suppliant Du Bruel.

— Allons, il faut que j'écrive l'article sur votre pièce,
et que je sourie à votre jeune première, soit ! s'écria le
poète.

L'auteur disparut après avoir fait un signe à Coralie
qui joua dès lors merveilleusement. Bouffé, qui remplissait
le rôle d'un vieil alcade dans lequel il révéla pour la pre-

mière fois son talent pour se grimer en vieillard [1], vint au
milieu d'un tonnerre d'applaudissements dire : *Messieurs,
la pièce que nous avons eu l'honneur de représenter est de messieurs
Raoul et de Cursy* [2] [a].

— Tiens, Nathan est de la pièce, dit Lousteau, je ne
m'étonne plus de sa présence.

— Coralie ! Coralie ! s'écria le parterre soulevé.

De la loge où étaient les deux négociants, il partit une
voix de tonnerre qui cria : — Et Florine !

— Florine et Coralie ! répétèrent alors quelques voix.

Le rideau se releva, Bouffé reparut avec les deux actrices [b]
à qui Matifat et Camusot jetèrent chacun une couronne ;
Coralie ramassa la sienne et la tendit à Lucien. Pour Lucien,
ces deux heures passées au théâtre furent comme un rêve.
Les coulisses, malgré leurs horreurs, avaient commencé
l'œuvre de cette fascination. Le poète, encore innocent,
y avait respiré [c] le vent du désordre et l'air de la volupté.
Dans ces sales couloirs encombrés de machines et où fument
des quinquets huileux, il règne comme une peste qui dévore
l'âme. La vie n'y est plus ni sainte ni réelle. On y rit de
toutes les choses sérieuses, et les choses impossibles
paraissent vraies. Ce fut comme un narcotique pour Lucien,
et Coralie acheva de le plonger dans une ivresse joyeuse [d].
Le lustre s'éteignit. Il n'y avait plus alors dans la salle que
des ouvreuses qui faisaient un singulier bruit en ôtant

---

1. Il est exact que Bouffé fit ses débuts au *Panorama-Dramatique*. Ce
fut le 14 avril 1821, dans *Ismayl et Maryam*. Il est exact également qu'une
grande part de son succès lui vint de son art du travestissement.
Dans *la Cousine Ratine*, il changeait cinq fois de costume. Il aimait
notamment se travestir, tantôt en tout jeune homme, tantôt en vieillard. Il eut tantôt seize ans, et tantôt soixante-dix (Voir à ce sujet ses
Mémoires).

2. Ce nom de Cursy est un souvenir évident de Frédéric de Courcy,
« demi-dieu dans l'Olympe du Vaudeville où Scribe était dieu »,
comme dit Alphonse Karr dans *le Livre de bord* (I, p. 71). — Ce nom
n'apparaît que dans le *Furne corrigé*. Cette correction s'explique par
Un Prince de la bohême, où nous apprenons que Du Bruel, inconnu
sous son nom, est célèbre sous le pseudonyme de Cursy, le seul qui
figure sur les affiches de théâtre.

les petits bancs et fermant les loges. La rampe, soufflée comme une seule chandelle, répandit une odeur infecte. Le rideau se leva. Une lanterne descendit du cintre [a]. Les pompiers commencèrent leur ronde avec les garçons de service. A la féerie de la scène, au spectacle des loges pleines de jolies femmes, aux étourdissantes lumières, à la splendide magie des décorations et des costumes neufs succédaient le froid, l'horreur, l'obscurité, le vide. Ce fut hideux.

Lucien était dans une surprise indicible.

— Eh ! bien, viens-tu, mon petit ? dit Lousteau de dessus le théâtre.

— Saute de la loge ici.

D'un bond, Lucien se trouva sur la scène. A peine reconnut-il Florine et Coralie déshabillées, enveloppées dans leurs manteaux et dans des douillettes communes, la tête couverte de chapeaux à voiles noirs, semblables enfin à des papillons rentrés dans leurs larves.

— Me ferez-vous l'honneur de me donner le bras ? lui dit Coralie en tremblant.

— Volontiers, dit Lucien qui sentit le cœur de l'actrice palpitant sur le sien comme celui d'un oiseau quand il l'eut prise.

L'actrice, en se serrant contre le poète, eut la volupté [b] d'une chatte qui se frotte à la jambe de son maître avec une moelleuse ardeur.

— Nous allons donc souper ensemble ! lui dit-elle [c].

Tous quatre sortirent et virent deux fiacres à la porte des acteurs qui donnait sur la rue des Fossés-du-Temple. Coralie fit monter Lucien dans la voiture où se trouvait déjà Camusot et son beau-père, le bonhomme Cardot. Elle offrit la quatrième place à Du Bruel. Le directeur partit avec Florine, Matifat et Lousteau.

— Ces fiacres sont infâmes ! dit Coralie.

— Pourquoi n'avez-vous pas un équipage ? répliqua Du Bruel.

— Pourquoi ? s'écria-t-elle avec humeur, je ne veux pas le dire devant monsieur Cardot [d] qui sans doute a formé son gendre. Croiriez-vous que, petit et vieux comme il est, monsieur Cardot ne donne que cinq cents francs par mois à Florentine [1], juste de quoi payer son loyer, sa pâtée et ses socques [a]. Le vieux marquis de Rochegude [2], qui a six cent mille livres de rente, m'offre un coupé depuis deux mois. Mais je suis une artiste et non une fille.

— Vous aurez une voiture après-demain, mademoiselle, dit gravement Camusot ; mais vous ne me l'aviez jamais demandée.

— Est-ce que ça se demande ? Comment, quand on aime une femme la laisse-t-on patauger dans la crotte et risquer de se casser les jambes en allant à pied. Il n'y a que ces chevaliers de l'Aune pour aimer la boue au bas d'une robe [b].

En disant ces paroles avec une aigreur qui brisa le cœur de Camusot, Coralie trouvait la jambe de Lucien et la pressait entre les siennes, elle lui prit la main et la lui serra. Elle se tut alors et parut concentrée dans une de ces jouissances infinies qui récompensent ces pauvres créatures de tous leurs chagrins passés, de leurs malheurs, et qui développent dans leur âme une poésie inconnue aux autres femmes à qui ces violents contrastes manquent, heureusement.

— Vous avez fini par jouer aussi bien que mademoiselle Mars, dit Du Bruel à Coralie.

— Oui, dit Camusot, mademoiselle a eu quelque chose au commencement qui la chiffonnait ; mais dès le milieu du second acte, elle a été délirante. Elle est pour la moitié dans votre succès.

— Et moi pour la moitié dans le sien, dit Du Bruel.

---

1. Cette actrice est apparue dans l'œuvre de Balzac avec *Un Début dans la Vie*. C'est ce qui explique que ce passage figure pour la première fois dans l'édition 1843 d'*Illusions perdues*. Elle est entretenue par le vieux Cardot, comme Florine par Matifat et Coralie par Camusot.

2. Balzac semble n'avoir pas toujours évité une certaine confusion entre *Rochegude* et *Rochefide*. Comme l'a signalé M. Mario Roques, la famille Rochefide s'appelle, dans les textes antérieurs à 1839, Rochegude-Tarost. On lit, dans *Splendeurs et misères*, « Mme de Rochefide (*alias* Rochegude). » Il semble dans ces conditions probable que le vieux marquis de Rochegude soit le même que le vieux marquis de Rochefide qui apparaît dans *Béatrix*.

— Vous vous battez de la chape de l'évêque, dit-elle d'une voix altérée.

L'actrice profita d'un moment d'obscurité pour porter à ses lèvres la main de Lucien, et la baisa en la mouillant de pleurs. Lucien fut alors ému jusque dans la moelle de ses os. L'humilité de la courtisane amoureuse comporte des magnificences qui en remontrent aux anges.

— Monsieur va faire l'article, dit Du Bruel en parlant à Lucien, il peut écrire un charmant paragraphe sur notre chère Coralie.

— Oh ! rendez-nous ce petit service, dit Camusot avec la voix d'un homme à genoux [a] devant Lucien, vous trouverez en moi un serviteur bien disposé pour vous, en tout temps.

— Mais laissez donc à monsieur son indépendance, cria l'actrice enragée, il écrira ce qu'il voudra. Papa Camusot, achetez-moi des voitures et non pas des éloges.

— Vous les aurez à très bon marché, répondit poliment Lucien. Je n'ai jamais rien écrit dans les journaux, je ne suis pas au fait de leurs mœurs, vous aurez la virginité de ma plume...

— Ce sera drôle, dit Du Bruel.

— Nous voilà rue de Bondy, dit le petit père Cardot que la sortie de Coralie avait atterré.

— Si j'ai les prémices de ta plume, tu auras celles de mon cœur, dit Coralie pendant le rapide instant où elle resta seule avec Lucien dans la voiture.

COMMENT SE FONT LES PETITS JOURNAUX [b]

Coralie alla rejoindre Florine dans sa chambre à coucher pour y prendre la toilette qu'elle y avait envoyée. Lucien ne connaissait pas [c] le luxe que déploient chez les actrices ou chez leurs maîtresses les négociants enrichis qui veulent jouir de la vie. Quoique Matifat, qui n'avait pas une fortune aussi considérable que celle de son ami Camusot, eût fait les choses assez mesquinement, Lucien fut surpris en voyant une salle à manger artistement décorée, tapissée en drap vert garni de clous à têtes dorées, éclairée par de belles lampes, meublée de jardinières pleines de fleurs, et un salon tendu de soie jaune relevée par des agréments bruns, où resplendissaient les meubles alors à la mode, un lustre de Thomire, un tapis à dessins perses. La pendule, les candélabres, le feu, tout était de bon goût. Matifat avait laissé tout ordonner par Grindot, un jeune architecte qui lui bâtissait une maison, et qui, sachant la destination de cet appartement, y mit un soin particulier. Aussi Matifat, toujours négociant, prenait-il des précautions pour toucher aux moindres choses, il semblait avoir sans cesse devant lui le chiffre des mémoires, et regardait ces magnificences comme des bijoux imprudemment sortis d'un écrin.

— Voilà pourtant ce que je serai forcé de faire pour Florentine, était une pensée qui se lisait dans les yeux du père Cardot [a].

Lucien comprit soudain que l'état de la chambre où demeurait Lousteau n'inquiétait guère le journaliste aimé. Roi secret de ces fêtes, Étienne jouissait de toutes ces belles choses. Aussi se carrait-il en maître de maison, devant la cheminée, en causant avec le directeur qui félicitait Du Bruel.

— La copie ! la copie ! cria Finot en entrant. Rien dans la boîte du journal. Les compositeurs tiennent mon article, et l'auront bientôt fini.

— Nous arrivons, dit Étienne. Nous trouverons une table et du feu dans le boudoir de Florine. Si monsieur Matifat veut nous procurer du papier et de l'encre, nous brocherons le journal pendant que Florine et Coralie s'habillent.

Cardot, Camusot et Matifat disparurent, empressés de chercher les plumes, les canifs et tout ce qu'il fallait aux deux écrivains. En ce moment une des plus jolies danseuses de ce temps, Tullia [1] se précipita [a] dans le salon.

— Mon cher enfant, dit-elle à Finot, on t'accorde tes cent abonnements, ils ne coûteront rien à la Direction, ils sont déjà placés, imposés au Chant, à l'Orchestre et au Corps de ballet [2]. Ton journal est si spirituel que personne ne se plaindra. Tu auras tes loges. Enfin voici le prix du premier trimestre, dit-elle en présentant deux billets de banque. Ainsi, ne m'échine pas !

— Je suis perdu, s'écria Finot. Je n'ai plus d'article de tête pour mon numéro, car il faut aller supprimer mon infâme diatribe...

— Quel beau mouvement ! ma divine Laïs, s'écria Blondet qui suivait la danseuse avec Nathan, Vernou et Claude Vignon amené par lui. Tu resteras à souper avec nous, cher amour, ou je te fais écraser comme un papillon que tu es. En ta qualité de danseuse, tu n'exciteras ici aucune rivalité de talent. Quant à la beauté, vous avez toutes trop d'esprit pour être jalouses en public.

— Mon Dieu ! mes amis, Du Bruel, Nathan, Blondet, sauvez-moi, cria Finot. J'ai besoin de cinq colonnes.

— J'en ferai deux avec la pièce, dit Lucien.

— Mon sujet en fournit une, dit Lousteau.

---

1. Comme l'indiquent les notes critiques, Balzac avait d'abord donné à cette danseuse le nom de Maria. La première actrice du *Panorama-Dramatique* s'appelait en effet Maria. Le nom se retrouve également dans le *Figaro* de 1826 : c'est celui d'une artiste qui est bien des fois égratignée.

2. Une page de Girardin en 1834 commente cette phrase. Les journalistes, écrit-il, débutent d'ordinaire « dans quelque petit journal de théâtre tiré à cent épreuves, mais dont la spéculation est fondée sur la rançon qu'il tire sans pitié de quelque acteur ou actrice qui paient pour qu'il ne soit pas dit d'eux dans le feuilleton du lendemain qu'ils sont gauches, laids ou détestables ». L'une de ces feuilles de chantage avait été le *Courrier des Théâtres*, qui vivait, selon l'expression de Félix Pyat, aux dépens des pauvres comédiens qui ne pouvaient racheter leur peau de ses flèches. Il est probable que Balzac pense à ce journal. Ici Finot fait chanter, non pas directement les artistes, mais la direction du théâtre.

— Eh ! bien, Nathan, Vernou, Du Bruel, faites-moi les plaisanteries de la fin. Ce brave Blondet pourra bien m'octroyer les deux petites colonnes de la première page. Je cours à l'imprimerie. Heureusement, Tullia, tu es venue avec ta voiture.

— Oui, mais le duc y est avec un ministre allemand, dit-elle [a].

— Invitons le duc et le ministre, dit Nathan.

— Un Allemand, ça boit bien, ça écoute, nous lui dirons tant de hardiesses, qu'il en écrira à sa cour, s'écria Blondet.

— Quel est, de nous tous, le personnage assez sérieux pour descendre lui parler, dit Finot. Allons, Du Bruel, tu es un bureaucrate, amène le duc de Rhétoré, le ministre, et donne le bras à Tullia. Mon Dieu ! Tullia est-elle belle ce soir ?...

— Nous allons être treize ! dit Matifat en pâlissant.

— Non, quatorze, s'écria Florentine en arrivant, je veux surveiller (maie laurt querdôtte) [b] milord Cardot !

— D'ailleurs, dit Lousteau, Blondet est accompagné de Claude Vignon.

— Je l'ai mené boire, répondit Blondet en prenant un encrier. Ah ! ça, vous autres, ayez de l'esprit pour les cinquante-six bouteilles de vin que nous boirons, dit-il à Nathan et à Vernou. Surtout stimulez Du Bruel, c'est un vaudevilliste, il est capable de faire quelques méchantes pointes, poussez-le jusqu'au bon mot.

Lucien animé par le désir de faire ses preuves [c] devant des personnages si remarquables, écrivit son premier article sur la table ronde du boudoir de Florine, à la lueur des bougies roses allumées par Matifat.

PANORAMA DRAMATIQUE

Première représentation de l'Alcade dans l'embarras [1a],
*imbroglio en trois actes. — Début de mademoiselle Florine. —
Mademoiselle Coralie. — Bouffé.*

« On entre, on sort, on parle, on se promène, on cherche
» quelque chose et l'on ne trouve rien, tout est en rumeur.
» L'alcade a perdu sa fille et retrouve son bonnet ; mais
» le bonnet ne lui va pas, ce doit être le bonnet d'un voleur.
» Où est le voleur ? On entre, on sort, on parle, on se
» promène, on cherche de plus belle. L'alcade finit par
» trouver un homme sans sa fille, et sa fille sans un homme,
» ce qui est satisfaisant pour le magistrat, et non pour le
» public. Le calme renaît, l'alcade veut interroger l'homme.

1. On n'a pas jusqu'ici retrouvé la pièce que Balzac peut avoir eu
dans l'esprit. Ce qui est sûr du moins, c'est qu'aucune œuvre portant
ce titre ou un titre analogue, ou traitant un sujet du même genre n'a
été jouée au Panorama-Dramatique. On se bornera à noter que le premier
titre auquel Balzac a pensé était *l'Alcade de Badajoz,* et que ce
titre ressemble curieusement au *Corrégidor de Séville* d'Hippolyte
Auger, que le romancier avait bien connu. D'autre part, Bouffé joue
le 18 janvier 1823, au Panorama-Dramatique, une pièce dont le titre
ni le sujet n'offrent pas le moindre rapport avec *l'Alcade dans l'embarras,*
mais où le rôle de Bouffé était celui d'un alcade de soixante ans :
c'est le *Tringolini* de Ferdinand Laloue. — L'article de Lucien est, de
façon éclatante, un pastiche de Jules Janin, et puisque Balzac le présente comme le premier de Lucien et le premier d'une nouvelle manière,
nous devons penser au feuilleton que Jules Janin consacra au *Nègre*
d'Ozanneaux, et qui en effet est écrit dans ce style. Plus intéressant
est pourtant l'article de Janin sur *la Peau de chagrin* dans *l'Artiste* du 14
août 1831 : « Vous entendez un grand bruit ; on entre, on sort, on
se heurte, on crie, on hurle, on joue, on s'enivre, on est fou, on est
fat, on est mort, on est crispé, on est tout balafré de coups, de baisers,
de morsures de volupté, de feu et de fer. Voilà *la Peau de chagrin* ».
Le reste de l'article est tout entier dans le ton de ce début.

» Ce vieil alcade s'assied dans un grand fauteuil d'alcade
» en arrangeant ses manches d'alcade. L'Espagne est le
» seul pays où il y ait des alcades attachés à de grandes
» manches, où se voient autour du cou des alcades, ces
» fraises qui sur les théâtres de Paris sont la moitié de leurs
» fonctions. Cet alcade qui a tant trottiné d'un petit pas
» de vieillard poussif, est Bouffé, Bouffé le successeur de
» Potier [1], un jeune acteur qui fait si bien les vieillards
» qu'il a fait rire les plus vieux vieillards. Il y a un avenir
» de cent vieillards dans ce front chauve, dans cette voix
» chevrotante, dans ces fuseaux tremblants sous un corps
» de Géronte. Il est si vieux, ce jeune acteur, qu'il effraie,
» on a peur que sa vieillesse ne se communique comme une
» maladie contagieuse. Et quel admirable alcade ! Quel
» charmant sourire inquiet, quelle bêtise importante !
» quelle dignité stupide ! quelle hésitation judiciaire !
» Comme cet homme sait bien que tout peut devenir alter-
» nativement faux et vrai ! Comme il est digne d'être le
» ministre d'un roi constitutionnel [a] ! A chacune des
» demandes de l'alcade, l'inconnu l'interroge ; Bouffé
» répond, en sorte que questionné par la réponse, l'alcade
» éclaircit tout par ses demandes. Cette scène éminemment
» comique où respire un parfum de Molière a mis la salle
» en joie. Tout le monde sur la scène a paru d'accord;
» mais je suis hors d'état de vous dire ce qui est clair et
» ce qui est obscur : la fille de l'alcade était là, représentée
» par une véritable Andalouse, une Espagnole, aux yeux
» espagnols, au teint espagnol, à la taille espagnole, à la
» démarche espagnole, une Espagnole de pied en cap,
» avec son poignard dans sa jarretière, son amour au cœur,
» sa croix au bout d'un ruban sur la gorge. A la fin de l'acte
» quelqu'un m'a demandé comment allait la pièce, je lui
» ai dit : Elle a des bas rouges à coins verts, un pied grand

---

1. Ceux qui n'aimaient pas Bouffé disaient plus, et Maurice Alhoy
écrit : « Honoré et Bouffé se sont faits les singes de Potier ». Les contemporains sont au reste d'accord pour dire que Potier fut le grand acteur
comique de cette époque.

» comme ça, dans des souliers vernis, et la plus belle jambe
» de l'Andalousie ! Ah ! cette fille d'alcade, elle fait venir
» l'amour à la bouche, elle vous donne des désirs horribles,
» on a envie de sauter dessus la scène et de lui offrir sa
» chaumière et son cœur, ou trente mille livres de rente
» et sa plume. Cette Andalouse est la plus belle actrice de
» Paris. Coralie, puisqu'il faut l'appeler par son nom, est
» capable d'être comtesse ou grisette. On ne sait sous quelle
» forme elle plairait davantage. Elle sera ce qu'elle voudra
« être, elle est née pour tout faire, n'est-ce pas ce qu'il y a de
» mieux à dire d'une actrice au boulevard ? [a]

« Au second acte est arrivée une Espagnole de Paris,
» avec sa figure de camée et ses yeux assassins. J'ai demandé
» à mon tour d'où elle venait, on m'a répondu qu'elle
» sortait de la coulisse et se nommait mademoiselle Florine ;
» mais, ma foi, je n'en ai rien pu croire, tant elle avait de
» feu dans les mouvements, de fureur dans son amour.
» Cette rivale de la fille de l'Alcade est la femme d'un
» seigneur taillé dans le manteau d'Almaviva, où il y a de
» l'étoffe pour cent grands seigneurs du boulevard. Si
» Florine n'avait ni bas rouges à coins verts, ni souliers
» vernis, elle avait une mantille, un voile dont elle se ser-
» vait admirablement, la grande dame qu'elle est ! Elle
» a fait voir à merveille que la tigresse peut devenir chatte [b].
» J'ai compris qu'il y avait là quelque drame de jalousie,
» aux mots piquants que ces deux Espagnoles se sont dits.
» Puis, quand tout allait s'arranger, la bêtise de l'alcade
» a tout rebrouillé. Tout ce monde de flambeaux, de
» riches [1][c], de valets, de Figaros, de seigneurs, d'alcades,
» de filles et de femmes, s'est remis à chercher, aller, venir,
» tourner. L'intrigue s'est alors renouée et je l'ai laissée se
» renouer, car ces deux femmes, Florine la jalouse et l'heu-
» reuse Coralie, m'ont entortillé de nouveau dans les plis
» de leur basquine, de leur mantille, et m'ont fourré leurs
» petits pieds dans l'œil.

---

1. Il est probable que ce mot est ici une coquille non corrigée. Le
mot *torches* du manuscrit est beaucoup plus satisfaisant.

« J'ai pu gagner le troisième acte sans avoir fait de
» malheur, sans avoir nécessité l'intervention du com-
» missaire de police, ni scandalisé la salle, et je crois dès
» lors à la puissance de la morale publique et religieuse
» dont on s'occupe tant à la Chambre des Députés [a] qu'on
» dirait qu'il n'y a plus de morale en France. J'ai pu com-
» prendre qu'il s'agit d'un homme qui aime deux femmes
» sans en être aimé, ou qui en est aimé sans les aimer, qui
» n'aime pas les alcades ou que les alcades n'aiment pas ;
» mais qui, à coup sûr, est un brave seigneur qui aime
» quelqu'un, lui-même ou Dieu, comme pis-aller, car il se
» fait moine. Si vous voulez en savoir davantage, courez
» au Panorama-Dramatique. Vous voilà suffisamment
» prévenu qu'il faut y aller une première fois pour se faire
» à ces triomphants bas rouges à coins verts, à ce petit
» pied plein de promesses, à ces yeux par où filtre un rayon
» de soleil [b], à ces finesses de femme parisienne déguisée
» en Andalouse, et d'Andalouse déguisée en Parisienne ;
» puis une seconde fois pour jouir de la pièce qui fait
» mourir de rire sous forme de vieillard, pleurer sous forme
» de seigneur amoureux. La pièce a réussi sous les deux
» espèces. L'auteur, qui, dit-on, a pour collaborateur un de
» nos grands poètes, a visé le succès avec une fille amou-
» reuse dans chaque main ; aussi a-t-il failli tuer de plaisir
» son parterre en émoi. Les jambes de ces deux filles sem-
» blaient avoir plus d'esprit que l'auteur. Néanmoins quand
» les deux rivales s'en allaient, on trouvait le dialogue spi-
» rituel, ce qui prouve assez victorieusement l'excellence
» de la pièce [c]. L'auteur a été nommé au milieu d'applau-
» dissements qui ont donné des inquiétudes à l'architecte
» de la salle ; mais l'auteur, habitué aux mouvements du
» Vésuve aviné qui bout sous le lustre, ne tremblait pas :
» c'est monsieur de Cursy [d]. Quant aux deux actrices, elles
» ont dansé le fameux boléro de Séville qui a trouvé grâce
» devant les pères du concile autrefois, et que la censure
» a permis, malgré la dangereuse lasciveté des poses. Ce
» boléro suffit à attirer tous les vieillards qui ne savent que
» faire de leur reste d'amour, et j'ai la charité de les avertir

» de tenir le verre de leur lorgnette très limpide [a] ».

Pendant que Lucien écrivait cette page, qui fit révolution dans le journalisme, par la révélation d'une manière neuve et originale [1], Lousteau écrivait un article, dit de mœurs, intitulé l'*ex-beau*, et qui commençait ainsi :

« Le beau de l'Empire est toujours un homme long et
» mince, bien conservé, qui porte un corset et qui a la croix
» de la Légion-d'Honneur. Il s'appelle quelque chose com-
» me Potelet ; et, pour se mettre bien en cour aujourd'hui,
» le baron de l'Empire s'est gratifié d'un *du* : il est du
» Potelet, quitte à redevenir Potelet en cas de révolution.
» Homme à deux fins d'ailleurs comme son nom, il fait
» la cour au faubourg Saint-Germain après avoir été
» le glorieux, l'utile et l'agréable porte-queue d'une sœur
» de cet homme que la pudeur m'empêche de nommer.
» Si du Potelet renie son service auprès de l'Altesse impé-
» riale, il chante encore les romances de sa bienfaitrice
» intime [b]... »

L'article était un tissu de personnalités comme on les faisait à cette époque, assez sottes car ce genre fut étrangement perfectionné depuis, notamment par le Figaro [2][c]. Il s'y trouvait entre madame de Bargeton, à qui le baron Châtelet faisait la cour, et un os de seiche un parallèle bouffon qui plaisait sans qu'on eût besoin de connaître les deux personnes desquelles on se moquait. Châtelet était comparé à un héron. Les amours de ce héron, ne pouvant avaler la seiche, qui se cassait en trois quand il la

---

1. Janin a parlé dans son *Histoire de la littérature dramatique* (I, p. 27) du succès qu'obtint son premier feuilleton dramatique sur *le Nègre* d'Ozanneaux. « Il n'y eut, dit-il, qu'une voix pour approuver ma hardiesse ». Le ton qu'il avait adopté était entièrement nouveau. Théophile Gautier a confirmé le succès de Janin. Il dit, dans *Portraits contemporains* : ce style était neuf, jeune, pimpant ; on ne peut s'imaginer l'effet qu'il produisit (p. 205).

2. A l'origine des plaisanteries du *Figaro*, il y eut celles du *Miroir*. Celui-ci pratiquait de façon tellement systématique la méthode de l'allusion que le gouvernement de la Restauration dut introduire dans la loi sur la presse des dispositions particulières qui lui permissent de sévir contre cet adversaire si difficile à prendre en défaut.

laissait tomber, provoquaient irrésistiblement le rire. Cette plaisanterie, qui se divisa en plusieurs articles, eut, comme on sait, un retentissement énorme dans le faubourg Saint-Germain, et fut une des mille et une causes des rigueurs apportées à la législation de la Presse. Une heure après, Blondet, Lousteau, Lucien revinrent au salon où causaient les convives, le duc, le ministre et les quatre femmes, les trois négociants, le directeur du théâtre, Finot et les trois auteurs. Un apprenti, coiffé de son bonnet de papier, était déjà venu chercher la copie pour le journal.

— Les ouvriers vont quitter si je ne leur rapporte rien, dit-il.

— Tiens, voilà dix francs, et qu'ils attendent, répondit Finot.

— Si je les leur donne, monsieur, ils feront de la soûlographie, et adieu le journal [a].

— Le bon sens de cet enfant m'épouvante, dit Finot.

Ce fut au moment où le ministre prédisait un brillant avenir à ce gamin que les trois auteurs entrèrent. Blondet lut un article excessivement spirituel contre les romantiques. L'article de Lousteau fit rire. Le duc de Rhétoré recommanda, pour ne pas trop indisposer le faubourg Saint-Germain, d'y glisser un éloge indirect pour madame d'Espard.

— Et vous, lisez-nous ce que vous avez fait, dit Finot à Lucien.

Quand Lucien, qui tremblait de peur, eut fini, le salon retentissait d'applaudissements, les actrices embrassaient le néophyte, les trois négociants le serraient à l'étouffer, Du Bruel lui prenait la main et avait une larme à l'œil, enfin, le directeur l'invitait à dîner.

— Il n'y a plus d'enfants, dit Blondet. Comme monsieur de Chateaubriand a déjà fait le mot d'*enfant sublime* pour Victor Hugo, je suis obligé de vous dire tout simplement que vous êtes un homme d'esprit, de cœur et de style.

— Monsieur est du journal, dit Finot en remerciant Étienne et lui jetant le fin regard de l'exploitateur.

— Quels mots avez-vous faits? dit Lousteau à Blondet et à Du Bruel.

— Voilà ceux de Du Bruel, dit Nathan.

*** *En voyant combien M. le Vicomte d'A... occupe le public, monsieur le vicomte Démosthène a dit hier* [1] : — *Ils vont peut-être me laisser tranquille.*

*** *Une dame dit à un Ultra qui blâmait le discours de monsieur Pasquier* [2] *comme continuant le système de Decazes :* — *Oui, mais il a des mollets bien monarchiques* [a].

— Si ça commence ainsi, je ne vous en demande pas davantage; tout va bien, dit Finot. Cours leur porter cela, dit-il à l'apprenti. Le journal est un peu plaqué, mais c'est notre meilleur numéro, dit-il en se tournant vers le groupe des écrivains qui déjà regardaient Lucien avec une sorte de sournoiserie.

— Il a de l'esprit, ce gars-là, dit Blondet.

— Son article est bien, dit Claude Vignon.

— A table! cria Matifat [b].

Le duc donna le bras à Florine, Coralie prit celui de Lucien, et la danseuse eut d'un côté Blondet, de l'autre le ministre allemand.

---

1. *M. le vicomte d'A.*, c'est le vicomte d'Arlincourt. Le vicomte Démosthène, c'est Sosthène de La Rochefoucauld, ce noble vicomte de qui Stendhal disait qu'il avait été mis sur terre pour satisfaire notre goût du grotesque. L'honnête Delécluze disait de son côté qu'il était difficile d'avoir l'air plus bête et plus sot que ce directeur des Beaux-Arts.

2. Le chancelier Pasquier, au début de 1820, avait semblé donner des gages à la droite de la Chambre par ses interventions sur la censure (février) et sur la liberté individuelle (mars). Mais à la fin de l'année, dans la discussion du budget de 1821, son attitude lui valut de vives attaques des *ultras* déçus.

LE SOUPER[a]

— Je ne comprends pas pourquoi vous attaquez madame de Bargeton et le baron Châtelet, qui est, dit-on, nommé préfet de la Charente et maître des requêtes.

— Madame de Bargeton a mis Lucien à la porte comme un drôle, dit Lousteau.

— Un si beau jeune homme! fit le ministre.

Le souper, servi dans une argenterie neuve, dans une porcelaine de Sèvres, sur du linge damassé, respirait une magnificence cossue. Chevet avait fait le souper, les vins avaient été choisis par le plus fameux négociant du quai Saint-Bernard, ami de Camusot, de Matifat et de Cardot. Lucien, qui vit pour la première fois le luxe parisien fonctionnant, marchait ainsi de surprise en surprise, et cachait son étonnement en homme d'esprit, de cœur et de style qu'il était, selon le mot de Blondet.

En traversant le salon, Coralie avait dit à l'oreille de Florine : — Fais-moi si bien griser Camusot qu'il soit obligé de rester endormi chez toi.

— Tu as donc *fait* ton journaliste? répondit Florine en employant un mot du langage particulier à ces filles.

— Non, ma chère, je l'aime! répliqua Coralie en faisant un admirable petit mouvement d'épaules [b].

Ces paroles avaient retenti dans l'oreille de Lucien, apportées par le cinquième péché capital [1]. Coralie était admirablement bien habillée, et sa toilette mettait savamment en relief ses beautés spéciales ; car toute femme a des perfections qui lui sont propres. Sa robe, comme celle de Florine, avait le mérite d'être d'une délicieuse étoffe

---

1. Il s'agit apparemment de la luxure. Mais dans l'énumération habituelle des péchés capitaux, c'est la gourmandise qui occupe la cinquième place.

inédite nommée *mousseline de soie*, dont la primeur appartenait pour quelques jours à Camusot, l'une des provi-
dences parisiennes des fabriques de Lyon, en sa qualité
de chef du Cocon-d'Or. Ainsi l'amour et la toilette, ce
fard et ce parfum de la femme, rehaussaient les séductions
de l'heureuse Coralie [a]. Un plaisir attendu, et qui ne nous
échappera pas, exerce des séductions immenses sur les
jeunes gens. Peut-être la certitude est-elle à leurs yeux tout
l'attrait des mauvais lieux, peut-être est-elle le secret des
longues fidélités? L'amour pur, sincère, le premier amour
enfin, joint à l'une de ces rages fantasques qui piquent
ces pauvres créatures, et aussi l'admiration causée par la
grande beauté de Lucien, donnèrent l'esprit du cœur à
Coralie.

— Je t'aimerais laid et malade! dit-elle à l'oreille de
Lucien en se mettant à table.

Quel mot pour un poète! Camusot disparut et Lucien
ne le vit plus en voyant Coralie [b]. Était-ce un homme
tout jouissance et tout sensation, ennuyé de la monotonie
de la province, attiré par les abîmes de Paris, lassé de misère,
harcelé par sa continence forcée, fatigué de sa vie mona-
cale rue de Cluny, de ses travaux sans résultat, qui pouvait se retirer de ce festin brillant? Lucien avait un pied
dans le lit de Coralie, et l'autre dans la glu du Journal,
au-devant duquel il avait tant couru sans pouvoir le joindre.
Après tant de factions montées en vain rue du Sentier, il
trouvait le Journal attablé, buvant frais, joyeux, bon garçon [c]. Il venait d'être vengé de toutes ses douleurs par un
article qui devait le lendemain même percer deux cœurs
où il avait voulu mais en vain verser la rage et la douleur
dont on l'avait abreuvé [d]. En regardant Lousteau, il se
disait : — Voilà un ami! sans se douter que déjà Lousteau
le craignait comme un dangereux rival. Lucien avait eu
le tort de montrer tout son esprit : un article terne l'eût
admirablement servi. Blondet contre-balança l'envie qui
dévorait Lousteau en disant à Finot qu'il fallait capituler
avec le talent quand il était de cette force-là. Cet arrêt
dicta la conduite de Lousteau qui résolut de rester l'ami

de Lucien et de s'entendre avec Finot pour exploiter un nouveau-venu si dangereux en le maintenant dans le besoin. Ce fut un parti pris rapidement et compris dans toute son étendue entre ces deux hommes par deux phrases [a] dites d'oreille à oreille.

— Il a du talent.

— Il sera exigeant.

— Oh !

— Bon !

— Je ne soupe jamais sans effroi avec des journalistes français, dit le diplomate allemand avec une bonhomie calme et digne en regardant Blondet qu'il avait vu chez la comtesse de Montcornet. Il y a un mot de Blucher que vous êtes chargés de réaliser.

— Quel mot ? dit Nathan.

— Quand Blucher arriva sur les hauteurs de Montmartre avec Saacken, en 1814, pardonnez-moi, messieurs, de vous reporter à ce jour fatal pour vous, Saacken, qui était un brutal, dit : Nous allons donc brûler Paris ! — Gardez-vous-en bien, la France ne mourra que de *ça* ! [1] répondit Blucher en montrant ce grand chancre qu'ils voyaient étendu à leurs pieds, ardent et fumeux, dans la vallée de la Seine. Je bénis Dieu de ce qu'il n'y a pas de journaux dans mon pays, reprit le ministre après une pause. Je ne suis pas encore remis de l'effroi que m'a causé ce petit bonhomme coiffé de papier, qui, à dix ans, possède la raison d'un vieux diplomate. Aussi, ce soir, me semble-t-il que je soupe avec des lions et des panthères qui me font l'honneur de velouter leurs pattes.

— Il est clair, dit Blondet, que nous pouvons dire et prouver à l'Europe que votre Excellence a vomi un serpent ce soir, qu'elle a manqué l'inoculer à mademoiselle Tullia, la plus jolie de nos danseuses, et là-dessus faire des commentaires sur Ève, la Bible, le premier et le dernier péché. Mais rassurez-vous [b], vous êtes notre hôte.

---

1. Dans les *Maximes et Pensées de Napoléon*, Balzac attribue à l'Empereur cette pensée : « La France ne mourra que de Paris » (max. 436).

— Ce serait drôle, dit Finot.

— Nous ferions imprimer des dissertations scientifiques sur tous les serpents trouvés dans le cœur et dans le corps humain pour arriver au corps diplomatique, dit Lousteau [a].

— Nous pourrions montrer un serpent quelconque dans ce bocal de cerises à l'eau-de-vie, dit Vernou.

— Vous finiriez par le croire vous-même, dit Vignon au diplomate.

— Messieurs, ne réveillez pas vos griffes qui dorment, s'écria le duc de Rhétoré.

— L'influence et le pouvoir du journal n'est qu'à son aurore, dit Finot, le journalisme est dans l'enfance, il grandira. Tout, dans dix ans d'ici, sera soumis à la publicité. La pensée éclairera tout, elle...

— Elle flétrira tout, dit Blondet en interrompant Finot.

— C'est un mot, dit Claude Vignon.

— Elle fera des rois, dit Lousteau.

— Et défera les monarchies, dit le diplomate.

— Aussi, dit Blondet, si la Presse n'existait point, faudrait-il ne pas l'inventer; mais la voilà, nous en vivons.

— Vous en mourrez, dit le diplomate. Ne voyez-vous pas que la supériorité des masses, en supposant que vous les éclairiez, rendra la grandeur de l'individu plus difficile; qu'en semant le raisonnement au cœur des basses classes, vous récolterez la révolte, et que vous en serez les premières victimes. Que casse-t-on à Paris quand il y a une émeute?

— Les réverbères, dit Nathan; mais nous sommes trop modestes pour avoir des craintes, nous ne serons que fêlés.

— Vous êtes un peuple trop spirituel pour permettre à quelque gouvernement que ce soit de se développer, dit le ministre. Sans cela vous recommenceriez avec vos plumes la conquête de l'Europe que votre épée n'a pas su garder.

— Les journaux sont un mal, dit Claude Vignon. On pouvait utiliser ce mal, mais le gouvernement veut le

combattre. Une lutte s'ensuivra. Qui succombera ? voilà
la question.

— Le gouvernement, dit Blondet, je me tue à le crier.
En France, l'esprit est plus fort que tout, et les journaux
ont de plus que l'esprit de tous les hommes spirituels,
l'hypocrisie de Tartufe.

— Blondet ! Blondet, dit Finot, tu vas trop loin : il
y a des abonnés ici.

— Tu es propriétaire [a] d'un de ces entrepôts de venin,
tu dois avoir peur ; mais moi je me moque de toutes vos
boutiques, quoique j'en vive !

— Blondet a raison, dit Claude Vignon. Le Journal au
lieu d'être un sacerdoce est devenu un moyen pour les
partis ; de moyen, il s'est fait commerce ; et comme tous
les commerces, il est sans foi ni loi. Tout journal [b] est,
comme le dit Blondet, une boutique où l'on vend au public
des paroles de la couleur dont il les veut. S'il existait un
journal des bossus, il prouverait soir et matin la beauté,
la bonté, la nécessité des bossus. Un journal n'est plus fait
pour éclairer, mais pour flatter les opinions. Ainsi, tous
les journaux seront dans un temps donné, lâches, hypocrites,
infâmes, menteurs, assassins; ils tueront les idées, les systèmes, les hommes, et fleuriront par cela même. Ils auront
le bénéfice de tous les êtres de raison : le mal sera fait sans
que personne en soit coupable. Je serai moi Vignon, vous
serez toi Lousteau, toi Blondet, toi Finot, des Aristide, des
Platon, des Caton, des hommes de Plutarque ; nous serons
tous innocents, nous pourrons nous laver les mains de
toute infamie. Napoléon a donné la raison de ce phénomène
moral ou immoral, comme il vous plaira, dans un mot
sublime que lui ont dicté ses études sur la Convention :
Les crimes collectifs n'engagent personne [1]. Le journal peut se
permettre la conduite la plus atroce, personne ne s'en croit
sali personnellement.

---

1. Cette phrase forme la maxime 13 des *Maximes et Pensées de
Napoléon.*

— Mais le pouvoir fera des lois répressives, dit Du Bruel, il en prépare.

— Bah ! que peut la loi contre l'esprit français, dit Nathan, le plus subtil de tous les dissolvants.

— Les idées ne peuvent être neutralisées que par des idées, reprit Vignon. La terreur, le despotisme peuvent seuls étouffer le génie français dont la langue se prête admirablement à l'allusion, à la double entente. Plus la loi sera répressive, plus l'esprit éclatera, comme la vapeur dans une machine à soupape. Ainsi, le roi fait du bien, si le journal est contre lui, ce sera le ministre qui aura tout fait, et réciproquement. Si le journal invente une infâme calomnie [a], on la lui a dite. A l'individu qui se plaint, il sera quitte pour demander pardon de la liberté grande. S'il est traîné devant les tribunaux, il se plaint qu'on ne soit pas venu lui demander une rectification ; mais demandez-la-lui ? il la refuse en riant, il traite son crime de bagatelle. Enfin il bafoue sa victime quand elle triomphe [1]. S'il est puni, s'il a trop d'amende à payer, il vous signalera le plaignant comme un ennemi des libertés, du pays et des lumières. Il dira que monsieur Un Tel est un voleur en expliquant comment il est le plus honnête homme du royaume. Ainsi, ses crimes, bagatelles ! ses agresseurs, des monstres ! et il peut en un temps donné faire croire ce qu'il veut à des gens qui le lisent tous les jours. Puis rien de ce qui lui déplaît ne sera patriotique, et jamais il n'aura tort [b]. Il se servira de la religion contre la religion, de la charte contre le roi ; il bafouera la magistrature quand la magistrature le froissera ; il la louera quand elle aura servi les passions populaires. Pour gagner des abonnés, il inventera les fables les plus émouvantes, il fera la parade comme Bobèche [2]. Le journal servirait

---

1. C'était là une vérité qui fixait l'attention de Balzac. Déjà dans la préface du *Lys dans la vallée*, il avait montré qu'il est inutile de prétendre démentir les calomnies d'un journal (*Préfaces*, p. p. J. Ducourneau, p. 204).

2. Bobèche avait joué sur un tréteau du boulevard du Temple le rôle de Jocrisse, naïf, malheureux et étonné, bouffon sérieux qui ne

son père tout cru à la croque au sel de ses plaisanteries,
plutôt que de ne pas intéresser ou amuser son public.
Ce sera l'acteur mettant les cendres de son fils dans l'urne
pour pleurer véritablement, la maîtresse sacrifiant tout à
son ami.

— C'est enfin le peuple in-folio, s'écria Blondet en interrompant Vignon.

— Le peuple hypocrite et sans générosité, reprit Vignon [a],
il bannira de son sein le talent comme Athènes a banni
Aristide. Nous verrons les journaux, dirigés d'abord par
des hommes d'honneur, tomber plus tard sous le gouvernement des plus médiocres qui auront la patience et la lâcheté de gomme élastique qui manquent aux beaux génies,
ou à des épiciers qui auront de l'argent pour acheter des
plumes. Nous voyons déjà ces choses-là ! Mais dans dix
ans le premier gamin sorti du collège se croira un grand
homme, il montera sur la colonne d'un journal pour
souffleter ses devanciers, il les tirera par les pieds pour avoir
leur place. Napoléon avait bien raison de museler la Presse.
Je gagerais que, sous un gouvernement élevé par elles,
les feuilles de l'Opposition battraient en brèche par les
mêmes raisons et par les mêmes articles qui se font aujour-
d'hui contre celui du roi, ce même gouvernement au moment
où il leur refuserait quoi que ce fût. Plus on fera de concessions aux journalistes, plus les journaux seront exigeants.
Les journalistes parvenus seront remplacés par des journalistes affamés et pauvres. La plaie est incurable, elle sera
de plus en plus maligne, de plus en plus insolente ; et
plus le mal sera grand, plus il sera toléré, jusqu'au jour
où la confusion se mettra dans les journaux par leur abondance, comme à Babylone [b]. Nous savons, tous tant que
nous sommes, que les journaux iront plus loin que les rois
en ingratitude, plus loin que le plus sale commerce en spé-

---

riait jamais. Il fut, nous dit Jules Janin, favori des intelligences les plus
avancées au temps du premier Empire (*Histoire de la littérature dramatique*, II, p. 245).

culations et en calculs, qu'ils dévoreront nos intelligences
à vendre tous les matins leur trois-six cérébral ; mais
nous y écrirons tous, comme ces gens [a] qui exploitent
une mine de vif-argent en sachant qu'ils y mourront. Voilà
là-bas, à côté de Coralie, un jeune homme... comment
se nomme-t-il? Lucien! il est beau, il est poète, et ce qui
vaut mieux pour lui, homme d'esprit; eh! bien, il entrera
dans quelques-uns de ces mauvais lieux de la pensée appelés
journaux, il y jettera ses plus belles idées, il y desséchera
son cerveau, il y corrompra son âme, il y commettra ces
lâchetés anonymes qui, dans la guerre des idées, remplacent
les stratagèmes, les pillages, les incendies, les revirements
de bord dans la guerre des *condottieri*. Quand il aura, lui,
comme mille autres, dépensé quelque beau génie au profit
des actionnaires, ces marchands de poison le laisseront
mourir de faim s'il a soif, et de soif s'il a faim.

— Merci, dit Finot.

— Mais, mon Dieu, dit Claude Vignon, je savais cela,
je suis dans le bagne, et l'arrivée d'un nouveau forçat
me fait plaisir. Blondet et moi, nous sommes plus forts
que messieurs tels et tels qui spéculent sur nos talents,
et nous serons néanmoins toujours exploités par eux.
Nous avons du cœur sous notre intelligence, il nous
manque les féroces qualités de l'exploitant. Nous sommes
paresseux, contemplateurs, méditatifs, jugeurs : on boira
notre cervelle et l'on nous accusera d'inconduite !

— J'ai cru que vous seriez plus drôles, s'écria Florine.

— Florine a raison, dit Blondet, laissons la cure des
maladies publiques à ces charlatans d'hommes d'État.
Comme dit Charlet : Cracher sur la vendange? jamais !

— Savez-vous de quoi Vignon me fait l'effet ? dit
Lousteau en montrant Lucien, d'une de ces grosses femmes
de la rue du Pélican, qui dirait à un collégien : Mon petit,
tu es trop jeune pour venir ici...

Cette saillie fit rire, mais elle plut à Coralie [b]. Les négociants buvaient et mangeaient en écoutant.

— Quelle nation que celle où il se rencontre tant de
bien et tant de mal ! dit le ministre au duc de Rhétoré.

Messieurs, vous êtes des prodigues qui ne pouvez pas vous ruiner.

Ainsi, par la bénédiction du hasard, aucun enseignement ne manquait à Lucien sur la pente du précipice où il devait tomber. D'Arthez avait mis le poète dans la noble voie du travail en réveillant le sentiment sous lequel disparaissent les obstacles. Lousteau lui-même avait essayé de l'éloigner par une pensée égoïste, en lui dépeignant le journalisme et la littérature sous leur vrai jour. Lucien n'avait pas voulu croire à tant de corruptions cachées ; mais il entendait enfin des journalistes criant de leur mal, il les voyait à l'œuvre, éventrant leur nourrice pour prédire l'avenir. Il avait pendant cette soirée vu les choses comme elles sont. Au lieu d'être saisi d'horreur à l'aspect du cœur même de cette corruption parisienne si bien qualifiée par Blucher, il jouissait avec ivresse de cette société spirituelle. Ces hommes extraordinaires sous l'armure damasquinée de leurs vices et le casque brillant de leur froide analyse, il les trouvait supérieurs aux hommes graves et sérieux du Cénacle. Puis il savourait les premières délices de la richesse, il était sous le charme du luxe, sous l'empire de la bonne chère ; ses instincts capricieux se réveillaient, il buvait pour la première fois des vins d'élite, il faisait connaissance avec les mets exquis de la haute cuisine ; il voyait un ministre, un duc et sa danseuse, mêlés aux journalistes, admirant leur atroce pouvoir ; il sentit une horrible démangeaison de dominer ce monde de rois, il se trouvait la force de les vaincre. Enfin, cette Coralie qu'il venait de rendre heureuse par quelques phrases, il l'avait examinée à la lueur des bougies du festin, à travers la fumée des plats et le brouillard de l'ivresse, elle lui paraissait sublime, l'amour la rendait si belle ! Cette fille était d'ailleurs la plus jolie, la plus belle actrice de Paris. Le Cénacle, ce ciel de l'intelligence noble, dut succomber sous une tentation si complète. La vanité particulière aux auteurs venait d'être caressée chez Lucien par des connaisseurs, il avait été loué par ses futurs rivaux. Le succès de son article et la conquête de Coralie étaient deux triomphes à tourner une tête moins jeune que la sienne [a]. Pendant cette discussion, tout le monde avait remarquablement bien mangé, supérieurement bu. Lousteau, le voisin de Camusot, lui versa deux ou trois fois du kirsch [b] dans son vin, sans que personne y fît attention, et il stimula son amour-propre pour l'engager à boire. Cette manœuvre fut si bien menée, que le négociant ne s'en aperçut pas, il se croyait dans son genre aussi malicieux que les journalistes. Les plaisanteries acerbes commencèrent au moment où les friandises du dessert et les vins circulèrent. Le diplomate, en homme de beaucoup d'esprit, fit un signe au duc et à la danseuse dès qu'il entendit ronfler les bêtises qui annoncèrent chez ces hommes d'esprit les scènes grotesques par lesquelles finissent les orgies, et tous trois ils disparurent. Dès que Camusot eut perdu la tête, Coralie et Lucien qui, durant tout le souper, se comportèrent en amoureux de quinze ans, s'enfuirent par les escaliers et se jetèrent dans un fiacre. Comme Camusot était sous la table, Matifat crut qu'il avait disparu de compagnie avec l'actrice ; il laissa ses hôtes fumant, buvant, riant, disputant, et suivit Florine quand elle alla se coucher. Le jour surprit les combattants, ou plutôt Blondet, buveur intrépide, le seul qui pût parler et qui proposait aux dormeurs un toast à l'Aurore aux doigts de rose.

UN INTÉRIEUR D'ACTRICE [c]

Lucien n'avait pas l'habitude des orgies parisiennes ; il jouissait bien encore de sa raison quand il descendit les escaliers, mais le grand air détermina son ivresse qui fut hideuse. Coralie et sa femme de chambre furent obligées de monter le poète au premier étage de la belle maison où logeait l'actrice, rue de Vendôme. Dans l'es-

calier, Lucien faillit se trouver mal, et fut ignoblement
malade.

— Vite, Bérénice, s'écria Coralie, du thé. Fais du thé !

— Ce n'est rien, c'est l'air, disait Lucien. Et puis, je
n'ai jamais tant bu.

— Pauvre enfant ! c'est innocent comme un agneau,
dit Bérénice, grosse Normande aussi laide que Coralie
était belle.

Enfin Lucien fut mis à son insu dans le lit de Coralie.
Aidée par Bérénice, l'actrice avait déshabillé avec le soin
et l'amour d'une mère pour un petit enfant son poète
qui disait toujours : — C'est rien ! c'est l'air. Merci,
maman.

— Comme il dit bien maman ! s'écria Coralie en le
baisant dans les cheveux.

— Quel plaisir d'aimer un pareil ange, mademoiselle,
et où l'avez-vous pêché ? Je ne croyais pas qu'il pût exister
un homme aussi joli que vous êtes belle, dit Bérénice [a].

Lucien voulait dormir, il ne savait où il était et ne
voyait rien, Coralie lui fit avaler plusieurs tasses [b] de
thé, puis elle le laissa dormant.

— La portière ni personne ne nous a vus, dit Coralie.

— Non, je vous attendais.

— Victoire ne sait rien.

— Plus souvent, dit Bérénice.

Dix heures après, vers midi, Lucien se réveilla sous
les yeux de Coralie qui l'avait regardé dormant ! Il comprit cela, le poète. L'actrice était encore dans sa belle robe
abominablement tachée et de laquelle elle allait faire
une relique. Lucien reconnut les dévouements, les délicatesses de l'amour vrai qui voulait sa récompense :
il regarda Coralie. Coralie fut déshabillée [c] en un moment,
et se coula comme une couleuvre auprès de Lucien. A
cinq heures, le poète dormait bercé par des voluptés divines,
il avait entrevu la chambre de l'actrice, une ravissante
création du luxe, toute blanche et rose, un monde de
merveilles et de coquettes recherches qui surpassait ce que
Lucien avait admiré déjà chez Florine. Coralie était debout.

Pour jouer son rôle d'Andalouse, elle devait être à sept heures au théâtre. Elle avait encore contemplé son poète endormi dans le plaisir, elle s'était enivrée sans pouvoir se repaître de ce noble amour, qui réunissait les sens au cœur, et le cœur aux sens pour les exalter ensemble. Cette divinisation qui permet d'être deux ici-bas pour sentir, un seul dans le ciel pour aimer, était son absolution. A qui d'ailleurs la beauté surhumaine de Lucien n'aurait-elle pas servi d'excuse ? Agenouillée à ce lit, heureuse de l'amour en lui-même, l'actrice se sentait sanctifiée. Ces délices furent troublées par Bérénice.

— Voici le Camusot, il vous sait ici, cria-t-elle.

Lucien se dressa, pensant avec une générosité innée à ne pas nuire à Coralie. Bérénice leva un rideau. Lucien entra dans un délicieux cabinet de toilette, où Bérénice et sa maîtresse apportèrent avec une prestesse inouïe les vêtements de Lucien. Quand le négociant apparut, les bottes du poète frappèrent les regards de Coralie; Bérénice les avait mises devant le feu pour les chauffer après les avoir cirées en secret. La servante et la maîtresse avaient oublié ces bottes accusatrices. Bérénice partit après avoir échangé un regard d'inquiétude avec sa maîtresse. Coralie se plongea dans sa causeuse, et dit à Camusot de s'asseoir dans une gondole en face d'elle. Le brave homme, qui adorait Coralie, regardait les bottes et n'osait lever les yeux sur sa maîtresse.

— Dois-je prendre la mouche pour cette paire de bottes et quitter Coralie ? Ce serait se fâcher pour peu de chose. Il y a des bottes partout. Celles-ci seraient mieux placées dans l'étalage d'un bottier, ou sur les boulevards à se promener aux jambes d'un homme. Cependant, ici, sans jambes, elles disent bien des choses contraires à la fidélité. J'ai cinquante ans, il est vrai : je dois être aveugle comme l'amour.

Ce lâche monologue était sans excuse [a]. La paire de bottes n'était pas de ces demi-bottes en usage aujourd'hui, et que jusqu'à un certain point un homme distrait pourrait ne pas voir ; c'était, comme la mode ordonnait alors de les porter, une paire de bottes entières, très élégantes, et à glands, qui reluisaient sur des pantalons collants presque toujours de couleur claire, et où se reflétaient les objets comme dans un miroir. Ainsi, les bottes crevaient les yeux [a] de l'honnête marchand de soierie, et, disons-le, elles lui crevaient le cœur.

— Qu'avez-vous ? lui dit Coralie.

— Rien, dit-il [b].

— Sonnez, dit Coralie en souriant de la lâcheté de Camusot. — Bérénice, dit-elle à la Normande dès qu'elle arriva, ayez-moi donc des crochets pour que je mette encore ces damnées bottes. Vous n'oublierez pas de les apporter ce soir dans ma loge.

— Comment?... Vos bottes?... dit Camusot qui respira plus à l'aise.

— Eh ! que croyez-vous donc ? demanda-t-elle d'un air hautain. Grosse bête, n'allez-vous pas croire... Oh! il le croirait ! dit-elle à Bérénice. J'ai un rôle d'homme dans la pièce de Chose, et je ne me suis jamais mise en homme. Le bottier du théâtre m'a apporté ces bottes-là pour essayer à marcher, en attendant la paire de laquelle il m'a pris mesure; il me les a mises, mais j'ai tant souffert que je les ai ôtées, et je dois cependant les remettre.

— Ne les remettez pas si elles vous gênent, dit Camusot que les bottes avaient tant gêné.

— Mademoiselle, dit Bérénice, ferait mieux, au lieu de se martyriser comme tout à l'heure ; elle en pleurait, monsieur, et si j'étais homme, jamais une femme que j'aimerais ne pleurerait ! elle ferait mieux de les porter en maroquin bien mince. Mais l'administration est si ladre ! Monsieur, vous devriez aller lui en commander...

— Oui, oui, dit le négociant. Vous vous levez, dit-il à Coralie.

— A l'instant, je ne suis rentrée qu'à six heures, après vous avoir cherché partout, vous m'avez fait garder mon fiacre pendant sept heures. Voilà de vos soins ! m'oublier pour des bouteilles. J'ai dû me soigner [c], moi qui vais jouer maintenant tous les soirs, tant que l'*Alcade* fera de l'argent. Je n'ai pas envie de mentir à l'article de ce jeune homme !

— Il est beau, cet enfant-là, dit Camusot.

— Vous trouvez? je n'aime pas ces hommes-là, ils ressemblent trop à une femme; et puis ça ne sait pas aimer comme vous autres, vieilles bêtes du commerce. Vous vous ennuyez tant [a] !

— Monsieur dîne-t-il avec madame, demanda Bérénice.

— Non, j'ai la bouche empâtée.

— Vous avez été joliment paf [b] hier. Ah! papa Camusot, d'abord, moi je n'aime pas les hommes qui boivent...

— Tu feras un cadeau à ce jeune homme, dit le négociant.

— Ah! oui, j'aime mieux les payer ainsi, que de faire ce que fait Florine. Allons, mauvaise race qu'on aime, allez-vous-en, ou donnez-moi une voiture pour que je ne perde plus de temps [c].

— Vous l'aurez demain pour dîner avec votre directeur, au *Rocher de Cancale*. On ne jouera pas la pièce nouvelle dimanche.

— Venez, je vais dîner, dit Coralie en emmenant Camusot.

Une heure après, Lucien fut délivré par Bérénice, la compagne d'enfance de Coralie, une créature aussi fine, aussi déliée d'esprit qu'elle était corpulente.

— Restez ici, Coralie reviendra seule, elle veut même congédier Camusot s'il vous ennuie, dit Bérénice à Lucien; mais, cher enfant de son cœur, vous êtes trop ange pour la ruiner. Elle me l'a dit, elle est décidée à tout planter là, à sortir de ce paradis pour aller vivre dans votre mansarde. Oh! les jaloux, les envieux ne lui ont-ils pas expliqué que vous n'aviez ni sou, ni maille, que vous viviez au quartier latin. Je vous suivrais, voyez-vous, je vous ferais votre ménage. Mais je viens de consoler la pauvre enfant. Pas vrai, monsieur, que vous avez trop d'esprit pour donner dans de pareilles bêtises? Ah! vous verrez bien que l'autre gros n'a rien que le cadavre et que vous êtes le chéri, le bien-aimé, la divinité à laquelle on abandonne l'âme. Si vous saviez comme ma Coralie est gentille quand je lui

fais répéter ses rôles ! un amour d'enfant, quoi ! Elle
méritait bien que Dieu lui envoyât un de ses anges, elle
avait le dégoût de la vie. Elle a été si malheureuse avec
sa mère, qui la battait, qui l'a vendue ! Oui, monsieur,
une mère, sa propre enfant ! Si j'avais une fille, je la ser-
virais comme ma petite Coralie, de qui je me suis fait un
enfant [a]. Voilà le premier bon temps que je lui ai vu, la
première fois qu'elle a été bien applaudie. Il paraît que, vu
ce que vous avez écrit, on a monté une fameuse claque
pour la seconde représentation. Pendant que vous dormiez,
Braulard [b] est venu travailler avec elle.

— Qui ! Braulard ? demanda Lucien qui crut avoir
entendu déjà ce nom.

— Le chef des claqueurs, qui, de concert avec elle,
est convenu des endroits du rôle où elle serait soignée.
Quoiqu'elle se dise son amie, Florine pourrait vouloir lui
jouer un mauvais tour et prendre tout pour elle [c]. Tout le
boulevard est en rumeur à cause de votre article. Quel lit
arrangé pour les amours [d] d'un prince ?... dit-elle en mettant
sur le lit un couvre-pied en dentelle.

Elle alluma les bougies. Aux lumières, Lucien étourdi
se crut en effet dans un palais du Cabinet des fées. Les plus
riches étoffes du *Cocon-d'Or* avaient été choisies par
Camusot pour servir aux tentures et aux draperies des
fenêtres [e]. Le poète marchait sur un tapis royal.

Le palissandre arrêtait dans les tailles de ses sculptures
des frissons de lumière qui y papillotaient. La cheminée
en marbre blanc resplendissait des plus coûteuses bagatelles. La descente du lit était en cygne bordé de martre.
Des pantoufles en velours noir, doublées de soie pourpre,
y parlaient [f] des plaisirs qui attendaient le poète des *Marguerites*. Une délicieuse lampe pendait du plafond tendu
de soie. Partout des jardinières merveilleuses montraient
des fleurs choisies, de jolies bruyères blanches, des camélias
sans parfum. Partout vivaient les images de l'innocence.
Comment imaginer là une actrice et les mœurs du théâtre.
Bérénice remarqua l'ébahissement de Lucien.

— Est-ce gentil ? lui dit-elle d'une voix câline. Ne serez-vous pas mieux là pour aimer que dans un grenier ? Empêchez son coup de tête, reprit-elle en amenant devant Lucien un magnifique guéridon chargé de mets dérobés au dîner de sa maîtresse, afin que la cuisinière ne pût soupçonner la présence d'un amant.

Lucien dîna très bien, servi par Bérénice dans une argenterie sculptée, dans des assiettes peintes à un louis la pièce. Ce luxe agissait sur son âme comme une fille des rues agit avec ses chairs nues et ses bas blancs bien tirés sur un lycéen.

— Est-il heureux, ce Camusot ! s'écria-t-il.

— Heureux ? reprit Bérénice. Ah ! il donnerait bien sa fortune pour être à votre place, et pour troquer ses vieux cheveux gris contre votre jeune chevelure blonde.

Elle engagea Lucien, à qui elle donna le plus délicieux vin que Bordeaux ait soigné pour le plus riche Anglais, à se recoucher en attendant Coralie, à faire un petit somme provisoire, et Lucien avait en effet envie de se coucher dans ce lit qu'il admirait. Bérénice, qui avait lu ce désir dans les yeux du poète, en était heureuse pour sa maîtresse. A dix heures et demie, Lucien s'éveilla sous un regard trempé d'amour. Coralie était là dans la plus voluptueuse toilette de nuit. Lucien avait dormi, Lucien n'était plus ivre que d'amour. Bérénice se retira demandant : — A quelle heure demain ?

— Onze heures, tu nous apporteras notre déjeuner au lit. Je n'y serai pour personne avant deux heures.

A deux heures le lendemain, l'actrice et son amant étaient habillés et en présence, comme si le poète fût venu faire une visite à sa protégée. Coralie avait baigné, peigné, coiffé, habillé Lucien ; elle lui avait envoyé chercher douze belles chemises, douze cravates, douze mouchoirs chez Colliau, une douzaine de gants dans une boîte de cèdre. Quand elle entendit le bruit d'une voiture à sa porte, elle se précipita vers la fenêtre avec Lucien. Tous deux virent Camusot descendant d'un coupé magnifique.

— Je ne croyais pas, dit-elle, qu'on pût haïr tant un homme et le luxe...

— Je suis trop pauvre pour consentir à ce que vous vous ruiniez, dit Lucien en passant ainsi sous les Fourches-Caudines.

— Pauvre petit chat, dit-elle en pressant Lucien sur son cœur, tu m'aimes donc bien ? — J'ai engagé monsieur, dit-elle en montrant Lucien à Camusot, à venir me voir ce matin, en pensant que nous irions nous promener aux Champs-Élysées pour essayer la voiture.

— Allez-y seuls, dit tristement Camusot, je ne dîne pas avec vous, c'est la fête de ma femme, je l'avais oublié.

— Pauvre Musot ! comme tu t'ennuieras, dit-elle en sautant au cou du marchand.

Elle était ivre de bonheur en pensant qu'elle étrennerait seule avec Lucien ce beau coupé, qu'elle irait seule avec lui au Bois ; et, dans son accès de joie, elle eut l'air d'aimer Camusot, à qui elle fit mille caresses.

— Je voudrais pouvoir vous donner une voiture tous les jours, dit le pauvre homme [a].

— Allons, monsieur, il est deux heures, dit l'actrice à Lucien qu'elle vit honteux et qu'elle consola par un geste adorable.

Coralie dégringola par les escaliers en entraînant Lucien qui entendit le négociant se traînant comme un phoque après eux, sans pouvoir les rejoindre. Le poète éprouva la plus enivrante des jouissances : Coralie, que le bonheur rendait sublime, offrit à tous les yeux ravis une toilette pleine de goût et d'élégance. Le Paris des Champs-Élysées admira ces deux amants. Dans une allée du Bois de Boulogne, leur coupé rencontra la calèche de mesdames d'Espard et de Bargeton qui regardèrent Lucien d'un air étonné, mais auxquelles il lança le coup d'œil méprisant du poète qui pressent sa gloire et va user de son pouvoir. Le moment où il put échanger par un coup d'œil avec ces deux femmes quelques-unes des pensées de vengeance qu'elles lui avaient mises au cœur pour le ronger, fut un des plus doux de sa vie et décida peut-être de sa destinée. Lucien fut repris par les Furies de l'orgueil : il voulut reparaître dans le monde, y prendre une éclatante revanche, et toutes les petitesses sociales, naguère foulées aux pieds du travailleur, de l'ami du Cénacle, rentrèrent dans son âme. Il comprit alors toute la porté de l'attaque faite pour lui par Lousteau : Lousteau venait de servir ses passions ; tandis que le Cénacle, ce Mentor collectif, avait l'air de les mater au profit des vertus ennuyeuses et de travaux que Lucien commençait à trouver inutiles. Travailler ! n'est-ce pas la mort pour les âmes avides de jouissances ? Aussi avec quelle facilité les écrivains ne glissent-ils pas dans le *far niente*, dans la bonne chère et les délices de la vie luxueuse des actrices et des femmes faciles ! Lucien sentit une irrésistible envie de continuer la vie de ces deux folles journées [a].

Le dîner au Rocher de Cancale fut exquis. Lucien trouva les convives de Florine, moins le ministre, moins le duc et la danseuse, moins Camusot, remplacés par [b] deux acteurs célèbres et par Hector Merlin accompagné de sa maîtresse, une délicieuse femme qui se faisait appeler madame du Val-Noble [1], la plus belle et la plus élégante des femmes qui composaient alors à Paris le monde exceptionnel, de ces femmes qu'aujourd'hui l'on a décemment nommées des *Lorettes* [c]. Lucien, qui vivait depuis quarante-huit heures dans un paradis, apprit le succès de son article. En se voyant fêté, envié, le poète trouva son aplomb : son esprit scintilla, il fut le Lucien de Rubempré qui pendant plusieurs mois [d] brilla dans la littérature et dans le monde artiste. Finot, cet homme d'une incontestable adresse à deviner le talent, et qui le flairait comme un ogre sent la chair fraîche, cajola Lucien en essayant de l'embaucher dans l'escouade de journalistes qu'il commandait. Lucien mordit à ces flatteries.

1. Balzac a dans l'esprit Olympe Pélissier et le cercle d'amis qu'elle réunissait autour d'elle. Voir sur elle, p. 335, n. 1. Les *Mémoires* du Dr Ménière (*Revue hebdomadaire*, 15 mars 1902) disent d'elle qu'elle « avait alors un vrai salon de haute volée, rue Neuve du Luxembourg ». Ils disent aussi qu'elle avait « beaucoup d'esprit et d'entregent ». C'est plus tard qu'elle épousa Rossini, à une époque où Balzac ne lui pardonnait pas d'avoir repoussé ses avances.

Coralie observa le manège de ce consommateur d'esprit, et voulut mettre Lucien en garde contre lui.

— Ne t'engage pas, mon petit, dit-elle à son poète, attends, ils veulent t'exploiter, nous causerons de cela ce soir [a].

— Bah ! lui répondit Lucien, je me sens assez fort pour être aussi méchant et aussi fin qu'ils peuvent l'être.

Finot, qui ne s'était sans doute pas brouillé pour les blancs avec Hector Merlin, présenta Merlin à Lucien et Lucien à Merlin. Coralie et madame du Val-Noble fraternisèrent, se comblèrent de caresses et de prévenances. Madame du Val-Noble invita Lucien et Coralie à dîner.

Hector Merlin, le plus dangereux de tous les journalistes présents à ce dîner, était un petit homme sec, à lèvres pincées, couvant une ambition démesurée, d'une jalousie sans bornes, heureux de tous les maux qui se faisaient autour de lui, profitant des divisions qu'il fomentait, ayant beaucoup d'esprit, peu de vouloir, mais remplaçant la volonté par l'instinct qui mène les parvenus vers les endroits éclairés par l'or et par le pouvoir. Lucien et lui se déplurent mutuellement. Il n'est pas difficile d'expliquer pourquoi. Merlin eut le malheur de parler à Lucien à haute voix comme Lucien pensait tout bas. Au dessert, les liens de la plus touchante amitié semblaient unir ces hommes, qui tous se croyaient supérieurs l'un à l'autre. Lucien, le nouveau venu, était l'objet de leurs coquetteries. On causait à cœur ouvert. Hector Merlin seul ne riait pas. Lucien lui demanda la raison de sa raison.

— Mais je vous vois entrant dans le monde littéraire et journaliste avec des illusions. Vous croyez aux amis. Nous sommes tous amis ou ennemis selon les circonstances. Nous nous frappons les premiers avec l'arme qui devrait ne nous servir qu'à frapper les autres. Vous vous apercevrez avant peu que vous n'obtiendrez rien par les beaux sentiments. Si vous êtes bon, faites-vous méchant. Soyez hargneux par calcul. Si personne ne vous a dit cette loi suprême, je vous la confie et je ne vous aurai pas fait une médiocre confidence. Pour être aimé, ne quittez jamais votre maîtresse sans l'avoir fait pleurer un peu ; pour faire fortune en littérature, blessez toujours tout le monde, même vos amis, faites pleurer les amours-propres : tout le monde vous caressera.

Hector Merlin fut heureux en voyant à l'air de Lucien que sa parole entrait chez le néophyte comme la lame d'un poignard dans un cœur. On joua. Lucien perdit tout son argent. Il fut emmené par Coralie, et les délices de l'amour lui firent oublier les terribles émotions du Jeu qui, plus tard, devait trouver en lui une de ses victimes. Le lendemain, en sortant de chez elle et revenant au quartier latin, il trouva dans sa bourse l'argent qu'il avait perdu. Cette attention l'attrista d'abord, il voulut revenir chez l'actrice et lui rendre un don qui l'humiliait ; mais il était déjà rue de La Harpe, il continua son chemin vers l'hôtel Cluny. Tout en marchant, il s'occupa de ce soin de Coralie, il y vit une preuve de cet amour maternel que ces sortes de femmes mêlent à leurs passions. Chez elles, la passion comporte tous les sentiments. De pensée en pensée, Lucien finit par trouver une raison d'accepter en se disant : — Je l'aime, nous vivrons ensemble comme mari et femme, et je ne la quitterai jamais !

DERNIÈRE VISITE AU CÉNACLE[a]

A moins d'être Diogène, qui ne comprendrait alors les sensations de Lucien en montant l'escalier boueux et puant de son hôtel, en faisant grincer la serrure de sa porte, en revoyant le carreau sale et la piteuse cheminée de sa chambre horrible de misère et de nudité ? Il trouva sur sa table le manuscrit de son roman et ce mot de Daniel d'Arthez :

« Nos amis sont presque contents de votre œuvre, cher » poète. Vous pourrez la présenter avec plus de confiance,

» disent-ils, à vos amis et à vos ennemis. Nous avons lu
» votre charmant article sur le Panorama-Dramatique,
» et vous devez exciter autant d'envie dans la littérature
» que de regrets chez nous.

« DANIEL. » [a]

— Regrets ? que veut-il dire ? s'écria Lucien surpris
du ton de politesse qui régnait dans ce billet. Était-il
donc un étranger pour le Cénacle ? Après avoir dévoré
les fruits délicieux que lui avait tendus l'Ève des coulisses,
il tenait encore plus à l'estime et à l'amitié de ses amis
de la rue des Quatre-Vents. Il resta pendant quelques
instants plongé dans une méditation par laquelle il embrassait son présent dans cette chambre et son avenir dans
celle de Coralie. En proie à des hésitations, alternativement
honorables et dépravantes [b], il s'assit et se mit à examiner
l'état dans lequel ses amis lui rendaient son œuvre. Quel
étonnement fut le sien ! De chapitre en chapitre, la plume
habile et dévouée de ces grands hommes encore inconnus
avait changé ses pauvretés en richesses. Un dialogue
plein, serré, concis, nerveux, remplaçait ses conversations
qu'il comprit alors n'être que des bavardages en les comparant à des discours où respirait l'esprit du temps. Ses
portraits, un peu mous de dessin, avaient été vigoureusement accusés et colorés ; tous se rattachaient aux phénomènes curieux de la vie humaine par des observations
physiologiques dues sans doute à Bianchon, exprimées
avec finesse, et qui les faisaient vivre. Ses descriptions [c]
verbeuses étaient devenues substantielles et vives. Il avait
donné une enfant mal faite, mal vêtue, et il retrouvait
une délicieuse fille en robe blanche, à ceinture, à écharpe
roses, une création ravissante. La nuit le surprit, les yeux
en pleurs, atterré de cette grandeur, sentant le prix d'une
pareille leçon, admirant ces corrections qui lui en apprenaient plus sur la littérature et sur l'art que ses quatre années
de lectures, de comparaisons et d'études. Le redressement
d'un carton mal conçu, un trait magistral sur le vif en disent
toujours plus que les théories et les observations.

— Quels amis ! quels cœurs ! suis-je heureux ! s'écria-t-il en serrant le manuscrit.

Entraîné par l'emportement naturel aux natures poétiques et mobiles, il courut chez Daniel. En montant l'escalier, il se crut cependant moins digne de ces cœurs que rien ne pouvait faire dévier du sentier de l'honneur. Une voix lui disait que, si Daniel avait aimé Coralie, il ne l'aurait pas acceptée avec Camusot. Il connaissait aussi la profonde horreur du Cénacle pour les journalistes, et il se savait déjà quelque peu journaliste. Il trouva ses amis, moins Meyraux, qui venait de sortir, en proie à un désespoir peint [a] sur toutes les figures.

— Qu'avez-vous, mes amis [b], dit Lucien.

— Nous venons d'apprendre une horrible catastrophe : le plus grand esprit de notre époque, notre ami le plus aimé, celui qui pendant deux ans a été notre lumière...

— Louis Lambert, dit Lucien.

— Il est dans un état de catalepsie qui ne laisse aucun espoir, dit Bianchon.

— Il mourra le corps insensible et la tête dans les cieux, ajouta solennellement Michel Chrestien.

— Il mourra comme il a vécu, dit d'Arthez [c].

— L'amour, jeté comme un feu dans le vaste empire de son cerveau, l'a incendié, dit Léon Giraud.

— Oui, dit Joseph Bridau, l'a exalté [d] à un point où nous le perdons de vue.

— C'est nous qui sommes à plaindre, dit Fulgence Ridal.

— Il se guérira peut-être, s'écria Lucien.

— D'après ce que nous a dit Meyraux, la cure est impossible, répondit Bianchon. Sa tête est le théâtre de phénomènes sur lesquels la médecine n'a nul pouvoir.

— Il existe cependant des agents, dit d'Arthez...

— Oui, dit Bianchon, il n'est que cataleptique, nous pouvons le rendre imbécile.

— Ne pouvoir offrir au génie du mal une tête en remplacement de celle-là ! Moi, je donnerais la mienne ! s'écria Michel Chrestien.

— Et que deviendrait la fédération européenne ? dit
d'Arthez.

— Ah ! c'est vrai, reprit Michel Chrestien, avant d'être
à un homme on appartient à l'Humanité.

— Je venais [a] ici le cœur plein de remerciements pour
vous tous, dit Lucien. Vous avez changé mon billon en
louis d'or.

— Des remerciements ! Pour qui nous prends-tu ?
dit Bianchon.

— Le plaisir a été pour nous, reprit Fulgence.

— Eh ! bien, vous voilà journaliste ? lui dit Léon Giraud.
Le bruit de votre début est arrivé jusque dans le quartier
latin.

— Pas encore, répondit Lucien.

— Ah ! tant mieux ! dit Michel Chrestien.

— Je vous le disais bien, reprit d'Arthez. Lucien est
un de ces cœurs qui connaissent le prix d'une conscience
pure. N'est-ce pas un viatique fortifiant que de poser
le soir sa tête sur l'oreiller en pouvant se dire : — Je
n'ai pas jugé les œuvres d'autrui, je n'ai causé d'affliction
à personne ; mon esprit, comme un poignard, n'a fouillé
l'âme d'aucun innocent ; ma plaisanterie n'a immolé
aucun bonheur, elle n'a même pas troublé la sottise heureuse, elle n'a pas injustement fatigué le génie ; j'ai dédaigné
les faciles triomphes de l'épigramme; enfin je n'ai jamais
menti à mes convictions ?

— Mais, dit Lucien, on peut, je crois, être ainsi tout en
travaillant à un journal. Si je n'avais décidément que ce
moyen d'exister il faudrait bien y venir.

— Oh ! oh ! oh ! dit Fulgence en montant d'un ton
à chaque exclamation, nous capitulons.

— Il sera journaliste, dit gravement Léon Giraud. Ah !
Lucien, si tu voulais l'être avec nous, qui allons publier
un journal où jamais ni la vérité ni la justice ne seront
outragées, où nous répandrons les doctrines utiles à l'humanité, peut-être...

— Vous n'aurez pas un abonné, répliqua machiavéli-
quement Lucien en interrompant Léon.

— Ils en auront cinq cents qui en vaudront cinq cent mille, répondit Michel Chrestien [a].

— Il vous faudra bien des capitaux, reprit Lucien.

— Non, dit d'Arthez, mais du dévouement.

On dirait d'une boutique [b] de parfumeur, s'écria Michel Chrestien en flairant par un geste comique la tête de Lucien. On t'a vu dans une voiture supérieurement astiquée, traînée par des chevaux de dandy, avec une maîtresse de prince, Coralie.

— Eh ! bien, dit Lucien, y a-t-il du mal à cela ?

— Tu dis cela comme s'il y en avait, lui cria Bianchon.

— J'aurais voulu à Lucien, dit d'Arthez, une Béatrix, une noble femme qui l'aurait soutenu dans la vie...

— Mais, Daniel, est-ce que l'amour n'est pas partout semblable à lui-même ? dit le poète.

— Ah ! dit le républicain, en ceci je suis aristocrate. Je ne pourrais pas aimer une femme qu'un acteur baise sur la joue en face du public, une femme tutoyée dans les coulisses, qui s'abaisse devant un parterre et lui sourit, qui danse des pas en relevant ses jupes et qui se met en homme pour montrer ce que je veux être seul à voir. Ou, si j'aimais une pareille femme, elle quitterait le théâtre, et je la purifierais par mon amour.

— Et si elle ne pouvait pas quitter le théâtre ?

— Je mourrai de chagrin, de jalousie, de mille maux.

— On ne peut pas arracher son amour de son cœur comme on arrache une dent.

Lucien devint sombre et pensif. — Quand ils apprendront que je subis Camusot, ils me mépriseront, se disait-il.

— Tiens, lui dit le sauvage républicain avec une affreuse bonhomie, tu pourras être un grand écrivain, mais tu ne seras jamais qu'un petit farceur [1].

---

1. Ce mot, Balzac l'appliqua un jour à Victor Hugo. Il avait décidé de dédier au poète les *Illusions perdues* dans l'édition de 1843. Il faut croire qu'avant le mois d'octobre 1842 il en avait informé V. Hugo et que celui-ci avait accepté cet hommage. Et voici qu'il laissait attaquer

Il prit son chapeau et sortit.

— Il est dur, Michel Chrestien, dit le poète.

— Dur et salutaire comme le davier du dentiste, dit Bianchon. Michel voit ton avenir, et peut-être en ce moment pleure-t-il sur toi dans la rue.

D'Arthez fut doux et consolant, il essaya de relever Lucien. Au bout d'une heure le poète quitta le Cénacle, maltraité par sa conscience qui lui criait : — Tu seras journaliste ! comme la sorcière crie à Macbeth : Tu seras roi.

Dans la rue, il regarda les croisées du patient d'Arthez, éclairées par une faible lumière, et revint chez lui le cœur attristé, l'âme inquiète. Une sorte de pressentiment lui disait qu'il avait été serré sur le cœur de ses vrais amis pour la dernière fois. En entrant dans la rue de Cluny par la place de la Sorbonne, il reconnut l'équipage de Coralie. Pour venir voir son poète un moment, pour lui dire un simple bonsoir, l'actrice avait franchi l'espace du boulevard du Temple à la Sorbonne. Lucien trouva sa maîtresse tout en larmes à l'aspect de sa mansarde, elle voulait être misérable comme son amant, elle pleurait en rangeant les chemises, les gants, les cravates et les mouchoirs dans l'affreuse commode de l'hôtel [a]. Ce désespoir était si vrai, si grand, il exprimait tant d'amour, que Lucien, à qui l'on avait reproché d'avoir une actrice, vit dans Coralie une sainte bien près d'endosser le cilice de la misère. Pour venir, cette adorable créature avait pris le prétexte d'avertir son ami que la société Camusot, Coralie et Lucien [b] rendrait à la Société Matifat, Florine et Lousteau leur souper, et de demander à Lucien s'il avait quelque invitation à faire qui lui fût utile ; Lucien lui répondit qu'il en causerait avec Lousteau. L'actrice, après quelques moments, se sauva en cachant à Lucien que Camusot l'attendait en bas.

Balzac dans un journal qui lui était dévoué. Le romancier indigné écrivait à la comtesse Hanska : « C'est surtout de lui qu'on peut dire : C'est un grand écrivain et un petit farceur » (*L. à l'Etr.*, II, p. 70-71). Pourtant, l'édition parut, quelques mois plus tard, et la dédicace y figurait (cf. *infra*, p. 772).

UNE VARIÉTÉ DE JOURNALISTE[a]

Le lendemain, dès huit heures, Lucien alla chez Étienne [b], ne le trouva pas, et courut chez Florine. Le journaliste et l'actrice reçurent leur ami dans la jolie chambre à coucher où ils étaient maritalement établis, et tous trois ils y déjeunèrent splendidement.

— Mais mon petit, lui dit Lousteau quand ils furent attablés et que Lucien lui eut parlé du souper que donnerait Coralie, je te conseille de venir avec moi voir Félicien Vernou, de l'inviter, et de te lier avec lui autant qu'on peut se lier avec un pareil drôle. Félicien te donnera peut-être accès dans le journal politique où il cuisine le feuilleton [1], et où tu pourras fleurir à ton aise en grands articles dans le haut de ce journal. Cette feuille, comme la nôtre, appartient au parti libéral, tu seras libéral, c'est le parti populaire ; d'ailleurs, si tu voulais passer du côté ministériel, tu y entrerais avec d'autant plus d'avantages que tu te serais fait redouter. Hector Merlin et sa madame du Val-Noble, chez qui vont quelques grands seigneurs [2], les jeunes dandies et les millionnaires, ne t'ont-ils pas prié, toi et Coralie, à dîner ?

— Oui, répondit Lucien, et tu en es avec Florine.

Lucien et Lousteau, dans leur griserie de vendredi et

---

1. Le manuscrit nous a appris (*notes critiques*, p. 276, n. *a*) que ce journal était le *Courrier*, c'est-à-dire, pour lui donner le titre qu'il avait adopté à partir du 1er février 1820, *le Courrier français*, l'organe de Benjamin Constant.

2. Le duc de Fitz-James, on l'a vu plus haut, était, avec des « millionnaires » comme Émile de Girardin, et des « dandies » comme Eugène Sue, un des familiers du salon d'Olympe Pélissier.

pendant leur dîner du dimanche, en étaient arrivés à se
tutoyer.

— Eh ! bien, nous rencontrerons Merlin au journal,
c'est un gars qui suivra Finot de près ; tu feras bien de
le soigner, de le mettre de ton souper avec sa maîtresse :
il te sera peut-être utile avant peu, car les gens haineux ont
besoin de tout le monde, et il te rendra service pour avoir
ta plume au besoin.

— Votre début a fait [a] assez de sensation pour que vous
n'éprouviez aucun obstacle, dit Florine à Lucien, hâtez-
vous d'en profiter, autrement vous seriez promptement
oublié.

— L'affaire, reprit Lousteau, la grande affaire est con-
sommée ! Ce Finot, un homme sans aucun talent, est
directeur et rédacteur en chef du journal hebdomadaire de
Dauriat, propriétaire d'un sixième qui ne lui coûte rien,
et il a six cents francs d'appointements par mois. Je suis,
de ce matin, mon cher, rédacteur en chef de notre petit
journal. Tout s'est passé comme je le présumais l'autre
soir : Florine a été superbe, elle rendrait des points au prince
de Talleyrand.

— Nous tenons les hommes par leur plaisir, dit Florine,
les diplomates ne les prennent que par l'amour-propre ;
les diplomates leur voient faire des façons et nous leur
voyons faire des bêtises, nous sommes donc les plus
fortes.

— En concluant, dit Lousteau, Matifat a commis le
seul bon mot qu'il prononcera dans sa vie de droguiste :
L'affaire, a-t-il dit, ne sort pas de mon commerce !

— Je soupçonne Florine de le lui avoir soufflé, s'écria
Lucien.

— Ainsi, mon cher amour, reprit Lousteau, tu as le
pied à l'étrier.

— Vous êtes né coiffé [b], dit Florine. Combien voyons-
nous de petits jeunes gens qui *droguent* dans Paris pendant
des années sans arriver à pouvoir insérer un article dans
un journal ! Il en aura été de vous comme d'Émile Blondet.
Dans six mois d'ici, je vous vois *faisant votre tête*, ajouta-

t-elle en se servant d'un mot de son argot et en lui jetant un sourire moqueur.

— Ne suis-je pas à Paris depuis trois ans, dit Lousteau, et depuis hier seulement Finot me donne trois cents francs de fixe par mois pour la rédaction en chef, me paye cent sous la colonne, et cent francs la feuille à son journal hebdomadaire.

— Hé! bien, vous ne dites rien?... s'écria Florine en regardant Lucien.

— Nous verrons, dit Lucien[a].

— Mon cher, répondit Lousteau d'un air piqué, j'ai tout arrangé pour toi comme si tu étais mon frère ; mais je ne te réponds pas de Finot. Finot sera sollicité par soixante drôles, qui, d'ici à deux jours, vont venir lui faire des propositions au rabais. J'ai promis pour toi, tu lui diras non, si tu veux. Tu ne te doutes pas de ton bonheur, reprit le journaliste après une pause. Tu feras partie d'une coterie dont les camarades attaquent leurs ennemis dans plusieurs journaux, et s'y servent mutuellement.

— Allons d'abord voir Félicien Vernou, dit Lucien qui avait hâte de se lier avec ces redoutables oiseaux de proie.

Lousteau envoya chercher un cabriolet, et les deux amis allèrent rue Mandar, où demeurait Vernou, dans une maison à allée, il y occupait un appartement au deuxième étage. Lucien fut très étonné de trouver ce critique acerbe, dédaigneux et gourmé, dans une salle à manger de la dernière vulgarité, tendue d'un mauvais petit papier briqueté, chargé de mousses par intervalles égaux, ornée de gravures à l'aqua-tinta dans des cadres dorés, attablé avec une femme trop laide pour ne pas être légitime, et deux enfants en bas âge perchés sur ces chaises à pieds très élevés et à barrière, destinées à maintenir ces petits drôles. Surpris dans une robe de chambre confectionnée avec les restes d'une robe d'indienne à sa femme, Félicien eut un air assez mécontent.

— As-tu déjeuné, Lousteau ? dit-il en offrant une chaise à Lucien.

— Nous sortons de chez Florine, dit Étienne, et nous y avons déjeuné.

Lucien ne cessait d'examiner madame Vernou, qui ressemblait à une bonne, grasse cuisinière, assez blanche, mais superlativement commune. Madame Vernou portait un foulard par-dessus un bonnet de nuit à brides que ses joues pressées débordaient. Sa robe de chambre, sans ceinture, attachée au col par un bouton, descendait à grands plis et l'enveloppait si mal, qu'il était impossible de ne pas la comparer à une borne. D'une santé désespérante, elle avait les joues presque violettes, et des mains à doigts en forme de boudins. Cette femme expliqua soudain à Lucien l'attitude gênée de Vernou dans le monde. Malade de son mariage, sans force pour abandonner femme et enfants, mais assez poète pour en toujours souffrir [a], cet auteur ne devait pardonner à personne un succès, il devait être mécontent de tout, en se sentant toujours mécontent de lui-même. Lucien comprit l'air aigre qui glaçait cette figure envieuse, l'âcreté des reparties que ce journaliste semait dans sa conversation, l'acerbité de sa phrase, toujours pointue et travaillée comme un stylet.

— Passons dans mon cabinet, dit Félicien en se levant, il s'agit sans doute d'affaires littéraires.

— Oui et non, lui répondit Lousteau. Mon vieux, il s'agit d'un souper.

— Je venais, dit Lucien, vous prier de la part de Coralie...

A ce nom, madame Vernou leva la tête.

— ... A souper d'aujourd'hui en huit, dit Lucien en continuant. Vous trouverez chez elle la société que vous avez eue chez Florine, et augmentée de madame du Val-Noble, de Merlin et de quelques autres. Nous jouerons [b].

— Mais, mon ami, ce jour-là nous devons aller chez madame Mahoudeau, dit la femme.

— Eh ! qu'est-ce que cela fait ? dit Vernou.

— Si nous n'y allions pas, elle se choquerait, et tu es bien aise de la trouver pour escompter tes effets de librairie.

— Mon cher, voilà une femme qui ne comprend pas qu'un souper qui commence à minuit n'empêche pas d'aller à une soirée qui finit à onze heures. Je travaille à côté d'elle, ajouta-t-il.

— Vous avez tant d'imagination ! répondit Lucien qui se fit un ennemi mortel de Vernou par ce seul mot.

— Eh ! bien, reprit Lousteau, tu viens, mais ce n'est pas tout. Monsieur de Rubempré devient un des nôtres, ainsi pousse-le à ton journal ; présente-le comme un gars capable de faire la haute littérature, afin qu'il puisse mettre au moins deux articles par mois.

— Oui, s'il veut être des nôtres, attaquer nos ennemis comme nous attaquerons les siens, et défendre nos amis, je parlerai de lui ce soir à l'Opéra, répondit Vernou.

— Eh ! bien, à demain, mon petit, dit Lousteau en serrant la main de Vernou avec les signes de la plus vive amitié. Quand paraît ton livre ?

— Mais, dit le père de famille, cela dépend de Dauriat, j'ai fini.

— Es-tu content ?...

— Mais oui et non [a]...

— Nous chaufferons le succès, dit Lousteau en se levant et saluant la femme de son confrère.

Cette brusque sortie fut nécessitée par les criailleries des deux enfants qui se disputaient et se donnaient des coups de cuiller en s'envoyant de la panade par la figure.

— Tu viens de voir, mon enfant, dit Étienne à Lucien, une femme qui, sans le savoir, fera bien des ravages en littérature. Ce pauvre Vernou ne nous pardonne pas sa femme. On devrait l'en débarrasser, dans l'intérêt public bien entendu. Nous éviterions un déluge d'articles atroces, d'épigrammes contre tous les succès et contre toutes les fortunes. Que devenir avec une pareille femme accompagnée de ces deux horribles moutards ? Vous avez vu le Rigaudin de la Maison en loterie, la pièce de Picard [1]... eh ! bien, comme Rigaudin, Vernou ne se battra pas, mais il fera battre les autres ; il est capable de se crever un œil pour en

---

1. *La Maison en loterie*, comédie en un acte de Picard et Radet, créée à l'Odéon le 8 décembre 1817. Son principal personnage, Rigaudin, persifle, raille, observe la petite ville où il habite, et s'amuse à provoquer des haines entre les habitants. Balzac a cité *la Maison en loterie* dans *Pierrette* (éd. Garnier, p. 230).

crever deux à son meilleur ami ; vous le verrez posant le
pied sur tous les cadavres, souriant à tous les malheurs [a],
attaquant les princes, les ducs, les marquis, les nobles,
parce qu'il est roturier ; attaquant les renommées céliba-
taires à cause de sa femme, et parlant toujours morale,
plaidant pour les joies domestiques et pour les devoirs
de citoyen. Enfin ce critique si moral ne sera doux pour
personne [b], pas même pour les enfants. Il vit dans la rue
Mandar entre une femme qui pourrait faire le mamamouchi
du Bourgeois gentilhomme et deux petits Vernou laids
comme des teignes ; il veut se moquer du faubourg Saint-
Germain, où il ne mettra jamais le pied, et fera parler les
duchesses comme parle sa femme. Voilà l'homme qui va
hurler après les jésuites, insulter la cour, lui prêter l'intention de rétablir les droits féodaux, le droit d'aînesse, et
qui prêchera quelque croisade en faveur de l'égalité, lui
qui ne se croit l'égal de personne. S'il était garçon, s'il
allait dans le monde, s'il avait les allures des poètes royalistes pensionnés, ornés de croix de la Légion-d'Honneur,
ce serait un optimiste. Le journalisme a mille points de
départ semblables. C'est une grande catapulte mise en
mouvement par de petites haines. As-tu maintenant envie
de te marier ? Vernou n'a plus de cœur, le fiel a tout envahi.
Aussi est-ce le journaliste par excellence, un tigre à deux
mains qui déchire tout, comme si ses plumes avaient la rage [c].

— Il est gunophobe, dit Lucien. A-t-il du talent ?

— Il a de l'esprit, c'est un *Articlier*. Vernou porte des
articles, fera toujours des articles, et rien que des articles.
Le travail le plus obstiné ne pourra jamais greffer un livre
sur sa prose. Félicien est incapable de concevoir une œuvre,
d'en disposer les masses, d'en réunir harmonieusement
les personnages dans un plan qui commence, se noue et
marche vers un fait capital ; il a des idées, mais il ne connaît
pas les faits ; ses héros seront des utopies philosophiques
ou libérales ; enfin, son style est d'une originalité cherchée,
sa phrase ballonnée tomberait si la critique lui donnait
un coup d'épingle. Aussi craint-il énormément les journaux, comme tous ceux qui ont besoin des gourdes et des

bourdes de l'éloge pour se soutenir au-dessus de l'eau.

— Quel article tu fais, s'écria Lucien.

— Ceux-là, mon enfant, il faut se les dire et jamais les écrire.

— Tu deviens rédacteur en chef, dit Lucien [a].

— Où veux-tu que je te jette ? lui demanda Lousteau.

— Chez Coralie.

— Ah ! nous sommes amoureux, dit Lousteau [b]. Quelle faute ! Fais de Coralie ce que je fais de Florine, une ménagère, mais la liberté sur la montagne !

— Tu ferais damner les saints ! lui dit Lucien en riant.

— On ne damne pas les démons, répondit Lousteau.

Le ton léger, brillant de son nouvel ami, la manière dont il traitait la vie, ses paradoxes mêlés aux maximes vraies du machiavélisme parisien agissaient sur Lucien à son insu. En théorie, le poëte reconnaissait le danger de ces pensées, et les trouvait utiles à l'application. En arrivant sur le boulevard du Temple, les deux amis convinrent de se retrouver, entre quatre et cinq heures, au bureau du journal, où sans doute Hector Merlin viendrait.

INFLUENCE DES BOTTES
SUR LA VIE PRIVÉE [c]

Lucien était, en effet, saisi par les voluptés de l'amour vrai des courtisanes qui attachent leurs grappins aux endroits les plus tendres de l'âme en se pliant avec une incroyable souplesse à tous les désirs, en favorisant les molles habitudes d'où elles tirent leur force. Il avait déjà soif des plaisirs parisiens, il aimait la vie facile, abondante et magnifique que lui faisait l'actrice chez elle. Il trouva [d] Coralie et Camusot ivres de joie. Le Gymnase [1]

---

1. Le Gymnase était situé au nº 38 du boulevard Bonne-Nouvelle.

proposait pour Pâques prochain un engagement dont les conditions nettement formulées, surpassaient les espérances de Coralie.

— Nous vous devons ce triomphe, dit Camusot.

— Oh! certes, sans lui l'Alcade tombait, s'écria Coralie, il n'y avait pas d'article, et j'étais encore au boulevard pour six ans.

Elle lui sauta au cou devant Camusot. L'effusion de l'actrice avait je ne sais quoi de moelleux dans sa rapidité, de suave dans son entraînement : elle aimait! Comme tous les hommes dans leurs grandes douleurs, Camusot abaissa ses yeux à terre, et reconnut, le long de la couture des bottes de Lucien, le fil de couleur employé par les bottiers célèbres et qui se dessinait en jaune foncé sur le noir luisant de la tige [a]. La couleur originale de ce fil l'avait préoccupé pendant son monologue sur la présence inexplicable d'une paire de bottes devant la cheminée de Coralie. Il avait lu en lettres noires imprimées sur le cuir blanc et doux de la doublure l'adresse d'un bottier fameux à cette époque : Gay, rue de La Michodière.

— Monsieur, dit-il à Lucien, vous avez de bien belles bottes.

— Il a tout beau, répondit Coralie.

— Je voudrais bien me fournir chez votre bottier.

— Oh! dit Coralie, comme c'est rue des Bourdonnais de demander les adresses des fournisseurs! Allez-vous porter des bottes de jeune homme? vous seriez joli garçon. Gardez donc vos bottes à revers qui conviennent à un homme établi, qui a femme, enfants et maîtresse.

— Enfin, si monsieur voulait tirer une de ses bottes, il me rendrait un service signalé, dit l'obstiné Camusot.

— Je ne pourrais la remettre sans crochets, dit Lucien en rougissant.

— Bérénice en ira chercher, ils ne seront pas de trop ici, dit le marchand d'un air horriblement goguenard.

— Papa Camusot, dit Coralie en lui jetant un regard empreint d'un atroce mépris, ayez le courage de votre lâcheté ! Allons, dites toute votre pensée. Vous trouvez que les bottes de monsieur ressemblent aux miennes ? Je vous défends d'ôter vos bottes, dit-elle à Lucien. Oui, monsieur Camusot, oui, ces bottes sont absolument les mêmes que celles qui se croisaient les bras devant mon foyer l'autre jour, et monsieur caché dans mon cabinet de toilette les attendait, il avait passé la nuit ici [a]. Voilà ce que vous pensez, hein ? Pensez-le, je le veux. C'est la vérité pure. Je vous trompe. Après ? Cela me plaît, à moi !

Elle s'assit sans colère et de l'air le plus dégagé du monde en regardant Camusot et Lucien, qui n'osaient se regarder.

— Je ne croirai que ce que vous voudrez que je croie, dit Camusot. Ne plaisantez pas, j'ai tort.

— Ou je suis une infâme dévergondée qui dans un moment s'est amourachée de monsieur, ou je suis une pauvre misérable créature qui a senti pour la première fois le véritable amour après lequel courent toutes les femmes. Dans les deux cas, il faut me quitter ou me prendre comme je suis, dit-elle en faisant un geste de souveraine par lequel elle écrasa le négociant.

— Serait-ce vrai [b] ? dit Camusot qui vit à la contenance de Lucien que Coralie ne riait pas et qui mendiait une tromperie.

— J'aime mademoiselle, dit Lucien.

En entendant ce mot dit d'une voix émue, Coralie sauta au cou de son poète, le pressa dans ses bras et tourna la tête vers le marchand de soieries en lui montrant l'admirable groupe d'amour qu'elle faisait avec Lucien.

— Pauvre Musot, reprends tout ce que tu m'as donné, je ne veux rien de toi, j'aime comme une folle cet enfant-là, non pour son esprit, mais pour sa beauté. Je préfère la misère avec lui, à des millions avec toi.

Camusot tomba sur un fauteuil, se mit la tête dans les mains, et demeura silencieux.

— Voulez-vous que nous nous en allions ? lui dit-elle avec une incroyable férocité.

Lucien eut froid dans le dos en se voyant chargé d'une femme, d'une actrice et d'un ménage.

— Reste ici, garde tout, Coralie, dit le marchand d'une

voix faible et douloureuse qui partait de l'âme, je ne veux rien reprendre. Il y a pourtant là soixante mille [a] francs de mobilier, mais je ne saurais me faire à l'idée de ma Coralie [b] dans la misère. Et tu seras cependant avant peu dans la misère. Quelque grands que soient les talents de monsieur, ils ne peuvent pas te donner une existence. Voilà ce qui nous attend tous, nous autres vieillards ! Laisse-moi, Coralie, le droit de venir te voir quelquefois : je puis t'être utile. D'ailleurs, je l'avoue, il me serait impossible de vivre sans toi.

La douceur de ce pauvre homme, dépossédé de tout son bonheur au moment où il se croyait le plus heureux, toucha vivement Lucien, mais non Coralie.

— Viens, mon pauvre Musot, viens tant que tu voudras, dit-elle, je t'aimerai mieux en ne te trompant point.

Camusot parut content de n'être pas chassé de son paradis terrestre où sans doute il devait souffrir, mais où il espéra rentrer plus tard dans tous ses droits en se fiant sur les hasards de la vie parisienne et sur les séductions qui allaient entourer Lucien. Le vieux marchand matois pensa que tôt ou tard ce beau jeune homme se permettrait des infidélités, et pour l'espionner, pour le perdre dans l'esprit de Coralie, il voulait rester leur ami. Cette lâcheté de la passion vraie effraya Lucien. Camusot offrit à dîner au Palais-Royal, chez Véry, ce qui fut accepté.

— Quel bonheur, cria Coralie quand Camusot fut parti, plus de mansarde au quartier latin, tu demeureras ici, nous ne nous quitterons pas, tu prendras pour conserver les apparences un petit appartement, rue Charlot, et vogue la galère !

Elle se mit à danser son pas espagnol avec un entrain qui peignit [c] une indomptable passion.

— Je puis gagner cinq cents francs par mois en travaillant beaucoup, dit Lucien.

— J'en ai tout autant au théâtre, sans compter les feux. Camusot m'habillera toujours, il m'aime ! Avec quinze cents francs [d] par mois, nous vivrons comme des Crésus.

— Et les chevaux, et le cocher, et le domestique ? dit Bérénice.

— Je ferai des dettes, s'écria Coralie.

Elle se remit à danser une gigue avec Lucien.

— Il faut dès lors accepter les propositions de Finot, s'écria Lucien.

— Allons, dit Coralie, je m'habille et te mène à ton journal, je t'attendrai en voiture, sur le boulevard.

Lucien s'assit sur un sofa, regarda l'actrice faisant sa toilette, et se livra aux plus graves réflexions. Il eût mieux aimé laisser Coralie libre que d'être jeté dans les obligations d'un pareil mariage ; mais il la vit si belle, si bien faite, si attrayante, qu'il fut saisi par les pittoresques aspects de cette vie de Bohême, et jeta le gant à la face de la Fortune. Bérénice eut ordre de veiller au déménagement et à l'installation de Lucien. Puis, la triomphante, la belle, l'heureuse Coralie entraîna son amant aimé, son poète, et traversa tout Paris pour aller rue Saint-Fiacre.

LES ARCANES DU JOURNAL[a]

Lucien grimpa lestement l'escalier et se produisit en maître dans les bureaux du journal. Coloquinte ayant toujours son papier timbré sur la tête et le vieux Giroudeau lui dirent encore assez hypocritement que personne n'était venu.

— Mais les rédacteurs doivent se voir quelque part pour convenir du journal, dit-il.

— Probablement, mais la rédaction ne me regarde pas, dit le capitaine de la Garde Impériale qui se remit à vérifier ses bandes en faisant son éternel broum ! broum !

En ce moment, par un hasard, doit-on dire heureux ou malheureux ? Finot vint pour annoncer à Giroudeau sa fausse abdication et lui recommander de veiller à ses intérêts.

— Pas de diplomatie avec monsieur, il est du journal,

dit Finot à son oncle en prenant la main de Lucien et la lui serrant.

— Ah ! monsieur est du journal, s'écria Giroudeau surpris du geste de son neveu. Eh ! bien, monsieur, vous n'avez pas eu de peine à y entrer.

— Je veux y faire votre lit pour que vous ne soyez pas *jobardé* par Étienne, dit Finot en regardant Lucien d'un air fin. Monsieur aura trois francs par colonne pour toute sa rédaction, y compris les comptes rendus de théâtre.

— Tu n'as jamais fait ces conditions à personne, dit Giroudeau en regardant Lucien avec étonnement.

— Il aura les quatre théâtres du boulevard, tu auras soin que ses loges ne lui soient pas *chippées* [a], et que ses billets de spectacle lui soient remis. Je vous conseille néanmoins de vous les faire adresser chez vous, dit-il en se tournant vers Lucien. Monsieur s'engage à faire, en outre de sa critique, dix articles Variétés d'environ deux colonnes pour cinquante francs par mois pendant un an [b]. Cela vous va-t-il ?

— Oui, dit Lucien qui avait la main forcée par les circonstances.

— Mon oncle, dit Finot au caissier, tu rédigeras le traité que nous signerons en descendant.

— Qui est monsieur ? demanda Giroudeau en se levant et ôtant son bonnet de soie noire.

— Monsieur Lucien de Rubempré, l'auteur de l'article sur l'Alcade, dit Finot.

— Jeune homme, s'écria le vieux militaire en frappant sur le front de Lucien, vous avez là des mines d'or. Je ne suis pas littéraire, mais votre article, je l'ai lu, il m'a fait plaisir. Parlez-moi de cela ! Voilà de la gaieté. Aussi ai-je dit : — Ça nous amènera des abonnés ! Et il en est venu. Nous avons vendu cinquante numéros.

— Mon traité avec Étienne Lousteau est-il copié double et prêt à signer, dit Finot à son oncle.

— Oui, dit Giroudeau.

Mets à celui que je signe avec monsieur la date d'hier,

afin que Lousteau soit sous l'empire de ces conventions. Finot prit le bras de son nouveau rédacteur avec un semblant de camaraderie qui séduisit le poète, et l'entraîna dans l'escalier en lui disant : — Vous avez ainsi une position faite. Je vous présenterai moi-même à *mes* rédacteurs. Puis, ce soir, Lousteau vous fera reconnaître aux théâtres. Vous pouvez gagner cent cinquante francs par mois à notre petit journal que va diriger Lousteau; aussi tâchez de bien vivre avec lui. Déjà le drôle m'en voudra de lui avoir lié les mains en votre endroit, mais vous avez du talent, et je ne veux pas que vous soyez en butte aux caprices d'un rédacteur en chef. Entre nous, vous pouvez m'apporter jusqu'à deux feuilles par mois pour ma Revue hebdomadaire [a], je vous les payerai deux cents francs. Ne parlez de cet arrangement à personne, je serais en proie à la vengeance de tous ces amours-propres blessés de la fortune d'un nouveau venu. Faites quatre articles de vos deux feuilles, signez-en deux de votre nom et deux [b] d'un pseudonyme, afin de ne pas avoir l'air de manger le pain des autres, Vous devez votre position à Blondet et à Vignon qui vous trouvent de l'avenir. Ainsi, ne vous galvaudez pas. Surtout, défiez-vous de vos amis. Quant à nous deux, entendons-nous bien toujours. Servez-moi, je vous servirai. Vous avez pour quarante francs de loges et de billets à vendre, et pour soixante francs de livres à *laver* [1]. Ça et votre rédaction vous donneront quatre cent cinquante francs par mois. Avec de l'esprit, vous saurez trouver au moins deux cents francs en sus chez les libraires qui vous payeront des articles et des prospectus. Mais vous êtes à moi, n'est-ce pas? Je puis compter sur vous.

---

1. Sur cet emploi du mot *laver*, appliqué non plus aux livres mais aux billets de théâtre, le *Dictionnaire théâtral* de Maurice Alhoy, en 1825, donne une curieuse notice. Le mot est un terme de commerce en matière de tripot comique. Vendre des billets auxquels on a droit, c'est ce qu'on appelle les laver. Un M. Frémont, qui tient café rue Jacquelet, entreprend le lavage des billets de messieurs les Vaudevillistes. Ce « banquier » donne de très beaux dîners.

Lucien serra la main de Finot avec un transport de joie inouï.

— N'ayons pas l'air de nous être entendus, lui dit Finot à l'oreille en poussant la porte d'une mansarde au cinquième étage de la maison, et située au fond d'un long corridor.

Lucien aperçut alors Lousteau, Félicien Vernou, Hector Merlin et deux autres rédacteurs qu'il ne connaissait pas, tous réunis à une table couverte d'un tapis vert, devant un bon feu, sur des chaises ou des fauteuils, fumant ou riant. La table était chargée de papier, il s'y trouvait un véritable encrier plein d'encre, des plumes assez mauvaises, mais qui servaient aux rédacteurs. Il fut démontré au nouveau journaliste que là s'élaborait le grand œuvre.

— Messieurs, dit Finot, l'objet de la réunion est l'installation en mon lieu et place de notre cher Lousteau comme rédacteur en chef du journal que je suis obligé de quitter. Mais, quoique mes opinions subissent une transformation nécessaire pour que je puisse passer rédacteur en chef de la Revue dont les destinées vous sont connues, mes convictions sont les mêmes et nous restons amis. Je suis tout à vous, comme vous serez à moi. Les circonstances sont variables, les principes sont fixes. Les principes sont le pivot sur lequel marchent les aiguilles du baromètre politique.

Tous les rédacteurs partirent d'un éclat de rire.

— Qui t'a donné ces phrases-là ? demanda Lousteau.

— Blondet, répondit Finot.

— Vent, pluies, tempête, beau fixe, dit Merlin, nous parcourrons tout ensemble.

— Enfin, reprit Finot, ne nous embarbouillons pas dans les métaphores [a] : tous ceux qui auront quelques articles à m'apporter retrouveront Finot. Monsieur, dit-il en présentant Lucien, est des vôtres. J'ai traité avec lui, Lousteau.

Chacun complimenta Finot sur son élévation et sur ses nouvelles destinées.

— Te voilà à cheval sur nous et sur les autres, lui dit l'un des rédacteurs inconnus à Lucien [b] , tu deviens Janus...

— Pourvu qu'il ne soit pas Janot, dit Vernou.

— Tu nous laisses attaquer nos bêtes noires?

— Tout ce que vous voudrez! dit Finot.

— Ah! mais, dit Lousteau, le journal ne peut pas reculer. Monsieur Châtelet s'est fâché, nous n'allons pas le lâcher pendant une semaine.

— Que s'est-il passé? dit Lucien.

— Il est venu demander raison, dit Vernou. L'ex-beau de l'Empire a trouvé le père Giroudeau, qui, du plus beau sang-froid du monde, a montré dans Philippe Bridau l'auteur de l'article, et Philippe a demandé au baron [a] son heure et ses armes. L'affaire en est restée là. Nous sommes occupés à présenter des excuses au baron dans le numéro de demain. Chaque phrase est un coup de poignard.

— Mordez-le ferme, il viendra me trouver, dit Finot. J'aurai l'air de lui rendre service en vous apaisant, il tient au Ministère, et nous accrocherons là quelque chose, une place de professeur suppléant ou quelque bureau de tabac. Nous sommes heureux qu'il se soit piqué au jeu. Qui de vous veut faire dans mon nouveau journal un article de fond sur Nathan?

— Donnez-le à Lucien, dit Lousteau. Hector et Vernou feront des articles dans leurs journaux respectifs [1]...

— Adieu, messieurs, nous nous reverrons seul à seul chez Barbin [2], dit Finot en riant.

Lucien reçut quelques compliments sur son admission dans le corps redoutable des journalistes, et Lousteau le présenta comme un homme sur qui l'on pouvait compter.

— Lucien vous invite en masse, messieurs, à souper chez sa maîtresse, la belle Coralie.

— Coralie va au Gymnase, dit Lucien à Étienne.

---

1. On se souvient qu'Hector Merlin écrit dans un journal du centre droit (I, p. 243) qui ne peut être que le *Journal des Débats*, et que Vernou collabore à un journal libéral qui est, d'après le manuscrit, le *Courrier français*.
2. Citation plaisante du vers de Molière :
    Eh bien, nous nous verrons seul à seul chez Barbin,
dans *les Femmes savantes*, III, sc. 3.

— Eh! bien, messieurs, il est entendu que nous pousse-rons Coralie, hein ? Dans tous vos journaux, mettez quelques lignes sur son engagement et parlez de son talent [a]. Vous donnerez du tact, de l'habileté à l'administration du Gymnase, pouvons-nous lui donner de l'esprit ?

— Nous lui donnerons de l'esprit, répondit Merlin, Frédéric [1] a une pièce avec Scribe [b].

— Oh! le directeur du Gymnase est alors le plus pré-voyant et le plus perspicace des spéculateurs, dit Vernou [c].

— Ah! ça, ne faites pas vos articles sur le livre de Nathan que nous ne nous soyons concertés, vous saurez pourquoi, dit Lousteau. Nous devons être utiles à notre nouveau camarade. Lucien a deux livres à placer, un recueil de sonnets et un roman. Par la vertu de l'entre-filet! il doit être un grand poète à trois mois d'échéance [d]. Nous nous servirons de ses *Marguerites* pour rabaisser les Odes, les Ballades, les Méditations, toute la poésie romantique [2].

— Ça serait drôle si les sonnets ne valaient rien, dit Vernou. Que pensez-vous de vos sonnets, Lucien ?

— Là, comment les trouvez-vous? dit un des rédacteurs inconnus.

— Messieurs, ils sont bien, dit Lousteau, parole d'hon-neur.

— Eh bien, j'en suis content, dit Vernou, je les jetterai dans les jambes de ces poètes de sacristie qui me fatiguent [e].

---

1. Ce Frédéric, à peine dessiné d'ailleurs, s'appelait Jules dans le manuscrit et dans l'édition de 1839. Il est probable que Balzac changea ce nom parce que les lecteurs devaient être tentés de penser à Jules Janin. Le prénom de Frédéric allait au contraire leur rappeler Frédéric Dupetit-Méré, directeur de l'Odéon et auteur de pièces en collabora-tion. Il avait fait aussi pendant quelque temps du journalisme avec Le Poitevin Saint-Alme, et sa présence au journal était donc tout à fait naturelle.

2. Ici encore, Balzac ne s'aperçoit pas qu'à la fin de 1821 Victor Hugo n'avait pas encore publié ses *Odes* (1822) ni, à plus forte raison, ses *Ballades* (1826). L'équipe du petit journal, étant libérale, est hos-tile à la poésie romantique qui est, à cette date de 1820-1825, engagée dans le parti monarchique et religieux.

— Si Dauriat, ce soir, ne prend pas les Marguerites, nous lui flanquerons article sur article contre Nathan.

— Et Nathan, que dira-t-il ? s'écria Lucien.

Les cinq rédacteurs éclatèrent de rire.

— Il sera enchanté, dit Vernou. Vous verrez comment nous arrangerons les choses.

— Ainsi, monsieur est des nôtres ! dit un des deux rédacteurs que Lucien ne connaissait pas [a].

— Oui, oui, Frédéric, pas de farces. Tu vois, Lucien, dit Étienne au néophyte, comment nous agissons avec toi, tu ne reculeras pas dans l'occasion. Nous aimons tous Nathan, et nous allons l'attaquer. Maintenant partageons-nous l'empire d'Alexandre. Frédéric, veux-tu les Français et l'Odéon [1] ?

— Si ces messieurs y consentent, dit Frédéric.

— Tous inclinèrent la tête, mais Lucien vit briller des regards d'envie.

— Je garde l'Opéra, les Italiens et l'Opéra-Comique [2], dit Vernou.

— Eh ! bien, Hector prendra les théâtres de Vaudeville, dit Lousteau.

---

1. Les Français, c'est le théâtre établi dans la salle construite au Palais-Royal en 1784, et qui, en dépit de plusieurs changements de lieu, se rattache par une tradition ininterrompue aux théâtres de l'Hôtel de Bourgogne et de la troupe de Molière. La salle fut restaurée en 1822, l'année même où Lucien de Rubempré aborde le monde du théâtre. — L'Odéon, ou Second théâtre français, a été ouvert le 20 mai 1797 dans la salle du faubourg Saint-Germain. Il a déjà brûlé deux fois, le 8 mai 1799 et le 20 mars 1818 (L. Henry Lecomte, *Histoire des théâtres de Paris*, I, p. 20 et 44).

2. L'Opéra est le nom habituel de l'Académie de musique, établie à cette date dans la salle de la rue Le Peletier depuis un an. Les Italiens, c'est la troupe des chanteurs italiens de la salle Favart. Elle s'était appelée un moment l'Opéra-Comique national de la rue Favart. A l'époque où Balzac composait *Un grand homme de province à Paris*, la salle Favart était détruite par une incendie le 15 janvier 1838. — L'Opéra-Comique avait été ouvert dans la salle des Tuileries le 26 janvier 1789. En 1822, il était établi dans la salle de la rue Feydeau depuis 1791.

— Et moi, je n'ai donc pas de théâtres? s'écria l'autre rédacteur que ne connaissait pas Lucien.

— Eh! bien, Hector te laissera les Variétés, et Lucien la Porte-Saint-Martin[1], dit Étienne. Abandonne-lui la Porte-Saint-Martin, il est fou de Fanny Beaupré[2] [a], dit-il à Lucien, tu prendras le Cirque-Olympique en échange. Moi, j'aurai Bobino, les Funambules et madame Saqui[3]. Qu'avons-nous pour le journal de demain?

— Rien.

— Rien.

— Rien!

— Messieurs, soyez brillants pour mon premier numéro. Le baron Châtelet et sa seiche ne dureront pas huit jours. L'auteur du Solitaire est bien usé.

— Sosthène-Démosthène[4] n'est plus drôle, dit Vernou, tout le monde nous l'a pris.

---

1. Le théâtre des Variétés avait été ouvert au Palais-Royal par Mlle Montansier le 12 avril 1790. Depuis le 24 avril 1807, il était établi au n° 7 du boulevard Montparnasse. Sur la Porte-Saint-Martin, (voir *supra* 312, n. 3).

2. Fanny Beaupré apparaît dans *Un Début dans la Vie*, en 1842. Son nom dissimule à peine celui de la comédienne Jenny Vertpré, et c'est sous le nom de Vertpré qu'elle figurait dans les *Illusions perdues* en 1839. Née Fanny Vausgien, elle jouait aux Variétés depuis le 10 novembre 1821. Elle avait alors vingt-quatre ans. *Le Figaro* du 23 août 1826 disait d'elle : « celle-ci donne à tous ses rôles la même couleur et le même caractère de coquetterie ; elle sacrifie la vérité et le naturel à la finesse et à l'esprit ». Balzac parle de Jenny Vertpré dans une lettre de décembre 1838 (Ducourneau, p. 256).

3. Le Cirque Olympique avait été ouvert, au faubourg Saint-Honoré, en 1807, il avait été transféré au faubourg du Temple en 1817. Il brûla le 15 mars 1826 et rouvrit au 26 du boulevard du Temple en 1827. — Le nom officiel du théâtre Bobino était Théâtre du Luxembourg. Il avait été inauguré en 1816 au n° 39 de la rue Madame. — Les Funambules étaient établis depuis 1813 au n° 54 du boulevard du Temple. — Mme Saqui était danseuse de corde. Elle avait une salle à elle, les Acrobates de madame Saqui, sur l'emplacement du café d'Apollon, tout à côté des Funambules. Voir sur elle le livre que Paul Ginisty lui a consacré, *Souvenirs d'une danseuse de corde, Madame Saqui.*

4. On a vu plus haut (p. 351, n. 1) que les plaisanteries sur Sosthène-Démosthène tombaient sur le vicomte Sosthène de La Rochefoucauld.

— Oh! il nous faut de nouveaux morts, dit Frédéric.

— Messieurs, si nous prêtions des ridicules aux hommes vertueux de la Droite? Si nous disions que monsieur de Bonald pue des pieds? s'écria Lousteau.

— Commençons une série de portraits des orateurs ministériels, dit Hector Merlin.

— Fais cela, mon petit, dit Lousteau, tu les connais, ils sont de ton parti, tu pourras satisfaire quelques haines intestines. Empoigne [a] Beugnot, Syrieys de Mayrinhac [1] et autres. Les articles peuvent être prêts à l'avance, nous ne serons pas embarrassés pour le journal [b].

— Si nous inventions quelques refus de sépulture avec des circonstances plus ou moins aggravantes? dit Hector.

— N'allons pas sur les brisées des grands journaux constitutionnels qui ont leurs *cartons aux curés* pleins de *Canards* [2], répondit Vernou.

— De Canards? dit Lucien.

— Nous appelons un canard, lui répondit Hector, un fait qui a l'air d'être vrai, mais qu'on invente pour relever les Faits-Paris quand ils sont pâles. Le canard est une trouvaille de Franklin, qui a inventé le paratonnerre, le

---

1. C'était en effet une des têtes de Turc du *Figaro*. Le petit journal le présentait comme le député le plus ridicule de la Chambre, parlait de sa face plate et insignifiante, de son rire niais, de ses petits yeux de tapir. Balzac avait été frappé de cet acharnement. Syrieys, écrit-il dans la *Monographie de la presse parisienne* (1842), était très bon administrateur et homme d'esprit. Les camaillistes, c'est-à-dire les journalistes qui faisaient le compte rendu des séances de la Chambre, avaient pourtant réussi à faire croire qu'il la faisait rire par ses balourdises (O. D., III, p. 565). Syrieys de Mayrinhac était député du Lot, conseiller d'État, directeur général de l'agriculture et du commerce. La *Biographie des députés de la Chambre septennale* de Massey de Tyrone et Dentu, 1826, dont les sympathies vont à la contre-opposition, lui reproche d'être devenu ministériel et trop docile à Villèle après avoir été le zélé défenseur du clergé.

2. Au temps où il collaborait à *la Quotidienne*, Jules Janin avait inventé le Marchand de canards. C'était un nouveau type apparu dans le monde de la presse. Eugène de Mirecourt a vu l'un de ces marchands tirer de ses poches des petits papiers qu'il proposait au rédacteur en chef de *l'Estafette* pour deux francs.

canard et la république. Ce journaliste trompa si bien les
encyclopédistes par ses canards d'outre-mer que, dans
l'Histoire Philosophique des Indes, Raynal a donné deux
de ces canards pour des faits authentiques.

— Je ne savais pas cela, dit Vernou. Quels sont les deux
canards?

— L'histoire relative à l'Anglais qui vend sa libératrice,
une négresse, après l'avoir rendue mère afin d'en tirer
plus d'argent. Puis le plaidoyer sublime de la jeune fille
grosse gagnant sa cause. Quand Franklin vint à Paris, il
avoua ses canards chez Necker, à la grande confusion des
philosophes français. Et voilà comment le Nouveau-
Monde a deux fois corrompu l'ancien.

— Le journal, dit Lousteau, tient pour vrai tout ce qui
est probable. Nous partons de là.

— La justice criminelle ne procède pas autrement,
dit Vernou [a].

— Eh! bien, à ce soir, neuf heures, ici, dit Merlin.

Chacun se leva, se serra les mains, et la séance fut levée au
milieu des témoignages de la plus touchante familiarité [b].

— Qu'as-tu donc fait à Finot, dit Étienne à Lucien
en descendant, pour qu'il ait passé un marché avec toi?
Tu es le seul avec lequel il se soit lié.

— Moi, rien, il me l'a proposé, dit Lucien.

— Enfin, tu aurais avec lui des arrangements, j'en serais
enchanté, nous n'en serions que plus forts tous deux.

Au rez-de-chaussée, Étienne et Lucien trouvèrent Finot
qui prit à part Lousteau dans le cabinet ostensible de la
Rédaction.

— Signez votre traité pour que le nouveau directeur
croie la chose faite d'hier, dit Giroudeau qui présentait
à Lucien deux papiers timbrés.

En lisant ce traité, Lucien entendit entre Étienne et Finot
une discussion assez vive qui roulait sur les produits en
nature du journal [1]. Étienne voulait sa part de ces impôts

---

1. Si Balzac croyait que les « produits en nature » du journal étaient
un abus récent, il avait tort. Lorsque Thomas Corneille et Donneau

perçus par Giroudeau. Il y eut sans doute une transaction entre Finot et Lousteau, car les deux amis sortirent entièrement d'accord.

— A huit heures, aux Galeries-de-Bois, chez Dauriat, dit Étienne à Lucien.

Un jeune homme se présenta pour être rédacteur de l'air timide et inquiet qu'avait Lucien naguère. Lucien vit avec un plaisir secret Giroudeau pratiquant sur le néophyte les plaisanteries par lesquelles le vieux militaire l'avait abusé [a] ; son intérêt lui fit parfaitement comprendre la nécessité de ce manège, qui mettait des barrières presque infranchissables entre les débutants et la mansarde où pénétraient les élus.

— Il n'y a pas déjà tant d'argent pour les rédacteurs, dit-il à Giroudeau.

— Si vous étiez plus de monde, chacun de vous en aurait moins, répondit le capitaine. Et donc !

L'ancien militaire fit tourner sa canne plombée, sortit en *broum-broumant*; et parut stupéfait de voir Lucien montant dans le bel équipage qui stationnait sur les boulevards.

— Vous êtes maintenant les militaires, et nous sommes les péquins, lui dit le soldat.

RE-DAURIAT [b]

— Ma parole d'honneur, ces jeunes gens me paraissent être les meilleurs enfants du monde, dit Lucien à Coralie [c]. Me voilà journaliste avec la certitude de pouvoir gagner six cents francs par mois, en travaillant comme un cheval ;

de Visé créèrent *le Mercure galant* (1672), le contrat d'association prévoyait le partage des dons qui pouvaient leur être faits « en argent, meubles, bijoux et pensions » (A. Adam, *Histoire de la littérature française au XVIIe siècle*, t. II, p. 339).

mais je placerai mes deux ouvrages et j'en ferai d'autres, car mes amis vont m'organiser un succès ! Ainsi, je dis comme toi, Coralie : Vogue la galère.

— Tu réussiras, mon petit ; mais ne sois pas aussi bon que tu es beau, tu te perdrais. Sois méchant avec les hommes, c'est bon genre.

Coralie et Lucien allèrent se promener au bois de Boulogne, ils y rencontrèrent encore la marquise d'Espard, madame de Bargeton et le baron Châtelet. Madame de Bargeton regarda Lucien d'un air séduisant qui pouvait passer pour un salut. Camusot avait commandé le meilleur dîner du monde. Coralie, en se sachant débarrassée de lui, fut si charmante pour le pauvre marchand de soieries qu'il ne se souvint pas, durant les quatorze mois de leur liaison, de l'avoir vue si gracieuse ni si attrayante.

— Allons, se dit-il, restons avec elle, *quand même* !

Camusot proposa secrètement à Coralie une inscription de six mille livres de rente sur le Grand-Livre, que ne connaissait pas sa femme, si elle voulait rester sa maîtresse, en consentant à fermer les yeux sur ses amours avec Lucien.

— Trahir un pareil ange ?... mais regarde-le donc, pauvre magot, et regarde-toi ! dit-elle en lui montrant le poète que Camusot avait légèrement étourdi en le faisant boire.

Camusot résolut [a] d'attendre que la misère lui rendît la femme que la misère lui avait déjà livrée.

— Je ne serai donc que ton ami, dit-il en la baisant au front.

Lucien laissa Coralie et Camusot pour aller aux Galeries-de-Bois. Quel changement son initiation aux mystères du journal avait [b] produit dans son esprit ! Il se mêla sans peur à la foule qui ondoyait dans les Galeries, il eut l'air impertinent parce qu'il avait une maîtresse, il entra chez Dauriat d'un air dégagé parce qu'il était journaliste. Il y trouva grande société, il y donna la main à Blondet, à Nathan, à Finot, à toute la littérature avec laquelle il avait fraternisé depuis une semaine ; il se crut un personnage, et se flatta de surpasser ses camarades ; la petite

pointe de vin qui l'animait le servit à merveille, il fut spirituel et montra qu'il savait hurler avec les loups. Néanmoins,
Lucien ne recueillit pas les approbations tacites, muettes
ou parlées sur lesquelles il comptait, il aperçut un premier
mouvement de jalousie parmi ce monde, moins inquiet
que curieux peut-être de savoir quelle place prendrait
une supériorité nouvelle, et ce qu'elle avalerait dans le
partage général des produits de la Presse. Finot, qui trouvait en Lucien une mine à exploiter ; Lousteau, qui croyait
avoir des droits sur lui, furent les seuls que le poète vit
souriants. Lousteau, qui avait déjà pris les allures d'un
rédacteur en chef, frappa vivement aux carreaux du cabinet
de Dauriat.

— Dans un moment, mon ami, lui répondit le libraire
en levant la tête au-dessus des rideaux verts et en le reconnaissant.

Le moment dura une heure, après laquelle Lucien et son
ami entrèrent dans le sanctuaire.

— Eh ! bien, avez-vous pensé à l'affaire de notre ami ?
dit le nouveau rédacteur en chef.

— Certes, dit Dauriat en se penchant sultanesquement
dans son fauteuil. J'ai parcouru le recueil, je l'ai fait lire
à un homme de goût, à un bon juge, car je n'ai pas la prétention de m'y connaître. Moi, mon ami, j'achète la gloire
toute faite comme cet Anglais achetait l'amour. Vous êtes
aussi grand poète que vous êtes joli garçon, mon petit,
dit Dauriat. Foi d'honnête homme, je ne dis pas de libraire,
remarquez ? vos sonnets sont magnifiques, on n'y sent pas
le travail, ce qui est rare quand on a l'inspiration et de la
verve [a]. Enfin, vous savez rimer, une des qualités de la
nouvelle école. Vos Marguerites sont un beau livre, mais
ce n'est pas une affaire, et je ne peux m'occuper que de
vastes entreprises. Par conscience, je ne veux pas prendre
vos sonnets, il me serait impossible de les pousser, il n'y a
pas assez à gagner pour faire les dépenses d'un succès.
D'ailleurs vous ne continuerez pas la poésie, votre livre
est un livre isolé. Vous êtes jeune, jeune homme ! vous
m'apportez l'éternel recueil des premiers vers que font au

sortir du collège tous les gens de lettres, auquel ils tiennent tout d'abord, et dont ils se moquent plus tard. Lousteau, votre ami, doit avoir un poème caché dans ses vieilles chaussettes. N'as-tu pas un poème auquel tu as cru, Lousteau ? dit Dauriat en jetant sur Étienne un fin regard de compère.

— Eh ! comment pourrais-je écrire en prose ? dit Lousteau.

— Eh ! bien, vous le voyez, il ne m'en a jamais parlé ; mais notre ami connaît la librairie et les affaires, reprit Dauriat. Pour moi, la question, dit-il en câlinant Lucien, n'est pas de savoir si vous êtes un grand poète [a], vous avez beaucoup, mais beaucoup de mérite ; si je commençais la librairie, je commettrais la faute de vous éditer. Mais, d'abord, aujourd'hui, mes commanditaires [b] et mes bailleurs de fonds me couperaient les vivres, il suffit que j'y aie perdu vingt mille francs l'année dernière pour qu'ils ne veuillent entendre à aucune poésie, et ils sont mes maîtres. Néanmoins la question n'est pas là. J'admets que vous soyez un grand poète, serez-vous fécond ? Pondrez-vous régulièrement des sonnets ? Deviendrez-vous dix volumes ? Serez-vous une affaire ? Eh ! bien, non, vous serez un délicieux prosateur ; vous avez trop d'esprit pour le gâter par des chevilles, vous avez à gagner trente mille francs par an dans les journaux, et vous ne les troquerez pas contre trois mille francs que vous donneront très difficilement vos hémistiches, vos strophes et autres ficharades [c] !

— Vous savez, Dauriat, que monsieur est du journal, dit Lousteau.

— Oui, répondit Dauriat, j'ai lu son article ; et, dans son intérêt bien entendu, je lui refuse les Marguerites ! Oui, monsieur, je vous aurai donné [d] plus d'argent dans six mois d'ici pour les articles que j'irai vous demander que pour votre poésie invendable !

— Et la gloire ? s'écria Lucien.

Dauriat et Lousteau se mirent à rire.

— Dam ! dit Lousteau, ça conserve des illusions.

— La gloire, répondit Dauriat, c'est dix ans de persistance et une alternative de cent mille francs de perte ou de gain pour le libraire. Si vous trouvez des fous qui impriment vos poésies, dans un an d'ici vous aurez de l'estime pour moi en apprenant le résultat de leur opération.

— Vous avez là le manuscrit ? dit Lucien froidement.

— Le voici, mon ami, répondit Dauriat dont les façons avec Lucien s'étaient déjà singulièrement édulcorées.

Lucien prit le rouleau sans regarder l'état dans lequel était la ficelle, tant Dauriat avait l'air d'avoir lu les Marguerites. Il sortit avec Lousteau sans paraître ni consterné ni mécontent. Dauriat accompagna les deux amis dans la boutique en parlant de son journal et de celui de Lousteau. Lucien jouait négligemment avec le manuscrit des Marguerites.

— Tu crois que Dauriat a lu ou fait lire tes sonnets ? lui dit Étienne à l'oreille.

— Oui, dit Lucien.

— Regarde les scellés.

Lucien aperçut [a] l'encre et la ficelle dans un état de conjonction parfaite.

— Quel sonnet avez-vous le plus particulièrement remarqué ? dit Lucien au libraire en pâlissant de colère et de rage.

— Ils sont tous remarquables, mon ami, répondit Dauriat, mais celui sur la marguerite est délicieux, il se termine par une pensée fine et très délicate. Là, j'ai deviné le succès que votre prose doit obtenir. Aussi vous ai-je recommandé sur-le-champ à Finot. Faites-nous des articles, nous les payerons bien. Voyez-vous, penser à la gloire, c'est fort beau, mais n'oubliez pas le solide, et prenez tout ce qui se présentera. Quand vous serez riche, vous ferez des vers.

Le poète sortit [b] brusquement dans les Galeries pour ne pas éclater, il était furieux.

LES PREMIÈRES ARMES [a]

— Eh! bien, enfant, dit Lousteau qui le suivit, sois donc calme, accepte les hommes pour ce qu'ils sont, des moyens. Veux-tu prendre ta revanche [b]?

— A tout prix, dit le poète.

— Voici un exemplaire du livre de Nathan que Dauriat vient de me donner. La seconde édition paraît demain ; relis cet ouvrage et broche un article qui le démolisse. Félicien Vernou ne peut souffrir Nathan [1] dont le succès nuit, à ce qu'il croit, au futur succès de son ouvrage. Une des manies de ces petits esprits est d'imaginer que, sous le soleil, il n'y a pas de place pour deux succès. Aussi fera-t-il mettre [c] ton article dans le grand journal auquel il travaille.

— Mais que peut-on dire contre ce livre ? Il est beau, s'écria Lucien.

— Ha! ça, mon cher, apprends ton métier, dit en riant Lousteau. Le livre, fût-il un chef-d'œuvre, doit devenir sous ta plume une stupide niaiserie, une œuvre dangereuse et malsaine.

— Mais comment [d]?

— Tu changeras les beautés en défauts.

— Je suis incapable d'un pareil tour de force [e].

---

1. Dans le manuscrit, Balzac avait mis *Hector Merlin* au lieu de *Vernou*. Lorsqu'il eut fixé définitivement la physionomie de Vernou, journaliste libéral, et de Merlin, collaborateur des *Débats*, il devait nécessairement substituer ici Vernou à Merlin, car l'article que Lousteau improvise développe les thèmes de la critique littéraire des libéraux et ne pourrait paraître aux *Débats*. L'éloge des écrivains du XVIIIe siècle, la préférence donnée à l'esprit d'analyse et à l'examen philosophique indiquent le caractère de l'article et le parti politique du journal où il paraît.

— Mon cher, un journaliste est un acrobate, il faut t'habituer aux inconvénients de l'état. Tiens, je suis bon enfant, moi [a] ! Voici la manière de procéder en semblable occurrence. Attention, mon petit ! Tu commenceras par trouver l'œuvre belle, et tu peux t'amuser à écrire alors ce que tu en penses. Le public se dira : Ce critique est sans jalousie, il sera sans doute impartial. Dès lors le public tiendra ta critique pour consciencieuse [b]. Après avoir conquis l'estime de ton lecteur, tu regretteras d'avoir à blâmer le système dans lequel [c] de semblables livres vont faire entrer la littérature française. La France, diras-tu, ne gouverne-t-elle pas l'intelligence du monde entier ? Jusqu'aujourd'hui, de siècle en siècle, les écrivains français maintenaient l'Europe dans la voie de l'analyse, de l'examen philosophique, par la puissance du style et par la forme originale qu'ils donnaient aux idées. Ici, tu places, pour le bourgeois, un éloge de Voltaire, de Rousseau, de Diderot, de Montesquieu, de Buffon. Tu expliqueras combien en France la langue est impitoyable, tu prouveras qu'elle est un vernis étendu sur la pensée. Tu lâcheras des axiomes, comme : Un grand écrivain en France est toujours un grand homme, il est tenu par la langue à toujours penser ; il n'en est pas ainsi dans les autres pays, etc. Tu démontreras ta proposition en comparant Rabener, un moraliste satirique allemand, à La Bruyère. Il n'y a rien qui pose un critique comme de parler d'un auteur étranger inconnu. Kant est le piédestal de Cousin. Une fois sur ce terrain, tu lances un mot qui résume et explique aux niais le système de nos hommes de génie du dernier siècle, en appelant leur littérature une *littérature idée* [1]. Armé de ce mot, tu jettes tous les morts illustres à la tête des auteurs vivants [d]. Tu ex-

---

1. Cette opposition d'une littérature *idée* et d'une littérature *imagée* occupait l'esprit de Balzac à cette date. Le 10 février 1839, il écrivait à Custine : « Vous appartenez beaucoup plus à la littérature *idée* qu'à la littérature *imagée*. » (*Corresp.*, I, p. 447). En 1840, dans son grand article de *la Revue parisienne* sur la *Chartreuse*, il distingue trois écoles littéraires : l'école des images, l'école des idées et l'école éclectique.

pliques alors que de nos jours il se produit une nouvelle littérature où l'on abuse du dialogue (la plus facile des formes littéraires), et des descriptions qui dispensent de penser. Tu opposeras les romans de Voltaire, de Diderot, de Sterne, de Lesage, si substantiels, si incisifs, au roman moderne où tout se traduit par des images, et que Walter Scott a beaucoup trop *dramatisé*. Dans un pareil genre, il n'y a place que pour l'inventeur. Le roman à la Walter Scott est un genre et non un système, diras-tu. Tu foudroieras ce genre funeste [a] où l'on délaie les idées, où elles sont passées au laminoir, genre accessible à tous les esprits, genre où chacun peut devenir auteur à bon marché, genre que tu nommeras enfin la *littérature imagée*. Tu feras tomber cette argumentation sur Nathan, en démontrant qu'il est un imitateur et n'a que l'apparence du talent. Le grand style serré du dix-huitième siècle manque à son livre, tu prouveras que l'auteur y a substitué les événements aux sentiments. Le mouvement n'est pas la vie, le tableau n'est pas l'idée ! Lâche de ces sentences-là, le public les répète. Malgré le mérite de cette œuvre, elle te paraît alors fatale et dangereuse, elle ouvre les portes du Temple de la Gloire à la foule, et tu feras apercevoir dans le lointain une armée de petits auteurs empressés d'imiter cette forme si facile. Ici tu pourras te livrer dès lors à de tonnantes lamentations sur la décadence du goût, et tu glisseras l'éloge de Messieurs Étienne, Jouy, Tissot, Gosse, Duval, Jay, Benjamin Constant, Aignan, Baour-Lormian, Villemain [1], les coryphées

---

1. Ces noms sont en effet ceux d'hommes de lettres alors célèbres et plus ou moins attachés au parti libéral. Les plus engagés sont Étienne et Tissot, Jay et Jouy. Aignan, mort en 1824, faisait plutôt figure de modéré. Alexandre Duval était le chef du camp des classiques en matière de théâtre et voulait mal mort au baron Taylor et à son ami Nodier (Hipp. Lucas, *Portraits et souvenirs littéraires*, p. 32. Lady Morgan, *la France en* 1829-1830, I, p. 459). Villemain, sous la Restauration, pouvait passer pour libéral. Il devait sa fortune à Decazes, et Villèle l'avait révoqué de ses fonctions de professeur. On s'étonne davantage de voir que Balzac range Baour-Lormian parmi les libéraux. Par une habileté qui annonce curieusement celle de

du parti libéral napoléonien, sous la protection desquels se trouve le journal de Vernou. Tu montreras cette glorieuse phalange résistant à l'invasion des romantiques, tenant pour l'idée et le style contre l'image et le bavardage, continuant l'école voltairienne et s'opposant à l'école anglaise et allemande, de même que les dix-sept orateurs de la Gauche combattent pour la nation contre les Ultras de la Droite. Protégé par ces noms révérés de l'immense majorité des Français qui seront toujours pour l'Opposition de la Gauche, tu peux écraser Nathan dont l'ouvrage, quoique renfermant des beautés supérieures, donne en France droit de bourgeoisie à une littérature sans idées. Dès lors, il ne s'agit plus de Nathan ni de son livre, comprends-tu ? mais de la gloire de la France. Le devoir des plumes honnêtes et courageuses est de s'opposer vivement à ces importations étrangères. Là, tu flattes l'abonné [a]. Selon toi, la France est une fine commère, il n'est pas facile de la surprendre. Si le libraire a, par des raisons dans lesquelles tu ne veux pas entrer, escamoté un succès, le vrai public a bientôt fait justice des erreurs causées par les cinq cents niais qui composent son avant-garde. Tu diras qu'après avoir eu le bonheur de vendre une édition de ce livre, le libraire est bien audacieux d'en faire une seconde, et tu regretteras qu'un si habile éditeur connaisse si peu les instincts du pays. Voilà tes masses. Saupoudre-moi d'esprit ces raisonnements, relève-les par un petit filet de vinaigre, et Dauriat est frit dans la poêle aux articles. Mais n'oublie pas de terminer en ayant l'air de plaindre dans Nathan l'erreur d'un homme à qui, s'il quitte cette voie, la littérature contemporaine devra de belles œuvres [b].

Lucien fut stupéfait en entendant parler Lousteau :

Paul Claudel, il avait adressé successivement les mêmes vers à Napoléon en 1804 et à Charles X pour son sacre. Il venait d'écrire *le Retour à la religion* (1825) qui lui avait valu une tabatière de 8.000 francs envoyée par le roi. Mais il était très vif contre les romantiques de *la Muse française*, vers 1825-1826, et voilà pourquoi Balzac l'associe aux écrivains du parti classique et libéral.

à la parole du journaliste, il lui tombait des écailles des yeux, il découvrait des vérités littéraires qu'il n'avait même pas soupçonnées.

— Mais ce que tu me dis, s'écria-t-il, est plein de raison et de justesse.

— Sans cela, pourrais-tu battre en brèche le livre de Nathan? dit Lousteau. Voilà, mon petit, une première forme d'article qu'on emploie pour démolir un ouvrage. C'est le pic du critique. Mais il y a bien d'autres formules! ton éducation se fera. Quand tu seras obligé de parler absolument d'un homme que tu n'aimeras pas, quelquefois les propriétaires, les rédacteurs en chef d'un journal ont la main forcée, tu déploieras les négations de ce que nous appelons l'article de fonds. On met en tête de l'article, le titre du livre dont on veut que vous vous occupiez; on commence par des considérations générales dans lesquelles on peut parler des Grecs et des Romains, puis on dit à la fin : Ces considérations nous ramènent au livre de monsieur un tel, qui sera la matière d'un second article. Et le second article ne paraît jamais. On étouffe ainsi le livre entre deux promesses. Ici, tu ne fais pas un article contre Nathan, mais contre Dauriat; il faut un coup de pic. Sur un bel ouvrage, le pic n'entame rien, et il entre dans un mauvais livre jusqu'au cœur : au premier cas, il ne blesse que le libraire; et dans le second, il rend service au public. Ces formes de critique littéraire s'emploient également dans la critique politique.

La cruelle leçon d'Étienne ouvrait des cases dans l'imagination de Lucien qui comprit admirablement ce métier [a].

— Allons au journal, dit Lousteau, nous y trouverons nos amis, et nous conviendrons d'une charge à fond de train contre Nathan, et ça les fera rire, tu verras [b].

Arrivés rue Saint-Fiacre, ils montèrent ensemble à la mansarde où se faisait le journal, et Lucien fut aussi surpris que ravi de voir l'espèce de joie avec laquelle ses camarades convinrent de démolir le livre de Nathan. Hector Merlin prit un carré de papier, et il écrivit ces lignes qu'il alla porter à son journal.

On annonce une seconde édition du livre de monsieur Nathan. Nous comptions garder le silence sur cet ouvrage, mais cette apparence du succès nous oblige à publier un article, moins sur l'œuvre que sur la tendance de la jeune littérature.

En tête des plaisanteries pour le numéro du lendemain, Lousteau mit cette phrase :

** *Le libraire Dauriat publie une seconde édition du livre de monsieur Nathan ? Il ne connaît donc pas le proverbe du Palais :* NON BIS IN IDEM. *Honneur au courage malheureux !* [a]

Les paroles d'Étienne [b] avaient été comme un flambeau pour Lucien, à qui le désir de se venger de Dauriat tint lieu de conscience et d'inspiration. Trois jours après, pendant lesquels il ne sortit pas de la chambre de Coralie où il travaillait au coin du feu, servi par Bérénice, et caressé dans ses moments de lassitude par l'attentive et silencieuse Coralie, Lucien mit au net un article critique, d'environ trois colonnes, où il s'était élevé à une hauteur surprenante. Il courut au journal, il était neuf heures du soir, il y trouva les rédacteurs et leur lut son travail. Il fut écouté sérieusement. Félicien ne dit pas un mot, il prit le manuscrit et dégringola les escaliers.

— Que lui prend-il ? s'écria Lucien.

— Il porte ton article à l'imprimerie ! dit Hector Merlin, c'est un chef-d'œuvre où il n'y a ni un mot à retrancher, ni une ligne à ajouter.

— Il ne faut que te montrer le chemin ! dit Lousteau.

— Je voudrais voir la mine que fera Nathan demain en lisant cela, dit un autre rédacteur sur la figure duquel éclatait une douce satisfaction.

— Il faut être votre ami, dit Hector Merlin.

— C'est donc bien ? demanda vivement Lucien.

— Blondet et Vignon s'en trouveront mal, dit Lousteau.

— Voici, reprit Lucien, un petit article que j'ai broché pour vous, et qui peut, en cas de succès, fournir une série de compositions semblables.

— Lisez-nous cela, dit Lousteau.

Lucien leur lut alors un de ces délicieux articles qui firent la fortune de ce petit journal, et où en deux colonnes il peignait un des menus détails de la vie parisienne, une figure, un type, un événement normal, ou quelques singularités. Cet échantillon, intitulé : *Les passants de Paris*, était écrit dans cette manière neuve et originale où la pensée résultait du choc des mots, où le cliquetis des adverbes et des adjectifs réveillait l'attention. Cet article était aussi différent de l'article grave et profond sur Nathan, que les Lettres Persanes diffèrent de l'Esprit des Lois.

— Tu es né journaliste, lui dit Lousteau. Cela passera demain, fais-en tant que tu voudras.

— Ah ça, dit Merlin, Dauriat est furieux des deux obus que nous avons lancés dans son magasin. Je viens de chez lui; il fulminait des imprécations, il s'emportait contre Finot qui lui disait t'avoir vendu son journal. Moi, je l'ai pris à part, et je lui ai coulé ces mots dans l'oreille : Les Marguerites vous coûteront cher ! Il vous arrive un homme de talent, et vous l'envoyez promener quand nous l'accueillons à bras ouverts.

— Dauriat sera foudroyé par l'article que nous venons d'entendre, dit Lousteau à Lucien. Tu vois [a], mon enfant, ce qu'est le journal ? Mais ta vengeance marche ! Le baron Châtelet est venu demander ce matin ton adresse, il y a eu ce matin un article sanglant contre lui, l'ex-beau a une tête faible, il est au désespoir. Tu n'as pas lu le journal ? l'article est drôle. Vois ? *Convoi du Héron pleuré par la Seiche.* Madame de Bargeton est décidément appelée l'*os de Seiche* dans le monde et Châtelet n'est plus nommé que le *baron Héron.*

Lucien prit le journal et ne put s'empêcher de rire en lisant ce petit chef-d'œuvre de plaisanterie dû à Vernou.

— Ils vont capituler, dit Hector Merlin.

Lucien participa joyeusement à quelques-uns des bons mots et des traits avec lesquels on terminait le journal, en causant et fumant, en racontant les aventures de la journée, les ridicules des camarades ou quelques nouveaux détails sur leur caractère. Cette conversation éminemment moqueuse, spirituelle, méchante, mit Lucien au courant des mœurs et du personnel de la littérature.

— Pendant que l'on compose le journal, dit Lousteau, je vais aller faire un tour avec toi, te présenter à tous les contrôles et à toutes les coulisses des théâtres où tu as tes entrées ; puis nous irons retrouver Florine et Coralie au Panorama-Dramatique où nous *folichonnerons* avec elles dans les loges.

Tous deux donc, bras dessus bras dessous, ils allèrent de théâtre en théâtre, où Lucien fut intronisé comme rédacteur, complimenté par les directeurs, lorgné par les actrices qui tous avaient su l'importance qu'un seul article de lui venait de donner à Coralie et à Florine, engagées, l'une au Gymnase à douze mille francs par an, et l'autre à huit mille francs au Panorama. Ce fut autant de petites ovations qui grandirent Lucien à ses propres yeux, et lui donnèrent la mesure de sa puissance. A onze heures, les deux amis arrivèrent au Panorama-Dramatique où Lucien eut un air dégagé qui fit merveille. Nathan y était. Nathan tendit la main à Lucien qui la prit et la serra.

— Ah ça, mes maîtres, dit-il en regardant Lucien et Lousteau, vous voulez donc m'enterrer ?

— Attends donc à demain, mon cher, tu verras comment Lucien t'a empoigné ! Parole d'honneur, tu seras content. Quand la critique est aussi sérieuse que celle-là, un livre y gagne.

Lucien était rouge de honte.

— Est-ce dur ? demanda Nathan.

— C'est grave, dit Lousteau.

— Il n'y aura donc pas de mal ? reprit Nathan. Hector Merlin disait au foyer du Vaudeville que j'étais échiné [a].

— Laissez-le dire, et attendez, s'écria Lucien qui se sauva dans la loge de Coralie en suivant l'actrice au moment où elle quittait la scène dans son attrayant costume.

LE LIBRAIRE CHEZ L'AUTEUR[a]

Le lendemain, au moment où Lucien déjeunait avec Coralie, il entendit [b] un cabriolet dont le bruit net dans sa rue assez solitaire annonçait une élégante voiture, et dont le cheval avait cette allure déliée et cette manière d'arrêter qui trahit la race pure. De sa fenêtre, Lucien aperçut en effet le magnifique cheval anglais de Dauriat, et Dauriat qui tendait les guides à son groom avant de descendre [1].

— C'est le libraire, cria Lucien à sa maîtresse.

— Faites attendre, dit aussitôt Coralie à Bérénice.

Lucien sourit de l'aplomb de cette jeune fille qui s'identifiait si admirablement à ses intérêts, et revint l'embrasser avec une effusion vraie : elle avait eu de l'esprit. La promptitude de l'impertinent libraire, l'abaissement subit de ce prince des charlatans tenait à des circonstances presque entièrement oubliées, tant le commerce de la librairie s'est violemment transformé depuis quinze ans. De 1816 à 1827 [c], époque à laquelle les cabinets littéraires, d'abord établis pour la lecture des journaux, entreprirent de donner à lire les livres nouveaux moyennant une rétribution, et où l'aggravation des lois fiscales sur la presse périodique fit créer l'Annonce [2], la librairie

---

1. Aussi bien Renduel que Ladvocat étaient célèbres pour la beauté de leur cabriolet. Gautier appelait Renduel « l'homme au cabriolet d'ébène et d'acier » (Ad. Jullien, *le Romantisme et l'éditeur Renduel*, p. 231). Ladvocat se promenait dans un cabriolet à ses armes : deux ancres, et, pour devise, *Aidez-moi*.

2. Dans son livre *De la librairie française*, Werdet nous renseigne sur l'origine des annonces payantes de la presse. Le système était déjà pratiqué en Angleterre lorsqu'il fut tenté en France, en 1827 seulement, dans *l'Aristarque* d'Alexandre Baudouin. C'est ensuite qu'il fut repris sur une grande échelle. Comme Werdet, Balzac place en 1827 les débuts de l'annonce payante, mais il décrit surtout la situation avant cette date et explique l'importance qu'avait alors la critique.

n'avait pas d'autres moyens de publication que les articles insérés ou dans les feuilletons ou dans le corps des journaux. Jusqu'en 1822, les journaux français paraissaient en feuilles d'une si médiocre étendue, que les grands journaux dépassaient à peine les dimensions des petits journaux d'aujourd'hui. Pour résister à la tyrannie des journalistes, Dauriat et Ladvocat, les premiers, inventèrent ces affiches par lesquelles ils captèrent l'attention de Paris [a], en y déployant des caractères de fantaisie, des coloriages bizarres, des vignettes, et plus tard des lithographies qui firent de l'affiche un poème pour les yeux et souvent une déception pour la bourse des amateurs. Les affiches devinrent si originales qu'un de ces maniaques appelés *collectionneurs* possède un recueil complet des affiches parisiennes. Ce moyen d'annonce, d'abord restreint aux vitres des boutiques et aux étalages des boulevards, mais plus tard étendu à la France entière, fut abandonné pour l'Annonce. Néanmoins l'affiche, qui frappe encore les yeux quand l'annonce et souvent l'œuvre sont oubliées, subsistera toujours, surtout depuis qu'on a trouvé le moyen de la peindre sur les murs. L'annonce, accessible à tous moyennant finance, et qui a converti la quatrième page des journaux en un champ aussi fertile pour le fisc que pour les spéculateurs, naquit sous les rigueurs [b] du timbre, de la poste et des cautionnements. Ces restrictions inventées du temps de monsieur de Villèle [c], qui aurait pu tuer alors les journaux en les vulgarisant, créèrent au contraire des espèces de privilèges [d] en rendant la fondation d'un journal presque impossible [1]. En

---

1. Cette critique de la politique du cautionnement n'est pas propre à Balzac. On la retrouve exactement dans *les Guêpes* d'Alphonse Karr en novembre 1839. La Restauration, dit Karr, s'est montrée sur ce point bien malhabile. Le cautionnement a créé des privilèges. S'il a rendu beaucoup de journaux impossibles, il a donné une immense puissance à ceux qui survivaient. Les conditions fiscales imposées par Villèle à la presse l'ont retirée des mains des écrivains pour la mettre entre les mains des spéculateurs et des entrepreneurs, bien plus dangereux pour le gouvernement.

1821, les journaux avaient donc droit de vie et de mort
sur les conceptions de la pensée et sur les entreprises
de la librairie. Une annonce de quelques lignes insérée
aux Faits-Paris se payait horriblement cher. Les intrigues
étaient si multipliées au sein des bureaux de rédaction,
et le soir sur le champ de bataille des imprimeries, à l'heure
où la *mise en page* décidait de l'admission ou du rejet de
tel ou tel article, que les fortes maisons de librairie avaient
à leur solde un homme de lettres pour rédiger ces petits
articles où il fallait faire entrer beaucoup d'idées en peu de
mots. Ces journalistes obscurs, payés seulement après
l'insertion, restaient souvent pendant la nuit aux imprimeries pour voir mettre sous presse, soit les grands articles
obtenus, Dieu sait comme! soit ces quelques lignes qui
prirent depuis le nom de *réclames*. Aujourd'hui, les mœurs
de la littérature et de la librairie ont si fort changé, que
beaucoup de gens traiteraient de fables les immenses efforts,
les séductions, les lâchetés, les intrigues que la nécessité
d'obtenir ces réclames inspirait aux libraires, aux auteurs,
aux martyrs de la gloire, à tous les forçats condamnés
au succès à perpétuité. Dîners, cajoleries, présents, tout
était mis en usage auprès des journalistes. L'anecdote
suivante expliquera mieux que toutes les assertions
l'étroite alliance de la critique et de la librairie.

Un homme de haut style et visant à devenir homme
d'État, dans ce temps-là jeune, galant et rédacteur d'un
grand journal, devint le bien-aimé d'une fameuse maison de librairie [a]. Un jour, un dimanche, à la campagne
où l'opulent librairie fêtait les principaux rédacteurs des
journaux, la maîtresse de la maison, alors jeune et jolie,
emmena dans son parc l'illustre écrivain [b]. Le premier
commis, Allemand froid, grave et méthodique, ne pensant qu'aux affaires, se promenait un feuilletoniste sous
le bras, en causant d'une entreprise sur laquelle il le con-
sultait; la causerie les mène hors du parc, ils atteignent
les bois. Au fond d'un fourré, l'Allemand voit quelque
chose qui ressemble à sa patronne; il prend son lorgnon,
fait signe au jeune rédacteur de se taire, de s'en aller,

et retourne lui-même avec précaution sur ses pas. —
Qu'avez-vous vu? lui demanda l'écrivain. — Presque
rien, répondit-il. Notre grand article passe. Demain nous
aurons au moins trois colonnes aux Débats.

Un autre fait expliquera cette puissance des articles.
Un livre de monsieur de Chateaubriand sur le dernier
des Stuarts était dans un magasin à l'état de rossignol [1]. Un
seul article écrit par un jeune homme dans le Journal des
Débats fit vendre ce livre en une semaine. Par un temps,
où, pour lire un livre, il fallait l'acheter et non le louer,
on débitait dix mille exemplaires de certains ouvrages
libéraux, vantés par toutes les feuilles de l'Opposition;
mais aussi la contre-façon [a] belge n'existait pas encore.
Les attaques préparatoires des amis de Lucien et son article
avaient la vertu d'arrêter la vente du livre de Nathan.
Nathan ne souffrait que dans son amour-propre, il n'avait
rien à perdre, il était payé; mais Dauriat pouvait perdre
trente mille francs. En effet le commerce de la librairie
dite de *nouveautés* se résume dans ce théorème commercial :
une rame de papier blanc vaut quinze francs, imprimée
elle vaut, selon le succès, ou cent sous ou cent écus. Un
article pour ou contre, dans ce temps-là, décidait souvent
cette question financière. Dauriat, qui avait cinq cents
rames à vendre, accourait donc pour capituler avec Lucien.
De Sultan, le libraire devenait esclave. Après avoir attendu
pendant quelque temps en murmurant, en faisant le plus
de bruit possible et parlementant avec Bérénice, il obtint
de parler à Lucien [b]. Ce fier libraire prit l'air riant des
courtisans quand ils entrent à la cour, mais mêlé de suffi-
sance et de bonhomie.

— Ne vous dérangez pas, mes chers amours ! dit-il.
Sont-ils gentils, ces deux tourtereaux ! vous me faites
l'effet de deux colombes ! Qui dirait, mademoiselle, que

---

1. Il semble qu'il faille penser au volume *Mélanges et Poésies* publié
par Chateaubriand chez A. Dupont en 1828. Il contenait entre autres
œuvres inédites une étude intitulée *les Quatre Stuarts*.

cet homme, qui a l'air d'une jeune fille, est un tigre à griffes d'acier qui vous déchire une réputation comme il doit déchirer vos peignoirs quand vous tardez à les ôter. Et il se mit à rire sans achever sa plaisanterie. Mon petit, dit-il en continuant et s'asseyant auprès de Lucien... Mademoiselle, je suis Dauriat, dit-il en s'interrompant.

Le libraire jugea nécessaire de lâcher le coup de pistolet de son nom, en ne se trouvant pas assez bien reçu par Coralie [a].

— Monsieur, avez-vous déjeuné, voulez-vous nous tenir compagnie ? dit l'actrice.

— Mais oui, nous causerons mieux à table, répondit Dauriat. D'ailleurs, en acceptant votre déjeuner, j'aurai le droit de vous avoir à dîner avec mon ami Lucien, car nous devons maintenant être amis comme le gant et la main [b].

— Bérénice ! des huîtres, des citrons, du beurre frais, et du vin de Champagne, dit Coralie.

— Vous êtes homme de trop d'esprit pour ne pas savoir ce qui m'amène, dit Dauriat en regardant Lucien.

— Vous venez acheter mon recueil de sonnets ?

— Précisément, répondit Dauriat. Avant tout, déposons les armes de part et d'autre.

Il tira de sa poche un élégant portefeuille, prit trois billets de mille francs [c], les mit sur une assiette, et les offrit à Lucien d'un air courtisanesque en lui disant : — Monsieur est-il content ?

— Oui, dit le poète qui se sentit inondé par une béatitude inconnue à l'aspect de cette somme inespérée.

Lucien se contint, mais il avait envie de chanter, de sauter, il croyait à la Lampe Merveilleuse, aux Enchanteurs ; il croyait enfin à son génie.

— Ainsi, les Marguerites sont à moi ? dit le libraire. Mais vous n'attaquerez jamais aucune de mes publications.

— Les Marguerites sont à vous, mais je ne puis engager ma plume, elle est à mes amis, comme la leur est à moi [d].

— Mais, enfin, vous devenez un de mes auteurs. Tous mes auteurs sont mes amis. Ainsi vous ne nuirez pas à mes affaires sans que je sois averti des attaques afin que je puisse les prévenir.

— D'accord.

— A votre gloire ! dit Dauriat en haussant son verre.

— Je vois bien que vous avez lu les Marguerites, dit Lucien.

Dauriat ne se déconcerta pas.

— Mon petit, acheter les Marguerites sans les connaître est la plus belle flatterie que puisse se permettre un libraire. Dans six mois, vous serez un grand poète ; vous aurez des articles, on vous craint, je n'aurai rien à faire pour vendre votre livre. Je suis aujourd'hui le même négociant d'il y a quatre jours. Ce n'est pas moi qui ai changé ; mais vous [a] : la semaine dernière, vos sonnets étaient pour moi comme des feuilles de choux, aujourd'hui votre position en a fait des Messéniennes [1].

— Eh ! bien, dit Lucien que le plaisir sultanesque d'avoir une belle maîtresse et que la certitude de son succès rendait railleur et adorablement impertinent, si vous n'avez pas lu mes sonnets, vous avez lu mon article.

— Oui, mon ami, sans cela serais-je venu si promptement ? Il est malheureusement très beau, ce terrible article. Ah ! vous avez un immense talent, mon petit. Croyez-moi, profitez de la vogue, dit-il avec une bonhomie qui cachait la profonde impertinence du mot. Mais avez-vous reçu le journal, l'avez-vous lu ?

— Pas encore, dit Lucien, et cependant voilà la première fois que je publie un grand morceau de prose ; mais Hector l'aura fait adresser chez moi, rue Charlot.

— Tiens, lis, dit Dauriat en imitant Talma dans Manlius [2].

Lucien prit la feuille que Coralie lui arracha.

---

1. Les *Messéniennes* de Delavigne avaient paru en 1818-1819.

2. Le *Manlius* de La Fosse, créé en 1698, restait au répertoire. Talma le préférait aux tragédies de Corneille. Le 29 janvier 1816, Delacroix annonçait à son ami Achille Piron une représentation de *Manlius* et parlait de la pièce avec un juvénile enthousiasme (*Lettres intimes*, p. p. Alfred Dupont, p. 40).

— A moi les prémices de votre plume, vous savez bien. dit-elle en riant [a].

Dauriat fut étrangement flatteur et courtisan, il craignait Lucien, il l'invita donc avec Coralie à un grand dîner qu'il donnait aux journalistes vers la fin de la semaine. Il emporta le manuscrit des Marguerites en disant à *son* poète de passer quand il lui plairait aux Galeries-de-Bois pour signer le traité qu'il tiendrait prêt. Toujours fidèle aux façons royales par lesquelles il essayait d'en imposer aux gens superficiels, et de passer plutôt pour un Mécène que pour un libraire, il laissa les trois mille francs sans en prendre de reçu, refusa la quittance offerte par Lucien en faisant un geste de nonchalance, et partit en baisant la main de Coralie. [b]

— Eh! bien, mon amour, aurais-tu vu beaucoup de ces chiffons-là, si tu étais resté dans ton trou de la rue de Cluny à marauder dans tes bouquins de la bibliothèque Sainte-Geneviève ? dit Coralie à Lucien qui lui avait raconté toute son existence. Tiens, tes petits amis de la rue des Quatre-Vents me font l'effet d'être de grands *Jobards* !

Ses frères du Cénacle étaient des Jobards ! et Lucien entendit cet arrêt en riant. Il avait lu son article imprimé, il venait de goûter cette ineffable joie des auteurs, ce premier plaisir d'amour-propre qui ne caresse l'esprit qu'une seule fois. En lisant et relisant son article, il en sentait mieux la portée et l'étendue. L'impression est aux manuscrits ce que le théâtre est aux femmes, elle met en lumière les beautés et les défauts; elle tue aussi bien qu'elle fait vivre : une faute saute alors aux yeux aussi vivement que les belles pensées. Lucien enivré ne songeait plus à Nathan, Nathan était son marche-pied, il nageait dans la joie, il se voyait riche. Pour un enfant qui naguère descendait modestement les rampes de Beaulieu à Angoulême, revenait à l'Houmeau dans le grenier de Postel où toute la famille vivait avec douze cents francs par an, la somme apportée par Dauriat était le Potose. Un souvenir, bien vif encore, mais que les continuelles jouissances de la vie parisienne devaient éteindre, le ramena sur la place du

Mûrier. Il se rappela sa belle, sa noble sœur Ève, son David et sa pauvre mère; aussitôt il envoya Bérénice changer un billet, et pendant ce temps il écrivit une petite lettre à sa famille; puis il dépêcha Bérénice aux Messageries en craignant de ne pouvoir, s'il tardait, donner les cinq cents francs qu'il adressait à sa mère. Pour lui, pour Coralie, cette restitution paraissait être une bonne action. L'actrice embrassa Lucien, elle le trouva le modèle des fils et des frères, elle le combla de caresses, car ces sortes de traits enchantent ces bonnes filles qui toutes ont le cœur sur la main.

— Nous avons maintenant, lui dit-elle, un dîner tous les jours pendant une semaine, nous allons faire un petit carnaval, tu as bien assez travaillé.

Coralie, en femme qui voulait jouir de la beauté d'un homme que toutes les femmes allaient lui envier, le ramena chez Staub [a], elle ne trouvait pas Lucien assez bien habillé. De là, les deux amants allèrent au bois de Boulogne, et revinrent dîner chez madame du Val-Noble où Lucien trouva Rastignac, Bixiou, des Lupeaulx, Finot, Blondet, Vignon, le baron de Nucingen, Beaudenord, Philippe Bridau [b], Conti le grand musicien, tout le monde des artistes, des spéculateurs, des gens qui veulent opposer de grandes émotions à de grands travaux, et qui tous accueillirent Lucien à merveille. Lucien, sûr de lui, déploya son esprit comme s'il n'en faisait pas commerce, et fut proclamé *homme fort*, éloge alors à la mode entre ces demi-camarades.

— Oh! il faudra voir ce qu'il a dans le ventre, dit Théodore Gaillard à l'un des poètes protégés par la cour qui songeait à fonder un petit journal royaliste appelé plus tard le RÉVEIL [1].

_____

1. Il y eut en effet un *Réveil, journal des sciences, de la littérature, des mœurs, théâtres et beaux-arts*, qui parut du 1er août 1822 au 30 mars 1823. Quant au personnage de Théodore Gaillard, on notera ici pour mémoire qu'Hippolyte Auger a raconté dans ses souvenirs le projet d'un journal royaliste mis sur pied par Auguste Maillard, chef de bureau au ministère de la Maison du roi. Le projet de ce Maillard ressemble étrangement à celui de Théodore Gaillard, tel que Balzac l'exposera plus loin. Il s'agissait de fonder une feuille qui combattrait

Après le dîner, les deux journalistes accompagnèrent leurs maîtresses à l'Opéra, où Merlin avait une loge, et où toute la compagnie se rendit. Ainsi Lucien reparut triomphant là où, quelques mois auparavant, il était lourdement tombé. Il se produisit au foyer donnant le bras à Merlin et à Blondet, regardant en face les dandies qui naguère l'avaient mystifié. Il tenait Châtelet sous ses pieds ! De Marsay, Vandenesse, Manerville [a], les lions de cette époque, échangèrent alors quelques airs insolents avec lui. Certes, il avait été question du beau, de l'élégant Lucien dans la loge de madame d'Espard, où Rastignac fit une longue visite, car la marquise et madame de Bargeton lorgnèrent Coralie. Lucien excitait-il un regret dans le cœur de Madame de Bargeton ? Cette pensée préoccupa le poète : en voyant la Corinne d'Angoulême, un désir de vengeance agitait son cœur comme au jour où il avait essuyé le mépris de cette femme et de sa cousine aux Champs-Élysées.

ÉTUDE SUR L'ART
DE CHANTER LA PALINODIE [b]

— Êtes-vous venu de votre province avec une amulette ? dit Blondet à Lucien en entrant quelques jours [c] après vers onze heures chez Lucien qui n'était pas encore levé.

---

la presse libérale avec les mêmes vivacités et les mêmes moyens, « d'opposer le journalisme au journalisme » ; il fallait « que de nouveaux journaux, faits par des hommes nouveaux, fussent lancés aux jambes des vieux mâtins de la meute ». Ces propos étaient tenus par Maillard à Auger, lequel a pu les rapporter à Balzac. Ils éclairent en tout cas le projet de création du *Réveil* dans le roman. Pour le nom et le prénom de ce personnage, il est clair que Balzac a pensé à Théodore Maillard, auteur de vaudevilles dont plusieurs furent joués à la Salle des jeux gymniques en 1810-1812. Mais qui sait s'il ne pensait pas aussi à Théodore Muret, auteur royaliste, qui était, au dire de Werdet, une de ses bêtes noires ?

Sa beauté, dit-il en montrant Lucien à Coralie qu'il baisa au front [a], fait des ravages depuis la cave jusqu'au grenier, en haut, en bas. Je viens vous mettre en réquisition, mon cher, dit-il en serrant la main au poète, hier, aux Italiens, madame la comtesse de Montcornet a voulu que je vous présentasse chez elle. Vous ne refuserez pas une femme charmante, jeune, et chez qui vous trouverez l'élite du beau monde ?

— Si Lucien est gentil, dit Coralie, il n'ira pas chez votre comtesse. Qu'a-t-il besoin de traîner sa cravate dans le monde ? il s'y ennuierait [b].

— Voulez-vous le tenir en charte-privée ? dit Blondet. Êtes-vous jalouse des femmes comme il faut ?

— Oui, s'écria Coralie, elles sont pires que nous.

— Comment le sais-tu, ma petite chatte ? dit Blondet.

— Par leurs maris, répondit-elle. Vous oubliez que j'ai eu de Marsay pendant six mois [c].

— Croyez-vous, mon enfant, dit Blondet, que je tienne beaucoup à introduire chez madame de Montcornet un homme aussi beau que le vôtre ? Si vous vous y opposez, prenons que je n'ai rien dit. Mais il s'agit moins, je crois, de femme, que d'obtenir paix et miséricorde de Lucien à propos d'un pauvre diable, le plastron de son journal. Le baron Châtelet a la sottise de prendre des articles au sérieux. La marquise d'Espard, madame de Bargeton et le salon de la comtesse de Montcornet s'intéressent au Héron, et j'ai promis de réconcilier Laure et Pétrarque, madame de Bargeton et Lucien.

— Ah ! s'écria Lucien dont toutes les veines reçurent un sang plus frais et qui sentit l'enivrante jouissance de la vengeance satisfaite, j'ai donc le pied sur leur ventre ! Vous me faites adorer ma plume, adorer mes amis, adorer la fatale puissance de la Presse. Je n'ai pas encore fait d'article sur la Seiche et le Héron. J'irai, mon petit, dit-il en prenant Blondet par la taille, oui, j'irai, mais quand ce couple aura senti le poids de cette chose si légère ! Il prit la plume avec laquelle il avait écrit l'article sur Nathan et la brandit. Demain je leur lance deux petites

colonnes à la tête. Après, nous verrons. Ne t'inquiète
de rien, Coralie : il ne s'agit pas d'amour, mais de vengeance,
et je la veux complète.

— Voilà un homme ! dit Blondet. Si tu savais, Lucien,
combien il est rare de trouver une explosion semblable
dans le monde blasé de Paris, tu pourrais t'apprécier.
Tu seras un fier drôle, dit-il en se servant d'une expression un peu plus énergique, tu es dans la voie qui mène
au pouvoir.

— Il arrivera, dit Coralie.

— Mais il a déjà fait bien du chemin en six semaines [a].

— Et quand il ne sera séparé de quelque sceptre que
par l'épaisseur d'un cadavre, il pourra se faire un marchepied du corps de Coralie.

— Vous vous aimez comme au temps de l'âge d'or,
dit Blondet. Je te fais mon compliment sur ton grand
article [1] [b], reprit-il en regardant Lucien, il est plein de
choses neuves. Te voilà passé maître.

Lousteau vint avec Hector Merlin et Vernou voir
Lucien, qui fut prodigieusement flatté d'être l'objet de
leurs attentions. Félicien apportait cent francs à Lucien
pour le prix de son article. Le journal avait senti la nécessité de rétribuer un travail si bien fait, afin de s'attacher
l'auteur. Coralie, en voyant ce Chapitre de journalistes,
avait envoyé commander un déjeuner au Cadran-Bleu [2],
le restaurant le plus voisin ; elle les invita tous à passer
dans sa belle salle à manger quand Bérénice vint lui dire
que tout était prêt. Au milieu du repas, quand le vin de
Champagne eut monté toutes les têtes, la raison de la
visite que faisaient à Lucien ses camarades se dévoila [c].

---

1. Le manuscrit, ici encore, indique que l'article a paru dans le
journal de Merlin, et les éditions lui substituent celui de Vernou,
c'est-à-dire *le Courrier français*. On a vu plus haut que cette correction
s'imposait à partir du moment où Balzac décidait de faire de Merlin
un journaliste royaliste et de Vernou un écrivain libéral.

2. Le Cadran bleu n'est pas un restaurant de la première classe,
comme celui de Véry. Mais il a une honnête réputation, et les commerçants aiment, paraît-il, y faire leurs dîners de noce.

— Tu ne veux pas, lui dit Lousteau, te faire un ennemi de Nathan ? Nathan est journaliste, il a des amis, il te jouerait un mauvais tour à ta première publication. N'as-tu pas l'Archer de Charles IX à vendre ? Nous avons vu Nathan ce matin, il est au désespoir ; mais tu vas lui faire un article où tu lui seringueras des éloges par la figure.

— Comment ! après mon article contre son livre, vous voulez... demanda Lucien [a].

Émile Blondet, Hector Merlin, Étienne Lousteau, Félicien Vernou, tous interrompirent Lucien par un éclat de rire.

— Tu l'as invité à souper ici pour après-demain ? lui dit Blondet.

— Ton article, lui dit Lousteau, n'est pas signé. Félicien, qui n'est pas si neuf que toi, n'a pas manqué d'y mettre au bas un C, avec lequel tu pourras désormais signer tes articles dans son journal, qui est Gauche pure. Nous sommes tous de l'Opposition. Félicien a eu la délicatesse de ne pas engager tes futures opinions. Dans la boutique d'Hector, dont le journal est Centre droit, tu pourras signer par un L [1]. On est anonyme pour l'attaque, mais on signe très bien l'éloge [b].

— Les signatures ne m'inquiètent pas, dit Lucien ; mais je ne vois rien à dire en faveur du livre.

— Tu pensais donc ce que tu as écrit ? dit Hector à Lucien.

— Oui.

— Ah ! mon petit, dit Blondet [c], je te croyais plus fort ! Non, ma parole d'honneur, en regardant ton front, je te douais d'une omnipotence semblable à celle des grands esprits, tous assez puissamment constitués pour pouvoir considérer toute chose dans sa double forme. Mon

---

1. La leçon du manuscrit confirme que Balzac avait d'abord placé l'article de Lucien contre Nathan dans la feuille royaliste où Merlin faisait le feuilleton littéraire.

petit, en littérature, chaque idée a son envers et son endroit; personne ne peut prendre sur lui d'affirmer quel est l'envers. Tout est bilatéral dans le domaine de la pensée. Les idées sont binaires. Janus est le mythe de la critique et le symbole du génie. Il n'y a que Dieu de triangulaire! Ce qui met [a] Molière et Corneille hors ligne, n'est-ce pas la faculté de faire dire *oui* à Alceste et *non* à Philinte, à Octave et à Cinna. Rousseau, dans la Nouvelle-Héloïse, a écrit une lettre pour et une lettre contre le duel, oserais-tu prendre sur toi de déterminer sa véritable opinion? Qui de nous pourrait prononcer entre Clarisse et Lovelace, entre Hector et Achille? Quel est le héros d'Homère? quelle fut l'intention de Richardson? [b] La critique doit contempler les œuvres sous tous leurs aspects. Enfin nous sommes de grands rapporteurs.

— Vous tenez donc à ce que vous écrivez? lui dit Vernou [c] d'un air railleur. Mais nous sommes des marchands de phrases, et nous vivons de notre commerce. Quand vous voudrez faire une grande et belle œuvre, un livre enfin, vous pourrez y jeter vos pensées, votre âme, vous y attacher, le défendre; mais des articles lus aujourd'hui, oubliés demain, ça ne vaut à mes yeux que ce qu'on les paye. Si vous mettez de l'importance à de pareilles stupidités, vous ferez donc le signe de la croix et vous invoquerez l'Esprit saint pour écrire un prospectus!

Tous parurent étonnés de trouver à Lucien des scrupules et achevèrent de mettre en lambeaux sa robe prétexte pour lui passer la robe virile des journalistes [d].

— Sais-tu par quel mot s'est consolé Nathan après avoir lu ton article? dit Lousteau.

— Comment le saurais-je?

— Nathan s'est écrié: — Les petits articles passent, les grands ouvrages restent! Cet homme viendra souper ici dans deux jours, il doit se prosterner à tes pieds, baiser ton ergot, et te dire que tu es un grand homme.

— Ce serait drôle, dit Lucien.

— Drôle! reprit Blondet, c'est nécessaire.

— Mes amis, je veux bien, dit Lucien un peu gris ; mais comment faire ?

— Eh ! bien, dit Lousteau, écris pour le journal de Merlin trois belles colonnes où tu te réfuteras toi-même. Après avoir joui de la fureur de Nathan, nous venons de lui dire qu'il nous devrait bientôt des remerciements pour la polémique serrée à l'aide de laquelle nous allions faire enlever son livre en huit jours [a]. Dans ce moment-ci, tu es, à ses yeux, un espion, une canaille, un drôle ; après-demain tu seras un grand homme, une tête forte, un homme de Plutarque ! Nathan t'embrassera comme son meilleur ami. Dauriat est venu, tu as trois billets de mille francs : le tour est fait. Maintenant il te faut l'estime et l'amitié de Nathan. Il ne doit y avoir d'attrapé que le libraire. Nous ne devons immoler et poursuivre que nos ennemis. S'il s'agissait d'un homme qui eût conquis un nom sans nous, d'un talent incommode et qu'il fallût annuler, nous ne ferions pas de réplique semblable ; mais Nathan est un de nos amis [b], Blondet l'avait fait attaquer dans le Mercure pour se donner le plaisir de répondre dans les Débats [1]. Aussi la première édition du livre s'est-elle enlevée ! [c]

— Mes amis, foi d'honnête homme, je suis incapable d'écrire deux mots d'éloge sur ce livre...

— Tu auras encore cent francs, dit Merlin. Nathan t'aura déjà rapporté dix louis, sans compter un article que tu peux faire dans la Revue de Finot, et qui te sera payé cent francs par Dauriat et cent francs par la Revue : total, vingt louis !

— Mais que dire ? demanda Lucien.

— Voici comment tu peux t'en tirer, mon enfant,

---

1. Ceci est l'histoire de la première édition du livre de Nathan. Blondet, collaborateur aux *Débats* et compère du royaliste Nathan, s'est entendu avec un feuilletoniste libéral. Celui-ci a fait contre Nathan un article dans le *Mercure*, qui est libéral. Blondet en a pris prétexte pour louer Nathan dans les *Débats*, et cette manœuvre a fait le succès du livre de Nathan.

répondit Blondet en se recueillant [1]. L'envie, qui s'attache à toutes les belles œuvres, comme le ver aux fruits, a essayé de mordre sur ce livre, diras-tu. Pour y trouver des défauts, la critique a été forcée d'inventer des théories à propos de ce livre, de distinguer deux littératures : celle qui se livre aux idées et celle qui s'adonne aux images. Là, mon petit, tu diras que le dernier degré de l'art littéraire est d'empreindre l'idée dans l'image. En essayant de prouver que l'image est toute la poésie, tu te plaindras du peu de poésie que comporte notre langue, tu parleras des reproches que nous font les étrangers sur le *positivisme* de notre style, et tu loueras monsieur de Canalis et Nathan [2] des services qu'ils rendent à la France [a] en déprosaïsant son langage. Accable ta précédente argumentation en faisant voir que nous sommes en progrès sur le dix-huitième siècle. Invente le *Progrès* (une adorable mystification à faire aux bourgeois)! Notre jeune littérature [b] procède par tableaux où se concentrent tous les genres, la comédie et le drame, les descriptions, les caractères, le dialogue sertis par les nœuds brillants d'une intrigue intéressante. Le roman, qui veut le sentiment, le style et l'image, est la création moderne la plus immense. Il succède à la comédie qui, dans les mœurs modernes, n'est plus possible avec ses vieilles lois. Il embrasse le fait et l'idée dans ses inventions qui exigent l'esprit de La Bruyère

---

1. Cette fois, l'article est esquissé par Blondet, et de même que celui de Lousteau était libéral et classique, celui de Blondet est royaliste et romantique.

2. Ce mot de Blondet jette une lumière sur le personnage de Nathan, dont l'image, à travers *la Comédie humaine*, reste si difficile à saisir. Il semble bien que Nathan tient, dans le domaine de la prose, une place analogue à celle de Canalis dans celui de la poésie romantique. Son rôle est aussi important, et nous savons, par une autre phrase, que son succès fut égal (*supra*, p. 273). Nous apprenons, dans *Une fille d'Ève*, qu'il a écrit des romans et qu'il est un des critiques les plus écoutés de son temps. Dans le personnage si complexe de Nathan, on en vient à trouver qu'il entre plus d'un élément emprunté à la figure de Charles Nodier. A quel autre du moins, parmi les écrivains romantiques, de pareils traits pourraient-ils mieux s'appliquer?

et sa morale incisive, les caractères traités comme l'entendait Molière, les grandes machines de Shakespeare et la peinture des nuances les plus délicates de la passion, unique trésor que nous aient laissé nos devanciers. Aussi le roman est-il bien supérieur à la discussion froide et mathématique, à la sèche analyse du dix-huitième siècle. Le roman, diras-tu sentencieusement, est une épopée amusante. Cite Corinne, appuie-toi sur Madame de Staël. Le dix-huitième siècle a tout mis en question, le dix-neuvième est chargé de conclure : aussi conclut-il par des réalités ; mais par des réalités qui vivent et qui marchent ; enfin il met en jeu la passion, élément inconnu à Voltaire. Tirade contre Voltaire. Quant à Rousseau, il n'a fait qu'habiller des raisonnements et des systèmes. Julie et Claire sont des entéléchies, elles n'ont ni chair ni os [a]. Tu peux démancher sur ce thème et dire que nous devons à la paix, aux Bourbons, une littérature jeune et originale, car tu écris dans un journal Centre droit. Moque-toi des faiseurs de systèmes. Enfin tu peux t'écrier par un beau mouvement : Voilà bien des erreurs, bien des mensonges chez notre confrère ! et pourquoi ? pour déprécier une belle œuvre, pour tromper le public et arriver à cette conclusion : Un livre qui se vend ne se vend pas. *Proh pudor* ! lâche *Proh pudor* ! [1] ce juron honnête anime le lecteur [b]. Enfin annonce la décadence de la critique ! Conclusion : Il n'y a qu'une seule littérature, celle des livres amusants. Nathan est entré dans une voie nouvelle, il a compris [c] son époque et répond à ses besoins. Le besoin de l'époque est le drame. Le drame est le vœu d'un siècle où la politique est un mimodrame perpétuel. N'avons-nous pas vu en vingt ans, diras-tu, les quatre drames de la Révolution, du Directoire, de l'Empire et de la Restauration [d] ? De là, tu roules dans le dithyrambe de l'éloge, et la seconde édition s'en-

---

1. Balzac ne répugnait pas à employer cette expression (Lettre à George Sand, du 20 mars 1838, J. Ducourneau, *op. cit.*, p. 243). Mais ici, c'est probablement à Janin qu'il pense. On lit *Proh pudor* dans le pastiche qu'Eugène de Mirecourt a fait de Janin.

lève. Voici comme : samedi prochain, tù feras une feuille dans notre Revue [1], et tu la signeras DE RUBEMPRÉ en toutes lettres. Dans ce dernier article, tu diras : Le propre des belles œuvres est de soulever d'amples discussions. Cette semaine tel journal a dit telle chose du livre de Nathan, tel autre lui a vigoureusement répondu. Tu critiques les deux critiques *C* et *L.*, tu me dis en passant une politesse à propos du premier article que j'ai fait aux Débats [2], et tu finis en affirmant que l'œuvre de Nathan est le plus beau livre de l'époque. C'est comme si tu ne disais rien, on dit cela de tous les livres. Tu auras gagné quatre cents francs dans ta semaine, outre le plaisir d'écrire la vérité quelque part. Les gens sensés donneront raison ou à C. ou à L. ou à Rubempré, peut-être à tous trois ! La mythologie, qui certes est une des plus grandes inventions humaines, a mis la Vérité dans le fond d'un puits, ne faut-il pas des seaux pour l'en tirer? tu en auras donné trois pour un au public? Voilà, mon enfant. Marche !

Lucien fut étourdi, Blondet l'embrassa sur les deux joues en lui disant : — Je vais à ma boutique.

Chacun s'en alla à sa boutique. Pour ces hommes forts, le journal n'était qu'une boutique. Tous devaient se revoir le soir aux Galeries-de-Bois, où Lucien irait signer son traité chez Dauriat. Florine et Lousteau, Lucien et Coralie, Blondet et Finot dînaient au Palais-Royal, où Du Bruel traitait le directeur du Panorama-Dramatique [a].

— Ils ont raison ! s'écria Lucien quand il fut seul avec Coralie, les hommes doivent être des moyens entre les mains des gens forts. Quatre cents francs pour trois articles ! Doguereau me les donnait à peine pour un livre qui m'a coûté deux ans de travail.

---

1. C'est-à-dire qu'après avoir donné un article contre Nathan dans *le Courrier français* et un plaidoyer pour lui dans les *Débats*, Lucien donnera une conclusion de la controverse dans *le Mercure du XIX*e *siècle*.

2. Blondet rappelle l'article paru naguère aux *Débats* sur la première édition du livre de Nathan.

— Fais de la critique, dit Coralie, amuse-toi ! Est-ce que je ne suis pas ce soir en Andalouse, demain ne me mettrai-je pas en bohémienne, un autre jour en homme? Fais comme moi, donne-leur des grimaces pour leur argent, et vivons heureux.

Lucien, épris du paradoxe, fit monter son esprit sur ce mulet capricieux, fils de Pégase et de l'ânesse de Balaam. Il se mit à galoper dans les champs de la pensée pendant sa promenade au Bois, et découvrit des beautés originales dans la thèse de Blondet [a]. Il dîna comme dînent les gens heureux, il signa chez Dauriat un traité par lequel il lui cédait en toute propriété le manuscrit des Marguerites sans y apercevoir aucun inconvénient; puis il alla faire un tour au journal, où il brocha deux colonnes, et revint rue de Vendôme. Le lendemain matin, il se trouva que les idées de la veille avaient germé dans sa tête, comme il arrive chez tous les esprits [b] pleins de sève dont les facultés ont encore peu servi. Lucien éprouva du plaisir à méditer ce nouvel article, il s'y mit avec ardeur. Sous sa plume se rencontrèrent les beautés que fait naître la contradiction [c]. Il fut spirituel et moqueur, il s'éleva même à des considérations neuves sur le sentiment, sur l'idée et l'image en littérature. Ingénieux et fin, il retrouva, pour louer Nathan, ses premières impressions à la lecture du livre au cabinet littéraire de la cour du Commerce. De sanglant et âpre critique, de moqueur comique, il devint poète en quelques phrases finales qui se balancèrent majestueusement comme un encensoir chargé de parfums vers l'autel.

— Cent francs, Coralie ! dit-il en montrant les huit feuillets de papier écrits pendant qu'elle s'habillait.

Dans la verve où il était, il fit à petites plumées l'article terrible promis à Blondet contre Châtelet et madame de Bargeton. Il goûta pendant cette matinée l'un des plaisirs secrets les plus vifs des journalistes, celui d'aiguiser l'épigramme, d'en polir la lame froide qui trouve sa gaine dans le cœur de la victime, et de sculpter le manche pour les lecteurs. Le public admire le travail spirituel de cette poignée, il n'y entend pas malice, il ignore que l'acier du

bon mot altéré de vengeance barbote dans un amour-
propre fouillé savamment, blessé de mille coups. Cet horrible plaisir, sombre et solitaire, dégusté sans témoins,
est comme un duel avec un absent, tué à distance avec le
tuyau d'une plume, comme si le journaliste avait la puissance fantastique accordée aux désirs de ceux qui possèdent
des talismans dans les contes arabes. L'épigramme est
l'esprit de la haine, de la haine qui hérite de toutes les
mauvaises passions de l'homme, de même que l'amour
concentre toutes ses bonnes qualités. Aussi n'est-il pas
d'homme qui ne soit spirituel en se vengeant, par la raison
qu'il n'en est pas un à qui l'amour ne donne des jouissances. Malgré la facilité, la vulgarité de cet esprit en
France, il est toujours bien accueilli. L'article de Lucien
devait mettre et mit le comble à la réputation de malice
et de méchanceté du journal ; il entra jusqu'au fond de
deux cœurs, il blessa grièvement madame de Bargeton,
son ex-Laure, et le baron Châtelet, son rival [a].

— Eh ! bien, allons faire une promenade au Bois, les
chevaux sont mis, et ils piaffent, lui dit Coralie ; il ne faut
pas se tuer.

— Portons l'article sur Nathan chez Hector [b]. Décidément le journal est comme la lance d'Achille qui guérissait
les blessures qu'elle avait faites, dit Lucien en corrigeant
quelques expressions.

Les deux amants partirent et se montrèrent dans leur
splendeur à ce Paris qui, naguère, avait renié Lucien, et
qui maintenant commençait à s'en occuper. Occuper Paris
de soi quand on a compris l'immensité de cette ville et la
difficulté d'y être quelque chose, causa d'enivrantes jouissances qui grisèrent Lucien [c].

— Mon petit, dit l'actrice, passons chez ton tailleur
presser tes habits ou les essayer s'ils sont prêts. Si tu vas
chez tes belles madames, je veux que tu effaces ce monstre
de De Marsay, le petit Rastignac, les Ajuda-Pinto, les
Maxime de Trailles, les Vandenesse [d], enfin tous les élégants. Songe que ta maîtresse est Coralie ! Mais ne me fais
pas de traits, hein ?

GRANDEURS ET SERVITUDES DU JOURNAL [a]

Deux jours après, la veille du souper offert par Lucien et Coralie à leurs amis, l'Ambigu donnait une pièce nouvelle dont le compte devait être rendu par Lucien [b]. Après leur dîner, Lucien et Coralie allèrent à pied de la rue de Vendôme au Panorama-Dramatique, par le boulevard du Temple du côté du café Turc, qui, dans ce temps-là, était un lieu de promenade en faveur. Lucien entendit vanter son bonheur et la beauté de sa maîtresse. Les uns disaient que Coralie était la plus belle femme de Paris, les autres trouvaient Lucien digne d'elle. Le poète se sentit dans son milieu. Cette vie était sa vie. Le Cénacle, à peine l'apercevait-il. Ces grands esprits qu'il admirait tant deux mois [c] auparavant, il se demandait s'ils n'étaient pas un peu niais avec leurs idées et leur puritanisme. Le mot de jobards, dit insouciamment par Coralie, avait germé dans l'esprit de Lucien, et portait déjà ses fruits. Il mit Coralie dans sa loge, flâna dans les coulisses du théâtre où il se promenait en sultan, où toutes les actrices le caressaient par des regards brûlants et par des mots flatteurs.

— Il faut que j'aille à l'Ambigu faire mon métier, dit-il.

A l'Ambigu, la salle était pleine. Il ne s'y trouva pas de place pour Lucien. Lucien alla dans les coulisses et se plaignit amèrement de ne pas être placé. Le régisseur, qui ne le connaissait pas encore, lui dit qu'on avait envoyé deux loges à son journal, et l'envoya promener.

— Je parlerai de la pièce selon ce que j'en aurai entendu, dit Lucien d'un air piqué.

— Êtes-vous bête? dit la jeune première au régisseur, c'est l'amant de Coralie !

Aussitôt le régisseur se retourna vers Lucien et lui dit :

— Monsieur, je vais aller parler au directeur.

Ainsi les moindres détails prouvaient à Lucien l'immensité du pouvoir du journal et caressaient sa vanité. Le directeur vint et obtint du duc de Rhétoré et de Tullia, le premier sujet, qui se trouvaient dans une loge d'avant-scène, de prendre Lucien avec eux. Le duc y consentit en reconnaissant Lucien.

— Vous avez réduit deux personnes au désespoir, lui dit le jeune homme en lui parlant du baron Châtelet et de madame de Bargeton.

— Que sera-ce donc demain ? dit Lucien. Jusqu'à présent mes amis se sont portés contre eux en voltigeurs, mais je tire à boulet rouge cette nuit. Demain, vous verrez pourquoi nous nous moquons de Potelet. L'article est intitulé : *Potelet de* 1811 *à Potelet de* 1821. Châtelet sera le type des gens qui ont renié leur bienfaiteur en se ralliant aux Bourbons. Après avoir fait sentir tout ce que je puis, j'irai chez madame de Montcornet.

Lucien eut avec le jeune duc une conversation étincelante d'esprit ; il était jaloux de prouver à ce grand seigneur [a] combien mesdames d'Espard et de Bargeton s'étaient grossièrement trompées en le méprisant ; mais il montra le bout de l'oreille en essayant d'établir ses droits à porter le nom de Rubempré, quand, par malice, le duc de Rhétoré l'appela Chardon.

— Vous devriez, lui dit le duc, vous faire royaliste. Vous vous êtes montré homme d'esprit, soyez maintenant homme de bon sens. . La seule manière d'obtenir une ordonnance du roi qui vous rende le titre et le nom de vos ancêtres maternels [b], est de la demander en récompense des services que vous rendrez au Château. Les Libéraux ne vous feront jamais comte ! Voyez-vous, la Restauration finira par avoir raison de la Presse, la seule puissance à craindre. On a déjà trop attendu, elle devrait être muselée. Profitez de ses derniers moments de liberté pour vous rendre redoutable [c]. Dans quelques années, un nom et un titre seront en France des richesses plus sûres que le talent. Vous pouvez ainsi tout avoir : esprit, noblesse et beauté, vous arriverez à tout. Ne soyez donc en ce moment libéral que pour vendre avec avantage votre royalisme.

Le duc pria Lucien d'accepter l'invitation à dîner que devait lui envoyer le ministre avec lequel il avait soupé chez Florine [a]. Lucien fut en un moment séduit par les réflexions du gentilhomme, et charmé de voir s'ouvrir devant lui les portes des salons d'où il se croyait à jamais banni quelques mois [b] auparavant. Il admira le pouvoir de la pensée. La Presse, l'Intelligence étaient donc le moyen de la société présente. Lucien comprit que peut-être Lousteau se repentait de lui avoir ouvert les portes du Temple, il sentait déjà pour son propre compte la nécessité d'opposer des barrières difficiles à franchir aux ambitions de ceux qui s'élançaient de la province vers Paris. Un poète serait venu vers lui comme il s'était jeté dans les bras d'Étienne, il n'osait se demander quel accueil il lui ferait. Le jeune duc aperçut chez Lucien les traces d'une méditation profonde et ne se trompa point en en cherchant la cause : il avait découvert à cet ambitieux, sans volonté fixe, mais non sans désir, tout l'horizon politique comme les journalistes lui avaient montré en haut du Temple, ainsi que le démon à Jésus, le monde littéraire et ses richesses. Lucien ignorait la petite conspiration ourdie contre lui par les gens que blessait en ce moment le journal, et dans laquelle monsieur de Rhétoré trempait. Le jeune duc avait effrayé la société de madame d'Espard en leur parlant de l'esprit de Lucien. Chargé par madame de Bargeton de sonder le journaliste, il avait espéré le rencontrer à l'Ambigu-Comique. Ni le monde, ni les journalistes n'étaient profonds, ne croyez pas à des trahisons ourdies. Ni l'un ni les autres ils n'arrêtent de plan ; leur machiavélisme va pour ainsi dire au jour le jour, et consiste à toujours être là, prêts à tout, prêts à profiter du mal comme du bien, à épier les moments où la passion leur livre un homme. Pendant le souper de Florine, le jeune duc avait reconnu le caractère de Lucien, il venait de le prendre par ses vanités, et s'essayait sur lui à devenir diplomate.

Lucien, la pièce jouée, courut à la rue Saint-Fiacre y faire son article sur la pièce. Sa critique fut, par calcul, âpre et mordante ; il se plut à essayer son pouvoir. Le mélodrame valait mieux que celui du Panorama-Dramatique ; mais il voulait savoir s'il pouvait, comme on le lui avait dit, tuer une bonne et faire réussir une mauvaise pièce. Le lendemain, en déjeunant avec Coralie, il déplia le journal, après lui avoir dit qu'il y éreintait l'Ambigu-Comique. Lucien ne fut pas médiocrement étonné de lire, après son article sur madame de Bargeton et sur Châtelet, un compte rendu de l'Ambigu si bien édulcoré durant la nuit que, tout en conservant sa spirituelle analyse, il en sortait une conclusion favorable. La pièce devait remplir la caisse du théâtre. Sa fureur ne saurait se décrire ; il se proposa de dire deux mots à Lousteau. Il se croyait déjà nécessaire, et se promettait de ne pas se laisser dominer, exploiter comme un niais. Pour établir définitivement sa puissance, il écrivit l'article où il résumait et balançait toutes les opinions émises à propos du livre de Nathan pour la Revue de Dauriat et de Finot. Puis, une fois monté, il brocha l'un de ses articles *Variétés* dus au petit journal. Dans leur première effervescence, les jeunes journalistes pondent des articles avec amour et livrent ainsi très imprudemment toutes leurs fleurs [a]. Le directeur du Panorama-Dramatique donnait la première représentation d'un vaudeville, afin de laisser à Florine et à Coralie leur soirée. On devait jouer avant le souper. Lousteau vint chercher l'article de Lucien, fait d'avance sur cette petite pièce, dont il avait vu la répétition générale, afin de n'avoir aucune inquiétude relativement à la composition du numéro. Quand Lucien lui eut lu l'un de ces petits charmants articles sur les particularités parisiennes, qui firent la fortune du journal [b], Étienne l'embrassa sur les deux yeux et le nomma la providence des journaux.

— Pourquoi donc t'amuses-tu à changer l'esprit de mes articles ? dit Lucien, qui n'avait fait ce brillant article que pour donner plus de force à ses griefs.

— Moi ! s'écria Lousteau.

— Eh ! bien, qui donc a changé mon article ?

— Mon cher, répondit Étienne en riant, tu n'es pas encore au courant des affaires. L'Ambigu nous prend vingt abonnements, dont neuf seulement sont servis au directeur, au chef d'orchestre, au régisseur, à leurs maîtresses et à trois copropriétaires du théâtre. Chacun des théâtres du boulevard paye ainsi huit cents francs au journal. Il y a pour tout autant d'argent en loges données à Finot, sans compter les abonnements des acteurs et des auteurs. Le drôle se fait donc huit mille francs aux boulevards. Par les petits théâtres, juge des grands ! Comprends-tu [a] ? Nous sommes tenus à beaucoup d'indulgence.

— Je comprends que je ne suis pas libre d'écrire ce que je pense...

— Eh ! que t'importe, si tu y fais tes orges, s'écria Lousteau. D'ailleurs, mon cher, quel grief as-tu contre le théâtre ? il te faut une raison pour échiner la pièce d'hier. Échiner pour échiner, nous compromettrions le journal. Quand le journal frapperait avec justice, il ne produirait plus aucun effet. Le directeur t'a-t-il manqué [b] ?

— Il ne m'avait pas réservé de place.

— Bon, fit Lousteau. Je montrerai ton article au directeur, je lui dirai que je t'ai adouci, tu t'en trouveras mieux que de l'avoir fait paraître. Demande-lui demain des billets, il t'en signera quarante en blanc tous les mois, et je te mènerai chez un homme avec qui tu t'entendras pour les placer ; il te les achètera tous à cinquante pour cent de remise sur le prix des places. On fait sur les billets de spectacle le même trafic que sur les livres. Tu verras un autre Barbet, un chef de claque, il ne demeure pas loin d'ici, nous avons le temps, viens ?

— Mais, mon cher, Finot fait un infâme métier à lever ainsi sur les champs de la pensée des contributions indirectes [c]. Tôt ou tard...

— Ah ! ça, d'où viens-tu ? s'écria Lousteau. Pour qui prends-tu Finot ? Sous sa fausse bonhomie, sous cet air Turcaret, sous son ignorance et sa bêtise, il y a toute la finesse du marchand de chapeaux dont il est issu. N'as-tu pas vu dans sa cage, au Bureau du journal, un vieux soldat de l'Empire, l'oncle de Finot ? Cet oncle est non seulement un honnête homme, mais il a le bonheur de passer pour un niais. Il est l'homme compromis dans toutes les transactions pécuniaires. A Paris, un ambitieux est bien riche quand il a près de lui une créature qui consent à être compromise. Il est en politique comme en journalisme une foule de cas où les chefs ne doivent jamais être mis en cause. Si Finot devenait un personnage politique, son oncle deviendrait son secrétaire et recevrait pour son compte des contributions qui se lèvent dans les bureaux sur les grandes affaires. Giroudeau, qu'au premier abord on prendrait pour un niais, a précisément assez de finesse pour être un compère indéchiffrable. Il est en vedette pour empêcher que nous ne soyons assommés par les criailleries, par les débutants, par les réclamations, et je ne crois pas qu'il y ait son pareil dans un autre journal.

LE BANQUIER DES AUTEURS DRAMATIQUES[a]

— Il joue bien son rôle, dit Lucien, je l'ai vu à l'œuvre.

Étienne et Lucien allèrent dans la rue du Faubourg-du-Temple, où le rédacteur en chef s'arrêta devant une maison de belle apparence.

— Monsieur Braulard y est-il ? demanda-t-il au portier.

— Comment monsieur ? dit Lucien. Le chef des claqueurs est donc *monsieur* ?

— Mon cher, Braulard a vingt mille livres de rente, il a la griffe des auteurs dramatiques du boulevard qui tous ont un compte courant chez lui, comme chez un banquier. Les billets d'auteurs et de faveur se vendent. Cette marchandise, Braulard la place. Fais un peu de statistique, science assez utile quand on n'en abuse pas. A cinquante billets [b] de faveur par soirée à chaque spec-

tacle, tu trouveras deux cent cinquante billets par jour ;
si, l'un dans l'autre, ils valent quarante sous, Braulard
paye cent vingt-cinq francs [a] par jour aux auteurs et
court la chance d'en gagner autant. Ainsi, les seuls billets
des auteurs lui procurent près de quatre mille francs
par mois, au total quarante-huit mille francs par an [b].
Suppose vingt mille francs de perte, car il ne peut pas toujours placer ses billets.

— Pourquoi ?

— Ah ! les gens qui viennent payer leurs places au
bureau passent concurremment avec les billets de faveur
qui n'ont pas de places réservées. Enfin le théâtre garde
ses droits de location. Il y a les jours de beau temps,
et de mauvais spectacles. Ainsi, Braulard gagne peut-
être trente mille francs par an sur cet article [c]. Puis il a
ses claqueurs, autre industrie [1]. Florine et Coralie sont
ses tributaires ; si elles ne le subventionnaient pas, elles
ne seraient point applaudies à toutes leurs entrées et
leurs sorties.

Lousteau donnait cette explication à voix basse en
montant l'escalier.

— Paris est un singulier pays, dit Lucien en trouvant l'intérêt accroupi dans tous les coins.

Une servante proprette introduisit les deux journalistes chez monsieur Braulard. Le marchand de billets,

---

1. Braulard cumule en effet deux activités distinctes. Il revend les
billets, et il est chef de claque. La claque était devenue une véritable
institution. Les charges de claqueur en chef se vendaient de la main
à la main, et l'on citait M. Levacher qui avait acheté à M. Mouchette
celle de claqueur en chef du Théâtre-Français. Un certain Leblond,
chef de claque à l'Opéra-Comique, s'était élevé à une véritable célébrité (*Mémoires d'un claqueur*, 1829). A ces noms Maurice Alhoy en
joignait d'autres : Léon pour l'Odéon, Sauton pour les théâtres secon-
daires. Il ajoutait des précisions de chiffres. L'exigence des claqueurs,
écrivait-il, a fait depuis quelque temps d'incroyables progrès. On leur
donne maintenant jusqu'à trois cents billets, un jour de première
représentation. Ils en emploient deux cents. L'autre tiers, qu'ils vendent,
constitue leur salaire. Un fonds de claqueurs se négocie comme un
fonds d'épicerie ; il s'en est vendu un 6.000 francs en 1820.

qui siégeait sur un fauteuil de cabinet, devant un grand
secrétaire à cylindre, se leva en voyant Lousteau. Braulard, enveloppé d'une redingote de molleton gris, portait un pantalon à pied et des pantoufles rouges absolument comme un médecin ou comme un avoué. Lucien
vit en lui l'homme du peuple enrichi : un visage commun, des yeux gris pleins de finesse, des mains de claqueur,
un teint sur lequel les orgies avaient passé comme la
pluie sur les toits, des cheveux grisonnants, et une voix
assez étouffée.

— Vous venez, sans doute, pour mademoiselle Florine,
et monsieur pour mademoiselle Coralie, dit-il, je vous
connais bien. Soyez tranquille, monsieur, dit-il à Lucien,
j'achète la clientèle du Gymnase, je soignerai votre maîtresse et je l'avertirai des farces qu'on voudrait lui faire.

— Ce n'est pas de refus, mon cher Braulard, dit Lousteau ;
mais nous venons [a] pour les billets du journal à tous les
théâtres des boulevards : moi comme rédacteur en chef,
monsieur comme rédacteur de chaque théâtre.

— Ah, oui, Finot a vendu son journal. J'ai su l'affaire.
Il va bien, Finot. Je lui donne à dîner à la fin de la semaine. Si vous voulez me faire l'honneur et le plaisir
de venir, vous pouvez amener vos épouses, il y aura
noces et festins, nous avons Adèle Dupuis, Ducange,
Frédéric Du Petit-Méré, Mademoiselle Millot ma maîtresse[1],
nous rirons bien ! nous boirons mieux !

---

1. Ces quatre noms ne sont nullement ceux de personnages fictifs.
Adèle Dupuis, née en 1789, jouait à la Gaîté depuis 1817. Elle était
l'actrice de prédilection de Pixérécourt. Une notice contemporaine
dit d'elle : « Il y a si longtemps que Mademoiselle Adèle Dupuis représente les petites filles qu'une autre, à sa place, ne serait plus considérée
que comme une grand'mère ». Les journaux l'appelaient la Champ-
meslé du VIe arrondissement, la vierge du malheur, pour railler les
rôles qu'elle tenait dans les mélodrames. — Sur Victor Ducange,
voir p. 216, n. 1. — Frédéric Dupetit-Méré fut un moment directeur
de l'Odéon. Il était l'ami et le collaborateur de Le Poitevin Saint-
Alme, que Balzac avait bien connu. Il mourut en 1827. — Mlle Millot
était une artiste de la Gaîté. Elle n'était pas aussi bonne comédienne
qu'elle était belle, nous assure du moins Maurice Alhoy.

— Il doit être gêné, Ducange, il a perdu son procès.

— Je lui ai prêté dix mille francs, le succès de Calas va me les rendre [1] [a] ; aussi l'ai-je chauffé ! Ducange est un homme d'esprit, il a des moyens... Lucien croyait rêver en entendant cet homme apprécier les talents des auteurs. — Coralie a gagné, lui dit Braulard de l'air d'un juge compétent. Si elle est bonne enfant, je la soutiendrai secrètement contre la cabale à son début au Gymnase. Écoutez ? Pour elle, j'aurai des hommes bien mis aux galeries qui souriront et qui feront de petits murmures afin d'entraîner l'applaudissement. Voilà un manège qui pose une femme. Elle me plaît, Coralie, et vous devez être content d'elle, elle a des sentiments. Ah ! je puis faire chuter qui je veux...

— Mais réglons l'affaire des billets ? dit Lousteau.

— Hé ! bien, j'irai les prendre chez monsieur, vers les premiers jours de chaque mois. Monsieur est votre ami, je le traiterai comme vous. Vous avez cinq théâtres, on vous donnera trente billets ; ce sera quelque chose comme soixante-quinze francs par mois. Peut-être désirez-vous une avance ? dit le marchand de billets en revenant à son secrétaire et tirant sa caisse pleine d'écus.

— Non, non, dit Lousteau, nous garderons cette ressource pour les mauvais jours...

— Monsieur, reprit Braulard en s'adressant à Lucien, j'irai travailler avec Coralie ces jours-ci, nous nous entendrons bien.

Lucien ne regardait pas sans un étonnement profond le cabinet de Braulard où il voyait une bibliothèque, des gravures, un meuble convenable. En passant par le salon,

---

1. Le *Calas* de Ducange fut joué en 1819. L'histoire a conservé le souvenir de deux procès qu'eut à soutenir Ducange, et ce ne sont pas des procès qu'il gagna. En 1821, son roman *Valentine ou le Pasteur d'Uzès*, tableau sévère de la Terreur blanche, lui valut six mois de prison. Lorsqu'il en sortit, il fit paraître *Thélène ou l'Amour et la Guerre*, qui lui valut un second procès. Cette fois effrayé, il préféra s'enfuir en Hollande.

il en remarqua l'ameublement également éloigné de la mesquinerie et du trop grand luxe. La salle à manger lui parut être la pièce la mieux tenue, il en plaisanta.

— Mais Braulard est gastronome, dit Lousteau. Ses dîners, cités dans la littérature dramatique, sont en harmonie avec sa caisse.

— J'ai de bons vins, répondit modestement Braulard. Allons, voilà mes allumeurs, s'écria-t-il en entendant des voix enrouées et le bruit de pas singuliers dans l'escalier.

En sortant, Lucien vit défiler devant lui la puante escouade des claqueurs et des vendeurs de billets, tous gens à casquettes, à pantalons mûrs, à redingotes râpées, à figures patibulaires, bleuâtres, verdâtres, boueuses, rabougries, à barbes longues, aux yeux féroces et patelins tout à la fois, horrible population qui vit et foisonne sur les boulevards de Paris, qui, le matin, vend des chaînes de sûreté, des bijoux en or pour vingt-cinq sous, et qui claque sous les lustres le soir, qui se plie enfin à toutes les fangeuses nécessités de Paris.

— Voilà les Romains [1] ! dit Lousteau en riant, voilà la gloire des actrices et des auteurs dramatiques. Vu de près, ça n'est pas plus beau que la nôtre.

— Il est difficile, répondit Lucien en revenant chez lui, d'avoir des illusions sur quelque chose à Paris. Il y a des impôts sur tout, on y vend tout, on y fabrique tout, même le succès.

---

1. Le mot, employé pour désigner les claqueurs, est alors d'usage courant. Il s'éclaire probablement par cette note des *Mémoires d'un claqueur* (1829) : « Les premiers claqueurs ne paraissent que sous les Romains ». La même note, témoignant d'une érudition louable, rappelle les Augustans de Néron (p. 294). C'est ainsi que Maurice Alhoy, au mot *Romain* de son *Dictionnaire théâtral*, écrit : « C'est le surnom qu'ont pris ces diables de claqueurs qui ont juré de tout déshonorer » Il raconte ensuite qu'un jour, à l'Odéon, les *Romains* s'avisèrent de. prêter le secours de leurs bras au barbare Hérode. C'était à la représentation de *l'Orphelin de Bethléem*. Leur conduite indigna tellement les juifs du parterre qu'un combat terrible s'engagea. Il se termina par la défaite et l'expulsion des Romains.

LE BAPTÊME DU JOURNALISTE[a]

Les convives de Lucien étaient Dauriat, le directeur du Panorama, Matifat et Florine, Camusot, Lousteau, Finot, Nathan, Hector Merlin et madame du Val-Noble, Félicien Vernou, Blondet, Vignon, Philippe Bridau, Mariette, Giroudeau, Cardot et Florentine, Bixiou. Il avait invité ses amis du Cénacle. Tullia la danseuse, qui, disait-on, était peu cruelle pour du Bruel, fut aussi de la partie, mais sans son duc, ainsi que les propriétaires des journaux où travaillaient Nathan, Merlin, Vignon et Vernou. Les convives formaient une assemblée de trente personnes[b], la salle à manger de Coralie ne pouvait en contenir davantage.

Vers huit heures, au feu des lustres allumés, les meubles, les tentures, les fleurs de ce logis prirent cet air de fête qui prête au luxe parisien l'apparence d'un rêve[c]. Lucien éprouva le plus indéfinissable mouvement de bonheur, de vanité satisfaite et d'espérance en se voyant le maître de ces lieux, il ne s'expliquait plus ni comment ni par qui ce coup de baguette avait été frappé. Florine et Coralie, mises avec la folle recherche et la magnificence artiste des actrices, souriaient au poète de province comme deux anges chargés de lui ouvrir les portes du palais des Songes. Lucien songeait presque. En quelques mois[1]

---

1. Balzac avait d'abord écrit : *en quinze jours.* Cette correction apportée au texte du manuscrit fait apparaître l'intention du romancier d'étaler sur une plus longue durée l'action du roman et en particulier l'ascension de Lucien. Mais les corrections du même genre qu'on a déjà signalées introduisent une confusion inextricable. Car il faisait froid quand Lucien a rencontré d'Arthez, et pourtant le dîner qui est ici raconté n'a pu avoir lieu que dans les débuts de janvier 1822 puisque nous apprendrons que la période des succès mondains de Lucien se place dans les trois mois d'hiver. Pour être cohérent, Balzac aurait

sa vie avait si brusquement changé d'aspect, il était si promptement passé de l'extrême misère à l'extrême opulence, que par moments il lui prenait des inquiétudes comme aux gens qui, tout en rêvant, se savent endormis. Son œil [a] exprimait néanmoins à la vue de cette belle réalité une confiance à laquelle des envieux eussent donné le nom de fatuité. Lui-même, il avait changé. Heureux tous les jours [1] [b], ses couleurs avaient pâli, son regard était trempé des moites expressions de la langueur; enfin, selon le mot de madame d'Espard, il avait *l'air aimé*. Sa beauté y gagnait. La conscience de son pouvoir et de sa force perçait dans sa physionomie éclairée par l'amour et par l'expérience. Il contemplait enfin le monde littéraire et la société face à face, en croyant pouvoir s'y promener en dominateur. A ce poète, qui ne devait réfléchir que sous le poids du malheur, le présent parut être sans soucis. Le succès enflait les voiles de son esquif, il avait à ses ordres les instruments nécessaires à ses projets : une maison montée, une maîtresse que tout Paris lui enviait, un équipage, enfin des sommes incalculables dans son écritoire. Son âme, son cœur et son esprit s'étaient également métamorphosés : il ne songeait plus à discuter les moyens en présence de si beaux résultats. Ce train de maison semblera si justement suspect aux économistes qui ont pratiqué la vie parisienne, qu'il n'est pas inutile de montrer la base, quelque frêle qu'elle fût, sur laquelle reposait le bonheur matériel de l'actrice et de son poète. Sans se compromettre, Camusot avait engagé les fournisseurs de Coralie à lui faire crédit pendant au moins trois mois. Les chevaux, les gens, tout devait donc aller comme par enchantement pour ces deux enfants empressés de jouir, et qui jouissaient de tout avec délices [c]. Coralie vint prendre Lucien par la main et l'initia par

---

dû, non seulement modifier les indications de temps, mais supprimer aussi celles qui nous informaient des rigueurs de la température.

1. Il ne faut sans doute pas expliquer au lecteur le sens particulier — et d'ailleurs traditionnel et classique — qu'a dans ce cas le mot *heureux*.

avance au coup de théâtre de la salle à manger, parée de son couvert splendide, de ses candélabres chargés de quarante bougies, aux recherches royales du dessert, et au menu, l'œuvre de Chevet [1]. Lucien baisa Coralie au front en la pressant sur son cœur.

— J'arriverai, mon enfant, lui dit-il, et je te récompenserai de tant d'amour et de tant de dévouement.

— Bah ! dit-elle, es-tu content ?

— Je serais bien difficile.

— Eh ! bien, ce sourire paye tout, répondit-elle en apportant par un mouvement de serpent ses lèvres aux lèvres de Lucien [a].

Ils trouvèrent Florine, Lousteau, Matifat et Camusot en train d'arranger les tables de jeu. Les amis de Lucien arrivaient car tous ces gens s'intitulaient déjà les amis de Lucien. On joua de neuf heures à minuit. Heureusement pour lui, Lucien ne savait aucun jeu ; mais Lousteau perdit mille francs et les emprunta à Lucien qui ne crut pas pouvoir se dispenser de les prêter : son ami les lui demanda. A dix heures environ, Michel, Fulgence et Joseph se présentèrent. Lucien, qui alla causer avec eux dans un coin, trouva leurs visages assez froids et sérieux, pour ne pas dire contraints. D'Arthez n'avait pu venir, il achevait son livre. Léon Giraud était occupé par la publication du premier numéro de sa Revue [b]. Le Cénacle avait envoyé ses trois artistes [c] qui devaient se trouver moins dépaysés que les autres au milieu d'une orgie.

— Eh ! bien, mes enfants, dit Lucien en affichant un petit ton de supériorité, vous verrez que le *petit farceur* peut devenir un *grand politique*.

— Je ne demande pas mieux que de m'être trompé, dit Michel.

— Tu vis avec Coralie en attendant mieux ? lui demanda Fulgence.

— Oui, reprit Lucien d'un air qu'il voulait rendre naïf.

---

1. Sur ce traiteur célèbre, voir p. 290, n. 1.

Coralie avait un pauvre vieux négociant qui l'adorait, elle l'a mis à la porte. Je suis plus heureux que ton frère Philippe qui ne sait comment gouverner Mariette, ajouta-t-il en regardant Joseph Bridau[a].

— Enfin, dit Fulgence, tu es maintenant un homme comme un autre, tu feras ton chemin.

— Un homme qui pour vous restera le même en quelque situation qu'il se trouve, répondit Lucien.

Michel et Fulgence se regardèrent en échangeant un sourire moqueur que vit Lucien, et qui lui fit comprendre le ridicule de sa phrase[b].

— Coralie est bien admirablement belle, s'écria Joseph Bridau. Quel magnifique portrait à faire !

— Et bonne, répondit Lucien. Foi d'homme, elle est angélique ; mais tu feras son portrait ; prends-la, si tu veux, pour modèle de ta Vénitienne amenée au sénateur par une vieille femme [1][c].

— Toutes les femmes qui aiment sont angéliques, dit Michel Chrestien.

En ce moment Raoul Nathan se précipita sur Lucien avec une furie d'amitié, lui prit les mains et les lui serra.

— Mon bon ami, non seulement vous êtes un grand homme, mais encore vous avez du cœur, ce qui est aujourd'hui plus rare que le génie, dit-il. Vous êtes dévoué à vos amis. Enfin, je suis à vous à la vie, à la mort, et n'oublierai jamais ce que vous avez fait cette semaine pour moi.

Lucien, au comble de la joie en se voyant pateliné par un homme dont s'occupait la Renommée, regarda ses trois amis du Cénacle avec une sorte de supériorité. Cette entrée de Nathan était due à la communication que Merlin lui avait faite [2] de l'épreuve de l'article en faveur de son livre, et qui paraissait dans le journal du lendemain.

— Je n'ai consenti à écrire l'attaque, répondit Lucien à

---

1. Cette addition du *Furne corrigé* est un rappel de *la Rabouilleuse*. Ce tableau n'est pas de l'invention de Balzac. C'est une toile de Sigalon, et qui figura au Salon de 1823.

2. Cette fois, le manuscrit et les éditions sont d'accord, et l'article de Lucien en faveur de Nathan a bien paru dans le journal de Merlin.

l'oreille de Nathan, qu'à la condition d'y répondre moi-même. Je suis des vôtres.

Il revint à ses trois amis du Cénacle, enchanté d'une circonstance qui justifiait la phrase de laquelle avait ri Fulgence.

— Vienne le livre de d'Arthez, et je suis en position de lui être utile. Cette chance seule m'engagerait à rester dans les journaux.

— Y es-tu libre ? dit Michel.

— Autant qu'on peut l'être quand on est indispensable, répondit Lucien avec une fausse modestie [a].

Vers minuit, les convives furent attablés, et l'orgie commença. Les discours furent plus libres chez Lucien que chez Matifat, car personne ne soupçonna la divergence de sentiments qui existait entre les trois députés du Cénacle et les représentants des journaux. Ces jeunes esprits, si dépravés par l'habitude du Pour et du Contre, en vinrent aux prises, et se renvoyèrent les plus terribles axiomes de la jurisprudence qu'enfantait alors le journalisme. Claude Vignon, qui voulait conserver à la critique un caractère auguste, s'éleva contre la tendance des petits journaux vers la personnalité, disant que plus tard les écrivains arriveraient à se déconsidérer eux-mêmes. Lousteau, Merlin et Finot prirent alors ouvertement la défense de ce système, appelé dans l'argot du journalisme la *blague*, en soutenant que ce serait comme un poinçon à l'aide duquel on marquerait le talent.

— Tous ceux qui résisteront à cette épreuve seront des hommes réellement forts, dit Lousteau.

— D'ailleurs, s'écria Merlin, pendant les ovations des grands hommes, il faut autour d'eux, comme autour des triomphateurs romains, un concert d'injures.

— Eh! dit Lucien, tous ceux de qui l'on se moquera croiront à leur triomphe !

— Ne dirait-on pas que cela te regarde ? s'écria Finot.

— Et nos sonnets! dit Michel Chrestien, ne nous vaudraient-ils pas le triomphe de Pétrarque ?

— L'or (Laure) y est déjà pour quelque chose, dit Dauriat dont le calembour excita des acclamations générales.

— *Faciamus experimentum in anima vili*, répondit Lucien en souriant [a].

— Eh ! malheur à ceux que le Journal ne discutera pas, et auxquels il jettera des couronnes à leur début ! Ceux-là seront relégués comme des saints dans leur niche, et personne n'y fera plus la moindre attention, dit Vernou [b].

— On leur dira comme Champcenetz au marquis de Genlis, qui regardait trop amoureusement sa femme : — Passez, bonhomme, on vous a déjà donné, dit Blondet [c].

— En France, le succès tue, dit Finot. Nous y sommes trop jaloux les uns des autres pour ne pas vouloir oublier et faire oublier les triomphes d'autrui.

— C'est en effet la contradiction qui donne la vie en littérature, dit Claude Vignon [d].

— Comme dans la nature, où elle résulte de deux principes qui se combattent, s'écria Fulgence. Le triomphe de l'un sur l'autre est la mort.

— Comme en politique, ajouta Michel Chrestien [e].

— Nous venons de le prouver, dit Lousteau. Dauriat vendra cette semaine deux mille exemplaires du livre de Nathan. Pourquoi ? Le livre attaqué sera bien défendu.

— Comment un article semblable, dit Merlin en prenant l'épreuve de son journal du lendemain, n'enlèverait-il pas une édition ?

— Lisez-moi l'article ? dit Dauriat. Je suis libraire partout, même en soupant.

Merlin lut le triomphant article de Lucien, qui fut applaudi par toute l'assemblée.

— Cet article aurait-il pu se faire sans le premier ? demanda Lousteau.

Dauriat tira de sa poche l'épreuve du troisième article et le lut. Finot suivit avec attention la lecture de cet article destiné au second numéro de sa Revue ; et, en sa qualité de rédacteur en chef, il exagéra son enthousiasme.

— Messieurs, dit-il, si Bossuet vivait dans notre siècle, il n'eût pas écrit autrement.

— Je le crois bien, dit Merlin. Bossuet aujourd'hui serait journaliste.

— A Bossuet II ! dit Claude Vignon en élevant son verre et saluant ironiquement Lucien.

— A mon Christophe Colomb ! répondit Lucien en portant un toast à Dauriat.

— Bravo ! cria Nathan.

— Est-ce un surnom ? demanda méchamment Merlin en regardant à la fois Finot et Lucien.

— Si vous continuez ainsi, dit Dauriat, nous ne pourrons pas vous suivre, et ces messieurs, ajouta-t-il en montrant Matifat et Camusot, ne vous comprendront plus. La plaisanterie est comme le coton qui filé trop fin, casse, a dit Bonaparte [a].

— Messieurs, dit Lousteau, nous sommes témoins d'un fait grave, inconcevable, inouï, vraiment surprenant. N'admirez-vous pas la rapidité avec laquelle notre ami s'est changé de provincial en journaliste ?

— Il était né journaliste, dit Dauriat.

— Mes enfants, dit alors Finot en se levant [b], et tenant une bouteille de vin de Champagne à la main, nous avons protégé tous et tous encouragé les débuts de notre amphitryon dans la carrière où il a surpassé nos espérances. En deux mois [1] [c] il a fait ses preuves par les beaux articles que nous connaissons : je propose de le baptiser journaliste authentiquement.

— Une couronne de roses [2] afin de constater sa double victoire, cria Bixiou en regardant Coralie.

---

1. Ici comme à la page 439, Balzac allonge considérablement le temps qu'a mis Lucien à s'élever. Le manuscrit disait seulement : en une semaine.

2. Sur cet épisode, où Balzac a mis un souvenir tout personnel, voir l'Introduction p.xiv. La scène eut lieu chez Werdet, rue de Seine. Il y avait là Sandeau, Paul de Kock, Michel Masson, Alphonse Karr. Werdet avait réservé à Balzac un fauteuil doré, plus élevé que les chaises dont se contentaient les autres convives. L'outrecuidance de Balzac agaça ses amis, et c'est par moquerie qu'Alphonse Karr imagina de lui mettre une couronne sur la tête. Balzac ne s'aperçut pas, prétend Alphonse Karr, de l'ironie de cet hommage. Il partit seul, aussitôt après le dîner (*le Livre de bord*, II, p. 286-289).

Coralie fit un signe à Bérénice qui alla chercher de vieilles fleurs artificielles dans les cartons de l'actrice. Une couronne de roses fut bientôt tressée dès que la grosse femme de chambre eut apporté des fleurs avec lesquelles se parèrent grotesquement ceux qui se trouvaient les plus ivres. Finot, le grand prêtre, versa quelques gouttes de vin de Champagne sur la belle tête blonde de Lucien en prononçant avec une délicieuse gravité ces paroles sacramentales :

— Au nom du Timbre, du Cautionnement et de l'Amende, je te baptise journaliste. Que tes articles te soient légers [a] !

— Et payés sans déduction des blancs [b] ! dit Merlin.

En ce moment Lucien aperçut les visages attristés de Michel Chrestien, de Joseph Bridau et de Fulgence Ridal qui prirent leurs chapeaux et sortirent au milieu d'un hurrah d'imprécations.

— Voilà de singuliers chrétiens ? dit Merlin.

— Fulgence était un bon garçon, reprit Lousteau ; mais *ils* l'ont perverti de morale.

— Qui ? demanda Claude Vignon.

— Des jeunes hommes graves qui s'assemblent dans un *musico* philosophique et religieux de la rue des Quatre-Vents, où l'on s'inquiète du sens général de l'Humanité [1]... répondit Blondet.

— Oh! oh! oh!

— ... On y cherche à savoir si elle tourne sur elle-même, dit Blondet en continuant, ou si elle est en progrès. Ils étaient très embarrassés entre la ligne droite et la ligne courbe, ils trouvaient un non-sens au triangle biblique, et il leur est alors apparu je ne sais quel prophète qui s'est prononcé pour la spirale.

---

1. *L'Europe littéraire* contient (I, p. 205-206) un article anonyme qui étudie les doctrines de la *Revue encyclopédique* et surtout l'idée de progrès, de perfectibilité indéfinie. Cet article attaque assez vivement Jean Reynaud et Pierre Leroux à propos du « progrès indéfini ». Lorsque nous apprenons que Léon Giraud n'a pu venir au dîner de Lucien parce qu'il est occupé par la publication du premier numéro de sa revue, il est assez probable que Balzac pense à la *Revue encyclopédique*. Pierre Leroux y collabora de 1831 à 1835.

— Des hommes réunis peuvent inventer des bêtises plus dangereuses, s'écria Lucien qui voulut défendre le Cénacle.

— Tu prends ces théories-là pour des paroles oiseuses, dit Félicien Vernou, mais il vient un moment où elles se transforment en coups de fusil ou en guillotine.

— Ils n'en sont encore, dit Bixiou, qu'à chercher la pensée providentielle du vin de Champagne, le sens humanitaire des pantalons et la petite bête qui fait aller le monde. Ils ramassent des grands hommes tombés, comme Vico, Saint-Simon, Fourier [1]. J'ai bien peur qu'ils ne tournent la tête à mon pauvre Joseph Bridau.

— Ils sont cause, dit Lousteau, que Bianchon, mon compatriote et mon camarade de collège [2], me bat froid...

— Y enseigne-t-on la gymnastique et l'orthopédie des esprits ? demanda Merlin.

— Ça se pourrait, répondit Finot, puisque Bianchon donne dans leurs rêveries.

— Bah ! il sera, dit Lousteau, tout de même un grand médecin.

— Leur chef visible n'est-il pas d'Arthez, dit Nathan, un petit jeune homme qui doit nous avaler tous ?

— C'est un homme de génie ! s'écria Lucien.

— J'aime mieux un verre de vin de Xérès, dit Claude Vignon en souriant.

En ce moment, chacun expliquait son caractère à son

---

1. Balzac pense aux articles que Louis Reybaud avait commencé de publier en 1836 dans la *Revue des Deux Mondes* sur les socialistes modernes. Le persiflage de ce folliculaire l'avait indigné. Il dénonçait, dans la *Revue parisienne*, sous la date du 20 août 1840, ce collaborateur de l'infâme *Corsaire*, se donnant pour un homme profond, pour un défenseur de l'ordre social, offrant en holocauste à l'Académie des sciences morales Saint-Simon et Fourier, Owen et George Sand.

2. Le texte du *Furne corrigé* rappelle que Lousteau et Bianchon sont compatriotes et ont fait leurs études au collège de Bourges. C'était le cas de Sandeau et du médecin Émile Regnault, né à Sancerre et ancien élève de Bourges, comme Sandeau, né à Aubusson en 1811, venu à la Châtre en 1818 et qui fit ses études à Bourges.

voisin. Quand les gens d'esprit en arrivent à vouloir
s'expliquer eux-mêmes, à donner la clef de leurs cœurs,
il est sûr que l'ivresse les a pris en croupe [a]. Une heure
après, tous les convives, devenus les meilleurs amis du
monde, se traitaient de grands hommes, d'hommes forts,
de gens à qui l'avenir appartenait. Lucien, en qualité
de maître de maison, avait conservé quelque lucidité dans
l'esprit : il écouta des sophismes qui le frappèrent et achevèrent l'œuvre de sa démoralisation.

— Mes enfants, dit Finot, le parti libéral est obligé
de raviver sa polémique, car il n'a rien à dire en ce moment contre le gouvernement, et vous comprenez dans
quel embarras se trouve alors l'Opposition. Qui de vous
veut écrire une brochure pour demander le rétablissement du droit d'aînesse, afin de faire crier contre les
desseins secrets de la Cour [b] ? La brochure sera bien
payée [1].

— Moi, dit Hector Merlin, c'est dans mes opinions.

— Ton parti dirait que tu le compromets, répliqua
Finot. Félicien, charge-toi de cette brochure, Dauriat
l'éditera, nous garderons le secret.

— Combien donne-t-on ? dit Vernou.

— Six cents francs ! Tu signeras : le comte C...

— Ça va ! dit Vernou.

— Vous allez donc élever le canard jusqu'à la politique, reprit Lousteau.

— C'est l'affaire de Chabot transportée dans la sphère
des idées, reprit Finot. On attribue des intentions au
Gouvernement, et l'on déchaîne contre lui l'opinion
publique.

1. En 1824, Balzac avait écrit une brochure pour défendre le droit
d'aînesse. Lorsqu'on observe quelles étaient ses convictions politiques à cette date, on se persuade sans peine qu'il s'agissait d'un
travail fait sur commande. Mais rien n'oblige à penser que cette brochure était une manœuvre politique et tendait à compromettre le
gouvernement et le parti monarchique aux yeux de l'opinion. Cette
brochure intitulée *Du droit d'aînesse* était signée D... et parut en février
1824 chez Delongchamps, Dentu et Petit.

— Je serai toujours dans le plus profond étonnement de voir un gouvernement abandonnant la direction des idées à des drôles comme nous autres, dit Claude Vignon.

— Si le Ministère commet la sottise de descendre dans l'arène, reprit Finot [a], on le mène tambour battant ; s'il se pique, on envenime la question, on désaffectionne les masses. Le Journal ne risque jamais rien, là où le pouvoir a toujours tout à perdre.

— La France est annulée jusqu'au jour où le Journal sera mis hors la loi, reprit Claude Vignon. Vous faites d'heure en heure des progrès, dit-il à Finot. Vous serez les Jésuites, moins la foi, la pensée fixe, la discipline et l'union [b].

Chacun regagna les tables de jeu. Les lueurs de l'aurore firent bientôt pâlir les bougies.

— Tes amis de la rue des Quatre-Vents étaient tristes comme des condamnés à mort, dit Coralie à son amant.

— Ils étaient les juges, répondit le poète.

— Les juges sont plus amusants que ça, dit Coralie.

LE MONDE [c]

Lucien vit pendant un mois son temps pris [d] par des soupers, des dîners, des déjeuners, des soirées, et fut entraîné par un courant invincible dans un tourbillon de plaisirs et de travaux faciles. Il ne calcula plus. La puissance du calcul au milieu des complications de la vie est le sceau des grandes volontés que les poètes, les gens faibles ou purement spirituels ne contrefont jamais. Comme la plupart des journalistes, Lucien vécut au jour le jour [e], dépensant son argent à mesure qu'il le gagnait, ne songeant point aux charges périodiques de la vie parisienne, si écrasantes pour ces bohémiens. Sa mise et sa tournure rivalisaient avec celles des dandies les plus célèbres. Coralie aimait, comme tous les fanatiques, à parer son idole ; elle se ruina pour donner à son cher poète cet élégant mobilier des élégants qu'il avait tant désiré pendant sa première promenade aux Tuileries [a]. Lucien eut alors des cannes merveilleuses, une charmante lorgnette, des boutons de diamants, des anneaux pour ses cravates du matin, des bagues à la chevalière, enfin des gilets mirifiques en assez grand nombre pour pouvoir assortir les couleurs de sa mise. Il passa bientôt dandy. Le jour où il se rendit à l'invitation du diplomate allemand, sa métamorphose excita [b] une sorte d'envie contenue chez les jeunes gens qui s'y trouvèrent, et qui tenaient le haut du pavé dans le royaume de la fashion, tels que de Marsay, Vandenesse, Ajuda-Pinto, Maxime de Trailles, Rastignac, le duc de Maufrigneuse, Beaudenord, Manerville, etc. [c] Les hommes du monde sont jaloux entre eux à la manière des femmes. La comtesse de Montcornet et la marquise d'Espard, pour qui le dîner se donnait, eurent Lucien entre elles, et le comblèrent de coquetteries.

— Pourquoi donc avez-vous quitté le monde ! lui demanda la marquise, il était si disposé à vous bien accueillir, à vous fêter. J'ai une querelle à vous faire ! vous me deviez une visite, et je l'attends encore. Je vous ai aperçu l'autre jour à l'Opéra, vous n'avez pas daigné venir me voir ni me saluer.

— Votre cousine, madame, m'a si positivement signifié mon congé...

— Vous ne connaissez pas les femmes, répondit madame d'Espard en interrompant Lucien. Vous avez blessé le cœur le plus angélique et l'âme la plus noble que je connaisse. Vous ignorez tout ce que Louise voulait faire pour vous, et combien elle mettait de finesse dans son plan. Oh ! elle eût réussi, fit-elle à une muette dénégation de Lucien. Son mari qui maintenant est mort, comme il devait mourir, d'une indigestion, n'allait-il pas lui rendre, tôt ou tard, sa liberté ? Croyez-vous qu'elle voulût être madame Chardon ? Le titre de comtesse de Rubempré

valait bien la peine d'être conquis. Voyez-vous ? l'amour
est une grande vanité qui doit s'accorder, surtout en
mariage, avec toutes les autres vanités. Je vous aimerais
à la folie, c'est-à-dire assez pour vous épouser, il me
serait très dur de m'appeler madame Chardon. Convenez-
en ? Maintenant, vous avez vu les difficultés de la vie
à Paris, vous savez combien de détours il faut faire pour
arriver au but ; eh ! bien, avouez que pour un inconnu
sans fortune, Louise aspirait à une faveur presque impossible, elle devait donc ne rien négliger [a]. Vous avez beaucoup d'esprit, mais quand nous aimons, nous en avons
encore plus que l'homme le plus spirituel. Ma cousine
voulait employer ce ridicule Châtelet... Je vous dois des
plaisirs, vos articles contre lui m'ont fait bien rire ! dit-
elle en s'interrompant.

Lucien ne savait plus que penser. Initié aux trahisons
et aux perfidies du journalisme, il ignorait celles du monde ;
aussi, malgré sa perspicacité, devait-il recevoir de rudes
leçons.

— Comment, madame, dit le poète dont la curiosité
fut vivement éveillée, ne protégez-vous pas le Héron ?

— Mais dans le monde on est forcé de faire des poli-
tesses à ses plus cruels ennemis, de paraître s'amuser
avec les ennuyeux, et souvent on sacrifie en apparence
ses amis pour les mieux servir. Vous êtes donc encore
bien neuf ? Comment, vous qui voulez écrire, vous ignorez les tromperies courantes du monde [b]. Si ma cousine
a semblé vous sacrifier au Héron, ne le fallait-il pas pour
mettre cette influence à profit pour vous, car notre homme
est très bien vu par le Ministère actuel ; aussi, lui avons-
nous démontré que jusqu'à un certain point vos attaques
le servaient, afin de pouvoir vous raccommoder tous
deux, un jour. On a dédommagé Châtelet de vos persécutions. Comme le disait des Lupeaulx aux ministres :
Pendant que les journaux tournent Châtelet en ridicule,
ils laissent en repos le Ministère.

— Monsieur Blondet m'a fait espérer que j'aurais le
plaisir de vous voir chez moi, dit la comtesse de Montcornet

pendant le temps que la marquise abandonna Lucien
à ses réflexions. Vous y trouverez quelques artistes, des
écrivains et une femme qui a le plus vif désir de vous
connaître, mademoiselle des Touches, un de ces talents
rares parmi notre sexe, et chez qui sans doute vous irez.
Mademoiselle des Touches, Camille Maupin, si vous
voulez, a l'un des salons les plus remarquables de Paris,
elle est prodigieusement riche ; on lui a dit que vous
êtes aussi beau que spirituel, elle se meurt d'envie de vous
voir [a].

Lucien ne put que se confondre en remerciements,
et jeta sur Blondet un regard d'envie. Il y avait autant
de différence entre une femme du genre et de la qualité
de la comtesse de Montcornet et Coralie qu'entre Coralie
et une fille des rues. Cette comtesse, jeune, belle et spirituelle, avait, pour beauté spéciale, la blancheur excessive des femmes du Nord ; sa mère était née princesse
Scherbellof [1], aussi le ministre, avant de dîner, lui avait-il
prodigué ses plus respectueuses attentions. La marquise
avait alors achevé de sucer dédaigneusement une aile
de poulet.

— Ma pauvre Louise, dit-elle à Lucien, avait tant
d'affection pour vous ! j'étais dans la confidence du bel
avenir qu'elle rêvait pour vous : elle aurait supporté
bien des choses, mais quel mépris vous lui avez marqué
en lui renvoyant ses lettres ! Nous pardonnons les cruau-
tés, il faut encore croire en nous pour nous blesser ;
mais l'indifférence !... l'indifférence est comme la glace
des pôles, elle étouffe tout. Allons, convenez-en, vous
avez perdu des trésors par votre faute. Pourquoi rompre ?
Quand même vous eussiez été dédaigné, n'avez-vous pas
votre fortune à faire, votre nom à reconquérir ? Louise
pensait à tout cela.

---

1. Le portrait de la comtesse de Montcornet semble s'inspirer de
celui de la princesse Bagration, chez qui Balzac était alors assidu. Elle
était célèbre par la blancheur de son teint et s'efforçait d'atténuer son
extrême pâleur en se vêtant toujours de blanc. Aussi Balzac fait-il
naître la comtesse de Montcornet d'une Russe, la princesse Scherbellof.

— Pourquoi ne m'avoir rien dit ? répondit Lucien.

— Eh ! mon Dieu, c'est moi qui lui ai donné le conseil de ne pas vous mettre dans sa confidence. Tenez, entre nous, en vous voyant si peu fait au monde, je vous craignais : j'avais peur que votre inexpérience, votre ardeur étourdie ne détruisissent ou ne dérangeassent ses calculs et nos plans. Pouvez-vous maintenant vous souvenir de vous-même ? Avouez-le ? vous seriez de mon opinion en voyant aujourd'hui votre Sosie. Vous ne vous ressemblez plus. Là est le seul tort que nous ayons eu. Mais, en mille, se rencontre-t-il un homme qui réunisse à tant d'esprit une si merveilleuse aptitude à prendre l'unisson ? Je n'ai pas cru que vous fussiez une si surprenante exception. Vous vous êtes métamorphosé si promptement, vous vous êtes si facilement initié aux façons parisiennes, que je ne vous ai pas reconnu au Bois de Boulogne, il y a un mois.

Lucien écoutait cette grande dame avec un plaisir inexprimable : elle joignait à ses paroles flatteuses un air si confiant, si mutin, si naïf ; elle paraissait s'intéresser à lui si profondément, qu'il crut à quelque prodige semblable à celui de sa première soirée au Panorama-Dramatique. Depuis cet heureux soir, tout le monde lui souriait [a], il attribuait à sa jeunesse une puissance talismanique, il voulut alors éprouver la marquise en se promettant de ne pas se laisser surprendre.

— Quels étaient donc, madame, ces plans devenus aujourd'hui des chimères ?

— Louise voulait obtenir du roi une ordonnance qui vous permît de porter le nom et le titre de Rubempré. Elle voulait enterrer le Chardon. Ce premier succès, si facile à obtenir alors, et que maintenant vos opinions rendent presque impossible, était pour vous une fortune. Vous traiterez ces idées de visions et de bagatelles ; mais nous savons un peu la vie, et nous connaissons tout ce qu'il y a de solide dans un titre de comte porté par un élégant, par un ravissant jeune homme. Annoncez ici devant quelques jeunes Anglaises millionnaires ou devant des héritières : *monsieur Chardon* ou *monsieur le comte de Rubem-pré* ? il se ferait deux mouvements bien différents. Fût-il endetté, le comte trouverait les cœurs ouverts, sa beauté mise en lumière serait comme un diamant dans une riche monture. Monsieur Chardon ne serait pas seulement remarqué. Nous n'avons pas créé ces idées, nous les trouvons régnant partout, même parmi les bourgeois. Vous tournez en ce moment le dos à la fortune. Regardez ce joli jeune homme, le vicomte Félix de Vandenesse, il est un des deux secré-taires particuliers du roi. Le roi aime assez les jeunes gens de talent, et celui-là quand il est arrivé de sa province, n'avait pas un bagage plus lourd que le vôtre, vous avez mille fois plus d'esprit que lui ; mais appartenez-vous à une grande famille ? avez-vous un nom ? Vous connaissez des Lupeaulx, son nom ressemble au vôtre, il se nomme Chardin ; mais il ne vendrait pas pour un million sa métairie des Lupeaulx, il sera quelque jour comte des Lupeaulx, et son petit-fils deviendra peut-être un grand seigneur [1]. Si vous continuez à marcher dans la fausse voie où vous vous êtes engagé, vous êtes perdu [a]. Voyez combien monsieur Émile Blondet est plus sage que vous ? il est dans un journal qui soutient le pouvoir, il est bien vu par toutes les puissances du jour, il peut sans danger se mêler avec les Libéraux, il pense bien ; aussi parviendra-t-il tôt ou tard ; mais il a su choisir et son opinion et ses protections. Cette jolie personne, votre voisine, est une demoiselle de Troisville qui a deux pairs de France et deux députés dans sa famille, elle a fait un riche mariage à cause de son nom ; elle reçoit beaucoup, elle aura de l'influence et remuera le monde politique pour ce petit monsieur Émile Blondet [b]. A quoi vous mène une Coralie ? à vous trouver perdu de dettes et fatigué de plaisirs dans quelques années d'ici. Vous placez mal votre amour, et vous arrangez

---

1. Tout ce passage sur Félix de Vandenesse et sur des Lupeaux est ajouté au texte du manuscrit. L'intention de Balzac se discerne aisément. Il veut rattacher les *Illusions perdues* au *Lys dans la Vallée* et aux *Employés*.

mal votre vie. Voilà ce que me disait l'autre jour à l'Opéra la femme que vous prenez plaisir à blesser. En déplorant l'abus que vous faites de votre talent et de votre belle jeunesse, elle ne s'occupait pas d'elle, mais de vous.

— Ah! si vous disiez vrai, madame! s'écria Lucien.

— Quel intérêt verriez-vous à des mensonges? fit la marquise en jetant sur Lucien un regard hautain et froid qui le replongea dans le néant.

Lucien interdit ne reprit pas la conversation, la marquise offensée ne lui parla plus. Il fut piqué, mais il reconnut qu'il y avait eu de sa part maladresse et se promit de la réparer. Il se tourna vers madame de Montcornet et lui parla de Blondet en exaltant le mérite de ce jeune écrivain. Il fut bien reçu par la comtesse qui l'invita, sur un signe de madame d'Espard, à sa prochaine soirée, en lui demandant s'il n'y verrait pas avec plaisir madame de Bargeton, qui, malgré son deuil, y viendrait : il ne s'agissait pas d'une grande soirée, c'était sa réunion des petits jours, on serait entre amis.

— Madame la marquise, dit Lucien, prétend que tous les torts sont de mon côté, n'est-ce pas à sa cousine à être bonne pour moi ?

— Faites cesser les attaques ridicules dont elle est l'objet, qui d'ailleurs la compromettent fortement avec un homme de qui elle se moque, et vous aurez bientôt signé la paix. Vous vous êtes cru joué par elle, m'a-t-on dit, moi je l'ai vue bien triste de votre abandon. Est-il vrai qu'elle ait quitté sa province avec vous et pour vous ?

Lucien regarda la comtesse en souriant, sans oser répondre.

— Comment pouviez-vous vous défier d'une femme qui vous faisait de tels sacrifices ! Et d'ailleurs belle et spirituelle comme elle l'est, elle devait être aimée *quand même*. Madame de Bargeton vous aimait moins pour vous que pour vos talents. Croyez-moi, les femmes aiment l'esprit avant d'aimer la beauté, dit-elle en regardant Émile Blondet à la dérobée [a].

Lucien reconnut dans l'hôtel du ministre les différences

qui existent entre le grand monde et le monde exceptionnel
où il vivait depuis quelque temps. Ces deux magnificences
n'avaient aucune similitude, aucun point de contact. La
hauteur et la disposition des pièces dans cet appartement,
l'un des plus riches du faubourg Saint-Germain; les vieilles
dorures des salons, l'ampleur des décorations, la richesse
sérieuse des accessoires, tout lui était étranger, nouveau;
mais l'habitude si promptement prise des choses de luxe
empêcha Lucien de paraître étonné. Sa contenance fut
aussi éloignée de l'assurance et de la fatuité que de la
complaisance et de la servilité. Le poëte eut bonne façon
et plut à ceux qui n'avaient aucune raison de lui être hostiles, comme les jeunes gens à qui sa soudaine introduction
dans le grand monde, ses succès et sa beauté donnèrent de
la jalousie. En sortant de table, il offrit le bras à madame
d'Espard qui l'accepta. En voyant Lucien courtisé par la
marquise d'Espard, Rastignac vint se recommander de leur
compatriotisme, et lui rappeler leur première entrevue
chez madame du Val-Noble. Le jeune noble parut vouloir
se lier avec le grand homme de sa province [a] en l'invitant
à venir déjeuner chez lui quelque matin, et s'offrant à lui
faire connaître les jeunes gens à la mode. Lucien accepta
cette proposition.

— Le cher Blondet en sera, dit Rastignac.

Le ministre vint se joindre au groupe formé par le
marquis de Ronquerolles, le duc de Rhétoré [b], de Marsay,
le général Montriveau, Rastignac et Lucien.

— Très bien, dit-il à Lucien avec la bonhomie allemande
sous laquelle il cachait sa redoutable finesse, vous avez
fait la paix avec madame d'Espard, elle est enchantée de
vous, et nous savons tous, dit-il en regardant les hommes
à la ronde, combien il est difficile de lui plaire.

— Oui, mais elle adore l'esprit, dit Rastignac, et mon
illustre compatriote en vend.

— Il ne tardera pas à reconnaître le mauvais commerce
qu'il fait, dit vivement Blondet, il nous viendra, ce sera
bientôt un des nôtres.

Il y eut autour de Lucien un chorus sur ce thème. Les

hommes sérieux lancèrent quelques phrases profondes d'un ton despotique, les jeunes gens plaisantèrent du parti libéral [a].

— Il a, je suis sûr, dit Blondet, tiré à pile ou face pour la Gauche ou la Droite ; mais il va maintenant choisir.

Lucien se mit à rire en se souvenant de sa scène au Luxembourg avec Lousteau.

— Il a pris pour cornac, dit Blondet en continuant, un Étienne Lousteau, un bretteur de petit journal qui voit une pièce de cent sous dans une colonne, dont la politique consiste à croire au retour de Napoléon, et, ce qui me semble encore plus niais, à la reconnaissance [b], au patriotisme de messieurs du Côté Gauche. Comme Rubempré, les penchants de Lucien doivent être aristocrates ; comme journaliste, il doit être pour le pouvoir, ou il ne sera jamais ni Rubempré ni secrétaire général.

Lucien, à qui le diplomate proposa une carte pour jouer le whist, excita la plus grande surprise quand il avoua ne pas savoir le jeu.

— Mon ami, lui dit à l'oreille Rastignac, arrivez de bonne heure chez moi le jour où vous y viendrez faire un méchant déjeuner, je vous apprendrai le whist, vous déshonorez notre royale ville d'Angoulême, et je répéterai un mot de monsieur de Talleyrand en vous disant que, si vous ne savez pas ce jeu-là, vous vous préparez une vieillesse très malheureuse [c].

On annonça des Lupeaulx, un maître des requêtes en faveur et qui rendait des services secrets au Ministère, homme fin et ambitieux qui se coulait partout. Il salua Lucien avec lequel il s'était déjà rencontré chez madame du Val-Noble, et il y eut dans son salut un semblant d'amitié qui devait tromper Lucien. En trouvant là le jeune journaliste, cet homme qui se faisait en politique ami de tout le monde, afin de n'être pris au dépourvu par personne, comprit que Lucien allait obtenir dans le monde autant de succès que dans la littérature. Il vit un ambitieux en ce poète, et il l'enveloppa de protestations, de témoignages d'amitié, d'intérêt, de manière à vieillir leur connaissance

et tromper Lucien sur la valeur de ses promesses et de ses
paroles. Des Lupeaulx avait pour principe de bien connaître ceux dont il voulait se défaire, quand il trouvait en
eux des rivaux. Ainsi Lucien fut bien accueilli par le monde.
Il comprit tout ce qu'il devait au duc de Rhétoré, au
ministre, à madame d'Espard, à madame de Montcornet.
Il alla causer avec chacune de ces femmes pendant quelques
moments avant de partir, et déploya pour elles toute la
grâce de son esprit.

— Quelle fatuité! dit des Lupeaulx à la marquise quand
Lucien la quitta.

— Il se gâtera avant d'être mûr, dit à la marquise de
Marsay en souriant. Vous devez avoir des raisons cachées
pour lui tourner ainsi la tête [a].

Lucien trouva Coralie au fond de sa voiture dans la
cour, elle était venue l'attendre; il fut touché de cette
attention, et lui raconta sa soirée. A son grand étonnement,
l'actrice approuva les nouvelles idées qui trottaient déjà
dans la tête de Lucien, et l'engagea fortement à s'enrôler
sous la bannière ministérielle.

— Tu n'as que des coups à gagner avec les Libéraux,
ils conspirent, ils ont tué le duc de Berry. Renverseront-ils
le gouvernement? Jamais! Par eux, tu n'arriveras à rien;
tandis que, de l'autre côté, tu deviendras comte de
Rubempré. Tu peux rendre des services, être nommé
pair de France, épouser une femme riche. Sois ultra.
D'ailleurs, c'est bon genre, ajouta-t-elle en lançant le mot
qui pour elle était la raison suprême. La Val-Noble, chez
qui je suis allée dîner, m'a dit que Théodore Gaillard
fondait décidément son petit journal [b] royaliste appelé
le Réveil, afin de riposter aux plaisanteries du vôtre et du
Miroir. A l'entendre, monsieur de Villèle et son parti
seront au Ministère avant un an [1]. Tâche de profiter de ce
changement en te mettant avec eux pendant qu'ils ne sont

---

1. Balzac brouille un peu la suite des temps. Cette conversation
a lieu vers le mois de mars 1822. Or c'est au mois de décembre 1821
que Villèle prit en main la direction des affaires.

rien encore ; mais ne dis rien à Étienne ni à tes amis qui
seraient capables de te jouer quelque mauvais tour.

Huit jours après [a], Lucien se présenta chez madame de
Montcornet, où il éprouva la plus violente agitation en
revoyant la femme qu'il avait tant aimée, et à laquelle sa
plaisanterie avait percé le cœur. Louise aussi s'était méta-
morphosée ! Elle était redevenue ce qu'elle eût été sans
son séjour en province, grande dame [b]. Il y avait dans
son deuil une grâce et une recherche qui annonçaient une
veuve heureuse. Lucien crut être pour quelque chose dans
cette coquetterie, et il ne se trompait pas ; mais il avait,
comme un ogre, goûté la chair fraîche, il resta pendant
toute cette soirée indécis entre la belle, l'amoureuse, la
voluptueuse Coralie, et la sèche, la hautaine, la cruelle
Louise. Il ne sut pas prendre un parti, sacrifier l'actrice
à la grande dame. Ce sacrifice, madame de Bargeton, qui
ressentait alors de l'amour pour Lucien en le voyant si
spirituel et si beau, l'attendit pendant toute la soirée ;
elle en fut pour ses frais, pour ses paroles insidieuses,
pour ses mines coquettes, et sortit du salon avec un irrévocable désir de vengeance [c].

— Eh ! bien, cher Lucien, dit-elle avec une bonté
pleine de grâce parisienne et de noblesse, vous deviez
être mon orgueil, et vous m'avez prise pour votre première
victime. Je vous ai pardonné, mon enfant, en songeant
qu'il y avait un reste d'amour dans une pareille vengeance.

Madame de Bargeton reprenait sa position par cette
phrase accompagnée d'un air royal. Lucien, qui croyait
avoir mille fois raison, se trouvait avoir tort. Il ne fut question ni de la terrible lettre d'adieu par laquelle il avait
rompu, ni des motifs de la rupture. Les femmes du grand
monde ont un talent merveilleux pour amoindrir leurs
torts en en plaisantant. Elles peuvent et savent tout effacer
par un sourire, par une question qui joue la surprise. Elles
ne se souviennent de rien, elles expliquent tout, elles
s'étonnent, elles interrogent, elles commentent, elles ampli-
fient, elles querellent, et finissent par enlever leurs torts
comme on enlève une tache par un petit savonnage : vous

les saviez noires, elles deviennent en un moment blanches
et innocentes. Quant à vous, vous êtes bienheureux de ne
pas vous trouver coupable de quelque crime irrémissible.
En un moment, Lucien et Louise avaient repris leurs illusions sur eux-mêmes, parlaient le langage de l'amitié ;
mais Lucien, ivre de vanité satisfaite, ivre de Coralie, qui,
disons-le, lui rendait la vie facile, ne sut pas répondre nettement à ce mot que Louise accompagna d'un soupir d'hésitation : Êtes-vous heureux ? Un non mélancolique eût
fait sa fortune. Il crut être spirituel en expliquant Coralie ;
il se dit aimé pour lui-même, enfin toutes les bêtises de
l'homme épris [a]. Madame de Bargeton se mordit les
lèvres. Tout fut dit. Madame d'Espard vint auprès de sa
cousine avec madame de Montcornet. Lucien se vit, pour
ainsi dire, le héros de la soirée : il fut caressé, câliné, fêté
par ces trois femmes qui l'entortillèrent avec un art
infini. Son succès dans ce beau et brillant monde ne fut
donc pas moindre qu'au sein du journalisme. La belle
mademoiselle des Touches, si célèbre sous le nom de
Camille Maupin, et à qui mesdames d'Espard et de Bargeton
présentèrent Lucien, l'invita pour l'un de ses mercredis
à dîner, et parut émue de cette beauté si justement fameuse.
Lucien essaya de prouver qu'il était encore plus spirituel
que beau. Mademoiselle des Touches exprima son admiration avec cette naïveté d'enjouement et cette jolie fureur
d'amitié superficielle à laquelle se prennent tous ceux qui
ne connaissent pas à fond la vie parisienne, où l'habitude
et la continuité des jouissances rendent si avide de la
nouveauté.

— Si je lui plaisais autant qu'elle me plaît, dit Lucien
à Rastignac et à de Marsay, nous abrégerions le roman...

— Vous savez l'un et l'autre trop bien les écrire pour
vouloir en faire, répondit Rastignac. Entre auteurs, peut-
on jamais s'aimer ? Il arrive toujours un certain moment
où l'on se dit de petits mots piquants [b].

— Vous ne feriez pas un mauvais rêve, lui dit en riant
de Marsay. Cette charmante fille a trente ans, il est vrai ;
mais elle a près de quatre-vingt mille livres de rente. Elle

est adorablement capricieuse, et le caractère de sa beauté doit se soutenir fort longtemps[1]. Coralie est une petite sotte, mon cher, bonne pour vous poser; car il ne faut pas qu'un joli garçon reste sans maîtresse; mais si vous ne faites pas quelque belle conquête dans le monde, l'actrice vous nuirait à la longue. Allons, mon cher, supplantez Conti qui va chanter avec Camille Maupin. De tout temps la poésie a eu le pas sur la musique.

Quand Lucien entendit mademoiselle des Touches et Conti, ses espérances s'envolèrent.

— Conti chante trop bien, dit-il à des Lupeaulx.

Lucien revint à madame de Bargeton, qui l'emmena dans le salon où était la marquise d'Espard[a].

— Eh! bien, ne voulez-vous pas vous intéresser à lui? dit madame de Bargeton à sa cousine.

— Mais que monsieur Chardon, dit la marquise d'un air à la fois impertinent et doux, se mette en position d'être patronné sans inconvénient[b] pour ses protecteurs. S'il veut obtenir l'ordonnance qui lui permettra de quitter le misérable nom de son père pour celui de sa mère, ne doit-il pas être au moins des nôtres?

— Avant deux mois[c] j'aurai tout arrangé, dit Lucien.

— Eh! bien, dit la marquise, je verrai mon père et mon oncle[2] qui sont de service auprès du roi, ils parleront de vous au chancelier.

Le diplomate et ces deux femmes avaient bien deviné l'endroit sensible chez Lucien. Ce poète, ravi des splendeurs aristocratiques, ressentait des mortifications indicibles à s'entendre appeler Chardon, quand il voyait n'entrer dans

---

1. Ce passage achèverait de démontrer, s'il en était besoin, que Mlle des Touches n'est pas ici George Sand, ni aucune des contemporaines de Balzac, mais le personnage romanesque qu'il a créé dans *Béatrix* et qui se dégage des éléments de réalité dont il était d'abord chargé, pour vivre maintenant de sa vie propre.

2. Le père de Mme d'Espard, c'est le prince de Blamont-Chauvry. Autant qu'on peut le croire, son oncle serait le duc de Grandlieu, frère de la marquise d'Espard douairière.

les salons que des hommes portant des noms sonores en-
châssés dans des titres. Cette douleur se répéta partout où
il se produisit pendant quelques jours. Il éprouvait d'ailleurs
une sensation tout aussi désagréable en redescendant aux
affaires de son métier, après être allé la veille dans le grand
monde, où il se montrait convenablement avec l'équipage
et les gens de Coralie. Il apprit à monter à cheval pour
pouvoir galoper à la portière des voitures de madame
d'Espard, de mademoiselle des Touches et de la comtesse
de Montcornet, privilège qu'il avait tant envié à son arrivée
à Paris. Finot fut enchanté de procurer à son rédacteur essentiel une entrée de faveur à l'Opéra où Lucien perdit bien
des soirées ; mais il appartint dès lors au monde spécial des
élégants de cette époque. Si le poète rendit à Rastignac et
à ses amis du monde un splendide déjeuner ; il commit la
faute de le donner chez Coralie. Car il était trop jeune, trop
poète et trop confiant pour connaître certaines nuances de
conduite. Une actrice, excellente fille, mais sans éducation,
pouvait-elle lui apprendre la vie ? Le provincial prouva
de la manière la plus évidente à ces jeunes gens, pleins
de mauvaises dispositions pour lui, cette collusion d'intérêts entre l'actrice et lui que tout jeune homme jalouse
secrètement et que chacun flétrit. Celui qui le soir même en
plaisanta le plus cruellement fut Rastignac, quoiqu'il se
soutînt dans le monde par des moyens pareils, mais en
gardant si bien les apparences, qu'il pouvait traiter la médisance de calomnie. Lucien avait promptement appris
le whist. Le jeu devint une passion chez lui.

LES VIVEURS[a]

Coralie, pour éviter toute rivalité, loin de désapprouver
Lucien, en favorisait les dissipations avec l'aveuglement
particulier aux sentiments entiers qui ne voient jamais

que le présent et qui sacrifient tout, même l'avenir, à la jouissance du moment. Le caractère de l'amour véritable offre de constantes similitudes avec l'enfance : il en a l'irréflexion, l'imprudence, la dissipation, le rire et les pleurs.

A cette époque florissait une société de jeunes gens riches ou pauvres, tous désœuvrés appelés *viveurs* [1] [a], et qui vivaient en effet avec une incroyable insouciance, intrépides mangeurs, buveurs plus intrépides encore. Tous bourreaux d'argent et mêlant les plus rudes plaisanteries à cette existence, non pas folle, mais enragée, ils ne reculaient devant aucune impossibilité, se faisaient gloire de leurs méfaits, contenus néanmoins en de certaines bornes : l'esprit le plus original couvrait leurs escapades, il était impossible de ne pas les leur pardonner. Aucun fait n'accuse si hautement l'ilotisme auquel la Restauration avait condamné la jeunesse. Les jeunes gens, qui ne savaient à quoi employer leurs forces, ne les jetaient pas seulement dans le journalisme, dans les conspirations, dans la littérature et dans l'art, ils les dissipaient dans les plus étranges excès, tant il y avait de sève et de luxuriantes puissances dans la jeune France. Travailleuse, cette belle jeunesse voulait le pouvoir et le plaisir; artiste, elle voulait des trésors ; oisive, elle voulait animer ses passions ; de toute manière elle voulait une place, et la politique ne lui en faisait nulle part [b]. Les viveurs étaient des gens presque tous doués de facultés éminentes ; quelques-uns les ont perdues dans cette vie énervante, quelques autres y ont résisté. Le plus célèbre de ces viveurs, le plus spirituel, Rastignac, a fini par entrer, conduit par de Marsay [c], dans une carrière sérieuse où il s'est distingué. Les plaisanteries auxquelles ces jeunes gens se sont livrés

---

1. Le texte du manuscrit éclaire les intentions de Balzac. Ces viveurs sont des journalistes et des écrivains ; ce ne sont pas, comme le ferait penser le texte définitif, des gens du monde. Le romancier avait donc dans l'esprit Nestor Roqueplan, Lautour-Mézeray, Malitourne, qu'il connut dans les salles de rédaction et dans les salons de la comtesse Merlin et de Sophie Gay (Arrigon, *Années romantiques*, p. 76-77).

sont devenues si fameuses qu'elles ont fourni le sujet de
plusieurs vaudevilles. Lucien lancé par Blondet dans cette
société de dissipateurs, y brilla près de Bixiou, l'un des
esprits les plus méchants et le plus infatigable railleur de
ce temps [1] [a]. Pendant tout l'hiver, la vie de Lucien fut donc
une longue ivresse coupée par les faciles travaux du journalisme ; il continua la série de ses petits articles, et fit
des efforts énormes pour produire de temps en temps quelques belles pages de critique fortement pensée. Mais l'étude
était une exception, le poète ne s'y adonnait que contraint
par la nécessité : les déjeuners, les dîners, les parties de
plaisir, les soirées du monde, le jeu prenaient tout son temps
et Coralie dévorait le reste. Lucien se défendait de songer
au lendemain. Il voyait d'ailleurs ses prétendus amis se
conduisant tous comme lui défrayés par des prospectus
de librairie chèrement payés, par des primes données à
certains articles nécessaires aux spéculations hasardées,
mangeant à même et peu soucieux de l'avenir. Une fois
admis dans le journalisme et dans la littérature sur un pied
d'égalité, Lucien aperçut des difficultés énormes à vaincre
au cas où il voudrait s'élever : chacun consentait à l'avoir
pour égal, nul ne le voulait pour supérieur. Insensiblement
il renonça donc à la gloire littéraire en croyant la fortune
politique plus facile à obtenir.

— L'intrigue soulève moins de passions contraires que
le talent, ses menées sourdes n'éveillent l'attention de
personne, lui dit un jour Châtelet [b] avec qui Lucien s'était
raccommodé. L'intrigue est d'ailleurs supérieure au talent :

---

1. Alors que la plupart des personnages de *la Comédie humaine* sont
formés de traits empruntés à plusieurs modèles et à plusieurs vies,
Bixiou est très précisément dessiné d'après Henry Monnier, il l'est
avec l'intention certaine d'être compris par les contemporains. Champ-
fleury écrit : « On ne peut le dissimuler ; le portrait est très ressem-
blant ». Dans *la Maison Nucingen*, on voit Bixiou vieilli, devenu un
misanthrope bouffon, un diable enragé d'avoir dépensé tant d'esprit
en pure perte, bien différent du Bixiou jeune et gai de 1825, le Bixiou
des *Employés*.

de rien, elle fait quelque chose ; tandis que la plupart du temps les immenses ressources du talent ne servent qu'à faire le malheur de l'homme [a].

A travers cette vie, où toujours le Lendemain marchait sur les talons de la Veille au milieu d'une orgie et ne trouvait point le travail promis, Lucien poursuivit donc sa pensée principale : il était assidu dans le monde, il courtisait madame de Bargeton, la marquise d'Espard, la comtesse de Montcornet, et ne manquait pas une seule des soirées de Mademoiselle des Touches ; il arrivait dans le monde avant une partie de plaisir, après quelque dîner donné par les auteurs ou par les libraires ; il quittait les salons pour un souper, fruit de quelque pari. Les frais de la conversation parisienne et le jeu absorbaient le peu d'idées et de forces que lui laissaient ses excès [b]. Le poète n'eut plus alors cette lucidité d'esprit, cette froideur de tête nécessaires pour observer autour de lui, pour déployer le tact exquis que les parvenus doivent employer à tout instant ; il lui fut impossible de reconnaître les moments où madame de Bargeton revenait à lui, s'éloignait blessée, lui faisait grâce ou le condamnait de nouveau. Châtelet aperçut les chances qui restaient à son rival, et devint l'ami de Lucien pour le maintenir dans la dissipation où se perdait son énergie. Rastignac, jaloux de son compatriote et qui trouvait d'ailleurs dans le baron un allié plus sûr et plus utile que Lucien, épousa la cause de Châtelet [c]. Aussi, quelques jours après l'entrevue du Pétrarque et de la Laure d'Angoulême, Rastignac avait-il réconcilié le poète et le vieux beau de l'Empire au milieu d'un magnifique souper au Rocher de Cancale. Lucien, qui rentrait toujours le matin et se levait au milieu de la journée, ne savait pas résister à un amour à domicile et toujours prêt [d]. Ainsi le ressort de sa volonté, sans cesse assoupli par une paresse qui le rendait indifférent aux belles résolutions prises dans les moments où il entrevoyait sa position sous son vrai jour, devint nul, et ne répondit bientôt plus aux plus fortes pressions de la misère [e]. Après avoir été très heureuse de voir Lucien s'amusant, après l'avoir encouragé en voyant

dans cette dissipation des gages pour la durée de son attachement et des liens dans les nécessités qu'elle créait, la
douce et tendre Coralie eut le courage de recommander à
son amant de ne pas oublier le travail, et fut plusieurs fois
obligée de lui dire qu'il avait gagné peu de chose dans
son mois. L'amant et la maîtresse s'endettèrent avec une
effrayante rapidité. Les quinze cents francs restant sur
le prix des Marguerites, les premiers cinq cents francs
gagnés par Lucien avaient été promptement dévorés.
En trois mois, ses articles ne produisirent pas au poète
plus de mille francs, et il crut avoir énormément travaillé [a]. Mais Lucien avait adopté déjà la jurisprudence
plaisante des viveurs sur les dettes. Les dettes sont jolies
chez les jeunes gens de vingt-cinq ans; plus tard, personne
ne les leur pardonne. Il est à remarquer que certaines âmes,
vraiment poétiques, mais où la volonté faiblit, occupées à
sentir pour rendre leurs sensations par des images, manquent
essentiellement du sens moral qui doit accompagner toute
observation. Les poètes aiment plutôt à recevoir en eux des
impressions que d'entrer chez les autres y étudier le mécanisme des sentiments. Ainsi Lucien ne demanda pas compte
aux viveurs de ceux d'entre eux qui disparaissaient, il ne
vit pas l'avenir de ces prétendus amis qui les uns avaient
des héritages, les autres des espérances certaines, ceux-ci
des talents reconnus, ceux-là la foi la plus intrépide en leur
destinée et le dessein prémédité de tourner les lois. Lucien
crut à son avenir en se fiant à ces profonds axiomes de
Blondet :

« Tout finit par s'arranger. — Rien ne se dérange
« chez les gens qui n'ont rien. — Nous ne pouvons perdre
« que la fortune que nous cherchons ! — En allant avec
« le courant, on finit par arriver quelque part. — Un
« homme d'esprit qui a pied dans le monde fait fortune
« quand il veut ! » [b]

Cet hiver, rempli par tant de plaisirs, fut nécessaire [c]
à Théodore Gaillard et à Hector Merlin pour trouver
les capitaux qu'exigeait la fondation du Réveil, dont le

premier numéro ne parut qu'en mars 1822 [1]. Cette affaire
se traitait chez madame du Val-Noble. Cette élégante et
spirituelle courtisane qui disait, en montrant ses magnifiques appartements : — Voilà les comptes des mille et
une nuits ! [2a] exerçait une certaine influence sur les banquiers,
les grands seigneurs et les écrivains du parti royaliste,
tous habitués à se réunir dans son salon pour traiter
certaines affaires qui ne pouvaient être traitées que là.
Hector Merlin, à qui la rédaction en chef du *Réveil* était
promise, devait avoir pour bras droit Lucien, devenu son
ami intime, et à qui le feuilleton d'un des journaux ministériels fut également promis. Ce changement de front
dans la position de Lucien se préparait sourdement à
travers les plaisirs de sa vie. Cet enfant se croyait un
grand politique en dissimulant ce coup de théâtre, et comptait beaucoup sur les largesses ministérielles pour arranger
ses comptes, pour dissiper les ennuis secrets de Coralie.
L'actrice, toujours souriant, cachait sa détresse ; mais
Bérénice, plus hardie, instruisait Lucien. Comme tous
les poètes, ce grand homme en herbe s'apitoyait un moment
sur les désastres, il promettait de travailler, il oubliait
sa promesse et noyait ce souci passager dans ses débauches.
Le jour où Coralie apercevait des nuages sur le front
de son amant, elle grondait Bérénice et disait à son poète
que tout se pacifiait [b]. Madame d'Espard et madame de
Bargeton attendaient la conversion de Lucien pour faire

---

1. On a vu plus haut que *le Réveil* fut en réalité fondé au mois
d'août de cette année. L'erreur est légère, et si l'on observe le peu
d'importance du *Réveil*, on est amené à penser que Balzac avait sur
cette petite feuille quelque souvenir personnel. — Les indications
du manuscrit et des éditions sont d'accord. La période mondaine de
Lucien a duré de décembre 1821 au début de mars 1822.

2. Le même mot se lit dans *les Guêpes* en janvier 1840. Alphonse
Karr l'attribue à Mlle R***. Comme une femme du monde lui disait :
Mais c'est un conte de fées ! elle répondit : Non, madame, c'est un
compte des mille et une nuits. L'anecdote est légèrement postérieure
au texte des *Illusions perdues*, mais il ne semble pas qu'Alphonse Karr
s'inspire de Balzac. Le mot de Mlle R*** devait courir les salles de
rédaction et les cafés.

demander au ministre par Châtelet ª, disaient-elles, l'ordonnance tant désirée sur le changement de nom. Lucien
avait promis de dédier ses Marguerites à la marquise
d'Espard, qui paraissait très flattée d'une distinction
que les auteurs ont rendue rare depuis qu'ils sont devenus
un pouvoir. Quand Lucien allait le soir chez Dauriat
et demandait où en était son livre, le libraire lui opposait
d'excellentes raisons pour retarder la mise sous presse.
Dauriat avait telle ou telle opération en train qui lui prenait tout son temps. On allait publier un nouveau volume
de Canalis ᵇ contre lequel il ne fallait pas se heurter, les
secondes Méditations de monsieur de Lamartine étaient
sous presse ¹, et deux importants recueils de poésie ne
devaient pas se rencontrer, l'auteur devait d'ailleurs se
fier à l'habileté de son libraire. Cependant les besoins
de Lucien devenaient si pressants, qu'il eut recours à
Finot qui lui fit quelques avances sur des articles. Quand
le soir, à souper, le poète-journaliste expliquait sa situation à ses amis les viveurs, ils noyaient ses scrupules
dans des flots de vin de Champagne glacé de plaisanteries.
Les dettes ! il n'y a pas d'homme fort sans dettes ! Les
dettes représentent des besoins satisfaits, des vices exigeants. Un homme ne parvient que pressé par la main
de fer de la nécessité.

— Aux grands hommes, le Mont-de-Piété reconnaissant ! lui criait Blondet.

— Tout vouloir, c'est devoir tout, dit Bixiou.

— Non, tout devoir, c'est avoir eu tout ! répondait
des Lupeaulx.

Les viveurs savaient prouver à cet enfant que ses dettes
seraient l'aiguillon d'or avec lequel il piquerait les chevaux attelés au char de sa fortune. Puis toujours César

----

1. Balzac continue de se tromper sur la chronologie des premiers
recueils romantiques. En 1822, Victor Hugo va publier au mois
d'octobre son premier volume, les *Odes*, il ne peut être question qu'il
publie un « nouveau volume ». Les *Nouvelles Méditations* de Lamartine
n'ont paru qu'au mois de septembre 1823.

avec ses quarante millions de dettes, et Frédéric II recevant de son père un ducat par mois, et toujours les fameux,
les corrupteurs exemples des grands hommes montrés
dans leurs vices et non dans la toute-puissance de leur
courage et de leurs conceptions [a] ! Enfin la voiture, les
chevaux et le mobilier de Coralie furent saisis par plusieurs
créanciers pour des sommes dont le total montait à quatre
mille francs. Quand Lucien recourut à Lousteau pour lui
redemander le billet de mille francs qu'il lui avait prêté,
Lousteau lui montra des papiers timbrés qui établissaient
chez Florine une position analogue à celle de Coralie ;
mais Lousteau reconnaissant lui proposa de faire des
démarches nécessaires pour placer l'*Archer de Charles IX*.

— Comment Florine en est-elle arrivée là ? demanda
Lucien.

— Le Matifat s'est effrayé, répondit Lousteau, nous
l'avons perdu ; mais si Florine le veut, il payera cher sa
trahison ! Je te conterai l'affaire.

CINQUIÈME VARIÉTÉ DE LIBRAIRE[b]

Trois jours après la démarche inutile faite par Lucien
chez Lousteau, les deux amants déjeunaient tristement
au coin du feu dans leur belle chambre à coucher ; Bérénice
leur avait cuisiné des œufs sur le plat dans la cheminée,
car la cuisinière, le cocher, les gens étaient partis. Il était
impossible de disposer du mobilier saisi. Il n'y avait plus
dans le ménage aucun objet d'or ou d'argent, ni aucune
valeur intrinsèque, mais tout était d'ailleurs représenté
par des reconnaissances du Mont-de-Piété formant un
petit volume in-octavo très instructif. Bérénice avait
conservé deux couverts. Le petit journal rendait des services inappréciables à Lucien et à Coralie en maintenant
le tailleur, la marchande de modes et la couturière, qui tous

tremblaient de mécontenter un journaliste capable de tym-
paniser leurs établissements. Lousteau vint pendant le
déjeuner en criant : — Hourrah ! Vive l'Archer de Charles
IX ! J'ai *lavé* pour cent francs de livres, mes enfants,
dit-il, partageons !

Il remit cinquante francs à Coralie, et envoya Bérénice
chercher un déjeuner substantiel.

— Hier, Hector Merlin et moi nous avons dîné avec
des libraires, et nous avons préparé la vente de ton roman
par de savantes insinuations. Tu es en marché avec Dauriat ;
mais Dauriat lésine, il ne veut pas donner plus de quatre
mille francs pour deux mille exemplaires, et tu veux six
mille francs. Nous t'avons fait deux fois plus grand que
Walter Scott. Oh ! tu as dans le ventre des romans incom-
parables ! tu n'offres pas un livre, mais une affaire ; tu
n'es pas l'auteur d'un roman plus ou moins ingénieux,
tu seras une collection ! Ce mot collection a porté coup.
Ainsi n'oublie pas ton rôle, tu as en portefeuille : *la Grande
mademoiselle*, ou *la France sous Louis XIV*. — *Cotillon I*er
ou *les Premiers jours de Louis XV*. — *la Reine et le Cardinal*,
ou *Tableau de Paris sous la Fronde*. — *Le fils de Concini*,
ou *Une intrigue de Richelieu !...* Ces romans seront annoncés
sur la couverture. Nous appelons cette manœuvre berner
les succès. On fait sauter ses livres sur la couverture jusqu'à
ce qu'ils deviennent célèbres, et l'on est alors bien plus
grand par les œuvres qu'on ne fait pas que par celles qu'on
a faites. Le *Sous presse* est l'hypothèque littéraire ! Allons,
rions un peu ? Voici du vin de Champagne. Tu comprends,
Lucien, que nos hommes ont ouvert des yeux grands
comme tes soucoupes... Tu as donc encore des soucoupes ?

— Elles sont saisies, dit Coralie.

— Je comprends et je reprends, reprit Lousteau. Les
libraires croiront à tous tes manuscrits, s'ils en voient
un seul. En librairie, on demande à voir le manuscrit,
on a la prétention de le lire. Laissons aux libraires leur
fatuité : jamais ils ne lisent de livres, autrement ils n'en
publieraient pas tant ! Hector et moi, nous avons laissé
pressentir qu'à cinq mille francs tu concéderais trois

mille exemplaires en deux éditions. Donne-moi le manuscrit de l'Archer, après-demain nous déjeunons chez les libraires et nous les enfonçons !

— Qui est-ce ? dit Lucien [a].

— Deux associés, deux bons garçons, assez ronds en affaires, nommés Fendant et Cavalier. L'un est un ancien premier commis de la maison Vidal et Porchon, l'autre est le plus habile voyageur [1] du quai des Augustins, tous deux établis depuis un an. Après avoir perdu quelques légers capitaux à publier des romans traduits de l'anglais, mes gaillards veulent maintenant exploiter les romans indigènes. Le bruit court que ces deux marchands de papier noirci risquent uniquement les capitaux des autres, mais il t'est, je pense, assez indifférent de savoir à qui appartient l'argent qu'on te donnera [b].

Le surlendemain, les deux journalistes étaient invités à déjeuner rue Serpente, dans l'ancien quartier de Lucien, où Lousteau conservait toujours sa chambre rue de la Harpe ; et Lucien, qui vint y prendre son ami, la vit dans le même état où elle était le soir de son introduction dans le monde littéraire, mais il ne s'en étonna plus : son éducation l'avait initié aux vicissitudes de la vie des journalistes, il en concevait tout. Le grand homme de province avait reçu, joué, perdu le prix de plus d'un article en perdant aussi l'envie de le faire ; il avait écrit plus d'une colonne d'après les procédés ingénieux que lui avait décrits Lousteau quand ils avaient descendu de la rue de la Harpe au Palais-Royal. Tombé sous la dépendance de Barbet et de Braulard, il trafiquait des livres et des billets de théâtres ; enfin il ne reculait devant aucun éloge, ni devant aucune attaque ; il éprouvait même en ce moment une espèce de joie à

---

1. Le commis-voyageur en librairie apparut seulement vers 1813. Au dire de Werdet, on n'en comptait que deux ou trois pour toute la France à cette date, mais en 1825, rien que pour la région de Toulouse, ces commis-voyageurs du livre étaient au nombre de dix-sept (*De la librairie française*, p. 108). On verra dans le même livre de Werdet la description de ces commissionnaires (p. 80). Il en nomme deux, célèbres pour leur habileté, Hautcœur et Gayet l'aîné.

tirer de Lousteau tout le parti possible avant de tourner
le dos aux Libéraux, qu'il se proposait d'attaquer d'autant
mieux qu'il les avait plus étudiés. De son côté, Lousteau
recevait, au préjudice de Lucien, une somme de cinq
cents francs en argent de Fendant et Cavalier, sous le nom
de commission, pour avoir procuré ce futur Walter Scott
aux deux libraires en quête d'un Scott français[a].

La maison Fendant et Cavalier était une de ces maisons
de librairie établies[b] sans aucune espèce de capital, comme
il s'en établissait beaucoup alors, et comme il s'en établira
toujours, tant que la papeterie et l'imprimerie continue-
ront à faire crédit à la librairie, pendant le temps de jouer
sept à huit de ces coups de cartes appelés publications. Alors
comme aujourd'hui, les ouvrages s'achetaient aux auteurs
en billets souscrits à des échéances de six, neuf et douze
mois, payement fondé sur la nature de la vente qui se
solde entre libraires par des valeurs encore plus longues.
Ces libraires payaient en même monnaie les papetiers
et les imprimeurs, qui avaient ainsi pendant un an entre les
mains, *gratis*, toute une librairie composée d'une douzaine
ou d'une vingtaine d'ouvrages. En supposant deux ou
trois succès, le produit des bonnes affaires soldait les mauvaises, et ils se soutenaient en entant livre sur livre. Si
les opérations étaient toutes douteuses, ou si, pour leur
malheur, ils rencontraient de bons livres qui ne pouvaient
se vendre qu'après avoir été goûtés, appréciés par le vrai
public[c] ; si les escomptes de leurs valeurs étaient onéreux,
s'ils subissaient eux-mêmes des faillites, ils déposaient
tranquillement leur bilan, sans nul souci, préparés par
avance à ce résultat[1]. Ainsi toutes les chances étaient
en leur faveur, ils jouaient sur le grand tapis vert de la

---

1. Ce paragraphe s'éclaire bien par une page d'Hébrard (*De la
librairie française*, 1847). Faisant l'histoire de sa profession, Hébrard
note que vers 1820 on vit des libraires aventureux accaparer les manuscrits sans disposer de moyens financiers suffisants. Leur papier eut
tôt fait de perdre toute valeur sur la place de Paris, et la banqueroute
devint trop souvent le dernier solde de compte des plus magnifiques
accapareurs (*De la librairie*, p. 34).

spéculation les fonds d'autrui, non les leurs. Fendant et Cavalier se trouvaient dans cette situation, Cavalier avait apporté son savoir-faire, Fendant y avait joint son industrie. Le fonds social méritait éminemment ce titre car il consistait en quelques milliers de francs [a], épargnes péniblement amassées par leurs maîtresses, sur lesquelles ils s'étaient attribué l'un et l'autre des appointements assez considérables, très scrupuleusement dépensés en dîners offerts aux journalistes et aux auteurs, au spectacle où se faisaient, disaient-ils, les affaires. Ces demi-fripons [b] passaient tous deux pour habiles ; mais Fendant était plus rusé que Cavalier. Digne de son nom, Cavalier voyageait, Fendant dirigeait les affaires à Paris. Cette association fut ce qu'elle sera toujours entre deux libraires, un duel.

Les associés occupaient le rez-de-chaussée d'un de ces vieux hôtels de la rue Serpente, où le cabinet de la maison se trouvait au bout de vastes salons convertis en magasins. Ils avaient déjà publié beaucoup de romans, tels que la *Tour du Nord*, le *Marchand de Bénarès* [c], la *Fontaine du Sépulcre*, *Tekeli*, les romans de Galt, auteur anglais qui n'a pas réussi en France [1]. Le succès de Walter Scott éveillait tant l'attention de la librairie sur les produits de l'Angleterre, que les libraires étaient tous préoccupés

---

1. Les variantes du manuscrit prouvent que Balzac a hésité sur ces titres. Il avait d'abord pensé au *Marchand forain*. Ce n'était nullement une œuvre imaginaire. *Le Marchand forain* avait paru en 1819 ; c'était un roman de Louis-Pierre-Prudent Legay. Son éditeur était Pigoreau. Il devient dès lors évident que *la Tour du Nord* que cite Balzac rappelle *la Tour du Bog ou la Sévérité Paternelle* du même Louis-Pierre-Prudent Legay parue chez Hubert en 1819 également. Au lieu du *Marchand forain*, Balzac a écrit le *Marchand de Bénarès*, au lieu de *Tekeli* il avait mis d'abord les *Streliz*. On notera à tout hasard que Philarète Chasles avait écrit *la Fiancée de Bénarès* et que *Tekeli* est le titre d'un mélodrame de Pixérécourt. — Deux romans de Galt avaient été traduits, *Sir André Wylie* chez Lecointe et Durey en 1823, *Rothelan* chez Gosselin en 1825. Il ne faut certainement pas penser à Lecointe et Durey pour les personnages de Fendant et Cavalier. La *Biographie des imprimeurs et libraires* de J.-B. Auguste Imbert, 1826, représente la maison Lecointe et Durey comme une des plus fortes de Paris.

en vrais Normands, de la conquête de l'Angleterre ;
ils y cherchaient du Walter Scott, comme plus tard on
devait chercher des asphaltes dans les terrains caillouteux,
du bitume dans les marais, et réaliser des bénéfices sur
les chemins de fer en projet. Une des plus grandes niaiseries
du commerce parisien est de vouloir trouver le succès
dans les analogues, quand il est dans les contraires. A Paris
surtout, le succès tue le succès [a]. Aussi sous le titre de
Les Strelitz, ou *la Russie il y a cent ans*, Fendant et Cavalier
inséraient-ils bravement en grosses lettres [b], *dans le genre
de Walter Scott*. Fendant et Cavalier avaient soif d'un succès : un bon livre pouvait leur servir à écouler leurs ballots
de pile, et ils avaient été affriolés par la perspective d'avoir
des articles dans les journaux, la grande condition de la
vente d'alors, car il est extrêmement rare qu'un livre
soit acheté pour sa propre valeur, il est presque toujours
publié par des raisons étrangères à son mérite. Fendant
et Cavalier voyaient en Lucien le journaliste, et dans
son livre une fabrication dont la première vente leur
faciliterait une fin de mois. Les journalistes [c] trouvèrent
les associés dans leur cabinet, le traité tout prêt, les billets signés. Cette promptitude émerveilla Lucien. Fendant
était un petit homme maigre, porteur d'une sinistre physionomie : l'air d'un Kalmouk, petit front bas, nez rentré,
bouche serrée, deux petits yeux noirs éveillés, les contours
du visage tourmentés, un teint aigre, une voix qui ressemblait au son que rend une cloche fêlée, enfin tous les dehors
d'un fripon consommé ; mais il compensait ces désavan-
tages par le mielleux de ses discours, il arrivait à ses fins
par la conversation. Cavalier, garçon tout rond et que l'on
aurait pris pour un conducteur de diligence plutôt que
pour un libraire, avait des cheveux d'un blond hasardé, le
visage allumé, l'encolure épaisse et le verbe éternel du
commis-voyageur.

— Nous n'aurons pas de discussions, dit Fendant en
s'adressant à Lucien et à Lousteau. J'ai lu l'ouvrage,
il est très littéraire et nous convient si bien que j'ai déjà
remis le manuscrit à l'imprimerie. Le traité est rédigé

d'après les bases convenues ; d'ailleurs, nous ne sortons jamais des conditions que nous y avons stipulées. Nos effets sont à six, neuf et douze mois, vous les escompterez facilement, et nous vous rembourserons l'escompte. Nous nous sommes réservé le droit de donner un autre titre à l'ouvrage, nous n'aimons pas l'Archer de Charles IX, il ne pique pas assez la curiosité des lecteurs, il y a plusieurs rois du nom de Charles, et dans le Moyen âge il se trouvait tant d'Archers ! Ah ! si vous disiez le Soldat de Napoléon ! mais l'Archer de Charles IX ?... Cavalier serait obligé de faire un cours d'histoire de France pour placer chaque exemplaire en province.

— Si vous connaissiez les gens à qui nous avons affaire, s'écria Cavalier.

— *La Saint-Barthélemy* vaudrait mieux, reprit Fendant.

— *Catherine de Médicis*, ou *la France sous Charles IX*, dit Cavalier, ressemblerait plus à un titre de Walter Scott[a].

— Enfin nous le déterminerons quand l'ouvrage sera imprimé, reprit Fendant.

— Comme vous voudrez, dit Lucien, pourvu que le titre me convienne.

Le traité lu, signé, les doubles échangés, Lucien mit les billets dans sa poche avec une satisfaction sans égale. Puis tous quatre, ils montèrent chez Fendant où ils firent le plus vulgaire des déjeuners : des huîtres, des beefteaks, des rognons au vin de Champagne et du fromage de Brie ; mais ces mets furent accompagnés par des vins exquis, dus à Cavalier qui connaissait un voyageur du commerce des vins. Au moment de se mettre à table apparut l'imprimeur à qui était confiée l'impression du roman, et qui vint surprendre Lucien en lui apportant les deux premières feuilles de son livre en épreuves.

— Nous voulons marcher rapidement, dit Fendant à Lucien, nous comptons sur votre livre, et nous avons diantrement besoin d'un succès.

Le déjeuner, commencé vers midi, ne fut fini qu'à cinq heures.

— Où trouver de l'argent ? dit Lucien à Lousteau.

— Allons voir Barbet, répondit Étienne.

Les deux amis descendirent, un peu échauffés et avinés, vers le quai des Augustins.

LE CHANTAGE [a]

— Coralie est surprise au dernier point de la perte que Florine a faite, Florine ne la lui a dite qu'hier en t'attribuant ce malheur, elle paraissait aigrie au point de te quitter, dit Lucien à Lousteau.

— C'est vrai, dit Lousteau qui ne conserva pas sa prudence et s'ouvrit à Lucien. Mon ami, car tu es mon ami, toi, Lucien, tu m'as prêté mille francs et tu ne me les as encore demandés qu'une fois. Défie-toi du jeu. Si je ne jouais pas, je serais heureux. Je dois à Dieu et au diable. J'ai dans ce moment-ci les Gardes du Commerce à mes trousses. Enfin je suis forcé, quand je vais au Palais-Royal, de doubler des caps dangereux.

Dans la langue des viveurs, doubler un cap dans Paris, c'est faire un détour, soit pour ne pas passer devant un créancier, soit pour éviter l'endroit où il peut être rencontré. Lucien qui n'allait pas indifféremment par toutes les rues, connaissait la manœuvre sans en connaître le nom.

— Tu dois donc beaucoup ?

— Une misère ! reprit Lousteau [b]. Mille écus me sauveraient. J'ai voulu me ranger, ne plus jouer, et, pour me liquider, j'ai fait un peu de *chantage*.

— Qu'est-ce que le Chantage ? dit Lucien à qui ce mot était inconnu.

— Le Chantage est une invention de la presse anglaise, importée récemment en France. Les *Chanteurs* sont des gens placés de manière à disposer des journaux. Jamais un directeur de journal, ni un rédacteur en chef, n'est censé tremper dans le chantage. On a des Giroudeau, des Philippe Bridau. Ces *bravi* viennent trouver un homme qui, pour certaines raisons, ne veut pas qu'on s'occupe de lui. Beaucoup de gens ont sur la conscience des peccadilles plus ou moins originales. Il y a beaucoup de fortunes suspectes à Paris, obtenues par des voies plus ou moins légales, souvent par des manœuvres criminelles, et qui fourniraient de délicieuses anecdotes, comme la gendarmerie de Fouché cernant les espions du préfet de police qui, n'étant pas dans le secret de la fabrication des faux billets de la banque anglaise, allaient saisir les imprimeurs clandestins protégés par le ministre ; puis l'histoire des diamants du prince Galathione, l'affaire Maubreuil, la succession Pombreton, etc. [1] Le Chanteur s'est procuré quelque pièce, un document important, il demande un rendez-vous à l'homme enrichi [a]. Si l'homme compromis ne donne pas une somme quelconque, le Chanteur lui montre la presse prête à l'entamer, à dévoiler ses secrets. L'homme riche a peur, il finance. Le tour est fait. Vous vous livrez à quelque opération périlleuse, elle peut succomber à une suite d'articles : on vous détache un Chanteur qui vous propose le rachat des articles [2] [b]. Il y a des ministres à qui l'on envoie des Chanteurs, et qui stipulent avec eux que le journal attaquera

1. Le prince Galathione est un personnage de *la Comédie humaine*. Il apparaît dans plusieurs romans. Il est question du marquis de Pombreton dans *la Vieille fille*. Mais l'affaire Maubreuil est un fait historique. Le marquis de Maubreuil fut emprisonné en 1814 et jugé en 1817 pour avoir dissimulé à son profit l'or et les bijoux qu'il avait eu mission de saisir dans les bagages de la reine de Westphalie, au moment de la débâcle de 1814. Il se défendit en accusant Talleyrand de l'avoir chargé d'assassiner Napoléon. L'affaire fit un bruit énorme. Frédéric Masson lui a consacré un volume.

2. Il semble bien que Balzac a en vue une affaire personnelle. Dans la préface d'*Un grand homme de province à Paris*, il parle d'une « opération » utile à la littérature française et destinée à la libérer de la contrefaçon belge. Un petit journal dénonça cette « opération » en termes si diffamatoires et si calomnieux que l'un des libraires de Balzac porta l'affaire devant les tribunaux et que les juges déployèrent contre le petit journal toute la rigueur des lois. Faudrait-il croire que les maîtres chanteurs avaient d'abord offert à Balzac d'acheter leur silence ?

leurs actes politiques et non leur personne, ou qui livrent
leur personne et demandent grâce pour leur maîtresse. Des
Lupeaulx, ce joli maître des requêtes que tu connais, est
perpétuellement occupé de ces sortes de négociations avec
les journalistes. Le drôle s'est fait une position merveilleuse
au centre du pouvoir par ses relations : il est à la fois le
mandataire de la presse et l'ambassadeur des ministres,
il maquignonne les amours-propres, il étend même ce
commerce aux affaires politiques, il obtient des journaux
leur silence sur tel emprunt, sur telle concession accordés
sans concurrence ni publicité dans laquelle on donne une
part aux loups-cerviers de la banque libérale ᵃ. Tu as fait
un peu de chantage avec Dauriat, il t'a donné mille écus
pour t'empêcher de décrier Nathan. Dans le dix-huitième
siècle où le journalisme était au maillot, le chantage se
faisait au moyen de pamphlets dont la destruction était
achetée par les favorites et les grands seigneurs. L'inventeur
du Chantage est l'Arétin, un très grand homme d'Italie qui
imposait les rois comme de nos jours tel journal impose
les acteurs.

— Qu'as-tu pratiqué contre le Matifat pour avoir tes
mille écus ᵇ ?

— J'ai fait attaquer Florine dans six journaux, et Florine
s'est plainte à Matifat. Matifat a prié Braulard de découvrir
la raison de ces attaques. Braulard a été joué par Finot.
Finot, au profit de qui je *chantais*, a dit au droguiste que tu
démolissais Florine dans l'intérêt de Coralie. Giroudeau
est venu dire confidentiellement à Matifat que tout s'arrangerait s'il voulait vendre son sixième de propriété dans
la Revue de Finot ᶜ moyennant dix mille francs. Finot
me donnait mille écus en cas de succès. Matifat allait conclure l'affaire, heureux de retrouver dix mille francs sur
ses trente mille qui lui paraissaient aventurés, car depuis
quelques jours Florine lui disait que la Revue de Finot
ne prenait pas. Au lieu d'un dividende à recevoir, il était
question d'un nouvel appel de fonds. Avant de déposer
son bilan, le directeur du Panorama-Dramatique a eu
besoin de négocier quelques effets de complaisance ; et,

pour les faire placer par Matifat, il l'a prévenu du tour que lui jouait Finot [a]. Matifat, en fin commerçant, a quitté Florine, a gardé son sixième, et nous voit maintenant venir. Finot et moi, nous hurlons de désespoir [b]. Nous avons eu le malheur d'attaquer un homme qui ne tient pas à sa maîtresse, un misérable sans cœur ni âme [c]. Malheureusement le commerce que fait Matifat n'est pas justiciable de la presse, il est inattaquable dans ses intérêts. On ne critique pas un droguiste comme on critique des chapeaux, des choses de mode, des théâtres ou des affaires d'art. Le cacao, le poivre, les couleurs, les bois de teinture, l'opium ne peuvent pas se déprécier. Florine est aux abois, le Panorama ferme demain [1], elle ne sait que devenir.

— Par suite de la fermeture du théâtre, Coralie débute dans quelques jours au Gymnase [d], dit Lucien, elle pourra servir Florine.

— Jamais ! dit Lousteau. Coralie n'a pas d'esprit, mais elle n'est pas encore assez bête pour se donner une rivale ! Nos affaires sont furieusement gâtées ! Mais Finot est tellement pressé de rattraper son sixième...

— Et pourquoi ?

— L'affaire est excellente, mon cher. Il y a chance de vendre le journal trois cent mille francs. Finot aurait alors un tiers, plus une commission allouée par ses associés et qu'il partage avec des Lupeaulx. Aussi vais-je lui proposer un coup de chantage.

— Mais, le chantage, c'est la bourse ou la vie ?

— Bien mieux, dit Lousteau. C'est la bourse ou l'honneur. Avant-hier, un petit journal au propriétaire duquel on avait refusé un crédit, a dit que la montre à répétition entourée de diamants appartenant à l'une des notabilités de la capitale se trouvait d'une façon bizarre entre les mains d'un soldat de la garde royale, et il promettait le récit de cette aventure digne des Mille et une Nuits. La notabilité

---

1. Cette conversation a lieu vers le mois d'avril 1822. Le Panorama-Dramatique ne ferma ses portes que le 21 juillet 1823.

s'est empressée d'inviter le rédacteur en chef à dîner. Le rédacteur en chef a certes gagné quelque chose, mais l'histoire contemporaine a perdu l'anecdote de la montre [a]. Toutes les fois que tu verras la presse acharnée après quelques gens puissants, sache qu'il y a là-dessous des escomptes refusés, des services qu'on n'a pas voulu rendre. Ce chantage relatif à la vie privée est ce que craignent le plus les riches Anglais, il entre pour beaucoup dans les revenus secrets de la presse britannique, infiniment plus dépravée que ne l'est la nôtre. Nous sommes des enfants ! En Angleterre, on achète une lettre compromettante cinq à six mille francs pour la revendre.

— Quel moyen as-tu trouvé d'empoigner Matifat ? dit Lucien.

— Mon cher, reprit Lousteau, ce vil épicier a écrit les lettres les plus curieuses à Florine : orthographe, style, pensées, tout est d'un comique achevé. Matifat craint beaucoup sa femme ; nous pouvons, sans le nommer, sans qu'il puisse se plaindre, l'atteindre au sein de ses lares et de ses pénates où il se croit en sûreté [b]. Juge de sa fureur en voyant le premier article d'un petit roman de mœurs, intitulé les Amours d'un Droguiste, quand il aura été loyalement prévenu du hasard qui met entre les mains des rédacteurs de tel journal des lettres où il parle du petit Cupidon, où il écrit *gamet* pour jamais, où il dit de Florine qu'elle l'aide à traverser le désert de la vie, ce qui peut faire croire qu'il la prend pour un chameau. Enfin, il y a de quoi désopiler la rate des abonnés pendant quinze jours dans cette correspondance éminemment drolatique. On lui donnera la peur d'une lettre anonyme par laquelle on mettrait sa femme au fait de la plaisanterie [c]. Florine voudra-t-elle prendre sur elle de paraître poursuivre Matifat ? Elle a encore des principes, c'est-à-dire des espérances. Peut-être garde-t-elle les lettres pour elle, et veut-elle une part. Elle est rusée, elle est mon élève. Mais quand elle saura [d] que le Garde du Commerce n'est pas une plaisanterie, quand Finot lui aura fait un présent convenable, ou donné l'espoir d'un engagement, elle me livrera les lettres, que je remettrai contre écus à Finot. Finot remettra la correspondance à son oncle [a], et Giroudeau fera capituler le droguiste.

Cette confidence dégrisa Lucien, il pensa d'abord qu'il avait des amis extrêmement dangereux ; puis il songea qu'il ne fallait pas se brouiller avec eux, car il pouvait avoir besoin de leur terrible influence au cas où madame d'Espard, madame de Bargeton et Châtelet lui manqueraient de parole. Étienne et Lucien étaient alors arrivés sur le quai devant la misérable boutique de Barbet.

LES ESCOMPTEURS [b]

— Barbet, dit Étienne au libraire, nous avons cinq mille francs de Fendant et Cavalier à six, neuf et douze mois ; voulez-vous nous escompter leurs billets ?

— Je les prends pour mille écus, dit Barbet avec un calme imperturbable.

— Mille écus ! s'écria Lucien.

— Vous ne les trouverez chez personne, reprit le libraire. Ces messieurs feront faillite avant trois mois ; mais je connais chez eux deux bons ouvrages dont la vente est *dure*, ils ne peuvent pas attendre, je les leur achèterai comptant et leur rendrai leurs valeurs : par ce moyen, j'aurai deux mille francs de diminution sur les marchandises.

— Veux-tu perdre deux mille francs ? dit Étienne à Lucien.

— Non ! s'écria Lucien épouvanté de cette première affaire.

— Tu as tort, répondit Étienne.

— Vous ne négocierez leur papier nulle part, dit Barbet. Le livre de monsieur est le dernier coup de cartes de Fendant et Cavalier, ils ne peuvent l'imprimer qu'en laissant les exemplaires en dépôt chez leur imprimeur, un succès ne les sauvera que pour six mois, car, tôt ou tard, ils sauteront ! Ces gens-là boivent plus de petits verres qu'ils ne vendent de livres ! Pour moi leurs effets représentent une affaire, et vous pouvez alors en trouver une valeur supérieure à celle que donneront les escompteurs qui se demanderont ce que vaut chaque signature. Le commerce de l'escompteur consiste à savoir si trois signatures donneront chacune trente pour cent en cas de faillite. D'abord, vous n'offrez que deux signatures et chacune ne vaut pas dix pour cent.

Les deux amis se regardèrent, surpris d'entendre sortir de la bouche de ce cuistre une analyse où se trouvait en peu de mots tout l'esprit de l'escompte [a].

— Pas de phrases, Barbet, dit Lousteau. Chez quel escompteur pouvons-nous aller ?

— Le père Chaboisseau, quai Saint-Michel, vous savez, a fait la dernière fin de mois de Fendant. Si vous refusez ma proposition, voyez chez lui ; mais vous me reviendrez, et je ne vous donnerai plus alors que deux mille cinq cents francs.

Étienne et Lucien allèrent sur le quai Saint-Michel dans une petite maison à allée, où demeurait ce Chaboisseau, l'un des escompteurs de la librairie, et ils le trouvèrent au second étage, dans un appartement meublé de la façon la plus originale. Ce banquier subalterne, et néanmoins millionnaire, aimait le style grec. La corniche de la chambre était une grecque. Drapé par une étoffe teinte en pourpre et disposée à la grecque le long de la muraille comme le fond d'un tableau de David, le lit, d'une forme très pure, datait du temps de l'Empire où tout se fabriquait dans ce goût. Les fauteuils, les tables, les lampes, les flambeaux, les moindres accessoires sans doute choisis avec patience chez les marchands de meubles, respiraient la grâce fine et grêle mais élégante de l'Antiquité. Ce système mythologique et léger formait une opposition bizarre avec les mœurs de l'escompteur. Il est à remarquer que les hommes les plus fantasques se trouvent parmi les gens adonnés au commerce de l'argent. Ces gens sont, en quelque sorte, les libertins de la pensée. Pouvant tout posséder, et conséquemment blasés, ils se livrent à des efforts énormes pour se sortir de leur indifférence. Qui sait les étudier trouve toujours une manie, un coin du cœur par où ils sont accessibles. Chaboisseau paraissait retranché dans l'Antiquité comme dans un camp imprenable [a].

— Il est sans doute digne de son enseigne, dit en souriant Étienne à Lucien.

Chaboisseau, petit homme à cheveux poudrés, à redingote verdâtre, gilet couleur noisette, décoré d'une culotte noire et terminé par des bas chinés et des souliers qui craquaient sous le pied, prit les billets, les examina ; puis il les rendit à Lucien gravement.

— Messieurs Fendant et Cavalier sont de charmants garçons, des jeunes gens pleins d'intelligence, mais je me trouve sans argent, dit-il d'une voix douce.

— Mon ami sera coulant sur l'escompte, répondit Étienne.

— Je ne prendrais ces valeurs pour aucun avantage, dit le petit homme dont les mots glissèrent sur la proposition de Lousteau comme le couteau de la guillotine sur la tête d'un homme.

Les deux amis se retirèrent [b] ; en traversant l'antichambre, jusqu'où les reconduisit prudemment Chaboisseau, Lucien aperçut un tas de bouquins que l'escompteur, ancien libraire, avait achetés et parmi lesquels brilla tout à coup aux yeux du romancier l'ouvrage de l'architecte Ducerceau sur les maisons royales et les célèbres châteaux de France dont les plans sont dessinés dans ce livre avec une grande exactitude [1].

— Me céderiez-vous cet ouvrage ? dit Lucien.

— Oui, dit Chaboisseau qui d'escompteur redevint libraire.

— Quel prix ?

— Cinquante francs.

---

1. Le livre de Du Cerceau, *Les plus excellens Bastiments de France*, a paru en 1576.

— C'est cher, mais il me le faut ; et je n'aurais pour vous payer que les valeurs dont vous ne voulez pas.

— Vous avez un effet de cinq cents francs à six mois, je vous le prendrai, dit Chaboisseau qui sans doute devait à Fendant et Cavalier un reliquat de bordereau pour une somme équivalente.

Les deux amis rentrèrent dans la chambre grecque, où Chaboisseau [a] fit un petit bordereau à six pour cent d'intérêt et six pour cent de commission, ce qui produisit une déduction de trente francs ; il porta sur le compte les cinquante francs, prix du Ducerceau, et tira de sa caisse, pleine de beaux écus, quatre cent vingt francs.

— Ah ça ! monsieur Chaboisseau, les effets sont tous bons ou tous mauvais, pourquoi ne nous escomptez-vous pas les autres ?

— Je n'escompte pas, je me paye d'une vente, dit le bonhomme.

Étienne et Lucien riaient encore de Chaboisseau sans l'avoir compris, quand ils arrivèrent chez Dauriat, où Lousteau pria Gabusson de leur indiquer un escompteur. Les deux amis prirent un cabriolet [b] à l'heure et allèrent au boulevard Poissonnière, munis d'une lettre de recommandation que leur avait donnée Gabusson, en leur annonçant le plus bizarre et le plus étrange *particulier*, selon son expression.

— Si Samanon ne prend pas vos valeurs, avait dit Gabusson, personne ne vous les escomptera.

Bouquiniste au rez-de-chaussée, marchand d'habits au premier étage, vendeur de gravures prohibées au second, Samanon était encore prêteur sur gages [c]. Aucun des personnages introduits dans les romans d'Hoffmann, aucun des sinistres avares de Walter Scott ne peut être comparé à ce que la nature sociale et parisienne s'était permis de créer en cet homme, si toutefois Samanon est un homme. Lucien ne put réprimer un geste d'effroi à l'aspect de ce petit vieillard sec, dont les os voulaient percer le cuir parfaitement tanné, taché de nombreuses plaques vertes ou jaunes, comme une peinture de Titien ou de Paul Véronèse vue de près. Samanon avait un œil immobile et

glacé, l'autre vif et luisant. L'avare, qui semblait se servir
de cet œil mort en escomptant, et employer l'autre à vendre
ses gravures obscènes [a], portait une petite perruque plate
dont le noir poussait au rouge, et sous laquelle se redres-
saient des cheveux blancs ; son front jaune avait une attitude menaçante, ses joues étaient creusées carrément par
la saillie des mâchoires, ses dents encore blanches paraissaient tirées sur ses lèvres comme celles d'un cheval qui
bâille. Le contraste de ses yeux et la grimace de cette
bouche, tout lui donnait un air passablement féroce. Les
poils de sa barbe, durs et pointus, devaient piquer comme
autant d'épingles. Une petite redingote râpée arrivée à
l'état d'amadou, une cravate noire déteinte, usée par sa
barbe, et qui laissait voir un cou ridé comme celui d'un
dindon, annonçaient peu l'envie de racheter par la toilette une physionomie sinistre. Les deux journalistes
trouvèrent cet homme assis dans un comptoir horriblement sale, et occupé à coller des étiquettes au dos de quelques vieux livres achetés à une vente. Après avoir échangé
un coup d'œil par lequel ils se communiquèrent les mille
questions que soulevait l'existence d'un pareil personnage,
Lucien et Lousteau le saluèrent en lui présentant la lettre
de Gabusson et les valeurs de Fendant et Cavalier. Pendant
que Samanon lisait, il entra dans cette obscure boutique
un homme d'une haute intelligence, vêtu d'une petite redingote qui paraissait avoir été taillée dans une couverture
de zinc, tant elle était solidifiée par l'alliage de mille substances étrangères.

— J'ai besoin de mon habit, de mon pantalon noir et
de mon gilet de satin, dit-il à Samanon en lui présentant
une carte numérotée.

Dès que Samanon eut tiré le bouton en cuivre d'une
sonnette, il descendit une femme qui paraissait être Normande à la fraîcheur de sa riche carnation.

— Prête à monsieur ses habits, dit-il en tendant la main
à l'auteur. Il y a plaisir à travailler avec vous ; mais un de
vos amis m'a amené un petit jeune homme qui m'a rude-
ment attrapé [b] !

— On l'attrape ! dit l'artiste aux deux journalistes en leur montrant Samanon par un geste profondément comique [a].

Ce grand homme donna, comme donnent les lazzaroni pour ravoir un jour leurs habits de fête au *Monte-di-Pieta*, trente sous que la main jaune et crevassée de l'escompteur prit et fit tomber dans la caisse de son comptoir.

— Quel singulier commerce, fais-tu ? dit Lousteau à ce grand artiste livré à l'opium et qui retenu par la contemplation en des palais enchantés ne voulait ou ne pouvait rien créer [b].

— Cet homme prête beaucoup plus que le Mont-de-Piété sur les objets engageables, et il a de plus l'épouvantable charité de vous les laisser reprendre dans les occasions où il faut que l'on soit vêtu, répondit-il. Je vais ce soir dîner chez les Keller avec ma maîtresse [c]. Il m'est plus facile d'avoir trente sous que deux cents francs, et je viens chercher ma garde-robe, qui, depuis six mois, a rapporté cent francs à ce charitable usurier. Samanon a déjà dévoré ma bibliothèque livre à livre.

— Et sou à sou, dit en riant Lousteau.

— Je vous donnerai quinze cents francs, dit Samanon à Lucien.

Lucien fit un bond comme si l'escompteur lui avait plongé dans le cœur une broche de fer rougi. Samanon regardait les billets avec attention, en examinant les dates.

— Encore, dit le marchand, ai-je besoin de voir Fendant qui devra me déposer des livres. Vous ne valez pas grand-chose, dit-il à Lucien, vous vivez avec Coralie, et vos meubles sont saisis.

Lousteau regarda Lucien qui reprit ses billets et sauta de la boutique sur le boulevard en disant : — Est-ce le diable ? Le poète contempla pendant quelques instants cette petite boutique, devant laquelle tous les passants devaient sourire, tant elle était piteuse, tant les petites caisses à livres étiquetés étaient mesquines et sales, en se demandant : — Quel commerce fait-on là ?

Quelques moments après, le grand inconnu, qui devait assister, à dix ans de là, l'entreprise immense mais sans base, des Saint-simoniens, sortit très bien vêtu, sourit aux deux journalistes, et se dirigea vers le passage des Panoramas avec eux, pour y compléter sa toilette en se faisant cirer ses bottes [a].

— Quand on voit entrer Samanon chez un libraire, chez un marchand de papier ou chez un imprimeur, ils sont perdus, dit l'artiste aux deux écrivains. Samanon est alors comme un croque-mort qui vient prendre mesure d'une bière.

— Tu n'escompteras plus tes billets, dit alors Étienne à Lucien.

— Là où Samanon refuse, dit l'inconnu, personne n'accepte, car il est l'*ultima ratio* ! C'est un des *moutons* de Gigonnet, de Palma, Werbrust, Gobseck et autres crocodiles qui nagent sur la place de Paris, et avec lesquels tout homme dont la fortune est à faire ou à défaire doit tôt ou tard se rencontrer [b].

— Si tu ne peux pas escompter tes billets à cinquante pour cent, reprit Étienne, il faut les échanger contre des écus [c].

— Comment ?

— Donne-les à Coralie, elle les présentera chez Camusot.

— Tu te révoltes, reprit Lousteau que Lucien arrêta en faisant un bond. Quel enfantillage ! Peux-tu mettre en balance ton avenir et une semblable niaiserie ?

— Je vais toujours porter cet argent à Coralie, dit Lucien.

— Autre sottise ! s'écria Lousteau. Tu n'apaiseras rien avec quatre cents francs là où il en faut quatre mille. Gardons de quoi nous griser en cas de perte, et joue !

— Le conseil est bon, dit le grand inconnu.

A quatre pas de Frascati [1], ces paroles eurent une vertu

---

1. Frascati était l'une des principales maisons de jeu de Paris. Il se trouvait au n° 108 de la rue de Richelieu. Voir à ce sujet les *Mémoires* de Véron, I, p. 40-41. Dans une lettre à Mme Hanska, du 8 mars 1836, Balzac avoue qu'il est allé à Frascati pour voir une maison de jeu, et qu'il est allé aussi au Salon des Étrangers (*L. à l'Étr.*, I, p. 305).

magnétique. Les deux amis renvoyèrent leur cabriolet
et montèrent au jeu. D'abord ils gagnèrent trois mille
francs, revinrent à cinq cents, regagnèrent trois mille sept
cents francs ; puis ils retombèrent à cent sous, se retrou-
vèrent à deux mille francs, et les risquèrent sur l'air, pour
les doubler d'un seul coup ; Pair n'avait pas passé depuis
cinq coups, ils y pontèrent la somme. Impair sortit encore.
Lucien et Lousteau dégringolèrent alors par l'escalier
de ce pavillon célèbre, après avoir consumé deux heures
en émotions dévorantes. Ils avaient gardé cent francs. Sur
les marches du petit péristyle à deux colonnes qui soutenaient extérieurement une petite marquise en tôle que plus
d'un œil a contemplée avec amour ou désespoir, Lousteau
dit en voyant le regard enflammé de Lucien : — Ne mangeons que cinquante francs.

Les deux journalistes remontèrent. En une heure,
ils arrivèrent à mille écus ; ils mirent les mille écus sur
Rouge qui avait passé cinq fois, en se fiant au hasard
auquel ils devaient leur perte précédente. Noir sortit.
Il était six heures.

— Ne mangeons que vingt-cinq francs, dit Lucien.

Cette nouvelle tentative dura peu, les vingt-cinq francs
furent perdus en dix coups. Lucien jeta rageusement ses
derniers vingt-cinq francs sur le chiffre de son âge, et
gagna : rien ne peut dépeindre le tremblement de sa
main quand il prit le râteau pour retirer les écus [a] que le
banquier jetait un à un. Il donna dix louis [b] à Lousteau et
lui dit : — Sauve-toi chez Véry !

Lousteau comprit Lucien et alla commander le dîner.

Lucien, resté seul au jeu, porta ses trente louis sur Rouge
et gagna. Enhardi par la voix secrète qu'entendent parfois
les joueurs, il laissa le tout sur Rouge et gagna ; son ventre
devint alors un brasier ! Malgré la voix [c], il reporta les
cent vingt louis sur Noir et perdit. Il sentit alors en lui
la sensation délicieuse qui succède, chez les joueurs, à leurs
horribles agitations, quand, n'ayant plus rien à risquer,
ils quittent le palais ardent où se passent leurs rêves fugaces.
Il rejoignit Lousteau chez Véry où il se rua, selon l'expres-

sion de La Fontaine, en cuisine, et noya ses soucis dans le vin. A neuf heures [a], il était si complètement gris, qu'il ne comprit pas pourquoi sa portière de la rue de Vendôme le renvoyait rue de la Lune.

— Mademoiselle Coralie a quitté son appartement et s'est installée dans la maison dont l'adresse est écrite sur ce papier [b].

Lucien, trop ivre pour s'étonner de quelque chose, remonta dans le fiacre qui l'avait amené, se fit conduire rue de la Lune, et se dit à lui-même des calembours sur le nom de la rue [c]. Pendant cette matinée, la faillite du Panorama-Dramatique avait éclaté. L'actrice effrayée s'était empressée de vendre tout son mobilier du consentement de ses créanciers au petit père Cardot qui, pour ne pas changer la destination de cet appartement, y mit Florentine. Coralie avait tout payé, tout liquidé et satisfait le propriétaire. Pendant le temps que prit cette opération, qu'elle appelait *une lessive*, Bérénice garnissait, des meubles indispensables achetés d'occasion, un petit appartement de trois pièces, au quatrième étage d'une maison rue de la Lune, à deux pas du Gymnase. Coralie y attendait Lucien, ayant sauvé de ce naufrage son amour sans souillure et un sac de douze cents francs. Lucien, dans son ivresse, raconta ses malheurs à Coralie et à Bérénice.

— Tu as bien fait, mon ange, lui dit l'actrice en le serrant dans ses bras. Bérénice saura bien négocier tes billets à Braulard.

CHANGEMENT DE FRONT [d]

Le lendemain matin, Lucien s'éveilla dans les joies enchanteresses que lui prodigua Coralie. L'actrice redoubla d'amour et de tendresse, comme pour compenser par les plus riches trésors du cœur l'indigence de son nouveau ménage. Elle était ravissante de beauté, ses cheveux échappés de dessous un foulard tordu, blanche et fraîche, les yeux rieurs, la parole gaie comme le rayon de soleil levant qui entra par les fenêtres pour dorer cette charmante misère. La chambre, encore décente, était tendue d'un papier vert d'eau à bordure rouge, ornée de deux glaces, l'une à la cheminée, l'autre au-dessus de la commode. Un tapis d'occasion, acheté par Bérénice de ses deniers, malgré les ordres de Coralie, déguisait le carreau nu et froid du plancher. La garde-robe des deux amants tenait dans une armoire à glace et dans la commode. Les meubles d'acajou étaient garnis en étoffe de coton bleu [a]. Bérénice avait sauvé du désastre une pendule et deux vases de porcelaine, quatre couverts en argent et six petites cuillers. La salle à manger, qui se trouvait avant la chambre à coucher, ressemblait à celle du ménage d'un employé à douze cents francs. La cuisine faisait face au palier. Au-dessus Bérénice couchait dans une mansarde. Le loyer ne s'élevait pas à plus de cent écus. Cette horrible maison [b] avait une fausse porte cochère. Le portier logeait dans un des ventaux condamné, percé d'un croisillon par où il surveillait dix-sept locataires. Cette ruche s'appelle une maison de produit en style de notaire. Lucien aperçut un bureau, un fauteuil, de l'encre, des plumes et du papier. La gaieté de Bérénice qui comptait sur le début de Coralie au Gymnase, celle de l'actrice qui regardait son rôle, un cahier de papier noué avec un bout de faveur bleue, chassèrent les inquiétudes et la tristesse du poète dégrisé.

— Pourvu que dans le monde on ne sache rien de cette dégringolade, nous nous en tirerons, dit-il. Après tout, nous avons quatre mille cinq cents francs devant nous ! Je vais exploiter ma nouvelle position dans les journaux royalistes. Demain, nous inaugurons le Réveil, je me connais maintenant en journalisme, j'en ferai !

Coralie, qui ne vit que de l'amour dans ces paroles, baisa les lèvres qui les avaient prononcées. En ce moment, Bérénice avait mis la table auprès du feu, et venait de servir un modeste déjeuner composé d'œufs brouillés, de deux côtelettes et de café à la crème. On frappa. Trois amis sincères, d'Arthez, Léon Giraud et Michel Chrestien apparurent aux yeux étonnés de Lucien qui vivement touché leur offrit de partager son déjeuner.

— Non, dit d'Arthez. Nous venons pour des affaires plus sérieuses que de simples consolations, car nous savons tout, nous revenons de la rue de Vendôme [a]. Vous connaissez mes opinions, Lucien. Dans toute autre circonstance, je me réjouirais de vous voir adoptant mes convictions politiques ; mais, dans la situation où vous vous êtes mis en écrivant aux journaux libéraux, vous ne sauriez passer dans les rangs des Ultras sans flétrir à jamais votre caractère et souiller votre existence. Nous venons vous conjurer au nom de notre amitié, quelque affaiblie qu'elle soit, de ne pas vous entacher ainsi. Vous avez attaqué les Romantiques, la Droite et le Gouvernement ; vous ne pouvez pas maintenant défendre le Gouvernement, la Droite et les Romantiques.

— Les raisons qui me font agir sont tirées d'un ordre de pensées supérieur, la fin justifiera tout, dit Lucien.

— Vous ne comprenez peut-être pas la situation dans laquelle nous sommes, lui dit Léon Giraud. Le Gouvernement, la Cour, les Bourbons, le parti absolutiste, ou, si vous voulez tout comprendre dans une expression générale, le système opposé au système constitutionnel, et qui se divise en plusieurs fractions toutes divergentes dès qu'il s'agit des moyens à prendre pour étouffer la Révolution, est au moins d'accord sur la nécessité de supprimer la Presse. La fondation du Réveil, de la Foudre, du Drapeau blanc [1], tous journaux destinés à répondre

---

1. *Le Réveil* fut créé, on l'a vu, le 1er août 1822. *La Foudre, journal des nouvelles historiques, de la littérature, des spectacles et des arts*, parut du 10 mars 1821 au 30 novembre 1823. C'était, comme le dit Balzac, une feuille de combat contre les libéraux. Son titre même disait ses intentions. Elle avait pour programme de « foudroyer » le parti libéral. *Le Drapeau blanc* de Martainville était de création sensiblement antérieure. Il commença de paraître en 1819. Il dura jusqu'au 1er février

aux calomnies, aux injures, aux railleries de la presse libérale, que je n'approuve pas en ceci, car cette méconnaissance de la grandeur de notre sacerdoce est précisément ce qui nous a conduits à publier un journal digne et grave dont l'influence sera dans peu de temps respectable et sentie, imposante et digne, dit-il en faisant une parenthèse ; eh ! bien, cette artillerie royaliste et ministérielle est un premier essai de représailles, entrepris pour rendre aux Libéraux trait pour trait, blessure pour blessure. Que croyez-vous qu'il arrivera, Lucien ? Les abonnés sont en majorité du Côté Gauche [1]. Dans la Presse, comme à la guerre, la victoire se trouvera du côté des gros bataillons ! Vous serez des infâmes, des menteurs, des ennemis du peuple ; les autres seront [a] des défenseurs de la patrie, des gens honorables, des martyrs, quoique plus hypocrites et plus perfides que vous, peut-être. Ce moyen augmentera l'influence pernicieuse de la Presse, en légitimant et consacrant ses plus odieuses entreprises. L'injure et la personnalité deviendront un de ses droits publics, adopté pour le profit des abonnés et passé en force de chose jugée par un usage réciproque. Quand le mal se sera révélé dans toute son étendue, les lois restrictives et prohibitives, la Censure, mise à propos de l'assassinat du duc de Berry et levée depuis l'ouverture des Chambres, reviendra. Savez-vous ce que le peuple français conclura de ce débat ? il admettra les insinuations de la presse libérale, il croira que les Bourbons veulent attaquer les résultats matériels et acquis de la Révolution, il se lèvera quelque beau jour et chassera les Bourbons. Non seulement vous salissez votre vie, mais vous serez un jour dans le parti vaincu.

1827 et compromit le gouvernement de la Restauration par ses violences au point qu'on jugea bon de l'étouffer. Mais en 1829 Martainville, encouragé par Polignac, essaya de ressusciter son journal. Il le fit paraître d'abord sous le titre de *Démocrite* (16 mai 1829) puis il lui rendit son titre ancien (juillet 1829).

1. Comme on l'a vu plus haut (p. 264, n.2), la presse ministérielle, en 1826, comptait 14.000 abonnés, les feuilles de droite en avaient 6.000, la presse libérale, à elle seule, en avait 43.000.

Vous êtes trop jeune, trop nouveau venu dans la Presse ; vous en connaissez trop peu les ressorts secrets, les rubriques ; vous y avez excité trop de jalousie, pour résister au *tolle* général qui s'élèvera contre vous dans les journaux libéraux. Vous serez entraîné par la fureur des partis, qui sont encore dans le paroxysme de la fièvre ; seulement leur fièvre a passé, des actions brutales de 1815 et 1816, dans les idées, dans les luttes orales de la Chambre et dans les débats de la presse.

— Mes amis, dit Lucien, je ne suis pas l'étourdi, le poète que vous voulez voir en moi. Quelque chose qui puisse arriver, j'aurai conquis un avantage que jamais le triomphe du parti libéral ne peut me donner. Quand vous aurez la victoire, mon affaire sera faite.

— Nous te couperons... les cheveux ᵃ, dit en riant Michel Chrestien.

— J'aurai des enfants alors, répondit Lucien, et me couper la tête, ce sera ne rien couper.

Les trois amis ne comprirent pas Lucien, chez qui ses relations avec le grand monde avaient développé au plus haut degré l'orgueil nobiliaire et les vanités aristocratiques. Le poète voyait, avec raison d'ailleurs, une immense fortune dans sa beauté, dans son esprit appuyés du nom et du titre de comte de Rubempré. Madame d'Espard, madame de Bargeton et madame de Montcornet le tenaient par ce fil comme un enfant tient un hanneton. Lucien ne volait plus que dans un cercle déterminé. Ces mots : « Il est des nôtres, il pense bien ! » dits trois jours auparavant dans les salons de mademoiselle des Touches, l'avaient enivré, ainsi que les félicitations qu'il avait reçues des ducs de Lenoncourt, de Navarreins et de Grandlieu, de Rastignac, de Blondet, de la belle duchesse de Maufrigneuse, du comte d'Esgrignon ᵇ, de des Lupeaulx, des gens les plus influents et les mieux en cour du parti royaliste.

— Allons ! tout est dit, répliqua d'Arthez. Il te sera plus difficile qu'à tout autre de te conserver pur et d'avoir ta propre estime. Tu souffriras beaucoup, je te connais, quand tu te verras méprisé par ceux-là mêmes à qui tu te seras dévoué.

Les trois amis dirent adieu à Lucien sans lui tendre amicalement la main. Lucien resta pendant quelques instants pensif et triste.

— Eh ! laisse donc ces niais-là, dit Coralie en sautant sur les genoux de Lucien et lui jetant ses beaux bras frais autour du cou, ils prennent la vie au sérieux, et la vie est une plaisanterie. D'ailleurs tu seras comte Lucien de Rubempré. Je ferai, s'il le faut, des agaceries à la chancellerie. Je sais par où prendre ce libertin de des Lupeaulx, qui fera signer ton ordonnance. Ne t'ai-je pas dit que, quand il te faudrait une marche de plus pour saisir ta proie, tu aurais le cadavre de Coralie [a] !

Le lendemain, Lucien laissa mettre son nom parmi ceux des collaborateurs du *Réveil*. Ce nom fut annoncé comme une conquête dans le prospectus, distribué par les soins du ministère à cent mille exemplaires. Lucien [b] vint au repas triomphal, qui dura neuf heures, chez Robert, à deux pas de Frascati, et auquel assistaient les coryphées de la presse royaliste : Martainville, Auger, Destains [1] et une foule d'auteurs encore vivants qui, dans ce temps-là, *faisaient de la monarchie et de la religion*, selon une expression consacrée.

— Nous allons leur en donner, aux libéraux ! dit Hector Merlin.

— Messieurs ! répondit Nathan qui s'enrôla sous cette bannière en jugeant bien qu'il valait mieux avoir pour soi que contre soi l'autorité dans l'exploitation du théâtre

---

1. Louis-Simon Auger était un des hommes de lettres qui s'étaient ralliés à la Restauration et avaient trouvé dans les pensions et les prébendes la récompense de leur zèle. Stendhal prétend qu'il cumulait onze emplois différents, d'un total de 19.000 fr. de traitement. Sans talent et sans âme, au dire de Mme Ancelot, il n'en devint pas moins secrétaire perpétuel de l'Académie française. Il se suicida le 5 janvier 1829. — Destains fut rédacteur-gérant du *Drapeau blanc*. Il le fut ensuite de la *Gazette de France*. On a déjà rencontré Martainville ; on le retrouvera.

à laquelle il songeait, si nous leur faisons la guerre, faisons-
la sérieusement ; ne nous tirons pas des balles de liège !
Attaquons tous les écrivains classiques et libéraux sans
distinction d'âge ni de sexe, passons-les au fil de la plaisanterie, et ne faisons pas de quartier.

— Soyons honorables, ne nous laissons pas gagner
par les exemplaires, les présents, l'argent des libraires.
Faisons la restauration du journalisme.

— Bien ! dit Martainville. *Justum et tenacem propositi
virum !* Soyons implacables et mordants. Je ferai de Lafayette
ce qu'il est : Gilles Premier !

— Moi, dit Lucien [a], je me charge des héros du *Constitutionnel*, du sergent Mercier, des Œuvres complètes de
monsieur Jouy, des illustres orateurs de la Gauche !

Une guerre à mort fut résolue et votée à l'unanimité,
à une heure du matin, par les rédacteurs qui noyèrent
toutes leurs nuances et toutes leurs idées dans un punch
flamboyant [b].

— *Nous nous sommes donné une fameuse culotte monarchique
et religieuse* [1], dit sur le seuil de la porte un des écrivains
les plus célèbres de la littérature romantique.

Ce mot historique, révélé par un libraire qui assistait
au dîner, parut le lendemain dans le Miroir ; mais la révélation fut attribuée à Lucien [c]. Cette défection fut le signal
d'un effroyable tapage [d] dans les journaux libéraux, Lucien
devint leur bête noire, et fut tympanisé de la plus cruelle
façon : on raconta les infortunes de ses sonnets, on apprit
au public que Dauriat aimait mieux perdre mille écus que
de les imprimer, on l'appela le poète sans sonnets [e] !

Un matin, dans ce même journal où Lucien avait débuté
si brillamment, il lut les lignes suivantes écrites uniquement

---

1. Le meilleur commentaire de ce mot cynique nous est donné par
les *Mémoires* de Philarète Chasles. Celui-ci fréquentait les bureaux de
la Quotidienne et le salon de Michaud. Dans ce milieu qui affichait les
convictions monarchiques et religieuses les plus ardentes, personne,
écrit-il, ne croyait plus au roi et à la monarchie. On « jouait » à la monarchie, et la Restauration n'était qu'un décor d'opéra, avec, pour figu-
rants, Véron, Malitourne et Mazèves.

pour lui, car le public ne pouvait guère comprendre cette
plaisanterie :

∗ *Si le libraire Dauriat persiste à ne pas publier les sonnets
du futur Pétrarque français, nous agirons en ennemis généreux,
nous ouvrirons nos colonnes à ces poèmes qui doivent être piquants,
à en juger par celui-ci que nous communique un ami de l'auteur.*

Et, sous cette terrible annonce, le poète lut ce sonnet [1]
qui le fit pleurer à chaudes larmes [a].

> Une plante chétive et de louche apparence
> Surgit un beau matin dans un parterre en fleurs :
> A l'en croire, pourtant, de splendides couleurs
> Témoigneraient un jour de sa noble semence :
>
> On la toléra donc! Mais, pour reconnaissance,
> Elle insulta bientôt ses plus brillantes sœurs,
> Qui, s'indignant enfin de ses grands airs casseurs,
> La mirent au défi de prouver sa naissance.
>
> Elle fleurit alors. Mais un vil baladin,
> Ne fut jamais sifflé comme tout le jardin
> Honnit, siffla, railla ce calice vulgaire.
>
> Puis, le maître, en passant, la brisa sans pardon;
> Et le soir, sur sa tombe un âne seul vint braire,
> Car ce n'était vraiment qu'un ignoble CHARDON [2b].

Vernou parla [c] de la passion de Lucien pour le jeu, et
signala d'avance l'Archer comme une œuvre anti-nationale

----

1. Le sonnet de l'édition 1839 (voir *notes critiques*) est l'œuvre de
Mme de Girardin et figure dans ses *Poésies complètes* de 1861. Une lettre
de Balzac, en novembre 1842, annonce l'envoi à l'imprimeur du sonnet
qui remplaça le premier dans l'édition de 1843 (*Lov.* A 256, f° 209).
Ce deuxième sonnet est l'œuvre de Lassailly.

2. Le *Parnasse satyrique du XIXe siècle* contient des épigrammes de
Nestor Roqueplan qui se terminent, comme ici, par un jeu de mots
sur le nom propre du personnage visé, sur Auger (*et puis mourut au G.*),
sur Delatouche (*on reconnaît la touche*), sur Ancelot (*Il est dans ce lot*).
Ces pièces sont des environs de 1826. Jusque sur ce point de détail,
Balzac a voulu nous donner une peinture exacte des mœurs du journalisme.

où l'auteur prenait le parti des égorgeurs catholiques contre les victimes calvinistes. En huit jours, cette querelle s'envenima. Lucien comptait sur son ami Lousteau qui lui devait mille francs, et avec lequel il avait eu des conventions secrètes ; mais Lousteau devint l'ennemi juré de Lucien. Voici comment. Depuis trois mois Nathan aimait [a] Florine et ne savait comment l'enlever à Lousteau, pour qui d'ailleurs elle était une providence. Dans la détresse et le désespoir où se trouvait cette actrice en se voyant sans engagement, Nathan, le collaborateur de Lucien, vint voir Coralie, et la pria d'offrir à Florine un rôle dans une pièce de lui, se faisant fort de procurer un engagement conditionnel au Gymnase à l'actrice sans théâtre. Florine, enivrée d'ambition, n'hésita pas. Elle avait eu le temps d'observer Lousteau. Nathan était un ambitieux littéraire et politique, un homme qui avait autant d'énergie que de besoins, tandis que chez Lousteau les vices tuaient le vouloir. L'actrice, qui voulut reparaître environnée d'un nouvel éclat, livra les lettres du droguiste à Nathan, et Nathan les fit racheter par Matifat contre le sixième du journal convoité par Finot [b]. Florine eut alors un magnifique appartement rue Hauteville, et prit Nathan pour protecteur à la face de tout le journalisme et du monde théâtral. Lousteau fut si cruellement atteint par cet événement qu'il pleura vers la fin d'un dîner que ses amis lui donnèrent pour le consoler [1]. Dans cette orgie, les convives trouvèrent que Nathan avait joué son jeu. Quelques écrivains comme Finot et Vernou savaient la passion du dramaturge pour Florine ; mais, au dire de tous, Lucien, en maquignonnant cette affaire, avait manqué aux plus saintes lois de l'amitié.

---

1. Cet épisode s'inspire d'un fait alors récent. Étienne Béquet, ancien condisciple de Balzac à Vendôme, était devenu journaliste aux *Débats*. Il partageait la critique théâtrale avec Jules Janin. Celui-ci avait décidément la mauvaise habitude de prendre à ses amis leurs maîtresses. Il enleva à Béquet « une pauvre cantatrice dont lui, Béquet, faisait son bonheur. » Béquet vint chez Balzac raconter son infortune en pleurant (*L. à l'Étr.*, 1er juin 1833, I, p. 26).

L'esprit de parti, le désir de servir ses nouveaux amis rendaient le nouveau royaliste inexcusable.

— Nathan est emporté par la logique des passions ; tandis que le grand homme de province, comme dit Blondet, cède à des calculs ! s'écria Bixiou [a].

Aussi la perte de Lucien, de cet intrus, de ce petit drôle qui voulait avaler tout le monde, fut-elle unanimement résolue et profondément méditée. Vernou qui haïssait Lucien se chargea de ne pas le lâcher. Pour se dispenser de payer mille écus à Lousteau, Finot accusa Lucien de l'avoir empêché de gagner cinquante mille francs en donnant à Nathan le secret de l'opération contre Matifat. Nathan, conseillé par Florine, s'était ménagé l'appui de Finot en lui vendant son *petit sixième* pour quinze mille francs. Lousteau, qui perdait ses mille écus, ne pardonna pas à Lucien cette lésion énorme de ses intérêts. Les blessures d'amour-propre deviennent incurables quand l'oxyde d'argent y pénètre [b].

FINOTERIES [c]

Aucune expression, aucune peinture ne peut rendre la rage qui saisit les écrivains quand leur amour-propre souffre, ni l'énergie qu'ils trouvent au moment où ils se sentent piqués par les flèches empoisonnées de la raillerie. Ceux dont l'énergie et la résistance sont stimulées par l'attaque, succombent promptement. Les gens calmes et dont le thème est fait d'après le profond oubli dans lequel tombe un article injurieux [d], ceux-là déploient le vrai courage littéraire. Ainsi les faibles, au premier coup d'œil, paraissent être les forts ; mais leur résistance n'a qu'un temps. Pendant les premiers quinze jours, Lucien enragé fit pleuvoir une grêle d'articles dans les journaux royalistes [a] où il partagea le poids de la critique avec Hector Merlin. Tous les jours sur la brèche du *Réveil*, il fit feu de tout son esprit, appuyé d'ailleurs par Martainville, le seul qui le servît sans arrière-pensée, et qu'on ne mit pas dans le secret des conventions signées par des plaisanteries après boire, ou aux Galeries-de-Bois chez Dauriat, et dans les coulisses de théâtre, entre les journalistes des deux partis que la camaraderie unissait secrètement. Quand Lucien allait au foyer du Vaudeville, il n'était plus traité en ami, les gens de son parti lui donnaient seuls la main; tandis que Nathan, Hector Merlin, Théodore Gaillard fraternisaient sans honte [b] avec Finot, Lousteau, Vernou et quelques-uns de ces journalistes décorés du surnom de *bons enfants*. A cette époque, le foyer du Vaudeville était le chef-lieu des médisances littéraires, une espèce de boudoir où venaient des gens de tous les partis, des hommes politiques et des magistrats. Après une réprimande faite en certaine Chambre du Conseil, le président, qui avait reproché à l'un de ses collègues de balayer les coulisses de sa simarre, se trouva simarre à simarre avec le réprimandé dans le foyer du Vaudeville. Lousteau finit par y donner la main à Nathan. Finot y venait presque tous les soirs. Quand Lucien avait le temps, il étudiait les dispositions de ses ennemis, et ce malheureux enfant voyait toujours en eux une implacable froideur.

En ce temps, l'esprit de parti engendrait des haines bien plus sérieuses qu'elles ne le sont aujourd'hui. Aujourd'hui, à la longue, tout s'est amoindri par une trop grande tension des ressorts. Aujourd'hui, la critique, après avoir immolé le livre d'un homme, lui tend la main. La victime doit embrasser le sacrificateur sous peine d'être passé par les verges de la plaisanterie. En cas de refus, un écrivain passe pour être insociable, mauvais coucheur, pétri d'amour-propre, inabordable, haineux, rancuneux [c]. Aujourd'hui, quand un auteur a reçu dans le dos les coups de poignard de la trahison, quand il a évité les pièges tendus avec une infâme hypocrisie, essuyé les plus mauvais procédés, il

entend ses assassins lui souhaitant le bonjour, et manifestant des prétentions à son estime, voire même à son amitié [a].
Tout s'excuse et se justifie à une époque où l'on a transformé la vertu en vice, comme on a érigé certains vices
en vertus. La camaraderie est devenue la plus sainte des
libertés. Les chefs des opinions les plus contraires se
parlent à mots émoussés, à pointes courtoises [b]. Dans ce
temps, si tant est qu'on s'en souvienne, il y avait du courage
pour certains écrivains royalistes et pour quelques écrivains
libéraux, à se trouver dans le même théâtre. On entendait
les provocations les plus haineuses. Les regards étaient
chargés comme des pistolets, la moindre étincelle pouvait
faire partir le coup d'une querelle. Qui n'a pas surpris des
imprécations chez son voisin, à l'entrée de quelques hommes
plus spécialement en butte aux attaques respectives des
deux partis ? Il n'y avait alors que deux partis, les Royalistes et les Libéraux, les Romantiques et les Classiques,
la même haine sous deux formes, une haine qui faisait
comprendre les échafauds de la Convention. Lucien, devenu
royaliste et romantique forcené, de libéral et de voltairien
enragé qu'il avait été dès son début, se trouva donc sous
le poids des inimitiés qui planaient sur la tête de l'homme
le plus abhorré des Libéraux à cette époque [c], de Martainville, le seul qui le défendît et l'aimât. Cette solidarité
nuisit à Lucien. Les partis sont ingrats envers leurs vedettes,
ils abandonnent volontiers leurs enfants perdus. Surtout
en politique, il est nécessaire à ceux qui veulent parvenir
d'aller avec le gros de l'armée. La principale méchanceté
des petits journaux fut d'accoupler Lucien et Martainville.
Le libéralisme les jeta dans les bras l'un de l'autre. Cette
amitié, fausse ou vraie [d], leur valut à tous deux des articles
écrits avec du fiel par Félicien au désespoir des succès de
Lucien [e] dans le grand monde, et qui croyait, comme tous
les anciens camarades du poète, à sa prochaine élévation.
La prétendue trahison du poète fut alors envenimée et
embellie des circonstances les plus aggravantes. Lucien
fut nommé le petit Judas, et Martainville le grand Judas,
car Martainville était, à tort ou à raison, accusé d'avoir

livré le pont du Pecq aux armées étrangères [1]. Lucien
répondit en riant à des Lupeaulx que, quant à lui, sûrement
il avait livré le pont aux ânes. Le luxe de Lucien, quoique
creux et fondé sur des espérances, révoltait ses amis qui
ne lui pardonnaient ni son équipage à bas, car pour eux
il roulait toujours, ni ses splendeurs de la rue de Vendôme.
Tous sentaient instinctivement qu'un homme jeune et
beau, spirituel et corrompu par eux, allait arriver à tout ;
aussi pour le renverser employèrent-ils tous les moyens.

Quelques jours avant le début de Coralie au Gymnase,
Lucien vint bras dessus, bras dessous, avec Hector Merlin,
au foyer du Vaudeville. Merlin grondait son ami d'avoir
servi Nathan dans l'affaire de Florine.

— Vous vous êtes fait, de Lousteau et de Nathan, deux
ennemis mortels. Je vous avais donné de bons conseils
et vous n'en avez point profité. Vous avez distribué
l'éloge et répandu le bienfait, vous serez cruellement
puni de vos bonnes actions [a]. Florine et Coralie ne vivront
jamais en bonne intelligence en se trouvant sur la même
scène : l'une voudra l'emporter sur l'autre. Vous n'avez
que nos journaux pour défendre Coralie. Nathan, outre
l'avantage que lui donne son métier de faiseur de pièces,
dispose des journaux libéraux dans la question des théâtres,
et il est dans le journalisme depuis un peu plus de temps
que vous.

Cette phrase répondait à des craintes secrètes de Lucien,
qui ne trouvait ni chez Nathan, ni chez Gaillard [b], la
franchise à laquelle il avait droit ; mais il ne pouvait
pas se plaindre, il était si fraîchement converti ! Gaillard
accablait Lucien en lui disant que les nouveaux-venus
devaient donner pendant longtemps des gages avant que
leur parti pût se fier à eux. Le poète rencontrait dans l'intérieur des journaux royalistes et ministériels une jalousie

---

1. On lit dans l'article *Martainville* de la Biographie Michaud que
le journaliste, en 1815, s'était retiré au Pecq, que sa maison fut pillée
et ravagée par les Prussiens, ce qui n'empêcha pas de dire qu'il leur
avait livré le passage de la Seine.

à laquelle il n'avait pas songé, la jalousie qui se déclare entre tous les hommes en présence d'un gâteau quelconque à partager, et qui les rend comparables à des chiens se disputant une proie : ils offrent alors les mêmes grondements, les mêmes attitudes, les mêmes caractères. Ces écrivains se jouaient mille mauvais tours secrets pour se nuire les uns aux autres auprès du pouvoir, ils s'accusaient de tiédeur, et, pour se débarrasser d'un concurrent, ils inventaient les machines les plus perfides. Les libéraux n'avaient aucun sujet de débats intestins en se trouvant loin du pouvoir et de ses grâces. En entrevoyant cet inextricable lacis d'ambitions, Lucien n'eut pas assez de courage pour tirer l'épée afin d'en couper les nœuds, et ne se sentit pas la patience de les démêler, il ne pouvait être ni l'Arétin, ni le Beaumarchais, ni le Fréron de son époque [a], il s'en tint à son unique désir : avoir son ordonnance, en comprenant que cette restauration lui vaudrait un beau mariage. Sa fortune ne dépendrait plus alors que d'un hasard auquel aiderait sa beauté. Lousteau, qui lui avait marqué tant de confiance, avait son secret, le journaliste savait où blesser à mort le poète d'Angoulême ; aussi le jour où Merlin l'amenait au Vaudeville, Étienne avait-il préparé pour Lucien un piège horrible où cet enfant devait se prendre et succomber.

— Voilà notre beau Lucien, dit Finot en traînant des Lupeaulx avec lequel il causait devant Lucien dont il prit la main avec les décevantes chatteries de l'amitié [b]. Je ne connais pas d'exemples d'une fortune aussi rapide que la sienne, dit Finot en regardant tour à tour Lucien et le maître des requêtes. A Paris, la fortune est de deux espèces : il y a la fortune matérielle, l'argent que tout le monde peut ramasser, et la fortune morale, les relations, la position, l'accès dans un certain monde inabordable pour certaines personnes, quelle que soit leur fortune matérielle, et mon ami...

— Notre ami, dit des Lupeaulx en jetant à Lucien un caressant regard.

— Notre ami, reprit Finot en tapotant la main de

Lucien entre les siennes, a fait sous ce rapport une brillante fortune. A la vérité, Lucien a plus de moyens, plus de talent, plus d'esprit que tous ses envieux, puis il est d'une beauté ravissante ; ses anciens amis ne lui pardonnent pas ses succès, ils disent qu'il a eu du bonheur.

— Ces bonheurs-là, dit des Lupeaulx, n'arrivent jamais aux sots ni aux incapables. Hé ! peut-on appeler du bonheur, le sort de Bonaparte ? il y avait eu vingt généraux en chef avant lui pour commander les armées d'Italie, comme il y a cent jeunes gens en ce moment qui voudraient pénétrer chez mademoiselle des Touches, que déjà dans le monde on vous donne pour femme, mon cher ! dit des Lupeaulx en frappant sur l'épaule de Lucien. Ah ! vous êtes en grande faveur. Madame d'Espard, madame de Bargeton et madame de Montcornet sont folles de vous. N'êtes-vous pas ce soir de la soirée de madame Firmiani, et demain du raout de la duchesse de Grandlieu ?

— Oui, dit Lucien.

— Permettez-moi de vous présenter un jeune banquier, monsieur du Tillet, un homme digne de vous, il a su faire une belle fortune et en peu de temps.

Lucien et du Tillet se saluèrent, entrèrent en conversation, et le banquier invita Lucien à dîner. Finot et des Lupeaulx, deux hommes d'une égale profondeur et qui se connaissaient assez pour demeurer toujours amis, parurent continuer une conversation commencée, ils laissèrent Lucien, Merlin, du Tillet et Nathan causant ensemble, et se dirigèrent vers un des divans qui meublaient le foyer du Vaudeville.

— Ah ça, mon cher ami, dit Finot à des Lupeaulx, dites-moi la vérité ? Lucien est-il sérieusement protégé, car il est devenu la bête noire de tous mes rédacteurs ; et, avant de favoriser leur conspiration, j'ai voulu vous consulter pour savoir s'il ne vaut pas mieux la déjouer et le servir.

Ici le maître des requêtes et Finot se regardèrent pendant une légère pause avec une profonde attention.

— Comment, mon cher, dit des Lupeaulx, pouvez-vous

imaginer que la marquise d'Espard, Châtelet et madame de Bargeton qui [a] a fait nommer le baron préfet de la Charente et comte afin de rentrer triomphalement à Angoulême, pardonnent à Lucien ses attaques ? elles l'ont jeté dans le parti royaliste afin de l'annuler. Aujourd'hui, tous cherchent des motifs pour refuser ce qu'on a promis à cet enfant ; trouvez-en ? vous aurez rendu le plus immense service à ces deux femmes : un jour ou l'autre, elles s'en souviendront. J'ai le secret de ces deux dames, elles haïssent ce petit bonhomme à un tel point qu'elles m'ont surpris. Ce Lucien pouvait [b] se débarrasser de sa plus cruelle ennemie, madame de Bargeton, en ne cessant ses attaques qu'à des conditions que toutes les femmes aiment à exécuter, vous comprenez ? il est beau, il est jeune, il aurait noyé cette haine dans des torrents d'amour, il devenait alors comte de Rubempré, la seiche lui aurait obtenu [c] quelque place dans la maison du roi, des sinécures ! Lucien était un très joli lecteur pour Louis XVIII, il eût été bibliothécaire je ne sais où, maître des requêtes pour rire, directeur de quelque chose aux Menus-Plaisirs. Ce petit sot a manqué son coup. Peut-être est-ce là ce qu'on ne lui a point pardonné. Au lieu d'imposer des conditions, il en a reçu. Le jour où Lucien s'est laissé prendre à la promesse de l'ordonnance, le baron Châtelet a fait un grand pas. Coralie a perdu cet enfant-là. S'il n'avait pas eu l'actrice pour maîtresse, il aurait revoulu la seiche, et il l'aurait eue.

— Ainsi nous pouvons l'abattre, dit Finot.

— Par quel moyen, demanda négligemment des Lupeaulx qui voulait se prévaloir de ce service auprès de la marquise d'Espard.

— Il a un marché qui l'oblige à travailler au petit journal de Lousteau, nous lui ferons d'autant mieux faire des articles qu'il est sans le sou. Si le Garde-des-Sceaux se sent chatouillé par un article plaisant et qu'on lui prouve que Lucien en est l'auteur, il le regardera comme un homme indigne des bontés du roi. Pour faire perdre un peu la tête à ce grand homme de province, nous avons préparé la chute de Coralie : il verra sa maîtresse sifflée et sans rôles. Une fois l'ordonnance indéfiniment suspendue, nous plaisanterons alors notre victime [a] sur ses prétentions aristocratiques, nous parlerons de sa mère accoucheuse, de son père apothicaire. Lucien n'a qu'un courage d'épiderme, il succombera, nous le renverrons d'où il vient. Nathan m'a fait vendre par Florine le sixième de la Revue que possédait Matifat, j'ai pu acheter la part du papetier, je suis seul avec Dauriat ; nous pouvons nous entendre, vous et moi, pour absorber ce journal au profit de la Cour. Je n'ai protégé Florine et Nathan qu'à la condition de la restitution de *mon* sixième, ils me l'ont vendu, je dois les servir ; mais, auparavant, je voulais connaître les chances de Lucien...

— Vous êtes digne de votre nom, dit des Lupeaulx en riant. Allez ! j'aime les gens de votre sorte...

— Eh ! bien, vous pouvez faire avoir à Florine un engagement définitif ? dit Finot au maître des requêtes.

— Oui ; mais débarrassez-nous de Lucien, car Rastignac et de Marsay ne veulent plus entendre parler de lui.

— Dormez en paix, dit Finot [b], Nathan et Merlin auront toujours des articles que Gaillard aura promis de faire passer, Lucien ne pourra pas donner une ligne, nous lui couperons ainsi les vivres. Il n'aura que le journal de Martainville pour se défendre et défendre Coralie : un journal contre tous, il est impossible de résister.

— Je vous dirai les endroits sensibles du ministre ; mais livrez-moi le manuscrit de l'article que vous aurez fait faire à Lucien [c], répondit des Lupeaulx qui se garda bien de dire à Finot que l'ordonnance promise à Lucien était une plaisanterie [d].

Des Lupeaulx quitta le foyer. Finot vint à Lucien ; et, de ce ton de bonhomie auquel se sont pris tant de gens, il expliqua comment il ne pouvait renoncer à la rédaction qui lui était due. Finot reculait à l'idée d'un procès qui ruinerait les espérances que son ami voyait dans le parti royaliste. Finot aimait les hommes assez forts pour changer hardiment d'opinion. Lucien et lui, ne devaient-ils pas se rencontrer dans la vie, n'auraient-ils pas l'un et l'autre mille petits services à se rendre ? Lucien avait besoin d'un homme sûr dans le parti libéral pour faire attaquer les ministériels ou les ultras qui se refuseraient à le servir [a].

— Si l'on se joue de vous, comment ferez-vous ? dit Finot en terminant. Si quelque ministre, croyant vous avoir attaché par le licou de votre apostasie, ne vous redoute plus et vous envoie promener, ne vous faudra-t-il pas lui lancer quelques chiens pour le mordre aux mollets ? Eh ! bien, vous êtes brouillé à mort avec Lousteau qui demande votre tête. Félicien et vous, vous ne vous parlez plus. Moi seul, je vous reste ! Une des lois de mon métier est de vivre en bonne intelligence avec les hommes vraiment forts. Vous pourrez me rendre, dans le monde où vous allez, l'équivalent des services que je vous rendrai dans la Presse. Mais les affaires avant tout [b] ! envoyez-moi des articles purement littéraires, ils ne vous compromettront pas, et vous aurez exécuté nos conventions.

Lucien ne vit que de l'amitié mêlée à de savants calculs dans les propositions de Finot dont la flatterie et celle de des Lupeaulx l'avaient mis en belle humeur : il remercia Finot !

LA FATALE SEMAINE [c]

Dans la vie des ambitieux et de tous ceux qui ne peuvent parvenir qu'à l'aide des hommes et des choses, par un plan de conduite plus ou moins bien combiné, suivi, maintenu, il se rencontre un cruel moment où je ne sais quelle puissance les soumet à de rudes épreuves : tout manque à la fois, de tous côtés les fils rompent ou s'embrouillent, le malheur apparaît sur tous les points. Quand un homme perd la tête au milieu de ce désordre moral, il est perdu.

Les gens qui savent résister à cette première révolte des
circonstances, qui se roidissent en laissant passer la tourmente, qui se sauvent en gravissant par un épouvantable
effort la sphère supérieure, sont les hommes réellement
forts. Tout homme, à moins d'être né riche, a donc ce
qu'il faut appeler sa fatale semaine. Pour Napoléon, cette
semaine fut la retraite de Moscou. Ce cruel moment était
venu pour Lucien. Tout s'était trop heureusement succédé
pour lui dans le monde et dans la littérature; il avait été
trop heureux, il devait voir les hommes et les choses se
tourner contre lui. La première douleur fut la plus vive
et la plus cruelle de toutes, elle l'atteignit là où il se
croyait invulnérable, dans son cœur et dans son amour.
Coralie pouvait n'être pas spirituelle; mais douée d'une
belle âme, elle avait la faculté de la mettre en dehors par
ces mouvements soudains qui font les grandes actrices.
Ce phénomène étrange, tant qu'il n'est pas devenu comme
une habitude par un long usage, est soumis aux caprices
du caractère, et souvent à une admirable pudeur qui domine
les actrices encore jeunes. Intérieurement naïve et timide,
en apparence hardie et leste comme doit être une comédienne, Coralie encore aimante éprouvait une réaction de
son cœur de femme sur son masque de comédienne. L'art
de rendre les sentiments, cette sublime fausseté, n'avait
pas encore triomphé chez elle de la nature. Elle était honteuse de donner au public ce qui n'appartenait qu'à l'amour.
Puis elle avait une faiblesse particulière aux femmes vraies.
Tout en se sachant appelée à régner en souveraine sur la
scène, elle avait besoin du succès [a]. Incapable d'affronter
une salle avec laquelle elle ne sympathisait pas, elle tremblait toujours en arrivant en scène : et, alors, la froideur du
public pouvait la glacer. Cette terrible émotion lui faisait
trouver dans chaque nouveau rôle un nouveau début.
Les applaudissements lui causaient une espèce d'ivresse,
inutile à son amour-propre, mais indispensable à son courage : un murmure de désapprobation ou le silence d'un
public distrait lui ôtaient ses moyens; une salle pleine,
attentive, des regards admirateurs et bienveillants l'élec-

trisaient ; elle se mettait alors en communication avec les qualités nobles de toutes ces âmes, et se sentait la puissance de les élever, de les émouvoir. Ce double effet accusait bien et la nature nerveuse et la constitution du génie [a], en trahissant aussi les délicatesses et la tendresse de cette pauvre enfant. Lucien avait fini par apprécier les trésors que renfermait ce cœur, il avait reconnu combien sa maîtresse était jeune fille. Inhabile aux faussetés de l'actrice, Coralie était incapable de se défendre contre les rivalités et les manœuvres des coulisses auxquelles s'adonnait Florine, fille aussi dangereuse, aussi dépravée déjà que son amie était simple et généreuse. Les rôles devaient venir trouver Coralie ; elle était trop fière pour implorer les auteurs et subir leurs déshonorantes conditions, pour se donner au premier journaliste qui la menacerait de son amour et de sa plume. Le talent, déjà si rare dans l'art extraordinaire du comédien, n'est qu'une condition du succès, le talent est même longtemps nuisible s'il n'est accompagné d'un certain génie d'intrigue qui manquait absolument à Coralie [b]. Prévoyant les souffrances qui attendaient son amie à son début au Gymnase, Lucien voulut à tout prix lui procurer un triomphe. L'argent qui restait sur le prix du mobilier vendu, celui que Lucien gagnait, tout avait passé aux costumes, à l'arrangement de la loge, à tous les frais d'un début. Quelques jours auparavant, Lucien fit une démarche humiliante à laquelle il se résolut par amour : il prit les billets de Fendant et Cavalier, se rendit rue des Bourdonnais au Cocon-d'Or pour en proposer l'escompte à Camusot. Le poète n'était pas encore tellement corrompu qu'il pût aller froidement à cet assaut. Il laissa bien des douleurs sur le chemin, il le pava des plus terribles pensées en se disant alternativement : oui ! — non ! Mais il arriva néanmoins au petit cabinet froid, noir, éclairé par une cour intérieure, où siégeait gravement non plus l'amoureux de Coralie, le débonnaire, le fainéant, le libertin, l'incrédule Camusot qu'il connaissait ; mais le sérieux père de famille, le négociant poudré de ruses et de vertus, masqué de la pruderie judiciaire d'un magistrat du Tribunal de Commerce, et défendu par la froideur patronale d'un chef de maison, entouré de commis, de caissiers, de cartons verts, de factures et d'échantillons, bardé de sa femme, accompagné d'une fille simplement mise. Lucien frémit de la tête aux pieds en l'abordant, car le digne négociant lui jeta le regard insolemment indifférent qu'il avait déjà vu dans les yeux des escompteurs.

— Voici des valeurs, je vous aurais mille obligations si vous vouliez me les prendre, monsieur ? dit-il en se tenant debout auprès du négociant assis.

— Vous m'avez pris quelque chose, monsieur, dit Camusot, je m'en souviens.

Là, Lucien expliqua la situation de Coralie, à voix basse et en parlant à l'oreille du marchand de soieries, qui put entendre les palpitations du poète humilié [a]. Il n'était pas dans les intentions de Camusot que Coralie éprouvât une chute. En écoutant, le négociant regardait les signatures et sourit, il était Juge au Tribunal de Commerce, il connaissait la situation des libraires. Il donna quatre mille cinq cents francs à Lucien, à la condition de mettre dans son endos *valeur reçue en soieries*. Lucien alla sur-le-champ voir Braulard et fit très bien les choses avec lui pour assurer à Coralie un beau succès. Braulard promit de venir et vint à la répétition générale afin de convenir des endroits où ses romains déploieraient leurs battoirs de chair, et enlèveraient le succès. Lucien remit le reste de son argent à Coralie en lui cachant sa démarche auprès de Camusot ; il calma les inquiétudes de l'actrice et de Bérénice, qui déjà ne savaient comment faire aller le ménage. Martainville, un des hommes de ce temps qui connaissaient le mieux le théâtre, était venu plusieurs fois faire répéter le rôle de Coralie. Lucien avait obtenu de plusieurs rédacteurs royalistes la promesse d'articles favorables, il ne soupçonnait donc pas le malheur. La veille du début de Coralie, il arriva quelque chose de funeste à Lucien. Le livre de d'Arthez avait paru. Le rédacteur en chef du journal d'Hector Merlin donna l'ouvrage à Lucien comme à l'homme le plus capable d'en rendre compte : il devait sa fatale réputation en ce genre aux articles qu'il avait faits sur Nathan. Il y avait du monde au bureau, tous les rédacteurs s'y trouvaient. Martainville y était venu s'entendre sur un point de la polémique générale adoptée par les journaux royalistes contre les journaux libéraux [a]. Nathan, Merlin, tous les collaborateurs du *Réveil* s'y entretenaient de l'influence du journal semi-hebdomadaire de Léon Giraud, influence d'autant plus pernicieuse que le langage en était prudent, sage et modéré. On commençait à parler du Cénacle de la rue des Quatre-Vents, on l'appelait une Convention. Il avait été décidé que les journaux royalistes feraient une guerre à mort et systématique à ces dangereux adversaires, qui devinrent en effet les metteurs en œuvre de la Doctrine, cette fatale secte qui renversa les Bourbons, dès le jour où la plus mesquine des vengeances amena le plus brillant écrivain royaliste à s'allier avec elle [1]. D'Arthez [b], dont les opinions absolutistes étaient inconnues, enveloppé dans l'anathème prononcé sur le Cénacle, allait être la première victime. Son livre devait être *échiné*, selon le mot classique. Lucien refusa de faire l'article. Ce refus excita le plus violent scandale parmi les hommes considérables du parti royaliste venus à ce rendez-vous. On déclara nettement à Lucien qu'un nouveau converti n'avait pas de volonté ; s'il ne lui convenait pas d'appartenir à la monarchie et à la religion, il pouvait retourner à son premier camp : Merlin et Martainville le prirent à part et lui firent amicalement observer qu'il livrait Coralie à la haine que les journaux libéraux lui avaient vouée, et qu'elle n'aurait plus les journaux royalistes et ministériels pour se défendre. L'actrice allait

---

1. Le plus brillant écrivain royaliste, c'est naturellement Chateaubriand. Balzac, devenu carliste, déplore que celui-ci se soit vengé de sa disgrâce en passant dans l'opposition. Pour ce qui est de la Doctrine, c'est-à-dire du parti doctrinaire, il est bien évident que d'Arthez et ses amis n'ont rien à voir avec les Royer-Collard et les Broglie. Mais *le Globe*, doctrinaire, passa au Saint-Simonisme, et Pierre Leroux donna à cette revue une orientation qui explique la phrase de Balzac.

donner lieu sans doute à une polémique ardente qui lui vaudrait cette renommée après laquelle soupirent toutes les femmes de théâtre.

— Vous n'y connaissez rien, lui dit Martainville, elle jouera pendant trois mois au milieu des feux croisés de nos articles, et trouvera trente mille francs en province dans ses trois mois de congé. Pour un de ces scrupules qui vous empêcheront d'être un homme politique, et qu'on doit fouler aux pieds, vous allez tuer Coralie et votre avenir, vous jetez votre gagne-pain [a].

Lucien se vit forcé d'opter entre d'Arthez et Coralie : sa maîtresse était perdue s'il n'égorgeait pas d'Arthez dans le grand journal et dans le *Réveil*. Le pauvre poète revint chez lui, la mort dans l'âme ; il s'assit au coin du feu dans sa chambre et lut ce livre, l'un des plus beaux de la littérature moderne. Il laissa des larmes de page en page, il hésita longtemps, mais enfin il écrivit un article moqueur, comme il savait si bien en faire, il prit ce livre comme les enfants prennent un bel oiseau pour le déplumer et le martyriser. Sa terrible plaisanterie était de nature à nuire au livre. En relisant cette belle œuvre, tous les bons sentiments de Lucien se réveillèrent : il traversa [b] Paris à minuit, arriva chez d'Arthez, vit à travers les vitres trembler la chaste et timide lueur qu'il avait si souvent regardée avec les sentiments d'admiration que méritait la noble constance de ce vrai grand homme ; il ne se sentit pas la force de monter, il demeura sur une borne pendant quelques instants. Enfin poussé par son bon ange, il frappa, trouva d'Arthez lisant et sans feu.

— Que vous arrive-t-il ? dit le jeune écrivain en apercevant Lucien et devinant qu'un horrible malheur pouvait seul le lui amener.

— Ton livre est sublime, s'écria Lucien les yeux pleins de larmes et ils m'ont commandé de l'attaquer [c].

— Pauvre enfant, tu manges un pain bien dur, dit d'Arthez.

— Je ne vous demande qu'une grâce, gardez-moi le secret sur ma visite, et laissez-moi dans mon enfer à mes occupations de damné. Peut-être ne parvient-on à rien sans s'être fait des calus aux endroits les plus sensibles du cœur [a].

— Toujours le même ! dit d'Arthez.

— Me croyez-vous un lâche ? Non, d'Arthez, non, je suis un enfant ivre d'amour [b].

Et il lui expliqua sa position.

— Voyons l'article, dit d'Arthez ému par tout ce que Lucien venait de lui dire de Coralie.

Lucien lui tendit le manuscrit, d'Arthez le lut, et ne put s'empêcher de sourire : — Quel fatal emploi de l'esprit ! s'écria-t-il ; mais il se tut en voyant Lucien dans un fauteuil, accablé d'une douleur vraie. — Voulez-vous me le laisser corriger ? Je vous le renverrai demain, reprit-il. La plaisanterie déshonore une œuvre, une critique grave et sérieuse est parfois un éloge, je saurai rendre votre article plus honorable et pour vous et pour moi. D'ailleurs moi seul, je connais bien mes fautes [c] !

— En montant une côte aride, on trouve quelquefois un fruit pour apaiser les ardeurs d'une soif horrible, ce fruit, le voilà ! dit Lucien qui se jeta dans les bras de d'Arthez, y pleura et lui baisa le front en disant : — Il me semble que je vous confie ma conscience pour me la rendre un jour !

— Je regarde le repentir périodique comme une grande hypocrisie, dit solennellement d'Arthez, le repentir est alors une prime donnée aux mauvaises actions. Le repentir est une virginité que nôtre âme doit à Dieu : un homme qui se repent deux fois est donc un horrible sycophante. J'ai peur que tu ne voies que des absolutions dans tes repentirs !

Ces paroles foudroyèrent Lucien [d] qui revint à pas lents rue de la Lune. Le lendemain le poète porta au journal son article, renvoyé et remanié par d'Arthez ; mais, depuis ce jour, il fut dévoré par une mélancolie qu'il ne sut pas toujours déguiser. Quand le soir il vit la salle du Gymnase pleine, il éprouva les terribles émotions [e] que donne un début au théâtre, et qui s'agrandirent chez lui de toute la puissance de son amour. Toutes ses vanités étaient en jeu, son regard embrassait toutes les physionomies comme celui d'un accusé embrasse les figures des jurés et des juges : un murmure allait le faire tressaillir; un petit incident sur la scène, les entrées et les sorties de Coralie, les moindres inflexions de voix devaient l'agiter démesurément [a]. La pièce où débutait Coralie était une de celles qui tombent, mais qui rebondissent, et la pièce tomba. En entrant en scène, Coralie ne fut pas applaudie, et fut frappée par la froideur du Parterre. Dans les loges, elle n'eut pas d'autres applaudissements que celui de Camusot. Des personnes placées au Balcon et aux Galeries firent taire le négociant par des chuts répétés. Les Galeries imposèrent silence aux claqueurs, quand les claqueurs se livrèrent à des salves évidemment exagérées. Martainville applaudissait courageusement, et l'hypocrite Florine, Nathan, Merlin l'imitaient. Une fois la pièce tombée, il y eut foule dans la loge de Coralie, mais cette foule aggrava le mal par les consolations qu'on lui donnait. L'actrice revint au désespoir moins pour elle que pour Lucien.

— Nous avons été trahis par Braulard, dit-il.

Coralie eut une fièvre horrible, elle était atteinte au cœur. Le lendemain, il lui fut impossible de jouer : elle se vit arrêtée dans sa carrière, Lucien lui cacha les journaux, il les décacheta dans la salle à manger. Tous les feuilletonistes attribuaient la chute de la pièce à Coralie : elle avait trop présumé de ses forces; elle qui faisait les délices des boulevards, était déplacée au Gymnase [b] ; elle avait été poussée là par une louable ambition, mais elle n'avait pas consulté ses moyens, elle avait mal pris son rôle. Lucien lut alors sur Coralie des tartines composées dans le système hypocrite de ses articles sur Nathan. Une rage digne de Milon de Crotone quand il se sentit les mains prises dans le chêne qu'il avait ouvert lui-même éclata chez Lucien, il devint blême ; ses amis donnaient à Coralie, dans une phraséologie admirable de bonté, de complaisance et d'intérêt, les conseils les plus perfides. Elle devait jouer, y disait-on, des rôles que les perfides auteurs de ces feuilletons infâmes savaient être entièrement contraires à son talent.

Tels étaient les journaux royalistes serinés sans doute par Nathan [a]. Quant aux journaux libéraux et aux petits journaux, ils déployaient les perfidies, les moqueries que Lucien avait pratiquées. Coralie entendit un ou deux sanglots, elle sauta de son lit vers Lucien, aperçut les journaux, voulut les voir et les lut. Après cette lecture, elle alla se recoucher, et garda le silence. Florine était de la conspiration, elle en avait prévu l'issue, elle savait le rôle de Coralie, elle avait eu Nathan pour répétiteur. L'Administration, qui tenait à la pièce, voulut donner le rôle de Coralie à Florine. Le directeur vint trouver la pauvre actrice, elle était en larmes et abattue ; mais quand il lui dit devant Lucien que Florine savait le rôle et qu'il était impossible de ne pas donner la pièce le soir, elle se dressa, sauta hors du lit.

— Je jouerai, cria-t-elle.

Elle tomba évanouie [b]. Florine eut donc le rôle et s'y fit une réputation, car elle releva la pièce ; elle eut dans tous les journaux une ovation à partir de laquelle elle fut cette grande actrice que vous savez [c]. Le triomphe de Florine exaspéra Lucien au plus haut degré.

— Une misérable à laquelle tu as mis le pain à la main ! Si le Gymnase le veut, il peut racheter ton engagement. Je serai comte de Rubempré, je ferai fortune et t'épouserai.

— Quelle sottise [d] ! dit Coralie en lui jetant un regard pâle.

— Une sottise [e] ! cria Lucien. Eh ! bien, dans quelques jours tu habiteras une belle maison, tu auras un équipage, et je te ferai un rôle !

Il prit deux mille francs et courut à Frascati. Le malheureux y resta sept heures dévoré par des furies, le visage calme et froid en apparence. Pendant cette journée et une partie de la nuit, il eut les chances les plus diverses : il posséda jusqu'à trente mille francs, il sortit sans un sou. Quand il revint, il trouva Finot qui l'attendait pour avoir *ses petits articles*. Lucien commit la faute de se plaindre.

— Ah ! tout n'est pas rose, répondit Finot ; vous

avez fait si brutalement votre demi-tour à gauche que
vous deviez perdre l'appui de la presse libérale, bien plus
forte que la presse ministérielle et royaliste. Il ne faut
jamais passer d'un camp dans un autre sans s'être fait
un bon lit où l'on se console des pertes auxquelles on doit
s'attendre; mais, dans tous les cas, un homme sage va
voir ses amis, leur expose ses raisons, et se fait conseiller
par eux son abjuration, ils en deviennent les complices,
ils vous plaignent, et l'on convient alors, comme Nathan
et Merlin avec leurs camarades, de se rendre des services
mutuels. Les loups ne se mangent point. Vous avez eu,
vous, en cette affaire, l'innocence d'un agneau [a]. Vous
serez forcé de montrer les dents à votre nouveau parti
pour en tirer cuisse ou aile. Ainsi, l'on vous a sacrifié
nécessairement à Nathan. Je ne vous cacherai pas le bruit,
le scandale et les criailleries que soulève votre article contre
d'Arthez. Marat est un saint comparé à vous. Il se prépare
des attaques contre vous, votre livre y succombera. Où
en est-il votre roman ?

— Voici les dernières feuilles, dit Lucien en montrant
un paquet d'épreuves.

— On vous attribue les articles non signés des journaux ministériels et ultras contre ce petit d'Arthez. Maintenant, tous les jours, les coups d'épingles du Réveil sont
dirigés contre les gens de la rue des Quatre-Vents, et les
plaisanteries sont d'autant plus sanglantes qu'elles sont
drôles. Il y a toute une coterie politique, grave et sérieuse
derrière le journal de Léon Giraud, une coterie à qui le
pouvoir appartiendra tôt ou tard [b].

— Je n'ai pas mis le pied au Réveil depuis huit jours.

— Eh ! bien, pensez à mes petits articles. Faites-en
cinquante sur-le-champ, je vous les payerai en masse;
mais faites-les dans la couleur du journal.

Et Finot donna négligemment à Lucien le sujet d'un
article plaisant contre le Garde-des-Sceaux en lui racontant une prétendue anecdote qui, lui dit-il, courait les salons.

Pour réparer sa perte au jeu, Lucien retrouva, malgré
son affaissement, de la verve, de la jeunesse d'esprit, et

composa trente articles de chacun deux colonnes [a]. Les articles finis, Lucien alla chez Dauriat, sûr d'y rencontrer Finot auquel il voulait les remettre secrètement; il avait d'ailleurs besoin de faire expliquer le libraire sur la non-publication des Marguerites. Il trouva la boutique pleine de ses ennemis. A son entrée, il y eut un silence complet, les conversations cessèrent. En se voyant mis au ban du journalisme, Lucien se sentit un redoublement de courage, et se dit en lui-même comme dans l'allée du Luxembourg : — Je triompherai! Dauriat ne fut ni protecteur ni doux, il se montra goguenard, retranché dans son droit : il ferait paraître les Marguerites à sa guise, il attendrait que la position de Lucien en assurât le succès, il avait acheté l'entière propriété. Quand Lucien objecta que Dauriat était tenu de publier ses Marguerites par la nature même du contrat et de la qualité des contractants, le libraire soutint le contraire et dit que judiciairement il ne pourrait être contraint à une opération qu'il jugeait mauvaise, il était seul juge de l'opportunité. Il y avait d'ailleurs une solution que tous les tribunaux admettraient : Lucien était maître de rendre les mille écus, de reprendre son œuvre et de la faire publier par un libraire royaliste [b].

Lucien se retira plus piqué du ton modéré que Dauriat avait pris, qu'il ne l'avait été de sa pompe autocratique à leur première entrevue. Ainsi, les Marguerites ne seraient sans doute publiées qu'au moment où Lucien aurait pour lui les forces auxiliaires d'une camaraderie puissante, ou deviendrait formidable par lui-même. Le poète revint chez lui lentement, en proie à un découragement qui le menait au suicide, si l'action eût suivi la pensée. Il vit Coralie au lit, pâle et souffrante.

— Un rôle, ou elle meurt, lui dit Bérénice pendant que Lucien s'habillait pour aller rue du Mont-Blanc chez mademoiselle des Touches qui donnait une grande soirée où il devait trouver des Lupeaulx, Vignon, Blondet [c], madame d'Espard et madame de Bargeton.

La soirée était donnée pour Conti, le grand compositeur qui possédait l'une des voix les plus célèbres en dehors

de la scène, pour la Cinti, la Pasta, Garcia, Levasseur [1],
et deux ou trois voix illustres du beau monde. Lucien se
glissa jusqu'à l'endroit où la marquise, sa cousine et
madame de Montcornet étaient assises. Le malheureux
jeune homme prit un air léger, content, heureux; il plaisanta, se montra comme il était dans ses jours de splendeur,
il ne voulait point paraître avoir besoin du monde. Il s'étendit sur les services qu'il rendait au parti royaliste, il en
donna pour preuve les cris de haine que poussaient les
Libéraux.

— Vous en serez bien largement récompensé, mon ami,
lui dit madame de Bargeton en lui adressant un gracieux
sourire. Allez après-demain à la chancellerie avec le Héron
et des Lupeaulx, et vous y trouverez votre ordonnance
signée par le roi. Le garde-des-sceaux la porte demain
au château; mais il y a conseil, il reviendra tard : néanmoins, si je savais le résultat, dans la soirée, j'enverrais
chez vous. Où demeurez-vous?

— Je viendrai, répondit Lucien honteux d'avoir à dire
qu'il demeurait rue de la Lune [a].

— Les ducs de Lenoncourt et de Navarreins ont parlé
de vous au roi, reprit la marquise, ils ont vanté en vous un
de ces dévouements absolus et entiers qui voulaient une
récompense éclatante afin de vous venger des persécutions
du parti libéral. D'ailleurs, le nom et le titre des Rubempré,
auxquels vous avez droit par votre mère, vont devenir
illustres en vous. Le roi a dit à Sa grandeur le soir, de lui
apporter une ordonnance pour autoriser le sieur Lucien
Chardon à porter le nom et les titres des comtes de Rubempré, en sa qualité de petit-fils du dernier comte par sa mère.
— Favorisons les chardonnerets du Pinde, a-t-il dit après
avoir lu votre sonnet sur le lis dont s'est heureusement souvenu ma cousine et qu'elle avait donné au duc [b]. — Surtout

---

1. Il n'est pas besoin de noter que Balzac nomme ici, non pas des
personnages imaginaires, mais des artistes alors au comble du succès
et qui restent aujourd'hui encore fameux.

quand le roi peut faire le miracle de les changer en aigles,
a répondu monsieur de Navarreins.

Lucien eut une effusion de cœur qui aurait pu attendrir
une femme moins profondément blessée que ne l'était
Louise d'Espard de Négrepelisse. Plus Lucien était beau,
plus elle avait soif de vengeance. Des Lupeaulx avait
raison, Lucien manquait de tact: il ne sut[a] pas deviner que
l'ordonnance dont on lui parlait n'était qu'une plaisanterie
comme savait en faire madame d'Espard. Enhardi par ce
succès et par la distinction flatteuse que lui témoignait
mademoiselle des Touches, il resta chez elle jusqu'à deux
heures du matin pour pouvoir lui parler en particulier[b].
Lucien avait appris dans les bureaux des journaux royalistes que mademoiselle des Touches était la collaboratrice
secrète d'une pièce[c] où devait jouer la grande merveille
du moment, la petite Fay[1]. Quand les salons furent déserts,
il emmena mademoiselle des Touches sur un sofa, dans le
boudoir, et lui raconta d'une façon si touchante le malheur
de Coralie et le sien, que cette illustre hermaphrodite lui
promit de faire donner le rôle principal à Coralie.

Le lendemain de cette soirée, au moment où Coralie,
heureuse de la promesse de mademoiselle des Touches à
Lucien, revenait à la vie et déjeunait avec son poète, Lucien
lisait le journal de Lousteau, où se trouvait le récit épigrammatique de l'anecdote inventée sur le Garde-des-Sceaux
et sur sa femme. La méchanceté la plus noire s'y cachait
sous l'esprit le plus incisif. Le roi Louis XVIII y était
admirablement mis en scène, et ridiculisé sans que le
Parquet pût intervenir. Voici le fait[2] auquel le parti

---

1. Balzac nomme ici Léontine Fay. Au dire de Mirecourt, elle « passa
des bras de sa nourrice au théâtre ». Les journaux de l'époque van-
tent son intelligence, sa finesse, sa grâce. Elle était toute petite et
jouait les rôles d'enfants. C'était, disaient-ils, une « pygmée gracieuse »
et qui joua longtemps dix ans.

2. Cette anecdote qu'on va lire se retrouve dans l'*Histoire de France*
du comte de Montgaillard, 4 volumes in-8°, 1832-1833, t. I, p. 208,
sans que l'on puisse affirmer que c'est là que Balzac l'a trouvée. Les
personnages de l'histoire sont la comtesse du Cayla, le comte de Serre,

libéral essayait de donner l'apparence de la vérité, mais qui n'a fait que grossir le nombre de ses spirituelles calomnies [a].

La passion de Louis XVIII pour une correspondance galante et musquée, pleine de madrigaux et d'étincelles, y était interprétée comme la dernière expression de son amour qui devenait doctrinaire : il passait, y disait-on, du fait à l'idée. L'illustre maîtresse, si cruellement attaquée par Béranger sous le nom d'Octavie, avait conçu les craintes les plus sérieuses. La correspondance languissait. Plus Octavie déployait d'esprit, plus son amant se montrait froid et terne. Octavie avait fini par découvrir la cause de sa défaveur, son pouvoir était menacé par les prémices et les épices d'une nouvelle correspondance du royal écrivain [b] avec la femme du Garde-des-Sceaux. Cette excellente femme était supposée incapable d'écrire un billet, elle devait être purement et simplement l'éditeur responsable d'une audacieuse ambition. Qui pouvait être caché sous cette jupe ? Après quelques observations, Octavie découvrit que le roi correspondait avec son Ministre. Son plan est fait. Aidée par un ami fidèle, elle retient un jour le Ministre à la chambre par une discussion orageuse, et se ménage un tête-à-tête où elle révolte l'amour-propre du roi par la

---

garde des sceaux, et sa femme. Louis XVIII était enchanté des agréments de Mme de Serre, et surtout du style gracieux et léger autant que spirituel des billets qu'elle écrivait. Il en parla à Mme du Cayla, il en parla même si souvent que la favorite s'inquiéta de cette rivale possible. Elle s'étonnait d'ailleurs de la qualité de ces billets, car elle ne soupçonnait pas que Mme de Serre fût à ce point spirituelle. Elle choisit un moment où le garde des sceaux était au Conseil et où M. de Barante donnait ses audiences. Elle envoya à Mme de Serre une lettre qui appelait une réponse immédiate. Mme de Serre répondit en effet, mais son billet était ridicule et prouvait une ignorance complète du style et de l'orthographe. Aussitôt qu'elle eut en main le billet, Mme du Cayla courut au roi. Louis XVIII reconnut l'écriture, mais ne reconnut plus le style. Mme de Serre n'eut plus accès auprès de lui et Mme du Cayla régna seule. Cette anecdote est racontée par Montgaillard sous l'année 1825, mais elle se place naturellement plus tôt, en 1820 probablement. Montgaillard ne semble y attacher aucune importance politique, tandis que Balzac, dans le texte du manuscrit, voudrait lui attribuer la chute du ministère de Richelieu.

révélation de cette tromperie. Louis XVIII entre dans un
accès de colère bourbonniene et royale, il éclate contre
Octavie, il doute ; Octavie offre une preuve immédiate
en le priant d'écrire un mot qui voulût absolument une
réponse. La malheureuse femme surprise envoie requérir
son mari à la Chambre ; mais tout était prévu, dans ce
moment il occupait la tribune. La femme sue sang et eau,
cherche tout son esprit, et répond avec l'esprit qu'elle
trouve. — Votre chancelier vous dira le reste, s'écria
Octavie en riant du désappointement du Roi [a].

Quoique mensonger [b] l'article piquait au vif le Garde-
des-Sceaux, sa femme et le Roi. Des Lupeaulx, à qui Finot
a toujours gardé le secret, avait, dit-on, inventé l'anecdote [1][c]. Ce spirituel et mordant article fit la joie des Libéraux et celle du parti de Monsieur; Lucien s'en amusa
sans y voir autre chose qu'un très agréable *canard*. Il alla
le lendemain prendre des Lupeaulx et le baron du Châtelet.
Le baron venait remercier Sa Grandeur. Le sieur Châtelet,
nommé Conseiller d'État en service extraordinaire, était
fait comte avec la promesse de la préfecture de la Charente,
dès que le préfet actuel aurait fini les quelques mois nécessaires pour compléter le temps voulu pour lui faire obtenir
le maximum de la retraite. Le comte du Châtelet, car le *du*
fut inséré dans l'ordonnance, prit Lucien dans sa voiture
et le traita sur un pied d'égalité. Sans les articles de Lucien,
il ne serait peut-être pas parvenu si promptement; la per-
sécution des Libéraux avait été comme un piédestal pour
lui. Des Lupeaulx était au Ministère, dans le cabinet du
Secrétaire-Général. A l'aspect de Lucien, ce fonctionnaire
fit un bond d'étonnement et regarda des Lupeaulx.

— Comment ! vous osez venir ici, monsieur ? dit le

---

1. La leçon du manuscrit, conservée en 1839, et qui ne disparaît
qu'en 1843, parle de la mort du comte de Serre, survenue le 21 juillet 1824. Elle présente Mme du Cayla et des Lupeaux comme placés
dans des partis contraires, c'est-à-dire apparemment que Mme du
Cayla est restée attachée à la branche aînée tandis que des Lupeaux
s'est rallié à la monarchie de Juillet.

Secrétaire-Général à Lucien stupéfait. Sa Grandeur a déchiré votre ordonnance préparée, la voici ! Il montra le premier papier venu déchiré en quatre [a]. Le ministre a voulu connaître l'auteur de l'épouvantable article d'hier, et voici la copie du numéro, dit le Secrétaire-Général en tendant à Lucien les feuillets de son article. Vous vous dites royaliste, monsieur, et vous êtes collaborateur de cet infâme journal qui fait blanchir les cheveux aux ministres, qui chagrine les Centres et nous entraîne dans un abîme. Vous déjeunez du Corsaire, du Miroir, du Constitutionnel, du Courrier ; vous dînez de la Quotidienne, du Réveil, et vous soupez avec Martainville, le plus terrible antagoniste du Ministère, et qui pousse le roi vers l'absolutisme, ce qui l'amènerait à une révolution tout aussi promptement que s'il se livrait à l'extrême Gauche [1] ? Vous êtes un très spirituel journaliste, mais vous ne serez jamais un homme politique. Le ministre vous a dénoncé comme l'auteur de l'article au roi, qui, dans sa colère, a grondé monsieur le duc de Navarreins, son premier gentilhomme de service. Vous vous êtes fait des ennemis d'autant plus puissants qu'ils vous étaient plus favorables ! Ce qui chez un ennemi semble naturel, est épouvantable chez un ami [b].

— Mais vous êtes donc un enfant, mon cher ? dit des Lupeaulx. Vous m'avez compromis. Mesdames d'Espard et de Bargeton, madame de Montcornet, qui avaient répondu de vous, doivent être furieuses. Le duc a dû faire retomber sa colère sur la marquise et la marquise a dû gronder sa cousine. N'y allez pas ! Attendez.

---

1. *Le Corsaire, journal des spectacles, de la littérature, des arts, mœurs et modes* a commencé de paraître le 6 février 1822, c'est-à-dire trois mois environ avant le moment où nous sommes arrivés dans l'action du roman. On a vu plus haut que *le Miroir, le Constitutionnel* et *le Courrier français* étaient les principaux organes du parti libéral. *La Quotidienne* était au contraire le journal des *ultras*. Les paroles du secrétaire général sur Martainville répondent exactement à la situation de ce polémiste, redouté du gouvernement, qu'il compromettait par ses violences et qui finit par le réduire au silence.

— Voici Sa Grandeur, sortez ! dit le Secrétaire-Général.

Lucien se trouva sur la place Vendôme, hébété comme un homme à qui l'on vient de donner sur la tête un coup d'assommoir. Il revint à pied par les boulevards en essayant de se juger. Il se vit le jouet d'hommes envieux, avides et perfides. Qu'était-il dans ce monde d'ambitions ? Un enfant qui courait après les plaisirs et les jouissances de vanité, leur sacrifiant tout [a] ; un poète, sans réflexion profonde, allant de lumière en lumière comme un papillon, sans plan fixe, l'esclave des circonstances, pensant bien et agissant mal. Sa conscience fut un impitoyable bourreau. Enfin, il n'avait plus d'argent et se sentait épuisé de travail et de douleur. Ses articles ne passaient qu'après ceux de Merlin et de Nathan. Il allait à l'aventure, perdu dans ses réflexions [b] ; il vit en marchant, chez quelques cabinets littéraires qui commençaient à donner des livres en lecture avec les journaux, une affiche où sous un titre bizarre, à lui tout à fait inconnu, brillait son nom : *Par Monsieur Lucien Chardon de Rubempré*. Son ouvrage paraissait, il n'en avait rien su, les journaux se taisaient. Il demeura les bras pendants, immobile, sans apercevoir un groupe de jeunes gens les plus élégants, parmi lesquels étaient Rastignac, de Marsay et quelques autres de sa connaissance. Il ne fit pas attention à Michel Chrestien et à Léon Giraud [c], qui venaient à lui.

— Vous êtes monsieur Chardon ? lui dit Michel d'un ton qui fit résonner les entrailles de Lucien comme des cordes.

— Ne me connaissez-vous pas ? répondit-il en pâlissant.

Michel lui cracha au visage.

— Voilà les honoraires de vos articles contre d'Arthez. Si chacun dans sa cause ou dans celle de ses amis imitait ma conduite, la Presse resterait ce qu'elle doit être : un sacerdoce respectacle et respecté !

Lucien avait chancelé ; il s'appuya sur Rastignac en lui disant, ainsi qu'à de Marsay : — Messieurs, vous ne sauriez refuser d'être mes témoins. Mais je veux d'abord rendre la partie égale, et l'affaire sans remède.

Lucien donna vivement un soufflet à Michel, qui ne s'y attendait pas[a]. Les dandies et les amis de Michel se jetèrent entre le républicain et le royaliste, afin que cette lutte ne prît pas un caractère populacier. Rastignac saisit Lucien et l'emmena chez lui, rue Taitbout, à deux pas de cette scène, qui avait lieu sur le boulevard de Gand, à l'heure du dîner. Cette circonstance évita les rassemblements d'usage en pareil cas. De Marsay vint chercher Lucien, que les deux dandies forcèrent à dîner joyeusement avec eux au café Anglais, où ils se grisèrent.

— Êtes-vous fort à l'épée? lui dit de Marsay.

— Je n'en ai jamais manié.

— Au pistolet? dit Rastignac.

— Je n'ai pas dans ma vie tiré un seul coup de pistolet.

— Vous avez pour vous le hasard, vous êtes un terrible adversaire, vous pouvez tuer votre homme, dit de Marsay.

JOBISME[b]

Lucien trouva fort heureusement Coralie au lit et endormie. L'actrice avait joué dans une petite pièce à l'improviste, elle avait repris sa revanche en obtenant des applaudissements légitimes et non stipendiés. Cette soirée, à laquelle ne s'attendaient pas ses ennemis, détermina le directeur à lui donner le principal rôle dans la pièce de Camille Maupin; car il avait fini par découvrir la cause de l'insuccès de Coralie à son début. Courroucé par les intrigues de Florine et de Nathan pour faire tomber une actrice à laquelle il tenait, le directeur avait promis à Coralie la protection de l'Administration[c].

A cinq heures du matin Rastignac vint chercher Lucien.

— Mon cher, vous êtes logé dans le système de votre rue, lui dit-il pour tout compliment. Soyons les premiers au rendez-vous, sur le chemin de Clignancourt, c'est le

bon goût, et nous devons de bons exemples. — Voici
le programme, lui dit de Marsay dès que le fiacre roula
dans le faubourg Saint-Denis. Vous vous battez au pistolet,
à vingt-cinq pas, marchant à volonté l'un sur l'autre,
jusqu'à une distance de quinze pas. Vous avez chacun
cinq pas à faire et trois coups à tirer, pas davantage. Quoi
qu'il arrive, vous vous engagez à en rester là l'un et l'autre.
Nous chargeons les pistolets de votre adversaire et ses
témoins chargent les vôtres. Les armes ont été choisies
par les quatre témoins réunis chez un armurier. Je vous
promets que nous avons aidé le hasard : vous avez des
pistolets de cavalerie [a].

Pour Lucien, la vie était devenue un mauvais rêve ;
il lui était indifférent de vivre ou de mourir. Le courage
particulier au suicide lui servit donc à paraître en grand
costume de bravoure aux yeux des spectateurs de son
duel. Il resta, sans marcher, à sa place [1]. Cette insouciance passa pour un froid calcul : on trouva ce poète
très fort [b]. Michel Chrestien vint jusqu'à sa limite. Les
deux adversaires firent feu en même temps, car les insultes
avaient été regardées comme égales [c]. Au premier coup,
la balle de Chrestien effleura le menton de Lucien dont la
balle passa à dix pieds au-dessus de la tête de son adversaire.
Au second coup, la balle de Michel se logea dans le col
de la redingote du poète, lequel était heureusement piqué
et garni de bougran. Au troisième coup, Lucien reçut
la balle dans le sein et tomba.

— Est-il mort ? demanda Michel.

— Non, dit le chirurgien, il s'en tirera.

— Tant pis, répondit Michel.

— Oh ! oui, tant pis, répéta Lucien en versant des
larmes.

---

1. Dans le duel d'Émile de Girardin et de Carrel, le 22 juillet 1836,
on avait beaucoup remarqué que Girardin était resté immobile et sur
place, tandis qu'Armand Carrel, comme Michel Chrestien, s'avançait
rapidement « jusqu'à sa limite ». Mais tous les détails qui suivent
n'ont rien de commun avec ce duel historique.

A midi, ce malheureux enfant se trouva dans sa chambre et sur son lit; il avait fallu cinq heures et de grands ménagements pour l'y transporter. Quoique son état fût sans danger, il exigeait des précautions : la fièvre pouvait amener de fâcheuses complications. Coralie étouffa son désespoir et ses chagrins. Pendant tout le temps que son ami fut en danger, elle passa les nuits avec Bérénice en apprenant ses rôles. Le danger de Lucien dura deux mois. Cette pauvre créature jouait quelquefois un rôle qui voulait de la gaieté, tandis qu'intérieurement elle se disait :
— Mon cher Lucien meurt peut-être en ce moment !

Pendant ce temps [a], Lucien fut soigné par Bianchon : il dut la vie au dévouement de cet ami si vivement blessé, mais à qui d'Arthez avait confié le secret de la démarche de Lucien en justifiant le malheureux poète. Dans un moment lucide, car Lucien eut une fièvre nerveuse d'une haute gravité, Bianchon, qui soupçonnait d'Arthez de quelque générosité, questionna son malade; Lucien lui dit n'avoir pas fait d'autre article sur le livre de d'Arthez que l'article sérieux et grave inséré dans le journal d'Hector Merlin [b].

A la fin du premier mois, la maison Fendant et Cavalier déposa son bilan. Bianchon dit à l'actrice de cacher ce coup affreux à Lucien. Le fameux roman de l'Archer de Charles IX, publié sous un titre bizarre, n'avait pas eu le moindre succès. Pour se faire de l'argent avant de déposer le bilan, Fendant, à l'insu de Cavalier, avait vendu cet ouvrage en bloc à des épiciers qui le revendaient à bas prix au moyen du colportage. En ce moment le livre de Lucien garnissait les parapets des ponts et les quais de Paris. La librairie du quai des Augustins, qui avait pris une certaine quantité d'exemplaires de ce roman, se trouvait donc perdre une somme considérable par suite de l'avilissement subit du prix : les quatre volumes in-12 qu'elle avait achetés quatre francs cinquante centimes étaient donnés pour cinquante sous. Le commerce jetait les hauts cris, et les journaux continuaient à garder le plus profond silence. Barbet n'avait pas prévu ce *lavage*, il croyait au talent de Lucien; contrairement à ses habitudes, il s'était jeté sur deux cents exemplaires; et la perspective d'une perte le rendait fou, il disait des horreurs de Lucien. Barbet prit [a] un parti héroïque : il mit ses exemplaires dans un coin de son magasin par un entêtement particulier aux avares, et laissa ses confrères se débarrasser des leurs à vil prix. Plus tard, en 1824, quand la belle préface de d'Arthez, le mérite du livre et deux articles faits par Léon Giraud eurent rendu à cette œuvre sa valeur, Barbet vendit ses exemplaires un par un au prix de dix francs [b]. Malgré les précautions de Bérénice et de Coralie, il fut impossible d'empêcher Hector Merlin de venir voir son ami mourant; et il lui fit boire goutte à goutte le calice amer de ce *bouillon*, mot en usage dans la librairie pour peindre l'opération funeste à laquelle s'étaient livrés Fendant et Cavalier en publiant le livre d'un débutant. Martainville, seul fidèle à Lucien, fit un magnifique article en faveur de l'œuvre; mais l'exaspération était telle, et chez les Libéraux, et chez les Ministériels, contre le rédacteur en chef de l'Aristarque, de l'Oriflamme et du Drapeau Blanc [1], que les efforts de ce courageux athlète, qui rendit toujours dix insultes pour une au libéralisme, nuisirent à Lucien. Aucun journal ne releva le gant de la polémique, quelque vives que fussent les attaques du Bravo royaliste. Coralie, Bérénice et Bianchon fermèrent la porte à tous les soi-disant amis de Lucien qui jetèrent les hauts cris ; mais il fut impossible de la fermer aux huissiers. La faillite de Fendant et de Cavalier rendait leurs billets exigibles en vertu d'une des dispositions du Code de commerce, la plus attentatoire aux droits des tiers qui sont ainsi

---

1. *L'Aristarque français*, journal politique, historique et littéraire, parut du 1er mai 1815 au 8 janvier 1827. Pour *l'Oriflamme*, ce périodique parut d'abord le 16 décembre 1822 sous le titre de *l'Oriflamme-le Régulateur, journal politique et littéraire*, comme reprise du *Régulateur* qui avait débuté le 1er novembre 1820. Puis il y eut, le 17 juillet 1824, un *Oriflamme, journal de littérature, de sciences et arts, d'histoire et de doctrine religieuse et monarchique*.

privés des bénéfices du terme [1]. Lucien se trouva vigoureusement poursuivi par Camusot. En voyant ce nom,
l'actrice comprit la terrible et humiliante démarche qu'avait
dû faire son poète, pour elle si angélique; elle l'en aima
dix fois plus, et ne voulut pas implorer Camusot. En
venant chercher leur prisonnier, les Gardes du Commerce [2]
le trouvèrent au lit [a], et reculèrent à l'idée de l'emmener;
ils allèrent chez Camusot avant de prier le Président du
Tribunal d'indiquer la maison de santé dans laquelle
ils déposeraient le débiteur [3]. Camusot accourut aussitôt
rue de la Lune. Coralie descendit [b] et remonta tenant les
pièces de la procédure qui d'après l'endos avait déclaré
Lucien commerçant. Comment avait-elle obtenu ces papiers
de Camusot ? quelle promesse avait-elle faite ? elle garda
le plus morne silence ; mais elle était remontée quasi-
morte [c]. Coralie joua dans la pièce de Camille Maupin,
et contribua beaucoup à ce succès de l'illustre hermaphrodite littéraire [4]. La création de ce rôle fut la dernière
étincelle de cette belle lampe. A la vingtième représentation,
au moment où Lucien rétabli commençait à se promener,

---

1. Cette description est conforme à l'article 444 du Code de commerce. L'éditeur de Lucien ayant fait faillite, l'endosseur (Lucien)
devient immédiatement garant du paiement des traites par le seul jeu
du dessaisissement des tirés (A. Peytel, *Balzac, juriste romantique*).
2. Ce corps a été organisé par le décret du 14 mars 1808. Ils sont
au nombre de dix et n'opèrent que dans Paris.
3. La loi fixait des limites étroites à l'activité des Gardes du commerce. La capture ne pouvait avoir lieu après le coucher du soleil,
ni dans les lieux consacrés au culte. Si le débiteur était malade, le
Président du tribunal devait désigner la maison de santé où il serait
placé, et les Gardes devaient surseoir à l'arrestation jusqu'à la décision
du magistrat.
4. Si l'on était tenté de penser à une pièce de théâtre donnée par
George Sand, on serait vite détrompé par la chronologie. *Cosima*
fut jouée le 29 avril 1840, l'année qui suivit la première édition du
roman. Au surplus, l'échec fut complet, et Balzac se moquerait de
son amie s'il voulait parler du succès de la pièce. Tout ce que l'on peut
dire, c'est que George Sand, en 1839, avait décidé de se tourner vers
le théâtre. En avril 1839 elle écrivait *Gabriel*, et *Cosima* au cours de l'été
de cette année.

à manger, et parlait de reprendre ses travaux, Coralie
tomba malade : un chagrin secret la dévorait. Bérénice
a toujours cru que, pour sauver Lucien, elle avait promis
de revenir à Camusot[a]. L'actrice eut la mortification
de voir donner son rôle à Florine. Nathan déclarait la
guerre au Gymnase dans le cas où Florine ne succéderait
pas à Coralie. En jouant le rôle jusqu'au dernier moment
pour ne pas le laisser prendre par sa rivale, Coralie outre-
passa ses forces ; le Gymnase lui avait fait quelques avances
pendant la maladie de Lucien, elle ne pouvait plus rien
demander à la caisse du théâtre ; malgré son bon vouloir,
Lucien était encore incapable de travailler, il soignait
d'ailleurs Coralie afin de soulager Bérénice ; ce pauvre
ménage arriva donc à une détresse absolue, il eut cependant
le bonheur de trouver dans Bianchon un médecin habile
et dévoué, qui lui donna crédit chez un pharmacien.
La situation de Coralie et de Lucien fut bientôt connue
des fournisseurs et du propriétaire. Les meubles furent
saisis. La couturière et le tailleur, ne craignant plus le
journaliste, poursuivirent ces deux bohémiens à outrance.
Enfin il n'y eut plus que le pharmacien et le charcutier
qui fissent crédit à ces malheureux enfants. Lucien, Bérénice
et la malade furent obligés pendant une semaine environ
de ne manger que du porc sous toutes les formes ingénieuses
et variées que lui donnent les charcutiers. La charcuterie,
assez inflammatoire de sa nature, aggrava la maladie de
l'actrice[b]. Lucien fut contraint par la misère d'aller chez
Lousteau réclamer les mille francs que cet ancien ami,
ce traître, lui devait. Ce fut, au milieu de ses malheurs,
la démarche qui lui coûta le plus. Lousteau ne pouvait
plus rentrer chez lui rue de la Harpe, il couchait chez
ses amis, il était poursuivi, traqué comme un lièvre.
Lucien ne put trouver son fatal introducteur dans le monde
littéraire que chez Flicoteaux. Lousteau dînait à la même
table où Lucien l'avait rencontré[c], pour son malheur,
le jour où il s'était éloigné de d'Arthez. Lousteau lui offrit
à dîner, et Lucien accepta !

Quand, en sortant de chez Flicoteaux, Claude Vignon,

qui y mangeait ce jour-là, Lousteau, Lucien et le grand
inconnu qui remisait sa garde-robe chez Samanon [a]
voulurent aller au café Voltaire prendre du café, jamais ils
ne purent faire trente sous en réunissant le billon qui
retentissait dans leurs poches [1]. Ils flânèrent au Luxembourg,
espérant y rencontrer un libraire, et ils virent en effet
un des plus fameux imprimeurs de ce temps auquel Lousteau
demanda quarante francs, et qui les donna. Lousteau
partagea la somme en quatre portions égales, et chacun
des écrivains en prit une. La misère avait éteint toute
fierté, tout sentiment chez Lucien ; il pleura devant ces
trois artistes en leur racontant sa situation ; mais chacun
de ses camarades avait un drame tout aussi cruellement
horrible à lui dire : quand chacun eut paraphrasé le sien,
le poète se trouva le moins malheureux des quatre. Aussi
tous avaient-ils besoin d'oublier et leur malheur et leur
pensée qui doublait le malheur [b]. Lousteau courut au
Palais-Royal, y jouer les neuf francs qui lui restèrent
sur ses dix francs. Le grand inconnu, quoiqu'il eût une
divine maîtresse, alla dans une vile maison suspecte se
plonger dans le bourbier des voluptés dangereuses.
Vignon [c] se rendit au Petit Rocher de Cancale [2] dans
l'intention d'y boire deux bouteilles de vin de Bordeaux
pour abdiquer sa raison et sa mémoire [3][d]. Lucien quitta
Claude Vignon sur le seuil du restaurant, en refusant sa
part de ce souper. La poignée de main que le grand homme
de province donna au seul journaliste qui ne lui avait
pas été hostile fut accompagnée d'un horrible serrement
de cœur.

1. Toute cette page semble faire écho à une phrase de Balzac à
la comtesse Hanska : « A Paris, ceux qui spéculent sur la littérature
n'ont pas d'autre pensée que de la rançonner... C'est ce qui dévore
tous les gens de lettres de Paris, Karr, Gozlan, etc. Ils ont besoin,
on le sait, on leur achète 500 francs ce qui en vaut trois mille » (*L. à
l'Étr.*, I, p. 415). Il est intéressant de noter les noms qui se présentent
alors à l'esprit de Balzac.

2. Ne pas confondre le Petit Rocher de Cancale, au n° 8 de la rue
de l'Ancienne Comédie, avec le Rocher de Cancale, rue Montorgueil.

3. Allusion à l'ivrognerie de Gustave Planche.

— Que faire ? lui demanda-t-il.

— A la guerre, comme à la guerre, lui dit le grand
critique. Votre livre est beau, mais il vous a fait des envieux,
votre lutte sera longue et difficile. Le génie est une horrible
maladie. Tout écrivain porte en son cœur un monstre
qui, semblable au tænia dans l'estomac [1], y dévore les
sentiments à mesure qu'ils y éclosent. Qui triomphera ?
la maladie de l'homme, ou l'homme de la maladie ? Certes,
il faut être un grand homme pour tenir la balance entre
son génie et son caractère [a]. Le talent grandit, le cœur
se dessèche. A moins d'être un colosse, à moins d'avoir
des épaules d'Hercule, on reste ou sans cœur ou sans talent.
Vous êtes mince et fluet, vous succomberez, ajouta-t-il
en entrant chez le restaurateur.

Lucien revint chez lui en méditant sur cet horrible
arrêt dont la profonde vérité lui éclairait la vie littéraire [b].

— De l'argent ! lui criait une voix.

Il fit lui-même, à son ordre, trois billets de mille francs
chacun à un, deux et trois mois d'échéance [c], en y imitant
avec une admirable perfection la signature de David
Séchard [2], il les endossa; puis, le lendemain, il les porta
chez Métivier, le marchand de papier de la rue Serpente,
qui les lui escompta sans aucune difficulté. Lucien écrivit
quelques lignes à son beau-frère pour le prévenir de cette
attaque à sa caisse en lui promettant selon l'usage [d] de faire
les fonds à l'échéance. Les dettes de Coralie et celles
de Lucien payées, il resta trois cents francs que le poète

---

1. M. Maurice Regard a fait justement observer que cette comparaison
triviale était tout à fait dans la manière de Gustave Planche, et que le
style de celui-ci rappelait souvent la pharmacie paternelle. Remarque
importante, car il est probable que Balzac a poussé beaucoup plus
loin que nous ne le soupçonnons, dans les *Illusions perdues*, l'imitation
des tics de langage des gens de lettres de son temps.
2. Dans sa très précieuse étude sur *Balzac en guerre avec les journalistes*, J. Merlant considère comme une certitude que Balzac a pensé
ici à une affaire toute récente, qui avait fait un gros scandale. Jules
Lecomte, secrétaire de Dumas, avait montré, comme Lucien, un trop
grand talent à imiter les signatures. Découvert, il avait été obligé
de fuir en Belgique. L'affaire remontait au début de 1837.

remit entre les mains de Bérénice, en lui disant de ne lui rien donner s'il demandait de l'argent : il craignait d'être saisi par l'envie d'aller au jeu.

ADIEUX[a]

Lucien, animé d'une rage sombre, froide et taciturne, se mit à écrire ses plus spirituels articles à la lueur d'une lampe en veillant Coralie. Quand il cherchait ses idées, il voyait cette créature adorée, blanche comme une porcelaine, belle de la beauté des mourantes, lui souriant de deux lèvres pâles, lui montrant des yeux brillants comme le sont ceux de toutes les femmes qui succombent autant à la maladie qu'au chagrin. Lucien envoyait ses articles aux journaux ; mais comme il ne pouvait pas aller dans les bureaux pour tourmenter les rédacteurs en chef, les articles ne paraissaient pas. Quand il se décidait à venir au journal, Théodore Gaillard qui lui avait fait des avances et qui, plus tard, profita de ces diamants littéraires, le recevait froidement.

— Prenez garde à vous, mon cher, vous n'avez plus d'esprit, ne vous laissez pas abattre, ayez de la verve ! lui disait-il.

— Ce petit Lucien n'avait que son roman et ses premiers articles dans le ventre, s'écriaient[b] Félicien Vernou, Merlin et tous ceux qui le haïssaient quand il était question de lui chez Dauriat ou au Vaudeville. Il nous envoie des choses pitoyables.

Ne rien avoir dans le ventre, mot consacré dans l'argot du journalisme, constitue un arrêt souverain dont il est difficile d'appeler, une fois qu'il a été prononcé. Ce mot, colporté partout, tuait Lucien, à l'insu de Lucien. Car il eut alors des ennuis au-dessus de ses forces. Au milieu de ses écrasants travaux, il fut poursuivi pour les effets de

David Séchard et il eut recours à l'expérience de Camusot. L'ancien ami de Coralie eut la générosité de protéger Lucien. Cette affreuse situation dura deux mois qui furent émaillés de beaucoup de papiers timbrés que, selon la recommandation de Camusot, Lucien envoyait à Desroches [1], un ami de Bixiou, de Blondet et de des Lupeaulx [a].

Au commencement du mois d'août [b], Bianchon dit au poète que Coralie était perdue, elle n'avait pas plus de quelques jours à vivre. Bérénice et Lucien passèrent ces fatales journées à pleurer, sans pouvoir cacher leurs larmes à cette pauvre fille au désespoir de mourir à cause de Lucien. Par un retour étrange, Coralie exigea que Lucien lui amenât un prêtre. L'actrice voulut se réconcilier avec l'Église, et mourir en paix [2]. Elle fit une fin chrétienne, son repentir fut sincère. Cette agonie et cette mort achevèrent d'ôter à Lucien sa force et son courage. Le poète demeura dans un complet abattement, assis dans un fauteuil, au pied du lit de Coralie, en ne cessant de la regarder, jusqu'au moment où il vit les yeux de l'actrice tournés par la main de la mort [c]. Il était alors cinq heures du matin. Un oiseau vint s'abattre sur les pots de fleurs qui se trouvaient en dehors de la croisée, et gazouilla quelques chants. Bérénice agenouillée baisait la main de Coralie qui se refroidissait sous ses larmes. Il y avait alors onze sous sur la cheminée. Lucien sortit poussé par un désespoir qui lui conseillait de demander l'aumône pour enterrer sa maîtresse, ou d'aller se jeter aux pieds de la marquise d'Espard, du comte du Châtelet, de madame de Bargeton, de mademoiselle des Touches, ou du terrible dandy de Marsay : il

---

1. L'avoué Desroches n'apparaît dans les *Illusions perdues* qu'avec le *Furne corrigé*. Il est, dans *Un prince de la Bohème*, lié avec Bixiou, Blondet et des Lupeaulx. Assez probablement Balzac pensait à son ami l'avoué Gavault, qui ne s'occupa de ses affaires qu'à partir de 1840 (*L. à l'Étr.*, II, p. 3).

2. Le monde des lettres et des arts venait de s'émouvoir de la mort d'une jeune fille, la fille de Marie Dorval, que la phtisie avait tuée à l'âge de vingt et un ans (15 avril 1837). On avait parlé de l'affreuse douleur de son ami le poète Fontaney.

ne se sentait plus alors ni fierté, ni force. Pour avoir quelque argent, il se serait engagé soldat [a] ! Il marcha de cette allure affaissée et décomposée que connaissent les malheureux, jusqu'à l'hôtel de Camille Maupin, il y entra sans faire attention au désordre de ses vêtements, et la fit prier de le recevoir.

— Mademoiselle s'est couchée à trois heures du matin, et personne n'oserait entrer chez elle avant qu'elle n'ait sonné, répondit le valet de chambre.

— Quand vous sonne-t-elle ?

— Jamais avant dix heures.

— Lucien écrivit alors une de ces lettres épouvantables où les gueux élégants ne ménagent plus rien. Un soir, il avait mis en doute la possibilité de ces abaissements, quand Lousteau lui parlait des demandes faites par de jeunes talents à Finot, et sa plume l'emportait peut-être alors au delà des limites où l'infortune avait jeté ses prédécesseurs. En revenant, imbécile et fiévreux par les boulevards, sans se douter de l'horrible chef-d'œuvre que venait de lui dicter le désespoir, il rencontra Barbet.

— Barbet, cinq cents francs ? lui dit-il en lui tendant la main.

— Non, deux cents, répondit le libraire.

— Ah ! vous avez donc un cœur.

— Oui, mais j'ai aussi des affaires. Vous me faites perdre bien de l'argent, ajouta-t-il après lui avoir raconté la faillite de Fendant et de Cavalier, faites-m'en donc gagner ?

Lucien frissonna [b].

— Vous êtes poète, vous devez savoir faire toutes sortes de vers, dit le libraire en continuant. En ce moment, j'ai besoin de chansons grivoises pour les mêler à quelques chansons prises à différents auteurs, afin de ne pas être poursuivi comme contrefacteur et pouvoir vendre dans les rues un joli recueil de chansons à dix sous. Si vous voulez m'envoyer demain dix bonnes chansons à boire ou croustilleuses... là... vous savez ! je vous donnerai deux cents francs.

Lucien revint chez lui : il y trouva [c] Coralie étendue

droite et roide sur un lit de sangle, enveloppée dans un méchant drap de lit que cousait Bérénice en pleurant. La grosse Normande avait allumé quatre chandelles aux quatre coins de ce lit. Sur le visage de Coralie étincelait cette fleur de beauté qui parle si haut aux vivants en leur exprimant un calme absolu, elle ressemblait à ces jeunes filles qui ont la maladie des pâles couleurs : il semblait par moments que ces deux lèvres violettes allaient s'ouvrir et murmurer le nom de Lucien, ce mot qui, mêlé à celui de Dieu, avait précédé son dernier soupir. Lucien dit à Bérénice d'aller commander aux pompes funèbres un convoi qui ne coutât pas plus de deux cents francs, en y comprenant le service à la chétive église de Bonne-Nouvelle.

Dès que Bérénice fut sortie, le poète se mit à sa table, auprès du corps de sa pauvre amie, et y composa les dix chansons qui voulaient des idées gaies et des airs populaires [1] [a]. Il éprouva des peines inouïes avant de pouvoir travailler ; mais il finit par trouver son intelligence au service de la nécessité, comme s'il n'eût pas souffert. Il exécutait déjà le terrible arrêt de Claude Vignon sur la séparation qui s'accomplit entre le cœur et le cerveau. Quelle nuit que celle où ce pauvre enfant se livrait à la recherche de poésies à offrir aux Goguettes en écrivant à la lueur des cierges, à côté du prêtre qui priait pour Coralie ? Le lendemain matin, Lucien, qui avait achevé sa dernière chanson, essayait de la mettre sur un air alors à la mode ; en l'entendant chanter, Bérénice et le prêtre eurent peur qu'il ne fût devenu fou [b].

---

1. Balzac avait parlé, dans une lettre à Mme Hanska, d'un homme réduit à composer des chansons à boire pour pouvoir enterrer sa maîtresse adorée (lettre du 10 novembre 1833, *L. à l'Étr.*, I, p. 77). Il s'agissait de Maurice Alhoy, son ancien camarade au *Figaro*, esprit vif, primesautier, mais inconstant et léger, qui créa *l'Ours, le Voleur*, fit plusieurs fois de la prison pour dettes, et s'enferma même quelque temps à la Trappe. Sa vie désordonnée a été racontée par Werdet, et Karr rapporte à son sujet plusieurs anecdotes comiques (*Livre du bord*, I, p. 270 sqq).

Amis, la morale en chanson
Me fatigue et m'ennuie ;
Doit-on invoquer la raison
Quand on sert la Folie ?
D'ailleurs tous les refrains sont bons
Lorsqu'on trinque avec des lurons :
    Épicure l'atteste.
N'allons pas chercher Apollon
Quand Bacchus est notre échanson :
    Rions ! Buvons !
    Et moquons-nous du reste [a].

Hippocrate à tout bon buveur
Promettait la centaine.
Qu'importe, après tout, par malheur,
Si la jambe incertaine
Ne peut plus poursuivre un tendron,
Pourvu qu'à vider un flacon
    La main soit toujours leste ?
Si toujours, en vrais biberons,
Jusqu'à soixante ans nous trinquons,
    Rions ! Buvons !
    Et moquons-nous du reste.

Veut-on savoir d'où nous venons,
La chose est très facile ;
Mais, pour savoir où nous irons,
Il faudrait être habile.
Sans nous inquiéter, enfin,
Usons, ma foi, jusqu'à la fin
    De la bonté céleste !
Il est certain que nous mourrons ;
Mais il est sûr que nous vivons ;
    Rions ! Buvons !
    Et moquons-nous du reste [1].

---

1. Une lettre de Balzac à Mme Hanska, du 14 novembre 1842, nous apprend qu'à cette date, alors qu'il préparait la seconde édition du *Grand homme de province à Paris*, Balzac songea à substituer à cette chanson des vers qu'il voulait demander à Béranger (*L. à l'Étr.*, II, p. 80). Il faut croire que Béranger se déroba ou que le romancier abandonna son projet.

Au moment où le poète chantait cet épouvantable dernier couplet, Bianchon et d'Arthez [a] entrèrent et le trouvèrent dans le paroxysme de l'abattement, il versait un torrent de larmes, et n'avait plus la force de remettre ses chansons au net. Quand, à travers ses sanglots, il eut expliqué sa situation, il vit des larmes dans les yeux de ceux qui l'écoutaient.

— Ceci, dit d'Arthez, efface bien des fautes !

— Heureux ceux qui trouvent l'Enfer ici-bas, dit gravement le prêtre [b].

Le spectacle de cette belle morte souriant à l'éternité, la vue de son amant lui achetant une tombe avec des gravelures, Barbet payant un cercueil, ces quatre chandelles autour de cette actrice dont la basquine et les bas rouges à coins verts faisaient naguère palpiter toute une salle, puis sur la porte le prêtre qui l'avait réconciliée avec Dieu retournant à l'église pour y dire une messe en faveur de celle qui avait tant aimé [c] ! ces grandeurs et ces infamies, ces douleurs écrasées sous la nécessité glacèrent le grand écrivain et le grand médecin qui s'assirent sans pouvoir proférer une parole. Un valet apparut et annonça mademoiselle des Touches. Cette belle et sublime fille comprit tout, elle alla vivement à Lucien, lui serra la main, et y glissa deux billets de mille francs [d].

— Il n'est plus temps, dit-il en lui jetant un regard de mourant.

D'Arthez, Bianchon et mademoiselle des Touches ne quittèrent Lucien qu'après avoir bercé son désespoir des plus douces paroles, mais tous les ressorts étaient brisés chez lui. A midi, le Cénacle, moins Michel Chrestien qui cependant avait été détrompé sur la culpabilité de Lucien, se trouva [e] dans la petite église de Bonne-Nouvelle, ainsi que Bérénice et mademoiselle des Touches, deux comparses du Gymnase, l'habilleuse de Coralie et le malheureux Camusot. Tous les hommes accompagnèrent l'actrice jusqu'au cimetière du Père-Lachaise. Camusot, qui pleurait à chaudes larmes, jura solennellement à Lucien d'acheter un terrain à perpétuité et d'y faire construire une colonnette sur laquelle on graverait : Coralie, et dessous : *Morte à dix-neuf ans* (août 1822) [a].

Lucien demeura seul jusqu'au coucher du soleil, sur cette colline d'où ses yeux embrassaient Paris. — Par qui serais-je aimé ? se demanda-t-il. Mes vrais amis me méprisent. Quoi que j'eusse fait, tout de moi semblait noble et bien à celle qui est là! Je n'ai plus que ma sœur, David et ma mère! Que pensent-ils de moi, là-bas? Le pauvre grand homme de province revint rue de la Lune; où ses impressions furent si vives en revoyant l'appartement vide, qu'il alla se loger dans un méchant hôtel de la même rue. Les deux mille francs [b] de mademoiselle des Touches payèrent toutes les dettes, mais en y ajoutant le produit du mobilier. Bérénice et Lucien eurent cent francs à eux qui les firent vivre pendant deux mois que Lucien passa dans un accablement maladif : il ne pouvait ni écrire, ni penser, il se laissait aller à la douleur, Bérénice eut pitié de lui.

— Si vous retournez dans votre pays, comment irez-vous? répondit-elle à une exclamation de Lucien qui pensait à sa sœur, à sa mère et à David Séchard.

— A pied, dit-il.

— Encore faut-il pouvoir vivre et se coucher en route. Si vous faites douze lieues par jour, vous avez besoin d'au moins vingt francs [c].

— Je les aurai, dit-il.

Il prit ses habits et son beau linge, ne garda sur lui que le strict nécessaire, et alla chez Samanon qui lui offrit cinquante francs de toute sa défroque. Il supplia l'usurier de lui donner assez pour prendre la diligence, il ne put le fléchir. Dans sa rage, Lucien monta d'un pied chaud à Frascati, tenta la fortune et revint sans un liard.

Quand il se trouva dans sa misérable chambre, rue de la Lune, il demanda le châle de Coralie à Bérénice. A quelques regards, la bonne fille comprit, d'après l'aveu que Lucien lui fit de la perte au jeu, quel était le dessein de ce pauvre poète au désespoir [d] : il voulait se pendre.

— Êtes-vous fou, monsieur ? dit-elle. Allez vous pro-

mener et revenez à minuit, j'aurai gagné votre argent ;
mais restez sur les boulevards, n'allez pas vers les quais.

Lucien se promena sur les boulevards, hébété de douleur,
regardant les équipages, les passants, se trouvant diminué,
seul, dans cette foule qui tourbillonnait fouettée par les
mille intérêts parisiens. En revoyant par la pensée les
bords de sa Charente, il eut soif des joies de la famille,
il eut alors un de ces éclairs de force qui trompent toutes
ces natures à demi féminines [a], il ne voulut pas abandonner
la partie avant d'avoir déchargé son cœur dans le cœur de
David Séchard, et pris conseil des trois anges qui lui restaient. En flânant, il vit Bérénice endimanchée causant
avec un homme, sur le boueux boulevard Bonne-Nouvelle,
où elle stationnait [b] au coin de la rue de la Lune.

— Que fais-tu ? dit Lucien épouvanté par les soupçons
qu'il conçut à l'aspect de la Normande.

— Voilà vingt francs qui peuvent coûter cher, mais vous
partirez, répondit-elle en coulant quatre pièces de cent sous
dans la main du poète.

Bérénice se sauva sans que Lucien pût savoir par où
elle avait passé ; car, il faut le dire à sa louange, cet argent
lui brûlait la main et il voulait le rendre ; mais il fut forcé
de le garder comme un dernier stigmate de la vie parisienne [c].

TROISIÈME PARTIE[1]

LES SOUFFRANCES
DE L'INVENTEUR [a]

1. Balzac a successivement donné trois titres à cette dernière partie des *Illusions perdues*. Il a d'abord pensé l'intituler *les Souffrances de l'inventeur*, et c'est ce titre-là qu'il annonce dans la préface d'*Un grand homme de province à Paris*. Mais au mois d'octobre 1841, *le Musée des familles* annonce *David Séchard*. Puis, au mois de janvier 1842, une lettre à la comtesse Hanska parle d'*Ève et David* (*L. à l'Étr.*, II, p. 143). En 1843, pour *la Comédie humaine*, Balzac était revenu à *David Séchard*. Ce fut Locquin qui lui demanda de réserver ce titre à l'édition Dumont et d'en donner un autre dans *la Comédie humaine* (A 255), et c'est ainsi que l'édition Furne donne pour titre *Ève et David*. Mais Balzac regrettait son premier titre, et le *Furne corrigé* rétablit *les Souffrances de l'inventeur*.

INTRODUCTION

TRISTE CONFESSION
D'UN ENFANT DU SIÈCLE

LE lendemain, Lucien fit viser son passe-port, acheta
une canne de houx, prit, à la place de la rue d'Enfer, un
coucou qui, moyennant dix sous, le mit à Lonjumeau [1].
Pour première étape, il coucha dans l'écurie d'une ferme
à deux lieues d'Arpajon. Quand il eut atteint Orléans,
il se trouva déjà bien las et bien fatigué; mais, pour trois
francs, un batelier le descendit à Tours, et pendant le trajet
il ne dépensa que deux francs pour sa nourriture. De
Tours à Poitiers, Lucien marcha pendant cinq jours. Bien
au delà de Poitiers, il ne possédait plus que cent sous, mais
il rassembla pour continuer sa route un reste de force [a].
Un jour, Lucien surpris par la nuit dans une plaine résolut
d'y bivouaquer, quand, au fond d'un ravin, il aperçut [b]

---

1. Le coucou est une voiture publique à quatre ou six places qui
parcourt les environs de Paris. Il est haut sur essieu, garni d'un drap
maculé, tiré par deux chevaux qui sont souvent deux pauvres rosses
étiques. Le coucou portait le voyageur à quelques lieues de Paris.
Celui que prend Lucien le mène à Longjumeau. Le tarif, d'après le
Livre des Cent et un, était de douze sous. Balzac donne le chiffre de dix
sous. Les lignes de coucous partaient de la porte Saint-Denis, de la
place Louis XV, de la place de la Bastille, des Champs-Élysées. La ligne
que prend Lucien, vers la banlieue sud, avait pour point de départ la rue
d'Enfer.

une calèche montant une côte. A l'insu du postillon, des
voyageurs et d'un valet de chambre placé sur le siège,
il put se blottir derrière entre deux paquets, et s'endormit
en se plaçant de manière à pouvoir résister aux cahots. Au
matin, réveillé par le soleil qui lui frappait les yeux et par
un bruit de voix, il reconnut Mansle, cette petite ville où,
dix-huit mois auparavant, il était allé attendre madame
de Bargeton, le cœur plein d'amour, d'espérance et de joie.
Se voyant couvert de poussière, au milieu d'un cercle de
curieux et de postillons, il comprit qu'il devait être l'objet
d'une accusation; il sauta a sur ses pieds, et allait parler,
quand deux voyageurs sortis de la calèche lui coupèrent la
parole : il vit le nouveau préfet de la Charente, le comte
Sixte du Châtelet et sa femme, Louise de Nègrepelisse.

— Si nous avions su quel compagnon le hasard nous
avait donné b ! dit la comtesse. Montez avec nous,
monsieur.

Lucien salua froidement ce couple en lui jetant un regard
à la fois humble et menaçant, il se perdit dans un chemin de
traverse en avant de Mansle, afin de gagner une ferme où
il pût déjeuner avec du pain et du lait, se reposer c et déli-
bérer en silence sur son avenir. Il avait encore trois francs.
L'auteur des Marguerites, poussé par la fièvre, courut
pendant longtemps ; il descendit le cours de la rivière
en examinant la disposition des lieux qui devenaient de
plus en plus pittoresques. Vers le milieu du jour, il atteignit
à un endroit où la nappe d'eau, environnée de saules, formait une espèce de lac. Il s'arrêta pour contempler ce frais
et touffu bocage dont la grâce champêtre agit sur son
âme. Une maison attenant à un moulin assis sur un bras de
la rivière, montrait entre les têtes d'arbres son toit de chaume
orné de joubarbe. Cette naïve façade avait pour seuls ornements quelques buissons de jasmin, de chèvrefeuille et
de houblon, et tout alentour brillaient les fleurs du flox
et des plus splendides plantes grasses. Sur l'empierrement
retenu par un pilotis grossier, qui maintenait la chaussée
au-dessus des plus grandes crues, il aperçut des filets étendus
au soleil. Des canards nageaient dans le bassin clair qui se

trouvait au delà du moulin, entre les deux courants d'eau mugissant dans les vannes. Le moulin faisait entendre son bruit agaçant. Sur un banc rustique, le poète aperçut une bonne grosse ménagère tricotant et surveillant un enfant qui tourmentait des poules [a].

— Ma bonne femme, dit Lucien en s'avançant, je suis bien fatigué, j'ai la fièvre, et n'ai que trois francs; voulez-vous me nourrir de pain bis et de lait, me coucher sur la paille pendant une semaine? j'aurai eu le temps d'écrire à mes parents qui m'enverront de l'argent ou qui viendront me chercher ici.

— Volontiers, dit-elle, si toutefois mon mari le veut. Hé ! petit homme ?

Le meunier sortit, regarda Lucien [b] et s'ôta sa pipe de la bouche pour dire : — Trois francs, une semaine ? autant ne vous rien prendre.

— Peut-être finirai-je garçon meunier, se dit le poète en contemplant ce délicieux paysage [c] avant de se coucher dans le lit que lui fit la meunière et où il dormit de manière à effrayer ses hôtes [d].

— Courtois, va donc voir si ce jeune homme est mort ou vivant, voici quatorze heures qu'il est couché, je n'ose pas y aller, dit la meunière le lendemain vers midi.

— Je crois, répondit le meunier à sa femme en achevant d'étaler ses filets et ses engins à prendre le poisson, que ce joli garçon-là pourrait bien être quelque gringalet de comédien, sans sou ni maille.

— A quoi vois-tu donc cela, petit homme ? dit la meunière.

— Dame ! ce n'est ni un prince, ni un ministre, ni un député, ni un évêque; pourquoi ses mains sont-elles blanches comme celles d'un homme qui ne fait rien ?

— Il est alors bien étonnant que la faim ne l'éveille pas, dit la meunière qui venait d'apprêter un déjeuner pour l'hôte que le hasard leur avait envoyé la veille. Un comédien ? reprit-elle. Où irait-il ? Ce n'est pas encore le moment de la foire à Angoulême.

Ni le meunier ni la meunière ne pouvaient se douter

qu'à part le comédien, le prince et l'évêque, il est un homme
à la fois prince et comédien, un homme revêtu d'un magnifique sacerdoce, le Poète qui semble ne rien faire et qui
néanmoins règne sur l'Humanité quand il a su la peindre.

— Qui serait-ce donc ? dit Courtois à sa femme.

— Y aurait-il du danger à le recevoir ? demanda la
meunière.

— Bah ! les voleurs sont plus dégourdis que ça, nous
serions déjà dévalisés, reprit le meunier.

— Je ne suis ni prince, ni voleur, ni évêque, ni comédien, dit tristement Lucien qui se montra soudain et qui
sans doute avait entendu par la croisée le colloque de la
femme et du mari. Je suis un pauvre jeune homme fatigué,
venu à pied de Paris ici. Je me nomme Lucien de Rubempré,
et suis le fils de monsieur Chardon, le prédécesseur de Postel,
le pharmacien de l'Houmeau. Ma sœur a épousé David
Séchard, l'imprimeur de la place du Mûrier à Angoulême.

— Attendez donc ! dit le meunier. C't imprimeur-là n'est-
il pas le fils du vieux malin qui fait valoir son domaine
de Marsac?

— Précisément, répondit Lucien.

— Un drôle de père, allez ! reprit Courtois. Il fait, dit-
on, tout vendre chez son fils, et il a pour plus de deux cent
mille francs de bien, sans compter son *esquipot* [1].

Lorsque l'âme et le corps ont été brisés dans une longue
et douloureuse lutte, l'heure où les forces sont dépassées
est suivie ou de la mort ou d'un anéantissement pareil
à la mort, mais où les natures capables de résister reprennent
alors des forces. Lucien, en proie à une crise de ce genre,
parut près de succomber au moment où il apprit, quoique
vaguement, la nouvelle d'une catastrophe arrivée à David
Séchard, son beau-frère.

— Oh ! ma sœur ! s'écria-t-il, qu'ai-je fait, mon Dieu !
Je suis un infâme.

Puis il se laissa tomber sur un banc de bois, dans la pâleur
et l'affaissement d'un mourant ; la meunière s'empressa

---

1. Tirelire en terre cuite où l'on dépose de minces épargnes (Littré).

de lui apporter une jatte de lait qu'elle le força de boire; mais il pria le meunier de l'aider à se mettre sur son lit, en lui demandant pardon de lui donner l'embarras de sa mort, car il crut sa dernière heure arrivée. En apercevant le fantôme de la mort, ce gracieux poëte fut pris d'idées religieuses : il voulut voir le curé, se confesser et recevoir les sacrements. De telles plaintes exhalées d'une voix faible par un garçon doué d'une charmante figure et aussi bien fait que Lucien touchèrent vivement madame Courtois.

— Dis donc, petit homme, monte à cheval, et va donc quérir monsieur Marron, le médecin de Marsac [1] ; il verra ce qu'a ce jeune homme, qui ne me paraît point en bon état, et tu ramèneras aussi le curé, peut-être sauront-ils mieux que toi ce qui s'en va de cet imprimeur de la place du Mûrier, puisque Postel est le gendre de monsieur Marron.

Courtois parti, la meunière, imbue comme tous les gens de la campagne de cette idée que la maladie exige de la nourriture, restaura Lucien qui se laissa faire, en s'abandonnant alors à de violents remords qui le sauvèrent de son abattement par la révulsion que produisit cette espèce de topique moral [a].

Le moulin de Courtois se trouvait à une lieue de Marsac, chef-lieu de canton, situé à mi-chemin de Mansle et d'Angoulême; aussi le brave meunier ramena-t-il promptement le médecin et le curé de Marsac. Ces deux personnages avaient entendu parler de la liaison de Lucien avec madame de Bargeton, et comme tout le département de la Charente causait en ce moment du mariage de cette dame et de sa rentrée à Angoulême avec le nouveau préfet, le comte Sixte du Châtelet, en apprenant que Lucien était chez le meunier, le médecin comme le curé éprouvèrent un violent désir [b] de connaître les raisons qui avaient empêché la veuve de monsieur de Bargeton d'épouser le jeune poëte avec lequel elle s'était enfuie, et de savoir s'il revenait au pays pour secourir son beau-frère, David Séchard. La curio-

---

1. Le docteur Marron, comme son oncle l'abbé Marron, reparaîtra dans *Splendeurs et misères des courtisanes.*

sité, l'humanité, tout se réunissait donc pour amener promptement des secours au poète mourant. Aussi deux heures après le départ de Courtois, Lucien entendit-il sur la chaussée pierreuse du moulin le bruit de ferraille que rendait le méchant cabriolet du médecin de campagne. Messieurs Marron se montrèrent aussitôt, car le médecin était le neveu du curé. Ainsi Lucien voyait en ce moment des gens aussi liés avec le père de David Séchard que peuvent l'être des voisins dans un petit bourg vignoble. Quand le médecin eut observé le mourant, lui eut tâté le pouls, examiné la langue, il regarda la meunière en souriant de manière à dissiper toute inquiétude.

— Madame Courtois, dit-il, si, comme je n'en doute pas, vous avez à la cave quelque bonne bouteille de vin, et dans votre sentineau quelque bonne anguille, servez-les à votre malade qui n'a pas autre chose qu'une courbature. Cela fait, notre grand homme sera promptement sur pied !

— Ah ! monsieur, dit Lucien, mon mal n'est pas au corps, mais à l'âme, et ces braves gens m'ont dit une parole qui m'a tué en m'annonçant des désastres chez ma sœur, madame Séchard ! Au nom de Dieu, vous qui, si j'en crois madame Courtois, avez marié votre fille à Postel, vous devez savoir quelque chose des affaires de David Séchard !

— Mais il doit être en prison, répondit le médecin, son père a refusé de le secourir...

— En prison ! reprit Lucien, et pourquoi ?

— Mais pour des traites venues de Paris et qu'il avait sans doute oubliées, car il ne passe pas pour savoir trop ce qu'il fait, répondit monsieur Marron.

— Laissez-moi, je vous prie, avec Monsieur le curé, dit le poète dont la physionomie s'altéra gravement.

Le médecin, le meunier et sa femme sortirent. Quand Lucien se vit seul avec le vieux prêtre, il s'écria : — Je mérite la mort que je sens venir, monsieur, et je suis un bien grand misérable qui n'a plus qu'à se jeter dans les bras de la religion. C'est moi, monsieur, qui suis le bourreau de ma sœur et de mon frère, car David Séchard est un frère pour moi ! J'ai fait les billets que David n'a pu payer...

Je l'ai ruiné. Dans l'horrible misère où je me suis trouvé, j'oubliais ce crime. Les poursuites auxquelles ces billets ont donné lieu se sont apaisées par l'intervention d'un millionnaire et j'ai cru qu'il les avait payés ; il n'en serait donc rien[a].

Et Lucien raconta ses malheurs. Quand il eut achevé ce poème par une narration fiévreuse vraiment digne d'un poète, il supplia le curé d'aller à Angoulême et de s'enquérir auprès d'Ève, sa sœur, et de sa mère, madame Chardon, du véritable état des choses, afin qu'il sût s'il pouvait encore y remédier.

— Jusqu'à votre retour, monsieur, dit-il en pleurant à chaudes larmes, je pourrai vivre. Si ma mère, si ma sœur, si David ne me repoussent pas, je ne mourrai point !

L'éloquence du Parisien[b], les larmes de ce repentir effrayant, ce beau jeune homme pâle et quasi-mourant de son désespoir, le récit d'infortunes qui dépassaient les forces humaines, tout excita la pitié, l'intérêt du curé.

— En province comme à Paris, monsieur, lui répondit-il, il ne faut croire que la moitié de ce qu'on dit ; ne vous épouvantez pas d'une rumeur qui, à trois lieues d'Angoulême, doit être très erronée. Le vieux Séchard, notre voisin, a quitté Marsac depuis quelques jours ; ainsi probablement il s'occupe à pacifier les affaires de son fils. Je vais à Angoulême et reviendrai vous dire si vous pouvez rentrer dans votre famille auprès de laquelle vos aveux, votre repentir, m'aideront à plaider votre cause.

Le curé ne savait pas que, depuis dix-huit mois, Lucien s'était tant de fois repenti, que son repentir, quelque violent qu'il fût, n'avait d'autre valeur que celle d'une scène parfaitement jouée et jouée encore de bonne foi !

Au curé succéda le médecin. En reconnaissant chez le malade une crise nerveuse dont le danger commençait à se passer, le neveu fut aussi consolant que l'avait été l'oncle, et finit par déterminer son malade à se restaurer.

LE COUP DE PIED DE L'ANE[a]

Le curé, qui connaissait le pays et ses habitudes, avait gagné Mansle, où la voiture de Ruffec à Angoulême ne devait pas tarder à passer et dans laquelle il eut une place. Le vieux prêtre comptait demander des renseignements sur David Séchard à son petit-neveu Postel, le pharmacien de l'Houmeau, l'ancien rival de l'imprimeur auprès de la belle Ève. A voir les précautions que prit le petit pharmacien pour aider le vieillard à descendre de l'affreuse patache qui faisait alors le service de Ruffec à Angoulême, le spectateur le plus obtus eût deviné que monsieur et madame Postel hypothéquaient leur bien-être sur sa succession.

— Avez-vous déjeuné, voulez-vous quelque chose ? Nous ne vous attendions point, et nous sommes agréablement surpris...

Ce fut mille questions à la fois. Madame Postel était bien prédestinée à devenir la femme d'un pharmacien de l'Houmeau. De la taille du petit Postel, elle avait la figure rouge d'une fille élevée à la campagne ; sa tournure était commune, et toute sa beauté consistait dans une grande fraîcheur. Sa chevelure rousse, plantée très bas sur le front, ses manières et son langage approprié à la simplicité gravée dans les traits d'un visage rond, des yeux presques jaunes, tout en elle disait qu'elle avait été mariée pour ses espérances de fortune. Aussi déjà commandait-elle après un an de ménage, et paraissait-elle s'être entièrement rendue maîtresse de Postel, trop heureux d'avoir trouvé cette héritière. Madame Léonie Postel, née Marron, nourrissait un fils, l'amour du vieux curé, du médecin et de Postel, un horrible enfant qui ressemblait à son père et à sa mère.

— Hé ! bien, mon oncle, que venez-vous donc faire à Angoulême, dit Léonie, puisque vous ne voulez rien prendre et que vous parlez de nous quitter aussitôt entré ?

Dès que le digne ecclésiastique eut prononcé le nom d'Ève et de David Séchard, Postel rougit, et Léonie jeta sur le petit homme ce regard de jalousie obligée qu'une femme entièrement maîtresse de son mari ne manque jamais à exprimer pour le passé, dans l'intérêt de son avenir.

— Qu'est-ce qu'ils vous ont donc fait, ces gens-là, mon oncle, pour que vous vous mêliez de leurs affaires ? dit Léonie avec une visible aigreur.

— Ils sont malheureux, ma fille, répondit le curé qui peignit à Postel l'état dans lequel se trouvait Lucien chez les Courtois.

— Ah ! voilà dans quel équipage il revient de Paris, s'écria Postel. Pauvre garçon ! il avait de l'esprit, cependant, et il était ambitieux ! il allait chercher du grain, et il revient sans paille. Mais que vient-il faire ici ? sa sœur est dans la plus affreuse misère, car tous ces génies-là, ce David tout comme Lucien, ça ne se connaît guère en commerce. Nous avons parlé de lui au Tribunal, et, comme juge, j'ai dû signer son jugement !... Ça m'a fait un mal ! Je ne sais pas si Lucien pourra, dans les circonstances actuelles, aller chez sa sœur ; mais, en tout cas, la petite chambre qu'il occupait ici est libre, et je la lui offre volontiers.

— Bien, Postel, dit le prêtre en mettant son tricorne et se disposant à quitter la boutique après avoir embrassé l'enfant qui dormait dans les bras de Léonie.

— Vous dînerez sans doute avec nous, mon oncle, dit madame Postel, car vous n'aurez pas promptement fini, si vous voulez débrouiller les affaires de ces gens-là. Mon mari vous reconduira dans sa carriole avec son petit cheval.

Les deux époux regardèrent leur précieux grand-oncle s'en allant vers Angoulême.

— Il va bien tout de même pour son âge, dit le pharmacien.

Pendant que le vénérable ecclésiastique monte les rampes d'Angoulême, il n'est pas inutile d'expliquer le lacis d'intérêts dans lequel il allait mettre le pied.

PREMIÈRE PARTIE

HISTOIRE D'UNE POURSUITE JUDICIAIRE

LE PROBLÈME A RÉSOUDRE

Après le départ de Lucien, David Séchard, ce bœuf, courageux et intelligent comme celui que les peintres donnent pour compagnon à l'évangéliste, voulut faire la grande et rapide fortune qu'il avait souhaitée, moins pour lui que pour Ève et pour Lucien, un soir au bord de la Charente, assis avec Ève sur le Barrage, quand elle lui donna sa main et son cœur. Mettre sa femme dans la sphère d'élégance et de richesse où elle devait vivre, soutenir de son bras puissant l'ambition de son frère, tel fut le programme écrit en lettres de feu devant ses yeux [a]. Les journaux, la politique, l'immense développement de la librairie et de la littérature, celui des sciences, la pente à une discussion publique de tous les intérêts du pays, tout le mouvement social qui se déclara lorsque la Restauration parut assise, allait exiger une production de papier presque décuple comparée à la quantité sur laquelle spécula le célèbre Ouvrard [1] au commencement de la

---

1. Le financier Ouvrard acheta aux papeteries du Poitou et de l'Angoûmois leur production de deux ans, fit courir le bruit d'une hausse, et repassa aussitôt ses marchés à des maisons de Tours et de Nantes. Cette spéculation lui rapporta 300.000 livres (Arthur-Lévy, *Un grand profiteur de guerre. G. J. Ouvrard*, 1929).

Révolution, guidé par de semblables motifs. Mais, en 1821, les papeteries étaient trop nombreuses en France pour qu'on pût espérer de s'en rendre le possesseur exclusif, comme fit Ouvrard qui s'empara des principales usines après avoir accaparé leurs produits. David n'avait d'ailleurs ni l'audace, ni les capitaux nécessaires à de pareilles spéculations. En ce moment-là [a], la mécanique à faire le papier de toute longueur commençait à fonctionner en Angleterre[1]. Ainsi rien de plus nécessaire que d'adapter la papeterie aux besoins de la civilisation française, qui menaçait d'étendre la discussion à tout [b] et de reposer sur une perpétuelle manifestation de la pensée individuelle, un vrai malheur, car les peuples qui délibèrent agissent très peu. Ainsi, chose étrange! pendant que Lucien entrait dans les rouages de l'immense machine du Journalisme, au risque d'y laisser son honneur et son intelligence en lambeaux, David Séchard, du fond de son imprimerie, embrassait le mouvement de la Presse périodique, dans ses conséquences matérielles [c]. Il voulait mettre les moyens en harmonie avec le résultat vers lequel tendait l'esprit du siècle. Il voyait d'ailleurs si juste en cherchant une fortune dans la fabrication du papier à bas prix, que l'événement a justifié sa prévoyance. Pendant ces quinze dernières années, le bureau chargé des demandes de brevets d'invention a reçu plus de cent requêtes de prétendues découvertes de substances à introduire dans la fabrication du papier.

Plus certain que jamais de l'utilité de cette découverte, sans éclat, mais d'un immense profit, David tomba donc, après le départ de son beau-frère pour Paris, dans la cons-

---

1. La révolution décisive dans la fabrication du papier fut la mise au point de la machine à papier sans fin. L'idée en revient au Français Robert, que Balzac a cité plus haut (p. 117) mais elle ne put être exécutée qu'en Angleterre, par la persévérance de Didot Saint-Léger « et les dépenses énormes que MM. Foudriner y consacrèrent pendant dix ans d'essais infructueux » (Ambroise-Firmin Didot, *Essai sur la typographie*, 1851).

tante préoccupation que devait causer ce problème à qui le voulait résoudre. Comme il avait épuisé toutes ses ressources pour se marier et pour subvenir aux dépenses du voyage de Lucien à Paris, il se vit au début de son mariage dans la plus profonde misère. Il avait gardé mille francs pour les besoins de son imprimerie, et devait un billet de pareille somme à Postel, le pharmacien. Ainsi, pour ce profond penseur, le problème fut double : il fallait inventer un papier à bas prix, et inventer promptement; il fallait enfin adapter les profits de la découverte aux besoins de son ménage et de son commerce. Or, quelle épithète donner à la cervelle capable de secouer les cruelles préoccupations que causent et une indigence à cacher, et le spectacle d'une famille sans pain, et les exigences journalières d'une profession aussi méticuleuse que celle de l'imprimeur, tout en parcourant les domaines de l'inconnu, avec l'ardeur et les enivrements du savant à la poursuite d'un secret qui de jour en jour échappe aux plus subtiles recherches? Hélas! comme on va le voir, les inventeurs ont bien encore d'autres maux à supporter, sans compter l'ingratitude des masses à qui les oisifs et les incapables disent d'un homme de génie : — Il était né pour devenir inventeur, il ne pouvait pas faire autre chose. Il ne faut pas plus lui savoir gré de sa découverte, qu'on ne sait gré à un homme d'être né prince! il exerce des facultés naturelles! et il a d'ailleurs trouvé sa récompense dans le travail même.

UNE FEMME COURAGEUSE[a]

Le mariage cause à une jeune fille de profondes perturbations morales et physiques; mais, en se mariant dans les conditions bourgeoises de la classe moyenne, elle doit de plus étudier des intérêts tout nouveaux, et s'initier à des affaires; de là, pour elle, une phase où nécessairement

elle reste en observation sans agir. L'amour de David
pour sa femme en retarda malheureusement l'éducation,
il n'osa pas lui dire l'état des choses, ni le lendemain des
noces, ni les jours suivants. Malgré la détresse profonde
à laquelle le condamnait l'avarice de son père, il ne put
se résoudre à gâter sa lune de miel par le triste apprentissage de sa profession laborieuse et par les enseignements
nécessaires à la femme d'un commerçant. Aussi, les mille
francs, le seul avoir, furent-ils dévorés plus par le ménage
que par l'atelier. L'insouciance de David et l'ignorance
de sa femme dura quatre mois ! Le réveil fut terrible.
A l'échéance du billet souscrit par David à Postel [1], le
ménage se trouva sans argent, et la cause de cette dette
était assez connue à Ève pour qu'elle sacrifiât à son acquit-
tement et ses bijoux de mariée et son argenterie. Le soir
même du payement de cet effet, Ève voulut faire causer
David sur ses affaires car elle avait remarqué qu'il délaissait
son imprimerie pour le problème dont il lui avait parlé
naguères. Dès le second mois de son mariage, David passait
la majeure partie de son temps sous l'appentis situé au
fond de la cour, dans une petite pièce qui lui servait à
fondre ses rouleaux. Trois mois après son arrivée à Angoulême, il avait substitué, aux pelotes à tamponner les caractères, l'encrier à table et à cylindre où l'encre se façonne
et se distribue au moyen de rouleaux composés de colle
forte et de mélasse [2]. Ce premier perfectionnement de
la typographie fut tellement incontestable, qu'aussitôt
après en avoir vu l'effet, les frères Cointet l'adoptèrent.
David avait adossé au mur mitoyen de cette espèce de
cuisine un fourneau à bassine en cuivre, sous prétexte de
dépenser moins de charbon pour refondre ses rouleaux,

---

1. Il s'agit des mille francs empruntés par David au moment du
départ de Lucien pour Paris (*supra*, p. 156).

2. David introduit dans son atelier une innovation qui venait
d'apparaître deux ans plus tôt. C'est en 1819 que Gannal créa les rouleaux dits gélatineux, formés d'une combinaison de sucre et de gélatine,
qui remplacèrent les rouleaux en peau de veau (Ambroise-Firmin
Didot, *op. cit.*).

dont les moules rouillés étaient rangés le long de la muraille,
et qu'il ne refondit pas deux fois. Non seulement il mit
à cette pièce une solide porte en chêne, intérieurement
garnie en tôle, mais encore il remplaça les sales carreaux
du châssis d'où venait la lumière par des vitres en verre
cannelé, pour empêcher de voir du dehors l'objet de ses
occupations. Au premier mot que dit Ève à David au
sujet de leur avenir, il la regarda d'un air inquiet et l'arrêta
par ces paroles : — Mon enfant, je sais tout ce que doit
t'inspirer la vue d'un atelier désert et l'espèce d'anéantissement commercial où je reste ; mais, vois-tu, reprit-il
en l'amenant à la fenêtre de leur chambre et lui
montrant le réduit mystérieux, notre fortune est là... Nous
aurons à souffrir encore pendant quelques mois ; mais
souffrons avec patience, et laisse-moi résoudre le problème
d'industrie qui fera cesser toutes nos misères et que tu
connais.

David était si bon, son dévouement devait être si bien
cru sur parole, que la pauvre femme, préoccupée comme
toutes les femmes de la dépense journalière, se donna
pour tâche de sauver à son mari les ennuis du ménage,
elle quitta donc la jolie chambre bleue et blanche où elle
se contentait de travailler à des ouvrages de femme en
devisant avec sa mère, et descendit dans une des deux
cages de bois situées au fond de l'atelier pour étudier
le mécanisme commercial de la typographie. N'était-ce
pas de l'héroïsme pour une femme déjà grosse [a] ? Durant
ces premiers mois [b], l'inerte imprimerie de David avait
été désertée par les ouvriers jusqu'alors nécessaires à ses
travaux, et qui s'en allèrent un à un. Accablés de besogne,
les frères Cointet employaient non seulement les ouvriers
du département alléchés par la perspective de faire chez
eux de fortes journées, mais encore quelques-uns de
Bordeaux, d'où venaient surtout les apprentis qui se
croyaient assez habiles pour se soustraire aux conditions
de l'apprentissage. En examinant les ressources que pouvait
présenter l'imprimerie Séchard, Ève n'y trouva plus que
trois personnes. D'abord Cérizet, cet apprenti que David

avait emmené de Paris avec lui[a], puis Marion, attachée
à la maison comme un chien de garde; enfin Kolb, un
Alsacien, jadis homme de peine chez messieurs Didot.
Pris par le service militaire, Kolb se trouva par hasard
à Angoulême, où David le reconnut à une revue, au moment
où son temps de service expirait. Kolb alla voir David
et s'amouracha de la grosse Marion en découvrant chez
elle toutes les qualités qu'un homme de sa classe demande
à une femme : cette santé vigoureuse qui brunit les joues,
cette force masculine qui permettait à Marion de soulever
une *forme de caractères* avec aisance, cette probité religieuse
à laquelle tiennent les Alsaciens, ce dévouement à ses
maîtres qui révèle un bon caractère, et enfin cette économie
à laquelle elle devait une petite somme de mille francs,
du linge, des robes et des effets d'une propreté provinciale.
Marion, grosse et grasse, âgée de trente-six ans, assez
flattée de se voir l'objet des attentions d'un cuirassier
haut de cinq pieds sept pouces, bien bâti, fort comme
un bastion, lui suggéra naturellement l'idée de devenir
imprimeur. Au moment où l'Alsacien reçut son congé
définitif, Marion et David en avaient fait un *ours* assez
distingué, qui ne savait néanmoins ni lire ni écrire.

La composition des ouvrages dits *de ville* ne fut pas
tellement abondante pendant ce trimestre que Cérizet
n'eût pu y suffire. A la fois compositeur, metteur en
pages, et prote de l'imprimerie, Cérizet réalisait ce que
Kant appelle une triplicité phénoménale : il composait,
il corrigeait sa composition, il inscrivait les commandes,
et dressait les factures ; mais, le plus souvent sans ouvrage, il lisait des romans, dans sa cage au fond de l'atelier,
attendant la commande d'une affiche ou d'un billet de
faire part. Marion, formée par Séchard père, façonnait
le papier, le trempait, aidait Kolb à l'imprimer, l'étendait,
le rognait, et n'en faisait pas moins la cuisine, en allant
au marché de grand matin.

Quand Ève se fit rendre compte du premier semestre
par Cérizet, elle trouva que la recette était de huit cents
francs[b]. La dépense, à raison de trois francs par jour

pour Cérizet et Kolb, qui avaient pour leur journée, l'un
deux et l'autre un franc, s'élevait à six cents francs [a].
Or, comme le prix des fournitures exigées par les ouvrages
fabriqués et livrés se montait à cent et quelques francs,
il fut clair pour Ève que pendant les six [b] premiers mois
de son mariage David avait perdu ses loyers, l'intérêt
des capitaux représentés par la valeur de son matériel et
de son brevet, les gages de Marion, l'encre, et enfin les
bénéfices que doit faire un imprimeur, ce monde de choses
exprimées en langage d'imprimerie par le mot *étoffes*,
expression due aux draps, aux soieries employées à rendre
la pression de la vis moins dure aux caractères par l'interposition d'un carré d'étoffe (le blanchet) entre la platine
de la presse et le papier qui reçoit l'impression. Après
avoir compris en gros les moyens de l'imprimerie et ses
résultats, Ève devina combien peu de ressources offrait
cet atelier desséché par l'activité dévorante des frères Cointet, à la fois fabricants de papier, journalistes, imprimeurs,
brevetés de l'Évêché, fournisseurs de la Ville et de la Préfecture. Le journal que, deux ans auparavant, les Séchard
père et fils avaient vendu vingt-deux mille francs, rappor-
tait alors dix-huit mille francs par an. Ève reconnut les
calculs cachés sous l'apparente générosité des frères Cointet
qui laissaient à l'imprimerie Séchard assez d'ouvrage pour
subsister, et pas assez pour qu'elle leur fît concurrence. En
prenant la conduite des affaires, elle commença par dresser
un inventaire exact de toutes les valeurs. Elle employa
Kolb, Marion et Cérizet à ranger l'atelier, le nettoyer et
y mettre de l'ordre. Puis, par une soirée où David revenait
d'une excursion dans les champs, suivi d'une vieille femme
qui lui portait un énorme paquet enveloppé de linges,
Ève lui demanda des conseils pour tirer parti des débris
que leur avait laissés le père Séchard, en lui promettant de
diriger à elle seule les affaires. D'après l'avis de son mari,
madame Séchard employa tous les restants de papiers
qu'elle avait trouvés et mis par espèces, à imprimer sur
deux colonnes et sur une seule feuille ces légendes populaires coloriées que les paysans collent sur les murs de leurs

chaumières, l'histoire du Juif-Errant, Robert-le-Diable, la Belle-Maguelonne, le récit de quelques miracles. Ève fit de Kolb un colporteur. Cérizet ne perdit pas un instant, il composa ces pages naïves et leurs grossiers ornements depuis le matin jusqu'au soir. Marion suffisait au tirage. Madame Chardon se chargea de tous les soins domestiques, car Ève coloria les gravures. En deux mois, grâce à l'activité de Kolb et à sa probité, madame Séchard vendit, à douze lieues à la ronde d'Angoulême, trois mille feuilles qui lui coûtèrent trente francs à fabriquer et qui lui rapportèrent, à raison de deux sous pièce, trois cents francs. Mais quand toutes les chaumières et les cabarets furent tapissés de ces légendes, il fallut songer à quelque autre spéculation, car l'Alsacien ne pouvait pas voyager au delà du département. Ève, qui remuait tout dans l'imprimerie, y trouva la collection des figures nécessaires à l'impression d'un almanach dit des Bergers, où les choses sont représentées par des signes, par des images, des gravures en rouge, en noir ou en bleu. Le vieux Séchard, qui ne savait ni lire ni écrire, avait jadis gagné beaucoup d'argent à imprimer ce livre destiné à ceux qui ne savent pas lire. Cet almanach, qui se vend un sou, consiste en une feuille pliée soixante-quatre fois, ce qui constitue un in-64, de cent vingt-huit pages. Tout heureuse du succès de ses feuilles volantes, industrie à laquelle s'adonnent surtout les petites imprimeries de province, madame Séchard entreprit l'Almanach des Bergers sur une grande échelle en y consacrant ses bénéfices. Le papier de l'Almanach des Bergers, dont plusieurs millions d'exemplaires se vendent annuellement en France, est plus grossier que celui de l'Almanach Liégeois, et coûte environ quatre francs la rame. Imprimée, cette rame, qui contient cinq cents feuilles, se vend donc, à raison d'un sou la feuille, vingt-cinq francs. Madame Séchard résolut d'employer cent rames à un premier tirage, ce qui faisait cinquante mille almanachs à placer et deux mille francs de bénéfice à recueillir.

Quoique distrait comme devait l'être un homme si profondément occupé, David fut surpris, en donnant un coup

d'œil à son atelier, d'entendre grogner une presse, et de voir
Cérizet toujours debout composant sous la direction de
madame Séchard. Le jour où il y entra pour surveiller les
opérations entreprises par Ève, ce fut un beau triomphe
pour elle que l'approbation de son mari qui trouva l'affaire
de l'almanach excellente. Aussi David promit-il ses conseils pour l'emploi des encres des diverses couleurs que
nécessitent les configurations de cet almanach où tout parle
aux yeux. Enfin, il voulut refondre lui-même les rouleaux
dans son atelier mystérieux pour aider, autant qu'il le
pouvait, sa femme dans cette grande petite entreprise.

Au début de cette activité furieuse, vinrent les désolantes
lettres par lesquelles Lucien apprit à sa mère, à sa sœur et
à son beau-frère son insuccès et sa détresse à Paris. On doit
comprendre alors qu'en envoyant à cet enfant gâté trois
cents francs Ève, madame Chardon et David avaient offert
au poète, chacun de leur côté, le plus pur de leur sang.
Accablée par ces nouvelles et désespérée de gagner si peu
en travaillant avec tant de courage, Ève n'accueillit pas
sans effroi l'événement qui met le comble à la joie des jeunes
ménages. En se voyant sur le point de devenir mère, elle
se dit : — Si mon cher David n'a pas atteint le but de ses
recherches au moment de mes couches, que deviendrons-
nous ?... Et qui conduira les affaires naissantes de notre
pauvre imprimerie?

UN JUDAS EN HERBE[a]

L'Almanach des Bergers devait être bien fini avant le
premier janvier ; mais Cérizet, sur qui roulait toute la
composition, y mettait une lenteur d'autant plus désespérante que madame Séchard ne connaissait pas assez l'imprimerie pour le réprimander, elle se contenta d'observer
ce jeune Parisien. Orphelin du grand hospice des Enfants-

Trouvés de Paris, Cérizet avait été placé chez messieurs Didot comme apprenti. De quatorze à dix-sept ans, il fut le Séide de Séchard, qui le mit sous la direction d'un des plus habiles ouvriers, et qui en fit son gamin, son page typographique ; car David s'intéressa naturellement à Cérizet en lui trouvant de l'intelligence et il conquit son affection en lui procurant quelques plaisirs et des douceurs que lui interdisait son indigence. Doué d'une assez jolie petite figure chafouine, à chevelure rousse, les yeux d'un bleu trouble, Cérizet avait importé les mœurs du gamin de Paris dans la capitale de l'Angoumois. Son esprit vif et railleur, sa malignité l'y rendaient redoutable. Moins surveillé par David à Angoulême, soit que plus âgé il inspirât plus de confiance à son mentor, soit que l'imprimeur comptât sur l'influence de la province, Cérizet était devenu, mais à l'insu de son tuteur, le don Juan en casquette de trois ou quatre petites ouvrières, et s'était dépravé complètement. Sa moralité, fille des cabarets parisiens, prit l'intérêt personnel pour unique loi. D'ailleurs, Cérizet, qui, selon l'expression populaire, devait *tirer à la conscription* l'année suivante, se vit sans carrière ; aussi fit-il des dettes en pensant que dans six mois il deviendrait soldat, et qu'alors aucun de ses créanciers ne pourrait courir après lui. David conservait quelque autorité sur ce garçon, non pas à cause de son titre de maître, non pas pour s'être intéressé à lui, mais parce que l'ex-gamin de Paris reconnaissait en David une haute intelligence. Cérizet fraternisa bientôt avec les ouvriers des Cointet, attiré vers eux par la puissance de la veste, de la blouse, enfin par l'esprit de corps, plus influent peut-être dans les classes inférieures que dans les classes supérieures. Dans cette fréquentation, Cérizet perdit le peu de bonnes doctrines que David lui avait inculquées ; néanmoins, quand on le plaisantait sur les *sabots* de son atelier, terme de mépris donné par les ours aux vieilles presses des Séchard, en lui montrant les magnifiques presses en fer, au nombre de douze, qui fonctionnaient dans l'immense atelier des Cointet, où la seule presse en bois existant servait à faire les épreuves, il prenait encore le parti de David et jetait avec orgueil ces paroles au nez des *blagueurs* : — Avec ses sabots mon Naïf ira plus loin que les vôtres avec leurs bilboquets en fer d'où il ne sort que des livres de messe! Il cherche un secret qui fera la queue à toutes les imprimeries de France et de Navarre!...

— En attendant, méchant prote à quarante sous, tu as pour bourgeois une repasseuse! lui répondait-on.

— Tiens, elle est jolie, répliquait Cérizet, et c'est plus agréable à voir que les *mufles* de vos bourgeois.

— Est-ce que la vue de sa femme te nourrit ?

De la sphère du cabaret ou de la porte de l'imprimerie où ces disputes amicales avaient lieu, quelques lueurs parvinrent aux frères Cointet sur la situation de l'imprimerie Séchard; ils apprirent la spéculation tentée par Ève, et jugèrent nécessaire d'arrêter dans son essor une entreprise qui pouvait mettre cette pauvre femme dans une voie de prospérité.

— Donnons-lui sur les doigts, afin de la dégoûter du commerce, se dirent les deux frères.

Celui des deux Cointet qui dirigeait l'imprimerie rencontra Cérizet, et lui proposa de lire des épreuves pour eux, à tant par épreuve, pour soulager leur correcteur qui ne pouvait suffire à la lecture de leurs ouvrages. En travaillant quelques heures de nuit, Cérizet gagna plus avec les frères Cointet qu'avec David Séchard pendant sa journée. Il s'ensuivit quelques relations entre les Cointet et Cérizet, à qui l'on reconnut de grandes facultés, et qu'on plaignit d'être placé dans une situation si défavorable à ses intérêts.

— Vous pourriez, lui dit un jour l'un des Cointet, devenir prote d'une imprimerie considérable où vous gagneriez six francs par jour, et avec votre intelligence vous arriveriez à vous faire intéresser un jour dans les affaires.

— A quoi cela peut-il me servir d'être un bon prote ? répondit Cérizet, je suis orphelin, je fais partie du contingent de l'année prochaine, et, si je tombe au sort, qui est-ce qui me payera un homme ?...

— Si vous vous rendez utile, répondit le riche imprimeur, pourquoi ne vous avancerait-on pas la somme nécessaire à votre libération ?

— Ce ne sera pas toujours mon naïf ? dit Cérizet.

— Bah ! peut-être aura-t-il trouvé le secret qu'il cherche...

Cette phrase fut dite de manière à réveiller les plus mauvaises pensées chez celui qui l'écoutait ; aussi Cérizet lança-t-il au fabricant de papier un regard qui valait la plus pénétrante interrogation.

— Je ne sais pas de quoi il s'occupe, répondit-il prudemment en trouvant *le bourgeois* muet, mais ce n'est pas un homme à chercher des capitaux dans son bas de casse !

— Tenez, mon ami, dit l'imprimeur en prenant six feuilles du Paroissien du Diocèse et les tendant à Cérizet, si vous pouvez nous avoir corrigé cela pour demain, vous aurez demain dix-huit francs. Nous ne sommes pas méchants, nous faisons gagner de l'argent au prote de notre concurrent ! Enfin, nous pourrions laisser madame Séchard s'engager dans l'affaire de l'Almanach des Bergers, et la ruiner : eh ! bien, nous vous permettons de lui dire que nous avons entrepris un Almanach des Bergers, et de lui faire observer qu'elle n'arrivera pas la première sur la place...

On doit comprendre maintenant pourquoi Cérizet allait si lentement sur la composition de l'Almanach. En apprenant que les Cointet troublaient sa pauvre petite spéculation, Ève fut saisie de terreur, et voulut voir une preuve d'attachement dans la communication assez hypocritement faite par Cérizet de la concurrence qui l'attendait ; mais elle surprit bientôt chez son unique compositeur quelques indices d'une curiosité trop vive qu'elle voulut attribuer à son âge.

— Cérizet, lui dit-elle un matin, vous vous posez sur le pas de la porte et vous attendez monsieur Séchard au passage afin d'examiner ce qu'il cache, vous regardez dans la cour quand il sort de l'atelier à fondre les rouleaux, au lieu d'achever la composition de notre almanach.

Tout cela n'est pas bien, surtout quand vous me voyez, moi sa femme, respectant ses secrets et me donnant tant de mal pour lui laisser la liberté de se livrer à ses travaux. Si vous n'aviez pas perdu de temps, l'almanach serait fini, Kolb en vendrait déjà, les Cointet ne pourraient nous faire aucun tort.

— Eh! madame, répondit Cérizet, pour quarante sous par jour que je gagne ici, croyez-vous que ce ne soit pas assez de vous faire pour cent sous de composition! Mais si je n'avais pas des épreuves à lire le soir pour les frères Cointet, je pourrais bien me nourrir de son.

— Vous êtes ingrat de bonne heure, vous ferez votre chemin, répondit Ève atteinte au cœur moins par les reproches de Cérizet que par la grossièreté de son accent, par sa menaçante attitude et par l'agression de ses regards.

— Ce ne sera toujours pas avec une femme pour bourgeois, car alors le mois n'a pas souvent trente jours.

En se sentant blessée dans sa dignité de femme, Ève jeta sur Cérizet un regard foudroyant et remonta chez elle. Quand David vint dîner, elle lui dit : — Es-tu sûr, mon ami, de ce petit drôle de Cérizet ?

— Cérizet ? répondit-il. Eh ! c'est mon gamin, je l'ai formé, je l'ai eu pour teneur de copie, je l'ai mis à la casse, enfin il me doit d'être tout ce qu'il est ! Autant demander à un père s'il est sûr de son enfant...

Ève apprit à son mari que Cérizet lisait des épreuves pour le compte des Cointet.

— Pauvre garçon ! il faut bien qu'il vive, répondit David avec l'humilité d'un maître qui se sentait en faute.

— Oui ; mais, mon ami, voici la différence qui existe entre Kolb et Cérizet ; Kolb fait vingt lieues tous les jours, dépense quinze ou vingt sous, nous rapporte sept, huit, quelquefois neuf francs de feuilles vendues, et ne me demande que ses vingt sous, sa dépense payée. Kolb se couperait la main plutôt que de tirer le barreau d'une presse chez les Cointet, et il ne regarderait pas les choses que tu jettes dans la cour, quand on lui offrirait mille écus; tandis que Cérizet les ramasse et les examine.

Les belles âmes arrivent difficilement à croire au mal, à l'ingratitude, il leur faut de rudes leçons avant de reconnaître l'étendue de la corruption humaine ; puis, quand leur éducation en ce genre est faite, elles s'élèvent à une indulgence qui est le dernier degré du mépris.

— Bah ! pure curiosité de gamin de Paris, s'écria donc David.

— Eh ! bien, mon ami, fais-moi le plaisir de descendre à l'atelier, d'examiner ce que ton gamin a composé depuis un mois, et de me dire si, pendant ce mois, il n'aurait pas dû finir notre almanach...

Après le dîner, David reconnut que l'Almanach aurait dû être composé en huit jours ; puis, en apprenant que les Cointet en préparaient un semblable, il vint au secours de sa femme : il fit interrompre à Kolb la vente des feuilles d'images et dirigea tout dans son atelier ; il mit en train lui-même une forme que Kolb dut tirer avec Marion, tandis que lui-même tira l'autre avec Cérizet, en surveillant les impressions en encres de diverses couleurs. Chaque couleur exige une impression séparée. Quatre encres différentes veulent donc quatre coups de presse. Imprimé quatre fois pour une, l'Almanach des Bergers coûte alors tant à établir, qu'il se fabrique exclusivement dans les ateliers de province où la main-d'œuvre et les intérêts du capital engagé dans l'imprimerie sont presque nuls. Ce produit, quelque grossier qu'il soit, est donc interdit aux imprimeries d'où sortent de beaux ouvrages. Pour la première fois depuis la retraite du vieux Séchard, on vit alors deux presses roulant dans ce vieil atelier. Quoique l'almanach fût, dans son genre, un chef-d'œuvre, néanmoins Ève fut obligée de le donner à deux liards, car les frères Cointet donnèrent le leur à trois centimes aux colporteurs ; elle fit ses frais avec le colportage, elle gagna sur les ventes directement faites par Kolb ; mais sa spéculation fut manquée. En se voyant devenu l'objet de la défiance de sa belle patronne, Cérizet se posa dans son for intérieur en adversaire, et il se dit : « Tu me soupçonnes, je me vengerai ! » Le gamin de Paris est ainsi fait. Cérizet accepta donc de messieurs Cointet frères des émoluments évidemment trop forts pour la lecture des épreuves qu'il allait chercher à leur bureau tous les soirs et qu'il leur rendait tous les matins. En causant tous les jours davantage avec eux, il se familiarisa, finit par apercevoir la possibilité de se libérer du service militaire qu'on lui présentait comme appât ; et, loin d'avoir à le corrompre, les Cointet entendirent de lui les premiers mots relativement à l'espionnage et à l'exploitation du secret que cherchait David.

Inquiète en voyant combien elle devait peu compter sur Cérizet et dans l'impossibilité de trouver un autre Kolb, Ève résolut de renvoyer l'unique compositeur en qui sa seconde vue de femme aimante lui fit voir un traître ; mais comme c'était la mort de son imprimerie, elle prit une résolution virile : elle pria par une lettre monsieur Métivier, le correspondant de David Séchard, des Cointet et de presque tous les fabricants de papier du département, de faire mettre dans le Journal de la Librairie, à Paris, l'annonce suivante :

« A céder, une imprimerie en pleine activité, maté-
» riel et brevet, située à Angoulême. S'adresser, pour
» les conditions, à monsieur Métivier, rue Serpente. »

LES DEUX COINTET [a]

Après avoir lu le numéro du journal où se trouvait cette annonce, les Cointet se dirent : — Cette petite femme ne manque pas de tête, il est temps de nous rendre maîtres de son imprimerie en lui donnant de quoi vivre ; autrement, nous pourrions rencontrer un adversaire dans le successeur de David, et notre intérêt est de toujours avoir un œil dans cet atelier.

Mus par cette pensée, les frères Cointet vinrent parler

à David Séchard. Ève, à qui les deux frères s'adressèrent, éprouva la plus vive joie en voyant le rapide effet de sa ruse, car ils ne lui cachèrent pas leur dessein de proposer à monsieur Séchard de faire des impressions à leur compte : ils étaient encombrés, leurs presses ne pouvaient suffire à leurs travaux, ils avaient demandé des ouvriers à Bordeaux et se faisaient fort d'occuper les trois presses de David.

— Messieurs, dit-elle aux deux frères Cointet pendant que Cérizet allait avertir David de la visite de ses confrères, mon mari a connu chez messieurs Didot d'excellents ouvriers probes et actifs, il se choisira sans doute un successeur parmi les meilleurs... Ne vaut-il pas mieux vendre son établissement une vingtaine de mille francs, qui nous donneront mille francs de rente, que de perdre mille francs par an au métier que vous nous faites faire? Pourquoi nous avoir envié la pauvre petite spéculation de notre Almanach, qui d'ailleurs appartenait à cette imprimerie?

— Eh ! pourquoi, madame, ne pas nous en avoir prévenus ? nous ne serions pas allés sur vos brisées, dit gracieusement celui des deux frères qu'on appelait le grand Cointet.

— Allons donc, messieurs, vous n'avez commencé votre almanach qu'après avoir appris par Cérizet que je faisais le mien.

En disant ces paroles vivement, elle regarda celui qu'on appelait le grand Cointet, et lui fit baisser les yeux. Elle acquit ainsi la preuve de la trahison de Cérizet.

Ce Cointet, le directeur de la papeterie et des affaires, était beaucoup plus habile commerçant que son frère Jean, qui conduisait d'ailleurs l'imprimerie avec une grande intelligence, mais dont la capacité pouvait se comparer à celle d'un colonel; tandis que Boniface était un général auquel Jean laissait le commandement en chef. Boniface, homme sec et maigre, à figure jaune comme un cierge et marbrée de plaques rouges, à bouche serrée, et dont les yeux avaient de la ressemblance avec ceux des

chats, ne s'emportait jamais; il écoutait avec le calme d'un
dévot les plus grosses injures, et répondait d'une voix douce.
Il allait à la messe, à confesse et communiait. Il cachait sous
ses manières patelines, sous un extérieur presque mou, la
ténacité, l'ambition du prêtre et l'avidité du négociant
dévoré par la soif des richesses et des honneurs. Dès
1820, le grand Cointet voulait tout ce que la bourgeoisie
a fini par obtenir à la révolution de 1830. Plein de haine
contre l'aristocratie, indifférent en matière de religion,
il était dévot comme Bonaparte fut montagnard. Son
épine dorsale fléchissait avec une merveilleuse flexibilité
devant la Noblesse et l'Administration pour lesquelles
il se faisait petit, humble et complaisant. Enfin, pour
peindre cet homme par un trait dont la valeur sera bien
appréciée par des gens habitués à traiter les affaires, il
portait des conserves à verres bleus à l'aide desquelles
il cachait son regard, sous prétexte de préserver sa vue
de l'éclatante réverbération de la lumière dans une ville
où la terre, où les constructions sont blanches, et où
l'intensité du jour est augmentée par la grande élévation
du sol. Quoique sa taille ne fût qu'un peu au-dessus de la
moyenne, il paraissait grand à cause de sa maigreur, qui
annonçait une nature accablée de travail, une pensée
en continuelle fermentation. Sa physionomie jésuitique
était complétée par une chevelure plate, grise, longue,
taillée à la façon de celle des ecclésiastiques, et par son vêtement qui, depuis sept ans, se composait d'un pantalon
noir, de bas noirs, d'un gilet noir et d'une *lévite* (le nom méridional d'une redingote) en drap couleur marron. On
l'appelait le grand Cointet pour le distinguer de son
frère, qu'on nommait le gros Cointet, en exprimant ainsi
le contraste qui existait autant entre la taille qu'entre les
capacités des deux frères, également redoutables d'ailleurs.
En effet, Jean Cointet, bon gros garçon à face flamande,
brunie par le soleil de l'Angoumois, petit et court, pansu
comme Sancho, le sourire sur les lèvres, les épaules épaisses,
produisait une opposition frappante avec son aîné. Jean ne
différait pas seulement de physionomie et d'intelligence

avec son frère, il professait des opinions presque libérales, il était *Centre Gauche*, n'allait à la messe que les dimanches, et s'entendait à merveille avec les commerçants libéraux. Quelques négociants de l'Houmeau prétendaient que cette divergence d'opinions était un jeu joué par les deux frères. Le grand Cointet exploitait avec habileté l'apparente bonhomie de son frère, il se servait de Jean comme d'une massue. Jean se chargeait des paroles dures, des exécutions qui répugnaient à la mansuétude de son frère. Jean avait le département des colères, il s'emportait, il laissait échapper des propositions inacceptables, qui rendaient celles de son frère plus douces ; et ils arrivaient ainsi, tôt ou tard, à leurs fins.

Ève, avec le tact particulier aux femmes, eut bientôt deviné le caractère des deux frères ; aussi resta-t-elle sur ses gardes en présence d'adversaires si dangereux. David, déjà mis au fait par sa femme, écouta d'un air profondément distrait les propositions de ses ennemis.

— Entendez-vous avec ma femme, dit-il aux deux Cointet en sortant du cabinet vitré pour retourner dans son petit laboratoire, elle est plus au fait de mon imprimerie que je ne le suis moi-même. Je m'occupe d'une affaire qui sera plus lucrative que ce pauvre établissement, et au moyen de laquelle je réparerai les pertes que j'ai faites avec vous...

— Et comment ? dit le gros Cointet en riant.

Ève regarda son mari pour lui recommander la prudence.

— Vous serez mes tributaires, vous et tous ceux qui consomment du papier, répondit David.

— Et que cherchez-vous donc ? demanda Benoît-Boniface Cointet.

Quand Boniface eut lâché sa demande d'un ton doux et d'une façon insinuante, Ève regarda de nouveau son mari pour l'engager à ne rien répondre ou à répondre quelque chose qui ne fût rien.

— Je cherche à fabriquer le papier à cinquante pour cent au-dessous du prix actuel de revient...

Et il s'en alla sans voir le regard que les deux frères

échangèrent, et par lequel ils se disaient : — Cet homme devait être un inventeur ; on ne pouvait pas avoir son encolure et rester oisif ! — Exploitons-le ! disait Boniface. — Et comment ? disait Jean.

— David agit avec vous comme avec moi, dit madame Séchard. Quand je fais la curieuse, il se défie sans doute de mon nom, et me jette cette phrase qui n'est après tout qu'un programme.

— Si votre mari peut réaliser ce programme, il fera certainement fortune plus rapidement que par l'imprimerie, et je ne m'étonne plus de lui voir négliger cet établissement, reprit Boniface en se tournant vers l'atelier désert où Kolb assis sur un ais frottait son pain avec une gousse d'ail ; mais il nous conviendrait peu de voir cette imprimerie aux mains d'un concurrent actif, remuant, ambitieux, et peut-être pourrions-nous arriver à nous entendre. Si, par exemple, vous consentiez à louer pour une certaine somme votre matériel à l'un de nos ouvriers qui travaillerait pour nous, sous votre nom, comme cela se fait à Paris, nous occuperions assez ce gars-là pour lui permettre de vous payer un très bon loyer et de réaliser de petits profits...

— Cela dépend de la somme, répondit Ève Séchard. Que voulez-vous donner ? ajouta-t-elle en regardant Boniface de manière à lui faire voir qu'elle comprenait parfaitement son plan.

— Mais quelles seraient vos prétentions ? répliqua vivement Jean Cointet.

— Trois mille francs pour six mois, dit-elle.

— Eh ! ma chère petite dame, vous parliez de vendre votre imprimerie vingt mille francs, répliqua tout doucettement Boniface. L'intérêt de vingt mille francs n'est que de douze cents francs, à six pour cent.

Ève resta pendant un moment tout interdite, et reconnut alors tout le prix de la discrétion en affaires.

— Vous vous servirez de nos presses, de nos caractères avec lesquels je vous ai prouvé que je savais faire encore de petites affaires, reprit-elle, et nous avons des loyers à payer à monsieur Séchard le père qui ne nous comble pas de cadeaux.

Après une lutte de deux heures, Ève obtint deux mille francs pour six mois, dont mille seraient payés d'avance. Quand tout fut convenu, les deux frères lui apprirent que leur intention était de faire à Cérizet le bail des ustensiles de l'imprimerie. Ève ne put retenir un mouvement de surprise.

— Ne vaut-il pas mieux prendre quelqu'un qui soit au fait de l'atelier ? dit le gros Cointet.

Ève salua les deux frères sans répondre, et se promit de surveiller elle-même Cérizet.

— Eh! bien, voilà nos ennemis dans la place! dit en riant David à sa femme quand au moment du dîner elle lui montra les actes à signer.

— Bah ! dit-elle, je réponds de l'attachement de Kolb et de Marion; à eux deux, ils surveilleront tout. D'ailleurs, nous nous faisons quatre mille francs de rente d'un mobilier industriel qui nous coûtait de l'argent, et je te vois un an devant toi pour réaliser tes espérances !

— Tu devais être, comme tu me l'as dit au Barrage, la femme d'un chercheur d'inventions ! dit Séchard en serrant la main de sa femme avec tendresse.

Si le ménage de David eut une somme suffisante pour passer l'hiver, il se trouva sous la surveillance de Cérizet, et, sans le savoir, dans la dépendance du grand Cointet.

— Ils sont à nous ! dit en sortant le directeur de la papeterie à son frère l'imprimeur. Ces pauvres gens vont s'habituer à recevoir le loyer de leur imprimerie; ils compteront là-dessus, et ils s'endetteront. Dans six mois nous ne renouvellerons pas le bail, et nous verrons alors ce que cet homme de génie aura dans son sac, car nous lui proposerons de le tirer de peine en nous associant pour exploiter sa découverte.

Si quelque rusé commerçant avait pu voir le grand Cointet prononçant ces mots : *en nous associant*, il aurait compris que le danger du mariage est encore moins grand à la Mairie qu'au Tribunal de commerce. N'était-ce pas trop déjà que ces féroces chasseurs fussent sur les traces de leur gibier? David et sa femme, aidés par Kolb et par Marion, étaient-ils en état de résister aux ruses d'un Boniface Cointet?

UN PREMIER COUP DE TONNERRE[a]

Quand l'époque des couches de madame Séchard arriva, le billet de cinq cents francs envoyé par Lucien, joint au second payement de Cérizet, permit de suffire à toutes les dépenses. Ève, sa mère et David, qui se croyaient oubliés par Lucien, éprouvèrent alors une joie égale à celle que leur donnaient les premiers succès du poète, dont les débuts dans le journalisme firent encore plus de tapage à Angoulême qu'à Paris.

Endormi dans une sécurité trompeuse, David chancela sur ses jambes en recevant de son beau-frère ce mot cruel.

» Mon cher David, j'ai négocié, chez Métivier, trois
» billets signés de toi, faits à mon ordre, à un, deux et
» trois mois d'échéance. Entre cette négociation et mon
» suicide, j'ai choisi cette horrible ressource qui, sans
» doute, te gênera beaucoup. Je t'expliquerai dans quelle
» nécessité je me trouve, et je tâcherai d'ailleurs de t'envoyer
» les fonds à l'échéance.

« Brûle ma lettre, ne dis rien ni à ma sœur ni à ma mère,
» car je t'avoue avoir compté sur ton héroïsme bien connu
» de

» Ton frère au désespoir,
» LUCIEN DE RUBEMPRÉ. »

— Ton pauvre frère, dit David à sa femme qui relevait alors de couches, est dans d'affreux embarras, je lui ai

envoyé trois billets de mille francs, à un, deux et trois
mois; prends-en note.

Puis il s'en alla dans les champs afin d'éviter les explications que sa femme allait lui demander. Mais, en com-
mentant avec sa mère cette phrase pleine de malheurs,
Ève déjà très inquiète du silence gardé par son frère
depuis six mois, eut de si mauvais pressentiments que,
pour les dissiper, elle se résolut à faire une de ces démarches
conseillées par le désespoir. Monsieur de Rastignac fils
était venu passer quelques jours dans sa famille, et il
avait parlé de Lucien en assez mauvais termes pour que
ces nouvelles de Paris, commentées par toutes les bouches
qui les avaient colportées, fussent arrivées jusqu'à la
sœur et à la mère du journaliste. Ève alla chez madame de
Rastignac, y sollicita la faveur d'une entrevue avec le
fils, à qui elle fit part de toutes ses craintes, en lui demandant la vérité sur la situation de Lucien à Paris. En un
moment Ève apprit la liaison de son frère avec Coralie,
son duel avec Michel Chrestien, causé par sa trahison
envers d'Arthez, enfin toutes les circonstances de la vie
de Lucien envenimés par un dandy spirituel qui sut donner
à sa haine et à son envie les livrées de la pitié, la forme
amicale du patriotisme alarmé sur l'avenir d'un grand
homme et les couleurs d'une admiration sincère pour le
talent d'un enfant d'Angoulême, si cruellement compromis.
Il parla des fautes que Lucien avait commises et qui venaient
de lui coûter la protection des plus hauts personnages,
de faire déchirer une ordonnance qui lui conférait les armes
et le nom de Rubempré.

— Madame, si votre frère eût été bien conseillé, il
serait aujourd'hui dans la voie des honneurs et le mari
de madame de Bargeton ; mais que voulez-vous ?... il l'a
quittée, insultée ! Elle est, à son grand regret, devenue
madame la comtesse Sixte du Châtelet, car elle aimait
Lucien.

— Est-il possible ?... s'écria madame Séchard.

— Votre frère est un aiglon que les premiers rayons
du luxe et de la gloire ont aveuglé. Quand un aigle tombe,

qui peut savoir au fond de quel précipice il s'arrêtera ?
La chute d'un grand homme est toujours en raison de
la hauteur à laquelle il est parvenu.

Ève revint épouvantée par cette dernière phrase qui
lui traversa le cœur comme une flèche. Blessée dans
les endroits les plus sensibles de son âme, elle garda chez
elle le plus profond silence; mais plus d'une larme roula
sur les joues et sur le front de l'enfant qu'elle nourrissait.
Il est si difficile de renoncer aux illusions que l'esprit
de famille autorise et qui naissent avec la vie, qu'Ève se
défia d'Eugène de Rastignac, elle voulut entendre la voix
d'un véritable ami. Elle écrivit donc une lettre touchante
à d'Arthez, dont l'adresse lui avait été donnée par Lucien,
au temps où Lucien était enthousiaste du Cénacle, et voici
la réponse qu'elle reçut :

« Madame,

» Vous me demandez la vérité sur la vie que mène à
» Paris monsieur votre frère, vous voulez être éclairée
» sur son avenir ; et, pour m'engager à vous répondre
» franchement, vous me répétez ce que vous en a dit
» monsieur de Rastignac, en me demandant si de tels faits
» sont vrais. En ce qui me concerne, madame, il faut
» rectifier, à l'avantage de Lucien, les confidences de
» monsieur de Rastignac. Votre frère a éprouvé des
» remords, il est venu me montrer la critique de mon
» livre, en me disant qu'il ne pouvait se résoudre à la
» publier, malgré le danger que sa désobéissance aux
» ordres de son parti faisait courir à une personne bien
» chère. Hélas, madame, la tâche d'un écrivain est de
» concevoir les passions, puisqu'il met sa gloire à les
» exprimer : j'ai donc compris qu'entre une maîtresse et
» un ami, l'ami devait être sacrifié. J'ai facilité son crime
» à votre frère, j'ai corrigé moi-même cet article *libellicide*
» et l'ai complètement approuvé. Vous me demandez
» si Lucien a conservé mon estime et mon amitié. Ici,
» la réponse est difficile à faire. Votre frère est dans une

» voie où il se perdra. En ce moment je le plains encore;
» bientôt, je l'aurai volontairement oublié, non pas tant
» à cause de ce qu'il a déjà fait que de ce qu'il doit faire.
» Votre Lucien est un homme de poésie et non un poète,
» il rêve et ne pense pas, il s'agite et ne crée pas. Enfin
» c'est, permettez-moi de le dire, une femmelette qui
» aime à paraître, le vice principal du Français. Ainsi
» Lucien sacrifiera toujours le meilleur de ses amis au
» plaisir de montrer son esprit. Il signerait volontiers
» demain un pacte avec le démon, si ce pacte lui donnait
» pour quelques années une vie brillante et luxueuse.
» N'a-t-il pas déjà fait pis en troquant son avenir contre
» les passagères délices de sa vie publique avec une actrice?
» En ce moment, la jeunesse, la beauté, le dévouement
» de cette femme, car il en est adoré, lui cachent les dangers
» d'une situation que ni la gloire, ni le succès, ni la fortune
» ne font accepter par le monde. Eh ! bien, à chaque
» nouvelle séduction, votre frère ne verra, comme au-
» jourd'hui, que les plaisirs du moment. Rassurez-vous,
» Lucien n'ira jamais jusqu'au crime, il n'en aurait pas
» la force ; mais il accepterait un crime tout fait, il en
» partagerait les profits sans en avoir partagé les dangers :
» ce qui semble horrible à tout le monde, même aux
» scélérats. Il se méprisera lui-même, il se repentira ;
» mais la nécessité revenant, il recommencerait ; car la
» volonté lui manque, il est sans force contre les amorces
» de la volupté, contre la satisfaction de ses moindres
» ambitions. Paresseux comme tous les hommes à poésie,
» il se croit habile en escamotant les difficultés au lieu de
» les vaincre. Il aura du courage à telle heure, mais à
» telle autre il sera lâche. Et il ne faut pas plus lui savoir
» gré de son courage que lui reprocher sa lâcheté, Lucien
» est une harpe dont les cordes se tendent ou s'amollissent
» au gré des variations de l'atmosphère. Il pourra faire
» un beau livre dans une phase de colère ou de bonheur,
» et ne pas être sensible au succès, après l'avoir cepen-
» dant désiré. Dès les premiers jours de son arrivée à
» Paris, il est tombé dans la dépendance d'un jeune homme

» sans moralité, mais dont l'adresse et l'expérience au
» milieu des difficultés de la vie littéraire l'ont ébloui.
» Ce prestidigitateur a complètement séduit Lucien,
» il l'a entraîné dans une existence sans dignité sur laquelle,
» malheureusement pour lui, l'amour a jeté ses prestiges.
» Trop facilement accordée, l'admiration est un signe
» de faiblesse : on ne doit pas payer en même monnaie
» un danseur de corde et un poète. Nous avons été tous
» blessés de la préférence accordée à l'intrigue et à la
» friponnerie littéraire sur le courage et sur l'honneur
» de ceux qui conseillaient à Lucien d'accepter le combat
» au lieu de dérober le succès, de se jeter dans l'arène au
» lieu de se faire un des trompettes de l'orchestre.
» La Société, madame, est, par une bizarrerie singulière,
» pleine d'indulgence pour les jeunes gens de cette nature ;
» elle les aime, elle se laisse prendre aux beaux semblants
» de leurs dons extérieurs ; d'eux, elle n'exige rien, elle
» excuse toutes leurs fautes, elle leur accorde les béné-
» fices des natures complètes en ne voulant voir que leurs
» avantages, elle en fait enfin ses enfants gâtés. Au contraire,
» elle est d'une sévérité sans bornes pour les natures fortes
» et complètes. Dans cette conduite, la Société, si violem-
» ment injuste en apparence, est peut-être sublime. Elle
» s'amuse des bouffons sans leur demander autre chose
» que du plaisir, et les oublie promptement ; tandis que
» pour plier le genou devant la grandeur, elle lui demande
» de divines magnificences. A chaque chose, sa loi :
» l'éternel diamant doit être sans tache, la création momen-
» tanée de la Mode a le droit d'être légère, bizarre et sans
» consistance. Aussi, malgré ses erreurs, peut-être Lucien
» réussira-t-il à merveille, il lui suffira de profiter de quelque
» veine heureuse, ou de se trouver en bonne compagnie ;
» mais s'il rencontre un mauvais ange, il ira jusqu'au fond
» de l'enfer. C'est un brillant assemblage de belles qualités
» brodées sur un fond trop léger; l'âge emporte les fleurs,
» il ne reste un jour que le tissu ; et, s'il est mauvais, on
» y voit un haillon. Tant que Lucien sera jeune, il plaira;
» mais à trente ans, dans quelle position sera-t-il ? telle

» est la question que doivent se faire ceux qui l'aiment
» sincèrement. Si j'eusse été seul à penser ainsi de Lucien,
» peut-être aurai-je évité de vous donner tant de chagrin
» par ma sincérité; mais outre qu'éluder par des banalités
» les questions posées par votre sollicitude me semblait
» indigne de vous dont la lettre est un cri d'angoisse, et
» de moi dont vous faites trop d'estime, ceux de mes amis
» qui ont connu Lucien sont unanimes en ce jugement :
» j'ai donc vu l'accomplissement d'un devoir dans la
» manifestation de la vérité, quelque terrible qu'elle soit.
» On peut tout attendre de Lucien en bien comme en
» mal. Telle est notre pensée, en un seul mot, où se résume
» cette lettre. Si les hasards de sa vie, maintenant bien
» misérable, bien chanceuse, ramenaient ce poète vers
» vous, usez de toute votre influence pour le garder au
» sein de sa famille ; car, jusqu'à ce que son caractère
» ait pris de la fermeté, Paris sera toujours dangereux
» pour lui. Il vous appelait, vous et votre mari, ses anges
» gardiens, et il vous a sans doute oubliés; mais il se
» souviendra de vous au moment où, battu par la tempête,
» il n'aura plus que sa famille pour asile, gardez-lui donc
» votre cœur, madame ; il en aura besoin.

» Agréez, madame, les sincères hommages d'un homme
» à qui vos précieuses qualités sont connues, et qui res-
» pecte trop vos maternelles inquiétudes pour ne pas
» vous offrir ici ses obéissances en se disant :

» Votre dévoué serviteur,

» D'ARTHEZ. »

Deux jours après avoir lu cette réponse, Ève fut obligée de prendre une nourrice, son lait tarissait. Après
avoir fait un dieu de son frère, elle le voyait dépravé
par l'exercice des plus belles facultés ; enfin, pour elle,
il roulait dans la boue. Cette noble créature ne savait pas
transiger avec la probité, avec la délicatesse, avec toutes
les religions domestiques cultivées au foyer de la famille,

encore si pur, si rayonnant au fond de la province. David avait donc eu raison dans ses prévisions. Quand le chagrin, qui mettait sur son front si blanc des teintes de plomb, fut confié par Ève à son mari dans une de ces limpides conversations où le ménage de deux amants peut tout se dire, David fit entendre de consolantes paroles. Quoiqu'il eût les larmes aux yeux en voyant le beau sein de sa femme tari par la douleur, et cette mère au désespoir de ne pouvoir accomplir son œuvre maternelle, il rassura sa femme en lui donnant quelques espérances.

— Vois-tu, mon enfant, ton frère a péché par l'imagination. Il est si naturel à un poète de vouloir sa robe de pourpre et d'azur, il court avec tant d'empressement aux fêtes ! Cet oiseau se prend à l'éclat, au luxe, avec tant de bonne foi que Dieu l'excuse là où la Société le condamne !

— Mais il nous tue !... s'écria la pauvre femme.

— Il nous tue aujourd'hui comme il nous sauvait il y a quelques mois en nous envoyant les prémices de son gain ! répondit le bon David qui eut l'esprit de comprendre que le désespoir menait sa femme au delà des bornes et qu'elle reviendrait bientôt à son amour pour Lucien. Mercier disait dans son Tableau de Paris, il y a environ cinquante ans, que la littérature, la poésie, les lettres et les sciences, que les créations du cerveau ne pouvaient jamais nourrir un homme; et Lucien, en sa qualité de poète, n'a pas cru à l'expérience de cinq siècles. Les moissons arrosées d'encre ne se font (quand elles se font) que dix ou douze ans après les semailles, et Lucien a pris l'herbe pour la gerbe. Il aura du moins appris la vie. Après avoir été la dupe d'une femme, il devait être la dupe du monde et des fausses amitiés. L'expérience qu'il a gagnée est chèrement payée, voilà tout. Nos ancêtres disaient : Pourvu qu'un fils de famille revienne avec ses deux oreilles et l'honneur sauf, tout est bien...

— L'honneur !... s'écria la pauvre Ève. Hélas ! à combien de vertus Lucien a-t-il manqué !... Écrire contre sa conscience ! Attaquer son meilleur ami !... Accepter l'argent d'une actrice !... Se montrer avec elle ! Nous mettre sur la paille !...

— Oh ! cela, ce n'est rien !... s'écria David qui s'arrêta.

Le secret du faux commis par son beau-frère allait lui échapper, et malheureusement Ève, en s'apercevant de ce mouvement, conserva de vagues inquiétudes.

— Comment rien, répondit-elle. Et où prendrons-nous de quoi payer trois mille francs ?

— D'abord, reprit David, nous allons avoir à renouveler le bail de l'exploitation de notre imprimerie avec Cérizet. Depuis six mois les quinze pour cent que les Cointet lui allouent sur les travaux faits pour eux lui ont donné six cents francs, et il a su gagner cinq cents francs avec des ouvrages de ville.

— Si les Cointet savent cela, peut-être ne recommenceront-ils pas le bail, ils auront peur de lui, dit Ève, car Cérizet est un homme dangereux.

— Eh ! que m'importe ! s'écria Séchard, dans quelques jours nous serons riches ! Une fois Lucien riche, mon ange, il n'aura que des vertus...

— Ah ! David, mon ami, mon ami, quel mot viens-tu de laisser échapper ! En proie à la misère, Lucien serait donc sans force contre le mal ! Tu penses de lui tout ce qu'en pense monsieur d'Arthez ! Il n'y a pas de supériorité sans force, et Lucien est faible... Un ange qu'il ne faut pas tenter, qu'est-ce ?...

— Eh ! c'est une nature qui n'est belle que dans son milieu, dans sa sphère, dans son ciel. Lucien n'est pas fait pour lutter, je lui épargnerai la lutte. Tiens, vois ! je suis trop près du résultat pour ne pas t'initier aux moyens. Il sortit de sa poche plusieurs feuillets de papier blanc de la grandeur d'un in-octavo, les brandit victorieusement et les apporta sur les genoux de sa femme.

UN COUP D'ŒIL SUR LA PAPETERIE[a]

— Une rame de ce papier, format grand-raisin, ne coûtera pas plus de cinq francs, dit-il en faisant manier les échantillons à Ève, qui laissa voir une surprise enfantine.

— Eh ! bien, comment as-tu fait ces essais ? dit-elle.

— Avec un vieux tamis en crin que j'ai pris à Marion, répondit-il.

— Tu n'es donc pas encore content ? demanda-t-elle.

— La question n'est pas dans la fabrication, elle est dans le prix de revient de la pâte. Hélas ! mon enfant je ne suis qu'un des derniers entrés dans cette voie difficile. Madame Masson, dès 1794, essayait de convertir les papiers imprimés en papier blanc ; elle a réussi, mais à quel prix ! En Angleterre, vers 1800, le marquis de Salisbury tentait, en même temps que Seguin en 1801, en France, d'employer la paille à la fabrication du papier. Notre roseau commun, l'*arundo phragmitis*, a fourni les feuilles de papier que tu tiens. Mais je vais employer les orties, les chardons ; car pour maintenir le bon marché de la matière première, il faut s'adresser à des substances végétales qui puissent venir dans les marécages et dans les mauvais terrains : elles seront à vil prix. Le secret gît tout entier dans une préparation à donner à ces tiges. En ce moment, mon procédé n'est pas encore assez simple. Eh ! bien, malgré cette difficulté, je suis sûr de [b] donner à la papeterie française le privilège dont jouit notre littérature, en faire un monopole pour notre pays, comme les Anglais ont celui du fer, de la houille ou des poteries communes. Je veux être le Jacquart de la papeterie.

Ève se leva, mue par un enthousiasme et par une admiration que la simplicité de David excitait : elle ouvrit ses bras et le serra sur son cœur en penchant sa tête sur son épaule.

— Tu me récompenses comme si j'avais déjà trouvé, lui dit-il.

Pour toute réponse, Ève montra sa belle figure tout inondée de larmes, et resta pendant un moment sans pouvoir parler.

— Je n'embrasse pas l'homme de génie, dit-elle, mais le consolateur ! A une gloire tombée, tu m'opposes une gloire qui s'élève. Aux chagrins que me cause l'abaissement d'un frère, tu opposes la grandeur du mari... Oui, tu seras grand comme les Graindorge, les Rouvet, les Van Robais, comme le Persan qui nous a donné la garance [1], comme tous ces hommes dont tu m'as parlé, dont les noms restent obscurs parce qu'en perfectionnant une industrie ils ont fait le bien sans éclat.

— Que font-ils à cette heure ?... disait Boniface.

Le grand Cointet se promenait sur la place du Mûrier avec Cérizet en examinant les ombres de la femme et du mari qui se dessinaient sur les rideaux de mousseline; car il venait causer tous les jours à minuit avec Cérizet, chargé de surveiller les moindres démarches de son ancien patron.

— Il lui montre, sans doute, les papiers qu'il a fabriqués ce matin, répondit Cérizet.

— De quelles substances s'est-il servi ? demanda le fabricant de papier.

— Impossible de le deviner, répondit Cérizet, j'ai troué le toit, j'ai grimpé dessus, et j'ai vu mon naïf, pendant la nuit dernière, faisant bouillir sa pâte dans la bassine en cuivre ; j'ai eu beau examiner ses approvisionnements amoncelés dans un coin, tout ce que j'ai pu remarquer, c'est que les matières premières ressemblent à des tas de filasse...

— N'allez pas plus loin, dit Boniface Cointet d'une voix pateline à son espion, ce serait improbe !... Madame Séchard

---

1. Antoine Graindorge, son fils et son petit-fils avaient, au XVIᵉ siècle, inventé et perfectionné l'art de figurer sur la toile des fleurs et des carreaux. — Jean Rouvet inventa en 1549 le flottage des bois sur la Nièvre. — Josse Van Robais († 1685) établit une manufacture de drap à Valenciennes. — Jean Althen (1709-1774), vendu comme esclave, passa de Perse en France. Il introduisit en 1760 la culture de la garance dans le Comtat.

vous proposera de renouveler votre bail de l'exploitation
de l'imprimerie, dites que vous voulez vous faire imprimeur, offrez la moitié de ce que valent le brevet et le matériel
et si l'on y consentait, venez me trouver. En tout cas,
traînez en longueur... Ils sont sans argent.

— Sans un sou! dit Cérizet.

— Sans un sou, répéta le grand Cointet. — Ils sont à
moi, se dit-il.

La maison Métivier et la maison Cointet frères joi-
gnaient la qualité de Banquiers à leur métier de commissionnaires en papeterie, et de papetiers imprimeurs; titre
pour lequel ils se gardaient bien d'ailleurs de payer patente.
Le Fisc n'a pas encore trouvé le moyen de contrôler les
affaires commerciales au point de forcer tous ceux qui
font subrepticement la banque à prendre patente de
banquier, laquelle à Paris, par exemple, coûte cinq cents
francs. Mais les frères Cointet et Métivier, pour être ce
qu'on appelle à la Bourse des *marrons*, n'en remuaient pas
moins entre eux quelques centaines de mille francs par
trimestre sur les places de Paris, de Bordeaux et d'Angoulême. Or, dans la soirée même, la maison Cointet frères
avait reçu de Paris les trois mille francs d'effets faux fabriqués par Lucien. Le grand Cointet avait aussitôt bâti sur
cette dette une formidable machine dirigée, comme on va
le voir, contre le patient et pauvre inventeur.

DES AVOUÉS DE PROVINCE EN GÉNÉRAL
ET DE MAITRE PETIT-CLAUD
EN PARTICULIER[a]

Le lendemain, à sept heures du matin, Boniface Cointet
se promenait le long de la prise d'eau qui alimentait sa
vaste papeterie, et dont le bruit couvrait celui des paroles.
Il y attendait un jeune homme, âgé de vingt-neuf ans,
depuis six semaines avoué près le Tribunal de première

instance d'Angoulême, et nommé Pierre Petit-Claud.

— Vous étiez au collège d'Angoulême en même temps que David Séchard ? dit le grand Cointet en saluant le jeune avoué qui se gardait bien de manquer à l'appel du riche fabricant.

— Oui, monsieur, répondit Petit-Claud en se mettant au pas du grand Cointet.

— Avez-vous renouvelé connaissance ?

— Nous nous sommes rencontrés deux fois tout au plus depuis son retour. Il ne pouvait pas en être autrement : j'étais enfoui dans l'Étude ou au Palais les jours ordinaires; et, le dimanche ou les jours de fête, je travaillais à compléter mon instruction, car j'attendais tout de moi-même...

Le grand Cointet hocha la tête en signe d'approbation.

— Quand David et moi nous nous sommes revus, il m'a demandé ce que je devenais. Je lui ai dit qu'après avoir fait mon Droit à Poitiers, j'étais devenu premier clerc de maître Olivet, et que j'espérais un jour ou l'autre traiter de cette charge... Je connaissais beaucoup plus Lucien Chardon, qui se fait maintenant appeler de Rubempré, l'amant de madame de Bargeton, notre grand poète, enfin le beau-frère de David Séchard.

— Vous pouvez alors aller annoncer à David votre nomination et lui offrir vos services, dit le grand Cointet.

— Cela ne se fait pas, répondit le jeune avoué.

— Il n'a jamais eu de procès, il n'a pas d'avoué, cela peut se faire, répondit Cointet qui toisait à l'abri de ses lunettes le petit avoué.

Fils d'un tailleur de l'Houmeau, dédaigné par ses camarades de collège, Pierre Petit-Claud paraissait avoir une certaine portion de fiel extravasée dans le sang. Son visage offrait une de ces colorations à teintes sales et brouillées qui accusent d'anciennes maladies, les veilles de la misère, et presque toujours des sentiments mauvais. Le style familier de la conversation fournit une expression qui peut peindre ce garçon en deux mots : il était cassant et pointu. Sa voix fêlée s'harmoniait à l'aigreur de sa face, à son air grêle, et à la couleur indécise de son œil de pie. L'œil de

pie est, suivant une observation de Napoléon, un indice
d'improbité. — Regardez un tel, disait-il à Las-Cazes à
Sainte-Hélène en lui parlant d'un de ses confidents qu'il fut
forcé de renvoyer pour cause de malversations, je ne
sais pas comment j'ai pu m'y tromper si longtemps, il a
l'œil d'une pie. Aussi, quand le grand Cointet eut bien examiné ce petit avoué maigrelet, piqué de petite vérole,
à cheveux rares, dont le front et le crâne se confondaient
déjà, quand il le vit faisant déjà poser à sa délicatesse le
poing sur la hanche, se dit-il : — Voilà mon homme.
En effet, Petit-Claud, abreuvé de dédains, dévoré par une
corrosive envie de parvenir, avait eu l'audace, quoique
sans fortune, d'acheter la charge de son patron trente mille
francs, en comptant sur un mariage pour se libérer ; et,
suivant l'usage, il comptait sur son patron pour lui trouver
une femme, car le prédécesseur a toujours intérêt à marier
son successeur, pour se faire payer sa charge. Petit-Claud
comptait encore plus sur lui-même, car il ne manquait
pas d'une certaine supériorité, rare en province, mais dont
le principe était dans sa haine. Grande haine, grands
efforts.

Il se trouve une grande différence entre les avoués
de Paris et les avoués de province, et le grand Cointet
était trop habile pour ne pas mettre à profit les petites
passions auxquelles obéissent ces petits avoués. A Paris,
un avoué remarquable, et il y en a beaucoup, comporte
un peu des qualités qui distinguent le diplomate : le
nombre des affaires, la grandeur des intérêts, l'étendue
des questions qui lui sont confiées, le dispensent de voir
dans la Procédure un moyen de fortune. Arme offensive
ou défensive, la Procédure n'est plus pour lui, comme
autrefois, un objet de lucre. En province, au contraire,
les avoués cultivent ce qu'on appelle dans les Études de
Paris la *Broutille*, cette foule de petits actes qui surchargent
les mémoires de frais et consomment du papier timbré.
Ces bagatelles occupent l'avoué de province, il voit des
frais à faire là où l'avoué de Paris ne se préoccupe que des
honoraires. L'honoraire est ce que le client doit, en sus

des frais, à son avoué pour la conduite plus ou moins
habile de son affaire. Le Fisc est pour moitié dans les frais,
tandis que les honoraires sont tout entiers pour l'avoué.
Disons-le hardiment! Les honoraires payés sont rarement
en harmonie avec les honoraires demandés et dus pour les
services que rend un bon avoué. Les avoués, les médecins et les avocats de Paris sont, comme les courtisanes
avec leurs amants d'occasion, excessivement en garde
contre la reconnaissance de leurs clients. Le client, avant
et après l'affaire, pourrait faire deux admirables tableaux
de genre, dignes de Meissonier, et qui seraient sans
doute enchéris par des Avoués-Honoraires. Il existe entre
l'avoué de Paris et l'avoué de province une autre différence. L'avoué de Paris plaide rarement, il parle quelquefois au Tribunal dans les Référés; mais, en 1822, dans
la plupart des départements (depuis, l'avocat a pullulé),
les avoués étaient avocats et plaidaient eux-mêmes leurs
causes. De cette double vie, il résulte un double travail
qui donne à l'avoué de province les vices intellectuels
de l'avocat, sans lui ôter les pesantes obligations de l'avoué.
L'avoué de province devient bavard, et perd cette lucidité
de jugement, si nécessaire à la conduite des affaires. En se
dédoublant ainsi, un homme supérieur trouve souvent
en lui-même deux hommes médiocres. A Paris, l'avoué
ne se dépensant point en paroles au Tribunal, ne plaidant
pas souvent le Pour et le Contre, peut conserver de la
rectitude dans les idées. S'il dispose la balistique du Droit,
s'il fouille dans l'arsenal des moyens que présentent les
contradictions de la Jurisprudence, il garde sa conviction
sur l'affaire, à laquelle il s'efforce de préparer un triomphe.
En un mot, la pensée grise beaucoup moins que la parole. A force de parler, un homme finit par croire à ce
qu'il dit; tandis qu'on peut agir contre sa pensée sans la
vicier, et faire gagner un mauvais procès sans soutenir
qu'il est bon, comme le fait l'avocat plaidant. Aussi le vieil
avoué de Paris peut-il faire, beaucoup mieux qu'un vieil
avocat, un bon juge. Un avoué de province a donc bien
des raisons d'être un homme médiocre: il épouse de petites

passions, il mène de petites affaires, il vit en faisant des frais, il abuse du Code de Procédure, et il plaide ! En un mot, il a beaucoup d'infirmités. Aussi, quand il se rencontre parmi les avoués de province un homme remarquable, est-il vraiment supérieur !

— Je croyais, monsieur, que vous m'aviez mandé pour vos affaires, répondit Petit-Claud en faisant de cette observation une épigramme par le regard qu'il lança sur les impénétrables lunettes du grand Cointet.

— Pas d'ambages, répliqua Boniface Cointet. Écoutez-moi...

Après ce mot, gros de confidences, Cointet alla s'asseoir sur un banc en invitant Petit-Claud à l'imiter.

— Quand monsieur du Hautoy passa par Angoulême en 1804 pour aller à Valence en qualité de consul, il y connut madame de Sénonches, alors mademoiselle Zéphirine, et il en eut une fille, dit Cointet tout bas à l'oreille de son interlocuteur... Oui, reprit-il en voyant faire un haut-le-corps à Petit-Claud, le mariage de mademoiselle Zéphirine avec monsieur de Sénonches a suivi promptement cet accouchement clandestin. Cette fille, élevée à la campagne chez ma mère, est mademoiselle Françoise de La Haye, dont prend soin madame de Sénonches qui, selon l'usage, est sa marraine. Comme ma mère, fermière de la vieille madame de Cardanet, la grand'mère de mademoiselle Zéphirine, avait le secret de l'unique héritière des Cardanet et des Sénonches de la branche aînée, on m'a chargé de faire valoir la petite somme que monsieur Francis du Hautoy destina dans le temps à sa fille. Ma fortune s'est faite avec ces dix mille francs, qui se montent à trente mille francs aujourd'hui. Madame de Sénonches donnera bien le trousseau, l'argenterie et quelque mobilier à sa pupille ; moi, je puis vous faire avoir la fille, mon garçon, dit Cointet en frappant sur le genou de Petit-Claud. En épousant Françoise de La Haye, vous augmenterez votre clientèle de celle d'une grande partie de l'aristocratie d'Angoulême. Cette alliance, par la main gauche, vous ouvre un avenir ma-

gnifique... La position d'un avocat-avoué paraîtra suffisante : on ne veut pas mieux, je le sais.

— Que faut-il faire ?... dit avidement Petit-Claud,
car vous avez maître Cachan pour avoué...

— Aussi ne quitterai-je pas brusquement Cachan pour
vous, vous n'aurez ma clientèle que plus tard, dit finement le grand Cointet. Ce qu'il faut faire, mon ami ?
eh ! mais les affaires de David Séchard. Ce pauvre diable
a mille écus de billets à nous payer, il ne les payera pas,
vous le défendrez contre les poursuites de manière à
faire énormément de frais... Soyez sans inquiétude, mar-
chez, entassez les incidents. Doublon, mon huissier,
qui sera chargé de l'actionner, sous la direction de Cachan,
n'ira pas de main morte... A bon écouteur, un mot suffit.
Maintenant, jeune homme ?...

Il se fit une pause éloquente pendant laquelle ces deux
hommes se regardèrent.

— Nous ne nous sommes jamais vus, reprit Cointet,
je ne vous ai rien dit, vous ne savez rien de monsieur du
Hautoy, ni de madame de Sénonches, ni de mademoiselle
de La Haye, seulement, quand il en sera temps, dans deux
mois, vous demanderez cette jeune personne en mariage.
Quand nous aurons à nous voir, vous viendrez ici, le
soir. N'écrivons point.

— Vous voulez donc ruiner Séchard ? demanda Petit-
Claud.

— Pas tout à fait ; mais il faut le tenir pendant quelque
temps en prison...

— Et dans quel but ?...

— Me croyez-vous assez niais pour vous le dire ? si
vous avez l'esprit de le deviner, vous aurez celui de vous
taire.

— Le père Séchard est riche, dit le Petit-Claud en
entrant déjà dans les idées de Boniface et apercevant
une cause d'insuccès.

— Tant que le père vivra, il ne donnera pas un liard
à son fils et cet ex-typographe n'a pas encore envie de
faire tirer son billet de mort...

— C'est entendu ! dit Petit-Claud qui se décida promptement. Je ne vous demande pas de garanties, je suis
avoué; si j'étais joué, nous aurions à compter ensemble.

— Le drôle ira loin, pensa Cointet en saluant Petit-
Claud.

COURS PUBLIC ET GRATUIT DES COMPTES
DE RETOUR, A L'USAGE DES GENS QUI
NE SONT PAS EN MESURE DE PAYER
LEURS BILLETS[a]

Le lendemain de cette conférence, le 30 avril, les frères
Cointet firent présenter le premier des trois billets fabriqués par Lucien. Par malheur, l'effet fut remis à la pauvre
madame Séchard, qui, en reconnaissant l'imitation de
la signature de son mari par Lucien, appela David et lui
dit à brûle-pourpoint : — Tu n'as pas signé ce billet?...

— Non ! lui dit-il. Ton frère était si pressé, qu'il a
signé pour moi...

Ève rendit le billet au garçon de caisse de la maison
Cointet frères en lui disant : — Nous ne sommes pas en
mesure.

Puis, en se sentant défaillir, elle monta dans sa chambre,
où David la suivit.

— Mon ami, dit Ève à Séchard d'une voix mourante,
cours chez messieurs Cointet, ils auront des égards pour toi;
prie-les d'attendre ; et d'ailleurs fais-leur observer qu'au
renouvellement du bail de Cérizet ils te devront mille francs.

David alla sur-le-champ chez ses ennemis.

Un prote peut toujours devenir imprimeur, mais il
n'y a pas toujours un négociant chez un habile typographe; aussi David, qui connaissait peu les affaires,
resta-t-il court devant le grand Cointet lorsque, après
lui avoir, la gorge serrée et le cœur palpitant, assez mal

débité ses excuses et formulé sa requête, il en reçut cette
réponse : — Ceci ne nous regarde en rien, nous tenons
le billet de Métivier, Métivier nous payera. Adressez-vous
à monsieur Métivier.

— Oh ! dit Ève en apprenant cette réponse, du moment où le billet retourne à monsieur Métivier, nous
pouvons être tranquilles.

Le lendemain, Victor-Ange-Herménégilde Doublon,
huissier de messieurs Cointet, fit le protêt à deux heures,
heure où la place du Mûrier est pleine de monde ; et,
malgré le soin qu'il eut de causer sur la porte de l'allée
avec Marion et Kolb, le protêt n'en fut pas moins connu
de tout le commerce d'Angoulême dans la soirée. D'ailleurs, les formes hypocrites de maître Doublon, à qui
le grand Cointet avait recommandé les plus grands égards,
pouvaient-elles sauver Ève et David de l'ignominie commerciale qui résulte d'une suspension de payement ? qu'on
en juge ! Ici, les longueurs vont paraître trop courtes.
Quatre-vingt-dix lecteurs sur cent seront affriolés par les
détails suivants comme par la nouveauté la plus piquante.
Ainsi sera prouvée encore une fois la vérité de cet axiome :

Il n'y a rien de moins connu que ce que tout le monde
doit savoir, LA LOI !

Certes, à l'immense majorité des Français, le mécanisme d'un des rouages de la Banque, bien décrit, offrira
l'intérêt d'un chapitre de voyage dans un pays étranger.
Lorsqu'un négociant envoie de la ville où il a son établissement un de ses billets à une personne demeurant
dans une autre ville, comme David était censé l'avoir
fait pour obliger Lucien, il change l'opération si simple,
d'un effet souscrit entre négociants de la même ville
pour affaires de commerce, en quelque chose qui ressemble à la lettre de change tirée d'une place sur une
autre. Ainsi, en prenant les trois effets à Lucien, Métivier
était obligé, pour en toucher le montant, de les envoyer
à messieurs Cointet frères, ses correspondants. De là une
première perte pour Lucien, désignée sous le nom de
commission pour change de place, et qui s'était traduite par

un tant pour cent rabattu sur chaque effet, outre l'escompte. Les effets Séchard avaient donc passé dans la catégorie des affaires de Banque. Vous ne sauriez croire à quel point la qualité de banquier, jointe au titre auguste de créancier, change la condition du débiteur. Ainsi, *en Banque* (saisissez bien cette expression?), dès qu'un effet transmis de la place de Paris à la place d'Angoulême est impayé, les banquiers se doivent à eux-mêmes de s'adresser ce que la loi nomme un *Compte de retour*. Calembour à part, jamais les romanciers n'ont inventé de conte plus invraisemblable que celui-là; car voici les ingénieuses plaisanteries à la Mascarille qu'un certain article du Code de Commerce autorise, et dont l'explication vous démontrera combien d'atrocités se cachent sous ce mot terrible : *la Légalité !*

Dès que maître Doublon eut fait enregistrer son protêt, il l'apporta lui-même à messieurs Cointet frères. L'huissier était en compte avec ces Loups-Cerviers d'Angoulême, et leur faisait un crédit de six mois que le grand Cointet menait à un an par la manière dont il le soldait, tout en disant de mois en mois, à ce sous-Loup-Cervier : — Doublon, vous faut-il de l'argent ? Ce n'est pas tout encore ! Doublon favorisait d'une remise cette puissante maison qui gagnait ainsi quelque chose sur chaque acte, un rien, une misère, un franc cinquante centimes sur un protêt !... Le grand Cointet se mit à son bureau tranquillement, y prit un petit carré de papier timbré de trente-cinq centimes tout en causant avec Doublon de manière à savoir de lui des renseignements sur l'état vrai des commerçants.

— Eh! bien, êtes-vous content du petit Gannerac?...

— Il ne va pas mal. Dam! un roulage...

— Ah! le fait est qu'il a du tirage! On m'a dit que sa femme lui causait beaucoup de dépenses...

— A lui?... s'écria Doublon d'un air narquois.

Et le Loup-Cervier, qui venait d'achever de régler son papier, écrivit en ronde le sinistre intitulé sous lequel il dressa le compte suivant. (*Sic !*).

COMPTE DE RETOUR ET FRAIS,

A un effet de MILLE FRANCS, *daté d'Angoulême le dix février mil huit cent vingt-deux, souscrit par* SÉCHARD FILS, *à l'ordre de* LUCIEN CHARDON DIT DE RUBEMPRÉ, *passé à l'ordre de* MÉTIVIER, *et à notre ordre, échu le trente avril dernier, protesté par* DOUBLON, *huissier, le premier mai mil huit cent vingt-deux.*

Principal	1,000	00
Protêt	12	35
Commission à un demi pour cent	5	00
Commission de courtage d'un quart p. cent........	2	50
Timbre de notre retraite et du présent	1	35
Intérêts et ports de lettres....................	3	00
	1,024	20
Change de place à un et un quart p. cent sur 1,024 20	13	25
	1,037	45

Mille trente-sept francs quarante-cinq centimes, de laquelle somme nous nous remboursons en notre traite à vue sur monsieur Métivier, rue Serpente, à Paris, à l'ordre de monsieur Gannerac[1] *de l'Houmeau.*

Angoulême, le deux mai mil huit cent vingt-deux.

COINTET frères.

Au bas de ce petit mémoire, fait avec toute l'habitude d'un praticien, car il causait toujours avec Doublon, le grand Cointet écrivit la déclaration suivante :

1. Il est probable que Balzac, pour créer ce nom, s'est borné à donner une terminaison gasconne au nom d'un commerçant parisien, Ganneron, marchand de chandelles et conseiller général de la Seine, qui, à l'époque où il écrivait *David Séchard*, venait de prêter 35.000 francs à Charles Didier pour lui permettre de payer le cautionnement de l'État.

« *Nous soussignés, Postel, maître pharmacien à l'Houmeau, et Gannerac, commissionnaire en roulage, négociants en cette ville, certifions que le change de notre place sur Paris est de un et un quart pour cent.*

Angoulême, le trois mai mil huit cent vingt-deux.

— Tenez, Doublon, faites-moi le plaisir d'aller chez Postel et chez Gannerac, les prier de me signer cette déclaration, et rapportez-la-moi demain matin.

Et Doublon, au fait de ces instruments de torture, s'en alla, comme s'il se fût agi de la chose la plus simple. Évidemment le protêt aurait été remis, comme à Paris, sous enveloppe, tout Angoulême devait être instruit de l'état malheureux dans lequel étaient les affaires de ce pauvre Séchard. Et de combien d'accusations son apathie ne fut-elle pas l'objet ? les uns le disaient perdu par l'amour excessif qu'il portait à sa femme ; les autres l'accusaient de trop d'affection pour son beau-frère. Et quelles atroces conclusions chacun ne tirait-il pas de ces prémisses ? on ne devait jamais épouser les intérêts de ses proches ! On approuvait la dureté du père Séchard envers son fils, on l'admirait !

Maintenant, vous tous qui, par des raisons quelconques, oubliez de *faire honneur à vos engagements*, examinez bien les procédés parfaitement légaux, par lesquels, en dix minutes, on fait, en Banque, rapporter vingt-huit francs d'intérêt à un capital de mille francs ?

Le premier article de ce *Compte de Retour* en est la seule chose incontestable.

Le deuxième article contient la part du Fisc et de l'huissier. Les six francs que perçoit le Domaine en enregistrant le chagrin du débiteur et fournissant le papier timbré, feront vivre l'abus encore pendant longtemps ! Vous savez, d'ailleurs, que cet article donne un bénéfice d'un franc cinquante centimes au Banquier à cause de la remise faite par Doublon.

La commission d'un demi pour cent, objet du troisième article, est prise sous ce prétexte ingénieux, que ne pas recevoir son payement équivaut, en banque, à escompter un effet. Quoique ce soit absolument le contraire, rien de plus semblable que de donner mille francs ou de ne pas les encaisser. Quiconque a présenté des effets à l'escompte, sait, qu'outre les six pour cent dus légalement, l'escompteur prélève, sous l'humble nom de commission, un tant pour cent qui représente les intérêts que lui donne, au-dessus du taux légal, le génie avec lequel il fait valoir ses fonds. Plus il peut gagner d'argent, plus il vous en demande. Aussi faut-il escompter chez les sots, c'est moins cher. Mais en Banque y a-t-il des sots ?...

La loi oblige le banquier à faire certifier par un Agent de change le taux du change. Dans les Places assez malheureuses pour ne pas avoir de Bourse, l'Agent de change est suppléé par deux négociants. La commission dite de courtage due à l'Agent est fixée à un quart pour cent de la somme exprimée dans l'effet protesté. L'usage s'est introduit de compter cette commission comme donnée aux négociants qui remplacent l'Agent, et le banquier la met tout simplement dans sa caisse. De là le troisième article de ce charmant compte.

Le quatrième article comprend le coût du carré de papier timbré sur lequel est rédigé le *Compte de Retour* et celui du timbre de ce qu'on appelle si ingénieusement la retraite, c'est-à-dire la nouvelle traite tirée par le banquier sur son confrère, pour se rembourser.

Le cinquième article comprend le prix des ports de lettres et les intérêts légaux de la somme pendant tout le temps qu'elle peut manquer dans la caisse du banquier.

Enfin le change de place, l'objet même de la Banque, est ce qu'il en coûte pour se faire payer d'une place à l'autre.

Maintenant épluchez ce compte, où, selon la manière de supputer du Polichinelle de la chanson napolitaine si bien jouée par Lablache [1], quinze et cinq font vingt-deux ! Évidemment la signature de messieurs Postel et

---

1. Chanteur, né à Naples, 1794-1858.

Gannerac était une affaire de complaisance : les Cointet
certifiaient au besoin pour Gannerac ce que Gannerac
certifiait pour les Cointet. C'est la mise en pratique de
ce proverbe connu, *Passez-moi la rhubarbe, je vous passerai
le séné.* Messieurs Cointet frères, se trouvant en compte
courant avec Métivier, n'avaient pas besoin de faire traite.
Entre eux, un effet retourné ne produisait qu'une ligne de
plus au *crédit* ou au *débit*.

Ce compte fantastique se réduisait donc en réalité à
mille francs dus, au protêt de treize francs, et à un demi
pour cent d'intérêt pour un mois de retard, en tout peut-être
mille dix-huit francs.

Si une grande maison de banque a tous les jours, en
moyenne, un *Compte de retour* sur une valeur de mille francs,
elle touche tous les jours vingt-huit francs par la Grâce
de Dieu et les constitutions de la Banque, royauté formidable inventée par les juifs au douzième siècle, et qui
domine aujourd'hui les trônes et les peuples. En d'autres
termes, mille francs rapportent alors à cette maison vingt-
huit francs par jour ou dix mille deux cent vingt francs
par an. Triplez la moyenne des *Comptes de Retour,* et vous
apercevrez un revenu de trente mille francs, donné par ces
capitaux fictifs. Aussi rien de plus amoureusement cultivé
que les *Comptes de Retour.* David Séchard serait venu payer
son effet, le trois mai, ou le lendemain même du protêt,
messieurs Cointet frères lui eussent dit : « Nous avons
retourné votre effet à monsieur Métivier ! » quand même
l'effet se fût encore trouvé sur leur bureau. Le *Compte de
Retour* est acquis le soir même du protêt. Ceci, dans le
langage de la banque de province, s'appelle : *faire suer
les écus.* Les seuls ports de lettres produisent quelque
vingt mille francs à la maison Keller qui correspond avec
le monde entier, et les *Comptes de Retour* payent la loge aux
Italiens, la voiture et la toilette de madame la baronne de
Nucingen. *Le port de lettre* est un abus d'autant plus effroyable
que les banquiers s'occupent de dix affaires semblables
en dix lignes d'une lettre. Chose étrange ! le Fisc a sa part
dans cette prime arrachée au malheur, et le Trésor Public

s'enfle ainsi des infortunes commerciales. Quant à la Banque, elle jette au débiteur, du haut de ses comptoirs, cette parole pleine de raison : — Pourquoi n'êtes-vous pas en mesure? à laquelle malheureusement on ne peut rien répondre. Ainsi le *Compte de Retour* est un conte plein de fictions terribles pour lequel les débiteurs, qui réfléchiront sur cette page instructive, éprouveront désormais un effroi salutaire.

Le quatre mai, Métivier reçut de messieurs Cointet frères le *Compte de Retour* avec un ordre de poursuivre à outrance à Paris monsieur Lucien Chardon dit de Rubempré.

OÙ L'ON VOIT QU'UN TIMBRE DE CIN- QUANTE CENTIMES FAIT AUTANT DE CHEMIN ET DE RAVAGES QU'UN OBUS[a]

Quelques jours après, Ève reçut, en réponse à la lettre qu'elle écrivit à monsieur Métivier, le petit mot suivant, qui la rassura complètement.

« A MONSIEUR SÉCHARD FILS, IMPRIMEUR A ANGOULÊME,

» J'ai reçu en son temps votre estimée du 5 courant.
» J'ai compris, d'après vos explications relativement à
» l'effet impayé du 30 avril dernier, que vous aviez obligé
» votre beau-frère, monsieur de Rubempré, qui fait assez
» de dépenses pour que ce soit vous rendre service que de
» le contraindre à payer : il est dans une situation à ne
» pas se laisser longtemps poursuivre. Si votre honoré
» beau-frère ne payait point, je ferais fond sur la loyauté
» de votre vieille maison, et me dis, comme toujours,

» Votre dévoué serviteur,

» MÉTIVIER. »

— Eh! bien, dit Ève à David, mon frère saura par cette poursuite que nous n'avons pas pu payer.

Quel changement cette parole n'annonçait-elle pas chez Ève? L'amour grandissant que lui inspirait le caractère de David, de mieux en mieux connu, prenait dans son cœur la place de l'affection fraternelle. Mais à combien d'illusions ne disait-elle pas adieu ?...

Voyons maintenant tout le chemin que fit le *Compte de Retour*, sur la place de Paris ? Un tiers porteur, nom commercial de celui qui possède un effet par transmission, est libre, aux termes de la loi, de poursuivre uniquement celui des divers débiteurs de cet effet qui lui présente la chance d'être payé le plus promptement. En vertu de cette faculté, Lucien fut poursuivi par l'huissier de monsieur Métivier. Voici quelles furent les phases de cette action, d'ailleurs entièrement inutile. Métivier, derrière lequel se cachaient les Cointet, connaissait l'insolvabilité de Lucien; mais toujours dans l'esprit de la loi, l'insolvabilité *de fait* n'existe *en droit* qu'après avoir été constatée. On constata donc l'impossibilité d'obtenir de Lucien le payement de l'effet, de la manière suivante.

L'huissier de Métivier dénonça, le 5 mai, le *Compte de Retour* et le protêt d'Angoulême à Lucien, en l'assignant au Tribunal de Commerce de Paris pour entendre dire une foule de choses, entre autres qu'il serait condamné par corps comme négociant. Quand, au milieu de sa vie de cerf aux abois, Lucien lut ce grimoire, il recevait la signification d'un jugement obtenu contre lui par défaut au Tribunal de Commerce. Coralie, sa maîtresse, ignorant ce dont il s'agissait, imagina que Lucien avait obligé son beau-frère ; elle lui donna tous les actes ensemble, trop tard. Une actrice voit trop d'acteurs en huissiers dans les vaudevilles pour croire au papier timbré. Lucien eut des larmes aux yeux, il s'apitoya sur Séchard, il eut honte de son faux, et il voulut payer. Naturellement, il consulta ses amis sur ce qu'il devait faire pour gagner du temps. Mais quand Lousteau, Blondet, Bixiou, Nathan eurent instruit Lucien du peu de cas qu'un poète devait faire du Tribunal de Commerce, juridiction établie pour les boutiquiers, le poète se trouvait déjà sous le coup d'une saisie. Il voyait à sa porte cette petite affiche jaune dont la couleur déteint sur les portières, qui a la vertu la plus astringente sur le crédit, qui porte l'effroi dans le cœur des moindres fournisseurs, et qui surtout glace le sang dans les veines des poètes assez sensibles pour s'attacher à ces morceaux de bois, à ces guenilles de soie, à ces tas de laine coloriée, à ces brimborions appelés mobilier. Quand on vint pour enlever les meubles de Coralie, l'auteur des *Marguerites* alla trouver un ami de Bixiou, Desroches, un avoué, qui [a] se mit à rire en voyant tant d'effroi chez Lucien pour si peu de chose. — Ce n'est rien, mon cher, vous voulez gagner du temps? — Le plus possible. — Eh! bien, opposez-vous à l'exécution du jugement. Allez trouver un de mes amis, Masson [1], un agréé, portez-lui vos pièces, il renouvellera l'opposition, se présentera pour vous, et déclinera la compétence du Tribunal de Commerce. Ceci ne fera pas la moindre difficulté, vous êtes un journaliste assez connu. Si vous êtes assigné devant le Tribunal civil, vous viendrez me voir, ça me regardera : je me charge de faire promener ceux qui veulent chagriner la belle Coralie. Le vingt-huit mai, Lucien, assigné devant le Tribunal civil, y fut condamné plus promptement que ne le pensait Desroches, car on poursuivait Lucien à outrance. Quand une nouvelle saisie fut pratiquée, lorsque l'affiche jaune vint encore dorer les pilastres de la porte de Coralie et qu'on voulut enlever le mobilier, Desroches, un peu sot de s'être *laissé pincer* par son confrère (telle fut son expression), s'y opposa, prétendant, avec raison d'ailleurs, que le mobilier appartenait à mademoiselle Coralie et il introduisit un référé. Sur le référé, le Président du Tribunal renvoya les parties à l'audience, où la propriété des meubles fut adjugée à l'actrice par un jugement. Métivier, qui appela de ce

---

1. Ce nom n'apparaît que dans le *Furne corrigé*. En 1843 cet agréé s'appelait Signol. Mais Balzac a donné ce nom à la jeune ouvrière qui révéla à Cérizet son amant la cachette de David.

jugement, fut débouté de son appel par un arrêt, le trente juillet.

Le sept août, maître Cachan reçut par la diligence un énorme dossier intitulé : MÉTIVIER CONTRE SÉCHARD ET LUCIEN CHARDON.

La première pièce était la jolie petite note suivante, dont l'exactitude est garantie, elle a été copiée.

Billet du 30 avril dernier, souscrit par Séchard fils, ordre Lucien de Rubempré (2 mai). Compte de retour : 1,037 fr. 45 c.

5 Mai. Dénonciation du compte de retour et du protêt avec assignation devant le Tribunal de commerce de Paris, pour le 7 mai	8	75
7 Mai. Jugement, condamnation par défaut, avec contrainte par corps	35	»
10 Mai. Signification du jugement	8	50
12 Mai. Commandement	5	50
14 Mai. Procès-verbal de saisie	16	»
18 Mai. Procès-verbal d'apposition d'affiches	15	25
19 Mai. Insertion au journal	4	»
24 Mai. Procès-verbal de récolement précédant l'enlèvement, et contenant opposition à l'exécution du jugement par le sieur Lucien de Rubempré	12	»
27 Mai. Jugement du Tribunal qui, faisant droit, renvoie, sur l'opposition dûment réitérée, les parties devant le Tribunal civil	35	»
28 Mai. Assignation à bref délai par Métivier, devant le Tribunal civil avec constitution d'avoué	6	50
2 Juin. Jugement contradictoire qui condamne Lucien Chardon à payer les causes du Compte de retour et laisse à la charge du poursuivant les frais faits devant le Tribunal de commerce	150	»
6 Juin. Signification dudit	10	»
15 Juin. Commandement	5	50

19 Juin. Procès-verbal tendant à saisie, et contenant opposition à cette saisie par la demoiselle Coralie, qui prétend que le mobilier lui appartient et demande d'aller en référé sur l'heure, dans le cas où l'on

voudrait passer outre	20	»
Ordonnance du Président, qui renvoie les parties à		
l'audience en état de référé	40	»
19 *Juin. Jugement qui adjuge la propriété des meubles*		
à ladite demoiselle Coralie	250	»
20 *Juin. Appel par Métivier*	17	»
30 *Juin. Arrêt confirmatif du jugement*	250	»

Total	889	»
Billet du 31 *mai*	1,037	45
Dénonciation à Lucien	8	75
	1,046	20
Billet du 30 *juin, compte de retour*	1,037	45
Dénonciation à Lucien	8	75
	1,046	20

Ces pièces étaient accompagnées d'une lettre par laquelle Métivier donnait l'ordre à maître Cachan, avoué d'Angoulême, de poursuivre David Séchard par tous les moyens de droit. Maître Victor-Ange-Herménégilde Doublon assigna donc David Séchard, le 3 juillet, au tribunal de commerce d'Angoulême pour le payement de la somme totale de quatre mille dix-huit francs quatre-vingt-cinq centimes, montant des trois effets et des frais déjà faits. Le jour où Doublon devait lui apporter à elle-même le commandement de payer cette somme énorme pour elle, Ève reçut dans la matinée cette lettre foudroyante écrite par Métivier :

« A MONSIEUR SÉCHARD FILS, IMPRIMEUR A ANGOULÊME.

» Votre beau-frère, monsieur Chardon, est un homme » d'une insigne mauvaise foi qui a mis son mobilier sous » le nom d'une actrice avec laquelle il vit, et vous auriez » dû, Monsieur, me prévenir loyalement de ces cir- » constances afin de ne pas me laisser faire des pour- » suites inutiles, car vous n'avez pas répondu à ma lettre

» du 10 mai dernier. Ne trouvez donc pas mauvais que
» je vous demande immédiatement le remboursement
» des trois effets et de tous mes débours.

> » Agréez mes salutations.

> » Métivier. »

En n'entendant plus parler de rien, Ève, peu savante
en droit commercial, pensait que son frère avait réparé
son crime en payant les billets fabriqués.

— Mon ami, dit-elle à son mari, cours avant tout chez
Petit-Claud, explique-lui notre position, et consulte-le.

CE QUI S'APPELLE LE FEU DES AFFAIRES[a]

— Mon ami, dit le pauvre imprimeur en entrant dans
le cabinet de son camarade chez lequel il avait couru
précipitamment, je ne savais pas, quand tu es venu m'annoncer ta nomination en m'offrant tes services, que je
pourrais en avoir sitôt besoin.

Petit-Claud étudia la belle figure de penseur que lui
présenta cet homme assis dans un fauteuil en face de lui,
car il n'écouta pas le détail d'affaires qu'il connaissait
mieux que ne les savait celui qui les lui expliquait. En
voyant entrer Séchard inquiet, il s'était dit : — Le tour
est fait ! Cette scène se joue assez souvent au fond du
cabinet des avoués. — Pourquoi les Cointet le persécutent-
ils ?... se demandait Petit-Claud. Il est dans l'esprit des
avoués de pénétrer tout aussi bien dans l'âme de leurs
clients que dans celle des adversaires : ils doivent connaître
l'envers aussi bien que l'endroit de la trame judiciaire.

— Tu veux gagner du temps, répondit enfin Petit-
Claud à Séchard quand Séchard eut fini. Que te faut-il,
quelque chose comme trois ou quatre mois ?

— Oh ! quatre mois ! je suis sauvé, s'écria David à qui Petit-Claud parut être un ange.

— Eh ! bien, l'on ne touchera à aucun de tes meubles, et l'on ne pourra pas t'arrêter avant trois ou quatre mois... Mais cela te coûtera bien cher, dit Petit-Claud.

— Eh ! qu'est-ce que cela me fait ! s'écria Séchard.

— Tu attends des rentrées, en es-tu sûr ?... demanda l'avoué presque surpris de la facilité avec laquelle son client entrait dans la machination.

— Dans trois mois je serai riche, répondit l'inventeur avec une assurance d'inventeur.

— Ton père n'est pas encore en pré, répondit Petit-Claud, il tient à rester dans les vignes.

— Est-ce que je compte sur la mort de mon père ?... répondit David. Je suis sur la trace d'un secret industriel qui me permettra de fabriquer sans un brin de coton un papier aussi solide que le papier de Hollande, et à cinquante pour cent au-dessous du prix de revient actuel de la pâte de coton...

— C'est une fortune, s'écria Petit-Claud qui comprit alors le projet du grand Cointet.

— Une grande fortune, mon ami, car il faudra, dans dix ans d'ici, dix fois plus de papier qu'il ne s'en consomme aujourd'hui. Le journalisme sera la folie de notre temps !

— Personne n'a ton secret ?...

— Personne, excepté ma femme.

— Tu n'as pas dit ton projet, ton programme à quelqu'un..., aux Cointet, par exemple ?

— Je leur en ai parlé, mais vaguement, je crois !

Un éclair de générosité passa dans l'âme enfiellée de Petit-Claud qui essaya de tout concilier, l'intérêt des Cointet, le sien et celui de Séchard.

— Écoute, David, nous sommes camarades de collège, je te défendrai ; mais, sache-le bien, cette défense à l'encontre des lois te coûtera cinq à six mille francs !... Ne compromets pas ta fortune. Je crois que tu seras obligé de partager les bénéfices de ton invention avec un de nos fabricants. Voyons ? tu y regarderas à deux fois avant d'acheter ou de faire construire une papeterie... Il te faudra d'ailleurs prendre un brevet d'invention... Tout cela voudra du temps et voudra de l'argent. Les huissiers fondront sur toi peut-être trop tôt, malgré les détours que nous allons faire devant eux...

— Je tiens mon secret ! répondit David avec la naïveté du savant.

—Eh ! bien, ton secret sera ta planche de salut, reprit Petit-Claud repoussé dans sa première et loyale intention d'éviter un procès par une transaction, je ne veux pas le savoir ; mais écoute-moi bien : tâche de travailler dans les entrailles de la terre, que personne ne te voie et ne puisse soupçonner tes moyens d'exécution, car ta planche te serait volée sous tes pieds... Un inventeur cache souvent un jobard sous sa peau ! Vous pensez trop à vos secrets pour pouvoir penser à tout. On finira par se douter de l'objet de tes recherches, tu es environné de fabricants ! Autant de fabricants, autant d'ennemis ! Je te vois comme le castor au milieu des chasseurs, ne leur donne pas ta peau...

— Merci, mon cher camarade, je me suis dit tout cela, s'écria Séchard ; mais je te suis obligé de me montrer tant de prudence et de sollicitude !... Il ne s'agit pas de moi dans cette entreprise. A moi, douze cents francs de rente me suffiraient, et mon père doit m'en laisser au moins trois fois autant quelque jour... Je vis par l'amour et par ma pensée !... une vie céleste... Il s'agit de Lucien et de ma femme, c'est pour eux que je travaille...

— Allons, signe-moi ce pouvoir, et ne t'occupe plus que de ta découverte. Le jour où il faudra te cacher à cause de la contrainte par corps, je te préviendrai la veille ; car il faut tout prévoir. Et laisse-moi te dire de ne laisser pénétrer chez toi personne de qui tu ne sois sûr comme de toi-même.

— Cérizet n'a pas voulu continuer le bail de l'exploitation de mon imprimerie, et de là sont venus nos petits chagrins d'argent. Il ne reste donc plus chez moi que Marion, Kolb, un Alsacien qui est comme un caniche pour moi, ma femme et ma belle-mère...

Écoute, dit Petit-Claud, défie-toi du caniche...

— Tu ne le connais pas, s'écria David. Kolb, c'est comme moi-même.

— Veux-tu me le laisser éprouver ?...

— Oui, dit Séchard.

— Allons, adieu; mais envoie-moi la belle madame Séchard, un pouvoir de ta femme est indispensable. Et, mon ami, songe bien que le feu est dans tes affaires, dit Petit-Claud à son camarade en le prévenant ainsi de tous les malheurs judiciaires qui allaient fondre sur lui.

— Me voilà donc un pied en Bourgogne et un pied en Champagne, se dit Petit-Claud après avoir reconduit son ami David Séchard jusqu'à la porte de l'Étude.

En proie aux chagrins que cause le manque d'argent, en proie aux peines que lui donnait l'état de sa femme assassinée par l'infamie de Lucien, David cherchait toujours son problème ; or, tout en allant de chez lui chez Petit-Claud, il mâchait par distraction une tige d'ortie qu'il avait mise dans de l'eau pour arriver à un rouissage quelconque des tiges employées comme matière de sa pâte. Il voulait remplacer les divers brisements qu'opèrent la macération, le tissage ou l'usage de tout ce qui devient fil, linge ou chiffon par des procédés équivalents. Quand il alla par les rues, assez content de sa conférence avec son ami Petit-Claud, il se trouva dans les dents une boule de pâte : il la prit sur sa main, l'étendit et vit une bouillie supérieure à toutes les compositions qu'il avait obtenues ; car le principal inconvénient des pâtes obtenues des végétaux est un défaut de liant. Ainsi la paille donne un papier cassant, quasi métallique et sonore. Ces hasards-là ne sont rencontrés que par les audacieux chercheurs des causes naturelles !

— Je vais, se disait-il, remplacer par l'effet d'une machine et d'un agent chimique l'opération que je viens de faire machinalement.

Et il apparut à sa femme dans la joie de sa croyance à un triomphe.

— Oh ! mon ange, sois sans inquiétude ! dit David

en voyant que sa femme avait pleuré. Petit-Claud nous garantit pour quelques mois de tranquillité. L'on me fera des frais ; mais, comme il me l'a dit en me reconduisant : — Tous les Français ont le droit de faire attendre leurs créanciers, pourvu qu'ils finissent par leur payer capital, intérêts et frais !... Eh ! bien, nous payerons...

— Et vivre ?... dit la pauvre Ève qui pensait à tout.

— Ah ! c'est vrai, répondit David en portant la main à son oreille par un geste inexplicable et familier à presque tous les gens embarrassés.

— Ma mère gardera notre petit Lucien et je puis me remettre à travailler, dit-elle.

— Ève ! ô mon Ève ! s'écria David, en prenant sa femme et la serrant sur son cœur, Ève ! à deux pas d'ici, à Saintes, au seizième siècle, un des plus grands hommes de la France, car il ne fut pas seulement l'inventeur des émaux, il fut aussi le glorieux précurseur de Buffon, de Cuvier, il trouva la géologie avant eux, ce naïf bonhomme ! Bernard de Palissy souffrait la passion des chercheurs de secrets, mais il voyait sa femme, ses enfants, et tout un faubourg contre lui. Sa femme lui vendait ses outils... Il errait dans la campagne, incompris !... pourchassé, montré au doigt !... Mais, moi, je suis aimé...

— Bien aimé, répondit Ève avec la placide expression de l'amour sûr de lui-même [a].

— On peut souffrir alors tout ce qu'a souffert ce pauvre Bernard de Palissy [1], l'auteur des faïences d'Écouen, et que Charles IX excepta de la Saint-Barthélemy, qui fit enfin à la face de l'Europe, vieux, riche et honoré, des cours publics sur sa *science des terres*, comme il l'appelait.

— Tant que mes doigts auront la force de tenir un fer à repasser, tu ne manqueras de rien ! s'écria la pauvre femme avec l'accent du dévouement le plus profond. Dans le

---

1. On a vu dans l'Introduction que *les Souffrances d'un inventeur* devaient, dans le premier projet de Balzac, raconter l'histoire de Bernard Palissy.

temps que j'étais première demoiselle chez madame Prieur, j'avais pour amie une petite fille bien sage, la cousine à Postel, Basine Clerget ; eh ! bien, Basine vient de m'annoncer, en m'apportant mon linge fin, qu'elle succède à madame Prieur, j'irai travailler chez elle !...

— Ah ! tu n'y travailleras pas longtemps ! répondit Séchard. J'ai trouvé...

Pour la première fois la sublime croyance au succès, qui soutient les inventeurs et leur donne le courage d'aller en avant dans les forêts vierges du pays des découvertes, fut accueillie par Ève avec un sourire presque triste, et David baissa la tête par un mouvement funèbre.

— Oh ! mon ami, je ne me moque pas, je ne ris pas, je ne doute pas, s'écria la belle Ève en se mettant à genoux devant son mari. Mais je vois combien tu avais raison de garder le plus profond silence sur tes essais, sur tes espérances. Oui, mon ami, les inventeurs doivent cacher le pénible enfantement de leur gloire à tout le monde, même à leurs femmes !... Une femme est toujours femme. Ton Ève n'a pu s'empêcher de sourire en t'entendant dire : J'ai trouvé !... pour la dix-septième fois depuis un mois.

David se mit à rire si franchement de lui-même qu'Ève lui prit la main et la baisa saintement. Ce fut un moment délicieux, une de ces roses d'amour et de tendresse qui fleurissent au bord des plus arides chemins de la misère et quelquefois au fond des précipices.

LE PÈRE ET LES DEUX DOMESTIQUES[a]

Ève redoubla de courage en voyant le malheur redoubler de furie. La grandeur de son mari, sa naïveté d'inventeur, les larmes qu'elle surprit parfois dans les yeux de cet homme de cœur et de poésie, tout développa chez elle une force de résistance inouïe. Elle eut encore une fois

recours au moyen qui lui avait déjà si bien réussi. Elle
écrivit à monsieur Métivier d'annoncer la vente de l'imprimerie en lui offrant de le payer sur le prix qu'on en
obtiendrait et en le suppliant de ne pas ruiner David en frais
inutiles. Devant cette lettre sublime Métivier fit le mort,
son premier commis répondit qu'en l'absence de monsieur
Métivier il ne pouvait pas prendre sur lui d'arrêter les
poursuites, car telle n'était pas la coutume de son patron
en affaires. Ève proposa de renouveler les effets en payant
tous les frais, et le commis y consentit, pourvu que le père
de David Séchard donnât sa garantie par un aval [1]. Ève
se rendit alors à pied à Marsac, accompagnée de sa mère
et de Kolb. Elle affronta le vieux vigneron, elle fut charmante, elle réussit à dérider cette vieille figure ; mais,
quand le cœur tremblant, elle parla de l'aval, elle vit un
changement complet et soudain sur cette face soûlographique.

— Si je laissais à mon fils la liberté de mettre la main
à mes lèvres, au bord de ma caisse, il la plongerait jusqu'au
fond de mes entrailles et il viderait tout[a], s'écria-t-il. Les
enfants mangent tous à même dans la bourse paternelle.
Et comment ai-je fait, moi ? Je n'ai jamais coûté un liard
à mes parents. Votre imprimerie est vide. Les souris et
les rats sont seuls à y faire des impressions... Vous êtes
belle, vous, je vous aime ; vous êtes une femme travailleuse
et soigneuse ; mais mon fils !... Savez-vous ce qu'est
David ?... Eh ! bien, c'est un fainéant de savant. Si je l'avais
lairré comme on m'a *lairré*, sans se connaître aux lettres,
et que j'en eusse fait un *ours*, comme son père, il aurait
des rentes... Oh ! c'est ma croix, ce garçon-là, voyez-
vous ! Et, par malheur, il est bien unique, car sa *retiration*
n'existera jamais ! Enfin il vous rend malheureuse...
(Ève protesta par un geste de dénégation absolue.) — Oui,
reprit-il en répondant à ce geste, vous avez été obligée de

---

1. Balzac était payé pour savoir le sens de ce terme, car tous ses
malheurs venaient de l'aval de garantie qu'il avait donné aux traites
signées par Werdet à l'ordre de William Duckett.

prendre une nourrice, le chagrin vous a tari votre lait. Je sais tout, allez ! vous êtes au tribunal et tambourinés par la ville. Je n'étais qu'un *ours*, je ne suis pas savant, je n'ai pas été prote chez messieurs Didot, la gloire de la typographie ; mais jamais je n'ai reçu de papier timbré ! Savez-vous ce que je me dis en allant dans mes vignes, les soignant et récoltant, et faisant mes petites affaires ?... Je me dis : — Mon pauvre vieux, tu te donnes bien du mal, tu mets écu sur écu, tu lairreras de beaux biens, ce sera pour les huissiers, pour les avoués... ou pour les chimères... pour les idées... Tenez, mon enfant, vous êtes mère de ce petit garçon, qui m'a eu l'air d'avoir la truffe de son grand-père au milieu du visage quand je l'ai tenu sur les fonts avec madame Chardon, eh ! bien, pensez moins à Séchard qu'à ce petit drôle-là... Je n'ai confiance qu'en vous... Vous pourriez empêcher la dissipation de mes biens... de mes pauvres biens...

— Mais, mon cher papa Séchard, votre fils sera votre gloire, et vous le verrez un jour riche par lui-même et avec la croix de la Légion-d'Honneur à la boutonnière...

— Qué qui fera donc pour cela ? demanda le vigneron.

— Vous le verrez ! Mais, en attendant, mille écus vous ruineraient-ils ?... Avec mille écus vous feriez cesser les poursuites... Eh ! bien, si vous n'avez pas confiance en lui, prêtez-les-moi, je vous les rendrai, vous les hypothéquerez sur ma dot, sur mon travail...

— David Séchard est donc poursuivi ? s'écria le vigneron étonné d'apprendre que ce qu'il croyait une calomnie était vrai. Voilà ce que c'est que de savoir signer son nom !... Et mes loyers !... Oh ! il faut, ma petite fille, que j'aille à Angoulême me mettre en règle et consulter Cachan, mon avoué... Vous avez joliment bien fait de venir... Un homme averti en vaut deux !

Après une lutte de deux heures, Ève fut obligée de s'en aller, battue par cet argument invincible : — Les femmes n'entendent rien aux affaires. Venue avec un vague espoir de réussir, Ève refit le chemin de Marsac à Angoulême presque brisée. En rentrant, elle arriva précisément à temps

pour recevoir la signification du jugement qui condamnait
Séchard à tout payer à Métivier. En province, la présence
d'un huissier à la porte d'une maison est un événement ;
mais Doublon venait beaucoup trop souvent depuis
quelque temps pour que le voisinage n'en causât pas. Aussi
Ève n'osait-elle plus sortir de chez elle, elle avait peur
d'entendre des chuchotements à son passage.

— Oh ! mon frère, mon frère ! s'écria la pauvre Ève
en se précipitant dans son allée et montant les escaliers,
je ne puis te pardonner que s'il s'agissait de ta...

— Hélas, lui dit Séchard, qui venait au-devant d'elle,
il s'agissait d'éviter son suicide.

— N'en parlons donc plus jamais, répondit-elle doucement. La femme qui l'a emmené dans ce gouffre de Paris
est bien criminelle !... et ton père, mon David, est bien
impitoyable !... Souffrons en silence.

Un coup frappé discrètement arrêta quelque tendre
parole sur les lèvres de David, et Marion se présenta remor-
quant à travers la première pièce le grand et gros Kolb.

— Madame, dit-elle, Kolb et moi nous avons su que
Monsieur et Madame étaient bien tourmentés ; et, comme
nous avons à nous deux onze cents francs d'économies,
nous avons pensé qu'ils ne pouvaient pas être mieux
placés qu'entre les mains de madame...

— *Te matame*, répéta Kolb avec enthousiasme.

— Kolb, s'écria David Séchard, nous ne nous quitterons jamais, porte mille francs à compte chez Cachan,
l'avoué, mais en demandant une quittance ; nous garderons le reste. Kolb, qu'aucune puissance humaine ne t'arrache un mot sur ce que je fais, sur mes heures d'absence,
sur ce que tu pourras me voir rapporter, et quand je t'enverrai chercher des herbes, tu sais, qu'aucun œil humain
ne te voie... On cherchera, mon bon Kolb, à te séduire,
on t'offrira peut-être des mille, des dix mille francs pour
parler...

— *On m'ovrirait pien tes millions, queu cheu ne tirais bas
une motte ! Est-ce que che nei gonnais boind la gonzigne mili-
daire ?*

— Tu es averti, marche, et va prier monsieur Petit-Claud d'assister à la remise de ces fonds chez monsieur Cachan.

— *Ui*, fit l'Alsacien, *chesbère edre assez riche ein chour pire lui domper sire le gazaquin, à ced ôme te chistice ! Ch'aime bas sa visache !*

— C'est un bon homme, madame, dit la grosse Marion, il est fort comme un Turc et doux comme un mouton. En voilà un qui ferait le bonheur d'une femme. C'est lui pourtant qui a eu l'idée de placer ainsi nos gages, qu'il appelle des *caches* ! Pauvre homme ! s'il parle mal, il pense bien, et je l'entends tout de même. Il a l'idée d'aller travailler chez les autres pour ne nous rien coûter...

— On deviendrait riche uniquement pour pouvoir récompenser ces braves gens-là, dit Séchard en regardant sa femme.

Ève trouvait cela tout simple, elle n'était pas étonnée de rencontrer des âmes à la hauteur de la sienne. Son attitude eût expliqué toute la beauté de son caractère aux êtres les plus stupides, et même à un indifférent.

— Vous serez riche, mon cher monsieur, vous avez du pain de cuit, s'écria Marion, votre père vient d'acheter une ferme, il vous en fait, allez ! des rentes...

Dans la circonstance, ces paroles dites par Marion pour diminuer en quelque sorte le mérite de son action, ne trahissaient-elles pas une exquise délicatesse ?

DESCRIPTION DE L'INCENDIE ENTRETENU PAR MAITRES PETIT-CLAUD ET CACHAN ASSISTÉS DE DOUBLON[a]

Comme toutes les choses humaines, la procédure française a des vices; néanmoins, de même qu'une arme à deux tranchants, elle sert aussi bien à la défense qu'à l'attaque. En outre, elle a cela de plaisant, que si deux avoués s'entendent (et ils peuvent s'entendre sans avoir besoin d'échanger deux mots, ils se comprennent par la seule marche de leur procédure !) un procès ressemble alors à la guerre comme la faisait le premier maréchal de Biron à qui son fils proposait au siège de Rouen un moyen de prendre la ville en deux jours. — Tu es donc bien pressé, lui dit-il, d'aller planter nos choux. Deux généraux peuvent éterniser la guerre en n'arrivant à rien de décisif et ménageant leurs troupes, selon la méthode des généraux autrichiens que le Conseil Aulique ne réprimande jamais d'avoir fait manquer une combinaison pour laisser manger la soupe à leurs soldats. Maître Cachan, Petit-Claud et Doublon se comportèrent encore mieux que des généraux autrichiens, ils se modelèrent sur un Autrichien de l'Antiquité, sur Fabius *Cunctator* !

Petit-Claud, malicieux comme un mulet, eut bientôt reconnu tous les avantages de sa position. Dès que le payement des frais à faire était garanti par le grand Cointet, il se promit de ruser avec Cachan, et de faire briller son génie aux yeux du papetier, en créant des incidents qui retombassent à la charge de Métivier. Mais, malheureusement pour la gloire de ce jeune Figaro de la Basoche, l'historien doit passer sur le terrain de ses exploits comme s'il marchait sur des charbons ardents. Un seul mémoire de frais, comme celui fait à Paris, suffit sans doute à l'histoire des mœurs contemporaines. Imitons donc le style des bulletins de la Grande-Armée ; car, pour l'intelligence du récit, plus rapide sera l'énoncé des faits et gestes de Petit-Claud, meilleure sera cette page exclusivement judiciaire.

Assigné, le 3 juillet, au tribunal de commerce d'Angoulême, David fit défaut; le jugement lui fut signifié le 8. Le 10, Doublon lança un commandement et tenta, le 12, une saisie à laquelle s'opposa Petit-Claud en réassignant Métivier à quinze jours. De son côté, Métivier trouva ce temps trop long, réassigna le lendemain à bref délai, et obtint, le 19, un jugement qui débouta Séchard de son opposition. Ce jugement, signifié roide le 21, autorisa un commandement le 22, une signification de contrainte par corps le 23, et un procès-verbal de saisie le 24. Cette fureur

de saisie fut bridée par Petit-Claud qui s'y opposa en inter-
jetant appel en Cour royale. Cet appel, réitéré le 15 juillet,
traînait Métivier à Poitiers.

— Allez ! se dit Petit-Claud, nous resterons là pendant
quelque temps.

Une fois l'orage dirigé sur Poitiers, chez un avoué de
Cour royale à qui Petit-Claud donna ses instructions, ce
défenseur à double face fit assigner à bref délai David
Séchard, par madame Séchard, en séparation de biens.
Selon l'expression du Palais, il *diligenta* de manière à
obtenir son jugement de séparation le 28 juillet, il l'inséra
dans le *Courrier de la Charente*, le signifia dûment, et, le
1er août, il se faisait par-devant notaire une liquidation des
reprises de madame Séchard qui la constituait créancière
de son mari pour la faible somme de dix mille francs que
l'amoureux David lui avait reconnue en dot par le contrat
de mariage, et pour le payement de laquelle il lui abandonna
le mobilier de son imprimerie et celui du domicile conjugal.
Pendant que Petit-Claud mettait ainsi à couvert l'avoir
du ménage, il faisait triompher à Poitiers la prétention
sur laquelle il avait basé son appel. Selon lui, David devait
d'autant moins être passible des frais faits à Paris sur
Lucien de Rubempré, que le Tribunal civil de la Seine,
les avait, par son jugement, mis à la charge de Métivier.
Ce système, adopté par la Cour, fut consacré dans un arrêt
qui confirma les condamnations portées au jugement du
tribunal de commerce d'Angoulême contre Séchard fils,
en faisant distraction d'une somme de six cents francs sur
les frais de Paris, mis à la charge de Métivier, en compensant
quelques frais entre les parties, eu égard à l'incident qui
motivait l'appel de Séchard. Cet arrêt signifié, le 17 août, à
Séchard fils, se traduisit, le 18, en un commandement de
payer le capital, les intérêts, les frais dus, suivis d'un procès-
verbal de saisie le 20. Là, Petit-Claud intervint au nom de
madame Séchard et revendiqua le mobilier comme appartenant à l'épouse, dûment séparée. De plus, Petit-Claud
fit apparaître Séchard père devenu son client. Voici pourquoi.

Le lendemain de la visite que lui fit sa belle-fille, le vigneron était venu voir son avoué d'Angoulême, maître Cachan, auquel il demanda la manière de recouvrer ses loyers compromis dans la bagarre où son fils était engagé.

— Je ne puis pas *occuper* pour le père lorsque je poursuis le fils, lui dit Cachan, mais allez voir Petit-Claud, il est très habile, et il vous servira peut-être encore mieux que je ne le ferais...

Au Palais, Cachan dit à Petit-Claud : — Je t'ai envoyé le père Séchard, *occupe* pour moi à charge de revanche.

Entre avoués, ces sortes de services se rendent en province comme à Paris.

Le lendemain du jour où le père Séchard eut donné sa confiance à Petit-Claud, le grand Cointet vint voir son complice et lui dit : — Tâchez de donner une leçon au père Séchard ! Il est homme à ne jamais pardonner à son fils de lui coûter mille francs ; et ce débours séchera dans son cœur toute pensée généreuse, s'il en poussait !

— Allez à vos vignes, dit Petit-Claud à son nouveau client, votre fils n'est pas heureux, ne le grugez pas en mangeant chez lui. Je vous appellerai quand il en sera temps.

Donc, au nom de Séchard, Petit-Claud prétendit que les presses étant scellées devenaient d'autant plus immeubles par destination que, depuis le règne de Louis XIV, la maison servait à une imprimerie. Cachan, indigné pour le compte de Métivier, qui, après avoir trouvé à Paris les meubles de Lucien appartenant à Coralie, trouvait encore à Angoulême les meubles de David appartenant à la femme et au père (il y eut là de jolies choses dites à l'audience), assigna le père et le fils pour faire tomber de telles prétentions. « Nous voulons, s'écria-t-il, démasquer les fraudes « de ces hommes qui déploient les plus redoutables for- « tifications de la mauvaise foi ; qui, des articles les plus « innocents et les plus clairs du Code, font des chevaux « de frise pour se défendre ! et de quoi, de payer trois « mille francs ! pris où... dans la caisse du pauvre Métivier. « Et l'on ose accuser les escompteurs !... Dans quel temps « vivons-nous !... Enfin, je le demande, n'est-ce pas à

« qui prendra l'argent de notre voisin?... Vous ne sanc-
« tionnerez pas une prétention qui ferait passer l'immo-
« ralité au cœur de la justice!... » Le tribunal d'Angoulême,
ému par la belle plaidoirie de Cachan, rendit un jugement
contradictoire entre toutes les parties, qui donna la propriété des meubles meublants seulement à madame Séchard,
repoussa les prétentions de Séchard père et le condamna
net à payer quatre cent trente-quatre francs soixante-cinq
centimes de frais.

— Le père Séchard est bon, se dirent en riant les avoués,
il a voulu mettre la main dans le plat, qu'il paye!...

Le 26 août, ce jugement fut signifié de manière à pouvoir
saisir les presses et les accessoires de l'imprimerie le 28 août.
On apposa les affiches!... On obtint, sur requête, un jugement pour pouvoir vendre dans les lieux mêmes. On
inséra l'annonce de la vente dans les journaux, et Doublon
se flatta de pouvoir procéder au récolement et à la vente
le 2 septembre.

En ce moment, David Séchard devait, par jugement
en règle et par exécutoires levés, bien légalement, à Métivier
la somme totale de cinq mille deux cent soixante-quinze
francs vingt-cinq centimes non compris les intérêts. Il
devait à Petit-Claud douze cents francs et les honoraires,
dont le chiffre était laissé, suivant la noble confiance des
cochers qui vous ont conduit rondement, à sa générosité.
Madame Séchard devait à Petit-Claud environ trois cent
cinquante francs, et des honoraires. Le père Séchard devait
ses quatre cent trente-quatre francs soixante-cinq centimes
et Petit-Claud lui demandait cent écus d'honoraires. Ainsi,
le tout pouvait aller à dix mille francs.

A part l'utilité de ces documents pour les nations étrangères qui pourront y voir le jeu de l'artillerie judiciaire
en France, il est nécessaire que le législateur, si toutefois
le législateur a le temps de lire, connaisse jusqu'où peut
aller l'abus de la procédure. Ne devrait-on pas bâcler une
petite loi qui, dans certains cas, interdirait aux avoués de
surpasser *en frais* la somme qui fait l'objet du procès ?
N'y a-t-il pas quelque chose de ridicule à soumettre une

propriété d'un centiare aux formalités qui régissent une
terre d'un million ! On comprendra par cet exposé très sec
de toutes les phases par lesquelles passait le débat, la valeur
de ces mots : *la forme, la justice, les frais !* dont ne se doute pas
l'immense majorité des Français. Voilà ce qui s'appelle
en argot de Palais mettre le feu dans les affaires d'un homme.
Les caractères de l'imprimerie pesant cinq milliers valaient,
au prix de la fonte, deux mille francs. Les trois presses
valaient six cents francs. Le reste du matériel eût été vendu
comme du vieux fer et du vieux bois. Le mobilier du ménage
aurait produit tout au plus mille francs. Ainsi, de valeurs
appartenant à Séchard fils et représentant une somme d'environ quatre mille francs, Cachan et Petit-Claud en avaient
fait le prétexte de sept mille francs de frais sans compter
l'avenir dont la fleur promettait d'assez beaux fruits,
comme on va le voir. Certes les praticiens de France et de
Navarre, ceux de Normandie même, accorderont leur
estime et leur admiration à Petit-Claud ; mais les gens de
cœur n'accorderont-ils pas une larme de sympathie à
Kolb et à Marion ?

Pendant cette guerre, Kolb, assis à la porte de l'allée
sur une chaise tant que David n'avait pas besoin de lui,
remplissait les devoirs d'un chien de garde. Il recevait
les actes judiciaires, toujours surveillés d'ailleurs par un
clerc de Petit-Claud. Quand des affiches annonçaient la
vente du matériel composant une imprimerie, Kolb les
arrachait aussitôt que l'afficheur les avait apposées, et il
courait par la ville les ôter en s'écriant : — *Les goquins !...
dourmander ein si prafe ôme ! Ed ilz abellent ça de la chistice !*
Marion gagnait pendant la matinée une pièce de dix sous
à tourner une machine [a] dans une papeterie et l'employait
à la dépense journalière. Madame Chardon avait recommen-
cé sans murmurer les fatigantes veilles de son état de garde-
malade, et apportait à sa fille son salaire à la fin de chaque
semaine. Elle avait déjà fait deux neuvaines, en s'étonnant
de trouver Dieu sourd à ses prières, et aveugle aux clartés
des cierges qu'elle lui allumait.

APOGÉE DES POURSUITES[a]

Le 2 septembre, Ève reçut la seule lettre que Lucien écrivit après celle par laquelle il avait annoncé la mise en circulation des trois billets à son beau-frère et que David avait cachée à sa femme.

— Voilà la troisième lettre que j'aurai eue de lui depuis son départ, se dit la pauvre sœur en hésitant à décacheter le fatal papier.

En ce moment, elle donnait à boire à son enfant, elle le nourrissait au biberon, car elle avait été forcée de renvoyer la nourrice par économie. On peut juger dans quel état la mit la lecture de la lettre suivante ainsi que David, qu'elle fit lever. Après avoir passé la nuit à faire du papier, l'inventeur s'était couché vers le jour.

« Paris, 29 août.

» Ma chère sœur,

» Il y a deux jours, à cinq heures du matin, j'ai reçu
» le dernier soupir d'une des plus belles créatures de Dieu,
» la seule femme qui pouvait m'aimer comme tu m'aimes,
» comme m'aiment David et ma mère, en joignant à
» ces sentiments si désintéressés ce qu'une mère et une
» sœur ne sauraient donner : toutes les félicités de l'amour !
» Après m'avoir tout sacrifié, peut-être la pauvre Coralie
» est-elle morte pour moi ! pour moi qui n'ai pas en ce
» moment de quoi la faire enterrer... Elle m'eût consolé
» de la vie ; vous seuls, mes chers anges, pourrez me
» consoler de sa mort. Cette innocente fille a, je le crois,
» été absoute par Dieu, car elle est morte chrétiennement.
» Oh ! Paris !... Mon Ève, Paris est à la fois toute la gloire
» et toute l'infamie de la France, j'y ai déjà perdu bien

» des illusions, et je vais en perdre encore d'autres en y
» mendiant le peu d'argent dont j'ai besoin pour mettre
» en terre sainte le corps d'un ange !

> » Ton malheureux frère, a
> » LUCIEN. »

« *P.-S.* — J'ai dû te causer bien des chagrins par ma
» légèreté, tu sauras tout un jour, et tu m'excuseras. D'ail-
» leurs, tu dois être tranquille : en nous voyant si tour-
» mentés, Coralie et moi, un brave négociant à qui j'ai
» fait de cruels soucis, monsieur Camusot, s'est chargé
» d'arranger, a-t-il dit, cette affaire. »

— La lettre est encore humide de ses larmes ! dit-elle
à David en le regardant avec tant de pitié qu'il éclatait
dans ses yeux quelque chose de son ancienne affection pour
Lucien.

— Pauvre garçon, il a dû bien souffrir, s'il était aimé
comme il le dit, s'écria l'heureux époux d'Ève.

Et le mari comme la femme oublièrent toutes leurs
douleurs, devant le cri de cette douleur suprême. En ce
moment, Marion se précipita disant : — Madame les
voilà !... les voilà !...

— Qui ?

— Doublon et ses hommes, le diable, Kolb se bat avec
eux, on va vendre.

— Non, non, l'on ne vendra pas, rassurez-vous !
s'écria Petit-Claud dont la voix retentit dans la pièce qui
précédait la chambre à coucher, je viens de signifier un
appel. Nous ne devons pas rester sous le poids d'un
jugement qui taxe de mauvaise foi. Je ne me suis pas avisé
de me défendre ici. Pour vous gagner du temps, j'ai laissé
bavarder Cachan, je suis certain de triompher encore une
fois à Poitiers...

— Mais combien ce triomphe coûtera-t-il ? demanda
madame Séchard.

— Des honoraires si vous triomphez, et mille francs si nous perdons.

— Mon Dieu, s'écria la pauvre Ève, mais le remède n'est-il pas pire que le mal ?...

En entendant ce cri de l'innocence éclairée au feu judiciaire, Petit-Claud resta tout interdit, tant Ève lui parut belle.

Le père Séchard, mandé par Petit-Claud, arriva sur ces entrefaites. La présence du vieillard dans la chambre à coucher de ses enfants, où son petit-fils au berceau souriait au malheur, rendit cette scène complète.

— Papa Séchard, dit le jeune avoué, vous me devez sept cents francs pour votre intervention; mais vous les répéterez [1] contre votre fils, en les ajoutant à la masse des loyers qui vous sont dus.

Le vieux vigneron saisit la piquante ironie que Petit-Claud mit dans son accent et dans son air en lui adressant cette phrase.

— Il vous en aurait moins coûté pour cautionner votre fils ! lui dit Ève en quittant le berceau pour venir embrasser le vieillard...

David, accablé par la vue de l'attroupement qui s'était fait devant sa maison, où la lutte de Kolb et des gens de Doublon avait attiré du monde, tendit la main à son père sans lui dire bonjour.

— Et comment puis-je vous devoir sept cents francs ? demanda le vieillard à Petit-Claud.

— Mais parce que j'ai, d'abord, *occupé* pour vous. Comme il s'agit de vos loyers, vous êtes vis-à-vis de moi solidaire avec votre débiteur. Si votre fils ne me paye pas ces frais-là, vous me les payerez, vous... Mais, ceci n'est rien, dans quelques heures on voudra mettre David en prison, l'y laisserez-vous aller ?

— Que doit-il ?

---

1. Sens du mot en jurisprudence : vous les réclamerez.

— Mais quelque chose comme cinq à six mille francs, sans compter ce qu'il vous doit et ce qu'il doit à sa femme.

Le vieillard, devenu tout défiance, regarda le tableau touchant qui se présentait à ses regards dans cette chambre bleue et blanche : une belle femme en pleurs auprès d'un berceau, David fléchissant enfin sous le poids de ses chagrins, l'avoué qui peut-être l'avait attiré là comme dans un piège; l'ours crut alors sa paternité mise en jeu par eux, il eut peur d'être exploité. Il alla voir et caresser l'enfant, qui lui tendit ses petites mains. Au milieu de tant de soins, l'enfant, soigné comme celui d'un pair d'Angleterre, avait sur la tête un petit bonnet brodé doublé de rose.

— Eh ! que David s'en tire comme il pourra, moi je ne pense qu'à cet enfant-là, s'écria le vieux grand-père, et sa mère m'approuvera. David est si savant, qu'il doit savoir comment payer ses dettes.

— Je vais vous traduire en bon français vos sentiments, dit l'avoué d'un air moqueur. Tenez, papa Séchard, vous êtes jaloux de votre fils. Écoutez la vérité ? vous avez mis David dans la position où il est, en lui vendant votre imprimerie trois fois ce qu'elle valait, et en le ruinant pour vous faire payer ce prix usuraire. Oui, ne branlez pas la tête, le journal vendu aux Cointet et dont le prix a été empoché par vous en entier, était toute la valeur de votre imprimerie... Vous haïssez votre fils, non seulement parce que vous l'avez dépouillé; mais encore parce que vous en avez fait un homme au-dessus de vous. Vous vous donnez le genre d'aimer prodigieusement votre petit-fils pour masquer la banqueroute de sentiments que vous faites à votre fils et à votre bru qui vous coûteraient de l'argent *hic* et *nunc*, tandis que votre petit-fils n'a besoin de votre affection que *in extremis*. Vous aimez ce petit gars-là pour avoir l'air d'aimer quelqu'un de votre famille, et ne pas être taxé d'insensibilité. Voilà le fond de votre sac, père Séchard...

— Est-ce pour entendre ça que vous m'avez fait venir? dit le vieillard d'un ton menaçant en regardant tour à tour son avoué, sa belle-fille et son fils.

— Mais, monsieur, s'écria la pauvre Ève en s'adressant à Petit-Claud, avez-vous donc juré notre ruine ? Jamais mon mari ne s'est plaint de son père... Le vigneron regarda sa belle-fille d'un air sournois. — Il m'a dit cent fois que vous l'aimiez à votre manière, dit-elle au vieillard en en comprenant la défiance.

D'après les instructions du grand Cointet, Petit-Claud achevait de brouiller le père et le fils afin que le père ne fît pas sortir David de la cruelle position où il se trouvait. — Le jour où nous tiendrons David en prison, avait dit la veille le grand Cointet à Petit-Claud, vous serez présenté chez madame de Sénonches. L'intelligence que donne l'affection avait éclairé madame Séchard, qui devinait cette inimitié de commande, comme elle avait déjà senti la trahison de Cérizet. Chacun imaginera facilement l'air surpris de David, qui ne pouvait pas comprendre que Petit-Claud connût si bien et son père et ses affaires. Le loyal imprimeur ne savait pas les liaisons de son défenseur avec les Cointet, et d'ailleurs il ignorait que les Cointet fussent dans la peau de Métivier. Le silence de David était une injure pour le vieux vigneron ; aussi l'avoué profita-t-il de l'étonnement de son client pour quitter la place.

— Adieu, mon cher David, vous êtes averti, la contrainte par corps n'est pas susceptible d'être infirmée par l'appel, il ne reste plus que cette voie à vos créanciers, ils vont la prendre. Ainsi, sauvez-vous !... Ou plutôt, si vous m'en croyez, tenez, allez voir les frères Cointet, ils ont des capitaux, et, si votre découverte est faite, si elle tient ses promesses, associez-vous avec eux ; ils sont, après tout, très bons enfants...

— Quel secret ? demanda le père Séchard.

— Mais croyez-vous votre fils assez niais pour avoir abandonné son imprimerie sans penser à autre chose? s'écria l'avoué. Il est en train, m'a-t-il dit, de trouver le moyen de fabriquer pour trois francs la rame de papier qui revient en ce moment à dix francs...

— Encore une manière de m'attraper ! s'écria le père

Séchard. Vous vous entendez tous ici comme des lar-
rons en foire. Si David a trouvé cela, il n'a pas besoin
de moi, le voilà millionnaire ! Adieu, mes petits amis,
bonsoir.

Et le vieillard de s'en aller par les escaliers.

— Songez à vous cacher, dit à David Petit-Claud qui
courut après le vieux Séchard pour l'exaspérer encore.

Le petit avoué retrouva le vigneron grommelant sur
la place du Mûrier, le reconduisit jusqu'à l'Houmeau,
et le quitta en le menaçant de prendre un exécutoire
pour les frais qui lui étaient dus, s'il n'était pas payé dans
la semaine.

— Je vous paye, si vous me donnez les moyens de déshé-
riter mon fils sans nuire à mon petit-fils et à ma bru !...
dit le vieux Séchard en quittant brusquement Petit-
Claud.

— Comme le grand Cointet connaît bien son monde !...
Ah ! il me le disait bien : ces sept cents francs à donner
empêcheront le père de payer les sept mille francs de
son fils, s'écriait le petit avoué en remontant à Angoulême.
Néanmoins ne nous laissons pas *enfoncer* par ce vieux
finaud de papetier, il est temps de lui demander autre
chose que des paroles.

— Eh ! bien, David, mon ami, que comptes-tu faire ?...
dit Ève à son mari quand le père Séchard et l'avoué les
eurent laissés.

— Mets ta plus grande marmite au feu, mon enfant,
s'écria David en regardant Marion, je tiens mon affaire !

En entendant cette parole, Ève prit son chapeau, son
châle, ses souliers avec une vivacité fébrile.

— Habillez-vous, mon ami, dit-elle à Kolb, vous allez
m'accompagner, car il faut que je sache s'il existe un
moyen de sortir de cet enfer...

— Monsieur, s'écria Marion quand Ève fut sortie,
soyez donc raisonnable, ou madame mourra de chagrin.
Gagnez de l'argent pour payer ce que vous devez, et,
après, vous chercherez vos trésors à votre aise...

— Tais-toi, Marion, répondit David, la dernière difficulté sera vaincue. J'aurai tout à la fois un brevet d'invention et un brevet de perfectionnement.

La plaie des inventeurs, en France, est le brevet de perfectionnement. Un homme passe dix ans de sa vie à chercher un secret d'industrie, une machine, une découverte quelconque, il prend un brevet, il se croit maître de sa chose, il est suivi par un concurrent qui, s'il n'a pas tout prévu, lui perfectionne son invention par une vis, et la lui ôte ainsi des mains. Or, en inventant, pour fabriquer le papier, une pâte à bon marché, tout n'était pas dit ! D'autres pouvaient perfectionner le procédé. David Séchard voulait tout prévoir, afin de ne pas se voir arracher une fortune cherchée au milieu de tant de contrariétés. Le papier de Hollande (ce nom reste au papier fabriqué tout en chiffon de fil de lin, quoique la Hollande n'en fabrique plus) est légèrement collé; mais il se colle feuille à feuille par une main-d'œuvre qui renchérit le papier. S'il devenait possible de coller la pâte dans la cuve, et par une colle peu dispendieuse (ce qui se fait d'ailleurs aujourd'hui, mais imparfaitement encore), il ne resterait aucun perfectionnement à trouver [1]. Depuis un mois, David cherchait donc à coller en cuve la pâte de son papier. Il visait à la fois deux secrets.

Ève alla voir sa mère. Par un hasard favorable, madame Chardon gardait la femme du premier Substitut, laquelle venait de donner un héritier présomptif aux Milaud de Nevers [2]. Ève, en défiance de tous les officiers ministériels, avait inventé de consulter, sur sa position, le défenseur

---

1. Le *Dictionnaire de la conversation* de William Duckett écrit sur ce problème, dans un tome qui venait de paraître en 1837 : « Autrefois pour coller le papier, on plongeait les feuilles dans une dissolution faible et chaude de gélatine. On les étendait au séchoir, puis on les portait à la presse pour leur donner une forme. Maintenant on les colle dans la cuve même. Pour cela, on mêle à la pâte du savon de résine, de la gélatine et de l'alun, ou du savon de cire, de l'amidon et de l'alun ». (tome XLII, *s. v.* papier).

2. On se reportera à *la Muse du département*.

légal des veuves et des orphelins, de lui demander si elle
pouvait libérer David en s'obligeant, en vendant ses droits;
mais elle espérait aussi savoir la vérité sur la conduite
ambiguë de Petit-Claud.

Le magistrat, surpris de la beauté de madame Séchard,
la reçut, non seulement avec les égards dus à une femme,
mais encore avec une espèce de courtoisie à laquelle Ève
n'était pas habituée. La pauvre femme vit enfin dans les
yeux du magistrat cette expression que, depuis son mariage,
elle n'avait plus trouvée que chez Kolb, et qui, pour les
femmes belles comme Ève, est le *criterium* avec lequel
elles jugent les hommes. Quand une passion, quand
l'intérêt ou l'âge glacent dans les yeux d'un homme le
pétillement de l'obéissance absolue qui y flambe au jeune
âge, une femme entre alors en défiance de cet homme et
se met à l'observer. Les Cointet, Petit-Claud, Cérizet,
tous les gens en qui Ève avait deviné des ennemis, l'avaient
regardée d'un œil sec et froid, elle se sentit donc à l'aise
avec le Substitut, qui, tout en l'accueillant avec grâce,
détruisit en peu de mots toutes ses espérances.

— Il n'est pas certain, madame, lui dit-il, que la Cour
Royale réforme le jugement qui restreint aux meubles
meublants l'abandon que vous a fait votre mari de tout
ce qu'il possédait pour vous remplir de vos reprises.
Votre privilège ne doit pas servir à couvrir une fraude.
Mais, comme vous serez admise en qualité de créancière
au partage du prix des objets saisis, que votre beau-père
doit exercer également son privilège pour la somme des
loyers dus, il y aura, l'arrêt de la cour une fois rendu,
matière à d'autres contestations, à propos de ce que nous
appelons, en termes de droit, une *contribution*.

— Mais monsieur Petit-Claud nous ruine donc? s'écria-
t-elle.

— La conduite de Petit-Claud, reprit le magistrat,
est conforme au mandat donné par votre mari, qui veut,
dit son avoué, gagner du temps. Selon moi, peut-être
vaudrait-il mieux se désister de l'appel, et vous rendre
acquéreurs à la vente, vous et votre beau-père, des usten-

siles les plus nécessaires à votre exploitation, vous dans la limite de ce qui doit vous revenir, lui pour la somme de ses loyers... Mais ce serait aller trop promptement au but. Les avoués vous grugent!...

— Je serais alors dans les mains de monsieur Séchard père, à qui je devrais le loyer des ustensiles et celui de la maison; mon mari n'en resterait pas moins sous le coup des poursuites de monsieur Métivier, qui n'aurait presque rien eu...

— Oui, madame.

— Eh ! bien, notre position serait pire que celle où nous sommes...

— La force de la loi, madame, appartient en définitive au créancier. Vous avez reçu trois mille francs, il faut nécessairement les rendre...

— Oh! monsieur, nous croyez-vous donc capables de...

Ève s'arrêta en s'apercevant du danger que sa justification pouvait faire courir à son frère.

— Oh! je sais bien, reprit le magistrat, que cette affaire est obscure et du côté des débiteurs, qui sont probes, délicats, grands même!... et du côté du créancier qui n'est qu'un prête-nom...

Ève épouvantée regardait le magistrat d'un air hébété.

— Vous comprenez, dit-il, en lui jetant un regard plein de grosse finesse, que nous avons, pour réfléchir à ce qui se passe sous nos yeux, tout le temps pendant lequel nous sommes assis à écouter les plaidoiries de messieurs les avocats.

Ève revint au désespoir de son inutilité.

Le soir à sept heures, Doublon apporta le commandement par lequel il dénonçait la contrainte par corps. A cette heure, la poursuite arriva donc à son apogée.

— A compter de demain, dit David, je ne pourrai plus sortir que pendant la nuit.

Ève et madame Chardon fondirent en larmes. Pour elles, se cacher était un déshonneur.

COMMENT LA CONTRAINTE PAR CORPS
N'EXISTE PRESQUE PAS
EN PROVINCE[a]

En apprenant que la liberté de leur maître était menacée, Kolb et Marion s'alarmèrent d'autant plus que, depuis longtemps, ils l'avaient jugé dénué de toute malice; et ils tremblèrent tellement pour lui, qu'ils vinrent trouver madame Chardon, Ève et David, sous prétexte de savoir à quoi leur dévouement pouvait être utile. Ils arrivèrent au moment où ces trois êtres, pour qui la vie avait été jusqu'alors si simple, pleuraient en apercevant la nécessité de cacher David. Mais comment échapper aux espions invisibles qui, dès à présent, devaient observer les moindres démarches de cet homme, malheureusement si distrait ?

— *Si matame feut addentre ein betit quard'hire, che fais bousser eine regonnaissanze dans le gampe ennemi*, dit Kolb, *et vis ferrez que che m'y gonnais, quoique chaie l'air d'ein Hallemante ; gomme che suis ein frai Vrançais, chai engor te la malice.*

— Oh ! madame, dit Marion, laissez-le aller, il ne pense qu'à garder monsieur, il n'a pas d'autres idées. Kolb n'est pas un Alsacien. C'est... quoi ?... un vrai terre-neuvien !

— Allez, mon bon Kolb, lui dit David, nous avons encore le temps de prendre un parti.

Kolb courut chez l'huissier, où les ennemis de David, réunis en conseil, avisaient aux moyens de s'emparer de lui.

L'arrestation des débiteurs est, en province, un fait exorbitant, anormal, s'il en fût jamais. D'abord, chacun s'y connaît trop bien pour que personne emploie jamais un moyen si odieux. On doit se trouver, créanciers et débiteurs, face à face pendant toute la vie. Puis, quand un commerçant, un banqueroutier, pour se servir des expressions de la province, qui ne transige guère sur cette

espèce de vol légal, médite une vaste faillite, Paris lui
sert de refuge. Paris est en quelque sorte la Belgique de la
province : on y trouve des retraites presque impénétrables, et le mandat de l'huissier poursuivant expire
aux limites de sa juridiction. En outre, il est d'autres
empêchements quasi dirimants. Ainsi, la loi qui consacre
l'inviolabilité du domicile règne sans exception en province ; l'huissier n'y a pas le droit, comme à Paris, de pénétrer dans une maison tierce pour y venir saisir le débiteur.
Le Législateur a cru devoir excepter Paris, à cause de la
réunion constante de plusieurs familles dans la même
maison. Mais, en province, pour violer le domicile du débiteur lui-même, l'huissier doit se faire assister du juge de
paix. Or, le juge de paix, qui tient sous sa puissance les
huissiers, est à peu près le maître d'accorder ou de refuser
son concours. À la louange des juges de paix, on doit dire
que cette obligation leur pèse, ils ne veulent pas servir des
passions aveugles, ou des vengeances. Il est encore d'autres
difficultés non moins graves et qui tendent à modifier la
cruauté tout à fait inutile de la loi sur la contrainte par corps,
par l'action des mœurs qui change souvent les lois au point
de les annuler. Dans les grandes villes, il existe assez de
misérables, de gens dépravés, sans foi ni loi, pour servir
d'espions ; mais dans les petites villes chacun se connaît
trop pour pouvoir se mettre aux gages d'un huissier. Quiconque, dans la classe infime, se prêterait à ce genre de
dégradation, serait obligé de quitter la ville. Ainsi, l'arrestation d'un débiteur n'étant pas, comme à Paris ou comme
dans les grands centres de population, l'objet de l'industrie privilégiée des Gardes du Commerce [1], devient une
œuvre de procédure excessivement difficile, un combat
de ruse entre le débiteur et l'huissier dont les inventions

---

1 . Ce corps a été créé par le décret du 14 mars 1808. Ils sont dix,
et n'opèrent que dans Paris (A. Peytel, *Balzac juriste romantique*). En
province, ainsi que Balzac vient de le dire, aucune capture ne pouvait
avoir lieu à l'intérieur d'une maison quelconque à moins d'une autorisation du juge de paix.

ont quelquefois fourni de très agréables récits aux Fais-Paris des journaux.

Cointet l'aîné n'avait pas voulu se montrer ; mais le gros Cointet, qui se disait chargé de cette affaire par Métivier, était venu chez Doublon avec Cérizet, devenu son prote, et dont la coopération avait été acquise par la promesse d'un billet de mille francs. Doublon devait compter sur deux de ses praticiens. Ainsi les Cointet avaient déjà trois limiers pour surveiller leur proie. Au moment de l'arrestation, Doublon pouvait d'ailleurs employer la gendarmerie, qui, aux termes des jugements, doit son concours à l'huissier qui la requiert [a]. Ces cinq personnes étaient donc en ce moment même réunies dans le cabinet de maître Doublon, situé au rez-de-chaussée de la maison, en suite de l'Étude.

On entrait à l'Étude par un assez large corridor dallé, qui formait comme une allée. La maison avait une simple porte bâtarde, de chaque côté de laquelle se voyaient les panonceaux ministériels dorés, au centre desquels on lit en lettres noires : HUISSIER. Les deux fenêtres de l'Étude donnant sur la rue étaient défendues par de forts barreaux de fer. Le cabinet avait vue sur un jardin, où l'huissier, amant de Pomone, cultivait lui-même avec un grand succès les espaliers. La cuisine faisait face à l'Étude, et derrière la cuisine se développait l'escalier par lequel on montait à l'étage supérieur. Cette maison se trouvait dans une petite rue, derrière le nouveau Palais de Justice, alors en construction, et qui ne fut fini qu'après 1830. Ces détails ne sont pas inutiles à l'intelligence de ce qui advint à Kolb. L'Alsacien avait inventé de se présenter à l'huissier sous prétexte de lui vendre son maître, afin d'apprendre ainsi quels seraient les pièges qu'on lui tendrait, et de l'en préserver. La cuisinière vint ouvrir, Kolb lui manifesta le désir de parler à monsieur Doublon pour affaires. Contrariée d'être dérangée pendant qu'elle lavait sa vaisselle, cette femme ouvrit la porte de l'Étude en disant à Kolb, qui lui était inconnu, d'y attendre monsieur, pour le moment en conférence dans son cabinet ; puis, elle alla prévenir son maître qu'un homme voulait lui parler. Cette expression, *un homme*, signifiait si bien un paysan, que Doublon dit : — Qu'il attende ! Kolb s'assit auprès de la porte du cabinet.

— Ah ça ! comment comptez-vous procéder ? car si nous pouvions l'empoigner demain matin, ce serait du temps de gagné, disait le gros Cointet.

— Il n'a pas volé son nom de Naïf, rien ne sera plus facile, s'écria Cérizet.

En reconnaissant la voix du gros Cointet, mais surtout en entendant ces deux phrases, Kolb devina sur-le-champ qu'il s'agissait de son maître, et son étonnement alla croissant quand il distingua la voix de Cérizet.

— *Eine karson qui a manché son bain*, s'écria-t-il frappé d'épouvante.

— Mes enfants, dit Doublon, voici ce qu'il faut faire. Nous échelonnerons notre monde à de grandes distances, depuis la rue de Beaulieu et la place du Mûrier, dans tous les sens, de manière à suivre le Naïf, ce surnom me plaît, sans qu'il puisse s'en apercevoir, nous ne le quitterons pas qu'il ne soit entré dans la maison où il se croira caché ; nous lui laisserons quelques jours de sécurité, puis nous l'y rencontrerons quelque jour avant le lever ou le coucher du soleil [1].

— Mais en ce moment que fait-il ? il peut nous échapper, dit le gros Cointet.

— Il est chez lui, dit maître Doublon ; s'il sortait, je le saurais. J'ai l'un de mes praticiens sur la place du Mûrier en observation, un autre au coin du Palais, et un autre à trente pas de ma maison. Si notre homme sortait, ils siffleraient ; et il n'aurait pas fait trois pas, que je le saurais déjà par cette communication télégraphique.

---

1. Tout ce paragraphe et l'histoire qui va suivre s'expliquent par les dispositions du code sur cette matière. L'huissier ne peut pénétrer chez le débiteur, ni forcer les portes. Il doit se borner à surveiller le refuge jusqu'au moment où le débiteur se hasardera à en sortir. Voilà pourquoi l'huissier Doublon échelonne ses gens autour de la maison des Séchard.

Les huissiers donnent à leurs recors le nom honnête de
praticiens.

Kolb n'avait pas compté sur un si favorable hasard,
il sortit doucement de l'Étude et dit à la servante :

— Monsieur Doublon est occupé pour longtemps, je reviendrai demain matin de bonne heure.

L'Alsacien, en sa qualité de cavalier, avait été saisi par
une idée qu'il alla sur-le-champ mettre à exécution. Il
courut chez un loueur de chevaux de sa connaissance, y
choisit un cheval, le fit seller, et revint en toute hâte
chez son maître, où il trouva madame Ève dans la plus
profonde désolation.

— Qu'y a-t-il, Kolb? demanda l'imprimeur en trouvant
à l'Alsacien un air à la fois joyeux et effrayé.

— *Vus êdes endourés de goquins. Le plis sire ede te gager
mon maîdre. Montame a-d-elle bensé à meddre monzière quelque
bard?*

Quand l'honnête Kolb eut expliqué la trahison de Cérizet,
les circonvallations tracées autour de la maison, la part
que le gros Cointet prenait à cette affaire, et fait pressentir
les ruses que méditaient de tels hommes contre son
maître, les plus fatales lueurs éclairèrent la position de
David.

— C'est les Cointet ª qui te poursuivent, s'écria la pauvre
Ève anéantie, et voilà pourquoi Métivier se montrait si
dur... ils sont papetiers, ils veulent ton secret.

— Mais que faire pour leur échapper ? s'écria madame
Chardon.

— *Si montame beud affoir ein bedide entroid à meddre monzière*,
demanda Kolb, *che bromets de l'y gontuire sans qu'on le zache
chamais.*

— N'entrez que de nuit chez Basine Clerget, répondit
Ève, j'irai convenir de tout avec elle. Dans cette circonstance, Basine est une autre moi-même.

— Les espions te suivront, dit enfin David qui recouvra
quelque présence d'esprit. Il s'agit de trouver un moyen de
prévenir Basine sans qu'aucun de nous y aille.

— *Montame beud y hâler*, dit Kolb. *Foissi ma gombina-*

*zion : che fais sordir affec monsière, nus emmènerons sir nos
draces les sivleurs. Bentant ce demps, ma ame ira chez matemoi-
selle Clerchet, èle ne sera pas zuifie. Chai ein gefal, che prents
monsière en groube ; ed, ti tiaple, si l'on nus addrabe !*

— Eh ! bien, adieu, mon ami, s'écria la pauvre femme en
se jetant dans les bras de son mari; aucun de nous n'ira
te voir, car nous pourrions te faire prendre. Il faut nous dire
adieu pour tout le temps que durera cette prison volontaire. Nous correspondrons par la poste, Basine y jettera
tes lettres, et je t'écrirai sous son nom.

À leur sortie David et Kolb entendirent les sifflements,
et menèrent les espions jusqu'au bas de la porte Palet
où demeurait le loueur de chevaux. Là, Kolb prit son maître
en croupe, en lui recommandant de se bien tenir à lui.

— *Zifflez, zifflez, mes pons hâmis ! Che me mogue de vus dous !*
s'écria Kolb. *Vus n'addraberez bas ein fieux gafalier.*

Et le vieux cavalier piqua des deux dans la campagne
avec une rapidité qui devait mettre et qui mit les espions
dans l'impossibilité de les suivre, ni de savoir où ils allaient.

Ève alla chez Postel sous le prétexte assez ingénieux
de le consulter. Après avoir subi les insultes de cette
pitié qui ne prodigue que des paroles, elle quitta le ménage
Postel, et put gagner, sans être vue, la maison de Basine,
à qui elle confia ses chagrins en lui demandant secours et
protection. Basine, qui pour plus de discrétion avait fait
entrer Ève dans sa chambre, ouvrit la porte d'un cabinet
contigu dont le jour venait d'un châssis à tabatière et sur
lequel aucun œil ne pouvait avoir de vue. Les deux amies
débouchèrent une petite cheminée dont le tuyau longeait
celui de la cheminée de l'atelier où les ouvrières entretenaient du feu pour leurs fers. Ève et Basine étendirent de
mauvaises couvertures sur le carreau pour assourdir le
bruit, si David en faisait par mégarde; elles lui mirent un
lit de sangle pour dormir, un fourneau pour ses expériences,
une table et une chaise pour s'asseoir et pour écrire. Basine
promit de lui donner à manger la nuit; et, comme personne
ne pénétrait jamais dans sa chambre, David pouvait défier
tous ses ennemis, et même la police.

— Enfin, dit Ève en embrassant son amie, il est en sûreté.

Ève retourna chez Postel pour éclaircir quelque doute qui, dit-elle, la ramenait chez un si savant juge du tribunal de commerce, et elle se fit reconduire par lui chez elle en écoutant ses doléances. — Si vous m'aviez épousé, en seriez-vous là ?... Ce sentiment était au fond de toutes les phrases du petit pharmacien. Au retour, Postel trouva sa femme jalouse de l'admirable beauté de madame Séchard, et, furieuse de la politesse de son mari, Léonie fut apaisée par l'opinion que le pharmacien prétendit avoir de la supériorité des petites femmes rousses sur les grandes femmes brunes, qui selon lui, étaient, comme de beaux chevaux, toujours à l'écurie. Il donna sans doute quelques preuves de sincérité, car le lendemain madame Postel le mignardait.

— Nous pouvons être tranquilles, dit Ève à sa mère et à Marion, qu'elle trouva, selon l'expression de Marion, encore *saisies*.

— Oh! ils sont partis, dit Marion quand Ève regarda machinalement dans sa chambre.

DEUX EXPÉRIENCES, L'UNE NE TOUCHANT PAS LE CŒUR DU PÈRE, L'AUTRE TOUCHANT AU BUT[a]

— *U vaud-il nus diriger ?*... demanda Kolb quand il fut à une lieue sur la grande route de Paris.

— A Marsac, répondit David; puisque tu m'as mis sur ce chemin-là, je vais faire une dernière tentative sur le cœur de mon père.

— *C'haimerais mié monder à l'assaut t'une padderte te ganons, barce qu'il n'a boind de cuer, mennesier fôdre bère.*

Le vieux pressier ne croyait pas en son fils; il le jugeait, comme juge le peuple, d'après les résultats. D'abord,

il ne croyait pas avoir dépouillé David; puis, sans s'arrêter
à la différence des temps, il se disait : — Je l'ai mis à cheval
sur une imprimerie, comme je m'y suis trouvé moi-même;
et lui, qui en savait mille fois plus que moi, n'a pas su marcher! Incapable de comprendre son fils, il le condamnait,
et se donnait sur cette haute intelligence une sorte de
supériorité en se disant : — Je lui conserve du pain. Jamais
les moralistes ne parviendront à faire comprendre toute
l'influence que les sentiments exercent sur les intérêts.
Cette influence est aussi puissante que celle des intérêts
sur les sentiments. Toutes les lois de la nature ont un double
effet, en sens inverse l'une de l'autre. David, lui, comprenait
son père et il avait la sublime charité de l'excuser. Arrivés
à huit heures à Marsac, Kolb et David surprirent le bonhomme vers la fin de son dîner qui se rapprochait forcément
de son coucher.

— Je te vois par autorité de justice, dit le père à son
fils avec un sourire amer.

— *Gommand, mon maître et fus, bouffez-vus vus rengondrer...,
il foyache tans les cieux et vus êdes tuchurs tans les fignes...*
s'écria Kolb indigné. *Bayez, bayez ! c'edde fôdre étad te bère...*

— Allons, Kolb, va-t'en, mets le cheval chez madame
Courtois, afin de ne pas en embarrasser mon père, et sache
que les pères ont toujours raison.

Kolb s'en alla grommelant comme un chien qui, grondé
par son maître pour sa prudence, proteste encore en obéissant. David, sans dire ses secrets, offrit alors à son père
de lui donner la preuve la plus évidente de sa découverte,
en lui proposant un intérêt dans cette affaire pour prix
des sommes qui lui devenaient nécessaires, soit pour
se libérer immédiatement, soit pour se livrer à l'exploitation de son secret.

— Eh ! comment me prouveras-tu que tu peux faire
avec rien du beau papier qui ne coûte rien ? demanda
l'ancien typographe en lançant à son fils un regard aviné,
mais fin, curieux, avide. Vous eussiez dit un éclair sortant
d'un nuage pluvieux, car le vieil ours, fidèle à ses traditions,
ne se couchait jamais sans être coiffé de nuit. Son bonnet

de nuit consistait en deux bouteilles d'excellent vin vieux
que, selon son expression, il *sirotait*.

— Rien de plus simple, répondit David. Je n'ai pas
de papier sur moi, je suis venu par ici pour fuir Doublon ;
et, me voyant sur la route de Marsac, j'ai pensé que je
pourrais bien trouver chez vous les facilités que j'aurais
chez un usurier. Je n'ai rien sur moi que mes habits. Enfer-
mez-moi dans un local bien clos, où personne ne puisse
pénétrer, où personne ne puisse me voir, et...

— Comment, dit le vieillard en jetant à son fils un
effroyable regard, tu ne me laisseras pas te voir faisant
tes opérations...

— Mon père, répondit David, vous m'avez prouvé qu'il
n'y avait pas de père dans les affaires...

— Ah ! tu te défies de celui qui t'a donné la vie.

— Non, mais de celui qui m'a ôté les moyens de vivre.

— Chacun pour soi, tu as raison ! dit le vieillard. Eh !
bien, je te mettrai dans mon cellier.

— J'y entre avec Kolb, vous me donnerez un chaudron
pour faire ma pâte, reprit David sans avoir aperçu le
coup d'œil que lui lança son père, puis vous irez me chercher des tiges d'artichauts, des tiges d'asperges, des orties
à dard, des roseaux que vous couperez aux bords de votre
petite rivière. Demain matin, je sortirai de votre cellier
avec du magnifique papier.

— Si c'est possible... s'écria l'Ours en laissant échapper
un hoquet, je te donnerai peut-être... je verrai si je puis te
donner... bah !... vingt-cinq mille francs, à la condition
de m'en faire gagner autant tous les ans...

— Mettez-moi à l'épreuve, j'y consens ! s'écria David.
Kolb, monte à cheval, pousse jusqu'à Mansle, achètes-y
un grand tamis de crin chez un boisselier, de la colle chez
un épicier, et reviens en toute hâte.

— Tiens, bois... dit le père en mettant devant son
fils une bouteille de vin, du pain, et des restes de viandes
froides. Prends des forces, je vais t'aller faire tes provisions
de chiffons verts ; car ils sont verts, tes chiffons ! j'ai même
peur qu'ils ne soient un peu trop verts.

Deux heures après, sur les onze heures du soir, le vieillard enfermait son fils et Kolb dans une petite pièce adossée à son cellier, couverte en tuiles creuses, et où se trouvaient les ustensiles nécessaires à brûler les vins de l'Angoumois qui fournissent, comme on sait, toutes les eaux-de-vie dites de Cognac.

— Oh ! mais je suis là comme dans une fabrique... voilà du bois et des bassines, s'écria David.

— Eh ! bien, à demain, dit le père Séchard, je vais vous enfermer, et je lâcherai mes deux chiens, je suis sûr qu'on ne vous apportera pas de papier. Montre-moi des feuilles demain, je te déclare que je serai ton associé, les affaires seront alors claires et bien menées...

Kolb et David se laissèrent enfermer et passèrent deux heures environ à briser, à préparer les tiges, en se servant de deux madriers. Le feu brillait, l'eau bouillait. Vers deux heures du matin, Kolb, moins occupé que David, entendit un soupir tourné comme un hoquet d'ivrogne ; il prit une des deux chandelles et se mit à regarder partout ; il aperçut alors la figure violacée du père Séchard qui remplissait une petite ouverture carrée, pratiquée au-dessus de la porte par laquelle on communiquait du cellier au brûloir et cachée par des futailles vides. Le malicieux vieillard avait introduit son fils et Kolb dans son brûloir par la porte extérieure qui servait à passer les pièces pour les livrer. Cette autre porte intérieure permettait de rouler les poinçons du cellier dans le brûloir sans faire le tour par la cour.

— *Ah ! baba ! ceci n'ed bas de cheu, fus foulez vilouder fôdre vils... Safez-vus ce que vus vaides, quand fus pufez eine poudeille te bon fin ? Vus appreufez ein goquin.*

— Oh ! mon père, dit David.

— Je venais savoir si vous aviez besoin de quelque chose, dit le vigneron quasi dégrisé.

— *Et c'edde bar indéréd pir nus que affez bris eine bedide egelle ?*... dit Kolb qui ouvrit la porte après en avoir débarrassé l'entrée et qui trouva le vieillard monté sur une échelle courte, en chemise.

— Risquer votre santé ! s'écria David.

— Je crois que je suis somnambule, dit le vieillard honteux en descendant. Ton défaut de confiance en ton père m'a fait rêver, je songeais que tu t'entendais avec le diable pour réaliser l'impossible.

— *Le tiaple*, *c'est fôdre bassion pire les bedits chaunets !* s'écria Kolb.

— Allez vous recoucher, mon père, dit David ; enfermez-nous si vous voulez, mais épargnez-vous la peine de revenir : Kolb va faire sentinelle.

Le lendemain, à quatre heures, David sortit du brûloir, ayant fait disparaître toutes les traces de ses opérations, et vint apporter à son père une trentaine de feuilles de papier dont la finesse, la blancheur, la consistance, la force ne laissaient rien à désirer et qui portait pour filigranes les marques des fils plus forts les uns que les autres du tamis de crin. Le vieillard prit ces échantillons, il y appliqua la langue en ours habitué, depuis son jeune âge, à faire de son palais une éprouvette à papiers ; il les mania, les chiffonna, les plia, les soumit à toutes les épreuves que les typographes font subir aux papiers pour en reconnaître les qualités, et quoiqu'il n'y eût rien à redire, il ne voulut pas s'avouer vaincu.

— Il faut savoir ce que ça deviendra sous presse !... dit-il pour se dispenser de louer son fils.

— *Trôle t'ome !* s'écria Kolb.

Le vieillard, devenu froid, couvrit, sous sa dignité paternelle, une irrésolution jouée.

— Je ne veux pas vous tromper, mon père, ce papier-là me semble encore devoir coûter trop cher, et je veux résoudre le problème du collage en cuve... il ne me reste plus que cet avantage à conquérir...

— Ah ! tu voudrais m'attraper !

— Mais, vous le dirai-je ? je colle bien en cuve, mais jusqu'à présent la colle ne pénètre pas également ma pâte, et donne au papier le rêche d'une brosse.

— Eh ! bien, perfectionne ton collage en cuve, et tu auras mon argent.

— *Mon maîdre ne ferra chamais la gouleur te fodre archant !*

Évidemment le vieillard voulait faire payer à David la honte qu'il avait bue la nuit ; aussi le traita-t-il plus que froidement.

— Mon père, dit David qui renvoya Kolb, je ne vous en ai jamais voulu d'avoir estimé votre imprimerie à un prix exorbitant et de me l'avoir vendue à votre seule estimation ; j'ai toujours vu le père en vous. Je me suis dit : Laissons un vieillard, qui s'est donné bien du mal, qui m'a certainement élevé mieux que je ne devais l'être, jouir en paix et à sa manière du fruit de ses travaux. Je vous ai même abandonné le bien de ma mère, et j'ai pris sans murmurer la vie obérée que vous m'aviez faite. Je me suis promis de gagner une belle fortune sans vous importuner. Eh ! bien, ce secret, je l'ai trouvé, les pieds dans le feu, sans pain chez moi, tourmenté pour des dettes qui ne sont pas les miennes. Oui, j'ai lutté patiemment jusqu'à ce que mes forces se soient épuisées. Peut-être me devez-vous des secours !... mais ne pensez pas à moi, voyez une femme et un petit enfant !... (Là David ne put retenir ses larmes) et prêtez-leur aide et protection. Serez-vous au-dessous de Marion et de Kolb qui m'ont donné leurs économies ? s'écria le fils en voyant son père froid comme un marbre de presse.

— Et ça ne t'a pas suffi... s'écria le vieillard sans éprouver la moindre vergogne, mais tu dévorerais la France... Bonsoir ! moi, je suis trop ignorant pour me fourrer dans des exploitations où il n'y aurait que moi d'exploité. Le Singe ne mangera pas l'Ours, dit-il en faisant allusion à leur surnom d'atelier. Je suis vigneron, je ne suis pas banquier... Et puis, vois-tu, des affaires entre père et fils, ça va mal. Dînons, tiens, tu ne diras pas que je ne te donne rien !...

David était un de ces êtres à cœur profond qui peuvent y repousser leurs souffrances de manière à en faire un secret pour ceux qui leur sont chers ; aussi chez eux, quand la douleur déborde ainsi, est-ce leur effort suprême. Ève avait bien compris ce beau caractère d'homme. Mais le père vit, dans ce flot de douleur ramené du fond à la surface, la plainte vulgaire des enfants qui veulent *attraper leurs pères*, et il prit l'excessif abattement de son fils pour la honte de l'insuccès. Le père et le fils se quittèrent brouillés. David et Kolb revinrent à minuit environ à Angoulême, où ils entrèrent à pied avec autant de précautions qu'en eussent pris des voleurs pour un vol. Vers une heure du matin, David fut introduit, sans témoin, chez mademoiselle Basine Clerget dans l'asile impénétrable préparé pour lui par sa femme. En entrant là, David allait y être gardé par la plus ingénieuse de toutes les pitiés, celle d'une grisette. Le lendemain matin, Kolb se vanta d'avoir fait sauver son maître à cheval, et de ne l'avoir quitté qu'après l'avoir mis dans une patache qui devait l'emmener aux environs de Limoges. Une assez grande provision de matières premières fut emmagasinée dans la cave de Basine, en sorte que Kolb, Marion, madame Séchard et sa mère purent n'avoir aucune relation avec mademoiselle Clerget.

LE MOMENT OU, A LA CURÉE, LES CHIENS SE REGARDENT[a]

Deux jours après cette scène avec son fils, le vieux Séchard, qui se vit encore à lui vingt jours avant de se livrer aux occupations de la vendange, accourut chez sa belle-fille, amené par son avarice. Il ne dormait plus, il voulait savoir si la découverte offrait quelques chances de fortune, et pensait à veiller au grain, selon son expression. Il vint habiter, au-dessus de l'appartement de sa belle-fille, une des deux chambres en mansarde qu'il s'était réservées, et vécut en fermant les yeux sur le dénûment pécuniaire qui affligeait le ménage de son fils. On lui devait des loyers, on pouvait bien le nourrir ! Il ne trouvait rien d'étrange à ce qu'on se servît de couverts en fer étamé.

— J'ai commencé comme ça, répondit-il à sa belle-fille quand elle s'excusa de ne pas le servir en argenterie.

Marion fut obligée de s'engager envers les marchands pour tout ce qui se consommerait au logis. Kolb servait les maçons à vingt sous par jour. Enfin, bientôt il ne resta plus que dix francs à la pauvre Ève qui, dans l'intérêt de son enfant et de David, sacrifiait ses dernières ressources à bien recevoir le vigneron. Elle espérait toujours que ses chatteries, que sa respectueuse affection, que sa résignation attendriraient l'avare ; mais elle le trouvait toujours insensible. Enfin, en lui voyant l'œil froid des Cointet, de Petit-Claud et de Cérizet, elle voulut observer son caractère et deviner ses intentions ; mais ce fut peine perdue ! Le père Séchard se rendait impénétrable en restant toujours entre deux vins. L'ivresse est un double voile. A la faveur de sa griserie, aussi souvent jouée que réelle, le bonhomme essayait d'arracher à Ève les secrets de David. Tantôt il caressait, tantôt il effrayait sa belle-fille. Quand Ève lui répondait qu'elle ignorait tout, il lui disait : — Je boirai tout mon bien, *je le mettrai en viager*... Ces luttes déshonorantes fatiguaient la pauvre victime qui, pour ne pas manquer de respect à son beau-père, avait fini par garder le silence. Un jour, poussée à bout, elle lui dit : — Mais, mon père, il y a une manière bien simple de tout avoir ; payez les dettes de David, il reviendra ici, vous vous entendrez ensemble.

— Ah ! voilà tout ce que vous voulez avoir de moi, s'écria-t-il, c'est bon à savoir.

Le père Séchard, qui ne croyait pas en son fils, croyait aux Cointet. Les Cointet, qu'il alla consulter, l'éblouirent à dessein, en lui disant qu'il s'agissait de millions dans les recherches entreprises par son fils.

— Si David peut prouver qu'il a réussi, je n'hésiterai pas à mettre en société ma papeterie en comptant à votre fils sa découverte pour une valeur égale, lui dit le grand Cointet.

Le défiant vieillard prit tant d'informations en prenant des petits verres avec les ouvriers, il questionna si bien Petit-Claud en faisant l'imbécile, qu'il finit par soupçonner les Cointet de se cacher derrière Métivier; il leur attribua le plan de ruiner l'imprimerie Séchard et de se faire payer par lui en l'amorçant avec la découverte, car le vieil homme du peuple ne pouvait pas deviner la complicité de Petit-Claud, ni les trames ourdies pour s'emparer tôt ou tard de ce beau secret industriel. Enfin, un jour, le vieillard, exaspéré de ne pouvoir vaincre le silence de sa belle-fille et de ne pas même obtenir d'elle de savoir où David s'était caché, résolut de forcer la porte de l'atelier à fondre les rouleaux, après avoir fini par apprendre que son fils y faisait ses expériences. Il descendit de grand matin et se mit à travailler la serrure.

— Eh! bien, que faites-vous donc là, papa Séchard ?... lui cria Marion qui se levait au jour pour aller à sa fabrique et qui bondit jusqu'à la tremperie.

— Ne suis-je pas chez moi, Marion ? fit le bonhomme honteux.

— Ah! çà, devenez-vous voleur sur vos vieux jours... vous êtes à jeun, cependant... Je vas conter cela tout chaud à madame.

— Tais-toi, Marion, dit le vieillard en tirant de sa poche deux écus de six francs. Tiens...

— Je me tairai, mais n'y revenez pas! lui dit Marion en le menaçant du doigt, ou je le dirais à tout Angoulême.

Dès que le vieillard fut sorti, Marion monta chez sa maîtresse.

— Tenez, madame, j'ai soutiré douze francs à votre beau-père, les voilà...

— Et comment as-tu fait ?...

— Ne voulait-il pas voir les bassines et les provisions de monsieur, histoire de découvrir le secret. Je savais bien qu'il n'y avait plus rien dans la petite cuisine; mais je lui ai fait peur comme s'il allait voler son fils, et il m'a donné deux écus pour me taire...

En ce moment, Basine apporta joyeusement à son amie

une lettre de David, écrite sur du magnifique papier, et qu'elle lui remit en secret.

« Mon Ève adorée, je t'écris à toi la première sur la » première feuille de papier obtenue par mes procédés. » J'ai réussi à résoudre le problème du collage en cuve ! » La livre de pâte revient, même en supposant la mise » en culture spéciale de bons terrains pour les produits » que j'emploie, à cinq sous. Ainsi la rame de douze » livres emploiera pour trois francs de pâte collée. Je » suis sûr de supprimer la moitié du poids des livres. » L'enveloppe, la lettre, les échantillons, sont de diverses » fabrications. Je t'embrasse, nous serons heureux par la » fortune, la seule chose qui nous manquait. »

— Tenez, dit Ève à son beau-père en lui tendant les échantillons, donnez à votre fils le prix de votre récolte, et laissez-lui faire sa fortune, il vous rendra dix fois ce que vous lui aurez donné, car il a réussi !...

Le père Séchard courut aussitôt chez les Cointet. Là, chaque échantillon fut essayé, minutieusement examiné : les uns étaient collés, les autres sans colle ; ils étaient étiquetés depuis trois francs jusqu'à dix francs par rame ; les uns étaient d'une pureté métallique, les autres doux comme du papier de Chine, il y en avait de toutes les nuances possibles du blanc. Des juifs examinant des diamants n'auraient pas eu les yeux plus animés que ne l'étaient ceux des Cointet et du vieux Séchard.

— Votre fils est en bon chemin, dit le gros Cointet.

— Eh ! bien, payez ses dettes, dit le vieux pressier.

— Bien volontiers, s'il veut nous prendre pour associés, répondit le grand Cointet.

— Vous êtes des *chauffeurs* ! s'écria l'ours retiré, vous poursuivez mon fils sous le nom de Métivier, et vous voulez que je vous paye, voilà tout. Pas si bête, bourgeois !...

Les deux frères se regardèrent, mais ils surent contenir la surprise que leur causa la perspicacité de l'avare [a].

— Nous ne sommes pas encore assez millionnaires pour nous amuser à faire l'escompte, répliqua le gros Cointet ; nous nous croirions assez heureux de pouvoir payer notre

chiffon comptant, et nous faisons encore des billets à notre
marchand.

— Il faut tenter une expérience en grand, répondit
froidement le grand Cointet, car ce qui réussit dans une
marmite échoue dans une fabrication entreprise sur une
grande échelle. Délivrez votre fils.

— Oui, mais mon fils en liberté m'admettra-t-il comme
son associé ? demanda le vieux Séchard.

— Ceci ne nous regarde pas, dit le gros Cointet. Est-ce
que vous croyez, mon bonhomme, que quand vous aurez
donné dix mille francs à votre fils, tout sera dit? Un brevet
d'invention coûte deux mille francs, il faudra faire des
voyages à Paris ; puis, avant de se lancer dans des avances,
il est prudent de fabriquer, comme dit mon frère, mille
rames, risquer des cuvées entières afin de se rendre compte.
Voyez-vous, il n'y a rien dont il faille plus se défier que des
inventeurs.

— Moi, dit le grand Cointet, j'aime le pain tout cuit.

Le vieillard passa la nuit à ruminer ce dilemme : Si
je paye les dettes de David, il est libre, et une fois libre
il n'a pas besoin de m'associer à sa fortune. Il sait bien
que je l'ai roulé dans l'affaire de notre première association ; il n'en voudra pas faire une seconde. Mon intérêt
serait donc de le tenir en prison, malheureux.

Les Cointet connaissaient assez le père Séchard pour
savoir qu'ils chasseraient de compagnie.

Donc ces trois hommes disaient : — Pour faire une
société basée sur le secret, il faut des expériences ; et,
pour faire ces expériences, il faut libérer David Séchard.
David libéré nous échappe. Chacun avait de plus une petite
arrière-pensée. Petit-Claud se disait : — Après mon mariage,
je serai franc du collier avec les Cointet ; mais jusque-là
je les tiens. Le grand Cointet se disait : — J'aimerais mieux
avoir David sous clef, je serais le maître. Le vieux Séchard
se disait : Si je paye ses dettes, mon fils me salue avec un
remercîment. Ève, attaquée, menacée par le vigneron
d'être chassée de la maison, ne voulait ni révéler l'asile
de son mari, ni même lui proposer d'accepter un sauf-

conduit. Elle n'était pas certaine de réussir à cacher David une seconde fois aussi bien que la première, elle répondait donc à son beau-père : — Libérez votre fils, vous saurez tout. Aucun des quatre intéressés, qui se trouvaient tous comme devant une table bien servie, n'osait toucher au festin, tant il craignait de se voir devancé ; et tous s'observaient en se défiant les uns des autres.

LA FUTURE DE PETIT-CLAUD[a]

Quelques jours après la réclusion de Séchard, Petit-Claud était venu trouver le grand Cointet à sa papeterie.

— J'ai fait de mon mieux, lui dit-il, David s'est mis volontairement dans une prison qui nous est inconnue, et il y cherche en paix quelque perfectionnement. Si vous n'avez pas atteint à votre but, il n'y a pas de ma faute, tiendrez-vous votre promesse ?

— Oui, si nous réussissons, répondit le grand Cointet. Le père Séchard est ici depuis quelques jours, il est venu nous faire des questions sur la fabrication du papier, le vieil avare a flairé l'invention de son fils, il en veut profiter, il y a donc quelque espérance d'arriver à une association. Vous êtes l'avoué du père et du fils...

— Ayez le Saint-Esprit de les livrer, reprit Petit-Claud en souriant.

— Oui, répondit Cointet. Si vous réussissez ou à mettre David en prison ou à le mettre dans nos mains par un acte de société, vous serez le mari de mademoiselle de La Haye.

— Est-ce bien là votre *ultimatum ?* dit Petit-Claud.

— *Yes !* fit Cointet, puisque nous parlons des langues étrangères.

— Voici le mien en bon français, reprit Petit-Claud d'un ton sec.

— Ah ! voyons, répliqua Cointet d'un air curieux.

— Présentez-moi demain à madame de Sénonches, faites qu'il y ait pour moi quelque chose de positif, enfin accomplissez votre promesse, ou je paye la dette de Séchard et je m'associe avec lui en revendant ma charge. Je ne veux pas être joué. Vous m'avez parlé net, je me sers du même langage. J'ai fait mes preuves, faites les vôtres. Vous avez tout, je n'ai rien. Si je n'ai pas de gages de votre sincérité, je prends votre jeu.

Le grand Cointet prit son chapeau, son parapluie, son air jésuite, et sortit en disant à Petit-Claud de le suivre.

— Vous verrez, mon cher ami, si je ne vous ai pas préparé les voies ?... dit le négociant à l'avoué.

En un moment, le fin et rusé papetier avait reconnu le danger de sa position, et vu dans Petit-Claud un de ces hommes avec lesquels il faut jouer franc jeu. Déjà, pour être en mesure et par acquit de conscience, il avait, sous prétexte de donner un état de la situation financière de mademoiselle de La Haye, jeté quelques paroles dans l'oreille de l'ancien Consul-général.

— J'ai l'affaire de Françoise, car avec trente mille francs de dot, aujourd'hui, dit-il en souriant, une fille ne doit pas être exigeante.

— Nous en parlerons, avait répondu Francis du Hautoy. Depuis le départ de madame de Bargeton, la position de madame de Sénonches est bien changée : nous pourrons marier Françoise à quelque bon vieux gentilhomme campagnard.

— Et elle se conduira mal, dit le papetier en prenant son air froid. Eh ! mariez-la donc à un jeune homme capable, ambitieux, que vous protégerez, et qui mettra sa femme dans une belle position.

— Nous verrons, avait répété Francis ; la marraine doit être avant tout consultée.

A la mort de monsieur de Bargeton, Louise de Nègrepelisse avait fait vendre l'hôtel de la rue du Minage. Madame de Sénonches, qui se trouvait petitement logée, décida monsieur de Sénonches à acheter cette maison, le berceau des ambitions de Lucien et où cette scène a commencé.

Zéphirine de Sénonches avait formé le plan de succéder à madame de Bargeton dans l'espèce de royauté qu'elle avait exercée, d'avoir un salon, de faire enfin la grande dame. Une scission avait eu lieu dans la haute société d'Angoulême entre ceux qui, lors du duel de monsieur Bargeton et de monsieur de Chandour, tinrent qui pour l'innocence de Louise de Nègrepelisse, qui pour les calomnies de Stanislas de Chandour. Madame de Sénonches se déclara pour les Bargeton, et conquit d'abord tous ceux de ce parti. Puis, quand elle fut installée dans son hôtel, elle profita des accoutumances de bien des gens qui venaient y jouer depuis tant d'années. Elle reçut tous les soirs et l'emporta décidément sur Amélie de Chandour, qui se posa comme son antagoniste. Les espérances de Francis du Hautoy, qui se vit au cœur de l'aristocratie d'Angoulême, allaient jusqu'à vouloir marier Françoise avec le vieux monsieur de Séverac, que madame du Brossard n'avait pu capturer pour sa fille. Le retour de madame de Bargeton, devenue préfète d'Angoulême, augmenta les prétentions de Zéphirine pour sa bien-aimée filleule. Elle se disait que la comtesse Sixte du Châtelet userait de son crédit pour celle qui s'était constituée son champion. Le papetier, qui savait son Angoulême sur le bout du doigt, apprécia d'un coup d'œil toutes ces difficultés ; mais il résolut de se tirer de ce pas difficile par une de ces audaces que Tartufe seul se serait permise[a]. Le petit avoué, très surpris de la loyauté de son commanditaire en chicane, le laissait à ses préoccupations en cheminant de la papeterie à l'hôtel de la rue du Minage, où, sur le palier, les deux importuns furent arrêtés par ces mots : — Monsieur et madame déjeunent.

— Annoncez-nous tout de même, répondit le grand Cointet.

Et, sur son nom, le dévot commerçant, aussitôt introduit, présenta l'avocat à la précieuse Zéphirine, qui déjeunait en tête à tête avec monsieur Francis du Hautoy et mademoiselle de La Haye. Monsieur de Sénonches était allé, comme toujours, ouvrir la chasse chez monsieur de Pimentel.

— Voici, madame, le jeune avocat-avoué de qui je

vous ai parlé, et qui se chargera de l'émancipation de
votre belle pupille.

L'ancien diplomate examina Petit-Claud, qui, de son
côté, regardait à la dérobée la *belle pupille*. Quant à la
surprise de Zéphirine, à qui jamais Cointet ni Francis
n'avaient dit un mot, elle fut telle que sa fourchette lui
tomba des mains. Mademoiselle de La Haye, espèce de
pie-grièche à figure rechignée, de taille peu gracieuse,
maigre, à cheveux d'un blond fade, était, malgré son
petit air aristocratique, excessivement difficile à marier.
Ces mots : *père et mère inconnus* de son acte de naissance,
lui interdisaient en réalité la sphère où l'amitié de sa marraine et de Francis la voulait placer. Mademoiselle de La
Haye, ignorant sa position, faisait la difficile : elle eût rejeté
le plus riche commerçant de l'Houmeau. La grimace assez
significative inspirée à mademoiselle de La Haye par l'aspect
du maigre avoué, Cointet la retrouva sur les lèvres de
Petit-Claud. Madame de Sénonches et Francis paraissaient
se consulter pour savoir de quelle manière congédier
Cointet et son protégé. Cointet, qui vit tout, pria monsieur
du Hautoy de lui accorder un moment d'audience, et
passa dans le salon avec le diplomate.

— Monsieur, lui dit-il nettement, la paternité vous
aveugle. Vous marierez difficilement votre fille ; et, dans
votre intérêt à tous, je vous ai mis dans l'impossibilité
de reculer ; car j'aime Françoise comme on aime une
pupille. Petit-Claud sait tout !... Son excessive ambition
vous garantit le bonheur de votre chère petite. D'abord
Françoise fera de son mari tout ce qu'elle voudra ; mais vous,
aidé par la préfète qui nous arrive, vous en ferez un procureur du roi. Monsieur Milaud est nommé décidément à
Nevers. Petit-Claud vendra sa charge, vous obtiendrez facilement pour lui la place de second substitut, et il deviendra
bientôt procureur du roi, puis président du tribunal, député...

Revenu dans la salle à manger, Francis fut charmant
pour le prétendu de sa fille. Il regarda madame de Sénonches
d'une certaine manière, et finit cette scène de présentation
en invitant Petit-Claud à dîner pour le lendemain afin

de causer affaires. Puis il reconduisit le négociant et l'avoué
jusque dans la cour en disant à Petit-Claud que, sur la
recommandation de Cointet, il était disposé, ainsi que
madame de Sénonches, à confirmer tout ce que le gardien
de la fortune de mademoiselle de La Haye aurait disposé
pour le bonheur de ce petit ange.

   — Ah ! qu'elle est laide ! s'écria Petit-Claud. Je suis pris !...

   — Elle a l'air distingué, répondit Cointet ; mais, si
elle était belle, vous la donnerait-on ?... Hé ! mon cher,
il y a plus d'un petit propriétaire à qui trente mille francs,
la protection de madame de Sénonches et celle de la comtesse du Châtelet iraient à merveille ; d'autant plus que
monsieur Francis du Hautoy ne se mariera jamais, et
que cette fille est son héritière... Votre mariage est fait !...

   — Et comment ?

   — Voilà ce que je viens de dire, repartit le grand Cointet
en racontant à l'avoué son trait d'audace. Mon cher,
monsieur Milaud va, dit-on, être nommé procureur du
roi à Nevers : vous vendrez votre charge, et dans dix
ans vous serez Garde des sceaux. Vous êtes assez audacieux pour ne reculer devant aucun des services que
demandera la cour.

   — Eh ! bien, trouvez-vous demain, à quatre heures
et demie, sur la place du Mûrier, répondit l'avoué, fanatisé
par les probabilités de cet avenir ; j'aurai vu le père Séchard,
et nous arriverons à un acte de société où le père et le
fils appartiendront au Saint-Esprit des Cointet.

UN MOT DU CURÉ [a]

   Au moment où le vieux curé de Marsac montait les
rampes d'Angoulême pour aller instruire Ève de l'état
où se trouvait son frère, David était caché depuis onze jours
à deux portes de celle que le digne prêtre venait de quitter.

Quand l'abbé Marron déboucha sur la place du Mûrier, il y trouva les trois hommes, remarquables chacun dans leur genre, qui pesaient de tout leur poids sur l'avenir et sur le présent du pauvre prisonnier volontaire : le père Séchard, le grand Cointet, le petit avoué maigrelet. Trois hommes, trois cupidités ! mais trois cupidités aussi différentes que les hommes. L'un avait inventé de trafiquer de son fils, l'autre de son client, et le grand Cointet achetait toutes ces infamies en se flattant de ne rien payer. Il était environ cinq heures, et la plupart de ceux qui revenaient dîner chez eux s'arrêtaient pour regarder pendant un moment ces trois hommes.

— Que diable le vieux père Séchard et le grand Cointet ont-ils donc à se dire ?... pensaient les plus curieux.

— Il s'agit sans doute entre eux de ce pauvre malheureux qui laisse sa femme, sa belle-mère et son enfant sans pain, répondait-on.

— Envoyez donc vos enfants apprendre un état à Paris ! disait un esprit-fort de province.

— Hé ! que venez-vous faire par ici, monsieur le curé ? s'écria le vigneron en apercevant l'abbé Marron aussitôt qu'il déboucha sur la place.

— Je viens pour les vôtres, répondit le vieillard.

— Encore une idée de mon fils !... dit le vieux Séchard.

— Il vous en coûterait bien peu de rendre tout le monde heureux, dit le prêtre en indiquant les fenêtres où madame Séchard montrait entre les rideaux sa belle tête. En ce moment, Ève apaisait les cris de son enfant en le faisant sauter et lui chantant une chanson.

— Apportez-vous des nouvelles de mon fils, dit le père, ou, ce qui vaudrait mieux, de l'argent ?

— Non, dit monsieur Marron ; j'apporte à la sœur des nouvelles du frère.

— De Lucien ?... s'écria Petit-Claud.

— Oui. Le pauvre jeune homme est venu de Paris à pied. Je l'ai trouvé chez Courtois mourant de fatigue et de misère, répondit le prêtre... Oh ! il est bien malheureux !

Petit-Claud salua le prêtre et prit le grand Cointet par le bras en disant à haute voix : — Nous dînons chez madame de Sénonches, il est temps de nous habiller !... Et à deux pas il lui dit à l'oreille :

— Quand on a le petit, on a bientôt la mère. Nous tenons David...

— Je vous ai marié, mariez-moi, dit le grand Cointet en laissant échapper un sourire faux.

— Lucien est mon camarade de collège, nous étions *copins* !... En huit jours je saurai bien quelque chose de lui. Faites en sorte que les bans se publient, et je vous réponds de mettre David en prison. Ma mission finit avec son écrou.

— Ah ! s'écria doucement le grand Cointet, la belle affaire serait de prendre le brevet à notre nom !

En entendant cette dernière phrase, le petit avoué maigrelet frissonna.

En ce moment Ève voyait entrer son beau-père et l'abbé Marron, qui, par un seul mot, venait de dénouer le drame judiciaire.

— Tenez, madame Séchard, dit le vieil ours à sa belle-fille, voici notre curé qui vient sans doute nous en raconter de belles sur votre frère.

— Oh ! s'écria la pauvre Ève atteinte au cœur, que peut-il donc lui être encore arrivé !

Cette exclamation annonçait tant de douleurs ressenties, tant d'appréhensions, et de tant de sortes, que l'abbé Marron se hâta de dire : — Rassurez-vous, madame, il vit !

— Seriez-vous assez bon, mon père, dit Ève au vieux vigneron, pour aller chercher ma mère : elle entendra ce que monsieur doit avoir à nous dire de Lucien.

Le vieillard alla chercher madame Chardon, à laquelle il dit : — Vous aurez à en découdre avec l'abbé Marron, qui est bon homme *quoique prêtre*. Le dîner sera sans doute retardé, je reviens dans une heure.

Et le vieillard, insensible à tout ce qui ne sonnait ou ne reluisait pas or, laissa la vieille femme sans voir l'effet du coup qu'il venait de lui porter.

Le malheur qui pesait sur ses deux enfants, l'avortement
des espérances assises sur la tête de Lucien, le changement
si peu prévu d'un caractère qu'on crut pendant si longtemps énergique et probe ; enfin, tous les événements
arrivés depuis dix-huit mois avaient déjà rendu madame
Chardon méconnaissable. Elle n'était pas seulement noble
de race, elle était encore noble de cœur, et adorait ses enfants.
Aussi avait-elle souffert plus de maux en ces derniers six
mois que depuis son veuvage. Lucien avait eu la chance
d'être Rubempré par ordonnance du roi, de recommencer
cette famille, d'en faire revivre le titre et les armes, de
devenir grand ! Et il était tombé dans la fange ! Car,
plus sévère pour lui que la sœur, elle avait regardé Lucien
comme perdu, le jour où elle apprit l'affaire des billets.
Les mères veulent quelquefois se tromper ; mais elles
connaissent toujours bien les enfants qu'elles ont nourris,
qu'elles n'ont pas quittés, et, dans les discussions que
soulevaient entre David et sa femme les chances de Lucien
à Paris, madame Chardon, tout en paraissant partager les
illusions d'Ève sur son frère, tremblait que David n'eût
raison, car il parlait comme elle entendait parler sa conscience de mère. Elle connaissait trop la délicatesse de sensation de sa fille pour pouvoir lui exprimer ses douleurs,
elle était donc forcée de les dévorer dans ce silence dont
sont capables seulement les mères qui savent aimer leurs
enfants.

Ève, de son côté, suivait avec terreur les ravages que
faisaient les chagrins chez sa mère, elle la voyait passant
de la vieillesse à la décrépitude, et allant toujours ! La
mère et la fille se faisaient donc l'une à l'autre de ces
nobles mensonges qui ne trompent point. Dans la vie de
cette mère, la phrase du féroce vigneron fut la goutte d'eau
qui devait remplir la coupe des afflictions, madame Chardon
se sentit atteinte au cœur.

Aussi, quand Ève dit au prêtre : — Monsieur, voici ma
mère ! quand l'abbé regarda ce visage macéré comme
celui d'une vieille religieuse, encadré de cheveux entièrement blanchis, mais embelli par l'air doux et calme

des femmes pieusement résignées, et qui marchent, comme
on dit, à la volonté de Dieu, comprit-il toute la vie de
ces deux créatures. Le prêtre n'eut plus de pitié pour le
bourreau, pour Lucien, il frémit en devinant tous les
supplices subis par les victimes.

— Ma mère, dit Ève en s'essuyant les yeux, mon pauvre
frère est bien près de nous, il est à Marsac.

— Et pourquoi pas ici ? demanda madame Chardon.

L'abbé Marron raconta tout ce que Lucien lui avait
dit des misères de son voyage, et les malheurs de ses
derniers jours à Paris. Il peignit les angoisses qui venaient
d'agiter le poète quand il avait appris quels étaient au sein
de sa famille les effets de ses imprudences et quelles étaient
ses appréhensions sur l'accueil qui pouvait l'attendre
à Angoulême.

— En est-il arrivé à douter de nous ? dit madame
Chardon.

— Le malheureux est venu vers vous à pied, en subissant les plus horribles privations, et il revient disposé
à entrer dans les chemins les plus humbles de la vie...
à réparer ses fautes.

— Monsieur, dit la sœur, malgré le mal qu'il nous
a fait, j'aime mon frère, comme on aime le corps d'un
être qui n'est plus ; et l'aimer ainsi, c'est encore l'aimer
plus que beaucoup de sœurs n'aiment leurs frères. Il nous
a rendus bien pauvres ; mais qu'il vienne, il partagera
le chétif morceau de pain qui nous reste, enfin ce qu'il
nous a laissé. Ah ! s'il ne nous avait pas quittés, monsieur,
nous n'aurions pas perdu nos plus chers trésors.

— Et c'est la femme qui nous l'a enlevé dont la voiture
l'a ramené, s'écria madame Chardon. Parti dans la calèche
de madame de Bargeton, à côté d'elle, il est revenu derrière !

— A quoi puis-je vous être utile dans la situation où
vous êtes ? dit le brave curé qui cherchait une phrase
de sortie.

— Eh ! monsieur, répondit madame Chardon, plaie
d'argent n'est pas mortelle, dit-on ; mais ces plaies-là
ne peuvent pas avoir d'autre médecin que le malade.

— Si vous aviez assez d'influence pour déterminer mon beau-père à aider son fils, vous sauveriez toute une famille, dit madame Séchard.

— Il ne croit pas en vous, et il m'a paru très exaspéré contre votre mari, dit le vieillard à qui les paraphrases du vigneron avaient fait considérer les affaires de Séchard comme un guêpier où il ne fallait pas mettre le pied.

Sa mission terminée, le prêtre alla dîner chez son petit-neveu Postel, qui dissipa le peu de bonne volonté de son vieil oncle en donnant, comme tout Angoulême, raison au père contre le fils.

— Il y a de la ressource avec des dissipateurs, dit en finissant le petit Postel ; mais avec ceux qui font des expériences, on se ruinerait.

DEUXIÈME PARTIE

L'ÊTRE FATAL DE LA FAMILLE

RETOUR DU FRÈRE PRODIGUE[a]

La curiosité du curé de Marsac était entièrement satisfaite, ce qui, dans toutes les provinces de France, est le principal but de l'excessif intérêt qu'on s'y témoigne. Dans la soirée, il mit le poète au courant de tout ce qui se passait chez les Séchard, en lui donnant son voyage comme une mission dictée par la charité la plus pure.

— Vous avez endetté votre sœur et votre beau-frère de dix à douze mille francs, dit-il en terminant; et personne, mon cher monsieur, n'a cette bagatelle à prêter au voisin. En Angoumois, nous ne sommes pas riches. Je croyais qu'il s'agissait de beaucoup moins quand vous me parliez de vos billets.

Après avoir remercié le vieillard de ses bontés, le poète lui dit :

— La parole de pardon, que vous m'apportez, est pour moi le vrai trésor.

Le lendemain, Lucien partit de très grand matin de Marsac pour Angoulême, où il entra vers neuf heures, une canne à la main, vêtu d'une petite redingote assez endommagée par le voyage et d'un pantalon noir à teintes blanches. Ses bottes usées disaient d'ailleurs assez qu'il appartenait à la classe infortunée des piétons. Aussi ne se dissimulait-il pas l'effet que devait produire sur ses compatriotes le contraste de son retour et de son départ. Mais, le cœur encore pantelant sous l'étreinte des remords que lui causait le récit du vieux prêtre, il acceptait pour le moment cette punition, décidé d'affronter les regards des personnes de sa connaissance. Il se disait en lui-même :

— Je suis héroïque! Toutes ces natures de poète commencent par se duper elles-mêmes. A mesure qu'il marcha dans l'Houmeau, son âme lutta entre la honte de ce retour et la poésie de ses souvenirs. Son cœur battit en passant devant la porte de Postel, où, fort heureusement pour lui, Léonie Marron se trouva seule dans la boutique avec son enfant. Il vit avec plaisir (tant sa vanité conservait de force) le nom de son père effacé. Depuis son mariage, Postel avait fait repeindre sa boutique, et mis au-dessus, comme à Paris : PHARMACIE. En gravissant la rampe de la Porte-Palet, Lucien éprouva l'influence de l'air natal, il ne sentit plus le poids de ses infortunes, et se dit avec délices : — Je vais donc les revoir! Il atteignit la place du Mûrier sans avoir rencontré personne : un bonheur qu'il espérait à peine, lui qui jadis se promenait en triomphateur dans sa ville ! Marion et Kolb, en sentinelle sur la porte, se

précipitèrent dans l'escalier en criant : — Le voilà !
Lucien revit le vieil atelier et la vieille cour, il trouva dans
l'escalier sa sœur et sa mère, et ils s'embrassèrent en oubliant pour un instant tous leurs malheurs dans cette
étreinte. En famille, on compose presque toujours avec
le malheur; on s'y fait un lit, et l'espérance en fait accepter
la dureté. Si Lucien offrait l'image du désespoir, il en offrait
aussi la poésie : le soleil des grands chemins lui avait
bruni le teint; une profonde mélancolie, empreinte dans
ses traits, jetait ses ombres sur son front de poète. Ce changement annonçait tant de souffrances, qu'à l'aspect des
traces laissées par la misère sur sa physionomie, le seul
sentiment possible était la pitié. L'imagination partie
du sein de la famille y trouvait au retour de tristes réalités.
Ève eut au milieu de sa joie le sourire des saintes au milieu
de leur martyre. Le chagrin rend sublime le visage d'une
jeune femme très belle. La gravité qui remplaçait dans la
figure de sa sœur la complète innocence qu'il y avait vue
à son départ pour Paris, parlait trop éloquemment à Lucien
pour qu'il n'en reçût pas une impression douloureuse.
Aussi la première effusion des sentiments, si vive, si
naturelle, fut-elle suivie de part et d'autre d'une réaction :
chacun craignait de parler. Lucien ne put cependant
s'empêcher de chercher par un regard celui qui manquait
à cette réunion. Ce regard bien compris fit fondre en larmes
Ève, et par contre-coup Lucien. Quant à madame Chardon,
elle resta blême, et en apparence impassible. Ève se leva,
descendit pour épargner à son frère un mot dur, et alla
dire à Marion : — Mon enfant, Lucien aime les fraises,
il faut en trouver !...

— Oh ! j'ai bien pensé que vous vouliez fêter monsieur
Lucien. Soyez tranquille, vous aurez un joli petit déjeuner
et un bon dîner aussi.

— Lucien, dit madame Chardon à son fils, tu as beaucoup
à réparer ici. Parti pour être un sujet d'orgueil pour ta
famille, tu nous as plongés dans la misère. Tu as presque
brisé dans les mains de ton frère l'instrument de la fortune
à laquelle il n'a songé que pour sa nouvelle famille. Tu n'as

pas brisé que cela.. dit la mère. Il se fit une pause effrayante et le silence de Lucien impliqua l'acceptation de ces reproches maternels. — Entre dans une voie de travail, reprit doucement madame Chardon. Je ne te blâme pas d'avoir tenté de faire revivre la noble famille d'où je suis sortie; mais, à de telles entreprises il faut avant tout une fortune, et des sentiments fiers : tu n'as rien eu de tout cela. A la croyance, tu as fait succéder en nous la défiance. Tu as détruit la paix de cette famille travailleuse et résignée, qui cheminait ici dans une voie difficile... Aux premières fautes, un premier pardon est dû. Ne recommence pas. Nous nous trouvons ici dans des circonstances difficiles, sois prudent, écoute ta sœur : le malheur est un maître dont les leçons, bien durement données, ont porté leur fruit chez elle : elle est devenue sérieuse, elle est mère, elle porte tout le fardeau du ménage par dévouement pour notre cher David ; enfin, elle est devenue, par ta faute, mon unique consolation.

— Vous pouviez être plus sévère, dit Lucien en embrassant sa mère. J'accepte votre pardon, parce que ce sera le seul que j'aurai jamais à recevoir.

Ève revint : et, à la pose humiliée de son frère, elle comprit que madame Chardon avait parlé. Sa bonté lui mit un sourire sur les lèvres, auquel Lucien répondit par des larmes réprimées. La présence a comme un charme, elle change les dispositions les plus hostiles entre amants comme au sein des familles, quelque forts que soient les motifs de mécontentement. Est-ce que l'affection trace dans le cœur des chemins où l'on aime à retomber? Ce phénomène appartient-il à la science du magnétisme? La raison dit-elle qu'il faut ou ne jamais se revoir, ou se pardonner ? Que ce soit au raisonnement, à une cause physique ou à l'âme que cet effet appartienne, chacun doit avoir éprouvé que les regards, le geste, l'action d'un être aimé retrouvent chez ceux qu'il a le plus offensés, chagrinés ou maltraités, des vestiges de tendresse. Si l'esprit oublie difficilement, si l'intérêt souffre encore ; le cœur, malgré tout, reprend sa servitude. Aussi, la pauvre sœur, en écou-

tant jusqu'à l'heure du déjeuner les confidences du frère,
ne fut-elle pas maîtresse de ses yeux quand elle le regarda,
ni de son accent quand elle laissa parler son cœur. En comprenant les éléments de la vie littéraire à Paris, elle comprit
comment Lucien avait pu succomber dans la lutte. La joie
du poète, en caressant l'enfant de sa sœur, ses enfantillages,
le bonheur de revoir son pays et les siens, mêlé au profond
chagrin de savoir David caché, les mots de mélancolie
qui échappèrent à Lucien, son attendrissement en voyant
qu'au milieu de sa détresse sa sœur s'était souvenue de son
goût quand Marion servit les fraises; tout, jusqu'à l'obligation de loger le frère prodigue et de s'occuper de lui,
fit de cette journée une fête. Ce fut comme une halte dans
la misère. Le père Séchard lui-même fit rebrousser aux deux
femmes le cours de leurs sentiments, en disant : — Vous
le fêtez, comme s'il vous apportait des mille et des cents !...
    — Mais qu'a donc fait mon frère pour ne pas être fêté ?...
s'écria madame Séchard jalouse de cacher la honte de
Lucien.
    Néanmoins, les premières tendresses passées, les nuances
du vrai percèrent. Lucien aperçut bientôt chez Ève la
différence de l'affection actuelle et de celle qu'elle lui portait jadis. David était profondément honoré, tandis que
Lucien était aimé *quand même*, et comme on aime une maîtresse malgré les désastres qu'elle cause. L'estime, fonds
nécessaire à nos sentiments, est la solide étoffe qui leur
donne je ne sais quelle certitude, quelle sécurité dont on
vit, et qui manquait entre madame Chardon et son fils,
entre le frère et la sœur. Lucien se sentit privé de cette
entière confiance qu'on aurait eue en lui s'il n'avait pas
failli à l'honneur. L'opinion écrite par d'Arthez sur lui,
devenue celle de sa sœur, se laissa deviner dans les gestes,
dans les regards, dans l'accent. Lucien était plaint ! mais,
quant à être la gloire, la noblesse de la famille, le héros
du foyer domestique, toutes ces belles espérances avaient
fui sans retour. On craignit assez sa légèreté pour lui
cacher l'asile où vivait David. Ève, insensible aux caresses
dont fut accompagnée la curiosité de Lucien qui voulait

voir son frère, n'était plus l'Ève de l'Houmeau pour qui, jadis, un seul regard de Lucien était un ordre irrésistible. Lucien parla de réparer ses torts, en se vantant de pouvoir sauver David. Ève lui répondit : — Ne t'en mêle pas, nous avons pour adversaires les gens les plus perfides et les plus habiles. Lucien hocha la tête, comme s'il eût dit : — J'ai combattu des Parisiens... Sa sœur lui répliqua par un regard qui signifiait : — Tu as été vaincu.

— Je ne suis plus aimé, pensa Lucien. Pour la famille comme pour le monde, il faut donc réussir.

Dès le second jour, en essayant de s'expliquer le peu de confiance de sa mère et de sa sœur, le poète fut pris d'une pensée non pas haineuse mais chagrine. Il appliqua la mesure de la vie parisienne à cette chaste vie de province en oubliant que la médiocrité patiente de cet intérieur sublime de résignation était son ouvrage : — Elles sont bourgeoises, elles ne peuvent pas me comprendre, se dit-il en se séparant ainsi de sa sœur, de sa mère et de Séchard qu'il ne pouvait plus tromper ni sur son caractère, ni sur son avenir.

Ève et madame Chardon, chez qui le sens divinatoire était éveillé par tant de chocs et tant de malheurs, épiaient les plus secrètes pensées de Lucien, elle se sentirent mal jugées et le virent s'isolant d'elles. — Paris nous l'a bien changé ! se dirent-elles. Elles recueillaient enfin le fruit de l'égoïsme qu'elles avaient elles-mêmes cultivé. De part et d'autre, ce léger levain devait fermenter, et il fermenta ; mais principalement chez Lucien qui se trouvait si reprochable. Quant à Ève, elle était bien de ces sœurs qui savent dire à un frère en faute : — Pardonne-moi *tes* torts... Lorsque l'union des âmes a été parfaite comme elle le fut au début de la vie entre Ève et Lucien, toute atteinte à ce beau idéal du sentiment est mortelle. Là où des scélérats se raccommodent après des coups de poignard, les amoureux se brouillent irrévocablement pour un regard, pour un mot. Dans ce souvenir de la quasi-perfection de la vie du cœur se trouve le secret de séparations souvent inexplicables. On peut vivre avec une défiance au cœur, alors que le passé n'offre pas le tableau d'une affection pure et sans nuages ; mais, pour deux êtres autrefois parfaitement unis, la vie, quand le regard, la parole, exigent des précautions, devient insupportable. Aussi les grands poètes font-ils mourir leurs Paul et Virginie au sortir de l'adolescence. Comprendriez-vous Paul et Virginie brouillés ?... Remarquons, à la gloire d'Ève et de Lucien, que les intérêts, si fortement blessés, n'avivaient point ces blessures : chez la sœur irréprochable, comme chez le poète en faute, tout était sentiment ; aussi le moindre malentendu, la plus petite querelle, un nouveau mécompte dû à Lucien pouvait-il les désunir ou inspirer une de ces querelles qui brouillent irrévocablement les familles. En fait d'argent tout s'arrange ; mais les sentiments sont impitoyables.

UN TRIOMPHE INATTENDU[a]

Le lendemain Lucien reçut un numéro du journal d'Angoulême et pâlit de plaisir en se voyant le sujet d'un des *Premiers-Angoulême* que se permit cette estimable feuille qui, semblable aux Académies de province, en fille bien élevée, selon le mot de Voltaire, ne faisait jamais parler d'elle.

« Que la Franche-Comté s'enorgueillisse d'avoir donné
» le jour à Victor Hugo, à Charles Nodier et à Cuvier ; la
» Bretagne, à Chateaubriand et à Lamennais ; la Normandie,
» à Casimir Delavigne ; la Touraine, à l'auteur d'*Eloa* ;
» aujourd'hui, l'Angoumois, où déjà sous Louis XIII
» l'illustre Guez, plus connu sous le nom de Balzac,
» s'est fait notre compatriote, n'a plus rien à envier ni
» à ces provinces ni au Limousin, qui a produit Dupuytren,
» ni à l'Auvergne, patrie de Montlosier [1], ni à Bordeaux,

---

1. Dupuytren était né dans la Haute-Vienne et Montlosier à Clermont-Ferrand. Ils étaient tous deux vivants en 1822, mais en 1843, le premier était mort depuis huit ans, et le second depuis cinq ans.

» qui a eu le bonheur de voir naître tant de grands hommes ;
» nous aussi, nous avons un poète ! l'auteur des beaux
» sonnets intitulés *les Marguerites* joint à la gloire du poète
» celle du prosateur, car on lui doit également le magni-
» fique roman de *l'Archer de Charles IX*. Un jour nos
» neveux seront fiers d'avoir pour compatriote Lucien
» Chardon, un rival de Pétrarque !!!... » Dans les journaux de province de ce temps, les points d'admiration
ressemblaient aux *hurra* par lesquels on accueille les *speech*
des *meeting* en Angleterre. « Malgré ses éclatants succès
» à Paris, notre jeune poète s'est souvenu que l'hôtel
» de Bargeton avait été le berceau de ses triomphes, que
» l'aristocratie angoumoisine avait applaudi, la première,
» à ses poésies ; que l'épouse de monsieur le comte du
» Châtelet, préfet de notre département, avait encouragé ses
» premiers pas dans la carrière des Muses, et il est revenu
» parmi nous !... L'Houmeau tout entier s'est ému quand,
» hier, notre Lucien de Rubempré s'est présenté. La
» nouvelle de son retour a produit partout la plus vive
» sensation. Il est certain que la ville d'Angoulême ne
» se laissera pas devancer par l'Houmeau dans les honneurs
» qu'on parle de décerner à celui qui, soit dans la Presse,
» soit dans la Littérature, a représenté si glorieusement
» notre ville à Paris. Lucien, à la fois poète religieux et
» royaliste, a bravé la fureur des partis ; il est venu, dit-on,
» se reposer des fatigues d'une lutte qui fatiguerait des
» athlètes plus forts encore que des hommes de poésie
» et de rêverie.
» Par une pensée éminemment politique, à laquelle
» nous applaudissons, et que madame la comtesse du
» Châtelet a eue, dit-on, la première, il est question de
» rendre à notre grand poète le titre et le nom de l'illustre
» famille des Rubempré, dont l'unique héritière est madame
» Chardon, sa mère. Rajeunir ainsi, par des talents et par
» des gloires nouvelles, les vieilles familles près de s'éteindre
» est, chez l'immortel auteur de la Charte, une nouvelle
» preuve de son constant désir exprimé par ces mots :
» *union et oubli*.

» Notre poète est descendu chez sa sœur, madame
» Séchard. »

A la rubrique d'Angoulême se trouvaient les nouvelles
suivantes :

» Notre préfet, monsieur le comte du Châtelet, déjà
» nommé gentilhomme ordinaire de la Chambre de
» S. M., vient d'être fait Conseiller d'État en service
» extraordinaire.

» Hier toutes les autorités se sont présentées chez
» monsieur le préfet.

» Madame la comtesse Sixte du Châtelet recevra tous
» les jeudis.

» Le maire de l'Escarbas, monsieur de Nègrepelisse,
» représentant de la branche cadette des d'Espard, père
» de madame· du Châtelet, récemment nommé comte,
» Pair de France et Commandeur de l'ordre royal de
» Saint-Louis, est, dit-on, désigné pour présider le grand
» collège électoral d'Angoulême aux prochaines élections [1]. »

— Tiens, dit Lucien à sa sœur en lui apportant le journal.

Après avoir lu l'article attentivement, Ève rendit la
feuille à Lucien d'un air pensif.

— Que dis-tu de cela ?... lui demanda Lucien étonné
d'une prudence qui ressemblait à de la froideur.

— Mon ami, répondit-elle, ce journal appartient aux
Cointet, ils sont absolument les maîtres d'y insérer des
articles, et ne peuvent avoir la main forcée que par la
Préfecture ou par l'Évêché. Supposes-tu ton ancien rival,
aujourd'hui préfet, assez généreux pour chanter ainsi
tes louanges ? Oublies-tu que les Cointet nous poursuivent sous le nom de Métivier et veulent sans doute
amener David à les faire profiter de ses découvertes?...
De quelque part que vienne cet article, je le trouve inquié-
tant. Tu n'excitais ici que des haines, des jalousies ; on
t'y calomniait en vertu du proverbe : *Nul n'est prophète
en son pays*, et voilà que tout change en un clin d'œil !...

---

1. Le grand collège électoral est le collège départemental, où
ont droit de vote le quart le plus imposé des électeurs.

— Tu ne connais pas l'amour-propre des villes de province, répondit Lucien. On est allé dans une petite ville du Midi recevoir en triomphe, aux portes de la ville, un jeune homme qui avait remporté le prix d'honneur au grand concours, en voyant en lui un grand homme en herbe !

— Écoute-moi, mon cher Lucien, je ne veux pas te sermonner, je te dirai tout dans un seul mot : ici défie-toi des plus petites choses.

— Tu as raison, répondit Lucien surpris de trouver sa sœur si peu enthousiaste.

Le poète était au comble de la joie de voir changer en un triomphe sa mesquine et honteuse rentrée à Angoulême.

— Vous ne croyez pas au peu de gloire qui nous coûte si cher ! s'écria Lucien après une heure de silence pendant laquelle il s'amassa comme un orage dans son cœur.

Pour toute réponse, Ève regarda Lucien, et ce regard le rendit honteux de son accusation.

Quelques instants avant de dîner, un garçon de bureau de la préfecture apporta une lettre adressée à monsieur Lucien Chardon et qui parut donner gain de cause à la vanité du poète que le monde disputait à la famille.

Cette lettre était l'invitation suivante.

Monsieur le comte Sixte du Châtelet et madame la comtesse du Châtelet prient monsieur Lucien Chardon de leur faire l'honneur de dîner avec eux le quinze septembre prochain.

R. S. V. P.

A cette lettre était jointe cette carte de visite :

LE COMTE SIXTE DU CHATELET
Gentilhomme ordinaire de la Chambre du Roi, Préfet de la Charente Conseiller d'État.

— Vous êtes en faveur, dit le père Séchard, on parle de vous en ville comme d'un grand personnage... On se dispute entre Angoulême et l'Houmeau à qui vous tortillera des couronnes...

— Ma chère Ève, dit Lucien à l'oreille de sa sœur, je me retrouve absolument comme j'étais à l'Houmeau le jour où je devais aller chez madame de Bargeton : je suis sans habit pour le dîner du préfet.

— Tu comptes donc accepter cette invitation ? s'écria madame Séchard effrayée.

Il s'engagea, sur la question d'aller ou de ne pas aller à la Préfecture, une polémique entre le frère et la sœur. Le bon sens de la femme de province disait à Ève qu'on ne doit se montrer au monde qu'avec un visage riant, en costume complet, et en tenue irréprochable ; mais elle cachait sa vraie pensée : — Où le dîner du préfet mènera-t-il Lucien ? Que peut pour lui le grand monde d'Angoulême ? Ne machine-t-on pas quelque chose contre lui ?

Lucien finit par dire à sa sœur avant d'aller se coucher : — Tu ne sais pas quelle est mon influence; la femme du préfet a peur du journaliste; et d'ailleurs dans la comtesse du Châtelet il y a toujours Louise de Nègrepelisse ! Une femme qui vient d'obtenir tant de faveurs peut sauver David ! Je lui dirai la découverte que mon frère vient de faire, et ce ne sera rien pour elle que d'obtenir un secours de dix mille francs au ministère.

A onze heures du soir, Lucien, sa sœur, sa mère et le père Séchard, Marion et Kolb furent réveillés par la musique de la ville à laquelle s'était réunie celle de la garnison et trouvèrent la place du Mûrier pleine de monde. Une sérénade fut donnée à Lucien Chardon de Rubempré par les jeunes gens d'Angoulême. Lucien se mit à la fenêtre de sa sœur, et dit au milieu du plus profond silence, après le dernier morceau : — Je remercie mes compatriotes de l'honneur qu'ils me font, je tâcherai de m'en rendre digne; ils me pardonneront de ne pas en dire davantage : mon émotion est si vive que je ne saurais continuer.

— Vive l'auteur de *l'Archer de Charles IX !*...

— Vive l'auteur des *Marguerites !*

— Vive Lucien de Rubempré !

Après ces trois salves, criées par quelques voix, trois couronnes et des bouquets furent adroitement jetés par la croisée dans l'appartement. Dix minutes après, la place du Mûrier était vide, le silence y régnait.

— J'aimerais mieux dix mille francs, dit le vieux Séchard qui tourna, retourna les couronnes et les bouquets d'un air profondément narquois. Mais vous leur avez donné des marguerites, ils vous rendent des bouquets, vous faites dans les fleurs.

— Voilà l'estime que vous faites des honneurs que me décernent mes concitoyens ! s'écria Lucien, dont la physionomie offrit une expression entièrement dénuée de mélancolie et qui véritablement rayonna de satisfaction. Si vous connaissiez les hommes, papa Séchard, vous verriez qu'il ne se rencontre pas deux moments semblables dans la vie. Il n'y a qu'un enthousiasme véritable à qui l'on puisse devoir de semblables triomphes !... Ceci, ma chère mère et ma bonne sœur, efface bien des chagrins. Lucien embrassa sa sœur et sa mère comme l'on s'embrasse dans ces moments où la joie déborde à flots si larges qu'il faut la jeter dans le cœur d'un ami. (Faute d'un ami, disait un jour Bixiou, un auteur ivre de son succès embrasse son portier).

— Eh ! bien, ma chère enfant, dit-il à Ève, pourquoi pleures-tu ?... Ah ! c'est de joie...

— Hélas ! dit Ève à sa mère avant de se recoucher et quand elles furent seules, dans un poète, il y a, je crois, une jolie femme de la pire espèce...

— Tu as raison, répondit la mère en hochant la tête. Lucien a déjà tout oublié non seulement de ses malheurs, mais des nôtres.

La mère et la fille se séparèrent sans oser se dire toutes leurs pensées.

LES MACHINES DU TRIOMPHE[a]

Dans les pays dévorés par le sentiment d'insubordination sociale caché sous le mot *égalité*, tout triomphe est un de ces miracles qui ne va pas, comme certains miracles d'ailleurs, sans la coopération d'adroits machinistes. Sur dix ovations obtenues par des hommes vivants et décernées au sein de la patrie, il y en a neuf dont les causes sont étrangères au glorieux couronné. Le triomphe de Voltaire sur les planches du Théâtre-Français n'était-il pas celui de la philosophie de son siècle? En France on ne peut triompher que quand tout le monde se couronne sur la tête du triomphateur. Aussi les deux femmes avaient-elles raison dans leurs pressentiments. Le succès du grand homme de province était trop antipathique aux mœurs immobiles d'Angoulême pour ne pas avoir été mis en scène par des intérêts ou par un machiniste passionné, collaborations également perfides. Ève, comme la plupart des femmes d'ailleurs, se défiait par sentiment et sans pouvoir se justifier à elle-même sa défiance. Elle se dit en s'endormant : — « Qui donc aime assez ici mon frère pour avoir excité le pays?... Les *Marguerites* ne sont d'ailleurs pas encore publiées, comment peut-on le féliciter d'un succès à venir?...»

Ce triomphe était en effet l'œuvre de Petit-Claud. Le jour où le curé de Marsac lui annonça le retour de Lucien, l'avoué dînait pour la première fois chez madame de Sénonches, qui devait recevoir officiellement la demande de la main de sa pupille. Ce fut un de ces dîners de famille dont la solennité se trahit plus par les toilettes que par le nombre des convives. Quoiqu'en famille, on se sait en représentation, et les intentions percent dans toutes les contenances. Françoise était mise comme en étalage. Madame de Sénonches avait arboré les pavillons de ses toilettes les plus recherchées. Monsieur du Hautoy était en habit noir. Monsieur de Sénonches, à qui sa femme avait écrit l'arrivée de madame du Châtelet qui devait se montrer pour la première fois chez elle et la présentation officielle d'un prétendu pour Françoise, était revenu de chez monsieur de Pimentel. Cointet, vêtu de son plus bel habit marron à coupe ecclésiastique, offrit aux regards un diamant de six mille francs sur son jabot, la vengeance du riche commerçant sur l'aristocratie pauvre. Petit-Claud, épilé, peigné, savonné, n'avait pu se défaire de son petit air sec. Il était impossible de ne pas comparer cet avoué maigrelet, serré dans ses habits, à une vipère gelée; mais l'espoir augmentait si bien la vivacité de ses yeux de pie, il mit tant de glace sur sa figure, il se gourma si bien, qu'il arriva juste à la dignité d'un petit procureur du roi ambitieux. Madame de Sénonches avait prié ses intimes de ne pas dire un mot sur la première entrevue de sa pupille avec un prétendu, ni de l'apparition de la préfète, en sorte qu'elle s'attendit à voir ses salons pleins. En effet, monsieur le préfet et sa femme avaient fait leurs visites officielles par cartes, en réservant l'honneur des visites personnelles comme un moyen d'action. Aussi l'aristocratie d'Angoulême était-elle travaillée d'une si énorme curiosité, que plusieurs personnes du camp de Chandour se proposèrent de venir à l'hôtel Bargeton, car on s'obstinait à ne pas appeler cette maison l'hôtel de Sénonches. Les preuves du crédit de la comtesse du Châtelet avaient réveillé bien des ambitions ; et d'ailleurs on la disait tellement changée à son avantage que chacun voulait en juger par soi-même. En apprenant de Cointet, pendant le chemin, la grande nouvelle de la faveur que Zéphirine avait obtenue de la préfète pour pouvoir lui présenter le futur de la chère Françoise, Petit-Claud se flatta de tirer parti de la fausse position où le retour de Lucien mettait Louise de Nègrepelisse.

Monsieur et madame de Sénonches avaient pris des engagements si lourds en achetant leur maison, qu'en gens de province ils ne s'avisèrent pas d'y faire le moindre changement. Aussi le premier mot de Zéphirine à Louise fut-il, en allant à sa rencontre, quand on l'annonça : — Ma chère Louise, voyez..., vous êtes encore ici chez vous !... en lui montrant le petit lustre à pendeloques, les boiseries et le mobilier qui jadis avaient fasciné Lucien.

— C'est, ma chère, ce que je veux le moins me rappeler, dit gracieusement madame la préfète en jetant un regard autour d'elle pour examiner l'assemblée.

Chacun s'avoua que Louise de Nègrepelisse ne se ressemblait pas à elle-même. Le monde parisien où elle était restée pendant dix-huit mois, les premiers bonheurs de son

mariage qui transformaient aussi bien la femme que
Paris avait transformé la provinciale, l'espèce de dignité
que donne le pouvoir, tout faisait de la comtesse du Châtelet
une femme qui ressemblait à madame de Bargeton comme
une fille de vingt ans ressemble à sa mère. Elle portait un
charmant bonnet de dentelles et de fleurs négligemment
attaché par une épingle à tête de diamant. Ses cheveux à
l'anglaise lui accompagnaient bien la figure et la rajeunis-
saient en en cachant les contours. Elle avait une robe
en foulard, à corsage en pointe, délicieusement frangée
et dont la façon due à la célèbre Victorine [1] faisait bien
valoir sa taille. Ses épaules, couvertes d'un fichu de blonde,
étaient à peine visibles sous une écharpe de gaze adroitement mise autour de son cou trop long. Enfin elle jouait
avec ces jolies bagatelles dont le maniement est l'écueil
des femmes de province : une jolie cassolette pendait à
son bracelet par une chaîne; elle tenait dans une main son
éventail et son mouchoir roulé sans en être embarrassée.
Le goût exquis des moindres détails, la pose et les manières
copiées de madame d'Espard révélaient en Louise une
savante étude du faubourg Saint-Germain. Quant au vieux
Beau de l'Empire, le mariage l'avait avancé comme ces
melons qui, de verts encore la veille, deviennent jaunes
dans une seule nuit. En retrouvant sur le visage épanoui
de sa femme la verdeur que Sixte avait perdue, on se fit,
d'oreille à oreille, des plaisanteries de province, et d'autant
plus volontiers que toutes les femmes enrageaient de la
nouvelle supériorité de l'ancienne reine d'Angoulême ;
et le tenace intrus dut payer pour sa femme. Excepté
monsieur de Chandour et sa femme, feu Bargeton, monsieur
de Pimentel et les Rastignac, le salon se trouvait à peu près
aussi nombreux que le jour où Lucien y fit sa lecture, car
monseigneur l'évêque arriva suivi de ses grands-vicaires.
Petit-Claud, saisi par le spectacle de l'aristocratie angoumoisine, au cœur de laquelle il désespérait de se voir jamais
quatre mois auparavant, sentit sa haine contre les classes

---

1. Couturière parisienne de l'époque de la Restauration.

supérieures se calmer. Il trouva la comtesse Châtelet ravissante en se disant : — Voilà pourtant la femme qui peut me faire nommer substitut ! Vers le milieu de la soirée, après avoir causé pendant le même temps avec chacune des femmes en variant le ton de son entretien selon l'importance de la personne et la conduite qu'elle avait tenue à propos de sa fuite avec Lucien, Louise se retira dans le boudoir avec monseigneur. Zéphirine prit alors le bras de Petit-Claud, à qui le cœur battit, et l'amena vers ce boudoir où les malheurs de Lucien avaient commencé, et où ils allaient se consommer.

— Voici monsieur Petit-Claud, ma chère, je te le recommande d'autant plus vivement que tout ce que tu feras pour lui profitera sans doute à ma pupille.

— Vous êtes avoué, monsieur ? dit l'auguste fille des Nègrepelisse en toisant Petit-Claud.

— Hélas ! oui, *madame la comtesse.* (Jamais le fils du tailleur de l'Houmeau n'avait eu, dans toute sa vie, une seule fois, l'occasion de se servir de ces trois mots ; aussi sa bouche en fut-elle comme pleine.) Mais, reprit-il, il dépend de madame la comtesse de me faire tenir debout au parquet. Monsieur Milaud va, dit-on, à Nevers...

— Mais, reprit la comtesse, n'est-on pas second, puis premier substitut ? Je voudrais vous voir sur-le-champ premier substitut... Pour m'occuper de vous et vous obtenir cette faveur, je veux quelque certitude de votre dévouement à la Légitimité, à la Religion, et surtout à monsieur de Villèle [1].

— Ah ! madame, dit Petit-Claud en s'approchant de son oreille, je suis homme à obéir absolument au Roi.

— C'est ce qu'il *nous* faut aujourd'hui, répliqua-t-elle en se reculant pour lui faire comprendre qu'elle ne voulait plus rien s'entendre dire à l'oreille. Si vous convenez

---

1. Villèle vient, en décembre 1821, d'accéder à la direction des affaires. Pour comprendre le mot de la comtesse du Châtelet, il faut se souvenir que les royalistes arrivés au pouvoir eurent tôt fait de se diviser en deux clans, les ministériels et la contre-opposition.

toujours à madame de Sénonches, comptez sur moi,
ajouta-t-elle en faisant un geste royal avec son éventail.

— Madame, dit Petit-Claud à qui Cointet se montra en
arrivant à la porte du boudoir, Lucien est ici.

— Eh ! bien, monsieur ?... répondit la comtesse d'un
ton qui eût arrêté toute espèce de parole dans le gosier
d'un homme ordinaire.

— Madame la comtesse ne me comprend pas, reprit
Petit-Claud en se servant de la formule la plus respectueuse, je veux lui donner une preuve de mon dévouement
à sa personne. Comment madame la comtesse veut-elle
que le grand homme qu'elle a fait soit reçu dans Angoulême ? Il n'y a pas de milieu : il doit y être un objet ou de
mépris ou de gloire.

Louise de Nègrepelisse n'avait pas pensé à ce dilemme,
auquel elle était évidemment intéressée plus à cause du
passé que du présent. Or, des sentiments que la comtesse
portait actuellement à Lucien dépendait la réussite du plan
conçu par l'avoué pour mener à bien l'arrestation de Séchard.

— Monsieur Petit-Claud, dit-elle en prenant une attitude
de hauteur et de dignité, vous voulez appartenir au Gouvernement ; sachez que son premier principe doit être
de ne jamais avoir eu tort, et que les femmes ont encore
mieux que les gouvernements l'instinct du pouvoir et le
sentiment de leur dignité.

— C'est bien là ce que je pensais, madame, répondit-
il vivement en observant la comtesse avec une attention
aussi profonde que peu visible. Lucien arrive ici dans la
plus grande misère. Mais, s'il doit y recevoir une ovation,
je puis aussi le contraindre, à cause de l'ovation même,
à quitter Angoulême où sa sœur et son beau-frère David
Séchard sont sous le coup de poursuites ardentes...

Louise de Nègrepelisse laissa voir sur son visage altier
un léger mouvement produit par la répression même de
son plaisir. Surprise d'être si bien devinée, elle regarda
Petit-Claud en dépliant son éventail, car Françoise de La
Haye entrait, ce qui lui donna le temps de trouver une
réponse.

— Monsieur, dit-elle avec un sourire significatif, vous serez promptement procureur du Roi...

N'était-ce pas tout dire sans se compromettre ?

— Oh ! madame, s'écria Françoise en venant remercier la préfète, je vous devrai donc le bonheur de ma vie. Elle lui dit à l'oreille en se penchant vers sa protectrice par un petit geste de jeune fille : — Je serais morte à petit feu d'être la femme d'un avoué de province...

Si Zéphirine s'était ainsi jetée sur Louise, elle y avait été poussée par Francis, qui ne manquait pas d'une certaine connaissance du monde bureaucratique.

— Dans les premiers jours de tout avènement, que ce soit celui d'un préfet, d'une dynastie ou d'une exploitation, dit l'ancien consul-général à son amie, on trouve les gens tout feu pour rendre service ; mais ils ont bientôt reconnu les inconvénients de la protection et deviennent de glace. Aujourd'hui Louise fera pour Petit-Claud des démarches que, dans trois mois, elle ne voudrait plus faire pour votre mari.

— Madame la comtesse pense-t-elle, dit Petit-Claud, à toutes les obligations du triomphe de notre poète ? Elle devra recevoir Lucien pendant les dix jours que durera notre engouement.

La préfète fit un signe de tête afin de congédier Petit-Claud, et se leva pour aller causer avec madame de Pimentel qui montra sa tête à la porte du boudoir. Saisie par la nouvelle de l'élévation du bonhomme de Nègrepelisse à la Pairie, la marquise avait jugé nécessaire de venir caresser une femme assez habile pour avoir augmenté son influence en faisant une quasi-faute [a].

— Dites-moi donc, ma chère, pourquoi vous vous êtes donné la peine de mettre votre père à la Chambre haute, dit la marquise au milieu d'une conversation confidentielle où elle pliait le genou devant la supériorité de *sa chère* Louise.

— Ma chère, on m'a d'autant mieux accordé cette faveur que mon père n'a pas d'enfants, et votera toujours pour la couronne ; mais, si j'ai des garçons, je compte bien que mon aîné sera substitué au titre, aux armes et à la pairie de son grand-père...

Madame de Pimentel vit avec chagrin qu'elle ne pourrait pas employer à réaliser son désir de faire élever monsieur de Pimentel à la pairie, une mère dont l'ambition s'étendait sur les enfants à venir.

— Je tiens la préfète, disait Petit-Claud à Cointet en sortant, et je vous promets votre acte de société...Je serai dans un mois premier substitut, et vous, vous serez maître de Séchard. Tâchez maintenant de me trouver un successeur pour mon Étude, j'en ai fait en cinq mois la première d'Angoulême...

— Il ne fallait que vous mettre à cheval, dit Cointet presque jaloux de son œuvre.

Chacun peut maintenant comprendre la cause du triomphe de Lucien dans son pays. A la manière de ce roi de France qui ne vengeait pas le duc d'Orléans, Louise ne voulait pas se souvenir des injures reçues à Paris par madame de Bargeton. Elle voulait patroner Lucien, l'écraser de sa protection et s'en débarrasser *honnêtement*. Mis au fait de toute l'intrigue de Paris par les commérages, Petit-Claud avait bien deviné la haine vivace que les femmes portent à l'homme qui n'a pas su les aimer à l'heure où elles ont eu l'envie d'être aimées.

UN DÉVOUEMENT COMME ON EN REN-CONTRE QUELQUEFOIS DANS LE COURS DE LA VIE [a]

Le lendemain de l'ovation qui justifiait le passé de Louise de Nègrepelisse, Petit-Claud, pour achever de griser Lucien et s'en rendre maître, se présenta chez madame Séchard à la tête de six jeunes gens de la ville, tous anciens camarades de Lucien au collège d'Angoulême.

Cette députation était envoyée à l'auteur des *Marguerites* et de *l'Archer de Charles IX* par ses condisciples, pour le prier d'assister au banquet qu'ils voulaient donner au grand homme sorti de leurs rangs.

— Tiens, c'est toi, Petit-Claud ! s'écria Lucien.

— Ta rentrée ici, lui dit Petit-Claud, a stimulé notre amour-propre, nous nous sommes piqués d'honneur, nous nous sommes cotisés, et nous te préparons un magnifique repas. Notre proviseur et nos professeurs y assisteront; et, à la manière dont vont les choses, nous aurons sans doute les autorités.

— Et pour quel jour ? dit Lucien.

— Dimanche prochain.

— Cela me serait impossible, répondit le poète, je ne puis accepter que pour dans dix jours d'ici... Mais alors ce sera volontiers...

— Eh ! bien, nous sommes à tes ordres, dit Petit-Claud ; soit, dans dix jours.

Lucien fut charmant avec ses anciens camarades qui lui témoignèrent une admiration presque respectueuse. Il causa pendant environ une demi-heure avec beaucoup d'esprit, car il se trouvait sur un piédestal et voulait justifier l'opinion du pays : il se mit les mains dans les goussets, il parla tout à fait en homme qui voit les choses de la hauteur où ses concitoyens l'ont mis. Il fut modeste, et bon enfant, comme un génie en déshabillé. Ce fut les plaintes d'un athlète fatigué des luttes à Paris, désenchanté surtout, il félicita ses camarades de ne pas avoir quitté leur bonne province, etc. Il les laissa tout enchantés de lui.

Puis, il prit Petit-Claud à part et lui demanda la vérité sur les affaires de David, en lui reprochant l'état de séquestration où se trouvait son beau-frère. Lucien voulait ruser avec Petit-Claud. Petit-Claud s'efforça de donner à son ancien camarade cette opinion que lui, Petit-Claud, était un pauvre petit avoué de province, sans aucune espèce de finesse. La constitution actuelle des sociétés, infiniment plus compliquée dans ses rouages que celle des sociétés antiques, a eu pour effet de subdiviser les facultés chez l'homme. Autrefois, les gens éminents, forcés d'être universels, apparaissaient en petit nombre et comme des flambeaux au milieu des nations antiques. Plus tard, si les facultés se spécialisèrent, la qualité s'adressait encore à l'ensemble des choses. Ainsi un homme *riche en cautèle*, comme on l'a dit de Louis XI, pouvait appliquer sa ruse à tout ; mais aujourd'hui, la qualité s'est elle-même subdivisée. Par exemple, autant de professions, autant de ruses différentes. Un rusé diplomate sera très bien joué, dans une affaire, au fond d'une province, par un avoué médiocre ou par un paysan. Le plus rusé journaliste peut se trouver fort niais en matière d'intérêts commerciaux, et Lucien devait être et fut le jouet de Petit-Claud. Le malicieux avocat avait naturellement écrit lui-même l'article où la ville d'Angoulême, compromise avec son faubourg de l'Houmeau, se trouvait obligée de fêter Lucien. Les concitoyens de Lucien, venus sur la place du Mûrier, étaient les ouvriers de l'imprimerie et de la papeterie des Cointet, accompagnés des clercs de Petit-Claud, de Cachan, et de quelques camarades de collège. Redevenu pour le poète le *copin* du collège, l'avoué pensait avec raison que son camarade laisserait échapper, dans un temps donné, le secret de la retraite de David. Et si David périssait par la faute de Lucien, Angoulême n'était pas tenable pour le poète. Aussi, pour mieux assurer son influence, se posa-t-il comme l'inférieur de Lucien.

— Comment n'aurais-je pas fait pour le mieux ? dit Petit-Claud à Lucien. Il s'agissait de la sœur de mon *copin* ; mais, au Palais, il y a des positions où l'on doit périr. David m'a demandé, le premier juin, de lui garantir sa tranquillité pendant trois mois ; il n'est en danger qu'en septembre, et encore ai-je su soustraire tout ce qu'il avait à ses créanciers ; car je gagnerai le procès en Cour royale ; j'y ferai juger que le privilège de la femme est absolu, que, dans l'espèce, il ne couvre aucune fraude... Quant à toi, tu reviens malheureux, mais tu es un homme de génie... (Lucien fit un geste comme d'un homme à qui l'encensoir arrive trop près du nez.) — Oui, mon cher, reprit Petit-

Claud, j'ai lu *l'Archer de Charles IX*, et c'est plus qu'un ouvrage, c'est un livre ! La préface n'a pu être écrite que par deux hommes : Chateaubriand ou toi !

Lucien accepta cet éloge, sans dire que cette préface était de d'Arthez. Sur cent auteurs français, quatre-vingt-dix-neuf eussent agi comme lui.

— Eh ! bien, ici l'on n'avait pas l'air de te connaître, reprit Petit-Claud en jouant l'indignation. Quand j'ai vu l'indifférence générale, je me suis mis en tête de révolutionner tout ce monde. J'ai fait l'article que tu as lu...

— Comment, c'est toi qui !... s'écria Lucien.

— Moi-même ! Angoulême et l'Houmeau se sont trouvés en rivalité, j'ai rassemblé des jeunes gens, tes anciens camarades de collège, et j'ai organisé la sérénade d'hier ; puis, une fois lancés dans l'enthousiasme, nous avons lâché la souscription pour le dîner. — « Si David se cache, au moins Lucien sera couronné ! » me suis-je dit. J'ai fait mieux, reprit Petit-Claud, j'ai vu la comtesse Châtelet, et je lui ai fait comprendre qu'elle se devait à elle-même de tirer David de sa position, elle le peut, elle le doit. Si David a bien réellement trouvé le secret dont il m'a parlé, le gouvernement ne se ruinera pas en le soutenant, et quel genre pour un préfet d'avoir l'air d'être pour moitié dans une si grande découverte par l'heureuse protection qu'il accorde à l'inventeur ! On fait parler de soi comme d'un administrateur éclairé... Ta sœur s'est effrayée du jeu de notre mousqueterie judiciaire ! elle a eu peur de la fumée... La guerre au Palais coûte aussi cher que sur les champs de bataille ; mais David a maintenu sa position, il est maître de son secret : on ne peut pas l'arrêter, on ne l'arrêtera pas !

— Je te remercie, mon cher, et je vois que je puis te confier mon plan, tu m'aideras à le réaliser.

Petit-Claud regarda Lucien en donnant à son nez en vrille l'air d'un point d'interrogation.

— Je veux sauver Séchard, dit Lucien avec une sorte d'importance, je suis la cause de son malheur, je réparerai tout... J'ai plus d'empire sur Louise...

— Qui, Louise ?...

— La comtesse Châtelet !...

(Petit-Claud fit un mouvement).

— J'ai sur elle plus d'empire qu'elle ne le croit elle-même, reprit Lucien ; seulement, mon cher, si j'ai du pouvoir sur votre gouvernement, je n'ai pas d'habits...

Petit-Claud fit un autre mouvement comme pour offrir sa bourse.

— Merci, dit Lucien en serrant la main de Petit-Claud. Dans dix jours d'ici, j'irai faire une visite à madame la préfète, et je te rendrai la tienne.

Et ils se séparèrent en se donnant des poignées de main de camarades.

— Il doit être poète, se dit en lui-même Petit-Claud, car il est fou.

— On a beau dire, pensait Lucien en revenant chez sa sœur ; en fait d'amis, il n'y a que les amis de collège.

— Mon Lucien, dit Ève, que t'a donc promis Petit-Claud pour lui témoigner tant d'amitié ? Prends garde à lui !

— A lui ? s'écria Lucien. Écoute, Ève, reprit-il en paraissant obéir à une réflexion, tu ne crois plus en moi, tu te défies de moi, tu peux bien te défier de Petit-Claud ; mais, dans douze ou quinze jours, tu changeras d'opinion, ajouta-t-il d'un petit air fat.

LUCIEN PREND AU SÉRIEUX
SA GLOIRE DÉPARTEMENTALE[a]

Lucien remonta dans sa chambre, et y écrivit la lettre suivante à Lousteau.

« Mon ami, de nous deux, moi seul puis me souvenir » du billet de mille francs que je t'ai prêté : mais je con-

» nais trop bien, hélas ! la situation où tu seras en ouvrant
» ma lettre, pour ne pas ajouter aussitôt que je ne te les
» redemande pas en espèces d'or ou d'argent ; non, je
» te les demande en crédit, comme on les demanderait à
» Florine en plaisir. Nous avons le même tailleur, tu
» peux donc me faire confectionner sous le plus bref
» délai un habillement complet. Sans être précisément
» dans le costume d'Adam, je ne puis me montrer. Ici,
» les honneurs départementaux dus aux illustrations
» parisiennes m'attendaient, à mon grand étonnement.
» Je suis le héros d'un banquet, ni plus ni moins qu'un
» député de la Gauche ; comprends-tu maintenant la
» nécessité d'un habit noir ? Promets le payement ; charge-
» t'en, fais jouer la réclame ; enfin trouve une scène inédite
» de Don Juan avec monsieur Dimanche, car il faut m'en-
» dimancher à tout prix. Je n'ai rien que des haillons :
» pars de là ! Nous sommes en septembre, il fait un temps
» magnifique ; *ergô*, veille à ce que je reçoive, à la fin de
» cette semaine, un charmant habillement du matin : petite
» redingote vert-bronze foncé, trois gilets, l'un couleur
» soufre, l'autre de fantaisie, genre écossais, le troisième
» d'une entière blancheur ; plus, trois pantalons *à faire des*
» *femmes*, l'un blanc étoffe anglaise, l'autre nankin, le troi-
» sième en léger casimir noir ; enfin un habit noir et un
» gilet de satin noir pour soirée. Si tu as retrouvé une
» Florine quelconque, je me recommande à elle pour
» deux cravates de fantaisie. Ceci n'est rien, je compte
» sur toi, sur ton adresse : le tailleur m'inquiète peu. Mon
» cher ami, nous l'avons maintes fois déploré : l'intelli-
» gence de la misère qui, certes, est le plus actif poison
» dont soit travaillé l'homme par excellence, le Parisien !
» cette intelligence dont l'activité surprendrait Satan, n'a
» pas encore trouvé le moyen d'avoir à crédit un chapeau !
» Quand nous aurons mis à la mode des chapeaux qui vau-
» dront mille francs, les chapeaux seront possibles ; mais
» jusque-là, nous devrons toujours avoir assez d'or dans
» nos poches pour payer un chapeau. Ah ! quel mal la
» Comédie-Française nous a fait avec ce : — *Lafleur, tu*

» *mettras de l'or dans mes poches !* Je sens donc profon-
» dément toutes les difficultés de l'exécution de cette
» demande : joins une paire de bottes, une paire d'escar-
» pins, un chapeau, six paires de gants, à l'envoi du tail-
» leur ! C'est demander l'impossible, je le sais. Mais la vie
» littéraire n'est-elle pas l'impossible mis en coupe réglée ?...
» Je ne te dis qu'une seule chose : opère ce prodige en fai-
» sant un grand article ou quelque petite infamie, je te
» quitte et décharge de ta dette. Et c'est une dette d'hon-
» neur, mon cher, elle a douze mois de carnet : tu en rou-
» girais, si tu pouvais rougir. Mon cher Lousteau, plai-
» santerie à part, je suis dans des circonstances graves.
» Juges-en par ce seul mot : la Seiche est engraissée, elle
» est devenue la femme du Héron, et le Héron est préfet
» d'Angoulême. Cet affreux couple peut beaucoup pour
» mon beau-frère que j'ai mis dans une situation affreuse,
» il est poursuivi, caché, sous le poids de la lettre de
» change !... Il s'agit de reparaître aux yeux de madame la
» préfète et de reprendre sur elle quelque empire à tout
» prix. N'est-ce pas effrayant à penser que la fortune
» de David Séchard dépende d'une jolie paire de bottes,
» de bas de soie gris à jour (ne va pas les oublier), et d'un
» chapeau neuf !... Je vais me dire malade et souffrant,
» me mettre au lit comme fit Duvicquet [1], pour me dis-
» penser de répondre à l'empressement de mes conci-
» toyens. Mes concitoyens m'ont donné, mon cher, une
» très belle sérénade. Je commence à me demander com-
» bien il faut de sots pour composer ce mot : *mes conci-
» toyens*, depuis que j'ai su que l'enthousiasme de la capitale
» de l'Angoumois avait eu quelques-uns de mes camarades
» de collège pour boute-en-train.

» Si tu pouvais mettre aux *Faits-Paris* quelques lignes
» sur ma réception, tu me grandirais ici de plusieurs

---

1. Critique aux *Débats*, il y succéda à Geoffroy. Autrefois républicain, il était devenu bien pensant. Cet ancien professeur était inexorable dans ses jugements inspirés de la plus stricte orthodoxie classique.
Quand il fut fatigué, il passa la main à Jules Janin. Il mourut en 1836.

» talons de botte. Je ferais d'ailleurs sentir à la Seiche que
» j'ai, sinon des amis, du moins quelque crédit dans la
» Presse parisienne. Comme je ne renonce à rien de mes
» espérances, je te revaudrai cela. S'il te fallait un bel article
» de fond pour un recueil quelconque, j'ai le temps d'en
» méditer un à loisir. Je ne te dis plus qu'un mot, mon
» cher ami : je compte sur toi, comme tu peux compter
» sur celui qui se dit :

> » Tout à toi,
> » LUCIEN DE R. »

» *P.-S.* — Adresse-moi le tout par les diligences, bureau
restant. »

Cette lettre, où Lucien reprenait le ton de supériorité
que son succès lui donnait intérieurement, lui rappela
Paris. Pris depuis six jours par le calme absolu de la province, sa pensée se reporta vers ses bonnes misères, il eut
des regrets vagues, il resta pendant toute une semaine
préoccupé de la comtesse Châtelet; enfin, il attacha tant
d'importance à sa réapparition que, quand il descendit,
à la nuit tombante, à l'Houmeau chercher au bureau des
diligences les paquets qu'il attendait de Paris, il éprouvait
toutes les angoisses de l'incertitude, comme une femme qui
a mis ses dernières espérances sur une toilette et qui déses-
père de l'avoir.

— Ah! Lousteau! je te pardonne tes trahisons, se dit-il
en remarquant, par la forme des paquets que l'envoi devait
contenir tout ce qu'il avait demandé.

Il trouva la lettre suivante dans le carton à chapeau.

> « Du salon de Florine.

» Mon cher enfant,

» Le tailleur s'est très bien conduit, mais, comme ton
» profond coup d'œil rétrospectif te le faisait pressentir,
» les cravates, le chapeau, les bas de soie à trouver ont
» porté le trouble dans nos cœurs, car il n'y avait rien à

» troubler dans notre bourse. Nous le disions avec Blondet :
» il y aurait une fortune à faire en établissant une maison
» où les jeunes gens trouveraient ce qui coûte peu de chose.
» Car nous finissons par payer très cher ce que nous ne
» payons pas. D'ailleurs, le grand Napoléon, arrêté dans
» sa course vers les Indes, faute d'une paire de bottes,
» l'a dit : *Les affaires faciles ne se font jamais !* Donc tout
» allait, excepté ta chaussure... Je me voyais habillé sans
» chapeau ! gileté sans souliers, et je pensais à t'envoyer
» une paire de mocassins qu'un Américain a donnés
» par curiosité à Florine. Florine a offert une masse de
» quarante francs à jouer pour toi. Nathan, Blondet et
» moi, nous avons été si heureux en ne jouant plus pour
» notre compte que nous avons été assez riches pour emme-
» ner la Torpille, l'ancien rat de des Lupeaulx, à souper.
» Frascati nous devait bien cela. Florine s'est chargée
» des acquisitions; elle y a joint trois belles chemises.
» Nathan t'offre une canne. Blondet, qui a gagné trois
» cents francs, t'envoie une chaîne d'or. Le rat y a joint
» une montre en or, grande comme une pièce de quarante
» francs qu'un imbécile lui a donnée et qui ne va pas :
» — « *C'est de la pacotille, comme ce qu'il a eu !* » nous a-t-elle
» dit. Bixiou, qui nous est venu trouver au Rocher de
» Cancale, a voulu mettre un flacon d'eau de Portugal
» dans l'envoi que te fait Paris. Notre premier comique
» a dit : *Si cela peut faire son bonheur, qu'il le soit !...* avec
» cet accent de basse-taille et cette importance bourgeoise
» qu'il peint si bien. Tout cela, mon cher enfant, te prouve
» combien l'on aime ses amis dans le malheur. Florine,
» à qui j'ai eu la faiblesse de pardonner, te prie de nous
» envoyer un article sur le dernier ouvrage de Nathan.
» Adieu, mon fils ? Je ne puis que te plaindre d'être
» retourné dans le bocal d'où tu sortais quand tu t'es
» fait un vieux camarade de

» Ton ami,

» Étienne L. »

— Pauvres garçons ! ils ont joué pour moi ! se dit-il tout ému.

Il vient des pays malsains ou de ceux où l'on a le plus souffert des bouffées qui ressemblent aux senteurs du paradis. Dans une vie tiède le souvenir des souffrances est comme une jouissance indéfinissable. Ève fut stupéfaite quand son frère descendit dans ses vêtements neufs; elle ne le reconnaissait pas.

— Je puis maintenant m'aller promener à Beaulieu, s'écria-t-il ; on ne dira pas de moi : Il est revenu en haillons ! Tiens, voilà une montre que je te rendrai, car elle est bien à moi; puis, elle me ressemble, elle est détraquée.

— Quel enfant tu es !... dit Ève. On ne peut t'en vouloir de rien.

— Croirais-tu donc, ma chère fille, que j'aie demandé tout cela dans la pensée assez niaise de briller aux yeux d'Angoulême, dont je me soucie comme de cela ! dit-il en fouettant l'air avec sa canne à pomme d'or ciselée. Je veux réparer le mal que j'ai fait, et je me suis mis sous les armes.

Le succès de Lucien comme élégant fut le seul triomphe réel qu'il obtint, mais il fut immense. L'envie délie autant de langues que l'admiration en glace. Les femmes raffolèrent de lui, les hommes en médirent, et il put s'écrier comme le chansonnier : *O mon habit, que je te remercie* [1] [a] ! Il alla mettre deux cartes à la Préfecture et fit également une visite à Petit-Claud, qu'il ne trouva pas. Le lendemain, jour du banquet, les journaux de Paris contenaient tous, à la rubrique d'Angoulême, les lignes suivantes :

« ANGOULÊME. Le retour d'un jeune poète dont les » débuts ont été si brillants, de l'auteur de *l'Archer de* » *Charles IX*, l'unique roman historique fait en France » sans imitation du genre de Walter Scott, et dont la » préface est un événement littéraire, a été signalé par

---

1. Ceci est un vers de Sedaine, mais le texte exact est : Oh, mon habit, que je vous remercie. *Le Parisien-l'État* donne donc le texte véritable.

» une ovation aussi flatteuse pour la ville que pour monsieur
» Lucien de Rubempré. La ville s'est empressée de lui
» offrir un banquet patriotique. Le nouveau préfet, à
» peine installé, s'est associé à la manifestation publique
» en fêtant l'auteur des *Marguerites*, dont le talent fut si
» vivement encouragé à ses débuts par madame la com-
» tesse Châtelet. »

En France[a], une fois l'élan donné, personne ne peut
plus l'arrêter. Le colonel du régiment en garnison offrit
sa musique. Le maître-d'hôtel de la Cloche, dont les expéditions de dindes truffées vont jusqu'en Chine et s'envoient
dans les plus magnifiques porcelaines, le fameux aubergiste
de l'Houmeau, chargé du repas, avait décoré sa grande
salle avec des draps sur lesquels des couronnes de laurier
entremêlées de bouquets faisaient un effet superbe. A cinq
heures quarante personnes étaient réunies là, toutes en
habit de cérémonie. Une foule de cent et quelques habitants,
attirés principalement par la présence des musiciens dans
la cour, représentait les concitoyens.

— Tout Angoulême est là ! dit Petit-Claud en se mettant
à la fenêtre.

— Je n'y comprends rien, disait Postel à sa femme,
qui vint pour écouter la musique. Comment ! le préfet,
le Receveur-Général, le Colonel, le directeur de la Poudrerie, notre Député, le Maire, le proviseur, le directeur de
la fonderie de Ruelle, le Président, le Procureur du Roi,
monsieur Milaud, toutes les autorités viennent d'arriver !...

Quand on se mit à table, l'orchestre militaire commença
par des variations sur l'air de *Vive le Roi, vive la France !*
qui n'a pu devenir populaire. Il était cinq heures du soir.
A huit heures un dessert de soixante-cinq plats, remarquable
par un Olympe en sucreries surmonté de la France en
chocolat, donna le signal des toasts.

— Messieurs, dit le préfet en se levant, au Roi !...
à la Légitimité ! N'est-ce pas à la paix que les Bourbons
nous ont ramenée que nous devons la génération de
poètes et de penseurs qui maintient dans les mains de la
France le sceptre de la littérature !...

— Vive le Roi ! crièrent les convives, parmi lesquels les ministériels étaient en force.

Le vénérable proviseur se leva.

— Au jeune poète, dit-il, au héros du jour, qui a su allier à la grâce et à la poésie de Pétrarque, dans un genre que Boileau déclarait si difficile, le talent du prosateur !

— Bravo ! bravo !

Le colonel se leva.

— Messieurs, au Royaliste ! car le héros de cette fête a eu le courage de défendre les bons principes !

— Bravo ! dit le préfet, qui donna le ton aux applaudissements.

Petit-Claud se leva.

— Tous les camarades de Lucien à la gloire du collège d'Angoulême, au vénérable proviseur qui nous est si cher, et à qui nous devons reporter tout ce qui lui appartient dans nos succès !...

Le vieux proviseur, qui ne s'attendait pas à ce toast, s'essuya les yeux. Lucien se leva : le plus profond silence s'établit, et le poète devint blanc. En ce moment le vieux proviseur, qui se trouvait à sa gauche, lui posa sur la tête une couronne de laurier. On battit des mains. Lucien eut des larmes dans les yeux et dans la voix.

— Il est gris, dit à Petit-Claud le futur procureur du Roi de Nevers.

— Ce n'est pas le vin qui l'a grisé, répondit l'avoué.

— Mes chers compatriotes, mes chers camarades, dit enfin Lucien, je voudrais avoir la France entière pour témoin de cette scène. C'est ainsi qu'on élève les hommes, et qu'on obtient dans notre pays les grandes œuvres et les grandes actions. Mais, voyant le peu que j'ai fait et le grand honneur que j'en reçois, je ne puis que me trouver confus et m'en remettre à l'avenir du soin de justifier l'accueil d'aujourd'hui. Le souvenir de ce moment me rendra des forces au milieu de luttes nouvelles. Permettez-moi de signaler à vos hommages celle qui fut et ma première muse et ma protectrice et de boire aussi à ma ville natale : donc à la belle comtesse Sixte du Châtelet et à la noble ville d'Angoulême.

— Il ne s'en est pas mal tiré, dit le Procureur du Roi qui hocha la tête en signe d'approbation; car nos toasts étaient préparés, et le sien est improvisé.

A dix heures les convives s'en allèrent par groupes. David Séchard, entendant cette musique extraordinaire, dit à Basine : — Que se passe-t-il donc à l'Houmeau?

— L'on donne, répondit-elle, une fête à votre beau-frère Lucien...

— Je suis sûr, dit-il, qu'il aura dû regretter de ne pas m'y voir !

A minuit Petit-Claud reconduisit Lucien jusque sur la place du Mûrier. Là Lucien dit à l'avoué : — Mon cher, entre nous c'est à la vie, à la mort.

— Demain, dit l'avoué, l'on signe mon contrat de mariage, chez madame de Sénonches, avec mademoiselle Françoise de La Haye, sa pupille ; fais-moi le plaisir d'y venir ; madame de Sénonches m'a prié de t'y amener, et tu y verras la préfète, qui sera très flattée de ton toast, dont on va sans doute lui parler.

— J'avais bien mes idées, dit Lucien.

— Oh! tu sauveras David !

— J'en suis sûr, répondit le poète.

En ce moment David se montra comme par enchantement. Voici pourquoi.

UN CÉRIZET SOUS L'HERBE[a]

Il se trouvait dans une position assez difficile : sa femme lui défendait absolument et de recevoir Lucien et de lui faire savoir le lieu de sa retraite, tandis que Lucien lui écrivait les lettres les plus affectueuses en lui disant que sous peu de jours il aurait réparé le mal. Or mademoiselle

Clerget avait remis à David les deux lettres suivantes en lui disant le motif de la fête dont la musique arrivait à son oreille.

« Mon ami, fais comme si Lucien n'était pas ici ; ne
» t'inquiète de rien, et grave dans ta chère tête cette pro-
» position : notre sécurité vient tout entière de l'impos-
» sibilité où sont tes ennemis de savoir où tu es. Tel est
» mon malheur que j'ai plus de confiance en Kolb, en
» Marion, en Basine, qu'en mon frère. Hélas ! mon pauvre
» Lucien n'est plus le candide et tendre poète que nous
» avons connu. C'est précisément parce qu'il veut se mêler
» de tes affaires et qu'il a la présomption de faire payer
» nos dettes (par orgueil, mon David !...) que je le crains.
» Il a reçu de Paris de beaux habits et cinq pièces d'or
» dans une belle bourse. Il les a mises à ma disposition,
» et nous vivons de cet argent. Nous avons enfin un
» ennemi de moins : ton père nous a quittés, et nous devons
» son départ à Petit-Claud, qui a démêlé les intentions
» du père Séchard et qui les a sur-le-champ annihilées
» en lui disant que tu ne ferais plus rien sans lui ; que lui,
» Petit-Claud, ne te laisserait rien céder de ta découverte
» sans une indemnité préalable de trente mille francs :
» d'abord quinze mille pour te liquider, quinze mille que
» tu toucherais dans tous les cas, succès ou insuccès.
» Petit-Claud est inexplicable pour moi. Je t'embrasse
» comme une femme embrasse son mari malheureux.
» Notre petit Lucien va bien. Quel spectacle que celui de
» cette fleur qui se colore et grandit au milieu de nos
» tempêtes domestiques ! Ma mère, comme toujours, prie
» Dieu et t'embrasse presque aussi tendrement que

» Ton Ève. »

Petit-Claud et les Cointet, effrayés de la ruse paysanne du vieux Séchard, s'en étaient, comme on voit, d'autant mieux débarrassés que ses vendanges le rappelaient à ses vignes de Marsac.

La lettre de Lucien, incluse dans celle d'Ève, était ainsi conçue :

« Mon cher David, tout va bien. Je suis armé de pied
» en cap ; j'entre en campagne aujourd'hui, dans deux
» jours j'aurai fait bien du chemin. Avec quel plaisir je
» t'embrasserai quand tu seras libre et quitte de mes dettes !
» Mais je suis blessé, pour la vie et au cœur, de la défiance
» que ma sœur et ma mère continuent à me témoigner.
» Ne sais-je pas déjà que tu te caches chez Basine ? Toutes
» les fois que Basine vient à la maison, j'ai de tes nouvelles
» et la réponse à mes lettres. Il est d'ailleurs évident que
» ma sœur ne pouvait compter que sur son amie d'atelier.
» Aujourd'hui je serai bien près de toi et cruellement
» marri de ne pas te faire assister à la fête que l'on me donne.
» L'amour-propre d'Angoulême m'a valu un petit triomphe
» qui, dans quelques jours, sera entièrement oublié, mais
» où ta joie aurait été la seule de sincère. Enfin, encore
» quelques jours, et tu pardonneras tout à celui qui compte
» pour plus que toutes les gloires du monde d'être

» Ton frère,
» LUCIEN. »

David eut le cœur vivement tiraillé par ces deux forces, quoiqu'elles fussent inégales; car il adorait sa femme, et son amitié pour Lucien s'était diminuée d'un peu d'estime. Mais dans la solitude la force des sentiments change entièrement. L'homme seul, et en proie à des préoccupations comme celles qui dévoraient David, cède à des pensées contre lesquelles il trouverait des points d'appui dans le milieu ordinaire de la vie. Ainsi, en lisant la lettre de Lucien au milieu des fanfares de ce triomphe inattendu, il fut profondément ému d'y voir exprimé le regret sur lequel il comptait. Les âmes tendres ne résistent pas à ces petits effets de sentiment, qu'ils estiment aussi puissants chez les autres que chez eux. N'est-ce pas la goutte d'eau qui tombe de la coupe pleine ?... Aussi, vers minuit, toutes les supplications de Basine ne purent-elles empêcher David d'aller voir Lucien.

— Personne, lui dit-il ne se promène à cette heure dans les rues d'Angoulême, on ne me verra pas, l'on ne peut pas m'arrêter la nuit; et, dans le cas où je serais rencontré, je puis me servir du moyen inventé par Kolb pour revenir dans ma cachette. Il y a d'ailleurs trop longtemps que je n'ai embrassé ma femme et mon enfant.

Basine céda devant toutes ces raisons assez plausibles, et laissa sortir David, qui criait : — Lucien! au moment où Lucien et Petit-Claud se disaient bonsoir. Et les deux frères se jetèrent dans les bras l'un de l'autre en pleurant. Il n'y a pas beaucoup de moments semblables dans la vie. Lucien sentait l'effusion d'une de ces amitiés *quand même*, avec lesquelles on ne compte jamais et qu'on se reproche d'avoir trompées. David éprouvait le besoin de pardonner. Ce généreux et noble inventeur voulait surtout sermonner Lucien et dissiper les nuages qui voilaient l'affection de la sœur et du frère. Devant ces considérations de sentiment, tous les dangers engendrés par le défaut d'argent avaient disparu.

Petit-Claud dit à son client : — Allez chez vous, profitez au moins de votre imprudence, embrassez votre femme et votre enfant ! et qu'on ne vous voie pas!

— Quel malheur ! se dit Petit-Claud, qui resta seul sur la place du Mûrier. Ah! si j'avais là Cérizet...

Au moment où l'avoué se parlait à lui-même le long de l'enceinte en planches faite autour de la place où s'élève orgueilleusement aujourd'hui le Palais-de-Justice, il entendit cogner derrière lui sur une planche, comme quand quelqu'un cogne du doigt à une porte.

— J'y suis, dit Cérizet dont la voix passait entre la fente de deux planches mal jointes. J'ai vu David sortant de l'Houmeau. Je commençais à soupçonner le lieu de sa retraite, maintenant j'en suis sûr, et sais où le pincer; mais, pour lui tendre un piège, il est nécessaire que je sache quelque chose des projets de Lucien, et voilà que vous les faites rentrer. Au moins restez là sous un prétexte quelconque. Quand David et Lucien sortiront, amenez-les près de moi; ils se croiront seuls, et j'entendrai les derniers mots de leur adieu.

— Tu es un maître diable! dit tout bas Petit-Claud.

— Nom d'un petit bonhomme, s'écria Cérizet, que ne ferait-on pas pour avoir ce que vous m'avez promis!

Petit-Claud quitta les planches et se promena sur la place du Mûrier en regardant les fenêtres de la chambre où la famille était réunie et pensant à son avenir comme pour se donner du courage ; car l'adresse de Cérizet lui permettait de frapper le dernier coup. Petit-Claud était un de ces hommes profondément retors et traîtreusement doubles, qui ne se laissent jamais prendre aux amorces du présent ni aux leurres d'aucun attachement après avoir observé les changements du cœur humain et la stratégie des intérêts. Aussi avait-il d'abord peu compté sur Cointet. Dans le cas où l'œuvre de son mariage aurait manqué sans qu'il eût le droit d'accuser le grand Cointet de traîtrise, il s'était mis en mesure de le chagriner; mais, depuis son succès à l'hôtel de Bargeton, Petit-Claud jouait franc jeu. Son arrière-trame, devenue inutile, était dangereuse pour la situation politique à laquelle il aspirait. Voici les bases sur lesquelles il voulait asseoir son importance future. Gannerac et quelques gros négociants commençaient à former dans l'Houmeau un comité libéral qui se rattachait par les relations du commerce aux chefs de l'Opposition. L'avènement du ministère Villèle, accepté par Louis XVIII mourant, était le signal d'un changement de conduite dans l'Opposition, qui, depuis la mort de Napoléon, renonçait au moyen dangereux des conspirations. Le parti libéral organisait au fond des provinces son système de résistance légale : il tendit à se rendre maître de la matière électorale, afin d'arriver à son but par la conviction des masses. Enragé libéral et fils de l'Houmeau, Petit-Claud fut le promoteur, l'âme et le conseil secret de l'Opposition de la basse-ville, opprimée par l'aristocratie de la ville haute. Le premier il fit apercevoir le danger de laisser les Cointet disposer à eux seuls de la presse dans le département de la Charente, où l'Opposition devait avoir un organe, afin de ne pas rester en arrière des autres villes.

— Que chacun de nous donne un billet de cinq cents francs à Gannerac, il aura vingt et quelques mille francs pour acheter l'imprimerie Séchard, dont nous serons alors les maîtres en en tenant le propriétaire par un prêt, dit Petit-Claud.

L'avoué fit adopter cette idée, en vue de corroborer ainsi sa double position vis-à-vis de Cointet et de Séchard, et il jeta naturellement les yeux sur un drôle de l'encolure de Cérizet pour en faire l'homme dévoué du parti.

— Si tu peux découvrir ton ancien bourgeois et le mettre entre mes mains, dit-il à l'ancien prote de Séchard, on te prêtera vingt mille francs pour acheter son imprimerie, et probablement tu seras à la tête d'un journal. Ainsi, marche.

Plus sûr de l'activité d'un homme comme Cérizet que de celle de tous les Doublon du monde, Petit-Claud avait alors promis au grand Cointet l'arrestation de Séchard. Mais depuis que Petit-Claud caressait l'espérance d'entrer dans la magistrature, il prévoyait la nécessité de tourner le dos aux libéraux, et il avait si bien monté les esprits à l'Houmeau que les fonds nécessaires à l'acquisition de l'imprimerie étaient réalisés. Petit-Claud résolut de laisser aller les choses à leur cours naturel.

— Bah ! se dit-il, Cérizet commettra quelque délit de presse, et j'en profiterai pour montrer mes talents...

Il alla vers la porte de l'imprimerie et dit à Kolb qui faisait sentinelle : — Monte avertir David de profiter de l'heure pour s'en aller, et prenez bien vos précautions ; je m'en vais, il est une heure...

Lorsque Kolb quitta le pas de la porte, Marion vint prendre sa place. Lucien et David descendirent, Kolb les précéda de cent pas en avant et Marion les suivit de cent pas en arrière. Quand les deux frères passèrent le long des planches, Lucien parlait avec chaleur à David.

— Mon ami, lui dit-il, mon plan est d'une excessive simplicité ; mais comment en parler devant Ève, qui n'en comprendrait jamais les moyens ? Je suis sûr que Louise a dans le fond du cœur un désir que je saurai réveiller, je la veux uniquement pour me venger de cet

imbécile de préfet. Si nous nous aimons, ne fût-ce qu'une
semaine, je lui ferai demander au ministère un encourage-
ment de vingt mille francs pour toi. Demain je reverrai
cette créature dans ce petit boudoir où nos amours ont
commencé, et où, selon Petit-Claud, il n'y a rien de changé :
j'y jouerai la comédie. Aussi, après demain matin, te ferai-je
remettre par Basine un petit mot pour te dire si j'ai été
sifflé... Qui sait, peut-être seras-tu libre... Comprends-tu
maintenant pourquoi j'ai voulu des habits de Paris ?
Ce n'est pas en haillons qu'on peut jouer le rôle de jeune
premier [a].

A six heures du matin, Cérizet vint voir Petit-Claud.

— Demain, à midi, Doublon peut préparer son coup ;
il prendra notre homme, j'en réponds, lui dit le Parisien :
je dispose de l'une des ouvrières de mademoiselle Clerget, comprenez-vous ?...

Après avoir écouté le plan de Cérizet, Petit-Claud
courut chez Cointet.

— Faites en sorte que ce soir monsieur du Hautoy se
soit décidé à donner à Françoise la nue propriété de ses
biens, vous signerez dans deux jours un acte de Société
avec Séchard. Je ne me marierai que huit jours après le
contrat ; ainsi nous serons bien dans les termes de nos
petites conventions : *donnant donnant*. Mais épions bien
ce soir ce qui se passera chez madame de Sénonches entre
Lucien et madame la comtesse du Châtelet, car tout est
là... si Lucien espère réussir par la préfète, je tiens David.

— Vous serez, je crois, Garde des sceaux, dit Cointet.

— Et pourquoi pas ? Monsieur de Peyronnet l'est bien [1],
dit Petit-Claud qui n'avait pas encore tout à fait dépouillé
la peau du libéral.

---

1. Ce ministre était l'un des hommes du gouvernement les plus
détestés. Même le pacifique et royaliste Delécluze ne voyait en lui
qu'un mince avocat de province, faisant dans sa ville — Bordeaux —
métier de spadassin et de souteneur de mauvais lieu. On l'accusait
de vivre avec sa belle-sœur à Paris. Stendhal disait qu'il était homme
de ton grossier et libertin, célèbre pour ses querelles et ses rixes d'auberge. Il était l'une des têtes de Turc de Barthélemy.

REVANCHE DE LUCIEN
A L'HOTEL DE BARGETON[a]

L'état douteux de mademoiselle de La Haye lui valut
la présence de la plupart des nobles d'Angoulême à la
signature de son contrat. La pauvreté de ce futur ménage
marié sans corbeille avivait l'intérêt que le monde aime
à témoigner ; car il en est de la bienfaisance comme des
triomphes : on aime une charité qui satisfait l'amour-
propre. Aussi la marquise de Pimentel, la comtesse du
Châtelet, monsieur de Sénonches et deux ou trois habitués
de la maison firent-ils à Françoise quelques cadeaux
dont on parlait beaucoup en ville. Ces jolies bagatelles
réunies au trousseau préparé depuis un an par Zéphirine,
aux bijoux du parrain et aux présents d'usage du marié,
consolèrent Françoise et piquèrent la curiosité de plusieurs mères qui amenèrent leurs filles. Petit-Claud et Cointet
avaient déjà remarqué que les nobles d'Angoulême les
toléraient l'un et l'autre dans leur Olympe comme une
nécessité : l'un était le régisseur de la fortune, le subrogé-
tuteur de Françoise; l'autre était indispensable à la signature du contrat comme le pendu à une exécution; mais
le lendemain de son mariage, si madame Petit-Claud
conservait le droit de venir chez sa marraine, le mari
s'y voyait difficilement admis, et il se promettait bien
de s'imposer à ce monde orgueilleux. Rougissant de ses
obscurs parents, l'avoué fit rester sa mère à Mansle où
elle s'était retirée, il la pria de se dire malade et de lui donner
son consentement par écrit. Assez humilié de se voir sans
parents, sans protecteurs, sans signature de son côté,
Petit-Claud se trouvait donc très heureux de présenter
dans l'homme célèbre un ami acceptable, et que la comtesse
désirait revoir. Aussi vint-il prendre Lucien en voiture.

Pour cette mémorable soirée, le poète avait fait une toilette
qui devait lui donner, sans contestation, une supériorité
sur tous les hommes. Madame de Sénonches avait d'ailleurs annoncé le héros du moment, et l'entrevue des deux
amants brouillés était une de ces scènes dont on est particulièrement friand en province. Lucien était passé à l'état
de *Lion* : on le disait si beau, si changé, si merveilleux,
que les femmes de l'Angoulême noble avaient toutes une
velléité de le revoir. Suivant la mode de cette époque à
laquelle on doit la transition de l'ancienne culotte de bal
aux ignobles pantalons actuels, il avait mis un pantalon
noir collant. Les hommes dessinaient encore leurs formes
au grand désespoir des gens maigres ou mal faits; et celles
de Lucien étaient *apolloniennes*. Ses bas de soie gris à jour,
ses petits souliers, son gilet de satin noir, sa cravate, tout
fut scrupuleusement tiré, collé pour ainsi dire sur lui.
Sa blonde et abondante chevelure frisée faisait valoir son
front blanc, autour duquel les boucles se relevaient avec
une grâce cherchée. Ses yeux, pleins d'orgueil, étincelaient.
Ses petites mains de femme , belles sous le gant, ne devaient
pas se laisser voir dégantées. Il copia son maintien sur
celui de de Marsay, le fameux dandy parisien, en tenant
d'une main sa canne et son chapeau qu'il ne quitta pas,
et il se servit de l'autre pour faire des gestes rares à l'aide
desquels il commenta ses phrases.

Lucien aurait bien voulu se glisser dans le salon, à
la manière de ces gens célèbres qui, par une fausse modestie,
se baisseraient sous la porte Saint-Denis. Mais Petit-Claud,
qui n'avait qu'un ami, en abusa. Ce fut presque pompeuse-
ment qu'il amena Lucien jusqu'à madame de Sénonches
au milieu de la soirée. A son passage, le poète entendit des
murmures qui jadis lui eussent fait perdre la tête, et qui le
trouvèrent froid; il était sûr de valoir, à lui seul, tout
l'Olympe d'Angoulême.

— Madame, dit-il à madame de Sénonches, j'ai déjà félicité mon ami Petit-Claud, qui est de l'étoffe dont on fait
les Gardes des sceaux, d'avoir le bonheur de vous appartenir, quelque faibles que soient les liens entre une mar-

raine et sa filleule (ce fut dit d'un air épigrammatique très bien senti par toutes les femmes qui écoutaient sans en avoir l'air). Mais, pour mon compte, je bénis une circonstance qui me permet de vous offrir mes hommages.

Ce fut dit sans embarras et dans une pose de grand seigneur en visite chez de petites gens. Lucien écouta la réponse entortillée que lui fit Zéphirine, en jetant un regard de circumnavigation dans le salon, afin d'y préparer ses effets. Aussi put-il saluer avec grâce et en nuançant ses sourires Francis du Hautoy et le préfet qui le saluèrent; puis il vint enfin à madame du Châtelet en feignant de l'apercevoir. Cette rencontre était si bien l'événement de la soirée, que le contrat de mariage où les gens marquants allaient mettre leur signature, conduits dans la chambre à coucher, soit par le notaire, soit par Françoise, fut oublié. Lucien fit quelques pas vers Louise de Nègrepelisse ; et, avec cette grâce parisienne, pour elle à l'état de souvenir depuis son arrivée, il lui dit assez haut :

— Est-ce à vous, madame, que je dois l'invitation qui me procure le plaisir de dîner après-demain à la préfecture ?...

— Vous ne la devez, monsieur, qu'à votre gloire, répliqua sèchement Louise un peu choquée de la tournure agressive de la phrase méditée par Lucien pour blesser l'orgueil de son ancienne protectrice.

— Ah ! madame la comtesse, dit Lucien d'un air à la fois fin et fat, il m'est impossible de vous amener l'homme s'il est dans votre disgrâce.

Et, sans attendre de réponse, il tourna sur lui-même en apercevant l'évêque, qu'il salua très noblement.

— Votre Grandeur a été presque prophète, dit-il d'une voix charmante, et je tâcherai qu'elle le soit tout à fait. Je m'estime heureux d'être venu ce soir ici, puisque je puis vous présenter mes respects.

Lucien entraîna Monseigneur dans une conversation qui dura dix minutes. Toutes les femmes regardaient Lucien comme un phénomène. Son impertinence inattendue avait laissé madame du Châtelet sans voix ni réponse.

En voyant Lucien l'objet de l'admiration de toutes les femmes ; en suivant, de groupe en groupe, le récit que chacune se faisait à l'oreille des phrases échangées où Lucien l'avait comme aplatie en ayant l'air de la dédaigner, elle fut pincée au cœur par une contraction d'amour-propre.

— S'il ne venait pas demain, après cette phrase, quel scandale? pensa-t-elle. D'où lui vient cette fierté? Mademoiselle des Touches serait-elle éprise de lui?...

— Il est si beau ! — On dit qu'elle a couru chez lui, à Paris, le lendemain de la mort de l'actrice !... Peut-être est-il venu sauver son beau-frère, et s'est-il trouvé derrière notre calèche à Mansle, par un accident de voyage. Ce matin-là, Lucien nous a singulièrement toisés, Sixte et moi. Ce fut une myriade de pensées, et, malheureusement pour Louise, elle s'y laissait aller en regardant Lucien qui causait avec l'évêque comme s'il eût été le roi du salon : il ne saluait personne et attendait qu'on vînt à lui, promenant son regard avec une variété d'expression, avec une aisance digne de de Marsay, son modèle. Il ne quitta pas le prélat pour aller saluer monsieur de Sénonches, qui se fit voir à peu de distance.

Au bout de dix minutes, Louise n'y tint plus. Elle se leva, marcha jusqu'à l'évêque et lui dit : — Que vous dit-on donc, Monseigneur, pour vous faire si souvent sourire?

Lucien se recula de quelques pas pour laisser discrètement madame de Châtelet avec le prélat.

— Ah ! madame la comtesse, ce jeune homme a bien de l'esprit !... il m'expliquait comment il vous devait toute sa force...

— Je ne suis pas ingrat, moi, madame !... dit Lucien en lançant un regard de reproche qui charma la comtesse.

— Entendons-nous, dit-elle en ramenant à elle Lucien par un geste d'éventail, venez avec Monseigneur, par ici !... Sa Grandeur sera notre juge.

Et elle montra le boudoir en y entraînant l'évêque.

— Elle fait faire un drôle de métier à Monseigneur, dit une femme du camp Chandour assez haut pour être entendue.

— Notre juge !... dit Lucien en regardant tour à tour le prélat et la préfète, il y aura donc un coupable ?

Louise de Nègrepelisse s'assit sur le canapé de son ancien boudoir. Après y avoir fait asseoir Lucien à côté d'elle et Monseigneur de l'autre côté, elle se mit à parler.

Lucien fit à son ancienne amie l'honneur, la surprise et le bonheur de ne pas écouter. Il eut l'attitude, les gestes de la Pasta dans *Tancredi* quand elle va dire : *O patria !*... Il chanta sur sa physionomie la fameuse cavatine *del Rizzo*. Enfin, l'élève de Coralie trouva moyen de se faire venir un peu de larmes dans les yeux.

— Ah ! Louise, comme je t'aimais ! lui dit-il à l'oreille sans se soucier du prélat ni de la conversation au moment où il vit que ses larmes avaient été vues par la comtesse.

— Essuyez vos yeux, ou vous me perdriez, ici, encore une fois, dit-elle en se retournant vers lui par un aparté qui choqua l'évêque.

— Et c'est assez d'une, reprit vivement Lucien. Ce mot de la cousine de madame d'Espard sècherait toutes les larmes d'une Madeleine. Mon Dieu !... j'ai retrouvé pour un moment mes souvenirs, mes illusions, mes vingt ans, et vous me les...

Monseigneur rentra brusquement au salon, en comprenant que sa dignité pouvait être compromise entre ces deux anciens amants. Chacun affecta de laisser la préfète et Lucien seuls dans le boudoir. Mais un quart d'heure après, Sixte, à qui les discours, les rires et les promenades au seuil du boudoir déplurent, y vint d'un air plus que soucieux et trouva Lucien et Louise très animés.

— Madame, dit Sixte à l'oreille de sa femme, vous qui connaissez mieux que moi Angoulême, ne devriez-vous pas songer à madame la préfète et au gouvernement.

— Mon cher, dit Louise en toisant son éditeur responsable d'un air de hauteur qui le fit trembler, je cause avec monsieur de Rubempré de choses importantes pour vous. Il s'agit de sauver un inventeur sur le point d'être victime

des manœuvres les plus basses, et vous nous y aiderez...
Quant à ce que ces dames peuvent penser de moi, vous
allez voir comment je vais me conduire pour glacer le
venin sur leurs langues.

Elle sortit du boudoir appuyée sur le bras de Lucien,
et le mena signer le contrat en s'affichant avec une audace
de grande dame.

— Signons ensemble ?... dit-elle en tendant la plume à
Lucien.

Lucien se laissa montrer par elle la place où elle venait de
signer, afin que leurs signatures fussent l'une auprès de
l'autre.

— Monsieur de Sénonches, auriez-vous reconnu monsieur de Rubempré ? dit la comtesse en forçant l'impertinent chasseur à saluer Lucien.

Elle ramena Lucien au salon, elle le mit entre elle et
Zéphirine sur le redoutable canapé du milieu. Puis, comme
une reine sur son trône, elle commença, d'abord à voix
basse, une conversation évidemment épigrammatique à
laquelle se joignirent quelques-uns de ses anciens amis
et plusieurs femmes qui lui faisaient la cour. Bientôt
Lucien, devenu le héros d'un cercle, fut mis par la comtesse
sur la vie de Paris dont la satire fut improvisée avec une
verve incroyable et semée d'anecdotes sur les gens célèbres,
véritables friandises de conversation dont sont excessivement avides les provinciaux. On admira l'esprit comme
on avait admiré l'homme. Madame la comtesse Sixte trium-
phait si patemment [1] de Lucien, elle en jouait si bien en
femme enchantée de son instrument [a], elle lui fournissait
la réplique avec tant d'à-propos, elle quêtait pour lui des
approbations par des regards si compromettants, que plusieurs femmes commencèrent à voir dans la coïncidence

---

1. La leçon *patemment* de certaines éditions est évidemment une
coquille. Mais on excuse les typographes d'avoir été inquiets devant
ce mot de Balzac. Il aurait mieux fait d'écrire : de façon si patente.
Il emploie à nouveau cet étrange *patemment* p. 702.

du retour de Louise et de Lucien un profond amour victime de quelque double méprise. Un dépit avait peut-être amené le malencontreux mariage de Châtelet, contre lequel il se faisait alors une réaction.

— Eh! bien, dit Louise à une heure du matin et à voix basse à Lucien avant de se lever : après-demain, faites-moi le plaisir d'être exact...

La préfète laissa Lucien en lui mimant une petite inclination de tête excessivement amicale, et alla dire quelques mots au comte Sixte qui cherchait son chapeau.

— Si ce que madame du Châtelet vient de me dire est vrai, mon cher Lucien, comptez sur moi, dit le préfet en se mettant à la poursuite de sa femme qui partait sans lui, comme à Paris. Dès ce soir, votre beau-frère peut se regarder comme hors d'affaire.

— Monsieur le comte me doit bien cela, répondit Lucien en souriant.

— Eh! bien, nous sommes *fumés*... dit Cointet à l'oreille de Petit-Claud, témoin de cet adieu.

Petit-Claud, foudroyé par le succès de Lucien, stupéfait par les éclats de son esprit et par le jeu de sa grâce, regardait Françoise de La Haye dont la physionomie, pleine d'admiration pour Lucien, semblait dire à son prétendu : Soyez comme votre ami.

Un éclair de joie passa sur la figure de Petit-Claud.

— Le dîner du préfet n'est que pour après-demain, nous avons encore une journée à nous, dit-il, je réponds de tout.

— Eh! bien, mon cher, dit Lucien à Petit-Claud à deux heures du matin en revenant à pied : je suis venu, j'ai vu, j'ai vaincu! Dans quelques heures, Séchard sera bien heureux.

— Voilà tout ce que je voulais savoir, pensa Petit-Claud.
— Je ne te croyais que poète et tu es aussi Lauzun, c'est être deux fois poète, répondit-il en lui donnant une poignée de main qui devait être la dernière.

LE COMBLE DE LA DÉSOLATION[a]

— Ma chère Ève, dit Lucien en réveillant sa sœur, une bonne nouvelle! Dans un mois, David n'aura plus de dettes!...

— Et comment?

— Eh! bien, madame du Châtelet cachait sous sa jupe mon ancienne Louise; elle m'aime plus que jamais, et va faire faire un rapport au ministère de l'Intérieur par son mari, en faveur de notre découverte!... Ainsi, nous n'avons pas plus d'un mois à souffrir, le temps de me venger du préfet et de le rendre le plus heureux des époux.

(Ève crut continuer un rêve en écoutant son frère).

— En revoyant le petit salon gris où je tremblais comme un enfant, il y a deux ans; en examinant ces meubles, les peintures et les figures, il me tombait une taie des yeux! Comme Paris vous change les idées!

— Est-ce un bonheur?... dit Ève en comprenant enfin son frère.

— Allons, tu dors, à demain, nous causerons après déjeuner, dit Lucien.

Le plan de Cérizet était d'une excessive simplicité. Quoiqu'il appartienne aux ruses dont se servent les huissiers de province pour arrêter leurs débiteurs, et dont le succès est hypothétique, il devait réussir; car il reposait autant sur la connaissance des caractères de Lucien et de David que sur leurs espérances. Parmi les petites ouvrières dont il était le Don Juan et qu'il gouvernait en les opposant les unes aux autres, le prote des Cointet, pour le moment en service extraordinaire, avait distingué l'une des repasseuses de Basine Clerget, une fille presque aussi belle que madame Séchard, appelée Henriette Signol [b], et dont les parents étaient de petits vignerons vivant dans

leur bien à deux lieues d'Angoulême, sur la route de
Saintes. Les Signol comme tous les gens de la campagne,
ne se trouvaient pas assez riches pour garder leur unique
enfant avec eux, et ils l'avaient destinée à entrer en maison,
c'est-à-dire à devenir femme de chambre. En province,
une femme de chambre doit savoir blanchir et repasser
le linge fin. La réputation de madame Prieur, à qui Basine
succédait, était telle, que les Signol y mirent leur fille
en apprentissage en y payant pension pour la nourriture
et le logement. Madame Prieur appartenait à cette race
de vieilles maîtresses qui, dans les provinces, se croient
substituées aux parents. Elle vivait en famille avec ses
apprenties, elle les menait à l'église et les surveillait cons-
ciencieusement. Henriette Signol, belle brune bien décou-
plée, à l'œil hardi, à la chevelure forte et longue, était
blanche comme sont blanches les filles du Midi, de la blancheur d'une fleur de magnolia. Aussi Henriette fut-elle
une des premières grisettes que visa Cérizet; mais comme
elle appartenait à d'*honnêtes cultivateurs*, elle ne céda que
vaincue par la jalousie, par le mauvais exemple et par cette
phrase séduisante : — Je t'épouserai ! que lui dit Cérizet,
une fois qu'il se vit second prote chez messieurs Cointet.
En apprenant que les Signol possédaient pour quelque dix
ou douze mille francs de vignes et une petite maison assez
logeable, le Parisien se hâta de mettre Henriette dans
l'impossibilité d'être la femme d'un autre. Les amours de
la belle Henriette et du petit Cérizet en étaient là quand
Petit-Claud lui parla de le rendre propriétaire de l'imprimerie Séchard, en lui montrant une espèce de commandite de vingt mille francs qui devait être un licou. Cet
avenir éblouit le prote, la tête lui tourna, mademoiselle
Signol lui parut un obstacle à ses ambitions, et il négligea la
pauvre fille. Henriette, au désespoir, s'attacha d'autant plus
au petit prote des Cointet qu'il semblait la vouloir quitter.
En découvrant que David se cachait chez mademoiselle
Clerget, le Parisien changea d'idées à l'égard d'Henriette,
mais sans changer de conduite ; car il se proposait de faire
servir à sa fortune l'espèce de folie qui travaille une fille

quand, pour cacher son déshonneur, elle doit épouser son séducteur. Pendant la matinée du jour où Lucien devait reconquérir sa Louise, Cérizet apprit à Henriette le secret de Basine, et lui dit que leur fortune et leur mariage dépendaient de la découverte de l'endroit où se cachait David. Une fois instruite, Henriette n'eut pas de peine à reconnaître que l'imprimeur ne pouvait être que dans le cabinet de toilette de mademoiselle Clerget, elle ne crut pas avoir fait le moindre mal en se livrant à cet espionnage; mais Cérizet l'avait engagée déjà dans sa trahison par ce commencement de participation.

Lucien dormait encore lorsque Cérizet, qui vint savoir le résultat de la soirée, écoutait dans le cabinet de Petit-Claud le récit des grands petits événements qui devaient soulever Angoulême.

— Lucien vous a bien écrit un petit mot depuis son retour ? demanda le Parisien après avoir hoché la tête en signe de satisfaction quand Petit-Claud eut fini.

— Voilà le seul que j'aie, dit l'avoué, qui tendit une lettre où Lucien avait écrit quelques lignes sur le papier à lettre dont se servait sa sœur.

— Eh! bien, dit Cérizet, dix minutes avant le coucher du soleil, que Doublon s'embusque à la Porte-Palet, qu'il cache ses gendarmes et dispose son monde, vous aurez notre homme.

— Es-tu sûr de *ton* affaire ? dit Petit-Claud en examinant Cérizet.

— Je m'adresse au hasard, dit l'ex-gamin de Paris, mais c'est un fier drôle, il n'aime pas les honnêtes gens.

— Il faut réussir, dit l'avoué d'un ton sec.

— Je réussirai, dit Cérizet. C'est vous qui m'avez poussé dans ce tas de boue, vous pouvez bien me donner quelques billets de banque pour m'essuyer... Mais, monsieur, dit le Parisien en surprenant une expression qui lui déplut sur la figure de l'avoué, si vous m'aviez trompé, si vous ne m'achetez pas l'imprimerie sous huit jours... Eh! bien, vous laisserez une jeune veuve, dit tout bas le gamin de Paris en lançant la mort dans son regard.

— Si nous écrouons David à six heures, sois à neuf heures chez monsieur Gannerac, et nous y ferons ton affaire, répondit péremptoirement l'avoué.

— C'est entendu : vous serez servi, *bourgeois !* dit Cérizet.

Cérizet connaissait déjà l'industrie qui consiste à laver le papier et qui met aujourd'hui les intérêts du fisc en péril. Il lava les quatre lignes écrites par Lucien, et les remplaça par celles-ci, en imitant l'écriture avec une perfection désolante pour l'avenir social du prote.

« Mon cher David, tu peux venir sans crainte chez le
» Préfet, ton affaire est faite; et d'ailleurs, à cette heure ci,
» tu peux sortir, je viens au-devant de toi, pour t'expli-
» quer comment tu dois te conduire avec le Préfet.

» Ton frère,

» LUCIEN. »

A midi, Lucien écrivit une lettre à David, où il lui apprenait le succès de la soirée, il lui donnait l'assurance de la protection du préfet qui, dit-il, faisait aujourd'hui même un rapport au ministre sur la découverte dont il était enthousiaste.

Au moment où Marion apporta cette lettre à mademoiselle Basine, sous prétexte de lui donner à blanchir les chemises de Lucien, Cérizet, instruit par Petit-Claud de la probabilité de cette lettre, emmena mademoiselle Signol et alla se promener avec elle sur le bord de la Charente. Il y eut sans doute un combat où l'honnêteté d'Henriette se défendit pendant longtemps, car la promenade dura deux heures. Non seulement l'intérêt d'un enfant était en jeu, mais encore tout un avenir de bonheur, une fortune ; et ce que demandait Cérizet était une bagatelle, il se garda bien d'ailleurs d'en dire les conséquences. Seulement le prix exorbitant de ces bagatelles effrayait Henriette. Néanmoins, Cérizet finit par obtenir de sa maîtresse de se prêter à son stratagème. A cinq heures, Henriette dut sortir et rentrer en disant à mademoiselle Clerget que madame Séchard la demandait sur-le-champ. Puis, un quart d'heure

après la sortie de Basine, elle monterait, cognerait au cabinet et remettrait à David la fausse lettre de Lucien. Après,
Cérizet attendait tout du hasard.

Pour la première fois depuis plus d'un an, Ève sentit
se desserrer l'étreinte de fer par laquelle la Nécessité la
tenait. Elle eut de l'espoir enfin. Elle aussi ! elle voulut
jouir de son frère, se montrer au bras de l'homme fêté
dans sa patrie, adoré des femmes, aimé de la fière comtesse
du Châtelet. Elle se fit belle et se proposa de se promener
à Beaulieu, après le dîner, au bras de son frère. A cette
heure, tout Angoulême, au mois de septembre, se trouve
à prendre le frais.

— Oh ! c'est la belle madame Séchard, dirent quelques
voix en voyant Ève.

— Je n'aurais jamais cru cela d'elle, dit une femme.

— Le mari se cache, la femme se montre, dit madame
Postel assez haut pour que la pauvre femme l'entendît.

— Oh ! rentrons, j'ai eu tort, dit Ève à son frère.

Quelques minutes avant le coucher du soleil, la rumeur
que cause un rassemblement s'éleva de la rampe qui descend à l'Houmeau. Lucien et sa sœur, pris de curiosité,
se dirigèrent de ce côté, car ils entendirent quelques personnes qui venaient de l'Houmeau parlant entre elles,
comme si quelque crime venait d'être commis.

— C'est probablement un voleur qu'on vient d'arrêter...
Il est pâle comme un mort, dit un passant au frère et à la
sœur en les voyant courir au-devant de ce monde grossis-
sant.

Ni Lucien ni sa sœur n'eurent la moindre appréhension.
Ils regardèrent les trente et quelques enfants ou vieilles
femmes, les ouvriers revenant de leur ouvrage qui précé-
daient les gendarmes dont les chapeaux bordés brillaient
au milieu du principal groupe. Ce groupe, suivi d'une foule
d'environ cent personnes, marchait comme un nuage
d'orage.

— Ah ! dit Ève, c'est mon mari !

— David ! cria Lucien.

— C'est sa femme ! dit la foule en s'écartant.

— Qui donc t'a pu faire sortir? demanda Lucien.

— C'est ta lettre, répondit David pâle et blême.

— J'en étais sûre, dit Ève qui tomba roide évanouie.

Lucien releva sa sœur, que deux personnes l'aidèrent à transporter chez elle, où Marion la coucha. Kolb s'élança pour aller chercher un médecin. A l'arrivée du docteur, Ève n'avait pas encore repris connaissance. Lucien fut alors forcé d'avouer à sa mère qu'il était la cause de l'arrestation de David, car il ne pouvait pas s'expliquer le quiproquo produit par la lettre fausse. Lucien, foudroyé par un regard de sa mère qui y mit sa malédiction, monta dans sa chambre et s'y enferma.

L'ADIEU SUPRÊME[a]

En lisant cette lettre écrite au milieu de la nuit et interrompue de moments en moments, chacun devinera par les phrases, jetées comme une à une, toutes les agitations de Lucien.

« Ma sœur bien-aimée, nous nous sommes vus tout à
» l'heure pour la dernière fois. Ma résolution est sans
» appel. Voici pourquoi : Dans beaucoup de familles,
» il se rencontre un être fatal qui, pour la famille, est une
» sorte de maladie. Je suis cet être-là pour vous. Cette
» observation n'est pas de moi, mais d'un homme qui a
» beaucoup vu le monde. Nous soupions un soir entre
» *amis*, au Rocher de Cancale. Entre les mille plaisanteries
» qui s'échangent alors, ce diplomate nous dit que telle
» jeune personne qu'on voyait avec étonnement rester
» fille *était malade de son père*. Et alors, il nous développa sa
» théorie sur les maladies de famille. Il nous expliqua
» comment, sans telle mère, telle maison eût prospéré,
» comment tel fils avait ruiné son père, comment tel
» père avait détruit l'avenir et la considération de ses

» enfants. Quoique soutenue en riant, cette thèse sociale
» fut en dix minutes appuyée de tant d'exemples que j'en
» restai frappé. Cette vérité payait tous les paradoxes in-
» sensés, mais spirituellement démontrés, par lesquels
» les journalistes s'amusent entre eux, quand il ne se trouve
» là personne à mystifier. Eh! bien, je suis l'être fatal de
» notre famille, le cœur plein de tendresse, j'agis comme un
» ennemi. A tous vos dévouements, j'ai répondu par des
» maux. Quoique involontairement porté, le dernier coup
» est de tous le plus cruel. Pendant que je menais à Paris
» une vie sans dignité, pleine de plaisirs et de misères,
» prenant la camaraderie pour l'amitié, laissant de véritables
» amis pour des gens qui voulaient et devaient m'exploi-
» ter, vous oubliant et ne me souvenant de vous que pour
» vous causer du mal, vous suiviez l'humble sentier du
» travail, allant péniblement mais sûrement à cette for-
» tune que je tentais si follement de surprendre. Pendant
» que vous deveniez meilleurs, moi je mettais dans ma vie
» un élément funeste. Oui, j'ai des ambitions démesurées,
» qui m'empêchent d'accepter une vie humble. J'ai des
» goûts, des plaisirs dont la souvenance empoisonne les
» jouissances qui sont à ma portée et qui m'eussent jadis
» satisfait. O ma chère Ève, je me juge plus sévèrement que
» qui que ce soit, car je me condamne absolument et sans
» pitié pour moi-même. La lutte à Paris exige une force
» constante, et mon vouloir ne va que par accès : ma cer-
» velle est intermittente. L'avenir m'effraye tant, que je ne
» veux pas de l'avenir, et le présent m'est insupportable.
» J'ai voulu vous revoir, j'aurais mieux fait de m'expatrier
» à jamais. Mais l'expatriation, sans moyens d'existence,
» serait une folie, et je ne l'ajouterai pas à toutes les autres.
» La mort me semble préférable à une vie incomplète ;
» et, dans quelque position que je me suppose, mon exces-
» sive vanité me ferait commettre des sottises. Certains
» êtres sont comme des zéros, il leur faut un chiffre qui les
» précède, et leur néant acquiert alors une valeur décuple.
» Je ne puis acquérir de valeur que par un mariage avec
» une volonté forte, impitoyable. Madame de Bargeton

» était bien ma femme, j'ai manqué ma vie en n'abandonnant
» pas Coralie pour elle. David et toi vous pourriez être
» d'excellents pilotes pour moi; mais vous n'êtes pas assez
» forts pour dompter ma faiblesse qui se dérobe en quelque
» sorte à la domination. J'aime une vie facile, sans ennuis;
» et, pour me débarrasser d'une contrariété, je suis d'une
» lâcheté qui peut me mener très loin. Je suis né prince.
» J'ai plus de dextérité d'esprit qu'il n'en faut pour par-
» venir, mais je n'en ai que pendant un moment, et le prix
» dans une carrière parcourue par tant d'ambitieux est à
» celui qui n'en déploie que le nécessaire et qui s'en
» trouve encore assez au bout de la journée. Je
» ferais le mal comme je viens de le faire ici, avec les
» meilleures intentions du monde. Il y a des hommes-
» chênes, je ne suis peut-être qu'un arbuste élégant, et j'ai
» la prétention d'être un cèdre. Voilà mon bilan écrit.
» Ce désaccord entre mes moyens et mes désirs, ce défaut
» d'équilibre annulera toujours mes efforts. Il y a beaucoup
» de ces caractères dans la classe lettrée à cause des dispro-
» portions continuelles entre l'intelligence et le caractère,
» entre le vouloir et le désir. Quel serait mon destin ?
» je puis le voir par avance en me souvenant de quelques
» vieilles gloires parisiennes que j'ai vues oubliées. Au seuil
» de la vieillesse, je serai plus vieux que mon âge, sans for-
» tune et sans considération. Tout mon être actuel repousse
» une pareille vieillesse : je ne veux pas être un haillon
» social. Chère sœur, adorée autant pour tes dernières ri-
» gueurs que pour tes premières tendresses, si nous avons
» payé cher le plaisir que j'ai eu à te revoir, toi et David,
» plus tard vous penserez peut-être que nul prix n'était
» trop élevé pour les dernières félicités d'un pauvre être
» qui vous aimait !... Ne faites aucune recherche ni de moi,
» ni de ma destinée : au moins mon esprit m'aura-t-il
» servi dans l'exécution de mes volontés. La résignation,
» mon ange, est un suicide quotidien, moi je n'ai de rési-
» gnation que pour un jour, je vais en profiter aujour-
» d'hui... »

« Deux heures

» Oui, je l'ai bien résolu. Adieu donc pour toujours,
» ma chère Ève. J'éprouve quelque douceur à penser que
» je ne vivrai plus que dans vos cœurs. Là sera ma tombe...
» je n'en veux pas d'autre. Encore adieu !... C'est le der-
» nier de ton frère

» Lucien. »

Après avoir écrit cette lettre, Lucien descendit sans
faire aucun bruit, il la posa sur le berceau de son neveu,
déposa sur le front de sa sœur endormie un dernier baiser
trempé de larmes, et sortit. Il éteignit son bougeoir au
crépuscule, et, après avoir regardé cette vieille maison une
dernière fois, il ouvrit tout doucement la porte de l'allée ;
mais, malgré ses précautions, il éveilla Kolb qui couchait
sur un matelas à terre dans l'atelier.

— *Qui fa là ?...* s'écria Kolb.

— C'est moi, dit Lucien, je m'en vais, Kolb.

— *Vus auriez mieux vait te ne chamais fenir*, se dit Kolb
à lui-même, mais assez haut pour que Lucien l'entendît.

— J'aurais bien fait de ne jamais venir au monde, répondit Lucien. Adieu, Kolb, je ne t'en veux pas d'une pensée
que j'ai moi-même. Tu diras à David que ma dernière
aspiration aura été un regret de n'avoir pu l'embrasser.

Lorsque l'Alsacien fut debout et habillé, Lucien avait
fermé la porte de la maison, et il descendait vers la Charente,
par la promenade de Beaulieu, mis comme s'il allait à
une fête, car il s'était fait un linceul de ses habits parisiens
et de son joli harnais de dandy. Frappé de l'accent et des
dernières paroles de Lucien, Kolb voulut aller savoir si
sa maîtresse était instruite du départ de son frère et si elle
en avait reçu les adieux ; mais, en trouvant la maison
plongée en un profond silence, il pensa que ce départ était
sans doute convenu, et il se recoucha.

UN HASARD DE GRAND ROUTE [a]

On a, relativement à la gravité du sujet, écrit très peu sur le suicide, on ne l'a pas observé. Peut-être cette maladie est-elle inobservable. Le suicide est l'effet d'un sentiment que nous nommerons, si vous le voulez, *l'estime de soi-même*, pour ne pas le confondre avec le mot *honneur*. Le jour où l'homme se méprise, le jour où il se voit méprisé, le moment où la réalité de la vie est en désaccord avec ses espérances, il se tue et rend ainsi hommage à la société devant laquelle il ne veut pas rester déshabillé de ses vertus ou de sa splendeur. Quoi qu'on en dise, parmi les athées (il faut excepter le chrétien du suicide), les lâches seuls acceptent une vie déshonorée. Le suicide est de trois natures : il y a d'abord le suicide qui n'est que le dernier accès d'une longue maladie et qui certes appartient à la pathologie; puis le suicide par désespoir, enfin le suicide par raisonnement. Lucien voulait se tuer par désespoir et par raisonnement, les deux suicides dont on peut revenir ; car il n'y a d'irrévocable que le suicide pathologique : mais souvent les trois causes se réunissent, comme chez Jean-Jacques Rousseau [1].

Lucien, une fois sa résolution prise, tomba dans la délibération des moyens, et le poète voulut finir poétiquement. Il avait d'abord pensé tout bonnement à s'aller jeter dans la Charente; mais, en descendant les rampes de Beaulieu pour la dernière fois, il entendit par avance le tapage que ferait son suicide, il vit l'affreux spectacle de son corps revenu sur l'eau, déformé, l'objet d'une enquête judiciaire : il eut, comme quelques suicidés, un amour-propre pos-

---

1. Balzac croyait donc, comme plusieurs bons esprits de son temps, au suicide de Rousseau.

thume. Pendant la journée passée au moulin de Courtois
il s'était promené le long de la rivière et avait remarqué,
non loin du moulin, une de ces nappes rondes, comme il
s'en trouve dans les petits cours d'eau, dont l'excessive
profondeur est accusée par la tranquillité de la surface.
L'eau n'est plus ni verte, ni bleue, ni claire, ni jaune ;
elle est comme un miroir d'acier poli. Les bords de cette
coupe n'offraient plus ni glaïeuls, ni fleurs bleues, ni
les larges feuilles du nénuphar, l'herbe de la berge était
courte et pressée, les saules pleuraient autour, assez pitto-
resquement placés tous. On devinait facilement un précipice plein d'eau. Celui qui pouvait avoir le courage d'em-
plir ses poches de cailloux devait y trouver une mort inévitable, et ne jamais être retrouvé. — Voilà, s'était dit le
poète en admirant ce joli petit paysage, un endroit qui vous
met l'eau à la bouche d'une noyade.

Ce souvenir lui revint à la mémoire, au moment où il
atteignait l'Houmeau. Il chemina donc vers Marsac, en
proie à ses dernières et funèbres pensées, et dans la ferme
intention de dérober ainsi le secret de sa mort, de ne pas
être l'objet d'une enquête, de ne pas être enterré, de ne pas
être vu dans l'horrible état où sont les noyés quand ils
reviennent à fleur d'eau. Il parvint bientôt au pied d'une
de ces côtes qui se rencontrent si fréquemment sur les
routes de France, et surtout entre Angoulême et Poitiers.
La diligence de Bordeaux à Paris venait avec rapidité,
les voyageurs allaient sans doute en descendre pour
monter cette longue côte à pied. Lucien, qui ne voulut
pas se laisser voir, se jeta dans un petit chemin creux et se
mit à cueillir des fleurs dans une vigne. Quand il reprit
la grande route il tenait à la main un gros bouquet de
sedum, une fleur jaune qui vient dans le caillou des vignobles,
et il déboucha précisément derrière un voyageur vêtu tout
en noir, les cheveux poudrés, chaussé de souliers en veau
d'Orléans, à boucles d'argent, brun de visage et couturé
comme si, dans son enfance, il fût tombé dans le feu. Ce
voyageur, à tournure si patemment ecclésiastique, allait
lentement et fumait un cigare. En entendant Lucien qui

sauta de la vigne sur la route, l'inconnu se retourna, parut comme saisi de la beauté profondément mélancolique du poète, de son bouquet symbolique et de sa mise élégante. Ce voyageur ressemblait à un chasseur qui trouve une proie longtemps et inutilement cherchée [1]. Il laissa, en style de marine, Lucien arriver, et retarda sa marche en ayant l'air de regarder le bas de la côte. Lucien, qui fit le même mouvement, y aperçut une petite calèche attelée de deux chevaux et un postillon à pied.

— Vous avez laissé courir la diligence, monsieur, vous perdrez votre place, à moins que vous ne vouliez monter dans ma calèche pour la rattraper, car la poste va plus vite que la voiture publique, dit le voyageur à Lucien en prononçant ces mots avec un accent très marqué d'espagnol et en mettant à son offre une exquise politesse.

Sans attendre la réponse de Lucien, l'Espagnol tira de sa poche un étui à cigares, et le présenta tout ouvert à Lucien pour qu'il en prît un.

— Je ne suis pas un voyageur, répondit Lucien, et je suis trop près du terme de ma course pour me donner le plaisir de fumer...

— Vous êtes bien sévère envers vous-même, repartit l'Espagnol. Quoique chanoine honoraire de la cathédrale de Tolède, je me passe de temps en temps un petit cigare. Dieu nous a donné le tabac pour endormir nos passions et nos douleurs... Vous me semblez avoir du chagrin, vous en avez du moins l'enseigne à la main, comme le triste dieu de l'hymen. Tenez ?... tous vos chagrins s'en iront avec la fumée...

Et le prêtre retendit sa boîte en paille avec une sorte de séduction, en jetant à Lucien des regards animés de charité.

— Pardon, mon père, répliqua sèchement Lucien, il n'y a pas de cigares qui puissent dissiper mes chagrins...

---

1. Cette scène, simplement esquissée, mais marquée de traits saisissants, Proust décidera de la reprendre, de la développer, et il écrira l'inoubliable rencontre de Charlus et du Narrateur.

En disant cela, les yeux de Lucien se mouillèrent de larmes.

— Oh! jeune homme, est-ce donc la providence divine qui m'a fait désirer de secouer par un peu d'exercice à pied le sommeil dont sont saisis au matin tous les voyageurs, afin que je pusse, en vous consolant, obéir à ma mission ici-bas?... Et quels grands chagrins pouvez-vous avoir à votre âge?

— Vos consolations, mon père, seraient bien inutiles : vous êtes Espagnol, je suis Français ; vous croyez aux commandements de l'Église, moi je suis athée...

— *Santa Virgen del Pilar!*... vous êtes athée, s'écria le prêtre en passant son bras sous celui de Lucien avec un empressement maternel. Eh ! voilà l'une des curiosités que je m'étais promis d'observer à Paris. En Espagne, nous ne croyons pas aux athées... Il n'y a qu'en France, où, à dix-neuf ans, on puisse avoir de pareilles opinions.

— Oh! je suis un athée au complet; je ne crois ni en Dieu, ni à la société, ni au bonheur. Regardez-moi donc bien, mon père ; car, dans quelques heures, je ne serai plus... Voilà mon dernier soleil !... dit Lucien avec une sorte d'emphase en montrant le ciel.

— Ah! ça, qu'avez-vous fait pour mourir ? qui vous a condamné à mort ?

— Un tribunal souverain, moi-même !

— Enfant! s'écria le prêtre. Avez-vous tué un homme ? l'échafaud vous attend-il ? Raisonnons un peu ? Si vous voulez rentrer, selon vous, dans le néant, tout vous est indifférent ici-bas.

(Lucien inclina la tête en signe d'assentiment.)

— Eh! bien, vous pouvez alors me conter vos peines?... Il s'agit sans doute de quelques amourettes qui vont mal?...

(Lucien fit un geste d'épaules très significatif.)

— Vous voulez vous tuer pour éviter le déshonneur, ou parce que vous désespérez de la vie? eh! bien, vous vous tuerez aussi bien à Poitiers qu'à Angoulême, à Tours aussi bien qu'à Poitiers. Les sables mouvants de la Loire ne rendent pas leur proie...

— Non, mon père, répondit Lucien, j'ai mon affaire. Il y a vingt jours, j'ai vu la plus charmante rade où puisse aborder dans l'autre monde un homme dégoûté de celui-ci...

— Un autre monde ?... vous n'êtes plus athée.

— Oh! ce que j'entends par l'autre monde, c'est ma future transformation en animal ou en plante...

— Avez-vous une maladie incurable?

— Oui, mon père...

— Ah! nous y voilà, dit le prêtre, et laquelle?

— La pauvreté.

Le prêtre regarda Lucien en souriant et lui dit avec une grâce infinie et un sourire presque ironique ·
Le diamant ignore sa valeur.

— Il n'y a qu'un prêtre qui puisse flatter un homme pauvre qui s'en va mourir!... s'écria Lucien.

— Vous ne mourrez pas, dit l'Espagnol avec autorité.

— J'ai bien entendu dire, reprit Lucien, qu'on dévalisait les gens sur la route, je ne savais pas qu'on les y enrichît.

— Vous allez le savoir, dit le prêtre après avoir examiné si la distance à laquelle se trouvait la voiture leur permettait de faire seuls encore quelques pas.

HISTOIRE D'UN FAVORI[a]

— Écoutez-moi, dit le prêtre en mâchonnant son cigare, votre pauvreté ne serait pas une raison pour mourir. J'ai besoin d'un secrétaire, le mien vient de mourir à Barcelone[b]. Je me trouve dans la situation où fut le baron de Goërtz, le fameux ministre de Charles XII, qui arriva sans secrétaire dans une petite ville en allant en Suède, comme moi je vais à Paris [1]. Le baron rencontra le fils d'un orfèvre,

---

1. Balzac raconte ici l'histoire d'Ernest-Jean de Biren (1690-1772), fils de paysan, secrétaire du baron de Gœrtz, favori d'Anne, duchesse de Courlande, mort à Mittau, prince souverain de Courlande. Plus loin, Balzac l'appelle Biron. C'est sa protectrice qui avait autorisé le jeune homme à changer son nom de Biren en celui de Biron.

remarquable par une beauté qui ne pouvait certes pas
valoir la vôtre... le baron de Goërtz trouve à ce jeune
homme de l'intelligence, comme moi, je vous trouve
de la poésie au front ; il le prend dans sa voiture, comme
moi je vais vous prendre dans la mienne ; et, de cet
enfant condamné à brunir des couverts et à fabriquer
des bijoux dans une petite ville de province comme Angoulême, il fait son favori, comme vous serez le mien.
Arrivé à Stockholm, il installe son secrétaire et l'accable
de travaux. Le jeune secrétaire passe les nuits à écrire ;
et, comme tous les grands travailleurs, il contracte une
habitude, il se met à mâcher du papier. Feu monsieur
de Malesherbes faisait, lui, des camouflets et il en donna,
par parenthèse, un à je ne sais quel personnage dont le
procès dépendait de son rapport. Notre beau jeune homme
commence par du papier blanc, mais il s'y accoutume et
passe aux papiers écrits qu'il trouve plus savoureux. On
ne fumait pas encore comme aujourd'hui. Enfin le petit
secrétaire en arrive, de saveur en saveur, à mâchonner des
parchemins et à les manger. On s'occupait alors, entre la
Russie et la Suède, d'un traité de paix que les États imposaient à Charles XII, comme en 1814 on voulait forcer
Napoléon à traiter de la paix. La base des négociations
était le traité fait entre les deux puissances à propos de la
Finlande ; Goërtz en confie l'original à son secrétaire ;
mais, quand il s'agit de soumettre le projet aux États,
il se rencontrait cette petite difficulté, que le traité ne
se trouvait plus. Les États imaginent que le ministre,
pour servir les passions du Roi, s'est avisé de faire disparaître cette pièce, le baron de Goërtz est accusé, son secrétaire avoue alors avoir mangé le traité... On instruit un
procès, le fait est prouvé, le secrétaire est condamné
à mort. Mais, comme vous n'en êtes pas là, prenez un
cigare, et fumez-le en attendant notre calèche.

Lucien prit un cigare et l'alluma, comme cela se fait
en Espagne au cigare du prêtre en se disant : — Il a raison, j'ai toujours le temps de me tuer.

— C'est souvent, reprit l'Espagnol, au moment où

les jeunes gens désespèrent le plus de leur avenir, que leur fortune commence. Voilà ce que je voulais vous dire, j'ai préféré vous le prouver par un exemple. Ce beau secrétaire, condamné à mort, était dans une position d'autant plus désespérée que le roi de Suède ne pouvait pas lui faire grâce, sa sentence ayant été rendue par les États de Suède; mais il ferma les yeux sur une évasion. Le joli petit secrétaire se sauve sur une barque avec quelques écus dans sa poche, et arrive à la cour de Courlande, muni d'une lettre de recommandation de Goërtz pour le duc, à qui le ministre suédois expliquait l'aventure et la manie de son protégé. Le duc place le bel enfant comme secrétaire chez son intendant. Le duc était un dissipateur, il avait une jolie femme et un intendant, trois causes de ruine. Si vous croyiez que ce joli homme, condamné à mort pour avoir mangé le traité relatif à la Finlande, se corrige de son goût dépravé, vous ne connaîtriez pas l'empire du vice sur l'homme; la peine de mort ne l'arrête pas quand il s'agit d'une jouissance qu'il s'est créée! D'où vient cette puissance du vice? est-ce une force qui lui soit propre, ou vient-elle de la faiblesse humaine? Y a-t-il des goûts qui soient placés sur les limites de la folie? Je ne puis m'empêcher de rire des moralistes qui veulent combattre de pareilles maladies avec de belles phrases!... Il y eut un moment où le duc, effrayé du refus que lui fit son intendant à propos d'une demande d'argent, voulut des comptes, une sottise! Il n'y a rien de plus facile que d'écrire un compte, la difficulté n'est jamais là. L'intendant confia toutes les pièces à son secrétaire pour établir le bilan de la liste civile de Courlande. Au milieu de son travail et de la nuit où il le finissait, notre petit mangeur de papier s'aperçoit qu'il mâche une quittance du duc pour une somme considérable : la peur le saisit, il s'arrête à moitié de la signature, il court se jeter aux pieds de la duchesse en lui expliquant sa manie, en implorant la protection de sa souveraine, et l'implorant au milieu de la nuit. La beauté du jeune commis fit une telle impression sur cette femme qu'elle l'épousa lorsqu'elle fut veuve.

Ainsi, en plein dix-huitième siècle, dans un pays où régnait le blason, le fils d'un orfèvre devint prince souverain... Il est devenu quelque chose de mieux !... Il a été régent à la mort de la première Catherine, il a gouverné l'impératrice Anne et voulut être le Richelieu de la Russie. Eh ! bien, jeune homme, sachez une chose : c'est que si vous êtes plus beau que Biron, moi je vaux beaucoùp plus quoique simple chanoine, que le baron de Goërtz [a]. Ainsi, montez ! nous vous trouverons un duché de Courlande à Paris, et, à défaut de duché, nous aurons toujours bien la duchesse.

L'Espagnol passa la main sous le bras de Lucien, le força littéralement à monter dans sa voiture, et le postillon referma la portière.

— Maintenant parlez, je vous écoute, dit le chanoine de Tolède à Lucien stupéfait. Je suis un vieux prêtre à qui vous pouvez tout dire sans danger. Vous n'avez sans doute encore mangé que votre patrimoine ou l'argent de votre maman. Vous aurez fait votre petit trou à la lune, et nous avons de l'honneur jusqu'au bout de nos jolies petites bottes fines... Allez, confessez-vous hardiment, ce sera absolument comme si vous vous parliez à vous-même.

Lucien se trouvait dans la situation de ce pêcheur de je ne sais quel conte arabe, qui, voulant se noyer en plein Océan, tombe au milieu de contrées sous-marines et y devient roi. Le prêtre espagnol paraissait si véritablement affectueux que le poète n'hésita pas à lui ouvrir son cœur; il lui raconta donc, d'Angoulême à Ruffec, toute sa vie, en n'omettant aucune de ses fautes, et finissant par le dernier désastre qu'il venait de causer. Au moment où il terminait ce récit, d'autant plus poétiquement débité que Lucien le répétait pour la troisième fois depuis quinze jours, il arrivait au point où, sur la route, près de Ruffec, se trouve le domaine de la famille de Rastignac, dont le nom, la première fois qu'il le prononça, fit faire un mouvement à l'Espagnol.

— Voici, dit-il, d'où est parti le jeune Rastignac qui

ne me vaut certes pas, et qui a eu plus de bonheur que moi.

— Ah !

— Oui, cette drôle de gentilhommière est la maison de son père. Il est devenu, comme je vous le disais, l'amant de madame de Nucingen, la femme du fameux banquier. Moi, je me suis laissé aller à la poésie ; lui, plus habile, a donné dans le positif... [a]

Le prêtre fit arrêter sa calèche, il voulut, par curiosité, parcourir la petite avenue qui de la route conduisait à la maison et regarda tout avec plus d'intérêt que Lucien n'en attendait d'un prêtre espagnol.

— Vous connaissez donc les Rastignac ?.. lui demanda Lucien.

— Je connais tout Paris, dit l'Espagnol en remontant dans sa voiture.

COURS D'HISTOIRE
A L'USAGE DES AMBITIEUX
PAR UN DISCIPLE DE MACHIAVEL [b]

— Ainsi, faute de dix ou douze mille francs, vous alliez vous tuer. Vous êtes un enfant, vous ne connaissez ni les hommes, ni les choses. Une destinée vaut tout ce que l'homme l'estime, et vous n'évaluez votre avenir que douze mille francs; eh ! bien, je vous achèterai tout à l'heure davantage. Quant à l'emprisonnement de votre beau-frère, c'est une vétille. Si ce cher monsieur Séchard a fait une découverte, il sera riche. Les riches n'ont jamais été mis en prison pour dettes. Vous ne me paraissez pas fort en Histoire. Il y a deux Histoires : l'Histoire officielle, menteuse, qu'on enseigne, l'Histoire *ad usum delphini* ; puis l'Histoire secrète, où sont les véritables causes des événements, une histoire honteuse. Laissez-moi vous raconter, en trois mots, une autre historiette que vous ne connaissez

pas. Un ambitieux, prêtre et jeune, veut entrer aux affaires
publiques, il se fait le chien couchant du favori, le favori
d'une reine; le favori s'intéresse au prêtre [a], et lui donne
le rang de ministre en lui donnant place au Conseil. Un
soir, un de ces hommes qui croient rendre service (ne
rendez jamais un service qu'on ne vous demande pas!)
écrit au jeune ambitieux que la vie de son bienfaiteur est
menacée. Le roi s'est courroucé d'avoir un maître, demain
le favori doit être tué s'il se rend au palais. Eh! bien,
jeune homme, qu'auriez-vous fait en recevant cette lettre ?...

— Je serais allé sur-le-champ avertir mon bienfaiteur,
s'écria vivement Lucien.

— Vous êtes bien encore l'enfant que révèle le récit
de votre existence, dit le prêtre. Notre homme s'est dit :
Si le roi va jusqu'au crime, mon bienfaiteur est perdu;
je dois avoir reçu cette lettre trop tard. Et il a dormi
jusqu'à l'heure où l'on tuait le favori...

— C'est un monstre ! dit Lucien, qui soupçonna chez
le prêtre l'intention de l'éprouver.

— Tous les grands hommes sont des monstres, celui-là [b]
s'appelle le cardinal de Richelieu, répondit le chanoine,
et son bienfaiteur a nom le maréchal d'Ancre. Vous voyez
bien que vous ne connaissez pas votre histoire de France.
N'avais-je pas raison de vous dire que l'HISTOIRE enseignée
dans les collèges est une collection de dates et de faits,
excessivement douteuse d'abord, mais sans la moindre
portée. A quoi vous sert-il de savoir que Jeanne d'Arc
a existé? En avez-vous jamais tiré cette conclusion que,
si la France avait alors accepté la dynastie angevine des
Plantagenets, les deux peuples réunis auraient aujourd'hui
l'empire du monde, et que les deux îles où se forgent
les troubles politiques du continent seraient deux provinces
françaises ?... Mais avez-vous étudié les moyens par lesquels les Médicis, de simples marchands, sont arrivés
à être Grands-Ducs de Toscane ?

— Un poëte, en France, n'est pas tenu d'être un béné-
dictin, dit Lucien.

— Eh! bien, jeune homme, ils sont devenus Grands-

Ducs, comme Richelieu devint Ministre. Si vous aviez
cherché dans l'histoire les causes humaines des événements,
au lieu d'en apprendre par cœur les étiquettes, vous en
auriez tiré des préceptes pour votre conduite. De ce que
je viens de prendre au hasard dans la collection des faits
vrais résulte cette loi : Ne voyez dans les hommes, et surtout
dans les femmes, que des instruments ; mais ne le leur
laissez pas voir. Adorez comme Dieu même celui qui,
placé plus haut que vous, peut vous être utile, et ne le
quittez pas qu'il n'ait payé très cher votre servilité. Dans
le commerce du monde, soyez enfin âpre comme le juif
et bas comme lui : faites pour la puissance tout ce qu'il
fait pour l'argent. Mais aussi n'ayez pas plus de souci de
l'homme tombé que s'il n'avait jamais existé. Savez-
vous pourquoi vous devez vous conduire ainsi?... Vous
voulez dominer le monde, n'est-ce pas ? il faut commencer
par obéir au monde et le bien étudier. Les savants étudient
les livres, les politiques étudient les hommes, leurs intérêts, les causes génératrices de leurs actions. Or le monde,
la société, les hommes pris dans leur ensemble, sont
fatalistes ; ils adorent l'événement. Savez-vous pourquoi
je vous fais ce petit cours d'histoire ? c'est que je vous
crois une ambition démesurée...

— Oui, mon père !

— Je l'ai bien vu, reprit le chanoine. Mais en ce moment
vous vous dites : Ce chanoine espagnol invente des
anecdotes et pressure l'histoire pour me prouver que
j'ai eu trop de vertu...

(Lucien se prit à sourire en voyant ses pensées si bien
devinées.)

— Eh ! bien, jeune homme, prenons des faits passés
à l'état de banalité, dit le prêtre. Un jour la France est
à peu près conquise par les Anglais, le roi n'a plus qu'une
province. Du sein du peuple deux êtres se dressent :
une pauvre jeune fille, cette même Jeanne d'Arc dont nous
parlions ; puis un bourgeois nommé Jacques Cœur.
L'une donne son bras et le prestige de sa virginité, l'autre
donne son or : le royaume est sauvé. Mais la fille est prise !...

Le roi, qui peut racheter la fille, la laisse brûler vive. Quant à l'héroïque bourgeois, le roi le laisse accuser de crimes capitaux par ses courtisans, qui font curée de tous les biens [a]. Les dépouilles de l'innocent, traqué, cerné, abattu par la justice, enrichissent cinq maisons nobles... Et le père de l'Archevêque de Bourges sort du royaume, pour n'y jamais revenir, sans un sou de ses biens en France, n'ayant d'autre argent à lui que celui qu'il avait confié aux Arabes, aux Sarrasins en Égypte. Vous pouvez dire encore : Ces exemples sont bien vieux, toutes ces ingratitudes ont trois cents ans d'Instruction Publique, et les squelettes de cet âge-là sont fabuleux. Eh ! bien, jeune homme, croyez-vous au dernier demi-dieu de la France, à Napoléon ? Il a tenu l'un de ses généraux dans sa disgrâce, il ne l'a fait maréchal qu'à contre-cœur, jamais il ne s'est servi de lui [b] volontiers. Ce maréchal se nomme Kellermann. Savez-vous pourquoi !... Kellermann a sauvé la France et le premier consul à Marengo par une charge audacieuse qui fut applaudie au milieu du sang et du feu. Il ne fut même pas question de cette charge héroïque dans le bulletin. La cause de la froideur de Napoléon pour Kellermann est aussi la cause de la disgrâce de Fouché, du Prince de Talleyrand : c'est l'ingratitude du roi Charles VII, de Richelieu, l'ingratitude...

— Mais, mon père, à supposer que vous me sauviez la vie et que vous fassiez ma fortune, dit Lucien, vous me rendez ainsi la reconnaissance assez légère.

— Petit drôle, dit l'abbé souriant et prenant l'oreille de Lucien pour la lui tortiller avec une familiarité quasi royale, si vous étiez ingrat avec moi, vous seriez alors un homme fort, et je plierais devant vous [c] ; mais vous n'en êtes pas encore là, car, simple écolier, vous avez voulu passer trop tôt maître. C'est le défaut des Français dans votre époque. Ils ont été gâtés tous par l'exemple de Napoléon. Vous donnez votre démission parce que vous ne pouvez pas obtenir l'épaulette que vous souhaitez... Mais avez-vous rapporté tous vos vouloirs, toutes vos actions à une idée ?...

— Hélas ! non, dit Lucien.

— Vous avez été ce que les Anglais appellent *inconsistent*, reprit le chanoine en souriant.

— Qu'importe ce que j'ai été, si je ne puis plus rien être ! répondit Lucien.

— Qu'il se trouve derrière toutes vos belles qualités une force *semper virens*, dit le prêtre en tenant à montrer qu'il savait un peu de latin, et rien ne vous résistera dans le monde. Je vous aime assez déjà...

(Lucien sourit d'un air d'incrédulité.)

— Oui, reprit l'inconnu en répondant au sourire de Lucien, vous m'intéressez comme si vous étiez mon fils, et je suis assez puissant pour vous parler à cœur ouvert, comme vous venez de me parler. Savez-vous ce qui me plaît de vous ?... Vous avez fait en vous-même table rase, et vous pouvez alors entendre un cours de morale qui ne se fait nulle part ; car les hommes, rassemblés en troupe, sont encore plus hypocrites qu'ils ne le sont quand leur intérêt les oblige à jouer la comédie. Aussi passe-t-on une bonne partie de sa vie à sarcler ce que l'on a laissé pousser dans son cœur pendant son adolescence. Cette opération s'appelle acquérir de l'expérience.

Lucien, en écoutant le prêtre, se disait : — Voilà quelque vieux politique enchanté de s'amuser en chemin. Il se plaît à faire changer d'opinion un pauvre garçon qu'il rencontre sur le bord d'un suicide, et il va me lâcher au bout de sa plaisanterie... Mais il entend bien le paradoxe, et il me paraît tout aussi fort que Blondet ou que Lousteau.

Malgré cette sage réflexion, la corruption tentée par ce diplomate sur Lucien entrait profondément dans cette âme assez disposée à la recevoir, et y faisait d'autant plus de ravages qu'elle s'appuyait sur de célèbres exemples. Pris par le charme de cette conversation cynique, Lucien se raccrochait d'autant plus volontiers à la vie qu'il se sentait ramené du fond de son suicide à la surface par un bras puissant.

En ceci, le prêtre triomphait évidemment. Aussi, de temps en temps, avait-il accompagné ses sarcasmes historiques d'un malicieux sourire.

COURS DE MORALE
PAR UN DISCIPLE D'ESCOBAR[a]

— Si votre façon de traiter la morale ressemble à votre manière d'envisager l'histoire, dit Lucien, je voudrais bien savoir quel est en ce moment le mobile de votre apparente charité ?

— Ceci, jeune homme, est le dernier point de mon prône, et vous me permettrez de le réserver, car alors nous ne nous quitterons pas aujourd'hui, répondit-il avec la finesse d'un prêtre qui voit sa malice réussie.

— Eh ! bien, parlez-moi morale ? dit Lucien qui se dit en lui-même : Je vais le faire poser.

— La morale, jeune homme, commence à la loi, dit le prêtre. S'il ne s'agissait que de religion, les lois seraient inutiles : les peuples religieux ont peu de lois. Au-dessus de la loi civile, est la loi politique. Eh ! bien, voulez-vous savoir ce qui, pour un homme politique, est écrit sur le front de votre dix-neuvième siècle ? Les Français ont inventé, en 1793, une souveraineté populaire qui s'est terminée par un empereur absolu. Voilà pour votre histoire nationale. Quant aux mœurs : madame Tallien et madame de Beauharnais ont tenu la même conduite, Napoléon épouse l'une, fait d'elle votre impératrice, et n'a jamais voulu recevoir l'autre, quoiqu'elle fût princesse. Sans-culotte en 1793, Napoléon chausse la couronne de fer en 1804. Les féroces amants de *l'Égalité ou la Mort* de 1792, deviennent, dès 1806, complices d'une aristocratie légitimée par Louis XVIII. A l'étranger, l'aristocratie, qui trône aujourd'hui dans son faubourg Saint-Germain, a fait pis : elle a été usurière, elle a été marchande, elle a fait des petits pâtés, elle a été cuisinière, fermière, gardeuse de moutons. En France donc, la loi politique aussi bien que la loi morale, tous et chacun ont démenti le début au point d'arrivée, leurs opinions par la conduite, ou la conduite par les opinions. Il n'y a pas eu de logique, ni dans le gouvernement, ni chez les particuliers. Aussi n'avez-vous plus de morale. Aujourd'hui, chez vous, le succès est la raison suprême de toutes les actions, quelles qu'elles soient. Le fait n'est donc plus rien en lui-même, il est tout entier dans l'idée que les autres s'en forment. De là, jeune homme, un second précepte: ayez de beaux dehors! cachez l'envers de votre vie, et présentez un endroit très brillant. La discrétion, cette devise des ambitieux, est celle de notre Ordre [1], faites-en la vôtre. Les grands commettent presque autant de lâchetés que les misérables mais ils les commettent dans l'ombre et font parade de leurs vertus: ils restent grands. Les petits déploient leurs vertus dans l'ombre, ils exposent leurs misères au grand jour: ils sont méprisés. Vous avez caché vos grandeurs et vous avez laissé voir vos plaies. Vous avez eu publiquement pour maîtresse une actrice, vous avez vécu chez elle, avec elle ; vous n'étiez nullement répréhensible, chacun vous trouvait l'un et l'autre parfaitement libres ; mais vous rompiez en visière aux idées du monde et vous n'avez pas eu la considération que le monde accorde à ceux qui obéissent à ses lois. Si vous aviez laissé Coralie à ce monsieur Camusot, si vous aviez caché vos relations avec elle, vous auriez épousé madame de Bargeton, vous seriez préfet d'Angoulême et marquis de Rubempré. Changez de conduite ? mettez en dehors votre beauté, vos grâces, votre esprit, votre poésie. Si vous vous permettez de petites infamies, que ce soit entre quatre murs. Dès lors vous ne serez plus coupable de faire tache sur les décorations de ce grand théâtre appelé le monde. Napoléon, appelle cela : *laver son linge sale en famille* [2]. Du second précepte découle ce corollaire : tout est dans la forme.

---

1. Carlos Herrera ne cache guère qu'il appartient aux Jésuites.
2. Pichot écrivait à Balzac le 4 janvier 1832 : « Rappelez-vous le mot de Napoléon à Lainé sur les lessives de famille... » (Lovenjoul, *Une page perdue*, p. 47).

Saisissez bien ce que j'appelle la Forme. Il y a des gens
sans instruction qui, pressés par le besoin, prennent une
somme quelconque, par violence, à autrui; on les nomme
criminels et ils sont forcés de compter avec la justice.
Un pauvre homme de génie trouve un secret dont l'exploitation équivaut à un trésor, vous lui prêtez trois mille
francs (à l'instar de ces Cointet qui se sont trouvé vos trois
mille francs entre les mains et qui vont dépouiller votre
beau-frère), vous le tourmentez de manière à vous faire
céder tout ou partie du secret, vous ne comptez qu'avec
votre conscience, et votre conscience ne nous mène pas
en Cour d'Assises. Les ennemis de l'ordre social
profitent de ce contraste pour japper après la justice et
se courroucer au nom du peuple de ce qu'on envoie
aux galères un voleur de nuit et de poules dans une enceinte
habitée, tandis qu'on met en prison, à peine pour quelques
mois, un homme qui ruine des familles en faisant une
faillite frauduleuse [a] : mais ces hypocrites savent bien
qu'en condamnant le voleur les juges maintiennent la
barrière entre les pauvres et les riches, qui, renversée,
amènerait la fin de l'ordre social ; tandis que le banqueroutier, l'adroit capteur de successions, le banquier qui
tue une affaire à son profit ne produisent que des dépla-
cements de fortune. Ainsi, la société, mon fils, est forcée
de distinguer, pour son compte, ce que je vous fais distinguer pour le vôtre. Le grand point est de s'égaler à toute
la Société. Napoléon, Richelieu, les Médicis s'égalèrent
à leur siècle. Vous, vous vous estimez douze mille francs !...
Votre Société n'adore plus le vrai Dieu, mais le Veau-d'Or !
Telle est la religion de votre Charte, qui ne tient plus
compte, en politique, que de la propriété. N'est-ce pas
dire à tous les sujets : Tâchez d'être riches ?... Quand,
après avoir su trouver légalement une fortune, vous
serez riche et marquis de Rubempré, vous vous permettrez
le luxe de l'honneur. Vous ferez alors profession de tant
de délicatesse, que personne n'osera vous accuser d'en avoir
jamais manqué, si vous en manquiez toutefois en faisant
fortune, ce que je ne vous conseillerais jamais, dit le prêtre

en prenant la main de Lucien et la lui tapotant. Que devez-vous donc mettre dans cette belle tête ?... Uniquement le thème que voici : Se donner un but éclatant et cacher ses moyens d'arriver, tout en cachant sa marche. Vous avez agi en enfant, soyez homme, soyez chasseur, mettez-vous à l'affût, embusquez-vous dans le monde parisien, attendez une proie et un hasard, ne ménagez ni votre personne, ni ce qu'on appelle la dignité ; car nous obéissons tous à quelque chose, à un vice, à une nécessité, mais observez la loi suprême ! le secret.

— Vous m'effrayez, mon père ! s'écria Lucien, ceci me semble une théorie de grande route.

— Vous avez raison, dit le chanoine, mais elle ne vient pas de moi. Voilà comment ont raisonné les parvenus, la maison d'Autriche, comme la maison de France. Vous n'avez rien, vous êtes dans la situation des Médicis, de Richelieu, de Napoléon au début de leur ambition. Ces gens-là, mon petit, ont estimé leur avenir au prix de l'ingratitude, de la trahison, et des contradictions les plus violentes. Il faut tout oser pour tout avoir. Raisonnons. Quand vous vous asseyez à une table de bouillotte, en discutez-vous les conditions ? Les règles sont là, vous les acceptez.

— Allons, pensa Lucien, il connaît la bouillotte.

— Comment vous conduisez-vous à la bouillotte ?... dit le prêtre, y pratiquez-vous la plus belle des vertus, la franchise ? Non seulement vous cachez votre jeu, mais encore vous tâchez de faire croire, quand vous êtes sûr de triompher, que vous allez tout perdre. Enfin, vous dissimulez, n'est-ce pas ?... Vous mentez pour gagner cinq louis !... Que diriez-vous d'un joueur assez généreux pour prévenir les autres qu'il a brelan carré ! Eh ! bien, l'ambitieux qui veut lutter avec les préceptes de la vertu, dans une carrière où ses antagonistes s'en privent, est un enfant à qui les vieux politiques diraient ce que les joueurs disent à celui qui ne profite pas de ses brelans : — Monsieur, ne jouez jamais à la bouillotte... Est-ce vous qui faites les règles dans le jeu de l'ambition ? Pourquoi vous ai-je dit de vous égaler à

la Société ?... C'est qu'aujourd'hui, jeune homme, la
Société s'est insensiblement arrogé tant de droits sur
les individus, que l'individu se trouve obligé de combattre la Société. Il n'y a plus de lois, il n'y a que des
mœurs, c'est-à-dire des simagrées, toujours la forme.
   (Lucien fit un geste d'étonnement.)
   — Ah ! mon enfant, dit le prêtre en craignant d'avoir
révolté la candeur de Lucien, vous attendiez-vous à
trouver l'ange Gabriel dans un abbé chargé de toutes
les iniquités de la contre-diplomatie de deux rois (je suis
l'intermédiaire entre Ferdinand VII et Louis XVIII,
deux grands... rois qui doivent tous deux la couronne
à de profondes... combinaisons) ?... Je crois en Dieu,
mais je crois bien plus en notre Ordre, et notre Ordre
ne croit qu'au pouvoir temporel. Pour rendre le pouvoir
temporel très fort, notre Ordre maintient l'Église apostolique, catholique et romaine, c'est-à-dire l'ensemble
des sentiments qui tiennent le peuple dans l'obéissance.
Nous sommes les Templiers modernes, nous avons une
doctrine. Comme le Temple, notre Ordre fut brisé par
les mêmes raisons [1] : il s'était égalé au monde. Voulez-
vous être soldat, je serai votre capitaine. Obéissez-moi
comme une femme obéit à son mari, comme un enfant
obéit à sa mère, je vous garantis qu'en moins de trois
ans vous serez marquis de Rubempré, vous épouserez
une des plus nobles filles du faubourg Saint-Germain,
et vous vous assiérez un jour sur les bancs de la Pairie.
En ce moment, si je ne vous avais pas amusé par ma
conversation, que seriez-vous? un cadavre introuvable
dans un profond lit de vase ; eh ! bien, faites un effort
de poésie ?... (Là Lucien regarda son protecteur avec
curiosité.) — Le jeune homme qui se trouve assis là,
dans cette calèche, à côté de l'abbé Carlos Herrera, chanoine
honoraire du chapitre de Tolède, envoyé secret de Sa

---

1. Le pape Clément XIV abolit l'ordre des Jésuites en 1773. Ils
se reconstituèrent sous divers noms, notamment celui des Pères de
la foi, jusqu'au jour où l'ordre fut officiellement rétabli (1814).

Majesté Ferdinand VII à Sa Majesté le roi de France, pour lui apporter une dépêche où il lui dit peut-être : « *Quand vous m'aurez délivré, faites pendre tous ceux que je caresse en ce moment et aussi mon envoyé pour qu'il soit vraiment secret* [a] », ce jeune homme, dit l'inconnu, n'a plus rien de commun avec le poète qui vient de mourir. Je vous ai pêché, je vous ai rendu la vie, et vous m'appartenez comme la créature est au créateur, comme, dans les contes de fées, l'Afrite est au génie, comme l'icoglan est au Sultan [1], comme le corps est à l'âme ! Je vous maintiendrai, moi, d'une main puissante dans la voie du pouvoir, et je vous promets néanmoins une vie de plaisirs, d'honneurs, de fêtes continuelles... Jamais l'argent ne vous manquera. Vous brillerez, vous paraderez, pendant que, courbé dans la boue des fondations, j'assurerai le brillant édifice de votre fortune. J'aime le pouvoir pour le pouvoir, moi ! Je serai toujours heureux de vos jouissances qui me sont interdites. Enfin, je me ferai vous !... Eh ! bien, le jour où ce pacte d'homme à démon, d'enfant à diplomate, ne vous conviendra plus, vous pourrez toujours aller chercher un petit endroit, comme celui dont vous parliez, pour vous noyer : vous serez un peu plus ou un peu moins ce que vous êtes aujourd'hui, malheureux ou déshonoré.

PROFIL DE L'ESPAGNOL [b]

— Ceci n'est pas une homélie de l'archevêque de Grenade [2] ! s'écria Lucien en voyant la calèche arrêtée à une poste.

— Je ne sais pas quel nom vous donnez à cette instruction sommaire, mon fils, car je vous adopte et ferai de vous mon héritier ; mais c'est le code de l'ambition.

---

1. L'afrite est un démon d'espèce inférieure, subordonné aux génies d'ordre plus élevé. L'icoglan est un officier dans le palais du Sultan.
2. Souvenir de *Gil Blas*, VII, ch. 3.

Les élus de Dieu sont en petit nombre. Il n'y a pas de choix :
ou il faut aller au fond du cloître (et vous y retrouverez
souvent le monde en petit !), où il faut accepter ce code.

— Peut-être vaut-il mieux ne pas être si savant, dit
Lucien en essayant de sonder l'âme de ce terrible prêtre.

— Comment ! reprit le chanoine, après avoir joué
sans connaître les règles du jeu, vous abandonnez la partie
au moment où vous y devenez fort, où vous vous y présentez avec un parrain solide... et sans même avoir le
désir de prendre une revanche ! Comment, vous n'éprou-
vez pas l'envie de monter sur le dos de ceux qui vous ont
chassé de Paris !

Lucien frissonna comme si quelque instrument de bronze,
un gong chinois, eût fait entendre ces terribles sons qui
frappent sur les nerfs.

— Je ne suis qu'un humble prêtre, reprit cet homme
en laissant paraître une horrible expression sur son visage
cuivré par le soleil de l'Espagne ; mais si des hommes
m'avaient humilié, vexé, torturé, trahi, vendu, comme
vous l'avez été par les drôles dont vous m'avez parlé,
je serais comme l'Arabe du désert !... Oui, je dévouerais
mon corps et mon âme à la vengeance. Je me moquerais
de finir ma vie accroché à un gibet, assis à la *garrot*, empalé,
guillotiné, comme chez vous; mais je ne laisserais prendre
ma tête qu'après avoir écrasé mes ennemis sous mes talons.

Lucien gardait le silence, il ne se sentait plus l'envie
de faire poser ce prêtre.

— Les uns descendent d'Abel, les autres de Caïn, dit le
chanoine en terminant ; moi je suis un sang mêlé : Caïn
pour mes ennemis, Abel pour mes amis, et malheur à qui
réveille Caïn !... Après tout, vous êtes Français, je suis
Espagnol et, de plus, chanoine !...

— Quelle nature d'Arabe ! se dit Lucien en examinant
le protecteur que le ciel venait de lui envoyer.

L'abbé Carlos Herrera n'offrait rien en lui-même qui
révélât le Jésuite ni même un religieux[a]. Gros et court,
de larges mains, un large buste, une force herculéenne,
un regard terrible, mais adouci par une mansuétude de

commande; un teint de bronze qui ne laissait rien passer
du dedans au dehors, inspiraient beaucoup plus la répulsion que l'attachement. De longs et beaux cheveux poudrés
à la façon de ceux du prince de Talleyrand donnaient à ce
singulier diplomate l'air d'un évêque, et le ruban bleu
liséré de blanc auquel pendait une croix d'or indiquait
d'ailleurs un dignitaire ecclésiastique. Ses bas de soie
noire moulaient des jambes d'athlète. Son vêtement
d'une exquise propreté révélait ce soin minutieux de la
personne que les simples prêtres ne prennent pas toujours
d'eux, surtout en Espagne. Un tricorne était posé sur le
devant de la voiture armoriée aux armes d'Espagne.
Malgré tant de causes de répulsion, des manières à la
fois violentes et patelines atténuaient l'effet de la physionomie; et, pour Lucien, le prêtre s'était évidemment fait
coquet, caressant, presque chat. Lucien examina les
moindres choses d'un air soucieux. Il sentit qu'il s'agissait en ce moment de vivre ou de mourir, car il se trouvait
au second relais après Ruffec. Les dernières phrases du
prêtre espagnol avaient remué beaucoup de cordes dans
son cœur : et, disons-le à la honte de Lucien et du prêtre
qui, d'un œil perspicace, étudiait la belle figure du poète,
ces cordes étaient les plus mauvaises, celles qui vibrent
sous l'attaque des sentiments dépravés. Lucien revoyait
Paris, il ressaisissait les rênes de la domination que ses
mains inhabiles avaient lâchées, il se vengeait ! La comparaison de la vie de province et de la vie de Paris qu'il venait
de faire, la plus agissante des causes de son suicide, dispa-
raissait : il allait se retrouver dans son milieu, mais protégé
par un politique profond jusqu'à la scélératesse de Cromwell.

— J'étais seul, nous serons deux, se disait-il.

Plus il avait découvert de fautes dans sa conduite antérieure, plus l'ecclésiastique avait montré d'intérêt. La
charité de cet homme s'était accrue en raison du malheur,
et il ne s'étonnait de rien. Néanmoins Lucien se demanda
quel était le mobile de ce meneur d'intrigues royales. Il
se paya d'abord d'une raison vulgaire : les Espagnols
sont généreux ! L'Espagnol est généreux, comme l'Italien

est empoisonneur et jaloux, comme le Français est léger, comme l'Allemand est franc, comme le Juif est ignoble, comme l'Anglais est noble. Renversez ces propositions ? vous arriverez au vrai. Les Juifs ont accaparé l'or, ils écrivent *Robert le Diable*, ils jouent *Phèdre*, ils chantent *Guillaume Tell*, ils commandent des tableaux, ils élèvent des palais, ils écrivent *Reisebilder* [a] et d'admirables poésies [1], ils sont plus puissants que jamais, leur religion est acceptée, enfin ils font crédit au Pape ! En Allemagne, pour les moindres choses, on demande à un étranger : — Avez-vous un contrat ? tant on y fait de chicanes. En France, on applaudit depuis cinquante ans à la Scène des stupidités nationales, on continue à porter d'inexplicables chapeaux, et le gouvernement ne change qu'à la condition d'être toujours le même !... L'Angleterre déploie à la face du monde des perfidies dont l'horreur ne peut se comparer qu'à son avidité. L'Espagnol, après avoir eu l'or des deux Indes, n'a plus rien. Il n'y a pas de pays du monde où il y ait moins d'empoisonnements qu'en Italie, et où les mœurs soient plus faciles et plus courtoises. Les Espagnols ont beaucoup vécu sur la réputation des Maures.

Lorsque l'Espagnol remonta dans la calèche, il dit à l'oreille du postillon : — Il me faut le train de la malle [2], il y a trois francs de guides.

Lucien hésitait à monter, le prêtre lui dit : — Allons donc, et Lucien monta sous prétexte de lui décocher un argument *ad hominem*.

— Mon père, lui dit-il, un homme qui vient de dérouler du plus beau sang-froid du monde les maximes que beaucoup de bourgeois taxeront de profondément immorales...

— Et qui le sont, dit le prêtre, voilà pourquoi Jésus-

---

1. *Robert le Diable* fut écrit par le juif Meyerbeer (1831). *Phèdre* était le triomphe de Mademoiselle George, née Wemmer, et plus récemment d'une autre actrice juive, Rachel. Les *Reisebilder* de Heine commencèrent à paraître en 1826. Balzac a écrit par erreur *Reisibilder* et ne s'est pas corrigé.

2. La malle, destinée au transport des dépêches, était plus rapide que la lourde diligence qui transportait les voyageurs.

Christ voulait que le scandale eût lieu, mon fils. Et voilà pourquoi le monde manifeste une si grande horreur du scandale.

— Un homme de votre trempe ne s'étonnera pas de la question que je vais lui faire !

— Allez, mon fils !... dit Carlos Herrera, vous ne me connaissez pas. Croyez-vous que je prendrais un secrétaire avant de savoir s'il a des principes assez sûrs pour ne me rien prendre ? Je suis content de vous. Vous avez encore toutes les innocences de l'homme qui se tue à vingt ans. Votre question ?...

— Pourquoi vous intéressez-vous à moi ? quel prix voulez-vous de mon obéissance ?... Pourquoi me donnez-vous tout ? quelle est votre part ?

L'Espagnol regarda Lucien et se mit à sourire.

— Attendons une côte, nous la monterons à pied, et nous parlerons en plein vent. Le fond d'une calèche est indiscret[a].

Le silence régna pendant quelque temps entre les deux compagnons, et la rapidité de la course aida, pour ainsi dire, à la griserie morale de Lucien.

— Mon père, voici la côte, dit Lucien en se réveillant comme d'un rêve.

— Eh ! bien, marchons, dit le prêtre en criant d'une voix forte au postillon d'arrêter.

Et tous deux ils s'élancèrent sur la route.

POURQUOI LES CRIMINELS
SONT ESSENTIELLEMENT CORRUPTEURS[b]

— Enfant, dit l'Espagnol en prenant Lucien par le bras, as-tu médité la *Venise sauvée* d'Otway [1] ? As-tu compris cette amitié profonde, d'homme à homme, qui lie Pierre

---

1. La *Venise sauvée*, tirée de *la Conjuration des Espagnols contre Venise* de Saint-Réal, datait de 1685. Mais l'œuvre était restée célèbre, et l'était devenue plus encore à l'époque romantique.

à Jaffier, qui fait pour eux d'une femme une bagatelle,
et qui change entre eux tous les termes sociaux ?... Eh!
bien, voilà pour le poète.

— Le chanoine connaît aussi le théâtre, se dit Lucien
en lui-même. — Avez-vous lu Voltaire ?... lui demanda-
t-il.

— J'ai fait mieux, répondit le chanoine, je le mets en
pratique.

— Vous ne croyez pas en Dieu ?...

— Allons, c'est moi qui suis l'athée, dit le prêtre en souriant. Venons au positif, mon petit ? reprit-il en le prenant
par la taille a. J'ai quarante-six ans, je suis l'enfant naturel
d'un grand seigneur, par ainsi sans famille, et j'ai un
cœur... Mais, apprends ceci, grave-le dans ta cervelle encore
si molle : l'homme a horreur de la solitude. Et de toutes
les solitudes, la solitude morale est celle qui l'épouvante le
plus. Les premiers anachorètes vivaient avec Dieu, ils
habitaient le monde le plus peuplé, le monde spirituel.
Les avares habitent le monde de la fantaisie et des jouissances. L'avare a tout, jusqu'à son sexe, dans le cerveau.
La première pensée de l'homme, qu'il soit lépreux ou forçat,
infâme ou malade, est d'avoir un complice de sa destinée.
A satisfaire ce sentiment, qui est la vie même, il emploie
toutes ses forces, toute sa puissance, la verve de sa vie.
Sans ce désir souverain, Satan aurait-il pu trouver des
compagnons ?... Il y a là tout un poème à faire qui serait
l'avant-scène du *Paradis perdu*, qui n'est que l'apologie de
la Révolte.

— Celui-là serait l'Iliade de la corruption, dit Lucien.

— Eh! bien, je suis seul, je vis seul. Si j'ai l'habit, je
n'ai pas le cœur du prêtre. J'aime à me dévouer, j'ai ce
vice-là. Je vis par le dévouement, voilà pourquoi je suis
prêtre. Je ne crains pas l'ingratitude, et je suis reconnaissant. L'Église n'est rien pour moi, c'est une idée. Je me
suis dévoué au roi d'Espagne; mais on ne peut pas aimer
le roi d'Espagne, il me protège, il plane au-dessus de moi.
Je veux aimer ma créature, la façonner, la pétrir à mon
usage, afin de l'aimer comme un père aime son enfant.

Je roulerai dans ton tilbury, mon garçon, je me réjouirai
de tes succès auprès des femmes, je dirai : — Ce beau jeune
homme, c'est moi ! ce marquis de Rubempré, je l'ai créé
et mis au monde aristocratique ; sa grandeur est mon
œuvre, il se tait ou parle à ma voix, il me consulte en tout.
L'abbé de Vermont était cela pour Marie-Antoinette.

— Il l'a menée à l'échafaud !

— Il n'aimait pas la reine !... répondit le prêtre, il n'aimait que l'abbé de Vermont [1] [a].

— Dois-je laisser derrière moi la désolation ? dit Lucien.

— J'ai des trésors, tu y puiseras.

— En ce moment, je ferais bien des choses pour délivrer Séchard, répliqua Lucien d'une voix qui ne voulait
plus du suicide.

— Dis un mot, mon fils, et il recevra demain matin la
somme nécessaire à sa libération.

— Comment ! vous me donneriez douze mille francs !...

— Eh ! enfant, ne vois-tu pas que nous faisons quatre
lieues à l'heure ? Nous allons dîner à Poitiers. Là, si
tu veux signer le pacte, me donner une seule preuve d'obéissance, elle est grande, je le veux ! eh bien [b] la diligence de
Bordeaux portera quinze mille francs à ta sœur...

— Où sont-ils ?

Le prêtre espagnol ne répondit rien, et Lucien se dit :
— Le voilà pris, il se moquait de moi.

Un instant après, l'Espagnol et le poète étaient remontés
en voiture silencieusement. Silencieusement, le prêtre
mit la main à la poche de sa voiture, il en tira ce sac de
peau fait en gibecière divisé en trois compartiments, si
connu des voyageurs ; il ramena cent portugaises, en y
plongeant trois fois de sa large main qu'il ramena chaque
fois pleine d'or.

---

1. Cet abbé avait été précepteur de l'archiduchesse Marie-Antoinette.
Il l'accompagna en France. Il lui inspira les idées les plus autocratiques
et Balzac y fait allusion en disant qu'il la mena à l'échafaud, c'est-à-dire
que ses conseils la perdirent. Mais au début de la Révolution, il prit
très prudemment la fuite et émigra.

— Mon père, je suis à vous, dit Lucien ébloui de ce flot d'or.

— Enfant ! dit le prêtre en baisant Lucien au front avec tendresse, ce n'est que [a] le tiers de l'or qui se trouve dans ce sac, trente mille francs, sans compter l'argent du voyage.

— Et vous voyagez seul ?... s'écria Lucien.

— Qu'est-ce que cela ! fit l'Espagnol. J'ai pour plus de cent mille écus de traites sur Paris. Un diplomate sans argent, c'est ce que tu étais tout à l'heure : un poète sans volonté.

LE MOMENT OU DANS LA LUTTE
ON LACHE PRISE[b]

Au moment où Lucien montait en voiture avec le prétendu diplomate espagnol, Ève se levait pour donner à boire à son fils, elle trouva la fatale lettre, et la lut. Une sueur froide glaça la moiteur que cause le sommeil du matin, elle eut un éblouissement, elle appela Marion et Kolb.

A ce mot : — Mon frère est-il sorti ? Kolb répondit : *Oui, montame, afant le chour !*

— Gardez-moi le plus profond secret sur ce que je vous confie, dit Ève aux deux domestiques, mon frère est sans doute sorti pour mettre fin à ses jours. Courez tous les deux, prenez des informations avec prudence, et surveillez le cours de la rivière.

Ève resta seule, dans un état de stupeur horrible à voir.

Ce fut au milieu du trouble où elle se trouvait que, sur les sept heures du matin, Petit-Claud se présenta pour lui parler d'affaires. Dans ces moments-là, l'on écoute tout le monde.

— Madame, dit l'avoué, notre pauvre cher David est en prison, et il arrive à la situation que j'ai prévue au début de cette affaire. Je lui conseillais alors de s'associer pour l'exploitation de sa découverte avec ses concurrents, les Cointet, qui tiennent entre leurs mains les moyens d'exécuter ce qui, chez votre mari, n'est qu'à l'état de conception. Aussi, dans la soirée d'hier, aussitôt que la nouvelle de son arrestation m'est parvenue, qu'ai-je fait ? je suis allé trouver messieurs Cointet avec l'intention de tirer d'eux des concessions qui pussent vous satisfaire. En voulant défendre cette découverte, votre vie va continuer d'être ce qu'elle est : une vie de chicanes où vous succomberez, où vous finirez, épuisés et mourants, par faire, à votre détriment peut-être, avec un homme d'argent, ce que je veux vous voir faire, à votre avantage, dès aujourd'hui, avec messieurs Cointet frères. Vous économiserez ainsi les privations, les angoisses du combat de l'inventeur contre l'avidité du capitaliste et l'indifférence de la société. Voyons ! si messieurs Cointet payent vos dettes... si, vos dettes payées, ils vous donnent encore une somme qui vous soit acquise, quel que soit le mérite, l'avenir ou la possibilité de la découverte, en vous accordant, bien entendu toujours, une certaine part dans les bénéfices de l'exploitation, ne serez-vous pas heureux ?... Vous devenez, vous, madame, propriétaire du matériel de l'imprimerie, et vous la vendrez sans doute, cela vaudra bien vingt mille francs, je vous garantis un acquéreur à ce prix. Si vous réalisez quinze mille francs, par un acte de société avec messieurs Cointet, vous auriez une fortune de trente-cinq mille francs, et au taux actuel des rentes, vous vous feriez deux mille francs de rente... On vit avec deux mille francs de rente en province. Et, remarquez bien que, madame, vous auriez encore les éventualités de votre association avec messieurs Cointet. Je dis éventualités, car il faut supposer l'insuccès. Eh ! bien, voici ce que je suis en mesure de pouvoir obtenir : d'abord, libération complète de David, puis quinze mille francs remis à titre d'indemnité de ses recherches, acquis sans que messieurs Cointet puissent en faire l'objet d'une revendication à quelque titre que ce soit, quand même la décou-

verte serait improductive ; enfin une société formée entre
David et messieurs Cointet pour l'exploitation d'un brevet
d'invention à prendre, après une expérience faite en commun et secrètement, de son procédé de fabrication sur les
bases suivantes : messieurs Cointet feront tous les frais.
La mise de fonds de David sera l'apport du brevet, et il
aura le quart des bénéfices. Vous êtes une femme pleine
de jugement et très raisonnable, ce qui n'arrive pas souvent
aux très belles femmes ; réfléchissez à ces propositions
et vous les trouverez très acceptables...

— Ah! monsieur, s'écria la pauvre Ève au désespoir
et en fondant en larmes, pourquoi n'êtes-vous pas venu
hier au soir me proposer cette transaction ? Nous eussions
évité le déshonneur, et... bien pis...

— Ma discussion avec les Cointet, qui, vous avez dû vous
en douter, se cachent derrière Métivier, n'a fini qu'à minuit.
Mais qu'est-il donc arrivé depuis hier soir qui soit pire que
l'arrestation de notre pauvre David? demanda Petit-Claud.

— Voici l'affreuse nouvelle que j'ai trouvée à mon
réveil, répondit-elle en tendant à Petit-Claud la lettre de
Lucien. Vous me prouvez en ce moment que vous vous
intéressez à nous, vous êtes l'ami de David et de Lucien,
je n'ai pas besoin de vous demander le secret...

— Soyez sans aucune inquiétude, dit Petit-Claud en
rendant la lettre après l'avoir lue. Lucien ne se tuera pas.
Après avoir été la cause de l'arrestation de son beau-
frère, il lui fallait une raison pour vous quitter, et je vois
là comme une tirade de sortie, en style de coulisses.

Les Cointet étaient arrivés à leurs fins. Après avoir
torturé l'inventeur et sa famille, ils saisissaient le moment
de cette torture où la lassitude fait désirer quelque repos.
Tous les chercheurs de secrets ne tiennent pas du boule-
dogue, qui meurt sa proie entre les dents, et les Cointet
avaient savamment étudié le caractère de leurs victimes.
Pour le grand Cointet, l'arrestation de David était la
dernière scène du premier acte de ce drame. Le second
acte commençait par la proposition que Petit-Claud venait
faire. En grand maître, l'avoué regarda le coup de tête

de Lucien comme une de ces chances inespérées qui, dans une partie, achèvent de la décider. Il vit Ève si complètement matée par cet événement qu'il résolut d'en profiter pour gagner sa confiance, car il avait fini par deviner l'influence de la femme sur le mari. Donc, au lieu de plonger madame Séchard plus avant dans le désespoir, il essaya de la rassurer, et il la dirigea très habilement vers la prison dans la situation d'esprit où elle se trouvait, en pensant qu'elle déterminerait alors David à s'associer aux Cointet.

— David, madame, m'a dit qu'il ne souhaitait de fortune que pour vous et pour votre frère; mais il doit vous être prouvé que ce serait une folie que de vouloir enrichir Lucien. Ce garçon-là mangerait trois fortunes.

L'attitude d'Ève disait assez que la dernière de ses illusions sur son frère s'était envolée, aussi l'avoué fit-il une pause pour convertir le silence de sa cliente en une sorte d'assentiment.

— Ainsi, dans cette question, reprit-il, il ne s'agit plus que de vous et de votre enfant. C'est à vous de savoir si deux mille francs de rente suffisent à votre bonheur, sans compter la succession du vieux Séchard. Votre beau-père se fait, depuis longtemps, un revenu de sept à huit mille francs, sans compter les intérêts qu'il sait tirer de ses capitaux; ainsi vous avez, après tout, un bel avenir. Pourquoi vous tourmenter?

L'avoué quitta madame Séchard en la laissant réfléchir sur cette perspective, assez habilement préparée la veille par le grand Cointet.

— Allez leur faire entrevoir la possibilité de toucher une somme quelconque, avait dit le Loup-Cervier d'Angoulême à l'avoué quand il vint lui annoncer l'arrestation; et lorsqu'ils se seront accoutumés à l'idée de palper une somme, ils seront à nous : nous marchanderons, et, petit à petit, nous les ferons arriver au prix que nous voulons donner de ce secret.

Cette phrase contenait en quelque sorte l'argument du second acte de ce drame financier.

Quand madame Séchard, le cœur brisé par les appré-hensions sur le sort de son frère, se fut habillée, et des-

cendit pour aller à la prison, elle éprouva l'angoisse que
lui donna l'idée de traverser seule les rues d'Angoulême.
Sans s'occuper de l'anxiété de sa cliente, Petit-Claud revint
lui offrir le bras, ramené par une pensée assez machiavé-
lique, et il eut le mérite d'une délicatesse à laquelle Ève
fut extrêmement sensible ; car il s'en laissa remercier,
sans la tirer de son erreur. Cette petite attention, chez un
homme si dur, si cassant, et dans un pareil moment, modifia
les jugements que madame Séchard avait jusqu'à présent
portés sur Petit-Claud.

— Je vous mène, lui dit-il, par le chemin le plus long,
mais nous n'y rencontrerons personne.

— Voici la première fois, monsieur, que je n'ai pas le droit
d'aller la tête haut ! on me l'a bien durement appris hier...

— Ce sera la première et la dernière.

— Oh ! je ne resterai certes pas dans cette ville...

— Si votre mari consentait aux propositions qui sont
à peu près posées entre les Cointet et moi, dit Petit-Claud
à Ève en arrivant au seuil de la prison, faites-le-moi savoir,
je viendrais aussitôt avec une autorisation de Cachan qui
permettrait à David de sortir; et, vraisemblablement,
il ne rentrerait pas en prison...

Ceci dit en face de la geôle était ce que les Italiens
appellent une *combinaison*. Chez eux, ce mot exprime l'acte
indéfinissable où se rencontre un peu de perfidie mêlée
au droit, l'à-propos d'une fraude permise, une fourberie
quasi légitime et bien dressée ; selon eux, la Saint-
Barthélemy est une combinaison politique.

LES INFLUENCES DE LA PRISON[a]

Par les causes exposées ci-dessus, la détention pour dettes
est un fait judiciaire si rare en province que, dans la plupart
des villes de France, il n'existe pas de maison d'arrêt.
Dans ce cas, le débiteur est écroué à la prison où l'on incar-

cère les Inculpés, les Prévenus, les Accusés et les Condamnés. Tels sont les noms divers que prennent légalement et successivement ceux que le peuple appelle géné-
riquement des *criminels*. Ainsi David fut mis provisoirement
dans une des chambres basses de la prison d'Angoulême,
d'où, peut-être, quelque condamné venait de sortir, après
avoir fait son temps. Une fois écroué avec la somme décrétée
par la loi pour les aliments du prisonnier pendant un mois,
David se trouva devant un gros homme qui, pour les captifs,
devient un pouvoir plus grand que celui du Roi : le geôlier !
En province, on ne connaît pas de geôlier maigre. D'abord,
cette place est presque une sinécure ; puis, un geôlier est
comme un aubergiste qui n'aurait pas de maison à payer,
il se nourrit très bien en nourrissant très mal ses prisonniers
qu'il loge, d'ailleurs, comme fait l'aubergiste, selon leurs
moyens. Il connaissait David de nom, à cause de son père
surtout, et il eut la confiance de le bien coucher pour une
nuit, quoique David fût sans un sou. La prison d'Angoulême date du moyen âge, et n'a pas subi plus de changements que la Cathédrale. Encore appelée Maison de Justice,
elle est adossée à l'ancien Présidial. Le guichet est classique,
c'est la porte cloutée, solide en apparence, usée, basse,
et de construction d'autant plus cyclopéenne qu'elle a,
comme un œil unique au front, dans le judas par où le
geôlier vient reconnaître les gens avant d'ouvrir. Un corridor règne le long de la façade au rez-de-chaussée, et sur
ce corridor ouvrent plusieurs chambres dont les fenêtres
hautes et garnies de hottes tirent leur jour du préau. Le
geôlier occupe un logement séparé de ces chambres par
une voûte qui sépare le rez-de-chaussée en deux parties,
et au bout de laquelle on voit, dès le guichet, une grille
fermant le préau. David fut conduit par le geôlier dans celle
des chambres qui se trouvait auprès de la voûte, et dont la
porte donnait en face de son logement. Le geôlier voulait
voisiner avec un homme qui, vu sa position particulière,
pouvait lui tenir compagnie.

— C'est la meilleure chambre, dit-il en voyant David
stupéfait à l'aspect du local.

Les murs de cette chambre étaient en pierre et assez
humides. Les fenêtres très élevées avaient des barreaux
de fer. Les dalles de pierre jetaient un froid glacial. On
entendait le pas régulier de la sentinelle en faction qui se
promenait dans le corridor. Ce bruit monotone, comme
celui de la marée, vous jette à tout instant cette pensée :
« On te garde ! tu n'es plus libre ! » Tous ces détails, cet
ensemble de choses agit prodigieusement sur le moral des
honnêtes gens. David aperçut un lit exécrable ; mais les
gens incarcérés sont si violemment agités pendant la
première nuit, qu'ils ne s'aperçoivent de la dureté de leur
couche qu'à la seconde nuit. Le geôlier fut gracieux, il
proposa naturellement à son détenu de se promener dans
le préau jusqu'à la nuit. Le supplice de David ne commença
qu'au moment de son coucher. Il était interdit de donner
de la lumière aux prisonniers, il fallait donc un permis du
Procureur du Roi pour exempter le détenu pour dettes du
règlement qui ne concernait évidemment que les gens mis
sous la main de justice. Le geôlier admit bien David
à son foyer, mais il fallut enfin le renfermer, à l'heure
du coucher. Le pauvre mari d'Ève connut alors les horreurs
de la prison et la grossièreté de ses usages qui le révolta.
Mais, par une de ces réactions assez familières aux penseurs,
il s'isola dans cette solitude, il s'en sauva par un de ces
rêves que les poètes ont le pouvoir de faire tout éveillés.
Le malheureux finit par porter sa réflexion sur ses affaires.
La prison pousse énormément à l'examen de conscience.
David se demanda s'il avait rempli ses devoirs de chef de
famille ? quelle devait être la désolation de sa femme ?
pourquoi, comme le lui disait Marion, ne pas gagner assez
d'argent pour pouvoir faire plus tard sa découverte à
loisir ?

— Comment, se dit-il, rester à Angoulême après un
pareil éclat ? Si je sors de prison, qu'allons-nous devenir ?
où irons-nous ? Quelques doutes lui vinrent sur ses procédés. Ce fut une de ces angoisses qui ne peut être comprise
que par les inventeurs eux-mêmes ! De doute en doute,
David en vint à voir clair à sa situation, et il se dit à lui-

même, ce que les Cointet avaient dit au père Séchard, ce
que Petit-Claud venait de dire à Ève : « En supposant que
tout aille bien, que sera-ce à l'application ? Il me faut un
brevet d'invention, c'est de l'argent !... Il me faut une
fabrique où faire mes essais en grand, ce sera livrer ma découverte ! » Oh ! comme Petit-Claud avait raison !

(Les prisons les plus obscures dégagent de très vives
lueurs.)

— Bah ! dit David en s'endormant sur l'espèce de lit
de camp où se trouvait un horrible matelas en drap brun
très grossier, je verrai sans doute Petit-Claud, demain matin.

David s'était donc bien préparé lui-même à écouter les
propositions que sa femme lui apportait de la part de ses
ennemis. Après qu'elle eut embrassé son mari et se fut assise
sur le pied du lit, car il n'y avait qu'une chaise en bois de
la plus vile espèce, le regard de la femme tomba sur l'affreux baquet mis dans un coin et sur les murailles par-
semées de noms et d'apophthegmes écrits par les prédécesseurs de David. Alors, de ses yeux rougis, les pleurs
recommencèrent à couler. Elle eut encore des larmes après
toutes celles qu'elle avait versées, en voyant son mari dans
la situation d'un criminel.

— Voilà donc où peut mener le désir de la gloire !...
s'écria-t-elle. O ! mon ange, abandonne cette carrière...
Allons ensemble le long de la route battue, et ne cherchons
pas une fortune rapide... Il me faut peu de chose pour être
heureuse, surtout après avoir tant souffert !... Et si tu
savais !... cette déshonorante arrestation n'est pas notre
grand malheur !... tiens ?

Elle tendit la lettre de Lucien que David eut bientôt lue ;
et, pour le consoler, elle lui dit l'affreux mot de Petit-Claud
sur Lucien.

— Si Lucien s'est tué, c'est fait en ce moment, dit
David : et si ce n'est pas fait en ce moment, il ne se tuera
pas : il ne peut pas, comme il le dit, avoir du courage plus
d'une matinée...

— Mais rester dans cette anxiété ?... s'écria la sœur qui
pardonnait presque tout à l'idée de la mort.

Elle redit à son mari les propositions que Petit-Claud
avait soi-disant obtenues des Cointet, et qui furent aussitôt
acceptées par David avec un visible plaisir.

— Nous aurons de quoi vivre dans un village auprès de
l'Houmeau où la fabrique des Cointet est située, et je ne
veux plus que la tranquillité, s'écria l'inventeur. Si Lucien
s'est puni par la mort, nous aurons assez de fortune pour
attendre celle de mon père; et, s'il existe, le pauvre garçon
saura se conformer à notre médiocrité... Les Cointet pro-
fiteront certainement de ma découverte; mais, après tout,
que suis-je relativement à mon pays ?... Un homme. Si
mon secret profite à tous, eh! bien, je suis content! Tiens,
ma chère Ève, nous ne sommes faits ni l'un ni l'autre pour
être des commerçants. Nous n'avons ni l'amour du gain,
ni cette difficulté de lâcher toute espèce d'argent, même
le plus légitimement dû, qui sont peut-être les vertus du
négociant, car on nomme ces deux avarices : Prudence et
Génie commercial !

Enchantée de cette conformité de vues, l'une des plus
douces fleurs de l'amour, car les intérêts et l'esprit peuvent
ne pas s'accorder chez deux êtres qui s'aiment, Ève pria
le geôlier d'envoyer chez Petit-Claud un mot par lequel
elle lui disait de délivrer David, en lui annonçant leur mutuel consentement aux bases de l'arrangement projeté.
Dix minutes après, Petit-Claud entrait dans l'horrible
chambre de David, et disait à Ève : — Retournez chez vous,
madame, nous vous y suivrons...

— Eh ! bien, mon cher ami, dit Petit-Claud, tu t'es
donc laissé prendre! Et comment as-tu pu commettre
la faute de sortir ?

— Eh! comment ne serais-je pas sorti? Voici ce que
Lucien m'écrivait.

David remit à Petit-Claud la lettre de Cérizet; Petit-
Claud la prit, la lut, la regarda, tâta le papier, et causa
d'affaires en pliant la lettre comme pas distraction, et il la
mit dans sa poche. Puis l'avoué prit David par le bras, et
sortit avec lui, car la décharge de l'huissier avait été apportée au geôlier pendant cette conversation. En rentrant

chez lui, David se crut dans le ciel, il pleura comme un enfant en embrassant son petit Lucien, et se retrouvant dans sa chambre à coucher après vingt jours de détention dont les dernières heures étaient, selon les mœurs de la province, déshonorantes. Kolb et Marion étaient revenus. Marion apprit à l'Houmeau que Lucien avait été vu marchant sur la route de Paris, au delà de Marsac. La mise du dandy fut remarquée par les gens de la campagne qui apportaient des denrées à la ville. Après s'être lancé à cheval sur le grand chemin, Kolb avait fini par savoir à Mansle que Lucien, reconnu par monsieur Marron, voyageait dans une calèche en poste.

— Que vous disais-je ? s'écria Petit-Claud. Ce n'est pas un poète, ce garçon-là, c'est un roman continuel.

— En poste, disait Ève, et où va-t-il encore, cette fois ?

— Maintenant, dit Petit-Claud à David, venez chez messieurs Cointet, ils vous attendent.

— Ah ! monsieur, s'écria la belle madame Séchard, je vous en prie, défendez bien nos intérêts, vous avez tout notre avenir entre les mains.

— Voulez-vous, madame, dit Petit-Claud, que la conférence ait lieu chez vous ? je vous laisse David. Ces messieurs viendront ici ce soir, et vous verrez si je sais défendre vos intérêts.

— Ah ! monsieur, vous me feriez bien plaisir, dit Ève.

— Eh ! bien, dit Petit-Claud, à ce soir, ici, sur les sept heures.

— Je vous remercie, répondit Ève avec un regard et un accent qui prouvèrent à Petit-Claud combien de progrès il avait fait dans la confiance de sa cliente.

— Ne craignez rien, vous le voyez ? j'avais raison, ajouta-t-il. Votre frère est à trente lieues de son suicide. Enfin, peut-être ce soir vous aurez une petite fortune. Il se présente un acquéreur sérieux pour votre imprimerie.

— Si cela était, dit Ève, pourquoi ne pas attendre avant de nous lier avec les Cointet ?

— Vous oubliez, madame, répondit Petit-Claud, qui vit le danger de sa confidence, que vous ne serez libre de vendre votre imprimerie qu'après avoir payé monsieur Métivier, car tous vos ustensiles sont toujours saisis.

Rentré chez lui, Petit-Claud fit venir Cérizet. Quand le prote fut dans son cabinet, il l'emmena dans une embrasure de la croisée.

— Tu seras demain soir propriétaire de l'imprimerie Séchard, et assez puissamment protégé pour obtenir la transmission du brevet, lui dit-il dans l'oreille ; mais tu ne veux pas finir aux galères ?

— De quoi !... de quoi, les galères ? fit Cérizet.

— Ta lettre à David est un faux, et je la tiens... Si l'on interrogeait Henriette, que dirait-elle ?... Je ne veux pas te perdre, dit aussitôt Petit-Claud en voyant pâlir Cérizet.

— Vous voulez encore quelque chose de moi ? s'écria le Parisien.

— Eh ! bien, voici ce que j'attends de toi, reprit Petit-Claud. Écoute bien ! tu seras imprimeur à Angoulême dans deux mois..., mais tu devras ton imprimerie, et tu ne l'auras pas payée en dix ans !... Tu travailleras longtemps pour tes capitalistes ! et de plus tu seras obligé d'être le prête-nom du parti libéral... C'est moi qui rédigerai ton acte de commandite avec Gannerac ; je le ferai de manière que tu puisses un jour avoir l'imprimerie à toi... Mais, s'ils créent un journal, si tu en es le gérant, si je suis ici premier substitut, tu t'entendras avec le grand Cointet pour mettre dans ton journal des articles de nature à le faire saisir et supprimer... Les Cointet te payeront largement pour leur rendre ce service-là... Je sais bien que tu seras condamné, que tu mangeras de la prison, mais tu passeras pour un homme important et persécuté. Tu deviendras un personnage du parti libéral, un sergent Mercier, un Paul-Louis Courier, un Manuel au petit pied. Je ne te laisserai jamais retirer ton brevet. Enfin, le jour où le journal sera supprimé, je brûlerai cette lettre devant toi... Ta fortune ne te coûtera pas cher...

Les gens du peuple ont des idées très erronées sur les distinctions légales du faux, et Cérizet, qui se voyait déjà sur les bancs de la cour d'assises, respira.

— Je serai, dans trois ans d'ici, procureur du roi à Angoulême, reprit Petit-Claud, tu pourras avoir besoin de moi, songes-y !

— C'est entendu, dit Cérizet. Mais vous ne me connaissez pas : brûlez cette lettre devant moi, reprit-il, fiez-vous à ma reconnaissance.

Petit-Claud regarda Cérizet. Ce fut un de ces duels d'œil à œil où le regard de celui qui observe est comme un scalpel avec lequel il essaye de fouiller l'âme, et où les yeux de l'homme qui met alors ses vertus en étalage sont comme un spectacle.

Petit-Claud ne répondit rien ; il alluma une bougie et brûla la lettre en se disant : — Il a sa fortune à faire !

— Vous avez à vous une âme damnée, dit le prote.

UN JOUR TROP TARD[a]

David attendait avec une vague inquiétude la conférence avec les Cointet : ce n'était ni la discussion de ses intérêts ni celle de l'acte à faire qui l'occupait ; mais l'opinion que les fabricants allaient avoir de ses travaux. Il se trouvait dans la situation de l'auteur dramatique devant ses juges. L'amour-propre de l'inventeur et ses anxiétés au moment d'atteindre au but faisaient pâlir tout autre sentiment. Enfin, sur les sept heures du soir, à l'instant où madame la comtesse Châtelet se mettait au lit sous prétexte de migraine et laissait faire à son mari les honneurs du dîner, tant elle était affligée des nouvelles contradictoires qui couraient sur Lucien ! les Cointet, le gros et le grand, entrèrent avec Petit-Claud chez leur concurrent, qui se livrait à eux, pieds et poings liés. On se trouva d'abord arrêté par une difficulté préliminaire : comment faire un acte de société sans connaître les procédés de David ? Et les procédés de David divulgués, David se trouvait à la merci des Cointet.

Petit-Claud obtint que l'acte serait fait auparavant. Le grand
Cointet dit alors à David de lui montrer quelques-uns
de ses produits, et l'inventeur lui présenta les dernières
feuilles fabriquées, en en garantissant le prix de revient.

— Eh! bien, voilà, dit Petit-Claud, la base de l'acte
toute trouvée ; vous pouvez vous associer sur ces don-
nées-là, en introduisant une clause de dissolution dans
le cas où les conditions du brevet ne seraient pas remplies
à l'exécution en fabrique.

— Autre chose, monsieur, dit le grand Cointet à David,
autre chose est de frabriquer, en petit, dans sa chambre,
avec une petite forme, des échantillons de papier, ou de
se livrer à des fabrications sur une grande échelle. Jugez-en
par un seul fait? Nous faisons des papiers de couleur, nous
achetons, pour les colorer, des parties de couleur bien
identique. Ainsi, l'indigo pour bleuter nos Coquilles est
pris dans une caisse dont tous les pains proviennent d'une
même fabrication. Eh ! bien, nous n'avons jamais pu
obtenir deux cuvées de teintes pareilles... Il s'opère dans
la préparation de nos matières des phénomènes qui nous
échappent. La quantité, la qualité de pâte changent sur-
le-champ toute espèce de question. Quand vous teniez
dans une bassine une portion d'ingrédients que je ne demande
pas à connaître, vous en étiez le maître, vous pouviez agir
sur toutes les parties uniformément, les lier, les *malaxer*,
les pétrir, à votre gré, leur donner une façon homogène...
Mais qui vous a garanti que sur une cuvée de cinq cents
rames il en sera de même, et que vos procédés réussiront?...

David, Ève et Petit-Claud se regardèrent en se disant
bien des choses par les yeux.

— Prenez un exemple qui vous offre une analogie
quelconque, dit le grand Cointet après une pause. Vous cou-
pez environ deux bottes de foin dans une prairie, et vous
les mettez bien serrées dans votre chambre sans avoir
laissé les herbes jeter leur feu, comme disent les paysans;
la fermentation a lieu, mais elle ne cause pas d'accident.
Vous appuieriez-vous de cette expérience pour entasser
deux mille bottes dans une grange bâtie en bois ?... vous

savez bien que le feu prendrait dans ce foin et que votre grange brûlerait comme une allumette. Vous êtes un homme instruit, dit Cointet à David, concluez ?... Vous avez, en ce moment, coupé deux bottes de foin, et nous craignons de mettre le feu à notre papeterie en en serrant deux mille. Nous pouvons, en d'autres termes, perdre plus d'une cuvée, faire des pertes, et nous trouver avec rien dans les mains après avoir dépensé beaucoup d'argent.

David était atterré. La Pratique parlait son langage positif à la Théorie dont la parole est toujours au Futur.

— Du diable si je signe un pareil acte de société ! s'écria brutalement le gros Cointet. Tu perdras ton argent si tu veux, Boniface, moi je garde le mien... J'offre de payer les dettes de monsieur Séchard, et six mille francs... Encore trois mille francs en billets, dit-il en se reprenant, et à douze et quinze mois... Ce sera bien assez de risques à courir... Nous avons douze mille francs à prendre sur notre compte avec Métivier. Cela fera quinze mille francs !... Mais c'est tout ce que je payerais le secret pour l'exploiter à moi tout seul. Ah ! voilà cette trouvaille dont tu me parlais, Boniface... Eh ! bien, merci, je te croyais plus d'esprit. Non, ce n'est pas là ce qu'on appelle une affaire.

— La question, pour vous, dit alors Petit-Claud sans s'effrayer de cette sortie, se réduit à ceci : Voulez-vous risquer vingt mille francs pour acheter un secret qui peut vous enrichir ? Mais, messieurs, les risques sont toujours en raison des bénéfices... C'est un enjeu de vingt mille francs contre la fortune. Le joueur met un louis pour en avoir trente-six à la roulette, mais il sait que son louis est perdu. Faites de même.

— Je demande à réfléchir, dit le gros Cointet ; moi, je ne suis pas aussi fort que mon frère. Je suis un pauvre garçon tout rond qui ne connais qu'une seule chose : fabriquer à vingt sous le Paroissien que je vends quarante sous. J'aperçois dans une invention qui n'en est qu'à sa première expérience, une cause de ruine. On réussira une première cuvée, on manquera la seconde, on continuera, on se laisse alors entraîner, et quand on a passé le bras

dans ces engrenages-là, le corps suit. Il raconta l'histoire
d'un négociant de Bordeaux ruiné pour avoir voulu cultiver
les Landes sur la foi d'un savant ; il trouva six exemples
pareils autour de lui, dans le département de la Charente
et de la Dordogne, en industrie et en agriculture; il s'emporta, ne voulut plus rien écouter, les objections de Petit-
Claud accroissaient son irritation au lieu de le calmer.
— J'aime mieux acheter plus cher une chose plus certaine
que cette découverte, et n'avoir qu'un petit bénéfice,
dit-il en regardant son frère. Selon moi, rien ne paraît
assez avancé pour établir une affaire, s'écria-t-il en
terminant.

— Enfin vous êtes venus ici pour quelque chose ?
dit Petit-Claud. Qu'offrez-vous ?

— De libérer monsieur Séchard, et de lui assurer, en
cas de succès, trente pour cent de bénéfices, répondit
vivement le gros Cointet.

— Eh ! monsieur, dit Ève, avec quoi vivrons-nous
pendant tout le temps des expériences ? mon mari a
eu la honte de l'arrestation, il peut retourner en prison,
il n'en sera ni plus ni moins, et nous payerons nos dettes...

Petit-Claud mit un doigt sur ses lèvres en regardant Ève.

— Vous n'êtes pas raisonnables, dit-il aux deux frères.
Vous avez vu le papier, le père Séchard vous a dit que
son fils, enfermé par lui, avait, dans une seule nuit, avec des
ingrédients qui devaient coûter peu de chose, fabriqué
d'excellent papier... Vous êtes ici pour aboutir à l'acquisition. Voulez-vous acquérir, oui ou non ?

— Tenez, dit le grand Cointet, que mon frère veuille
on ne veuille pas, je risque, moi, le payement des dettes
de monsieur Séchard ; je donne six mille francs, argent
comptant, et monsieur Séchard aura trente pour cent
dans les bénéfices ; mais, écoutez bien ceci : si dans l'espace
d'un an il n'a pas réalisé les conditions qu'il posera lui-même
dans l'acte, il nous rendra les six mille francs, le brevet
nous restera, nous nous en tirerons comme nous pourrons.

— Es-tu sûr de toi ? dit Petit-Claud en prenant David
à part.

— Oui, dit David qui fut pris à cette tactique des deux frères et qui tremblait de voir rompre au gros Cointet cette conférence d'où son avenir dépendait.

— Eh! bien, je vais aller rédiger l'acte, dit Petit-Claud aux Cointet et à Ève ; vous en aurez chacun un double pour ce soir, vous le méditerez pendant toute la matinée; puis, demain soir, à quatre heures, au sortir de l'audience, vous le signerez. Vous, messieurs, retirez les pièces de Métivier. Moi, j'écrirai d'arrêter le procès en Cour Royale, et nous nous signifierons les désistements réciproques.

Voici quel fut l'énoncé des obligations de Séchard.

« ENTRE LES SOUSSIGNÉS, etc...

» Monsieur David Séchard fils, imprimeur à Angoulême,
» affirmant avoir trouvé le moyen de coller également
» le papier en cuve, et le moyen de réduire le prix de
» fabrication de toute espèce de papier de plus de cinquante
» pour cent par l'introduction de matières végétales
» dans la pâte, soit en les mêlant aux chiffons employés
» jusqu'à présent, soit en les employant sans adjonction
» de chiffon, une Société pour l'exploitation du brevet
» d'invention à prendre en raison de ces procédés, est
» formée entre monsieur David Séchard fils et messieurs
» Cointet frères, aux clauses et conditions suivantes... »

Un des articles de l'acte dépouillait complètement David Séchard de ses droits dans le cas où il n'accomplirait pas les promesses énoncées dans ce libellé soigneusement fait par le grand Cointet et consenti par David.

En apportant cet acte le lendemain matin à sept heures et demie, Petit-Claud apprit à David et à sa femme que Cérizet offrait vingt-deux mille francs comptant de l'imprimerie. L'acte de vente pouvait se signer dans la soirée.

— Mais, dit-il, si les Cointet apprenaient cette acquisition, ils seraient capables de ne pas signer votre acte, de vous tourmenter, de faire vendre ici...

— Vous êtes sûr du payement ? dit Ève étonnée de voir se terminer une affaire de laquelle elle désespérait et qui, trois mois plus tôt, eût tout sauvé.

— J'ai les fonds chez moi, répondit-il nettement.

— Mais c'est de la magie, dit David en demandant à Petit-Claud l'explication de ce bonheur.

— Non, c'est bien simple, les négociants de l'Houmeau veulent fonder un journal, dit Petit-Claud.

— Mais je me le suis interdit, s'écria David.

— Vous !... mais votre successeur... D'ailleurs, reprit-il, ne vous inquiétez de rien, vendez, empochez le prix, et laissez Cérizet se dépêtrer des clauses de la vente, il saura se tirer d'affaire.

— Oh! oui, dit Ève.

— Si vous vous êtes interdit de faire un journal à Angoulême, reprit Petit-Claud, les bailleurs de fonds de Cérizet le feront à l'Houmeau.

Ève éblouie par la perspective de posséder trente mille francs, d'être au-dessus du besoin, ne regarda plus l'acte d'association que comme une espérance secondaire. Aussi monsieur et madame Séchard cédèrent-ils sur un point de l'acte social qui donna matière à une dernière discussion. Le grand Cointet exigea la faculté de mettre en son nom le brevet d'invention. Il réussit à établir que, du moment où les droits utiles de David étaient parfaitement définis dans l'acte, le brevet pouvait être indifféremment au nom d'un des associés. Son frère finit par dire : — C'est lui qui donne l'argent du brevet, qui fait les frais du voyage, et c'est encore deux mille francs ! qu'il le prenne en son nom ou il n'y a rien de fait.

Le Loup-Cervier triompha donc sur tous les points. L'acte de société fut signé vers quatre heures et demie. Le grand Cointet offrit galamment à madame Séchard six douzaines de couverts à filets et un beau châle Ternaux, en manière d'épingles, pour lui faire oublier les éclats de la discussion ! dit-il. A peine les doubles étaient-ils échangés, à peine Cachan avait-il fini de remettre à Petit-Claud les décharges et les pièces ainsi que les trois terribles effets fabriqués par Lucien, que la voix de Kolb retentit dans l'escalier, après le bruit assourdissant d'un camion du bureau des Messageries qui s'arrêta devant la porte.

— *Montame ! montame ! quince mille vrancs !...* cria-t-il, *enfoyés te Boidiers* (Poitiers) *en frai archant, bar mennessier Licien.*

— Quinze mille francs ! s'écria Ève en levant les bras.

— Oui, madame, dit le facteur en se présentant, quinze mille francs apportés par la diligence de Bordeaux qui en avait sa charge, allez ! J'ai là deux hommes en bas qui montent les sacs. Ça vous est expédié par monsieur Lucien Chardon de Rubempré... Je vous monte un petit sac de peau dans lequel il y a, pour vous, cinq cents francs en or, et vraisemblablement une lettre.

Ève crut rêver en lisant la lettre suivante :

« Ma chère sœur, voici quinze mille francs.

» Au lieu de me tuer, j'ai vendu ma vie. Je ne m'ap-
» partiens plus, je suis plus que le secrétaire d'un diplomate
» espagnol, je suis sa créature [a].

» Je recommence une existence terrible [b]. Peut-être
» aurait-il mieux valu me noyer.

» Adieu. David sera libre, et, avec quatre mille francs,
» il pourra sans doute acheter une petite papeterie et
» faire fortune.

» Ne pensez plus, je le veux, à

» Votre pauvre frère,

» LUCIEN. »

— Il est dit, s'écria madame Chardon qui vint voir en-
tasser les sacs, que mon pauvre fils sera toujours fatal, comme il l'écrivait, même en faisant le bien.

— Nous l'avons échappé belle ! s'écria le grand Cointet quand il fut sur la place du Mûrier. Une heure plus tard, les reflets de cet argent auraient éclairé l'acte, et notre homme se serait effrayé. Dans trois mois, comme il nous l'a promis, nous saurons à quoi nous en tenir.

Le soir, à sept heures, Cérizet acheta l'imprimerie et la paya, en gardant à sa charge le loyer du dernier trimestre. Le lendemain Ève avait remis quarante mille francs au

Receveur-Général, pour faire acheter, au nom de son mari, deux mille cinq cents francs de rente. Puis elle écrivit à son beau-père de lui trouver à Marsac une petite propriété de dix mille francs pour y asseoir sa fortune personnelle.

HISTOIRE D'UNE SOCIÉTÉ COMMERCIALE[a]

Le plan du grand Cointet était d'une simplicité formidable. Du premier abord, il jugea le collage en cuve impossible. L'adjonction de matières végétales peu coûteuses à la pâte de chiffon lui parut le vrai, le seul moyen de fortune. Il se proposa donc de regarder comme rien le bon marché de la pâte, et de tenir énormément au collage en cuve. Voici pourquoi. La fabrication d'Angoulême s'occupait alors presque uniquement des papiers à écrire dits Écu, Poulet, Écolier, Coquille, qui, naturellement, sont tous collés. Ce fut longtemps la gloire de la papeterie d'Angoulême. Ainsi, la spécialité, monopolisée par les fabricants d'Angoulême depuis de longues années, donnait gain de cause à l'exigence des Cointet ; et le papier collé, comme on va le voir, n'entrait pour rien dans sa spéculation. La fourniture des papiers à écrire est excessivement bornée, tandis que celle des papiers d'impression non collés est presque sans limites. Dans le voyage qu'il fit à Paris pour y prendre le brevet à son nom, le grand Cointet pensait à conclure des affaires qui détermineraient de grands changements dans son mode de fabrication. Logé chez Métivier, Cointet lui donna des instructions pour enlever, dans l'espace d'un an, la fourniture des journaux aux papetiers qui l'exploitaient, en baissant le prix de la rame à un taux auquel nulle fabrique ne pouvait arriver, et promettant à chaque journal un blanc et des qualités supérieures aux plus belles *Sortes* employées jusqu'alors. Comme les marchés des journaux sont à terme, il fallait une certaine période de travaux souterrains avec les administrations pour arriver à réaliser ce monopole ; mais Cointet calcula qu'il aurait le temps de se défaire de Séchard pendant que Métivier obtiendrait des traités avec les principaux journaux de Paris, dont la consommation s'élevait alors à deux cents rames par jour. Cointet intéressa naturellement Métivier, dans une proportion déterminée, à ces fournitures, afin d'avoir un représentant habile sur la place de Paris, et ne pas y perdre du temps en voyages. La fortune de Métivier, l'une des plus considérables du commerce de la papeterie, a eu cette affaire pour origine. Pendant dix ans, il eut, sans concurrence possible, la fourniture des journaux de Paris. Tranquille sur ses débouchés futurs, le grand Cointet revint à Angoulême assez à temps pour assister au mariage de Petit-Claud dont l'Étude était vendue, et qui attendait la nomination de son successeur pour prendre la place de monsieur Milaud, promise au protégé de la comtesse Châtelet. Le second Substitut du Procureur du Roi d'Angoulême fut nommé premier Substitut à Limoges, et le Garde des Sceaux envoya un de ses protégés au parquet d'Angoulême, où le poste de premier Substitut vaqua pendant deux mois. Cet intervalle fut la lune de miel de Petit-Claud.

En l'absence du grand Cointet, David fit d'abord une première cuvée sans colle qui donna du papier à journal bien supérieur à celui que les journaux employaient, puis une seconde cuvée de papier velin magnifique, destiné aux belles impressions, et dont se servit l'imprimerie Cointet pour une édition du Paroissien du Diocèse. Les matières avait été préparées par David lui-même, en secret, car il ne voulut pas d'autres ouvriers avec lui que Kolb et Marion.

Au retour du grand Cointet, tout changea de face, il regarda les échantillons des papiers fabriqués, il en fut médiocrement satisfait.

— Mon cher ami, dit-il à David, le commerce d'Angoulême, c'est le papier Coquille. Il s'agit, avant tout, de faire de la plus belle Coquille possible à cinquante pour cent au-dessous du prix de revient actuel.

David essaya de fabriquer une cuvée de pâte collée pour Coquille, et il obtint un papier rêche comme une brosse, et où la colle se mit en grumeleaux. Le jour où l'expérience fut terminée et où David tint une des feuilles, il alla dans un coin, il voulait être seul à dévorer son chagrin ; mais le grand Cointet vint le relancer, et fut avec lui d'une amabilité charmante, il consola son associé.

— Ne vous découragez pas, dit Cointet, allez toujours ! je suis bon enfant, et je vous comprends, j'irai jusqu'au bout !...

— Vraiment, dit David à sa femme en revenant dîner avec elle, nous sommes avec de braves gens, et je n'aurais jamais cru le grand Cointet si généreux !

Et il raconta sa conversation avec son perfide associé.

Trois mois se passèrent en expériences. David couchait à la papeterie, il observait les effets des diverses compositions de sa pâte. Tantôt il attribuait son insuccès au mélange du chiffon et de ses matières, et il faisait une cuvée entièrement composée de ses ingrédients. Tantôt il essayait de coller une cuvée entièrement composée de chiffons. Et poursuivant son œuvre avec une persévérance admirable, et sous les yeux du grand Cointet de qui le pauvre homme ne se défiait plus, il alla, de matière homogène en matière homogène, jusqu'à ce qu'il eût épuisé la série de ses ingrédients combinés avec toutes les différentes colles. Pendant les six premiers mois de l'année 1823, David Séchard vécut dans la papeterie avec Kolb, si ce fut vivre que de négliger sa nourriture, son vêtement et sa personne. Il se battit si désespérément avec les difficultés, que c'eût été pour d'autres hommes que les Cointet un spectacle sublime, car aucune pensée d'intérêt ne préoccupait ce hardi lutteur. Il y eut un moment où il ne désira rien que la victoire. Il épiait avec une sagacité merveilleuse les effets si bizarres des substances transformées par l'homme en produits à sa convenance, où la nature est en quelque sorte domptée dans ses résistances secrètes, et il en déduisit de belles lois d'industrie, en observant qu'on ne pouvait obtenir ces sortes de créations, qu'en obéissant aux rapports ultérieurs des choses, à ce qu'il appela la seconde nature des substances. Enfin, il arriva, vers le mois d'août, à obtenir un papier collé en cuve, absolument semblable à celui que l'industrie fabrique en ce moment, et qui s'emploie comme papier d'épreuve dans les imprimeries ; mais dont les *sortes* n'ont aucune uniformité, dont le collage n'est même pas toujours certain. Ce résultat, si beau en 1823, eu égard à l'état de la papeterie, avait coûté dix mille francs, et David espérait résoudre les dernières difficultés du problème. Mais il se répandit alors dans Angoulême et dans l'Houmeau de singuliers bruits : David Séchard ruinait les frères Cointet. Après avoir dévoré trente mille francs en expériences, il obtenait enfin, disait-on, de très mauvais papier. Les autres fabricants effrayés s'en tenaient à leurs anciens procédés ; et, jaloux des Cointet, ils répandaient le bruit de la ruine prochaine de cette ambitieuse maison. Le grand Cointet, lui, faisait venir des machines à fabriquer le papier continu, tout en laissant croire que ces machines étaient nécessaires aux expériences de David Séchard. Mais le jésuite mêlait à sa pâte les ingrédients indiqués par Séchard, en le poussant toujours à ne s'occuper que du collage en cuve, et il expédiait à Métivier des milliers de rames de papier à journal.

Au mois de septembre, le grand Cointet prit David Séchard à part ; et, en apprenant de lui qu'il méditait une triomphante expérience, il le dissuada de continuer cette lutte.

— Mon cher David, allez à Marsac voir votre femme et vous reposer de vos fatigues, nous ne voulons pas nous ruiner, dit-il amicalement. Ce que vous regardez comme un grand triomphe n'est encore qu'un point de départ. Nous attendrons maintenant avant de nous livrer à de nouvelles expériences. Soyez juste ? voyez les résultats. Nous ne sommes pas seulement papetiers, nous sommes imprimeurs, banquiers, et l'on dit que vous nous ruinez...

(David Séchard fit un geste d'une naïveté sublime pour protester de sa bonne foi.)

— Ce n'est pas cinquante mille francs de jetés dans la

Charente qui nous ruineront, dit le grand Cointet en répondant au geste de David, mais nous ne voulons pas être obligés, à cause des calomnies qui courent sur notre compte, de payer tout comptant, nous serions forcés d'arrêter nos opérations. Nous voilà dans les termes de notre acte, il faut y réfléchir de part et d'autre.

— Il a raison ! se dit David, qui, plongé dans ses expériences en grand, n'avait pas pris garde au mouvement de la fabrique.

Et il revint à Marsac, où, depuis six mois, il allait voir Ève tous les samedis soir et la quittait le mardi matin. Bien conseillée par le vieux Séchard, Ève avait acheté, précisément en avant des vignes de son beau-père, une maison appelée la Verberie, accompagnée de trois arpents de jardin et d'un clos de vignes enclavé dans le vignoble du vieillard. Elle vivait avec sa mère et Marion très économiquement, car elle devait cinq mille francs restant à payer sur le prix de cette charmante propriété, la plus jolie de Marsac. La maison, entre cour et jardin, était bâtie en tuffeau blanc, couverte en ardoise et ornée de sculptures que la facilité de tailler le tuffeau permet de prodiguer sans trop de frais. Le joli mobilier venu d'Angoulême paraissait encore plus joli à la campagne, où personne ne déployait alors dans ces pays le moindre luxe. Devant la façade du côté du jardin, il y avait une rangée de grenadiers, d'orangers et de plantes rares que le précédent propriétaire, un vieux général, mort de la main de monsieur Marron, cultivait lui-même.

Ce fut sous un oranger, au moment où David jouait avec sa femme et son petit Lucien, devant son père, que l'huissier de Mansle apporta lui-même une assignation des frères Cointet à leur associé pour constituer le tribunal arbitral, devant lequel, aux termes de leur acte de société, devaient se porter leurs contestations. Les frères Cointet demandaient la restitution des six mille francs et la propriété du brevet ainsi que les futurs contingents de son exploitation, comme indemnité des exorbitantes dépenses faites par eux sans aucun résultat.

— On dit que tu les ruines ! dit le vigneron à son fils. Eh ! bien, voilà la seule chose que tu aies faite qui me soit agréable.

Le lendemain, Ève et David étaient à neuf heures dans l'antichambre de monsieur Petit-Claud, devenu le défenseur de la veuve, le tuteur de l'orphelin, et dont les conseils leur parurent les seuls à suivre.

Le magistrat reçut à merveille ses anciens clients, et voulut absolument que monsieur et madame Séchard lui fissent le plaisir de déjeuner avec lui.

— Les Cointet vous réclament six mille francs ! dit-il en souriant. Que devez-vous encore sur le prix de la Verberie ?

— Cinq mille francs, monsieur, mais j'en ai deux mille... répondit Ève.

— Gardez vos deux mille francs, répondit Petit-Claud. Voyons, cinq mille !... il vous faut encore dix mille francs pour vous bien installer là-bas. Eh ! bien, dans deux heures, les Cointet vous apporteront quinze mille francs...

Ève fit un geste de surprise.

... — Contre votre renonciation à tous les bénéfices de l'acte de société que vous dissoudrez à l'amiable, dit le magistrat. Cela vous va-t-il ?

— Et ce sera bien légalement à nous ? dit Ève.

— Bien légalement, dit le magistrat en souriant. Les Cointet vous ont fait assez de chagrins, je veux mettre un terme à leurs prétentions. Écoutez, aujourd'hui je suis magistrat, je vous dois la vérité. Eh ! bien, les Cointet vous jouent en ce moment ; mais vous êtes entre leurs mains. Vous pourriez gagner le procès qu'ils vous intentent, en acceptant la guerre. Voulez-vous être encore au bout de dix ans à plaider ? On multipliera les expertises et les arbitrages, et vous serez soumis aux chances des avis les plus contradictoires... Et, dit-il en souriant, je ne vous vois point d'avoué pour vous défendre ici. Mon successeur est sans moyens [a]. Tenez, un mauvais arrangement vaut mieux qu'un bon procès...

— Tout arrangement qui nous donnera la tranquillité me sera bon, dit David.

— Paul ! cria Petit-Claud à son domestique, allez chercher monsieur Ségaud, mon successeur !... Pendant que nous déjeunerons, il ira voir les Cointet, dit-il à ses anciens clients, et dans quelques heures vous partirez pour Marsac, ruinés, mais tranquilles. Avec dix mille francs, vous vous ferez encore cinq cents francs de rente, et, dans votre jolie petite propriété, vous vivrez heureux !

Au bout de deux heures, comme Petit-Claud l'avait dit, maître Ségaud revint avec des actes en bonne forme signés des Cointet, et avec quinze billets de mille francs.

— Nous te devons beaucoup, dit Séchard à Petit-Claud.

— Mais je viens de vous ruiner, répondit Petit-Claud à ses anciens clients étonnés. Je vous ai ruinés, je vous le répète, vous le verrez avec le temps ; mais je vous connais, vous préférez votre ruine à une fortune que vous auriez peut-être trop tard.

— Nous ne sommes pas intéressés, monsieur, nous vous remercions de nous avoir donné les moyens du bonheur, dit madame Ève, et vous nous en trouverez toujours reconnaissants.

— Mon Dieu ! ne me bénissez pas !... dit Petit-Claud, vous me donnez des remords ; mais je crois avoir aujourd'hui tout réparé. Si je suis devenu magistrat, c'est grâce à vous ; et si quelqu'un doit être reconnaissant, c'est moi... Adieu.

CONCLUSION[a]

Avec le temps, l'Alsacien changea d'opinion sur le compte du père Séchard, qui, de son côté, prit l'Alsacien en affection en le trouvant comme lui sans aucune notion des lettres ni de l'écriture, et facile à griser. L'ancien ours apprit à l'ancien cuirassier à gérer le vignoble et à en vendre les produits, il le forma dans la pensée de laisser un homme de tête à ses enfants ; car, dans ses derniers jours, ses craintes furent grandes et puériles sur le sort de ses biens. Il avait pris Courtois le meunier pour son confident.

— Vous verrez, lui disait-il, comme tout ira chez mes enfants, quand je serai dans le trou. Ah ! mon Dieu, leur avenir me fait trembler.

En 1829, au mois de mars, le vieux Séchard mourut, laissant environ deux cent mille francs de biens au soleil, qui, réunis à la Verberie, en firent une magnifique propriété très bien régie par Kolb depuis deux ans [a].

David et sa femme trouvèrent près de cent mille écus en or chez leur père. La voix publique, comme toujours, grossit tellement le trésor du vieux Séchard, qu'on l'évaluait à un million dans tout le département de la Charente. Ève et David eurent à peu près trente mille francs de rente, en joignant à cette succession leur petite fortune ; car ils attendirent quelque temps pour faire l'emploi de leurs fonds, et purent les placer sur l'État à la révolution de juillet.

Alors seulement [b], le Département de la Charente et David Séchard surent à quoi s'en tenir sur la fortune du grand Cointet. Riche de plusieurs millions, nommé député, le grand Cointet est pair de France, et sera, dit-on, ministre du commerce dans la prochaine combinaison. En 1842 [c], il a épousé la fille d'un des hommes d'État les plus influents de la Dynastie, mademoiselle Popinot, fille de monsieur Anselme Popinot, Député de Paris, Maire d'un arrondissement.

La découverte de David Séchard a passé dans la fabrication française comme la nourriture dans un grand corps. Grâce à l'introduction de matières autres que le chiffon, la France peut fabriquer le papier à meilleur marché qu'en aucun pays de l'Europe. Mais le papier de Hollande, selon la prévision de David Séchard, n'existe plus. Tôt ou tard il faudra sans doute ériger une Manufacture royale de papier, comme on a créé les Gobelins, Sèvres, la Savonnerie et l'Imprimerie royale, qui jusqu'à présent ont surmonté les coups que leur ont portés de Vandales bourgeois.

David Séchard, aimé par sa femme, père de deux fils et d'une fille [a] a eu le bon goût de ne jamais parler de ses tentatives, Ève a eu l'esprit de le faire renoncer à la terrible vocation des inventeurs, ces Moïse dévorés par leur buisson d'Horeb [b]. Il cultive les lettres par délassement, mais il mène la vie heureuse et paresseuse du propriétaire faisant valoir. Après avoir dit adieu sans retour à la gloire, il s'est bravement [c] rangé dans la classe des rêveurs et des collectionneurs ; il s'adonne à l'entomologie, et recherche les transformations jusqu'à présent si secrètes des insectes que la science ne connaît que dans leur dernier état. [d]

Tout le monde a entendu parler des succès de Petit-Claud comme Procureur Général, il est le rival du fameux Vinet de Provins [1], et son ambition est de devenir Premier Président de la Cour royale de Poitiers.

Cérizet [e], condamné souvent pour délits politiques, a fait beaucoup parler de lui. Le plus hardi des enfants perdus du parti libéral, il fut surnommé le Courageux-Cérizet. Obligé par le successeur de Petit-Claud de vendre son imprimerie d'Angoulême, il chercha sur la scène de province une existence nouvelle que son talent comme acteur pouvait rendre brillante. Une jeune première le força d'aller à Paris demander à la science des ressources contre l'amour, et il essaya d'y monnayer la faveur du parti libéral. Quant à Lucien, son retour à Paris est du domaine des *Scènes de la Vie parisienne*.

1835-1843.

---

1. Voir surtout, pour ce personnage, le récit de *Pierrette*, écrit en 1839 et publié en 1840.

FIN

APPENDICE I

PRÉFACE DE LA PREMIÈRE PARTIE

PRÉFACE DE LA DEUXIÈME PARTIE

PRÉFACE DE LA TROISIÈME PARTIE

DÉDICACE DES *ILLUSIONS PERDUES*

PRÉFACE
DE LA
PREMIÈRE PARTIE[1]

En trois années, de décembre 1833 à décembre 1836, l'auteur
aura publié les douze volumes qui composent les trois premières
séries des *Études de mœurs au XIXe siècle*. En terminant cette
première édition, il lui sera pardonné de faire observer que les
ouvrages réimprimés et les inédits ont nécessité un travail
égal, car, de ceux-là, la plupart ont été refaits ; il en est où tout
a été renouvelé, le sujet comme le style. Il est probable que les
trois autres séries, les *Scènes de la vie politique*, les *Scènes de la
vie militaire* et les *Scènes de la vie de campagne*, ne demanderont
pas un plus grand laps de temps ; ainsi, ceux qui s'intéressent
à cette entreprise pourront bientôt voir toutes ses proportions,
et comprendre, par la seule exposition des cadres, les immenses
détails qu'elle comporte.

Si l'auteur revient sur la pensée générale de son œuvre, il
y est en quelque sorte contraint par la manière dont elle se
présente, et qui subit des critiques immméritées.

Quand un écrivain a entrepris une description complète
de la société, vue sous toutes ses faces, saisie dans toutes ses
phases, en partant de ce principe que l'état social adapte telle-

---

1. Cette préface figure en tête du tome IV des *Scènes de la vie de
province* (1837) et présente au public *les Deux poètes*. Ce tome IV des
Scènes est aussi le tome VIII des *Études de mœurs au XIXe siècle*. On
observera que les explications de Balzac sur l'idée première des *Deux
poètes* et l'élargissement de son dessein concordent dans le détail avec
les données de la *Correspondance*.

ment les hommes à ses besoins et les déforme si bien que nulle
part les hommes n'y sont semblables à eux-mêmes, et qu'elle
a créé autant d'*espèces* que de *professions* ; qu'enfin l'Humanité
sociale présente autant de variétés que la Zoologie, ne doit-on
pas faire crédit à un auteur aussi courageux d'un peu d'attention et d'un peu de patience ? Ne saurait-il être admis au bénéfice accordé à la science, à laquelle on permet, alors qu'elle fait
ses monographies, un laps de temps en harmonie avec la grandeur de l'entreprise ? Ne peut-il avancer pied à pied dans son
œuvre, sans être tenu d'expliquer, à chaque nouveau pas, que
le nouvel ouvrage est une pierre de l'édifice, et que toutes les
pierres doivent se tenir et former un jour un vaste édifice ?
Enfin, n'y a-t-il pas de grands avantages à la faire connaître
en détail, quand l'ensemble est aussi considérable ? En effet,
ici chaque roman n'est qu'un chapitre du grand roman de
la société. Les personnages de chaque histoire se meuvent
dans une sphère qui n'a d'autre circonscription que celle même
de la société. Quand un de ces personnages se trouve, comme
M. de Rastignac dans le *Père Goriot*, arrêté au milieu de sa
carrière, c'est que vous devez le retrouver dans *Profil de marquise*,
dans l'*Interdiction*, dans *La Haute banque*, et enfin dans la *Peau
de chagrin* [1], agissant dans son époque suivant le rang qu'il y
a pris et touchant à tous événements auxquels les hommes qui
ont une haute valeur participent en réalité. Cette observation s'applique à presque tous les personnages qui figurent
dans cette longue histoire de la société : les personnages éminents d'une époque ne sont pas aussi nombreux qu'on peut le
croire, et il n'y en aura pas moins de mille dans cette œuvre,
qui, au premier aperçu, doit avoir vingt-cinq volumes, dans sa
partie la plus descriptive il est vrai ; ainsi, sous ce rapport,
elle sera fidèle. L'auteur avoue donc de bonne grâce qu'il lui

---

1. *Profil de marquise* est le titre que Balzac a donné à *Étude de femme*
lorsqu'il l'inséra au tome IV des *Scènes de la vie parisienne* en 1835. Ce
récit avait paru dans *la Mode* du 12 mars 1830. — *L'Interdiction*,
parue d'abord dans la *Chronique de Paris* au début de 1836, avait
été placée au tome XXV des *Études philosophiques* en 1836. — *La
Haute-Banque* n'avait pas encore paru à l'époque où Balzac écrivait
sa préface. Elle fut publiée seulement en octobre 1838 sous le titre
de *la Maison Nucingen*. — *La Peau de Chagrin* avait paru en 1831. Elle
avait été rééditée trois fois par Balzac, en 1831, 1833 et 1835.

est difficile de savoir où doit s'arrêter un ouvrage, quand, par
la manière dont il se publie, il est impossible de le déterminer
en entier tout d'abord. Cette observation est nécessaire en
tête des *Illusions perdues*, dont ce volume ne contient que l'introduction. Le plan primitif n'allait pas plus loin ; mais quant
à l'exécution tout a changé, la tomaison inexorable était arrêtée,
et la spéculation ne pouvait pas attendre ; il lui a donc fallu
s'arrêter à la limite qu'il avait posée lui-même à l'œuvre. Il ne
s'agissait d'abord que d'une comparaison entre les mœurs
de la province et les mœurs de la vie parisienne ; il avait attaqué
ces illusions que l'on se forme les uns sur les autres en province par le défaut de comparaison, et qui produiraient des
catastrophes réelles si, pour leur bonheur, les gens de province ne s'habituaient pas tellement à leur atmosphère et aux
heureux malheurs de leur vie qu'ils souffrent partout ailleurs, et que Paris surtout leur déplaît. Pour son compte, l'auteur a souvent admiré la bonne foi avec laquelle ces provinciaux
vous présentent une femme assez sotte comme un bel esprit,
et quelque laideron pour une femme ravissante... Mais en
peignant avec complaisance l'intérieur d'un ménage et les révolutions d'une pauvre imprimerie de province ; en laissant prendre à ce tableau autant d'étendue qu'il en a dans l'exposition,
il est clair que le champ s'est agrandi malgré l'auteur. Quand
on copie la nature, il est des erreurs de bonne foi : souvent
en apercevant un site, on n'en devine pas tout d'abord les véritables dimensions ; telle route paraissait d'abord être un sentier, le vallon devient une vallée, la montagne facile à franchir
à l'œil a voulu tout un jour de marche. Ainsi les *Illusions perdues*
ne doivent plus seulement concerner un jeune homme qui
se croit un grand poète et la femme qui l'entretient dans sa
croyance et le jette au milieu de Paris, pauvre et sans protection.
Les rapports qui existent entre Paris et la province, sa funeste
attraction, ont montré à l'auteur le jeune homme du xixe
siècle sous une face nouvelle : il a pensé soudain à la grande
plaie de ce siècle, au journalisme, qui dévore tant d'existences,
tant de belles pensées, et qui produit d'épouvantables réactions
dans les modestes religions [1] de la vie de province. Il a pensé

---

1. Le vicomte de Lovenjoul suppose qu'il s'agit ici d'un *lapsus*
et que Balzac a voulu écrire : *régions*. Mais l'erreur n'est nullement
certaine. Lucien n'est-il pas longtemps « sous le joug des religions
de la province » ?

surtout aux plus fatales illusions de cette époque, à celles que
les familles se font sur les enfants qui possèdent quelques-uns
des dons du génie, sans avoir la volonté qui lui donne un sens,
sans posséder les principes qui répriment ses écarts. Le tableau
s'est donc étendu. Au lieu d'une face de la vie individuelle,
il s'agit d'une des faces les plus curieuses de ce siècle, d'une face
prête à s'user, comme s'est usé l'Empire ; aussi faut-il se hâter
de la peindre pour que ce qui est vivant ne devienne pas un
cadavre sous les yeux même du peintre. L'auteur croit qu'il y a
là une grande, mais difficile tâche. En dévoilant les mœurs
intimes du journalisme, il fera rougir plus d'un front ; mais
il expliquera peut-être bien des dénoûments inexpliqués dans
plus d'une existence littéraire qui donnait de belles espérances
et qui a mal fini. Puis les succès honteux de quelques hommes
médiocres se trouveront justifiés aux dépens de leurs protecteurs et peut-être aussi de la nature humaine. Quand l'auteur
pourra-t-il achever sa toile ? il l'ignore, mais il l'achèvera. Déjà
cette difficulté s'est présentée plusieurs fois, soit pour *Louis
Lambert*, soit pour l'*Enfant maudit*, soit pour *Le Chef-d'œuvre
inconnu* [1] ; et chaque fois sa patience n'a point été en défaut,
mais bien celle du public à qui ces détails sont, disons-le,
parfaitement indifférents ; il veut ses livres, sans s'inquiéter
de la manière dont ils se produisent.

                                        Paris, 15 janvier 1837.

---

1. *Louis Lambert* avait paru en 1832 d'abord, puis très augmenté
en février 1833, et modifié si profondément qu'on pouvait parler
d'un nouvel ouvrage. En 1835 une nouvelle édition ajoutait au récit
les *Lettres de Louis Lambert*. — *L'Enfant maudit* avait paru d'abord
en 1831, mais Balzac y avait ajouté en 1836 toute une seconde partie. —
Le Chef-d'œuvre inconnu avait été publié en 1832, puis Balzac l'avait refait
avec l'aide de Théophile Gautier, comme Spœlberch de Lovenjoul
l'a démontré dans *Autour de Balzac*.

PRÉFACE
DE LA
DEUXIÈME PARTIE[1]

Un grand homme de province à Paris est la suite de *Illusions perdues*, l'introduction de cette scène, la plus longue peut-être de toutes celles qui composeront les *Études de mœurs*. L'auteur éprouve encore une fois le déplaisir d'annoncer que ce tableau n'est pas fini. Il reste une troisième partie de *Illusions perdues*. Le départ du héros, son séjour à Paris sont en quelque sorte les deux premières journées d'une trilogie que complétera le retour en province. Cette dernière partie aura pour titre *Les souffrances de l'inventeur*, et paraîtra de manière à ne pas laisser refroidir l'intérêt que les personnages de ce drame ont pu faire naître. Les principaux acteurs se retrouveront d'ailleurs, au dénoûment avec la ponctualité classique en usage dans l'ancien théâtre, ayant tous perdu assez d'illusions pour que le titre commun aux trois parties de l'œuvre soit justifié.

L'auteur a-t-il rempli les promesses de l'avertissement qui précède *Illusions perdues* ? on en jugera. Les journalistes ne pouvaient pas plus que les autres professions échapper à la juridiction de la comédie. Pour eux, peut-être eût-il fallu quelque nouvel Aristophane et non la plume d'un écrivain peu satirique ; mais ils inspirent à la littérature une si grande crainte, que ni le théâtre, ni l'Iambe, ni le Roman, ni le Poème comique n'ont

---

1. Cette préface a paru en tête d'*Un grand homme de province à Paris*, dans la première édition, en juin 1839.

osé les traîner au tribunal où le ridicule *castigat ridendo mores*.
Une seule fois, M. Scribe essaya cette tâche dans sa petite
pièce du *Charlatanisme*, [1] qui fut moins un tableau qu'un portrait. Le plaisir que causa cette spirituelle ébauche fit concevoir
à l'auteur le mérite d'une peinture plus ample. Une autre fois, [2]
M. de Latouche aborda la question des mœurs littéraires,
mais il attaquait moins le journalisme qu'une de ces coalitions
formées au profit d'un système, et dont la durée est subordonnée
à l'obscurité des talents enrégimentés : une fois célèbres, les
coalisés ne peuvent plus s'entendre ; disciplinés pendant le
combat, les Pégases se battent au ratelier de la gloire. Cet homme
d'esprit ne fit d'ailleurs qu'un article épigrammatique, et
néanmoins suffisant ; il a eu la gloire de doter la langue d'un
mot qui restera, celui de *Camaraderie*, devenu depuis le titre
d'une comédie en cinq actes. Ainsi donc, l'auteur a le mérite
d'une action d'autant plus courageuse qu'elle a effrayé plus de
monde. Comment, par un temps où chacun va cherchant
des sujets neufs, aucune plume n'ose-t-elle s'exercer sur les
mœurs horriblement comiques de la Presse, les seules originales
de notre siècle. L'auteur manquerait cependant à la justice,
s'il oubliait de mentionner la magnifique préface d'un livre
magnifique, *Mademoiselle de Maupin* [3], où M. Théophile Gautier
est entré, fouet en main, éperonné, botté comme Louis XIV
à son fameux lit de justice, au plein cœur du journalisme. Cette
œuvre de verve comique, disons mieux, cet acte de courage
a prouvé le danger de l'entreprise. Le livre, une des plus artistes,
des plus verdoyantes, des plus pimpantes, des plus vigoureuses
compositions de notre époque, d'une allure si vive, d'une tournure si contraire au commun de nos livres, a-t-il eu tout son
succès ? en a-t-on suffisamment parlé ? L'un des rares articles
qui le fustigèrent fut plutôt dirigé contre la parcimonie du
libraire qui refusait des exemplaires au journal, que contre
le jeune et audacieux auteur. Le public ignore combien de

---

1. *Le Charlatanisme* de Scribe fut joué en 1838.
2. Balzac rappelle ici l'article fameux de *la Camaraderie littéraire*
paru dans *la Revue de Paris* en octobre 1829. Latouche y dénonçait
l'esprit de coterie qui s'était introduit dans le Cénacle. Il visait avant tout
Victor Hugo et son clan, et traduisait sans doute les inquiétudes de
Nodier et d'Émile Deschamps, et certaines rancœurs de Vigny.
3. La préface de *Mademoiselle de Maupin* date de mai 1834. Elle est
une diatribe à la fois plaisante et indignée contre la critique littéraire
et ses mœurs.

maux accablent la littérature dans sa transformation commerciale. Depuis l'époque à laquelle est pris le sujet de cette scène, les malheurs que l'auteur a voulu peindre se sont aggravés. Autrefois, le journalisme imposait la librairie en nature : il lui demandait une certaine quantité d'exemplaires qui, d'après le nombre des feuilles périodiques, n'allait pas à moins *d'une centaine*, en outre du paîment des articles après lesquels courait indéfiniment le libraire, sans pouvoir souvent les voir paraître, et qui, multiplié par le total des journaux, faisait une somme considérable. Aujourd'hui ce double impôt s'est augmenté du prix exorbitant des annonces, qui coûtent autant que la fabrication même du livre, et qui profitent à la contrefaçon belge. Or, comme rien n'est changé aux habitudes financières de certaines critiques, il en est deux ou trois, pas davantage, qui peuvent être partiales ou haineuses, mais qui sont désintéressées ; il s'ensuit que les journaux ne sont pas moins funestes à l'existence des écrivains modernes que le vol permanent commis à leur préjudice par la Belgique. Croyez-vous que de nobles esprits, que beaucoup d'âmes indignées aient applaudi à la préface de M. Théophile Gautier ? Le monde a-t-il honoré, célébré la comique poésie avec laquelle ce poète a dépeint la profonde corruption, l'immoralité de ces sycophantes qui se plaignent de la corruption, de l'immoralité du pouvoir ? Quelle épouvantable chose que la tiédeur des honnêtes gens, ils s'occupent de leurs blessures et traitent en ennemis les médecins ! Le monde regarde cette délicieuse arabesque comme dangereuse, quand il ne craint pas d'exposer aux regards quelque *Léda* de Gérard, quelque *Bacchante* de Girodet, qui est cependant en peinture ce qu'est le livre en poésie.

Les mœurs du Journal constituent un de ces sujets immenses qui veulent plus d'un livre et plus d'une préface. Ici, l'auteur a peint les commencements de la maladie, arrivée aujourd'hui à tous ses développements. En 1821, le Journal était dans sa robe d'innocence, comparé à ce qu'il est en 1839. Mais, si l'auteur n'a pu embrasser la plaie dans toute son étendue, il l'a, du moins, abordée sans terreur. Il a usé des bénéfices de sa position. Il appartient au très petit nombre de ceux qui n'ont point de remercîments à faire au journalisme : il ne lui a jamais rien demandé, il a fait son chemin sans s'appuyer sur ce bâton pestiféré, l'un de ses avantages est d'avoir constamment méprisé cette hypocrite tyrannie, de n'avoir imploré d'aucune plume aucun article, de n'avoir jamais immolé dans d'inutiles réclames d'im-

mortels écrivains pour en faire le piédestal d'un livre qui, par
le temps actuel, n'a pas six semaines à vivre. Il a enfin le droit,
chèrement acheté, de regarder en face ce cancer qui dévorera
peut-être le pays. Probablement, à propos de ceci, plusieurs
diront que l'auteur simule des blessures pour attirer sur lui
quelque intérêt, et que pour lui tout est douceur. Eh bien,
hier, encore à son sujet, la calomnie et la diffamation étaient
telles que la police correctionnelle, saisie par un de ses libraires
d'un article où l'on attaquait une opération utile à la littérature
contemporaine, un effort de la librairie française qui regimbe
contre la Belgique, déployait toute la rigueur des lois à l'encontre
d'un petit journal. Les magistrats ont appris quelle est l'impuis-
sance de la presse. Le libraire a prouvé l'existence de quatre
éditions, imprimées toutes en caractères et dans des imprimeries
différentes, du *Médecin de campagne*, livre qui ne compte pas
une seule approbation dans quelque journal que ce soit, tandis
que l'auteur attend encore une seconde édition d'*Eugénie Grandet*,
celle de ses œuvres avec laquelle les critiques essayent d'étouffer
les autres par des louanges exagérées. Le journal a tout dit sur
l'auteur. L'auteur a supporté, dans un procès assez connu [1],
tout ce que pouvaient les auteurs contre un des leurs; ainsi,
quelle blessure nouvelle lui ferait-on après avoir attaqué sans
succès sa personne, son caractère, sa bonne comme sa mauvaise fortune, ses mœurs et ses prétendus ridicules ? Qu'on ne
croie pas cependant que la passion, un désir de vengeance ou
quelque sentiment mauvais l'ait inspiré dans l'exécution de
l'œuvre présente. Il avait le droit de faire des portraits, il s'est
tenu dans les généralités. Le journalisme joue d'ailleurs un si
grand rôle dans l'histoire des mœurs contemporaines, qu'il
aurait peut-être été taxé plus tard de pusillanimité, s'il avait
omis cette scène du grand drame qui se joue en France. A beaucoup de lecteurs, ce tableau pourra paraître chargé; mais
qu'on le sache, tout est d'une réalité désespérante, et tout néanmoins a été adouci dans ce livre dont la portée est d'ailleurs
restreinte par la nature du sujet. Il ne s'agit ici que de l'influence
dépravante du journal sur des âmes jeunes et poétiques, des
difficultés qui attendent les débutants et qui gisent plus dans
l'ordre moral que dans l'ordre matériel. Non seulement le journal

---

1. Allusion au procès du *Lys dans la Vallée* gagné par Balzac contre
Buloz en juin 1836.

tue beaucoup de jeunesse et de talents, mais il sait enterrer ses morts dans le plus profond secret, il ne jette jamais de fleurs sur leurs tombes, il ne verse de larmes que sur ses défunts abonnés. Répétons-le ! le sujet a l'étendue de l'époque elle-même. Le Turcaret de Lesage, le Philinte et le Tartufe de Molière, le Figaro de Beaumarchais et le Scapin du vieux théâtre, tous ces types s'y trouvaient agrandis de la grandeur de notre siècle où le souverain est partout, excepté sur le trône, où chacun traite en son nom, veut se faire centre sur un point de la circonférence, ou roi dans un coin obscur. Quelle belle peinture serait celle de ces hommes médiocres, engraissés de trahisons, nourris de cervelles bues, ingrats envers leurs invalides, répondant aux souffrances qu'ils ont faites par d'affreuses railleries, à l'abri de toute attaque derrière leurs remparts de boue, et toujours prêts à jeter une part d'os à quelque mâtin dont la gueule paraît armée de canines suffisantes, et dont la voix aboie en mesure ! L'auteur a dû négliger bien des détails, renoncer à plusieurs personnages : l'œuvre eût dépassé les bornes, et d'ailleurs, sa position lui ordonnait d'éviter les personnalités. Mais ce livre empêchât-il seulement un jeune poète, une belle âme, vivant au fond de la province, au milieu d'une famille aimée, de venir augmenter le nombre des damnés de l'enfer parisien qui se battent à coups d'encrier, se jettent à la tête leurs œuvres avortées, et s'arrachent la fourche pour faner à l'envi l'un de l'autre les fleurs les plus délicates, ce livre aurait fait une bonne action. N'est-ce pas beaucoup pour un livre, aujourd'hui que les livres naissent, vivent et meurent comme ces insectes de l'Hypanis, dont les mœurs ont fourni peut-être le premier de tous les articles de journaux à je ne sais quel Grec. Cette œuvre conservera-t-elle quelques illusions à des gens heureux ? l'auteur en doute : la jeunesse a contre elle la jeunesse ; le talent de province a contre lui la vie de province dont la monotonie fait aspirer tout homme d'imagination aux dangers de la vie parisienne. Il en est de Paris pour eux comme de la bataille pour les soldats, tous se flattent le matin d'être en vie le soir, les morts ne se comptent que le lendemain. Les Lucien sont comme les fumeurs qui, dans une mine à mofettes, allument leur pipe malgré les défenses. Les abîmes ont leur magnétisme. Au moins apprendra-t-on ici que la constance et la rectitude sont encore plus nécessaires peut-être que le talent pour conquérir une noble et pure renommée.

Paris, avril 1839.

PRÉFACE
DE LA
TROISIÈME PARTIE[1]

L'OUVRAGE que voici, est la troisième partie de *Illusions perdues* : la première a paru sous ce titre, la seconde s'est appelée *Un grand homme de province à Paris*, cette dernière partie termine l'œuvre assez longue où la vie de province et la vie parisienne contrastent ensemble; ce qui devait faire de ce livre, la dernière scène des *Scènes de la vie de province*.

Il y a trois causes, d'une action perpétuelle, qui unissent la province à Paris : l'ambition du noble, l'ambition du négociant enrichi, l'ambition du poète. L'esprit, l'argent et le grand nom viennent chercher la sphère qui leur est propre. Le *Cabinet des Antiques* et *Illusions perdues* offrent l'histoire de l'ambition du jeune noble et du jeune poète. Il reste à faire l'histoire du bourgeois enrichi à qui sa province déplaît, qui ne veut pas rester au milieu des témoins de ses commencements et espère être un personnage à Paris.

Quant au mouvement politique, à l'ambition du député, c'est une Scène qui appartient aux *Scènes de la vie politique*, et presque terminée; elle est intitulée *Le Député à Paris*.

Une fois la peinture du bourgeois de province à l'étroit chez lui, faite, il ne manquera plus que peu de chose aux *Scènes de la vie de province* pour être complètes, et dès à présent, il est

---

1. Cette préface a paru en tête de la troisième partie des *Illusions perdues* dans l'édition Dumont, 1844.

facile d'apercevoir les lacunes à remplir. C'est d'abord le tableau d'une ville de garnison frontière, celui d'un port de mer, celui d'une ville où le théâtre est une cause de désordre, et où les comédiens et comédiennes de Paris viennent faire leur récolte. Enfin, la province ne serait pas encore achevée, si l'on ne montrait pas l'effet qu'y produisent les Parisiens novateurs qui viennent s'y fixer avec le plan d'y faire du bien.

Ces quatre ou cinq Scènes ne sont que des détails, mais qui permettent de peindre quelques figures typiques oubliées.

Dans cette longue entreprise, un oubli compromettrait les travaux déjà faits. En voulant copier la société tout entière et la reproduisant, si l'auteur négligeait un détail, on l'accuserait alors d'en avoir pris certains autres. Ainsi, certaines critiques lui diraient : Vous avez une prédilection pour les personnages immoraux, ou pour les tableaux scandaleux, puisque vous nous offrez telle ou telle figure, en oubliant le contraste que produirait à l'âme le portrait bienfaisant de telle ou telle autre.

Ce reproche ne peut s'adresser aujourd'hui à *Illusions perdues*, et la vie de David Séchard et de sa femme, au fond de la province, est une opposition violente aux mœurs parisiennes.

Il n'est pas inutile de faire observer que *David Séchard*, quoique terminant un ouvrage qui comprend près de six volumes, offre un tout en lui-même, qui bien que lié aux précédents ouvrages, s'en détache entièrement de manière à ne pas rendre indispensable la connaissance des événements antérieurs.

Il a fallu d'immenses efforts littéraires pour pouvoir encadrer le mouvement littéraire de la vie parisienne dans deux tableaux de la vie de province, celui qui commence et celui qui termine *Illusions perdues*. Mais peut-être l'intérêt social y est-il puissant, car on voit, du moins l'auteur l'espère, comment vient l'expérience dans la vie, et la soudure de la vie de province à la vie parisienne était bien la place où devait se trouver ce grand enseignement. C'est de l'ensemble de cet ouvrage, jusqu'à présent le plus considérable des *Études de mœurs*, que ressortent ses préceptes et sa morale. Aussi ne peut-il être parfaitement jugé que sous sa forme et lu dans son entier, comme il est dans la *Comédie Humaine* dont il forme le tome VIII.

La première partie, *Illusions perdues*, a paru en 1835 [1], *Un*

---

1. On admirera que Balzac ait cru qu'il avait publié la première partie du roman en 1835 alors qu'elle a paru en 1837.

Grand homme de province fut publié en 1839, et c'est en 1843 que se publie le dernier fragment. Peu de personnes voudront croire que ces huit années aient été nécessaires pour, je ne dis pas exécuter ce long ouvrage, mais en disposer les masses et en trouver les incidents. Aujourd'hui, entre ceux de l'auteur qui l'ont le plus occupé, celui-là est déjà le préféré par quelques personnes; mais maintenant on peut en reconnaître les difficultés.

Il y aura, dans la superposition du caractère de Rastignac qui réussit, à celui de Lucien qui succombe, la peinture sur de grandes proportions d'un fait capital dans notre époque, l'ambition qui réussit, l'ambition qui tombe, l'ambition jeune, l'ambition au début de la vie.

Paris est comme la forteresse enchantée à l'assaut de laquelle toutes les jeunesses de la province se préparent; aussi, dans cette histoire de nos mœurs, en action, les personnages du jeune vicomte de Portenduère (*Ursule Mirouët*), du jeune comte d'Esgrignon, et celui de Lucien sont-ils les parallèles nécessaires de ceux d'Émile Blondet, de Rastignac, de Lousteau, de d'Arthez, de Bianchon, etc. Dans la comparaison des moyens, des volontés, du succès, il y a l'histoire tragique de la jeunesse depuis trente ans. Aussi l'auteur n'a-t-il cessé de répéter qu'il s'agissait bien moins [1], relativement à la question morale, de la partie que du tout, de la figure que du groupe.

Il y a dans David Séchard une mélancolie profonde que l'auteur a négligé de faire ressortir. Athanase Granson (dans *La Vieille fille*) se jette à l'eau, il ne se résigne pas; David Séchard, aimé par une femme d'un caractère simple et fier, accepte la vie calme et pure de la province en reléguant le sceptre de ses espérances, de sa fortune. L'auteur a hésité à le montrer, à dix ans de son abdication, ayant un regret au milieu de son avide bonheur! Les gens intelligents achèveront cette figure dans leur pensée, et les autres y auraient vu de l'ingratitude envers Ève Chardon. Il y a, dans la comparaison de ces deux figures des *Scènes de la vie de province*, un plaidoyer pour la famille. C'est, d'ailleurs, le sens général des *Illusions*.

Il n'y a que les esprits d'élite, les gens d'une force herculéenne auxquels il soit permis de quitter le toit protecteur de la famille pour aller lutter dans l'immense arène de Paris.

Si tant de stupides accusations ne se renouvelaient pas chaque

---

1. La leçon *bien mieux* est évidemment une coquille, pour *bien moins*.

jour, et ne trouvaient pas de dignes et vertueux bourgeois assez peu instruits pour les porter à la tribune et à la face du pays, l'auteur se serait bien volontiers dispensé d'écrire cette préface [1].

L'énergie de la protestation sera toujours ici égale à la violence des attaques.

Il faut que les quatre cents législateurs dont jouit la France sachent que la littérature est au-dessus d'eux ; que la Terreur, que Napoléon, que Louis XIV, que Tibère, que les pouvoirs les plus violents, comme les institutions les plus fortes disparaissent devant l'écrivain qui se fait la voix de son siècle. Ce fait-là s'appelle Tacite, s'appelle Luther, s'appelle Calvin, s'appelle Voltaire, Jean-Jacques, il s'appelle Chateaubriand, Benjamin Constant, Staël, il s'appelle aujourd'hui JOURNAL. Voltaire et les encyclopédistes ont brisé les jésuites qui recommençaient les Templiers, et qui étaient la plus grande puissance parasite des temps modernes. Si quinze hommes de talent se coalisaient en France, et avaient un chef qui pût valoir Voltaire, la plaisanterie qu'on nomme le gouvernement constitutionnel, et qui a pour base la perpétuelle intronisation de la médiocrité, cesserait bientôt.

Une des plus grandes erreurs de ce temps-ci est la poursuite en matière de presse. Vous pouvez supprimer, à grand'peine, un journal, vous ne supprimerez jamais l'écrivain. Le mot *écrivain* est pris ici dans une acception collective (qu'on ne s'y trompe pas). Vous poursuivez les œuvres, elles renaissent, l'écrivain déborde avec sa pensée par mille publications. En d'autres termes, un gouvernement n'a que deux partis à prendre : accepter le combat ou le rendre impossible. La Charte de Louis-Philippe a créé le combat.

Ces quelques mots sont une réponse suffisante aux législateurs qui, à propos de quelques pièces de cent sous, se sont amusés à juger du haut de la tribune, des livres qu'ils ne comprenaient pas, et à passer de l'état de législateur à celui infiniment

---

1. Le commentaire de cette phrase et des lignes qui suivent se trouve dans une lettre de Balzac à Mᵐᵉ Hanska, le 18 juin 1843 : « J'ai été attaqué à la Chambre des députés par un brave Auvergnat, nommé Chapuys-Montlaville, qui, je ne sais pourquoi, m'incrimine et me dit immoral. Ça m'a fait rire; la Chambre des députés devenant juge des œuvres littéraires est une de ces bouffonneries qui ne se voient qu'en France » (*L. à l'Étr.*, II, p. 178.)

plus amusant d'académiciens. Que la parole leur soit maintenue dans l'intérêt de nos plaisirs !

Un jour le sénat romain discuta sur la grande question de savoir à quelle sauce on mettrait un turbot ; constatons que dans sa séance de... juin 1843, la Chambre des députés a été saisie de la question de savoir si *Les Mystères de Paris* étaient ou non un aliment sain ou malsain pour les abonnés du *Journal des Débats*.

Quand Charles-Quint avait commis une faute, il envoyait une chaîne d'or au Voltaire de ce temps-là, l'Arétin, et un jour l'Arétin dit en recevant une chaîne : — Elle est bien légère pour une si lourde faute ! La littérature a beaucoup perdu à l'établissement de deux Chambres ; il y a trop de souverains.

Nous répéterons ici à l'honorable député qui a mis la littérature en accusation à propos des deux cent mille francs que ce député croit donner à la littérature, que la littérature n'en touche pas deux liards (ils ne sont pas encore supprimés, malgré la loi qui a la prétention d'établir le système décimal), et que si la littérature en touchait quelque chose, elle trouverait les *encouragements* beaucoup trop chers, s'ils devaient être accompagnés de discours en langue auvergnate. Et nous terminerons ces humbles remontrances par une simple observation dont la portée est de nature à frapper le censeur austère de la littérature contemporaine. Il est, lui comme ses quatre cents collègues, le produit immédiat du *Contrat social* et de l'*Émile*, qui furent brûlés par la main du bourreau en vertu d'un arrêt du parlement de Paris.

Mars 1844.

DÉDICACE
DES
ILLUSIONS PERDUES[1]

A Monsieur Victor Hugo

Vous qui, par le privilège des Raphaël et des Pitt, étiez déjà grand poète à l'âge où les hommes sont encore si petits, vous avez, comme Chateaubriand, comme les vrais talents, lutté contre les envieux embusqués derrière les colonnes ou tapis dans les souterrains du Journal. Aussi désiré-je que votre nom victorieux aide à la victoire de cette œuvre que je vous dédie, et qui, selon certaines personnes, serait un acte de courage autant qu'une histoire pleine de vérité. Les journalistes n'eussent-ils donc pas appartenu, comme les marquis, les financiers, les médecins et les procureurs, à Molière et à son Théâtre ? Pourquoi donc la Comédie Humaine, qui *castigat ridendo mores*, excepterait-elle une puissance, quand la Presse parisienne n'en excepte aucune ?

Je suis heureux, monsieur, de pouvoir me dire ainsi

Votre sincère admirateur et ami,
DE BALZAC.

---

1. Il résulte d'une lettre de Balzac à la comtesse Hanska (*L. à l'Étr.*, II, p. 70-71) qu'à la date du 17 octobre 1842 Balzac avait déjà conçu le projet de cette dédicace, qu'il l'avait présenté à Victor Hugo, que le grand poète l'avait agréé. Mais il en résulte aussi que Balzac s'indi-

gnait de voir que Victor Hugo le faisait « horriblement attaquer »
dans le *Messager*. « C'est surtout de lui, écrivait Balzac, qu'on peut
dire : « C'est un grand écrivain et un petit farceur ». Il lui appliquait
ainsi la phrase si dure de Michel Chrestien à Lucien (*supra*, p. 375).
C'est peut-être ce qui explique un fait curieux que révèle le dossier
A 364, tome 2, de la collection Lovenjoul, fiche 240. Il a existé une
épreuve des *Illusions perdues*, destinée à l'édition Furne, dans laquelle le
roman était dédié à Hector Berlioz. Mais sur cette épreuve, Balzac
avait barré la dédicace à Berlioz et écrit la dédicace à Hugo qu'on lit
aujourd'hui. Il semble raisonnable de penser que Balzac avait d'abord
prévu la dédicace à V. Hugo, puis s'était décidé à lui substituer la
dédicace à Berlioz et qu'enfin, vers le mois de mai 1843, il revint à son
premier projet. En compensation, Balzac dédia à Berlioz *Ferragus*,
au tome IX de *la Comédie humaine*.

APPENDICE II

ÉTABLISSEMENT DU TEXTE

NOTE SUR LA PRÉSENTE ÉDITION

VARIANTES

PERSONNAGES D'*ILLUSIONS PERDUES*
REPARAISSANT
DANS *LA COMÉDIE HUMAINE*

NOTE BIBLIOGRAPHIQUE

ÉTABLISSEMENT DU TEXTE

PREMIÈRE PARTIE

1. *La collection Lovenjoul, à Chantilly, possède le manuscrit autographe complet (A 103) et des épreuves corrigées de la main de Balzac (A 104 et 105).*

2. *Trois éditions comptent pour l'établissement du texte :*

a) *l'édition Werdet*, 1837, *in-8°, tome IV des* Scènes de la vie de province *et VIII des* Études de mœurs.

b) *l'édition Charpentier*, 1839, *in-12, tome I des* Scènes de la vie de province.

c) *l'édition Furne*, 1843, *in-8°, tome IV des* Scènes de la vie de province, *et VIII de* la Comédie humaine.

3. *La collection Lovenjoul possède un exemplaire de l'édition Furne qui porte, de la main de Balzac, d'importantes corrections en vue d'une édition nouvelle (A 24).*

DEUXIÈME PARTIE

1. *La collection Lovenjoul possède le manuscrit autographe (A 107). Elle possède aussi un recueil d'épreuves corrigées (A 229). Le dossier A 256 contient également quelques épreuves corrigées.*

2. *Deux fragments ont paru peu de temps avant la publication du volume, dans* l'Estafette *du 8 juin* 1839. *Ce sont* Comment se font les petits journaux *et* Le Souper.

3. *Les éditions qui comptent pour l'établissement du texte sont :*

a) *l'édition Souverain,* 1839, *deux volumes in-8°.*

b) *l'édition Furne,* 1843, *in-8°, tome IV des* Scènes de la vie de province *et VIII de* la Comédie humaine.

4. *L'exemplaire de Furne corrigé contient de nombreuses modifications de détail.*

TROISIÈME PARTIE

1. *La collection Lovenjoul ne possède pas le manuscrit autographe. Elle possède quelques pages d'épreuves : elles sont sans intérêt car elles ne portent pas de corrections.*

2. *La troisième partie a paru d'abord dans* l'État (9 au 19 juin 1843), *continué dans le* Parisien-l'État (27 juillet - 14 août 1843). *Ce texte présente une division en deux parties et en quarante chapitres.*

3. *Elle a paru, la même année, dans l'édition de la* Comédie humaine, *chez Furne, tome VIII.*

L'année suivante elle parut chez Dumont, deux volumes in-8°, en édition séparée. Cette édition possède la division en deux parties et en quarante chapitres.

4. *L'exemplaire de Furne, avec les corrections de Balzac, donne le dernier état voulu par l'écrivain.*

L'étude des manuscrits et des éditions permet d'aboutir aux conclusions suivantes sur les méthodes de Balzac.

Entre le manuscrit et la première édition les variantes sont énormes. Elles consistent d'abord en un nombre infime de sup-

pressions. *Les corrections sont plus nombreuses : elles marquent très souvent une mise en place plus heureuse des parties de la phrase. Mais la très grosse majorité des variantes est formée de développements nouveaux, et l'on peut dire que la méthode de Balzac est la même que celle de Proust.*

Mais ce qu'il importe de noter, c'est que le manuscrit, chez Balzac, ne forme pas un état achevé et parfaitement cohérent. A mesure qu'il avance dans la composition du roman, il rédige les pages nouvelles du manuscrit en se conformant à des vues, nouvelles aussi, qui contredisent les anciennes. C'est ainsi que le Cénacle est, dans le manuscrit même, composé de cinq membres, puis de neuf. C'est ainsi encore que Lousteau est d'abord et longtemps appelé Émile, puis se nomme Étienne, comme dans le texte imprimé.

Ce qui est plus important encore, et qui résulte de l'examen du manuscrit, c'est que Balzac enlevait les pages qu'il voulait refaire et leur en substituait de nouvelles. La reliure a fait disparaître ces remaniements. Mais la numérotation des chapitres, couverte de ratures, trahit les additions opérées, en plein corps du manuscrit, par l'auteur*.

Mais si Balzac modifie profondément son texte, aussi bien à l'intérieur du manuscrit que par ses corrections sur épreuves, il ne touche guère, dans les deuxième et troisième éditions, à l'état que présente la première. Les variantes sont rares. Elles offrent certes de l'intérêt, mais n'ont rien d'essentiel. Les plus notables ont pour but de relier plus étroitement le roman à l'ensemble de l'œuvre balzacienne, ou encore de rappeler des personnages ou des événements que viennent de mettre en scène les œuvres les plus récentes de l'écrivain. Les corrections qui précisent la physionomie de Canalis par exemple sont un rappel de Modeste Mignon. *C'est dire qu'une édition qui se bornerait à relever les*

---

* L'exemple qui suit est probant. Le chapitre XIII des éditions porte dans le manuscrit le numéro XI et a pour titre : *Quatrième variété de libraire.* Or, on lit sous les ratures le chiffre VIII et *Deuxième variété...* Cette indication révèle que ce chapitre a été écrit avant celui qui, dans l'état final du manuscrit comme dans les éditions, est intitulé *Troisième variété de libraire.* Celui-ci a donc été introduit dans le manuscrit et constitue une addition.

*variantes des éditions laisserait échapper, pour la genèse et l'his-
toire du texte, ce qu'il importe le plus de connaître. C'est le
manuscrit autographe, ce sont les épreuves et leurs corrections
qui constituent la plus importante documentation.*

NOTE SUR LA PRÉSENTE ÉDITION

Pour texte de base on a adopté, malgré des inconvénients évidents, celui du Furne corrigé, *qui est en train de devenir la vulgate de* la Comédie humaine. *On peut en effet le considérer comme le dernier état voulu par l'écrivain pour son œuvre*.*

Il ne pouvait être question de reproduire la totalité des variantes. On a relevé surtout celles qui fournissent des indications sur la genèse des Illusions perdues *et sur ses rapports avec* la Comédie humaine. *Pour alléger l'apparat critique, on a eu recours aux moyens suivants. On a distingué deux sortes de variantes :*

1. Celles qui indiquent à quelle phase de l'histoire du texte apparaît l'état définitif. Elles sont formées des premiers et des

---

* Pour obéir aux traditions de la collection où ce volume paraît, on a fait une exception à cette règle. On a introduit la division en chapitres qui figurait dans la première édition de la Iʳᵉ comme de la IIᵉ partie et dans l'édition Dumont de la IIIᵉ partie. Cette division a l'avantage d'aérer un texte très dense, et d'ailleurs Balzac n'y avait renoncé que pour publier *la Comédie humaine* sous la forme la plus resserrée et donc la plus économique qui fût possible. Mais il se trouve que le chapitre V de la première partie étant passé dans la seconde, il n'était plus possible de conserver la numérotation des chapitres de celle-ci : le Iᵉʳ devait devenir le IIᵉ, etc... On a donc renoncé à donner le chiffre des chapitres dans tout le roman, et l'on s'est borné à reproduire les titres. Les notes critiques permettent de savoir le chiffre qu'indiquaient le manuscrit et les éditions.

derniers mots du passage, suivis *du sigle* Ed *(ensemble des éditions), ou* 1843, *ou* FC *(Furne corrigé).*

Dans certains cas qui pouvaient offrir quelque incertitude, on a cru nécessaire de marquer de façon plus précise add. 1843 pour désigner une addition de 1843 au texte de 1839.

2. *Les variantes qui donnent un texte différent de l'état défi-nitif. Dans ce cas, le sigle* précède *la leçon fournie.* Ms. *désigne le manuscrit lorsqu'il diffère des éditions. Le sigle* Ed., *dans ce cas, s'oppose à la fois à la leçon du manuscrit et à celle du* Furne *corrigé. Chacune des éditions est désignée par la date,* 1837, 1839 *et* 1843.

Les quelques variantes relevées dans les épreuves du roman sont indiquées par la cote du dossier Lovenjoul qui les contient, avec, le cas échéant, un chiffre qui désigne le premier, ou le second jeu d'épreuves contenu dans ce dossier. Par exemple A 104[1] signifie le premier jeu du dossier A 104 du fonds Lovenjoul.

Dans la troisième partie, les sigles Et. et Dum. désignent les variantes de l'État et de l'édition Dumont.

VARIANTES

Titre *A 104* Illusions perdues. Les deux amis : *1837 et 1839*
Illusions perdues : *1843* Les deux poètes.

LES DEUX POÈTES

Page 3 :

(a) *A 104*¹ En 1821, époque à laquelle... l'invention typographique
de Stanhope n'avait pas envahi les imprimeries de province où l'on
ignorait les presses en fonte et les rouleaux à distribuer l'encre

(b) *A 104*¹, *1837, 1839* de ce mot maintenant sans application,
faire gémir la presse.

(c) *ms.* les tampons

Page 4 :

(a) *A 104*¹ le plateau mobile où vient s'appliquer la feuille de papier
sur laquelle s'impriment les phrases sacrées des paroissiens ou les
annonces officielles des ventes.

(b) *A 104, 1837, 1839* Les terribles presses

(c) *A 104* ses procédés toujours en vigueur, dans un antre où Jérôme-
Nicolas Séchard exerçait cette noble industrie. Cet établissement se
trouvait à Angoulême, dans l'endroit où la rue de Beaulieu débouche
sur la place du Mûrier.

(d) *éd.* qu'ils font.

(e) *A 104*¹ Le pressier s'y trouvait tout seul et l'ours était incapable
de devenir singe

Page 5 :

(a) *ms.* Un représentant du peuple l'avait requis d'imprimer les
décrets de la Convention et l'avait investi du brevet d'imprimeur.

(b) *1837, 1839* réquisition. Afin de sauver sa tête, le citoyen Séchard
accepta ce périlleux brevet. Il indemnisa la veuve

(c) *ms.* un noble du pays... M. le comte de Grandlieu : *1837, 1 39* un noble du pays de Foix... Monsieur le comte de Marsay *(correction de A 104[1]).*

(d) *A 104* Monsieur le comte de Grandlieu dirigea parfaitement bien l'imprimerie, il composait et corrigeait

Page 6 :

(a) *A 104* En 1801, Nicolas Séchard ne savait pas mieux lire et écrire qu'en 1793, mais il avait assez bien fait ses affaires ; il possédait la maison où était son imprimerie, il mettait au lycée de la ville son fils unique âgé de sept ans et dans lequel il voyait pour l'avenir son prote et son successeur naturel (*ms.* qui dans onze ou douze années devait lui servir de prote).

Page 7 :

(a) *ms.* David Séchard avait fait au lycée d'Angoulême les plus brillantes études, et poussé par la vanité Nicolas Séchard l'avait envoyé pendant trois années étudier son métier chez Firmin-Didot en même temps qu'il achevait son éducation dans le haut enseignement de Paris : *A 104* et fier de son fils... étudier la haute typographie chez les Firmin-Didot.

(b) *1843 add.* dans ce séjour au pays de Sapience.

(c) *A 104, 1837, 1839* Au commencement de l'année 1819

Page 8 :

(a) *A 104* Nicolas Séchard était alors un gros et gras septuagénaire qui soupirait

(b) *1837-1839* deux buissons d'épine vignette

Page 9 :

(a) *ms. Après le portrait du vieux Séchard, Balzac se borne à quelques lignes :* Il était temps que David vînt prendre les rênes de l'imprimerie paternelle. Si le vieux Séchard n'eût pas depuis longtemps donné sa mesure, son abdication aurait peint tout son caractère. Il essaya d'attraper son fils, malgré les connaissances que le jeune homme devait rapporter de la grande école des Didot, et il montra

Page 10 :

(a) *A 104* il voulut tout terminer le soir même. Un mot sur la topographie et la physionomie de l'établissement *(le texte définitif apparaît en marge)*

Page 11 :

(a) *La description de l'imprimerie apparaît dans A 104. Elle se trouve dans le manuscrit un peu plus loin et sous une forme plus brève :* Le rez-de-chaussée de la maison formait... vitrage sur la rue... une cour où l'on pénétrait par une allée... deux grandes cages à poulet situées au bout de cette caverne et qui formaient deux pavillons sur la cour... Dans la cour, le long des murs, il y avait de méchants arbustes

Page 12 :

(a) *A 104* Cette pièce, purement et simplement blanchie à la chaux, à solives saillantes, donnant entrée dans une chambre à coucher éclairée sur la cour par une croisée à vitrage en plomb et dans une grande pièce formant salon et qui tirait son jour de la place des Mûriers par deux grandes fenêtres grossièrement cintrées.

Page 13 :

(a) *La scène est substantiellement dans A 104. Elle n'est pas dans le manuscrit. Dans l'état le plus ancien du roman,* Nicolas Séchard âgé de soixante-dix ans, se contenta de demeurer l'associé de son fils sans se mêler en rien des affaires... il passait quatre mois d'hiver en ville dans une chambre en mansarde située au-dessus du premier étage de la maison que David occupait. *L'imprimerie du père et du fils est peu florissante et Nicolas Séchard vend le journal aux Cointet.*

Page 14 :

(a) en voyant l'invention... Ah! *manque dans 1837, 1839.*

(b) *A 104* qui écrasent... parce qu'elles sont sans élasticité, et qui coûtent quinze à seize cents francs, autant que valent

Page 15 :

(a) *A 104* et l'achalandage. Les méchants ustensiles nécessaires à l'exploitation d'une imprimerie en province, comme une presse à satiner, une presse à rogner pour faire les ouvrages de ville, billets de mariage, de mort, etc., énormes vignettes représentant des Hymens, des Amours, des morts qui soulèvent... et d'énormes cadres..., tout devint

Page 16 :

(a) *A 104* et qu'un billet de mort, sans l'ange qui soulevait la pierre tumulaire, serait considéré comme une insigne inconvenance... *Alors que les prénoms de* Jérôme-Nicolas *apparaissent dans A 104 dès la première page, ils sont* Jean-Nicolas *dans tout ce passage. Le manuscrit donne* Nicolas.

Page 17 :

(a) *A 104 dit seulement* David accepta ces conditions. Le lendemain le vieux Séchard quitta son fils sans lui donner un écu pour payer les ouvriers, et après avoir transporté ses meubles dans la chambre du dernier étage, il s'en alla, tout à la fois heureux de sa vente à son fils, déguisée sous le nom d'association, et très inquiet de la manière dont il serait payé.

Page 19 :

(a) *A 104* Il se crut généreux en lui laissant Marion qui, selon le soulographe, était un trésor.

(b) *1837-1839* Marion consistait en une

(c) *1837-1839* deux lieues

Page 20 :

(a) *1837-1839* acquise

(b) *A 104 donne pour ce paragraphe* : Beaucoup de pères agissent ainsi et la plupart d'entre eux croient s'être montrés paternels, comme le vieux Séchard avait fini par le croire en atteignant un assez bon vignoble bien bâti qu'il avait acquis en 1809, qu'il avait augmenté d'année en année et qui était situé à Marsac, petit village à deux lieues d'Angoulême. Il y resta toute l'année et venait voir de temps en temps son fils dont il était orgueilleux comme l'est une reine de France de son dauphin.

(c) *1837-1839* en remâchant

Page 21 :

(a) *L'indifférence politique de David, les progrès des Cointet, le journal acheté par eux sont dans le manuscrit, mais placés avant la description de l'imprimerie et de la maison. Dans A 104, après avoir parlé de l'attitude de David, Balzac introduit les Cointet :* L'autre brevet tomba dans les mains des frères Cointet, fabricants de papier qui

(b) *A 104* L'Évêché, peu sollicité par David, donna le lucratif privilège de ses impressions aux frères Cointet qui créèrent un second journal d'annonces. Il ne resta plus à la vieille imprimerie que les impressions de la Préfecture et celles de la Ville.

Page 22 :

(a) *A 104* Nicolas Séchard absorba cette somme en l'appliquant sur la valeur de son fonds, et comme elle formait les trois quarts de son prix, il abandonna l'imprimerie à son fils en maintenant seulement le loyer de sa maison aux fameux douze cents francs.

Page 23 :

(a) *A 104* Voici comment il était devenu amoureux.

(b) *1837-1839* dans la plus profonde misère

(c) *1837-1839* et poussé par ses inclinations, il s'était

(d) *A 104* Le père de Lucien, homme supérieur et ambitieux, avait été surpris par la mort... que nécessitait une entreprise lucrative qui lui était depuis longtemps inspirée par le désir de faire fortune. Il avait découvert un remède appuyé d'un certain régime qui devait guérir toute espèce de goutte. Il était venu solliciter à Paris l'approbation de l'Académie de médecine et un rapport à l'Académie des sciences; mais il était mort en perdant le fruit de plusieurs années d'études et de travaux.

Page 24 :

(a) *ms.* Le docteur Bianchon

(b) *A 104* qu'il avait sauvée de l'échafaud en 1793, et épousa sans autre fortune qu'une merveilleuse beauté; lui-même était beau; ses enfants : *1837-1839* en la disant enceinte; il s'était ainsi créé le droit de l'épouser, et l'épousa

(c) *1836-1839* la grande rue

(d) *A 104* lui donna deux cents francs de rente.

(e) *A 104* quarante sous par jour : *1837-1839* trente sous.

Page 25 :

(a) *A 104* vingt sous par jour car elle seule savait bien blanchir les tailles et les dentelles. — *Le nom de M*^me *Prieur n'apparaît que dans FC.*

(b) *A 104, 1837, 1839* onze cents francs

Page 26 :

(a) *A 104* David faisait profiter Lucien de ses idées de poésie, Lucien faisait apercevoir à David les routes où il devait s'engager dans la science pour y découvrir des secrets nouveaux.

(b) *A 104* Elle devint excessive chez David quand il entrevit la sœur de Lucien, la belle Ève, de laquelle il s'éprit

Page 27 :

(a) *A 104* propriétaires de l'Écho de la Charente.

(b) *A 104 place ici le paragraphe sur les inquiétudes du vieux Séchard, ses visites à l'imprimerie (cf. supra p. 20), puis le passage où nous apprenons que le père Séchard cesse de s'intéresser à l'affaire et garde seulement une vieille affection à ses outils (cf. supra p. 23).*

Page 28 :

(a) *A 104* à la porte bâtarde de l'allée

(b) *A 104, 1837, 1839* aussi lézardée, aussi rabougrie ; elle ne tenait plus que (*A 104,* elle se tenait par)

(c) *A 104* vous aurez déjà la vue de leur existence en en étudiant le cadre : *1837-1839,* vous comprenez... amis en en étudiant le cadre.

(d) *A 104* d'août *corrigé en* avril. *Dans le manuscrit, Balzac n'a donné la description de l'imprimerie qu'après le récit de sa décadence. Puis il introduit les deux jeunes gens :* Si vous voulez vous figurer la porte bâtarde de l'allée... vous comprendrez combien étaient vives les sensations de deux jeunes gens (*Lucien dans cet état du texte n'a pas encore été présenté*) assis près du vitrage

Page 29 :

(a) *ms.* David avait déjà les formes herculéennes dont la nature doue les êtres... luttes, son buste était large, ses épaules fortes, ses jambes avaient des proportions épaisses, son visage brun de ton, coloré, ressemblait... dans les sinuosités des lèvres larges... dans les méplats du nez carré séparés par un sillon bien accentué, dans les yeux surtout un feu sombre

(b) *ms.* et qui jouissant par la pensée se dégoûte facilement en portant sur toute chose la clarté de l'analyse.

Page 30 :

(a) *A 104* des yeux bleus pleins d'amour et de tendresse, frais et transparents comme ceux d'un enfant, avec de jolis sourcils et de longs cils châtains, un duvet soyeux le long des joues et des cheveux d'un blond foncé dans le contour des boucles.

(b) *A 104* des mains blanches, élégantes, faites pour le plaisir et pour la gloire.

Page 31 :

(a) *A 104* La hauteur du coup d'œil venge le blessé dans sa position. Mais aussi

(b) *ms.* David avait un caractère timide en désaccord avec sa forte constitution... La beauté physique de Lucien lui donnait d'ailleurs une première supériorité : *A 104* en femme tyrannique parce qu'elle est la plus aimée. *Dans le ms., c'est à la suite de ce paragraphe que Balzac avait parlé de M*me* Chardon, d'Ève blanchisseuse, de la pauvreté de Lucien et de David, de la manœuvre des Cointet pour laisser vivoter l'imprimerie rivale.*

Page 32 :

(a) *ms.* dit Lucien en lisant (*corr.* en lui indiquant) la belle préface de (*add.* M. de) Latouche (*A 104* en feuilletant la belle préface signée H. de Latouche).

Page 33 :

(a) *A 104* la vie était un rêve d'or pour ces deux poètes enivrés.

(b) *1837-1843* l'apprenti de l'imprimerie ouvrit. *Le personnage de Cérizet n'apparaît que dans FC.*

Page 34 :

(a) *A 104* aimerais-tu madame de Bargeton. — Éperdument, mais pas assez encore pour oublier David, répondit Lucien. — Que veux-tu dire?

Page 35 :

(a) *Le paragraphe est une addition marginale du ms.*

Page 36 :

(a) *A 104* et comme le jeune ambitieux venait de s'introduire dans le haut Angoulême en jetant entre la ville et le faubourg le pont volant de la gloire

Page 37 :

(a) *A 104* or les papeteries étaient depuis deux siècles forcément établies sur la Charente et sur ses affluents où elles avaient trouvé les chutes d'eau nécessaires à leur existence.

(b) *A 104* tous les commerces qui vivent par l'eau

Page 38 :

(a) *ms.* Ces vieilles familles perchées sur leur rocher comme des corbeaux défiants, voient passer la civilisation sans y participer. Les créations du luxe moderne, elles les ignorent; elles sont moqueuses

Page 39 :

(a) *ms.* Lamartine, Victor Hugo, Casimir de Lavigne, Béranger et Chateaubriand, Villemain, Soumet, de Jouy, (*add. marg.* La Mennais, Cousin, Giraud). *Mêmes noms dans A 104. L'édition de 1837 ajoute* Jouy *après* Delavigne, Aignan *après* Villemain, Tissot, Étienne et Davrigny *après* Soumet, Benjamin Constant *avant* La Mennais, *met* Michaud *au lieu de* Giraud. *FC remplace* Jouy *par* Canalis.

Page 40 :

(a) *ms.* En 1805 il avait épousé (*mots raturés, surmontés d'*Anaïs *également effacé*) de Champd'ours (*effacé. Balzac met en marge :* Marie-Antoinette Anaïs d'Espard... car il y eut un Champd'ours de Périgord (*remplacé par* d'Espard) parmi les otages de Saint-Louis (*add. marginale :* et le chef de la branche aînée... de Négrepelisse qui lui est venu par un mariage avec l'héritière de ce nom).

(b) *ms.* Il ne donna que vingt mille écus à sa fille, produit de la liquidation des droits de sa femme qui était morte. Le bonhomme avait en 1823 quatre-vingt-deux ans et se portait à merveille.

Page 42 :

(a) *ms.* Quant à M. d'Espard (*d'abord* de Chandour), il aurait donné tous les livres de sa fille pour un étalon.

Page 43 :

(a) *A 104* Égoïste comme beaucoup de pères, M. d'Espard d'Escarbas voulut marier sa fille pour continuer de vivre sans soucis ni débats.

(b) Elle épousait des armes... trois, deux et un, *add. de FC.*

(c) *ms.* Quand M. d'Espard, qui ne voulait pas doter sa fille, eut expliqué à Naïs la valeur du gendre qu'il choisissait et tout le parti qu'elle en pouvait tirer pour son propre bonheur, elle consentit à se marier.

Page 45 :

(a) *1837-1839* qui pyramidalisaient

(b) *1837-1839* pour l'Ipsiboé comme pour l'Anaconda.

Page 47 :

(a) *ms.* cette passion contenue, noble, grande, belle, à un moment où elle contrastait avec les passions de presque toutes les femmes du temps, fut dénouée chastement par la main de la mort... Elle pleura longtemps un jeune homme : *A 104* Elle s'éprit alors d'un jeune lieutenant, d'un gentilhomme

Page 48 :

(a) *ms.* Elle était dégoûtée des gens superficiels qui l'entouraient et qui ne pensaient qu'à jouer quelques sous le soir, après avoir bien dîné.

(b) *ms.* Les œuvres de Byron, de Walter Scott, de Gœthe, de Schiller qui se publièrent de 1819 à 1823, les poésies de Lamartine, les premières odes de Victor Hugo, les livres de De Maistre, de M. de Lamennais (*add.* les poésies moins grandioses) de toute cette grande et forte littérature : *A 104* les livres de M. de la Mennais, les magnifiques traités de M. de Bonald et ceux de M. de Maistre, ces deux aigles penseurs

(c) *ms.* Durant l'hiver de 1822, deux personnes (*add.* survinrent qui) animèrent sa vie monotone d'action quoique riche par la pensée : *A 104* Voici comment et par qui Lucien fut introduit chez elle. Durant l'hiver de 1821, il survint une personne qui anima

Page 49 :

(a) *A 104* il savait déchiffrer une partition, accompagnait..., il jouait du hautbois et un peu du basson, il faisait des vers

(b) *A 104* en disant des riens où la gravelure se cachait sous un vernis plus ou moins spirituel.

Page 51 :

(a) *A 104* Il affecta d'être encore plus roué que ne l'étaient les roués bourgeois de l'empire, il fit le malade

(b) *A 104* Il alla seulement remplir ses obligations chez le préfet, chez le receveur général et chez l'évêque, se montra poli, mais froid, étudia le pays, laissa deviner qu'il possédait des talents utiles à la société.

Page 52 :

(a) *A 104* Malgré les ridicules fruits de la vie de province qui gâtaient ce bel arbre

(b) *ms.* La politique s'y faisait passionnée, encroûtée, haineuse, audacieuse

Page 53 :

(a) *A 104* en lui apprenant par une soirée du mois d'avril 1821

(b) *A 104* des constellations de la *Muse*, journal poétique de ce temps.

Page 54 :

(a) *1837-1843* chaque monde s'anathématise

Page 55 :

(a) *1837-1839* l'entraînement de méditations

(b) *1837-1839* Pauvre enfant, sainte créature, elle ignorait

Page 56 :

(a) *A 104* un tapis vert où était un flambeau

(b) *A 104* L'excessive beauté de Lucien, sa grâce, la noblesse de sa voix, tout frappa

(c) *A 104* Ils étaient cernés par un cercle bleuâtre et de chaque côté du nez à sa naissance, deux veines bleues faisaient ressortir la blancheur des orbites.

Page 57 :

(a) *A 104, 1837-1839* l'enivra.

(b) *A 104* Les trois heures pendant lesquelles ils causèrent lui parurent avoir passé comme un rêve

(c) *1837-1839* M. du Châtelet. *Le prénom de Sixte n'apparaît que dans l'édition de 1843.*

Page 58 :

(a) *A 104* il ne continuait à aller dans cette maison que parce qu'il était amoureux fou de madame de Bargeton et qu'il en était aimé comme tout le lui présageait.

(b) *A 104* chacun l'accepta comme on acceptait les fous à la cour.

Page 59 :

(a) *1837-1843* un de ses noms

(b) *A 104* mais elle se fâcha de ce qu'un soir Lucien étant venu au moment où Louise contemplait

Page 60 :

(a) *1837-1843* les meilleurs de M. de Lamartine : *A 104* avec quel plaisir elle les lut. *Ce poème avait paru dans les* Annales Romantiques *en 1828. D'autre part le dossier Lovenjoul A 240 le possède en manuscrit. Il n'existe pas de différence entre ces deux textes. Ils offrent quelques variantes par rapport à celui du roman :*

v. 2 ces feuilles. — *v. 4*, ma jeune maîtresse. — *v. 5*, et. — *v. 6*,

Et. — *v. 7*, de ses *Jeunes années.* — *v. 8. Aujourd'hui l'avenir.* — *v. 9, Son beau voyage.*

Page 61 :

(a) *A 104* ne fallait-il pas lui élargir l'entendement, lui apprendre l'italien et l'allemand ?

(b) *A 104* qu'elle avait osé lui donner à dîner dans la semaine précédente

Page 62 :

(a) *A 104* Si vous étiez sans un sou vaillant, que feriez-vous pour vivre, vous et vos enfants ?

(b) *A 104* tua net les prosopopées

(c) *A 104* mais enfin elle conjura l'orage et le dissipa.

(d) *A 104* elle demanda au directeur des contributions s'il était de la famille du marquis du Châtelet et le pétrifia en lui faisant comprendre

Page 63 :

(a) *A 104* qu'ils subirent le Chardon parce que, dit Alexandre de Brébien (*raturé* le Trébien), c'était un chardonneret du sacré bocage.

(b) *A 104* il alla jusqu'à le prier à un dîner

Page 64 :

(a) *A 104* pour tout autre jeune homme de vingt-et-un ans, tant d'honneur aurait paru un piège ou une mystification.

(b) *A 104* Le baron du Châtelet se disait que le petit rimeur crèverait sous sa gloire intempestive et mourrait sous le poids de ses lauriers dans la serre chaude des louanges.

Page 65 :

(a) *1837-1839* Elle se chargeait d'obtenir cette faveur, elle était apparentée

(b) *A 104* du bûcher des martyrs à traverser, et Lucien enthousiasmé répondit qu'il apporterait aux pieds de sa dame

(c) *A 104* fût-elle ensanglantée, il parla de ses souffrances du moment, de celles que Naïs ne connaissait pas, de ses travaux chez David, de ses nuits employées à l'étude.

(d) *A 104* le colonel de vingt-et-un ans

(e) *A 104* Lucien prit une de ses mains sèches, chaudes d'amour et la baisa avec la furie du poète, du jeune homme. Naïs, (*corr.* Louise) se laissa baiser la main, se laissa nommer Naïs en disant

Page 66 :

(a) *A 104* je serais bien ridicule. Un orgueilleux espoir se glissa dans le cœur du jeune homme pauvre. Il crut être aimé autant qu'il aimait. *A ce mot, Balzac écrit sur l'épreuve d'A 104* : Laissez-moi une page ici.

Page 67 :

(a) *A 104* Le calcul de Lucien se faisait (*1837-1839* lui parut se faire) au profit

(b) *A 104* il raconta sa pauvre vie, lui décrivit son grenier à l'Houmeau, lui peignit sa chère sœur

(c) *A 104* Tout était brodé de ces déclarations naïves... que les femmes aiment tant. Elles disent : il est fou, mais cette folie, elles la préfèrent à tout.

Page 68 :

(a) *A 104* Maintenant il est facile de comprendre les pensées qui l'assaillaient

Page 69 :

(a) *A 104* qui venait d'éclairer par un nouveau soleil les campagnes littéraires, se levait l'heure de la politique et des calculs.

(b) *A 104* En devinant tout ce que la fortune acquise donnait de facilité à l'essor de la pensée et combien elle favorisait l'ambition

(c) *A 104* ce David si noble pour lui, plein de tant de génie, et sa sœur, son Ève

Page 70 :

(a) *A 104* La jeunesse vraie est ainsi faite qu'elle va du mal au bien avec une égale facilité.

(b) *A 104* Au lieu du sentiment d'ardeur dans le travail et de l'amour que le savant porte à sa retraite, indifférent qu'il est sur les choses et se plongeant incessamment dans les abîmes de la méditation, Lucien éprouvait une sorte de honte. Le nom de son père

Page 71 :

(a) *1837-1839 add.* Depuis quelques jours son esprit est lévigé par un pilon connu (A *104 add.* il est tout concassé).

(b) *A 104* prouvait que ce célibataire âgé de trente-six ans pensait... et qu'il était également combattu par l'amour et par l'intérêt.

Page 72 :

(a) *A 104* à plus de soixante mille

Page 73 :

(a) *A 104* Il lui arrivait souvent, le soir, de descendre de la place du Mûrier jusqu'à l'Houmeau par la porte Chandos (*corr.* Palet) après avoir forgé quelque prétexte pour consulter Lucien

(b) *A 104* quoiqu'elle devinât ce grand amour qui ne se révélait que par de petites choses, Ève. *Ici Balzac note pour l'imprimeur* : Laissez-moi là une page.

(c) *Ici se termine le premier jeu d'épreuves d'A 104.*

Page 76 :

(a) *1837-1839* ni la fortune de M. Chenessy, ni le renom de Cuvier

Page 79 :

(a) *1837-1839* Il passa chez David y prendre le volume de poésie.

Page 80 :

(a) *La troisième série d'épreuves d'A 104 donne le titre plus ancien.* Les deux soirées *et le corrige.*

(b) *1837-1839* M. de Bargeton était

Page 81 :

(a) *1837-1839* Sa femme

Page 85 :

(a) *1837-1839* elle avait autour du cou une écharpe de gaze sous laquelle brillaient les camées d'un collier. Sa robe de mousseline peinte, à trois rangées de volants posés transversalement, était à manches courtes et lui permettait de montrer ses beaux bras blancs, mise théâtrale qui

Page 87 :

(a) *1837-1839* Éliza

Page 90 :

(a) *La phrase.* D'ailleurs on commençait... du Hautoy *est une addition de FC.*

Page 92 :

(a) *1837-1839* Toutes deux avaient

(b) *1837-1839* Ma fille aime tant la soie, dit la mère, que je vous demanderai

(c) *les mots* et dont... de la Haye *sont une addition de FC.*

Page 96 :

(a) *1837-1839* on prononce

(b) *1837-1839* Il était si isolé... une mélodie intérieure qui se chantait en lui-même et dont il s'efforçait de répéter les accents, qu'il voyait les figures

(c) *1837-1839* et termina... intitulée Nérée *(coquille).*

Page 98 :

(a) *1837-1839* pour la déclamer, car

(b) *Ce poème avait paru dans les* Annales Romantiques *en 1828 ; d'autre part le dossier Lovenjoul A 240 contient, f° 20, le manuscrit des deux premières strophes.*

Str. I, Lov. ... d'azur et de lumière / Où devant Jéhova des esprits immortels / Saintement inclinés apportent des mortels / La plaintive prière : *Ann.*... harpes d'or, les Esprits immortels / Aux pieds de Jéhova redisent la prière / De nos plaintifs autels.

Str. II, Lov. ... Voilant son doux visage où respire le ciel / En versant la rosée, en répandant le miel / Descend sur notre monde : *Ann.* ... Voilant l'éclat de Dieu par son front reflété...

Str. III. Ann. Comprenant du Très-Haut le sublime regard / Il vient sourire au pauvre à qui tout est souffrance. / Et par son tendre aspect rappeler au vieillard / Les doux jeux de l'enfance.

Str. IV. Ann. ... A la vierge amoureuse il accourt dire : Espère !

Str. V. Ann. De ces anges d'amour... / Que le soin de notre heur égara dans sa route, / En soupirant, il tourne un regard triste et doux / Vers l'éternelle voûte.

Str. VI. Ann. ... Mais son tendre sourire et l'accent enchanteur. / De sa plainte divine.

Str. VII manque dans Ann.

Str. VIII. Ann. il lui dirait la magique parole / que pour nager dans l'air, ils prononcent le soir.

Str. IX. Ann. Vous les verriez, des nuits perçant les sombres voiles

/.../ De leur vol fraternel. / Et le marin, le soir, assis sur le rivage. / Levant un doigt craintif aux campagnes du ciel / De leurs pieds lumineux montrerait le passage.

Page 100 :

(a) *1837-1839* Comprenez-vous ?

(b) *1837-1839* C'étaient

(c) *1837-1839* Ce sont des phrases

Page 102 :

(a) *1837-1839* M. de Senonches qui l'interrompit

Page 105 :

(a) *1837* en en étendant la méchanceté : *1843* entendant *(coquille)*.

Page 108 :

(a) *1837-1839* avait dit

(b) *1837-1839* poussés

Page 111 :

(a) *1837-1839* Car là est sa fortune

Page 113 :

(a) *1837-1839* une aussi grande destinée.

Page 114 :

(a) *Ed.* à la piste desquels je suis depuis quelques jours et qui nous procureront

Page 115 :

(a) *1837-1839* aussi heureux *suivi de points de suspension :* *1843* aussi heureux que moi : *FC* que je le suis

(b) *Les sept pages qui suivent sont le résultat d'une transposition et d'un remaniement apportés par Balzac dans FC. La conversation de David se trouvait jusqu'alors dans la troisième partie des* Illusions perdues.

Page 122 :

(a) *Ici se termine le long texte transposé dans FC.*

Page 124 :

(a) *1837-1839* madame Chardon qui était rentrée et à laquelle il demanda

(b) *1837-1839* le reconduisit jusqu'à la porte Palet, et de la porte jusqu'au carrefour de l'Houmeau.

Page 125 :

(a) *1837-1839* n'ont pas au désespoir... Chardon.

Page 127 :

(a) *1837-1839* Va au marché

(b) *1837-1839* la femme d'un meunier

(c) On dit ... à Angoulême *est une addition de 1843.*

Page 128 :

(a) *1837-1839 add.* Ce n'est pas bien.

Page 129 :

(a) *Balzac avait d'abord écrit* Catastrophes ordinaires de l'amour en province. *Une feuille d'épreuves dans Lov. A 105 inscrit cette correction.*

(b) *1837-1843* Voilà un jeune homme heureux, disait un fils de famille qui avait assisté à la lecture ; il est joli garçon, il a du talent, et Mme de Bargeton en est folle ! — La plus belle femme d'Angoulême est à lui, fut une phrase qui remua toutes les vanités de son cœur.

(c) *1837-1839* aux baisers enflammés du poète. Lucien avait tant souffert la veille, et il était si beau, si grand, si poétique !

Page 130 :

(a) *1837-1839* de si ardents prestiges.

Page 132 :

(a) *1837-1839* où il ne croyait pas pouvoir aller, qui prend les phrases... qui ne sait pas... la passion vraie de la phraséologie protectrice que lui méritent

Page 138 :

(a) *1837-1839* elle s'en effrayait et sa frayeur réagissait sur

(b) *1837-1839* M. du Châtelet

Page 141 :

(a) *1837-1839* car il pleura

Page 144 :

(a) *1837-1839* M. de Rubempré.

Page 147 :

(a) *1843 add.* Je suis l'offensé.

Page 149 :

(a) *1837-1839* M. de Chandour

Page 151 :

(a) *1837-1839* une demoiselle de Navarreins-Lansac

Page 152 :

(a) *1837-1839* Puis, entre Mansle et Ruffec

Page 153 :

(a) *1837-1839* Lucien était hébété... Il lui sembla que jusqu'alors il n'avait pas joui

(b) *1837-1839* Il n'y avait ni gentillâtres jaloux qui lançaient

(c) *1837-1839* Car de là

Page 157 :

(a) *1843 add.* Malgré le plus ardent baiser... échangé,

Page 158 :

(a) *1837-1839,* et attendirent

UN GRAND HOMME DE PROVINCE
A PARIS

Page 161 :

(a) *Dans le manuscrit, ce paragraphe, d'ailleurs beaucoup plus court, ne commence ni une nouvelle partie, ni même un nouveau chapitre. Il termine au contraire le chapitre* Catastrophes de l'amour en province. *Dans l'édition 1837, il commence le chapitre V et dernier de la première partie. Il a fallu, dans la présente édition, le compter pour le 1ᵉʳ de la seconde partie.*

(b) *ms.* En sorte qu'il est loisible à chacun de les imaginer à sa fantaisie. La présence d'Albertine doit faire croire que ce fut maussade et que tout le plaisir qu'en eut Lucien fut d'aller en poste pour la première fois de sa vie.

Page 162 :

(a) *Ici commence dans le manuscrit et dans un jeu d'épreuves de Lov. A 105 le chapitre V, les Prémices de Paris. Puis dans d'autres épreuves du même recueil le début du chapitre est reporté en tête du paragraphe précédent. C'est là la division de l'édition 1837.*

Page 164 :

(a) *1843 add.* les Blamont-Chauvry, les Lenoncourt

Page 167 :

(a) *1837-39* Son appartement était... il était somptueux

Page 168 :

(a) *1837-39* sept cents francs

Page 169 :

(a) *1837-39* septembre

Page 170 :

(a) *1837-39* c'est le luxe

(b) *1837-39 om.* saisissent avant tout

Page 171 :

(a) *1837-39* Car le directeur

Page 172 :

(a) *1837-39* Là où il

Page 173 :

(a) *1837-39* Et ce coup

Page 177 :

(a) *1837-39* avait

(b) *1837-39* Car tous

Page 178 :

(a) *1837-39* sa blonde et bleue beauté

Page 181 :

(a) *1837-39* sur le devant, nous serons seules.

Page 185 :

(a) *1837-43* qui faisaient la gloire de de Marsay.

Page 186 :

(a) *1837-39* Le quatrième était un des plus ..., un jeune homme qui n'en était encore qu'à l'aube de sa gloire et qui partant n'avait ni façons byroniennes, ni prétentions impériales, ni plénitude de lui-même. Il se contentait d'être un gentilhomme aimable et spirituel, il en était à se faire pardonner son génie. Mais on devinait dans ses formes un peu sèches, dans sa réserve, une immense ambition qui devait plus tard étouffer la poésie ; il avait une beauté froide et compassée, c'était Canning maigre et réduit à ses vers. *L'édition de 1843 offre le même texte avec les variantes suivantes* était M. de Canalis, un des plus illustres..., de sa gloire et qui se contentait... et spirituel ; il essayait de se faire pardonner... faire tort à la poésie et le lancer au milieu des orages politiques. Sa beauté froide et compassée, mais pleine de dignité, rappelait Canning.

(b) *1837-39* au grand poète

Page 187 :

(a) *1837-39* le grand poète

(b) *1837-39* l'auteur d'Ourika, ... Guillemain, Fizot, Ploumet, Didelot, deux jeunes poètes pleins d'avenir et bien pensants.

Page 188 :

(a) *1837-39* reprit le dandy en désignant l'homme illustre : *1843* en s'adressant à Canalis. *Les mots* afin de voir... se mit à rire *sont une add. de FC.*

(b) *1837-39* auprès de la marquise par un des lions de Paris.

(c) *1837-39* la princesse impériale.

Page 190 :

(a) *1837-43* les uns pour aller expliquer... les autres pour raconter... et se moquer. *Les mots* Canalis regagna... ne revint plus *sont une add. de FC.*

(b) *1837-43* Mme d'Espard devint inquiète mais elle devinait les mœurs parisiennes et savait qu'on ne laisse ignorer aucune médisance

Page 192 :

(a) *1837-39* ensemble, quand le troisième acte commencera.

Page 193 :

(a) La duchesse... Ce garçon n'est *est une add. de FC* : *1837-43* Ce n'est

Page 195 :

(a) *1837-39* cachée sous ce froid billet.

Page 196 :

(a) *1837-39* aux armes des d'Espard et des Navarreins-Lansac.

Page 197 :

(a) *1837-39* Il vit passer le grand poète

(b) *1837-43* élégant comme s'il n'était pas sublime et qui *(1837-39* il*)*
saluait

Page 198 :

(a) *1837-43* Au moment où il se disait... il était chez Hurbain et y
dînait

Page 201 :

(a) *1837-39* Cette femme est vous, cet enfant est moi.

Page 202 :

(a) *Ici se terminent* Illusions perdues *dans les éditions de 1837 et
1839. Balzac ajoute, après le dernier mot* : Au château de Saché, juillet-
novembre 1836. *C'est au même point du roman que commence* Un grand
homme de province à Paris *dans l'édition originale chez Souverain en 1839.
— Titre de la deuxième partie dans le ms*. Un grand homme de province
à Paris. Deuxième partie des Illusions perdues. Nouvelle scène de la
vie de province. *1839 donne seulement* Un grand homme de province
à Paris. Scène de la vie de province.

(b) *ms*. I Une lettre. A madame Séchard fils, place du Mûrier à
Angoulême. Paris, 25 septembre 1821 : *1839* A madame... Paris,
septembre 1821.

Page 203 :

(a) et je commence... de mon présent *éd*.

(b) *ms*. Certes, il le doit en se débattant

(c) Car ici... peu de mots *éd*.

(d) *ms*. J'y occupe au cinquième étage sur la cour une chambre
garnie ; elle vaut quinze francs par mois, bien sale, dénuée, triste.

Page 205 :

(a) *ms*. Ils sont

(b) Je ne regrette... endolori, *ajouté en marge du ms*.

Page 206 :

(a) *ms.* II. Flicoteaux. *Le chapitre commence dans le ms* : Cette lettre mise à la poste le matin explique la situation d'un nouvel habitué du restaurant de Flicotaux. Flicoteaux est un nom célèbre : *1839* Cette lettre mise à la poste le premier jour du mois de septembre explique... d'un jeune homme qui vint grossir le nombre des habitués au restaurant du célèbre Flicoteaux et qui pendant quelques jours excita comme tout nouveau venu leur curiosité.

Page 207 :

(a) de la misère... on y mange *éd.*

(b) avec une activité... Ce restaurant *éd.*

Page 208 :

(a) La pomme de terre... sur les chevaux *éd.*

Page 209 :

(a) Il s'y est, dit-on... d'une demi-tasse de café *éd.* : bénie par un *gloria* quelconque *1843*.

(b) *ms. et 1839* Lucien Chardon de Rubempré

(c) *ms.* et régulières. Il avait peu d'argent, il venait de faire une triste épreuve de la vie élégante, il se jetait

(d) et les amusements... de l'ambition *éd.*

(e) *ms.* Lucien venait donc de dîner

(f) Dès le premier jour... nécessaire *se trouve dans le ms. après la présentation de d'Arthez et sert de transition pour le portrait de Lousteau (cf. infra, p.* 802*). Suit :* N'osant pas se mettre à la table où dînaient habituellement ces personnes qui toutes lui parurent intimement liées, il avait pour compagnon un maigre et pâle jeune homme...

Page 210 :

(a) une tragédie en poche *add. marg. du ms.*

(b) Quand, entre jeunes gens... peu de progrès *éd.*

Page 211 :

(a) *De* s'y trouvait encore (p. 209) *à* il passait ses matinées (p. 211), *le ms. ne donne que ceci :* Pendant environ un mois, sa conduite fut celle d'un pauvre enfant sans argent. Étourdi par la première expérience de la vie parisienne, encore sous le joug des saintes religions de la province, ayant à ses côtés deux anges gardiens, sa sœur et David qui se dressaient à la moindre pensée mauvaise, il passait : *1839* des saintes

religions de la province, il avait à ses côtés ses deux anges gardiens, sa sœur et David Séchard son beau-frère, l'imprimeur d'Angoulême. Quoiqu'éloignés et vivant à cent lieues ces deux amis se dressaient

(b) *ms.* lisait toute la littérature contemporaine, les journaux littéraires, les revues, les poésies pour se mettre au courant du mouvement de l'intelligence.

Page 212 :

(a) Ainsi d'abord... à leur avenir *éd.*

(b) Quel étudiant... fascina Lucien *éd.*

(c) *ms.* Les journaux s'occupaient d'eux comme des grands intérêts de l'État.

Page 213 :

(a) Être auteur dramatique... désir *éd.*

(b) *ms.* Comme il s'était défendu à lui-même de pénétrer dans le Palais-Royal dont on lui avait parlé comme d'un lieu de perdition et où, pour y avoir mis le pied pendant une journée il avait dépensé cinquante francs chez Véry et près de cinq cents francs en habits, il n'allait pas

(c) *ms.* plus loin que le théâtre et s'en revenait

Page 214 :

(a) Le jeune journaliste... subsistait encore *éd.* : *Ms* Il jetait naturellement les yeux autour de lui et attendait un hasard ; il le cherchait. Enfin, en homme d'esprit et de pensée, il ne voulait pas

(b) *ms.* il résolut de se lier avec quelques-uns des habitués de chez Flicoteaux. Il voyait toujours dans un coin un jeune homme... *Le manuscrit passe alors à la page 224, par la transition suivante :* qui comme lui se trouvait à la bibliothèque Sainte-Geneviève et y travaillait. *Puis Balzac introduit Étienne Lousteau C'est après avoir fait le portrait de d'Arthez et de Lousteau qu'il montre Lucien à la recherche d'un libraire, par la transition suivante :* Lucien, avant de s'adresser à deux jeunes gens qui devaient être ses rivaux, décida, non sans de terribles délibérations, non sans de grandes et affreuses angoisses, à porter ses manuscrits lui-même aux libraires. *Après les portraits de d'Arthez et de Lousteau et la transition qu'on vient de lire, commence un nouveau chapitre du ms. :* III. Deux premières variétés de libraires. *Balzac avait d'abord écrit* Première variété de libraire: *1839* Deux variétés de libraires.

(c) comme si... le seuil des portes *éd.*

Page 215 :

(a) *1839* Instructions morales *(coquille).*

(b) *En marge dans le ms.* L'affiche, création neuve et originale d'un libraire devenu fameux florissait... sur les murs de Paris qui bientôt se bariolèrent

(c) *ms.* Il vint, il monta quelques marches et tomba dans une boutique

(d) *ms.* Porcher

(e) *ms.* Porcher *corrigé en* Porchon

Page 216 :

(a) *Balzac, dans le ms., donne le dialogue sans l'accompagner de :* répondit Vidal, *ou* demanda le libraire... *ou* répondit l'un des deux... *Il en est souvent de même dans l'ensemble du roman. Ces variantes ne seront plus relevées.*

(b) répondit le libraire... au gré du public *éd.*

Page 217 :

(a) et qui sont devenus... magasins *éd.*

Page 218 :

(a) *ms.* Il s'agit de restituer à Catherine de Médicis son véritable caractère.

(b) *ms.* rue des Prêtres, auprès du Louvre

Page 219 :

(a) De la poésie... son arrière-boutique *éd.*

(b) *ms.* Il avisa sur la place du Louvre

Page 220 :

(a) *Au lieu de* Il trouva... du libraire, *le ms. donne :* Il trouva dans la boutique un vieillard vêtu de noir, en bas et en culotte noire, qui tenait le milieu entre le professeur de rhétorique et le marchand, il avait les yeux vifs, le visage creusé, il paraissait bon homme, et cependant il était madré, savant, connaisseur, il avait, disait-on, professé les belles lettres.

(b) *ms.* est présenté sous son véritable jour, où Charles IX est peint contrairement aux opinions vulgaires.

Page 221 :

(a) Lucien donna... mourant de faim *éd.*

(b) il se voyait riche... acquisitions *éd.*

Page 222 :

(a) *ms.* En voyant la rue et surtout l'état de l'hôtel, il se dit.

(b) Voilà comment... notre argent *éd.*

Page 223 :

(a) il est plus facile... laissa échapper *éd.*

Page 224 :

(a) Vous ne trouverez pas... parut humilié *éd.*

(b) *ms. et 1839* Vieil usurier de littérature, dit Lucien quand sa porte fut fermée. *Là se termine dans le ms. le chapitre III. Titre du ch. IV :* Un ami. *Il commence :* Lucien dévora... *Dans 1839, titre :* IV Un premier ami, *après* au Jardin des Plantes.

(c) *Le paragraphe se trouve dans le manuscrit au chapitre II (voir supra p. 214, n. b)*

Page 225 :

(a) de la grandeur... aussi longtemps *éd.*

(b) *ms.* un gilet de drap noir, boutonné

Page 226 :

(a) *ms.* à toutes les peurs dont les hommes solitaires aiment les émotions, et ils tardèrent encore quelques jours à se mettre en communication. *Puis le ms. passe au portrait de Lousteau.*

(b) *Ici commence le deuxième § du ch. IV dans le ms :* Il rencontra dans la rue des Grés le jeune inconnu qui revenait de Sainte-Geneviève et qui lui dit

(c) *ms.* Depuis cinquante jours environ il avait dépensé soixante francs pour vivre, quarante francs à l'hôtel, soixante francs au spectacle... en tout cent-quatre-vingts francs; il ne lui restait plus chez lui que soixante francs.

(d) *ms.* dix ou douze cents : *1839* dix ou douze mille

Page 227 :

(a) surcroît de malheur... ni l'autre *éd.*

Page 228 :

(a) *Le premier nom imaginé par Balzac n'était pas* d'Arthez. *Il est illisible sous les ratures, mais on distingue qu'il se terminait par un d.*

Page 229 :

(a) le plus grand chirurgien... tous les matins *éd.*

Page 230 :

(a) Entrez... le même *éd.*

(b) *ms.* il l'ignore, la femme est pour lui le devoir incarné.

Page 231 :

(a) A de rares exceptions... Angleterre *éd.*

(b) *ms.* Vous aurez les passions du midi, les fautes charmantes et les mœurs catholiques

(c) *ms.* Vous aurez un roman par règne

(d) *ms.* où vous pouvez être original en relevant les erreurs populaires comme dans cet ouvrage où vous rétablirez la grande et magnifique figure de Catherine

Page 232 :

(a) *ms.* Il voulait, comme Machiavel, être un profond historien

Page 233 :

(a) *ms.* Ils s'étaient pris l'un pour l'autre d'une vive amitié. Tous deux étaient nobles de nom et de cœur ; l'un avait noblement consolé l'autre, ils vieillirent de dix ans leur amitié pendant la nuit. *Ces mots terminent le chapitre IV. Titre du chapitre suivant* : V. Les beaux jours de la misère. *Dans 1839 le titre est* Le Cénacle *et le chapitre se termine à* refondre son œuvre.

ms. Lucien se mit à refondre son œuvre. Mais comment attendre le résultat de ce travail ? Il écrivit une lettre collective à sa mère, à sa sœur et à David Séchard son beau frère, un chef-d'œuvre de sensibilité, de bon vouloir, un horrible cri de détresse (*cf. infra p. 807*). *Suivent les réponses d'Ève et de David, et c'est ensuite que Balzac nous présente le groupe de d'Arthez.*

(b) *1839* Heureux d'avoir trouvé dans l'immensité parisienne... le poète de province

Page 234 :

(a) Heureux... plusieurs succombèrent *éd.*

Page 235 :

(a) *Le ms. se borne à nommer* Bianchon alors interne de l'Hôtel-Dieu. *Il ne contient pas les portraits de Giraud, de Bridau, de Ridal.*

Page 237 :

(a) *1839* Il est aussi actif... à ses intérêts. Il a le masque rabelaisien, il ne hait pas

Page 238 :

(a) *Dans le portrait de Meyraux, lequel suit immédiatement le nom de Bianchon, on ne lit pas dans le ms. :* contre le panthéiste, qui vit encore et que l'Allemagne révère. *Après ce portrait vient celui de Louis Lambert :* Puis un des esprits les plus extraordinaires de ce temps, mais qu'une mort anticipée allait ravir au monde intellectuel, Louis Lambert.

(b) *ms.* A ces trois hommes immenses, dont deux étaient marqués par la mort, dont l'autre est aujourd'hui l'un des flambeaux de l'école médicale de Paris, il faut joindre un de ces poètes inconnus, Michel Chrestien

Page 239 :

(a) *ms.* Il mourut pour d'autres doctrines que les siennes. Sa fédération n'était pas la république, elle menaçait beaucoup plus l'Europe. Il fut pleuré

(b) *1839* à ce politique inconnu

(c) *Cette description du Cénacle se réduit dans le ms. aux lignes suivantes :* Ces cinq personnes composaient un Cénacle sans célébrité, mais réalisaient les plus beaux rêves du sentiment. Cinq frères, tous d'égale force dans des régions différentes, s'éclairant mutuellement avec bonne foi, se disant tout, même leurs pensées mauvaises, tous d'une instruction immense et s'étant tous éprouvés. Durant une vingtaine de jours, Lucien

(d) *1839* pour l'absolutisme

Page 240 :

(a) *1839* Les conversations ondoyantes étaient pleines... elles embrassaient

(b) *1839* Les mots étaient légers à la manière des flèches qui peuvent aller à fond tout en allant vite.

(c) *1839* apporte

Page 241 :

(a) *1839* Ils se savaient incapables d'une lâcheté, tous pouvaient se défendre en conscience, opposer

(b) *1839* et incapables de se méprendre sur les choses de sentiment... tout penser, tout dire en arrivant sur le terrain

(c) *1839* de leur parole. Leurs relations étaient sûres, leur esprit...

(d) malgré le péril de la démarche *manque dans 1839.*

Page 242 :

(a) *1839* Là cinq frères

(b) *1839* tous d'égale force

(c) *1839* Si donc Paris était un désert, Lucien y avait une oasis rue des Quatre-Vents. *Titre VI* Les fleurs de la misère.

(d) *1839* Lucien avait employé... pour avoir un peu de bois ; il était resté

Page 243 :

(a) *ms.* une chanson. Ces grands esprits étaient pleins d'indulgence pour Lucien, ils concevaient les faiblesses... *Le texte intermédiaire est une addition de 1839 mais les lignes* Daniel d'Arthez, lui, ... de méthode *sont transposées, avec quelques variantes (cf. infra, surp. 247 n. a).*

(b) *ms.* Ils avaient compris son dénûment, et trois jours avant la réception des lettres dont le retard était facile à concevoir, le cénacle avait couronné

(c) *ms.* qui prouve combien Lucien avait mis peu d'exagération en peignant ses amis à sa famille.

Page 244 :

(a) *Les deux lettres se trouvent dans le ms. placées avant la description du Cénacle. Le paragraphe* Pour faire... sa détresse, *qui les introduit, apparaît dans l'éd. 1839.*

(b) *ms.* de M. Daniel d'Arthez, de M. Louis Lambert, conseillé par M. Meyraux et M. Bianchon : *1839 om.* et Ridal.

Page 247 :

(a) *Après la lettre d'Ève, le ms. donne :* Ces lettres jettent quelque jour sur la vie de Lucien pendant le mois de décembre ; Lucien avait employé le reste de son argent pour avoir un peu de bois, et il était resté sans ressource au milieu du plus ardu travail, celui du remaniement de son œuvre. Il voyait presque tous les jours Daniel d'Arthez qui, lui, brûlait des mottes... *(ici trois lignes qui ont été transposées* p. *243, a). Vient ensuite la description du Cénacle. Puis le ms. enchaîne :* Deux jours après, Lucien

(b) *ms.* plus belle. Le matin, avant l'heure de la poste, il était allé, jusqu'à la place du Louvre pour vendre l'Archer de Charles IX aux conditions proposées par Doguereau, mais il ne l'avait pas trouvé. Cependant il fallait prendre un parti. *Ici quelques lignes qui ont été reprises dans le texte définitif* p. *248 : Chrétien, ni Bianchon, ni d'Arthez ne peuvent aider Lucien auprès des libraires* et Lucien arriva bientôt à un désespoir intérieur qu'il cachait soigneusement à ses amis. Son esprit méridional si facile à parcourir le clavier des sentiments et si mobile lui faisait prendre les résolutions les plus contraires. Paris était un désert où se trouvait pour lui une oasis, rue des Quatre-Vents. *Puis commence dans le ms. un nouveau chapitre :* VI. Le Journal. Dans ces tristes circonstances, Lucien dont l'esprit s'était dégourdi... *voir p. 251.*

Page 249 :

(a) *1839* arrive à tout oser. — Cette maxime... se comprend *add. de 1843.*

Page 250 :

(a) Le journalisme... de Virgile, *add. de 1843.*

Page 251 :

(a) *1839. Titre du chapitre* VII. Les dehors du journal (*ms.* VI. Le Journal).

(b) *ms.* Dans ces tristes circonstances, Lucien dont l'esprit s'était dégourdi... et qui s'était mis au courant des plaisanteries... eut l'idée d'aller demander... de la Presse. *Le reste jusqu'à*... la rue des Quatre-Vents *comme dans le texte définitif : 1839* L'esprit de Lucien s'était dégourdi... il avait étudié... il était sûr... il s'était essayé...

Page 252 :

(a) *ms.* A plusieurs reprises il avait parlé de se jeter dans les journaux et toujours ses amis lui avaient dit : Gardez-vous-en bien (*repris p. 249*). Mais il fallait vivre. Lucien avait épuisé sa dose de patience durant ces deux mois de privations. Puis l'effroi de ses amis pour les journaux avait donné l'attrait du fruit défendu à la tentative qu'il allait faire. En proie

(b) *ms.* l'administration du Timbre. Puis, derrière le grillage, un seul et unique personnage, vieil officier : *1839* derrière le grillage un personnage officiel

Page 253 :

(a) *ms et 1839* pour la Montessu.

(b) Mais si... dans un coin *éd.*

(c) Ces paroles... de l'hyène *éd.*

Page 255 :

(a) et gardant le poste... par l'Empereur *éd.*

Page 256 :

(a) *le ms. donne ce texte sans les inversions absurdes qui parodient le style d'Arlincourt.*

(b) *ms.* d'un nom fameux qui ne sera jamais ni célèbre ni illustre.

Page 258 :

(a) *FC* du 29 au 30 : *éd. ant.* entre les 29 et les 30

(b) *ms.* rue Feydeau nº 7.

(c) *ms.* Ça n'était pas connu. *Les trois pages qui suivent, jusqu'à* Lucien courut... *manquent dans le ms.*

Page 259 :

(a) *1839* Monsieur, dit Lucien poussé... et voulait sortir, je viens

(b) *1839* Bien dit, mon petit péquin, reprit l'officier en frappant sur le ventre de Lucien, mais dans quelle classe voulez-vous entrer? Il alluma son cigare

(c) *éd.* il se donne les gants d'être un homme d'esprit.

Page 260 :

(a) il entretient une actrice *add. de 1843.*

(b) tu n'as pas soutenu l'empereur, *add. de 1843.*

(c) ils disent que c'est le plus spirituel *éd.*

Page 261 :

(a) *1839* Le journal était celui d'Étienne.

(b) *1839. Titre de chapitre* VIII. Les sonnets : *ms.* Lucien alla dix fois... Finot venait de sortir. Enfin il renonça. *Titre de chapitre* VII. Les sonnets.

Page 262 :

(a) *ms.* qui tournait le loqueteau. Depuis sa déconvenue, Lucien avait plus d'une fois espéré renouer avec le jeune journaliste. Le nom de Finot était tombé de sa bouche. Il s'en était souvenu. Il quitta donc

(b) *ms. et 1839* dans cette partie déserte du Luxembourg située entre... et la rue de l'Ouest. A cette époque, la rue de l'Ouest était... sans maison. Il ne passait personne dans cette allée qui borde la pépinière, et les confidences s'y faisaient aux heures solitaires. Au moment où Paris dîne, il y avait si peu de chances d'y trouver compagnie que deux amants

Page 263 :

(a) *ms.* Émile Lousteau

(b) *ms.* rédacteur du Courrier des théâtres.

(c) *ms. Balzac a d'abord écrit* rivaliser avec, *puis il a effacé* avec.

(d) *ms. et 1839* Victor Hugo a pris l'ode, Lamartine le discours en vers par ses Méditations, Béranger la chanson, Casimir de Lavigne la tragédie : *1843* Victor Hugo a pris l'ode, Canalis le poème. *Le texte actuel est celui de FC.*

Page 264 :

(a) *ms. et éd.* Lamartine et Victor Hugo, *FC* Canalis.

Page 265 :

(a) *ms.* percent. Soyez romantique : *1839* Quoique protégés par la cour et par le clergé. Lucien fut interdit et arrêté dès le premier pas ; il fallait opter entre deux bannières. Il tenait son manuscrit déroulé sans oser le lire. — Bah ! des sonnets, c'est de la littérature d'avant Boileau. Soyez romantique.

(b) *ms. et 1839* Lucien lut les deux sonnets qui servaient d'inauguration au titre. (*1839* qui justifiaient...)

(c) *L'épreuve conservée* Lov. A 229 *portait un titre :* Premier sonnet. La Paquerette. *Mais il se trouvait que le deuxième tercet était rejeté au haut de la page suivante. Cette disposition parut intolérable à Balzac, qui écrivit sur l'épreuve :* Charles, on ne peut pas, mon vieux, couper des sonnets, il faut les voir dans leur entier puisque leur mérite vient de leur disposition. Ainsi, faites revenir le dernier tercet du premier dans cette page au moyen de suppressions. *Dans 1839 la mise en page tient compte de la note de Balzac en laissant en blanc tout le bas de la page précédente. — Ce sonnet n'est pas dans le manuscrit. Il apparaît dès 1839, dans le texte actuel. Mais Lassailly avait d'abord présenté à Balzac un texte différent sur lequel le romancier fit des observations que l'on reproduit ici avec les variantes :*

1. Balzac avait blâmé des prés, *car, dit-il*, elles sont toutes dans les prés.

2. Parlent à l'âme humaine en chacun de ses vœux. (*Balzac :* ce vers-là ne contient pas de pensée).

3. Charmantes à la fois pour le cœur et les yeux (*Balzac :* Cheville).

4. D'où savez-vous ainsi toutes nos sympathies ?

5. Vos étamines d'or et de perles serties. (*Balzac :* L'or est au fond ; c'est l'or qui est serti de perles ; ce sont les perles qui font la collerette).

6. Luisent du double éclat que l'on aime le mieux. / Puis une veine rouge au sens mystérieux, / Nous révèle en vos fleurs (*Balzac :* cheville) nos peines ressenties.

9. Vous renaissez au jour où, dehors du tombeau /... Fit pleuvoir des trésors...

12. L'automne vous retrouve, ô filles du printemps, / Sur ses gazons déserts, plus chères et fidèles ; / Mais, hélas ! l'homme tombe au premier choc des vents (*Balzac :* La pensée n'est pas exprimée dans le tercet, et le trait final n'est pas digne d'un sonnet).

Page 266 :

(a) Lucien fut piqué... pensa-t-il *éd.*

(b) *L'autographe de ce sonnet, de la main de Delphine de Girardin, est conservé dans le dossier Lovenjoul A 256, fº 214. Le fº 213 est le brouillon informe d'un sonnet où l'on distingue que Balzac a voulu parler d'une fleur.*

Page 267 :

(a) *ms.* Quand il eut fini, le poète regarda son aristarque. Émile Lousteau avait les yeux fixes, il contemplait les nuages dans le ciel. — Un autre, dit-il brusquement. Lucien lut le suivant. Troisième sonnet. Le camélia.

Page 268 :

(a) *ms.* Eh bien, dit-il à son juge. — Lisez encore. Lucien reprit le manuscrit et choisit celui qu'il préférait. Quatrième sonnet. La tulipe : *1839* Que pensez-vous... demanda formellement Lucien. — Ils semblent faits capricieusement et à des époques différentes, dit Lousteau. Mais lisez-m'en un autre encore ? ajouta-t-il en faisant un geste de doute. Encouragé par cette demande

Page 269 :

(a) *ms. om.* Eh bien... démesurée. *Le ms. met à cet endroit, en marge :*
VII Un bon conseil : *1839* IX. Un bon conseil.

(b) *ms.* Émile Lousteau

(c) *ms.* une place quelconque, petit clerc d'huissier, commis si vous
avez des protections. Vous pouvez devenir un grand poète, mais
avant

(d) *ms.* Vos intentions sont d'après vos déclarations d'y trouver
de l'argent ; je ne juge pas votre poésie. Elle vaut la poésie qui encombre
les magasins de la librairie et qui de ses boutiques fait un long pèlerinage sur les quais de Paris depuis l'étalage du père Jérome... jusqu'au
Pont-Royal.

Page 270 :

(a) Vous rencontrerez..., du titre *éd.*

(b) Vous vous mêlerez... comme un génie *éd.*

Page 271 :

(a) *ms.* La vie littéraire a ses coulisses. Vous êtes encore au parterre.
Il en est temps encore. Abdiquez avant de mettre un pied sur le trône

(b) *ms.* Les comédiens ne cèdent qu'à la peur.

(c) Si vous aviez... trop d'amis *éd.*

(d) *ms.* Où gagner mon pain ? Le journalisme nourrit son homme.
Mais comment ? Je ne vous raconterai pas

(e) ni six mois... avanies *éd.*

(f) *ms.* Je fais au Courrier des théâtres, dont Finot

(g) *ms.* dont Finot... est propriétaire et rédacteur en chef.

Page 272 :

(a) *ms.* la Mixture brésilienne, la pâte pectorale de Regnault :
1839 la Mixture brésilienne, la Pâte de mou de veau

(b) Publia-t-il... ou corrompu, *éd.*

(c) Aussi mes revenus... chez Flicoteaux *éd.*

(d) Les actrices... des célébrités, *add. marg. du ms.*

Page 273 :

(a) Quand au lieu... honnête homme, *add. marg. du ms.*

(b) *Le ms. a d'abord :* une actrice de l'Ambigu Comique. *Balzac corrige et écrit :* du Panorama dramatique.

(c) *ms.* la main d'Émile

(d) Canalis et Nathan... un autre hasard *éd.*

Page 274 :

(a) *ms.* dans ce Paris

(b) Une vision... lamentation *éd.*

(c) *ms. et 1839* dont ils espèrent (*1839* dont chacun espère) être le Calaf.

Page 275 :

(a) *1839* de lui tendre et de lui serrer encore la main.

(b) Moi qui vous parle... maçons *éd.* et par : *le ms. donne seulement :* Arrivés au port, ils oublient les chagrins de la navigation.

Page 276 :

(a) *ms.* comme un nouveau venu de Limoges, un Saint-Jean-Verdelin (*corr.* Félicien Vernou) qui dîne parfois encore chez Flicoteaux, mais qui fait déjà de la politique au *Courrier* et qui s'apprête à passer dans un journal ministériel : *1839 a le texte définitif sauf* de la politique au Courrier et qui s'apprête... ministériel.

(b) *ms.* Quelques succès littéraires amènent ainsi à Paris des étourneaux enchantés de devenir des aigles et qui ne pouvant être ni marchands de cirage, ni sous-préfets, ni notaires, ni danseurs, ni banquiers, ni officiers, se mettent dans la littérature. Tous ignorent la volonté quadrangulaire, la persistance élastique, le courage effrayant, le travail de pioche et de sape nécessaire pour parvenir. Vous me faites pitié.

(c) *ms.* dans ces conseils amers. Non, c'est l'émotion d'une fille en exercice qui n'a pas le cœur assez rouillé pour qu'il ne batte plus à l'aspect d'une blanche et délicieuse innocence sur le seuil de la fatale maison.

(d) *ms.* et ne le diront pas.

(e) et qui ne voudront pas... l'autre vous écrase *éd.*

Page 277 :

(a) *1839-43* René

(b) et que dès lors... ne le sait *éd.*

(c) *ms.* Émile Lousteau

Page 278 :

(a) *ms.* le rédacteur en chef propriétaire d'un petit journal.

(b) Vous savez... le tenter *éd.*

(c) *Ici finit le chapitre VII dans le ms.*

Page 279 :

(a) *ms.* VIII (*1839* : X) Troisième variété de libraire. *On devine sous les ratures le commencement d'un autre titre.* Un libraire célèbre. Première... *Il semble que Balzac ait pensé à un troisième titre* Dauriat.

(b) *ms. et éd.* Lucien : *FC* Le néophyte

Page 280 :

(a) La portière... était sinistre *éd.* — *Le ms. donne seulement* : Il grimpa quatre étages. Au bout d'un corridor obscur, armé des renseignements de la portière, il trouva fort heureusement une porte ouverte, et la chambre classique des débutants littéraires.

(b) Tel était... dans un coin *éd.* — *Le ms. dit :* Aucun objet qui eût de la valeur, des bottes dans un coin

(c) *1839 om.* pour masquer le nu du vice.

Page 281 :

(a) Quelle différence... ce soir *éd.*

(b) *ms.* Émile Lousteau avait un habit boutonné jusqu'au col de velours, un pantalon noir, des bottes bien cirées et brossait

(c) *ms.* le marchand de papier noirci, le débitant de salade.

Page 282 :

(a) *ms.* du Voyage en Égypte, du dernier roman de Victor Ducange, deux d'un commençant, Paul de Kock, deux d'Yseult de Dôle, un joli ouvrage. En tout, quatre-vingts francs, au prix fort.

(b) je vous l'abandonne... milliers de mites *éd.*

(c) *ms.* il enfoncera Lamartine et Victor Hugo.

Page 283 :

(a) *ms.* de bonhomie. Il avait un collier de barbe, et il paraissait bon et facile, tant sa finesse était bien enveloppée d'embonpoint. Depuis environ six ans, il n'était plus commis.

(b) *ms.* comme la Chimie des gens du monde, la Physique en vingt leçons. *1839 au lieu de :* à la portée des enfants *donne* à la portée des ouvriers.

Page 284 :

(a) *ms.* dit Émile

Page 286 :

(a) Je te ferai faire... à Lucien *éd.*

(b) si l'auteur... obélisques *éd. : ms.* si l'auteur est un savant

(c) *1839* On se lamente. La politique nous déborde

(d) *1839 om.* scientifiques parfaitement

Page 287 :

(a) le charme des débouquements... il est servi *éd.*

(b) *ms.* et je broche mon article ; à moins qu'elle ne se soit ennuyée, je dis toujours que le livre est mal écrit, car si elle a été ennuyée

Page 288 :

(a) *ms.* et ils entrèrent dans les Galeries de Bois. *Le ch. VIII se termine sur ces mots. Titre du suivant :* IX. Les Galeries de Bois. *Le chiffre IX est écrit au dessus de ratures où l'on distingue un* VII *ou un* VIII *(1839* XI. *Les Galeries de Bois)* A cette époque les Galeries... des curiosités européennes, et... ce lieu bizarre qui pendant trente-six ans a joué un rôle dans la vie parisienne.

(b) *1839* Les boutiques de la rangée sise au milieu donnaient... ne tiraient leur jour que des vitrages, et leur air que de la méphitique atmosphère des deux galeries, hautes d'environ douze pieds. Ces boutiques, ou plutôt ces alvéoles... que la largeur de certaines n'excédait pas six pieds, la longueur huit à dix, et leur location coûtait mille écus. Les rangées éclairées sur le jardin et sur la cour

Page 289 :

(a) *ms.* La rangée qui donnait sur le jardin était protégée par un petit treillage vert et il y avait entre les murs en planches et en mauvais platras et le treillage un espace de deux ou trois pieds. — Les boutiques... un dahlia *éd.*

(b) *1839* des rechampissages

(c) *1839* Ainsi des deux côtés les Galeries étaient annoncées par une infâme et nauséabonde bordure qui semblait

(d) mais les gens délicats... comme aujourd'hui *éd.*

(e) *ms.* On y pénétrait par les galeries de pierre dont les deux péristyles actuels avaient été commencés par le duc Égalité et abandonnés faute d'argent.

Page 290 :

(a) *ms. et 1839* dont Paris entoure

(b) où depuis la Révolution... temps de pluie *éd.*

Page 291 :

(a) *1839 om.* Là se sont vendue.... d'un roi.

(b) le premier coup... Louis XVIII *add. FC*

Page 292 :

(a) et comme enflammées... Une grisette *éd. : le ms.* et par l'habitation. Outre les librairies, il y avait un nombre considérable de modistes dont les boutiques étaient pleines de chapeaux et de filles égrillardes. On y raccrochait les femmes par des paroles astucieuses comme à la Halle. Une fille

(b) *1839* en rouge sur un transparent

Page 293 :

(a) *ms.* qu'il défendit en 1814, mêlé aux

(b) *1839* Thérèse Aubert

Page 294 :

(a) *ms.* à l'heure où la Bourse qui se tenait au rez-de-chaussée du Palais-Royal faisait refluer les spéculateurs sur ces deux abris. Mais ce lieu brillait de toute sa poésie à l'heure où la lumière était nécessaire. : Dès que la foule... du jour *éd.*

(b) *ms.* le Palais signifiait le Palais-Royal qui fut célèbre par ses maisons de prostitution et ses belles femmes de 1790 à 1826. : *1839* Les Galeries de Bois étaient le Palais par excellence, mot qui signifiait le Temple de la Prostitution.

Page 295 :

(a) *ms.* Le fameux libraire Ladvocat s'établit à l'angle... mais Dauriat, l'un de ses concurrents, maintenant oublié, jeune homme audacieux, l'y avait précédé.

Page 296 :

(a) *ms.* comme le chien d'un aveugle et se trouva seul, son manuscrit sous le bras. La foule l'entraîna, il suivit le torrent... Il se croyait harcelé... des femmes, ses yeux tombaient sur des rondeurs... qui l'éblouissaient. Il se sentit pris par un bras et reconnut son ami Lousteau qui lui dit... et il le fit entrer dans la boutique. *Ici se termine le ch. IX.*

Titre du suivant : X. Physionomie d'une boutique de libraire aux Galeries de Bois. *Mais Balzac avait d'abord écrit* VII *et un autre titre :* 1839 XII *et même titre. On a par la force des choses, dans la présente édition, reporté ce titre au début du paragraphe.*

(b) *ms. et* 1839 La boutique était pleine de gens qui causaient en attendant le moment de parler au pacha

Page 297 :

(a) *ms.* un beau jeune homme de vingt-deux ans

(b) Du Bruel... puis Finot 1843

Page 298 :

(a) *ms.* Il achète le Mercure de France. Il veut le renouveler

Page 299 :

(a) dit Blondet... sous la bonhomie *éd.*

(b) *ms.* Voulez-vous, l'article a paru, je ne paraîtrai plus le demander, nous serons à l'aise... voulez-vous...

Page 300 :

(a) les Fiévée, les Geoffroi *éd.*

(b) *ms. et* 1839 Lucien, si grand dans sa province, si fêté, si caressé, se trouva là comme un embryon.

Page 301 :

(a) *ms.* et des affaires en attendant la fin de la conférence, car le Mercure avait le droit de parler politique.

(b) Il accusait... en lui-même *éd.*

(c) *ms. et* 1839 ressentait

Page 302 :

(a) *ms. et* 1839 M. de Lamartine de qui Dauriat avait un volume.

(b) *ms.* Aussi attendait-il impatiemment sa sortie. *Ici finit le chapitre* X. *Titre du suivant :* XI. Quatrième variété de libraire. *Sous les ratures on lit :* VIII. Deuxième... : 1839 Il attendait impatiemment son apparition. XIII. Quatrième...

(c) *ms.* Me voilà propriétaire du Mercure de France

Page 303 :

(a) *ms.* Théodore Leclercq, Fiévée, Lousteau, Vernou : 1839 *om.* Jay, Jouy.

(b) *ms.* lion : *éd.* vizir : *FC* padischa

(c) Oui... à Gabusson *éd.*

Page 304 ;

(a) il y aura... reprit Dauriat *éd.*

(b) depuis deux ans *add. FC.*

(c) demanda Lucien... des Débats *éd.* : *1839* le terrible Blondet

(d) *ms.* je fais des affaires

Page 305 :

(a) et pour en donner... des manuscrits *éd.*

(b) Je passerais... tragédies classiques *éd.* : *ms.* Je ne ferais que les écouter.

Page 306 :

(a) *ms.* de Lamartine, de Victor Hugo et de Casimir Delavigne : *1839* le succès de lord Byron a produit. Sa gloire

(b) *ms.* cent volumes

(c) qui commencent... Depuis deux ans *éd.*

Page 307 :

(a) Il ne peut... et Victor Hugo *1839* : Car Canalis... articles *FC.*

(b) *1839* son poitrail

Page 308 :

(a) *ms.* dignes de Pétrarque. — Eh bien je le lirai. Si c'est beau, je ferai de vous un grand poète.

Page 309 :

(a) *ms.* et qui devait mourir désolé de son œuvre. XII (*1839* XIV). Les Coulisses.

Page 310 :

(a) *ms. et 1839* il a autant d'avidité que Barbet, mais elle

(b) *ms. et 1839* Ah, Dauriat, nous nous en moquons tous.

(c) *ms.* il a besoin des journalistes. Émile Blondet rit de lui à sa barbe.

Page 311 :

(a) Plus le livre... du Temple *1843*

Page 312 :

(a) *ms. et 1839* Le Panorama-Dramatique était un théâtre aujourd'hui démoli, remplacé par une maison en face de la rue Charlot, sur le Boulevard du Temple. Ce fut une charmante salle de spectacle, mais où deux

(b) *ms. et éd.* Bouffé : *FC* Vignol.

(c) *ms.* dix ans

Page 313 :

(a) Les auteurs... problématique *éd.*

(b) *ms.* sur la pièce qui se donnait ce jour-là. Elle était d'un jeune auteur.

(c) *ms.* Cette pièce était le début de Florine qui avait été jusqu'alors comparse à la Gaîté et qui depuis un an jouait des rôles à l'Ambigu-Comique. Quand les deux amis

Page 314 :

(a) *ms.* très estimée de lord Byron et de Walter Scott : *1839 omet également* Nodier.

(b) *ms.* qui préparait une entrée et qui écoutait ce qui se disait en scène : *1839* qui préparait une entrée en écoutant les acteurs en scène.

Page 315 :

(a) *ms.* rue de Bondy, 54.

(b) *ms. et 1839 om.* de la scène dans la coulisse.

(c) *ms.* la Gazette et le Miroir se donnent..., dit Félicien.

Page 316 :

(a) Le matin... sont gris *éd.*

(b) *ms.* Tiens, Coralie est déjà guérie de son amour.

Page 317 :

(a) *ms.* par un russe... dit Coralie. Nous avons été dix jours... et il a payé une indemnité à l'Administration. Florine est bien plus heureuse, elle a fait un riche droguiste de la rue des Lombards, un monsieur Matifat qui est millionnaire, embêté de sa femme. Est-ce heureux ! : *1839* aux oreilles. Est-ce un prince indien ? — Non, c'est un marchand... mais il est déjà parti ! N'a pas qui veut, comme Florine un riche droguiste de la rue des Lombards, un millionnaire embêté de sa femme. Est-elle heureuse !

(b) *ms.* Elle leur a montré sa gorge, qui est superbe, c'est sa grande ressource, dit une autre actrice : *1839* dit la paysanne.

(c) le vrai Blondet... enfin Blondet *1843*

Page 318 :

(a) *ms.* Florine avait alors seize ans, elle était maigre, sa beauté était une beauté pleine de promesses, qui ne plaît qu'aux artistes, elle avait dans les traits

(b) *ms. et éd.* cent mille

(c) *ms.* Florine en Andalouse, car la pièce était un imbroglio espagnol et elle faisait le rôle de la fille d'un alcade.

(d) *ms.* et *1839* dans dix ans

(e) *ms. et 1839* Qui nous a décroché

(f) *ms.* car il est gentil : *1839* il est gentil comme un dieu mythologique.

Page 319 :

(a) *ms. et 1839* Cela lui sera difficile, s'écria Félicien Vernou.

(b) *ms.* Oh ! il fait mon bonheur. — Oui, mais : *1839* j'ai envie de le payer. — Oui, mais

Page 320 :

(a) *ms.* XIII. Projets sur Matifat. *Un autre chiffre et un autre titre ont été barrés : 1839* XV. Utilité des droguistes.

(b) *ms. et 1839* qui protégeait Coralie, une admirable personne (*1839* créature) engagée au Gymnase (*om. 1839*), amie de Florine et qui jouait aussi dans la pièce de Dubruel. Ces deux (*1839 add.* bons) négociants... *Le personnage de Cardot n'apparaît ni dans le ms., ni en 1839, mais dans les corrections d'un jeu d'épreuves conservé Lov. A 229.*

(c) *ms.* Il y avait dans une loge un Directeur général et sa famille, le protecteur de Dubruel dans une administration. Lucien (*1839* de Dubruel casé par lui dans)

(d) *ms.* La vie littéraire qu'il avait vue si pauvre, si dénuée depuis quinze jours et qu'il avait trouvée horrible

Page 321 :

(a) Cette représentation... cent mille écus *éd.*

Page 322 :

(a) *ms.* Le journal se terminait par les cent francs de Barbet dans la boutique de Dauriat, et il s'agissait de fortune à faire. Le théâtre, argent! l'amour, argent! et argent pour Florine, argent pour le directeur, argent pour l'auteur. Ces coups

(b) *ms.* il a des lettres suppliantes de tous les plus beaux génies de l'époque.

(c) où plusieurs génies... répondit Étienne *éd.* (qui se rappela... la Rédaction *1843*).

(d) *ms. et 1839* La toile se levait. Le directeur sortit et alla

Page 323 :

(a) *ms.* pour vingt-cinq mille francs

(b) ainsi tu peux... par mois *éd.*

(c) *ms.* au Constitutionnel

Page 324 :

(a) *ms. et 1839* un projet dont on parle en haut lieu.

(b) *ms.* Il faut une révolution pour que j'arrive, ou des millions. Si je me nommais, comme ton ami, monsieur de Rubempré

(c) *ms.* Oui, l'on lésine avec moi pour les loges et l'on ne veut pas me prendre cinquante abonnements. Je veux... abonnements : il les fera prendre par le corps de ballet, par l'orchestre et par le chant. Et quatre loges par mois. Mon journal sera à huit cents et je sais : *1839* on les distribuera... Puis il me faut quatre loges.

Page 325 :

(a) *éd.* fait Coralie sans s'en douter et (*1839* a fait)

Page 326 :

(a) *ms.* vingt-cinq mille francs à ce droguiste... d'acheter trente

(b) *ms.* à en discuter la moralité.

(c) vous barbotez... concupiscence *éd.*

Page 327 :

(a) et s'amuse... arrondissement *1843*.

(b) *ms.* avant de les gagner. Un sous-préfet... appointements. Vous aurez

(c) *ms.* vous pourrez coucher avec toutes les actrices des quatre théâtres successivement.

Page 328 :

(a) *ms.* pour y pénétrer. Vous avez pendant bien longtemps de l'esprit sans qu'on vous en reconnaisse.

(b) nous serons... pour dettes *éd.*

Page 329 :

(a) *ms.* à cent mille francs ; avec les contributions qu'il en tire il se fait vingt mille francs par an.

(b) Aurez gagné cent mille francs *éd.*

(c) *ms.* Lousteau, livre-moi cet homme-là.

Page 330 :

(a) *ms.* vingt mille francs.

(b) *1839* ni les affaires. Vous croyez que cet homme aura une nuit agréable, il va être scié...

(c) *ms.* du monde comme il était et qu'il voyait pour la première fois : *1839* du monde comme il est, aperçu pour la première fois

(d) la cuisine *éd.*

Page 331 :

(a) *1839* monotone pendant deux mois. *Le ms. n'a pas les six dernières lignes et donne* : se rejoindre. Il était dans une pose de méditation, appuyé sur le coin de la loge, le bras sur le velours rouge du devant, les yeux fixés sur la toile. *Fin du chapitre. Titre du suivant* XIV (*1839* XVI). Coralie.

(b) *ms.* scintilla sur l'œil inattentif de Lucien et troua... : *1839* scintilla et troua

(c) *1839* l'honnête jeune homme

Page 332 :

(a) Cette conduite... très digne *1843* (néanmoins *FC*).

(b) *ms.* de Paris, mais qui mourut deux ans après (*1839* neuf mois après, à vingt ans) à la fleur de l'âge et de la beauté, comme madame Perrin et comme mademoiselle Fleuriet.

Page 333 :

(a) *ms. et 1839* Elle avait une sublime figure hébraïque

(b) *ms.* d'une coupe, et quasi transparent comme de la porcelaine éclairée, des paupières chaudes, brûlées par une prunelle de jais qui se devine sous des cils recourbés, un regard languissant, mais où brillent à propos les ardeurs du désert, les yeux entourés d'un cercle olivâtre, un nez fin, ironique, des sourcils arqués et fournis, un front... vernis. Là siège une magnificence de pensées qui ferait croire que la

plus sotte créature a du génie. Coralie était sans esprit, comme beaucoup d'actrices, sans instruction, elle avait l'esprit des sens, la bonté
des femmes amoureuses. *De même 1839 sauf :* siégeait... aurait pu
faire croire... avait du génie... mais elle avait l'esprit...

Page 334 :

    (a) *ms. et 1839* des jambes puissantes et d'une élégance adorable.

    (b) *ms.* En voilà une: elle est plus belle que Florine que j'enviais
à Lousteau. Pourquoi ? Je serais un niais. Les plus grands seigneurs...
à ces femmes-là, sans se souvenir de la veille ni du lendemain.

Page 335 :

    (a) *ms. et 1839* Votre beauté, digne du Bacchus indien et de l'An-
tinous, fait un ravage inouï.

    (b) *ms.* cent mille francs (*éd.* trente : *FC.* soixante) de sa beauté.
Le Gymnase lui a fait faire des propositions ce matin.

    (c) *ms.* a été la voir

Page 336 :

    (a) Le journal est toujours... du soir *1839.* : on nomme... manque
toujours *1843.*

    (b) *ms.* cru Zoé

Page 337 :

    (a) quels hommes... l'huile manque *éd.*

    (b) *ms.* il

Page 338 :

    (a) De Cursy *n'apparaît que dans FC. Ms. et éd.* Raoul et Dubruel.

    (b) *ms. et 1839* les deux actrices auxquelles il disait des gaudrioles.
Matifat

    (c) *1839* Car il y avait respiré

    (d) Les coulisses... ivresse joyeuse *éd.*

Page 339 :

    (a) *ms. et 1839* il descendit du cintre une lanterne.

    (b) *ms.* Coralie se serrait contre lui avec la volupté

    (c) *ms.* Florine inaugure son nouvel appartement.

    (d) *ms. et 1839* Camusot

Page 340 :

(a) M. Cardot qui... ses socques *1843*

(b) Il n'y a que... d'une robe *éd.*

Page 341 :

(a) *ms.* d'une voix qui se mettait à genoux

(b) *ms.* rue de Bondy, chez Florine, dit Camusot. Le fiacre attendit à cause de l'affluence des cabriolets et des voitures. Tous les convives venaient en même temps. *Raturé sur A 229* [2] *qui y substitue le texte définitif.* — *ms. et 1839, titre de chapitre* : XVII. Comment se font les petits journaux.

(c) *ms. et 1839* Matifat était seul dans l'antichambre. Florine s'habillait et Coralie alla la rejoindre et faire sa toilette qu'elle y avait envoyée. Lucien nouveau débarqué ne connaissait pas (*1839* rejoindre son amie dans sa chambre à coucher). *Ici commence le fragment publié dans* l'Estafette *du 8 juin 1839.*

Page 342 :

(a) Voilà pourtant... père Cardot *1843*

Page 343 :

(a) *ms.* la plus jolie danseuse de ce temps-là se précipita dans le salon de Florine, mise adorablement, et dit à Finot : *1839* de ce temps, Maria, se précipita. *Dans la suite, lire partout* Maria *dans le ms. au lieu de* Tullia.

Page 344 :

(a) *ms.* mais le ministre y est. *Le duc de Rhétoré ne figure pas dans le ms. Il apparaît pour la première fois dans A 229*[2]. *Comme pour Cardot, on ne signalera plus dans la suite les variantes qui résultent de sa présence dans le roman.*

(b) (maie laurt Querdôtge) *FC.*

(c) *ms.* excité par tout ce qu'il voyait,

Page 345 :

(a) *ms.* l'Alcade de Badajoz.

Page 346 :

(a) Quel charmant sourire... constitutionnel *éd.*

Page 347 :

(a) Ah cette fille... au boulevard *éd.*

(b) où il y a de l'étoffe... devenir chatte *éd.*

(c) *ms.* torches.

Page 348 :

(a) sans avoir fait... à la Chambre des députés *1839-1843.*

(b) *ms. et éd.* ces yeux qui filtrent le soleil

(c) *1839* et l'auteur est d'ailleurs un homme d'esprit qui a visé le succès... et qui a failli... ce qui prouve que la pièce est excellente.

(d) *ms. et éd.* Dubruel.

Page 349 :

(a) Quant aux... limpide *1839*

(b) *ms.* il est du Potelet. Il était quelque chose comme porte-queue... Il renie... mais il chante encore ses romances.

(c) assez sottes... Figaro *FC*

Page 350 :

(a) *ms.* et le journal ne paraîtrait pas : *1839* et adieu votre typographie, plus de journal.

Page 351 ;

(a) Une dame... monarchiques *éd.*

(b) dit-il en se tournant... cria Matifat *éd.*

Page 352 :

(a) *ms.* et *1839* de l'autre, Finot. *Ici, dans le manuscrit, nouveau chapitre :* XIX. Le souper (*d'abord écrit XVIII*). *Dans 1839* XVIII *et même titre.*

(b) Tu as donc *fait*... d'épaules *éd.*

Page 353 :

(a) *ms.* et dont Camusot, en sa qualité de négociant faisant fabriquer à Lyon avait la primeur.

(b) *ms.* En se mettant à table elle dit à Lucien : Tu m'as donné les prémices de ta plume, tu auras celle de mon âme (*transposé avec variantes* p. *341*). Quel mot pour un poète ! Camusot n'était plus rien. Les corruptions les plus horribles sont celles qui sont parées de fleurs aussi belles.

(c) au-devant duquel... bon garçon *éd.*

(d) qui devait... avait abreuvé *éd.*

Page 354 :

(a) *ms. et 1839* par deux regards et deux phrases

(b) *ms.* à mademoiselle Maria mais rassurez-vous

Page 355 :

(a) pour arriver au corps diplomatique, dit Lousteau *1843*

Page 356 :

(a) *ms.* Tu es directeur et propriétaire, gros entrepreneur

(b) *1839* Il a raison, dit Claude Vignon. Le journal est sans foi ni loi, comme tous les commerces. Tout journal

Page 357 :

(a) *ms.* Il a raison, dit Claude Vignon. Le Journal est lâche, hypocrite, sans foi ni loi, comme tous les êtres collectifs, et Napoléon a donné la raison de cela dans un mot sublime que lui a dicté la Convention : Les crimes collectifs n'engagent personne. Le journal peut se permettre la conduite la plus atroce, personne ne s'en croit sali personnellement. Ainsi, le roi fait du bien. Si vous ne voulez pas que ce soit lui, ce sera le ministre. Si c'est le ministre qui vous déplaît, ce sera le roi. Si le journal publie une infâme calomnie

(b) S'il est puni... il n'aura tort *éd.*

Page 358 :

(a) s'écria Blondet... reprit Vignon *éd.* (*1839* Et le peuple hypocrite, reprit Vignon.).

(b) ce même gouvernement... à Babylone *éd.*

Page 359 :

(a) *ms.* Nous savons tous cela et nous écrivons tous, comme ces gens

(b) *ms.* mais elle attrista Coralie : *1839* mais elle allait à Coralie.

Page 361 :

(a) Ainsi par la bénédiction... que la sienne *éd.*

(b) *ms.* Kirche

(c) *ms.* XX. : *1839* XIX. Un intérieur d'actrice.

Page 362 :

(a) *ms.* C'est un ange de beauté, mademoiselle: *éd.* Quel plaisir... Bérénice.

(b) *ms.* une dizaine de tasses

(c) *ms.* abominablement tachée. Coralie fut déshabillée : *1839* dans sa belle robe, mais perdue, abominablement tachée. Il reconnut

Page 363 :

(a) Ce serait se fâcher... sans excuse *éd.* (*1839* bien des choses nocturnes et contraires à la fidélité).

Page 364 :

(a) La paire de bottes... crevait les yeux *add. marg. du ms.*

(b) de l'honnête marchand... Rien, dit-il, *éd.*

(c) après vous avoir... me soigner *éd.*

Page 365 :

(a) *ms.* Moi, je n'aime pas ces hommes-là, ils ressemblent trop à une femme; et puis, c'est bête encore.

(b) *ms.* paffe *est raturé et non remplacé.*

(c) *ms. et éd.* pour que je file au théâtre.

Page 366 :

(a) qui l'a vendue... un enfant *éd.*

(b) *1839 a plusieurs fois* Branlard.

(c) Pendant que... tout pour elle *éd.*

(d) *éd.* les amours d'une fée et

(e) *ms.* Les plus riches étoffes du magasin de Camusot étaient drapées aux fenêtres.

(f) *ms.* Au pied du lit, la descente était en cygne bordée de martre, et les pantoufles de velours vert de Coralie y parlaient

Page 368 :

(a) Elle était ivre... pauvre homme *éd.*

Page 369 :

(a) et va user... folles journées *éd.*

(b) *1839* moins le ministre, la danseuse et Camusot, tous trois remplacés par

(c) *om.* et par Hector... des Lorettes *éd.*(*1839* le monde exceptionne des femmes entretenues).

(d) *ms.* pendant un an

Page 370 :

(a) *ms.* Finot et Lousteau lui proposèrent d'entrer au journal à la place de Lousteau qui devenait rédacteur en chef, car Matifat avait l'affaire. Matifat dit à ce propos le seul mot spirituel dont il ait été capable durant sa vie. Le droguiste dit que cette affaire était de son ressort, mais on croit qu'il tenait ce mot de Florine. (Matifat dit... de son ressort *transposé avec variantes* p. 378). On t'engage, mon petit, dit Coralie, attends, ils veulent t'exploiter. Nous causerons de cela ce soir. Chacun devine que Lucien ne revint que le lundi fort tard dans le quartier latin.

Page 371 :

(a) Bah, lui répondit Lucien... je ne la quitterai jamais *éd. Le ms.,* *après* le quartier latin, *enchaîne* : XXIII. Une visite au Cénacle. A moins d'être Diogène (*1839* : XX. Dernière visite au Cénacle).

Page 372 :

(a) *ms.* exciter à la fois envie et regrets. D. D.

(b) Il resta... dépravantes *éd.*

(c) *ms.* Un dialogue plein, serré, concis, nerveux, là où il avait bavardé. Ses descriptions

Page 373 :

(a) *ms.* la profonde horreur du Cénacle pour le journalisme, car pour eux le journalisme était un abîme d'iniquités, de trahisons, de mensonges, où l'on comptait les hommes qui pouvaient, comme Virgile aux enfers, y entrer et en sortir purs, protégés par quelque laurier divin. Il trouva Daniel d'Arthez, Michel Chrétien, Léon Giraud, Fulgence Ridal et Horace Bianchon. Il n'y manquait que Meyraux qui... Le désespoir était peint

(b) *ms. et 1839* mes vieux

(c) *ms.* dit Bianchon.

(d) *ms.* l'a fait craquer, dit d'Arthez. — Ou, dit Léon Giraud, l'a exalté

Page 374 :

(a) *ms.* Et que deviendrait la République. — Ah! c'est vrai. — Je venais

Page 375 :

(a) *ms.* Vous n'aurez pas un abonné, ou vous en aurez cinq cents. — Oui, mais ces cinq cents en vaudront cinq cent mille et nous aurons une influence morale.

(b) *ms. et éd.* Tu sens comme une (*ms.* vraie) boutique

Page 376 :

(a) *ms.* elle pleurait comme la Magdeleine, elle avait apporté les chemises, les gants, les cravates, les mouchoirs, elle les avait rangés dans cette affreuse commode.

(b) *ms.* le cilice de la misère *termine le chapitre. Titre du suivant* XXII. Une variété de journaliste. (*Titre barré* Lucien journaliste). Coralie était venue pour dire à Lucien que la société

Page 377 :

(a) *1839* que Camusot l'attendait. *Ici commence, dans 1839, le chapitre* XXI. Une variété de journaliste.

(b) *ms.* quelque invitation particulière à faire, et Lucien voulut consulter Lousteau. Lucien alla dès 8 heures chez Lousteau

Page 378 :

(a) *ms.* dans le corps du journal (*add. marg.* Puis de là nous nous promènerons au Palais Royal où nous rencontrerons Hector Merlin. Il faut l'inviter à cause de madame du Val-Noble chez qui va le beau monde des hommes). Lucien et Lousteau, après leur souper de vendredi et leur dîner au dimanche en étaient à se tutoyer. Votre début, lui dit Florine, a fait

(b) *ms.* rédacteur en chef de notre petit journal, et tu peux avoir tous les théâtres du Boulevard. Finot te donne ce que je n'ai jamais eu, cinquante francs par mois de fixe et cinquante autres francs pour deux articles de deux colonnes par semaine, en outre les articles de littérature payés à part à raison de cinquante sous par colonnes. Tu peux lier Finot par un traité, et en outre il s'engage à te prendre trois feuilles par mois à quatre-vingts francs la feuille dans le journal hebdomadaire. Te voilà du premier coup à la tête d'environ quatre cents francs par mois, sans compter les profits. Tu feras pour deux cents francs au journal de Félicien Vernou. — Vous êtes né coiffé

Page 379 :

(a) *ms.* Mais j'ai promis à Coralie de ne rien conclure sans la consulter, dit Lucien.

Page 380 :

(a) *ms.* Il était malade de son mariage, sans force pour quitter son ménage mais assez poète pour en toujours souffrir.

(b) *ms.* à souper demain. Vous trouverez chez elle... chez Florine, moins le diplomate, et nous jouerons.

Page 381 :

(a) mon petit... mais oui et non *add. marg. du ms.*

Page 382 :

(a) Que devenir... à tous les malheurs *éd.*

(b) *ms.* Il attaquera les princes... il attaquera les renommées... à cause de sa femme. Il ne sera doux... pour personne.

(c) *add. marg. du ms.* Ça vit dans la rue Mandar entre une femme... comme des teignes, et ça veut peindre les salons du faubourg Saint-Germain, les grandes dames, les ducs, les aristocrates, comme si pour se moquer des gens, il ne fallait pas au moins les étudier, les voir. Voilà l'homme qui va beugler après les jésuites, faire croire au retour des droits féodaux, prêcher une croisade en faveur de l'égalité menacée, et qui ne se croit l'égal de personne. S'il était... un optimiste. Ne te marie pas, mon petit, et n'aye pas d'opinion ! car tu vois ce que c'est que de se marier sans savoir où nous portera notre destinée.

Page 383 :

(a) A-t-il du talent... rédacteur en chef, dit Lucien, *éd.*

(b) *Ici se termine le chapitre dans le ms.*

(c) *Titre du nouveau chapitre, ms.* XXIII. De Camusot et d'une paire de bottes : *1839* XXII. Influence des bottes sur la vie privée. *Dans le ms. le chiffre est chargé de ratures. On croit lire* XVII *ou* XVIII.

(d) *ms.* Il avait déjà soif des plaisirs que lui versait Coralie. Sur le pas de la porte, Lousteau lui dit de venir le trouver au journal et qu'ils y parleraient à Hector Merlin. — A quelle heure ? — A cinq heures. — Lucien trouva

Page 384 :

(a) *ms.* reconnut dans la longue couture des bottes de Lucien qui partait du talon et allait jusqu'au bord d'en haut, le fil rougeâtre employé par les bottiers célèbres dans la confection de leurs bottes.

Page 385 :

(a) *ms.* les mêmes que celles qui se trouvaient là, sur le foyer, l'autre jour et monsieur était caché qui les attendait (*raturé :* il avait couché avec moi).

(b) *ms.* courent toutes les femmes. Choisissez. — Serait-ce vrai?

Page 386 :

(a) *ms. et 1839* quarante-sept mille

(b) *ms.* de ma petite reine

(c) *ms. et 1839* avec une folie, un entrain qui peignait

(d) *ms.* avec mille francs

Page 387 :

(a) *ms.* pour aller rue Saint-Fiacre. Il était environ quatre heures. *Fin du chapitre. Titre du suivant :* XXIV (*1839* XXIII). Les arcanes du Journal. Le beau Lucien grimpa

Page 388 :

(a) *ms. et 1839* prises

(b) *ms.* en outre de sa critique à trois francs la colonne dix articles Variétés pour cinquante francs fixes par mois pendant un an.

Page 389 :

(a) *ms.* vous pouvez m'apporter quatre feuilles par mois pour mon journal

(b) *ms.* Faites six articles de vos quatre feuilles, signez-en trois... et trois

Page 390 :

(a) *ms.* Mais quoique mes convictions aient changé, que je passe rédacteur en chef du journal hebdomadaire dont vous savez les destinées, nous resterons amis. Tous ceux qui auront : *1839* du journal hebdomadaire dont vous savez les destinées.

(b) *ms.* dit Hector Merlin.

Page 391 :

(a) *ms.* Mais il a trouvé le père Giroudeau qui, du plus beau... monde, s'est déclaré... et lui a demandé

Page 392 :

(a) *ms.* Dans tous vos journaux il y aura quelques lignes sur son talent.

(b) *1839* car Jules a une pièce avec Scribe. *Le manuscrit et 1839 ont partout* Jules *au lieu de* Frédéric.

(c) et parlez... dit Vernou *éd.*

(d) *ms.* Il faut, par la vertu de l'encre, qu'il soit un grand homme! et lui faire vendre ses ouvrages.

(e) Nous nous servirons... qui me fatiguent *éd.*

Page 393 :

(a) *ms.* et qui depuis est devenu célèbre.

Page 394 :

(a) Abandonne-lui... de Fanny Beaupré *éd.* (*1839* Jenny Vertpré)

Page 395 :

(a) *ms.* des ridicules à ceux qui n'en ont pas ? — Commençons une série de portraits des orateurs de la Droite à la Chambre, dit Hector Merlin. — Fais cela, mon petit, dit Lousteau. Empoigne

(b) *ms.* Ça fera des abonnés et puis les articles

Page 396 :

(a) Si nous inventions... dit Vernou *éd.*

(b) *ms.* fraternité.

Page 397 :

(a) *ms.* les mêmes plaisanteries dont il avait failli être victime.

(b) L'ancien militaire... lui dit le soldat *éd.* — *Le chapitre se termine dans le ms. à* le capitaine. *Titre du suivant.* XXVI. Re-Dauriat. C'est les meilleurs enfants du monde... : *1839* et nous sommes les péquins. XXIV. Re-Dauriat.

(c) *ms.* en la rejoignant sur le boulevard.

Page 398 :

(a) *ms. et 1839* Camusot se fia sur les dissipations de la vie parisienne et résolut

(b) *ms. et 1839* Quel changement cinq jours avaient

Page 399 :

(a) *ms.* dit Dauriat. Vos sonnets sont magnifiques, et il y a du travail, ce qui est rare quand on a de l'inspiration, de la verve.

Page 400 :

(a) auquel ils tiennent ... si vous êtes un grand poète *éd.*

(b) *ms.* Si je n'avais pas pris des résolutions de ne pas publier un seul volume de vers, je vous éditerais, mais si je le faisais, mes commanditaires

(c) Néanmoins... ficharades *éd.*

(d) *ms.* j'ai lu son article et je compte lui en demander, c'est précisément à cause du succès qui l'attend en prose que je refuse ses sonnets. Il gagnera trop à être journaliste pour rester poète. Et, monsieur, je vous aurai donné

Page 401 :

(a) *ms.* Lucien jouait avec son rouleau de papier assez négligemment ; il écoutait, en proie à une horrible colère concentrée et qui atteignit à la rage quand il aperçut

(b) *ms.* il est fin, il se termine par une pensée très ingénieuse. Lucien baissa la tête et Lousteau seul devina le succès de son stratagème. Le poète sortit

Page 402 :

(a) *1839. Titre de chapitre :* XXV. Les premières armes.

(b) *ms.* Dauriat viendra te cajoler dans huit jours et tu prendras ta revanche.

(c) *ms.* Hector Merlin ne peut souffrir Nathan. Il fera mettre

(d) Ha ! ça... mais comment *éd.*

(e) *éd.* d'opérer une pareille métamorphose : *FC* d'un pareil tour de force.

Page 403 :

(a) un journaliste... bon enfant, moi ! *FC.*

(b) et tu peux... consciencieuse *éd.*

(c) *ms.* Mais tu te plaindras amèrement du système dans lequel

(d) Tu expliqueras... auteurs vivants *éd. : ms.* de Buffon. Puis vous lancerez un mot qui résume et explique aux niais cette belle et grande manière en l'appelant littérature idéée ; vous expliquerez

Page 404 :

(a) *ms.* et que Walter Scott a poussé dans ses dernières conséquences, genre funeste

Page 405 :

(a) Ici tu pourras... tu flattes l'abonné *éd.*

(b) *ms.* Vous expliquerez qu'en France la langue est impitoyable et que si l'on a surpris un succès, comme l'a eu Nathan, le vrai public a bientôt fait justice de ces erreurs. Vous direz qu'après avoir eu le bonheur de vendre une édition vous ne pouvez qu'admirer l'audace du libraire qui en fait une seconde. Je vous (*corr.* t') en ai dit assez. Voilà les masses. Sois spirituel et aie l'air de plaindre en Nathan un homme qui... cette voie, fera de belles œuvres.

Page 406 :

(a) Lucien fut stupéfait... ce métier *éd.*

(b) *ms.* Allons au journal, nous allons y trouver nos amis, les faire adopter le plan des réticences à l'égard de Nathan, et tu verras Dauriat à tes pieds dans quelques jours. Lucien fut stupéfait en entendant parler Lousteau. Ce que disait le journaliste lui faisait tomber les écailles des yeux, il y découvrait des vérités littéraires. Lousteau, lui, paraissait avoir raison.

Page 407 :

(a) *ms.* du livre de monsieur Nathan. Quand on a le bonheur d'éviter Charybde, on ne comprend pas qu'on aille tomber dans Scylla.

(b) *ms.* Lucien courut chez Coralie y passer la nuit à relire le livre et à préparer son article sous les inspirations de Lousteau. Les paroles d'Étienne

Page 408 :

(a) *ms.* Dauriat sera demain chez toi, dit Lousteau à Lucien, tu peux lui demander deux mille francs des Marguerites, il sera foudroyé par l'article que nous venons d'entendre. Tu vois

Page 409 :

(a) *ms.* assommé.

Page 410 :

(a) *1839. Titre de chapitre* : XXVI. Le libraire chez l'auteur.

(b) *ms.* à onze heures, dans sa belle salle à manger, il entendit arrêter le superbe cheval anglais de Dauriat, qui monta rapidement, demanda comme une grâce à Bérénice de lui laisser parler à Lucien.

(c) *1839* De 1814 à 1825

Page 411 :

(a) *1839* inventèrent la publication par affiches dont ils inondaient Paris.

(b) *1839* naquit seulement de 1826 à 1827 sous les rigueurs

(c) *1839* Les insuffisantes rigueurs du ministère Villèle

(d) *1839* des espèces de privilèges et de royautés

Page 412 :

(a) *1839* et le plus célèbre des rédacteurs d'un grand journal, était l'objet des caresses de toute une fameuse maison de librairie.

(b) *1839* chez le chef de cette maison, il y avait gala pour plusieurs des principaux rédacteurs des journaux de Paris. La maîtresse de la maison, alors jeune et jolie, sortit avant le dîner pour se promener dans le parc avec l'illustre écrivain.

Page 413 :

(a) *1839* Certains articles faisaient partir à dix mille exemplaires les œuvres des écrivains libéraux. La contrefaçon

(b) *Les trois pages qui précèdent, depuis* un cabriolet..., *ne figurent pas dans le ms.*

Page 414 :

(a) dit-il en s'interrompant... par Coralie *éd.*

(b) à table... et la main *éd.*

(c) *ms.* deux billets de mille francs et un de cinq cents francs

(d) *ms.* mais je ne puis engager mon avenir, ni mes opinions.

Page 415 :

(a) *ms.* ce n'est pas moi qui ai changé, c'est votre papier qui est devenu bon.

Page 416 :

(a) la semaine dernière... en riant *éd.*

(b) *ms.* Il emporta le manuscrit des Marguerites toujours ficelé, en disant à Lucien de passer dans la soirée pour le traité de cession qu'il ferait préparer, et laissant les deux mille cinq cents francs sans prendre de reçu, ce que Lucien trouva royal. Mais à son départ il avait déja repris son air protecteur et important.

Page 417 :

(a) *1839* l'emmena chez le plus fameux tailleur de ce temps-là, chez Staub.

(b) *1839* du Tillet *au lieu de* Philippe Bridau.

Page 418 :

(a) Manerville *1843*.

(b) *Ces deux pages, depuis* Eh bien, mon amour... *manquent dans le ms. qui dit seulement :* Pendant que Lucien se livrait aux ébats d'une joie superlative avec Coralie stupéfaite elle-même de cette réussite inespérée, Bérénice annonça Blondet. *A cet endroit commence, dans le ms. et 1839, un nouveau chapitre ; ms.* XXVI. Lucien journaliste; *1839* XXVII. Étude sur l'art de chanter la palinodie.

(c) *1839* le surlendemain

Page 419 :

(a) *ms.* dit Blondet en entrant et en baisant Coralie sur le cou

(b) *ms.* du beau monde. J'ai rencontré Dauriat, il sortait sans doute d'ici. — Il va publier mon volume de poésies, dit Lucien, les Marguerites. — Bon, nous pousserons cela, s'écria Blondet, je vous ferai des articles. — Voici les dépouilles de la librairie, dit Coralie en montrant les billets, et je vais garder l'argent, mon amour. Mais s'il est gentil, il n'ira pas chez votre comtesse. Qu'a-t-il besoin de ces femmes-là ?

(c) Voulez-vous... pendant six mois *éd.*

Page 420 :

(a) *ms.* en dix jours : *1839* en deux semaines.

(b) *ms.* sur ton article de ce matin.

(c) Coralie en voyant... se dévoila *éd.*

Page 421 :

(a) *ms.* mais nous lui avons tous dit que tu préparais un magnifique article sur son livre, que Vernou pourra faire passer dans son journal qui a bien plus d'abonnés que celui d'Hector. — Comment! après ce qui a paru ce matin, demanda Lucien.

(b) *ms.* Merlin qui n'est pas... sous lequel tu pourras désormais signer tes articles dans son journal. Nous sommes tous de l'opposition, et ce journal-là est royaliste; il a eu la délicatesse de te ménager une opinion. Là, tu signes C., dans la boutique de Félicien tu pourras signer un L.

(c) *ms.* mais je ne vois plus rien à dire sur le livre. — Ah ! mon petit

Page 422 :

(a) *ms.* tous assez grands pour pouvoir plaider les causes sous leurs différents aspects. Ce qui met

(b) oserais-tu... de Richardson *éd.*

(c) *ms.* Merlin.

(d) et achevèrent... des journalistes *éd.*

Page 423 :

(a) *ms.* Il viendra souper après-demain ici. Tout s'arrangera si tu fais trois belles colonnes pour te réfuter en signant. Il comprendra ce que nous lui avons dit tout à l'heure, que nous avions médité de faire enlever son édition en huit jours et qu'il aurait notre dernier mot dans quelques jours.

(b) *ms.* ceux que nous trouverons dangereux. Si tu t'étais fait un nom sans nous, que nous te trouvassions gênant pour nos intérêts et qu'il fût décidé de te démolir, nous ne ferions pas de réplique semblable. Mais Nathan, Nathan est un de nos amis.

(c) *1839* Aussi le livre s'est-il enlevé (*ms.* et le livre s'est...).

Page 424 :

(a) *1839* Tu peux louer Victor Hugo, Nathan des services qu'ils rendent à la France.

(b) *1839* plus avancés que le dix-huitième siècle. Et d'abord ne nous appelons-nous pas le dix-neuvième ? Puis notre jeune littérature...

Page 425 :

(a) *Les deux pages qui précèdent, depuis* Là, mon petit... *manquent dans le ms.*

(b) *ms. et 1839* Ça fait très bien.

(c) *ms.* des livres amusants. Prens les distinctions établies par l'aristarque de telle feuille, digne du jésuitisme qui préside à la rédaction. Tartine libérale. Les libéraux sont mille fois plus hypocrites, mais il est convenu que jamais ils ne disent rien de faux. Enfin, mon petit, tu diras que le dernier degré de l'art littéraire est de cacher les idées sous les images, et tu t'accableras toi-même en faisant voir que nous sommes plus avancés que le dix-huitième siècle, que nous nous appelons le dix-neuvième et que notre littérature qui comprend l'idée et l'image, qui arrive au fait et à l'action... Le dix-huitième siècle a tout mis en discussion, et le dix-neuvième est chargé de résumer, de conclure, et il conclut par des réalités qui vivent, qui marchent, par la passion qui a été inconnue à Voltaire et à Rousseau qui n'a fait qu'habiller des raisonnements et des systèmes. Nathan est entré dans la belle voie nouvelle, il a compris

(d) Le drame est le vœu... Restauration *1839*.

Page 426 :

(a) Tous devaient... Dramatique *éd*.

Page 427 :

(a) *ms*. Bientôt l'esprit de Lucien s'éprit du paradoxe et fut contraint par la fantaisie à monter dessus et à galoper dans les champs de la pensée, il y découvrit des beautés. Cette thèse lui plut.

(b) de Blondet... tous les esprits *éd*.

(c) *ms*. lui plut et comme il était plein de sèves de première ardeur, que ses facultés avaient encore peu servi, l'enfant trouva du plaisir à faire ce nouvel article, et sous sa plume se rencontrèrent les beautés de toute réplique, de toute contradiction.

Page 428 :

(a) Dans la verve... son rival : *tout ce passage est dans le manuscrit, mais plus loin* (cf. infra p. *432*, n. *a*), *avec les variantes suivantes :* Dans la rage..., il s'attabla dans le boudoir de Coralie pendant qu'elle allait commander le souper et préparer les magnificences de la nuit, et il fit l'article... promis au diplomate contre... Il goûta des plaisirs secrets, les plus vifs des journalistes, celui... des épigrammes... froide, de tourner sa gaine dans... et dont le manche est sculpté pour les lecteurs. Le public... l'acier altéré... C'est un plaisir sombre et sans témoin, un duel... avec quelques plumées d'encre... si l'on avait... qui accorde... de la haine héritant... et il n'est pas d'homme... jouissances. Malgré... son rival.

(b) *ms*. Portons l'article en passant à l'adresse de Félicien.

(c) Occuper Paris... grisèrent Lucien *1839*.

(d) *ms. om*. les Vandenesse.

Page 429 :

(a) *1839 Titre de chapitre :* XXVIII. Grandeurs et servitudes du journal.

(b) *ms*. pas de pièces, hein ? — Mais il y a ce soir une pièce à l'Ambigu

Comique, et je dois aller chez Dauriat. — Ne va chez Dauriat que demain, lui dit Coralie, il faut te donner l'air de traiter ces choses légèrement. Camusot avait engagé les fournisseurs de Rosalie à lui faire crédit pendant au moins six mois, en sorte que les chevaux, les gens, tout devait aller comme par enchantement pour les deux enfants empressés de jouir et qui jouissaient de tout avec délices *(passage transporté plus loin, p. 440, n. c)*.

(c) *ms.* quelques semaines

Page 430 :

(a) *ms.* à ce seigneur allemand

(b) *ms.* Vous devriez, lui dit le baron, vous faire ministériel. Après avoir fait voir que vous étiez un homme d'esprit, voilà la seule manière... maternels

(c) Les libéraux... redoutable *manque dans ms. : 1839* ne vous feront pas comte. Lucien fut frappé d'une subite lumière. Voyez-vous, la Restauration tiendra, dit l'Allemand avec bonhomie, elle finira

Page 431 :

(a) *ms. et 1839* le ministre l'invita à dîner *(1839 à venir dîner)* chez lui.

(b) *ms. et 1839* deux mois

Page 432 :

(a) *ms. C'est ici que se plaçait le passage que Balzac a ensuite reporté plus haut, supra, p. 428, n. a). Balzac lui substitue* Pour établir... leurs fleurs.

(b) *ms.* lui eut lu son article vengeur

Page 433 :

(a) *ms.* à trois copropriétaires, à trois membres du comité de lecture. C'est huit cents francs payés par les cinq théâtres du boulevard. Aussi sommes-nous tenus à beaucoup d'indulgence. Il y a pour tout autant d'argent en loges données. Finot, sans compter les abonnements des acteurs et des auteurs, se fait là huit mille francs. Comprends-tu ?

(b) Échiner... t'a-t-il manqué ? *add. au dos du feuillet ms.*

(c) *1839* les contributions noires dont parle Walter Scott.

Page 434 :

(a) Mais, mon cher... à l'œuvre *éd.* — *Ici, dans le ms. et 1839, titre de chapitre :* XXVII *(1839* XXIX). Le Banquier des auteurs dramatiques.

(b) *ms.* A trente billets

Page 435 :

(a) *ms.* cent cinquante francs

(b) *ms.* aux auteurs et à ceux qui lui donnent les billets à placer, il court la chance d'en gagner autant, ce qui donne quatre mille cinq cents francs par mois et cinquante mille francs par an.

(c) *ms.* Il le fait depuis neuf ans.

Page 436 :

(a) *ms.* et je la soignerai. — Non, Braulard, non. Nous venons

Page 437 :

(a) *ms.* le plaisir de venir, je serai content. Il y a nopces et festins. Le dîner se donne pour MM. du Cange, Frédéric et Pixérécourt. J'avais prêté dix mille francs à du Cange et le succès de Calas va me les rendre.

Page 439 :

(a) *ms.* on y vend tout, on y fabrique tout. *Fin du chapitre. Titre du suivant :* XXVIII. Le baptême du journaliste (*1839* XXX).

(b) *ms.* Hector Merlin, Félicien Vernou, Blondet, Vignon, Michel Chrétien, Philippe Bridau, Fulgence Ridal auxquels il avait écrit un mot, Maria la danseuse qui, disait-on, était peu cruelle pour Finot, les deux autres rédacteurs du journal et deux ou trois célébrités du temps et trois propriétaires des... et Vernou, en tout vingt-quatre personnes *(mêmes noms, même chiffre dans 1839)*

(c) *ms.* les lustres furent allumés, les magnificences prirent cette splendeur qui ressemble à un rêve, les fleurs, les meubles, tout eut un air de fête.

Page 440 :

(a) *ms.* lui souriaient. Il voyait le monde lui ouvrir toutes ses portes. En quinze jours la vie avait changé d'aspect, il était passé... opulence, il avait un certain aplomb et son œil

(b) *ms.* Il était heureux tous les jours : *1839* Il était si heureux tous les jours que

(c) Ce train... avec délices *éd.*

Page 441 :

(a) *ms. et 1839* sa tête sur l'épaule de Lucien.

(b) *ms. et 1839* Les autres amis... de leur journal (*1839 om.* amis)

(c) *ms. et 1839* ses bohémiens

Page 442 :

(a) Je suis heureux... Joseph Bridau *éd.*

(b) répondit Lucien... de sa phrase *éd.*

(c) mais tu feras... au vieillard *éd.* : au sénateur... femme *add. FC.*

Page 443 :

(a) Y es-tu libre... modestie *éd.*

Page 444 :

(a) Tous ceux... en souriant *éd.*

(b) *ms. et 1839* dit Merlin.

(c) On leur dira... dit Blondet *éd.*

(d) *ms.* En France, le succès tue et la contradiction donne la vie à un homme.

(e) Comme dans la nature... Chrestien *éd.*

Page 445 :

(a) La plaisanterie... a dit Bonaparte *1843.*

(b) *ms.* et le lut en disant : Voilà qui fera réimprimer le livre en troisième édition. Finot qui suivit... de son journal hebdomadaire, eut un accès d'enthousiasme. Il y avait alors seize bouteilles de vin de Champagne de bues, et il est impossible de rendre les acclamations qui suivirent et accueillirent la motion de Finot. Mes amis, dit-il en se levant... : Messieurs, dit-il... dit Dauriat *éd.*

(c) *ms.* En une semaine

Page 446 :

(a) *ms. et 1839* te soient remis.

(b) *1839* et surtout bien payés.

Page 448 :

(a) au milieu d'un hurrah... les a pris en croupe *éd. Dans ce long texte, les phrases* Ils sont cause... bat froid *et* Bah ! il sera... grand médecin *sont des additions de FC.* — *1839 om.* J'ai bien peur... Bridau *et* Ça se pourrait... rêveries. — *1843* répondit Finot. Rastignac m'a dit que Bianchon donnait dans ces rêveries.

(b) *ms.* vous comprenez l'embarras de l'opposition constitution-nelle. Qui de vous veut faire un petit écrit où l'on demandera le rétablissement du droit d'aînesse et qui sera l'objet des cris les plus violents contre les desseins secrets de la Cour ?

Page 449 :

(a) *ms.* dit Vernou. — C'est le Canard politique, reprit Lousteau en regardant Lucien. On révèle les intentions du gouvernement, on en glose. S'il descend dans l'arène,

(b) *ms.* les masses. La critique politique consiste à soutenir que le pouvoir ne fera jamais ce qu'il a résolu de faire et d'interpréter ses actes dans un esprit tout opposé.

(c) *ms.* les bougies. Lucien se coucha dans un état difficile à décrire; il apercevait une quinzaine entière prise par des soupers, par des dîners, par des invitations, et il se sentit entraîné dans ce courant par une force irrésistible. — Tes amis de la rue des Quatre-Vents étaient tristes comme des condamnés à mort...(Ils étaient les juges, répondit le poète, *add. 1839.* Les juges ... dit Coralie *add. 1843). Titre de chapitre :* ms. et *1839* XXXI. Le monde.

(d) *1839* Lucien vit une quinzaine de jours prise

(e) *ms.* Lucien entraîné dans cette vie pleine de plaisirs et de travaux faciles ne calcula plus. Il alla, comme la plupart des journalistes, au jour le jour.

Page 450 :

(a) *1839* Coralie lui eut l'élégant mobilier... aux Tuileries. Coralie aimait, comme tous les fanatiques, à parer son idole.

(b) *ms.* il passa bientôt dandy, tant il mit de soin à sa toilette. Aussi le jour où il se rendit à l'invitation du ministre, excita-t-il

(c) le duc de Maufrigneuse, Beaudenord, Manerville *1843*

Page 451 :

(a) Oh, elle eût réussi... ne rien négliger *éd.*

(b) Mais dans le monde... du monde *éd.*

Page 452 :

(a) on lui a dit... de vous voir *éd.*

Page 453 :

(a) *ms.* semblable au coup de théâtre de l'amour inspiré sans le savoir à Coralie. Il avait vu tout le monde lui souriant

Page 454 :

(a) Regardez... vous êtes perdu *éd.*

(b) elle a fait... Blondet *éd.*

Page 455 :

(a) Madame de Bargeton... à la dérobée *éd.*

Page 456 :

(a) *ms.* avec ce jeune lion.

(b) le duc de Rhétoré *1843*

Page 457 :

(a) du parti libéral *1843*

(b) *ms.* à l'existence des Bonapartes, à la reconnaissance et (*1839* au retour).

(c) et je répéterai... très malheureuse *1843*

Page 458 :

(a) et je répéterai... ainsi la tête *éd.*

(b) *ms.* m'a dit qu'on allait fonder un petit journal

Page 459 :

(a) *ms. et 1839* Cinq jours après

(b) *ms.* Elle était devenue ce qu'elle aurait dû être, grande dame. Sa toilette pleine de goût simple et noble, appropriée à son genre de beauté, lui parut faite un peu pour lui.

(c) Il y avait... de vengeance *éd.*

Page 460 :

(a) Il ne fut question... de l'homme épris *éd.*

(b) Lucien essaya... petits mots piquants *éd.*

Page 461 :

(a) Allons, mon cher... la marquise d'Espard *éd.*

(b) *ms.* Eh bien, nous ferons sa fortune, dit madame de Bargeton à sa cousine en ramenant Lucien sur un divan, il le faut, mais Lucien doit se mettre en position d'être présenté sans inconvénient (*FC add.* pour ses protecteurs).

(c) *ms. et 1839* Avant un mois

Page 462 :

(a) Il apprit à monter.. chez lui *éd.* — *Dans ms.* : Il arrivait sur un pied
d'apparente égalité. Sa mise et sa tournure rivalisaient avec celle des
dandys les plus célèbres, et Coralie lui eut tout cet élégant mobilier
des jeunes élégants, une canne merveilleuse, une charmante lorgnette,
des boutons de diamants, des anneaux pour ses cravates du matin,
une collection de gilets magnifiques où il pouvait choisir. Il apprit
à monter à cheval, il eut un cheval. Finot lui procura ses entrées à
l'Opéra, il appartint au monde spécial des élégants de cette époque.
Il rendit à Rastignac et à ses amis du monde un splendide déjeuner,
il sut le whist et joua. Le jeu devint une passion pour lui. *Fin de
chapitre. Titre du suivant (ms. et 1839)* XXXII. Les viveurs.

Page 463 :

(a) *ms.* A cette époque florissait une société de journalistes, d'écrivains plus ou moins spirituels qui s'étaient surnommés les viveurs
(*1839* spirituels, de jeunes gens riches et désœuvrés appelés viveurs
et qui : *1843 om.* de journalistes... spirituels).

(b) tant il y avait... nulle part *éd.*

(c) Rastignac *et* conduit par de Marsay *1843.*

Page 464 :

(a) il y brilla... de ce temps, *add. marg. du ms.*

(b) Insensiblement... Châtelet *éd.*

Page 465 :

(a) avec qui... ne servent à rien *1843* (qu'à faire le malheur de l'homme
FC).

(b) *ms.* de quelque pari. Ses idées étaient endormies par le vin, le
jeu l'absorbait, l'effort de sa volonté se trouvait assoupli par une
paresse qui le rendait indifférent aux belles résolutions prises dans
un moment où il entrevoyait sa position sous son vrai jour.

(c) *1839* et il était dans les intérêts de Du Châtelet.

(d) *1839* se trouvait alors pris par l'amour.

(e) Les frais de la conversation... de la misère *éd.*

Page 466 :

(a) *ms.* et il avait énormément travaillé.

(b) Mais Lucien... quand il le veut *éd.*

(c) *ms.* Ces trois mois furent nécessaires : *1839* Ces trois mois d'hiver, remplis

Page 467 :

(a) Cette élégante... et une nuits *éd.*

(b) et comptait... tout se pacifiait *éd.*

Page 468 :

(a) *ms.* Châtelet avec qui Lucien s'était réconcilié dans un somptueux dîner au rocher de Cancale

(b) *ms. et éd.* Ladvocat allait... de M. Hugo.

Page 469 :

(a) Quand le soir... de leurs conceptions *éd.*

(b) *ms.* Matifat s'est effrayé de la dépense, répondit Lousteau, le droguiste a fait une prudente retraite, mais Florine joue un rôle d'amour dans une pièce-féerie, et il est impossible qu'elle n'y ait pas un succès fou. *Fin du chapitre : Titre du suivant (ms. et 1839)* : XXXIII. Cinquième variété de libraire. Le lendemain de la démarche

Page 471 :

(a) Nous t'avons fait... qui est-ce, dit Lucien *éd.; ms.* On demande à voir le manuscrit, on a la prétention de le lire, nous laissons pressentir qu'à cinq mille francs tu concèderas trois mille exemplaires en deux éditions. Donne-moi le manuscrit et après-demain nous déjeunons chez les libraires, ils sont deux associés

(b) Le bruit court... qu'on te donnera *éd.*

Page 472 :

(a) De son côté... d'un Scott français *éd.* (*1839 om.* en quête d'un Scott français).

(b) *ms.* établies sur le crédit et

(c) ou si... vrai public *éd.*

Page 473 :

(a) *ms.* Les fonds allaient à dix mille francs

(b) sur lesquelles... Ces demi-fripons *éd.*

(c) *ms.* le Marchand forain

Page 474 :

(a) que les libraires... tue le succès *éd.*

(b) *ms.* et sur le titre de Tekeli ou les Insurgés hongrois, il y avait en grosses lettres

(c) la grande condition... Les journalistes *éd.*

Page 475 :

(a) et dans le Moyen âge... de Walter Scott *éd.*

Page 476 :

(a) *Fin du chapitre. Titre du suivant (ms. et 1839)* XXXIV. Le chantage. Coralie est surprise

(b) Enfin je suis forcé reprit Lousteau *éd.*

Page 477 :

(a) Beaucoup de gens... à l'homme enrichi *éd.*

(b) Si l'homme... des articles *éd.* (*ms.* qu'on s'occupe de lui et lui disent que s'il ne donne pas une somme quelconque, la presse l'entamera, le turlupinera, dévoilera ses secrets ; il a peur et il finance. Vous faites une opération périlleuse, on vous la fera manquer par une suite d'articles, on vous propose le rachat de ces articles).

Page 478 :

(a) ou qui livrent... banque libérale *éd.*

(b) Dans le dix-huitième... mille écus *éd.*

(c) *ms.* J'ai été joué par Finot qui lui a dit que c'était toi dans l'intérêt de Coralie. Mais comme les articles allaient leur train, Giroudeau m'a rendu le service de dire confidentiellement à Matifat que tout s'arrangerait s'il voulait vendre son dixième dans le journal de Finot.

Page 479 :

(a) Matifat allait conclure... que lui jouait Finot *éd.*

(b) *ms.* Matifat a sur le champ, en fin commerçant, quitté Florine en disant qu'il ne savait pas où il le mènerait une pareille femme, et les attaques ont cessé ; mais il a gardé son sixième, ce qui contrarie Finot et moi.

(c) *ms.* ni âme. En Angleterre, les chanteurs sont beaucoup plus avancés, ils achètent les pièces probantes des actions un peu légères commises par des hommes riches et les leur revendent à des prix exorbitants en les menaçant de la publicité. Nous en viendrons là.

(d) *ms.* Coralie, dit Lucien, entre trois mois plus tôt au Gymnase

Page 480 :

(a) *ms.* à dîner et l'on n'a pas su l'histoire de la montre.

(b) britannique... en sûreté *éd.* (*ms.* les revenus secrets de la presse. Nous tiendrons conseil contre Matifat, je saurai l'empoigner. Il a écrit... à Florine, elles sont sans orthographe, il craint... l'exterminer au sein de ses foyers).

(c) Juge de sa fureur... la plaisanterie *éd.*

(d) *ms.* Je la prêche à ce sujet. Après deux jours elle ne m'a pas encore remis les lettres. Quand elle saura

Page 481 :

(a) *ms.* n'est pas une plaisanterie, elle les livrera sans doute à Finot qui les donnera à son oncle

(b) *Fin du chapitre. Titre du suivant (ms. et 1839)* XXXV. Les escompteurs. Barbet, dit Étienne au libraire

Page 482 :

(a) Car tôt ou tard... de l'escompte *éd.*

Page 483 :

(a) Ce système mythologique... imprenable *éd.*

(b) *ms.* dit nettement le petit homme. Ils se retirèrent

Page 484 :

(a) *ms.* le petit père Chaboisseau

(b) *ms.* quand ils arrivèrent chez un autre escompteur que leur avait indiqué l'imprimeur pendant le déjeuner. Les deux amis avaient pris un cabriolet

(c) *ms.* ne vous les escomptera. Samanon était un prêteur sur gages, bouquiniste au rez-de-chaussée, marchand d'habits au premier étage, vendeur de curiosités au second.

Page 485 :

(a) *ms.* Il semblait escompter de son œil mort et vivre de l'autre.

(b) Il y a plaisir... attrapé ! *éd.*

Page 486 :

(a) *ms.* à l'auteur. L'auteur donna : *1839* On l'attrape ! dit l'artiste aux deux journalistes en donnant

(b) *ms. et 1839* à cet auteur que la contemplation retenait dans ses palais enchantés, et qui ne voulait ou ne pouvait rien créer.

(c) *ms.* Je vais ce soir avec ma maîtresse

Page 487 :

(a) *ms.* Bientôt l'écrivain sortit très bien vêtu, sourit et alla se faire cirer ses bottes afin de compléter sa toilette.

(b) Là où Samanon... se rencontrer *éd.*

(c) *ms.* il faut les faire à trois, comme le papier de Lafitte.

Page 488 :

(a) *ms.* trente-cinq napoléons.

(b) *ms.* six louis

(c) son ventre... la voix *éd.*

Page 489 :

(a) *ms.* Chez Véry, trouva le dîner commandé. Puis à neuf heures

(b) *ms.* rue de la Lune où, lui dit-elle, mademoiselle Coralie était installée.

(c) Lucien trop ivre... de la rue *éd.*

(d) *Titre de chapitre (ms. et 1839)* XXXVI. Changement de front. Le lendemain

Page 490 :

(a) *ms.* Il y avait un tapis d'occasion, et les meubles étaient d'acajou et garnis en étoffe de coton bleu.

(b) *ms.* La maison

Page 491 :

(a) car nous savons... rue de Vendôme *éd.*

Page 492 :

(a) *ms.* Ce sera vous autres qui serez... des ennemis du peuple, qui serez haïs et les autres seront

Page 493 :

(a) *ms. et 1839* Nous te couperons la tête

(b) du comte d'Esgrignon *1843*

Page 494 :

(a) ne t'ai-je pas dit... de Coralie *éd.*

(b) distribué... Lucien *éd.*

Page 495 :

(a) *ms.* dit Nathan

(b) *ms.* qui s'achevèrent par un punch flamboyant

(c) *ms. et 1839* Ce mot historique fut révélé... et parut le lendemain dans le *Miroir*, attribué à Lucien.

(d) *ms.* Les petits journaux libéraux inventèrent alors la fameuse ronde dansée aux cris de Enfoncé, Racine ! La défection de Lucien fit un effroyable tapage

(e) *ms.* On raconta les infortunes de ses sonnets, on l'appela le poète sans sonnets ! : *1839* On raconta... de ses sonnets, on l'appela... sans sonnets, on apprit au public... de les faire imprimer.

Page 496 :

(a) *Au lieu de ces trois paragraphes, ms. et 1839 ont seulement :* On fit sur Lucien ce sonnet plaisant (*1839* Le journal de Lousteau fit).

(b) *Le ms. ne donne pas le sonnet et dit :* Laissez la place d'une page. *1839 donne le sonnet suivant :*

Le Chardon

Je suis, à parler franc, une assez pauvre plante.
Je n'ai point de parfum, je n'ai point de beauté,
Je ne suis bon à rien et je suis détesté,
Et je maudis l'éclat de la rose insolente.

Comme elle, je possède une épine méchante,
Mais un don de souffrance, hélas, sans volupté;
Je n'ai qu'un seul ami que l'on dit entêté;
On le bat quand il dort, on le fuit quand il chante.

Je grandis, je fleuris dans des endroits impurs,
Sur le bord des fossés, à l'angle des vieux murs.
On me traite partout comme un être inutile.

Pour moi jamais de soins, pour moi point de pardon.
On m'arrache aussitôt que la terre est fertile.
Je suis enfin la fleur des ânes... le chardon.

*Une lettre de Balzac à Plon, datée de novembre 1842 (Lov. A 256 f°
209) indique :* voici ci-contre un sonnet qui doit remplacer celui qui
est supprimé, p. 261 du tome III du *Grand homme de province à Paris...*

(c) *ms. et 1839* On parla

Page 497 :

(a) *ms.* Voici comment : Florine était sans engagement et depuis
quatre mois, Nathan aimait

(b) Florine enivrée... par Finot *éd.*

Page 498 :

(a) L'esprit de parti... s'écria Bixiou *éd.* (s'écria Bixiou *om. 1839*).

(b) Pour se dispenser... y pénètre *éd.*

(c) *Titre de chapitre, ms.* XXXVII. Roueries de Finot notre contemporain : *1839* XXXVII. Finoteries.

(d) dont le thème est fait d'avance et qui voient au-delà d'un article
injurieux en examinant le profond oubli dans lequel il s'enterre

Page 499 :

(a) *ms.* dans le journal royaliste

(b) *ms.* comme un camarade, il n'y recevait plus de poignées de
main que des gens de son parti, tandis que les gens de son parti, Nathan,
Hector Merlin, Théodore Gaillard fraternisaient sans honte

(c) sous peine... rancuneux *éd.*

Page 500 :

(a) *ms.* le bonjour, ils lui sourient et pour comble d'indécence mani-
festent des prétentions à son estime et à son amitié.

(b) Tout s'excuse... courtoises *éd.*

(c) *ms.* le plus abhorré de l'époque,

(d) Cette solidarité... fausse ou vraie *éd.*

(e) *ms.* le seul qui le défendît, ce qui valut à l'un et à l'autre des articles écrits avec du fiel par Félicien, enragé des succès

Page 501 :

(a) Je vous avais donné... bonnes actions *éd.*

(b) *ms.* ni chez Nathan, ni chez Merlin, ni chez Gaillard

Page 502 :

(a) Il ne pouvait être... de son époque *éd.* (*1839* ni le Geoffroy)

(b) *ms.* dit Finot en allant à Lucien et lui serrant la main avec amitié. Vous êtes en faveur, dit des Lupeaux, madame d'Espard ; *tout la page* Voilà notre beau Lucien... en grande faveur *manque dans le ms.*

Page 504 :

(a) *ms.* madame de Bargeton qui achève son deuil et qui

(b) *ms.* C'est un petit fat, il pouvait

(c) *ms.* la seiche aurait mieux aimé le titre de comtesse que celui de baronne, elle eût obtenu

Page 505 :

(a) *ms.* nous le blaguerons

(b) Nathan m'a fait vendre... dit Finot *éd.*

(c) *ms. et 1839* Envoyez-moi les articles manuscrits de Lucien et le journal, je vous dirai demain les endroits sensibles du ministre afin de le piquer au vif.

(d) qui se garda... une plaisanterie *éd.*

Page 506 :

(a) *ms. et 1839* Il fallait à Lucien un homme sûr pour obtenir tel ou tel résultat dans le sein de son parti.

(b) Moi seul... avant tout *éd.*

(c) Lucien ne vit... remercia Finot *éd. Titre du nouveau chapitre (ms. et 1839)* XXXVIII. La fatale semaine. Dans la vie

Page 507 :

(a) elle avait la faculté... du succès *éd.* (*ms.* elle avait de l'âme, et c'est peut-être ce qui fait les grandes actrices, elle était intérieurement naïve et timide, en apparence hardie et leste comme doit être une comédienne. Elle se connaissait bien, elle se savait appelée à régner en souveraine sur la scène, mais elle avait besoin du succès).

Page 508 :

(a) cette terrible émotion... du génie *éd.* (*ms.* la froideur la glaçait ; elle tremblait toujours en arrivant en scène, elle ne pouvait se rendre maîtresse de cette terrible émotion, elle en était toujours à son début. Rien n'accuse mieux la nature nerveuse et la constitution du génie).

(b) Inhabile aux faussetés... à Coralie *éd.* (*ms.* jeune fille et vraie. Elle n'avait aucune des faussetés de l'actrice, elle était incapable de se défendre contre des rivalités, des manœuvres, les rôles devaient la venir trouver, elle avait une bonté de dupe).

Page 509 :

(a) Le poète... du poète humilié *éd.*

Page 510 :

(a) s'entendre... journaux libéraux *éd.*

(b) *ms.* qui devinrent en effet les oncles des Doctrinaires. D'Arthez

Page 511 :

(a) Merlin et Martainville... gagne-pain *éd.*

(b) *ms.* le martyriser. Il tua le livre, il prit son article et il traversa

(c) *ms. ils (souligné dans le texte)* m'ont commandé de l'attaquer, je suis au fond de l'abîme.

Page 512 :

(a) à mes occupations... du cœur *éd.*

(b) *ms.* je suis un amant

(c) *ms.* je vous l'enverrai demain, il sera plus honorable et pour vous et pour moi, une critique grave est parfois un éloge.

(d) y pleura... foudroyèrent Lucien *éd.*

(e) *ms.* d'horribles palpitations.

Page 513 :

(a) Que donne... démesurément *éd.*

(b) *ms.* elle faisait les délices des boulevards, elle ne ferait rien au Gymnase.

Page 514 :

(a) elle avait été poussée... par Nathan *éd. : le ms. dit seulement :* Puis des conseils perfides ; tels étaient les journaux royalistes que Nathan avait serinés.

(b) Florine était... tomba évanouie *éd.*

(c) *ms. et 1839* cette soi-disant grande actrice

(d) *ms. et 1839* Des bêtises !

(e) *ms. et 1839* Ah, des bêtises !

Page 515 :

(a) mais dans tous les cas... d'un agneau *éd.*

(b) Il y a toute une coterie... tôt ou tard *éd.*

Page 516 :

(a) Et Finot donna... deux colonnes *éd.* (*ms.* Lucien avait besoin d'argent, il retrouva de la verve et de la jeunesse d'esprit malgré son affaissement, et il composa quarante articles de chacun deux colonnes.)

(b) et de la faire... royaliste *éd.*

(c) *ms.* Finot, Nathan *au lieu de* Vignon, Blondet.

Page 517 :

(a) néanmoins... rue de la Lune *éd.*

(b) *ms.* et il a dit en riant qu'il fallait favoriser les chardonnerets, car il a lu votre sonnet sur le lis avec beaucoup de plaisir.

Page 518 :

(a) il ne sut... d'Espard *1843.*

(b) il ne sut pas... en particulier *éd.*

(c) *ms.* il avait su, dans les bureaux des trois journaux royalistes, celui de Merlin, celui de Martainville et au Réveil que mademoiselle des Touches donnait une pièce au Gymnase

Page 519 :

(a) *ms. et 1839* Voici ce dont il s'agissait. Le fait, faux ou vrai, demeura, dit-on, acquis à l'histoire de ce temps.

(b) *ms.* elle avait découvert qu'il était affriolé par les prémices d'une nouvelle correspondance

Page 520 :

(a) *ms.* et comme elle savait la femme du Garde des sceaux incapable d'écrire un billet, elle sut que le roi correspondait avec son ministre. Elle avait fait retenir le ministre à la chambre par une discussion orageuse et révolté l'amour-propre du roi par la révélation de cette tromperie en engageant Louis XVIII à écrire un mot qui voulût absolument une réponse. La malheureuse femme envoya requérir son mari à la Chambre, il occupait la tribune, elle répondit un billet de cuisinière, et la belle et spirituelle Octavie dit au roi atterré : Votre Chancelier vous dira le reste, trait mordant qui resta dans le cœur du roi. Plusieurs auteurs des Chroniques scandaleuses prétendent que ce fut une des raisons de la chute du ministère et de l'intronisation constitutionnelle de M. de Villèle.

(b) Quoique mensonger *add. 1843.*

(c) *ms.* Mais aujourd'hui le roi, le ministre et sa femme ont disparu, l'Octavie tant attaquée et des Lupeaux ont des intérêts contraires ; il est difficile de savoir la vérité. Mais le fait était bien trouvé et l'on en causa dans le faubourg Saint-Germain : *1839* L'article piquant avait-il inventé l'anecdote ? était-elle vraie ? Aujourd'hui *(la suite comme dans le ms)* contraires. Il est difficile de savoir la vérité. Se non è vero, è bene trovato.

Page 521 :

(a) Il montra... en quatre *éd.*

(b) Le ministre... un ami *éd.* (*ms.* Attendez ! le ministre croit que vous êtes l'auteur de l'article, et le Roi dans sa colère... de service. Attendez !).

Page 522 :

(a) Qu'était-il... leur sacrifiant tout *éd.*

(b) Sa conscience... ses réflexions *éd.*

(c) *ms. et 1839* et Joseph Bridau

Page 523 :

(a) Mais je veux... s'y attendait pas *éd.*

(b) Êtes-vous fort... dit de Marsay *éd.* — *Titre de chapitre : ms. et 1839* XXXIX. Jobisme.

(c) *ms.* à son début et il trouva mauvais qu'on eût voulu faire tomber une actrice à laquelle il tenait. Coralie était belle, il lui promit de la soutenir administrativement.

Page 524 :

(a) Nous chargeons... de cavalerie *éd.*

(b) Cette insouciance... très fort *éd.*

(c) *ms.* égales. Lucien ne savait pas ce que c'était qu'un coup de pistolet, il n'avait jamais tenu d'armes à feu.

Page 525 :

(a) *ms.* ce fatal mois

(b) *ms.* d'Hector Merlin. Bianchon soignait Lucien à l'insu du Cénacle, et d'Arthez seul était dans la confidence.

Page 526 :

(a) *ms.* Barbet qui n'avait pas prévu ce lavage se voyait à la tête de cent exemplaires et ne savait qu'en faire. Il prit

(b) *ms.* douze francs.

Page 527 :

(a) *ms.* Enfin les gardes du commerce vinrent chercher leur prisonnier et le trouvèrent au lit

(b) *ms.* Camusot vint en fiacre et Coralie descendit

(c) mais elle était remontée quasi-morte *éd.*

Page 528 :

(a) Bérénice a toujours... à Camusot *éd.*

(b) La charcuterie... de l'actrice *éd.*

(c) *ms.* Enfin Lucien alla chez Lousteau réclamer les mille francs que cet ancien ami lui devait. Il le trouva chez Flicoteaux à la table où il l'avait rencontré.

Page 529 :

(a) *ms.* et l'un des plus illustres écrivains d'aujourd'hui

(b) *ms.* sa situation, et celle de ses camarades était la même, sauf les circonstances.

(c) *ms.* Lousteau alla jouer..., l'écrivain alla dans quelque maison suspecte. Vignon

(d) *ms.* de Cancale, s'y fit servir un peu de poisson et but deux bouteilles de vin de Bordeaux, abdiquant sa raison et sa mémoire.

Page 530 :

(a) Qui triomphera... son caractère *éd.*

(b) Lucien revint... littéraire *éd.* (dont la profonde... littéraire *1843*).

(c) *ms.* deux billets de mille francs chacun à trois et quatre mois d'échéance

(d) *ms. et éd.* en le prévenant de la nécessité où il avait été de commettre ce faux, en se trouvant dans l'impossibilité de subir les délais de la poste, mais il lui promettait

Page 531 :

(a) *ms. Titre de chapitre.* XXLX. Adieux. Lucien saisi d'une rage

(b) *ms. et 1839* disaient chez Dauriat

Page 532 :

(a) Car il eut alors... de Des Lupeaux *FC*.

(b) *ms. et éd.* juin

(c) *ms.* où il vit s'exhaler le dernier soupir de l'actrice et ses yeux tournés par la convulsion de la mort.

Page 533 :

(a) de mademoiselle des Touches... engagé soldat *éd.*

(b) Barbet, cinq cents... Lucien frissonna *éd.*

(c) *ms.* Lucien accepta, courut chez mademoiselle des Touches et y reprit sa lettre. Il revint rue de la Lune et y trouva

Page 534 :

(a) *ms. et 1839* et des flons-flons populaires.

(b) *ms.* Il éprouvait des peines inouïes, mais enfin, à la nuit il avait achevé la dernière et il la chantait à voix basse afin de savoir si elle allait sur l'air, au grand étonnement de Bérénice qui le croyait devenu fou : *1839* Il éprouvait des peines inouïes. Quelle nuit que celle où le poëte se livrait à la recherche de pareils refrains en écrivant à la lueurs des cierges *(La suite comme dans le texte définitif, puis)* la chantait à voix basse afin de voir si elle allait sur l'air. Bérénice et le prêtre écoutaient pour savoir s'il n'était pas devenu fou.

Page 535 :

(a) *1839 introduit ici une strophe :* Que plus d'un moderne Harpagon A son coffre s'enchaîne; Du verrou qu'il serre le gond, De peur qu'on le surprenne. Qu'il compte avec soin ses écus, Morbleu ! Nargue du vieux Crésus, Nul ne les lui conteste! Pour nous, qui jamais ne comptons Que nos amis et nos flacons, Rions ! buvons ! Et moquons-nous du reste.

Page 536 :

(a) *ms.* En ce moment Bianchon et d'Arthez

(b) Heureux... dit le prêtre *éd.*

(c) *ms.* le prêtre qui l'avait réconciliée arrivait pour passer la nuit auprès de celle qui avait tant aimé !

(d) *ms.* un billet de mille francs.

(e) *ms.* Le lendemain, le Cénacle, moins Michel Chrestien, se trouva

Page 537 :

(a) (août 1822) *FC*.

(b) *ms*. Les mille francs

(c) *ms*. dix francs

(d) *ms*. et Bérénice comprit, d'après l'aveu qu'il venait de lui faire quel était son dessein.

Page 538 :

(a) il eut soif... à demi-féminines *éd*.

(b) *ms*. avec un homme. Il lui passa je ne sais quel frisson, il était sur le boueux boulevard Bonne-Nouvelle. Elle stationnait

(c) car il faut le dire... de la vie parisienne *éd*. — *La deuxième partie du roman ne s'arrêtait pas ici dans le ms. ni dans 1839 et continuait pendant deux pages encore.*

LES SOUFFRANCES DE L'INVENTEUR

Page 539 :

(a) *Titre : Et*. David Séchard ou les souffrances d'un inventeur. *1843* Ève et David. *Dumont* David Séchard. *FC*. Les souffrances de l'inventeur.

Page 541 :

(a) *ms*. trois jours, et il y arriva exténué, mais comme il n'avait plus que cent sous, il trouva pour continuer un reste de force : *1839* six jours. Il arriva quasi mort au-delà de Poitiers mais *(comme ms.)*

(b) *ms*. La nuit l'atteignit dans les plaines du Poitou et il se résolut à bivouaquer quand au fond d'un ravin il aperçut : *1839* La nuit le surprit dans les plaines du Poitou. Il était résolu : *1843* Un jour il aperçut

Page 542 :

(a) *ms*. de voix. Il était à Ruffec (*Balzac avait d'abord écrit* Mansle) au milieu d'un cercle de curieux, de postillons, il se vit couvert de poussière, et comprenant qu'il devait être l'objet d'une accusation, il sauta : *1839* de voix. Il était à Mansle *(la suite comme ms.)*, il comprit... il sauta

(b) *ms*. et *1839* Si nous avions su !

(c) *Ici se termine dans le manuscrit la deuxième partie des* Illusions perdues.

Page 543 :

(a) *Lovenjoul A 229 contient, sur épreuve, un état ancien de cette description :* Il avait encore trois francs. Il descendit le cours de la rivière et atteignit un délicieux paysage. La nappe d'eau se trouvait environnée de saules, elle formait comme un lac. Une maison attenant à un moulin assis sur un bras, montrait son toit entre les têtes d'arbres. Il aperçut une jeune femme *(mot raturé)* des filets étendus au soleil. Des canards nageaient, le moulin faisait entendre son bruit. L'eau mugissait dans les vannes, il y avait de magnifiques fleurs d'eau. Lucien s'avança.

(b) *Lov. A 229.* Volontiers, dit-elle, si tu veux toutefois. Hé, l'homme ! Le meunier regarda Lucien

(c) *Ici se termine dans 1839 la deuxième partie des* Illusions perdues. *Date :* Aux Jardies, décembre 1838. Paris, mai 1839.

(d) *Ici commence la troisième partie dans l'édition Dumont, avec ces titres :* Introduction I. Triste confession d'un enfant du siècle. *Pour des raisons pratiques et évidentes on a, dans la présente édition, reporté ce titre en tête de la troisième partie actuelle.*

Page 545 :

(a) qui la sauvèrent... topique moral *FC. (1843* en s'abandonnant alors moins à sa prostration qu'à de violents remords)

(b) *1843* Aussi... brûlèrent-ils du désir

Page 547 :

(a) Les poursuites... donc rien *add. FC.*

(b) *1843* La fiévreuse éloquence

Page 548 :

(a) *Dum.* Chapitre II.

Page 550 :

(a) *Balzac supprime ici dans FC huit lignes devenues inutiles par suite des modifications profondes qu'il introduit dans ce chapitre.*

Page 551 :

(a) *Suppression dans FC de vingt lignes.*

(b) *1843* la civilisation française actuelle, qui repose sur la discussion étendue à tout

(c) *Suppression dans FC de deux lignes.*

Page 552 :

(a) *Dum.* Chapitre IV.

Page 554 :

(a) N'était-ce pas... déjà grosse *add. FC.*

(b) *1843* Durant ces trois mois

Page 555 :

(a) *1843* D'abord l'apprenti que David se plaisait à former chez les Didot, comme font presque tous les protes qui, dans le grand nombre d'ouvriers auxquels ils commandent, s'attachent plus particulièrement à quelques-uns d'entre eux ; David avait emmené cet apprenti, nommé Cérizet, à Angoulême, où il s'était perfectionné

(b) *1843* de quatre cents francs.

Page 556 :

(a) *1843* à trois cents francs

(b) *1843* les trois

Page 558 :

(a) *Dum.* Chapitre V.

Page 564 :

(a) *Dum.* Chapitre VI.

Page 570 :

(a) *Dum.* Chapitre VII.

Page 578 :

(a) *Dum.* Chapitre VIII. *Ce chapitre a été profondément bouleversé par Balzac dans le FC., et il en a fait passer des portions notables dans* Les deux Poètes.

(b) Eh bien... je suis sûr de *FC.*

Page 580 :

(a) *Dum.* Chapitre IX.

Page 586 :

(a) *Dum.* Chapitre X.

Page 593 :

(a) *Dum.* Chapitre XI.

Page 595 :

(a) *1843* Desroches, un premier clerc qui venait de traiter d'une étude et qui

Page 598 :

(a) *Dum.* Chapitre XII.

Page 602 :

(a) *1843* avec une sainte et placide expression

Page 603 :

(a) *Dum.* Chapitre XIII.

Page 604 :

(a) et il viderait tout *add. FC.*

Page 607 :

(a) *Dum.* Chapitre XIV.

Page 612 :

(a) à tourner une machine *add. FC*

Page 613 :

(a) *Dum.* Chapitre XV : *Par.-Etat* Apologie *(coquille)*

Page 614 :

(a) *Dum.* ton meilleur frère *(coquille)*

Page 622 :

(a) *Dum.* Chapitre XVI.

Page 624 :

(a) *Dum.* qui le requiert.

Page 626 :

(a) *Dum.* Ce sont les Cointet

Page 628 :

(a) *Dum.* Chapitre XVII.

Page 634 :

(a) *Dum.* Chapitre XVIII.

Page 637 :

(a) *1843* mais ils se continrent.

Page 639 :

(a) *Dum.* Chapitre XIX.

Page 641 :

(a) *Dum.* permises

Page 643 :

(a) *Dum.* Chapitre XX.

Page 648 :

(a) *Dum. Titre de la deuxième partie et du chapitre XXI.*

Page 654 :

(a) *Dum.* Chapitre XXII.

Page 659 :

(a) *Dum.* Chapitre XXIII.

Page 665 :

(a) *1843* une faute

Page 666 :

(a) *Dum.* Chapitre XXIV.

Page 670 :

(a) *Dum.* Chapitre XXV.

Page 675 :

(a) *Dum.* Oh mon habit, que je vous remercie !

Page 676 :

(a) En France *add. FC*

Page 678 :

(a) *Dum.* Chapitre XXVI. David Séchard se trouvait

Page 684 :

(a) *Dum.* des habits de Paris ? On ne joue pas l'amour en haillons : *1843* Ce n'est pas en haillons qu'on peut jouer l'amour.

Page 685 :

(a) *Dum*. Chapitre XXVII.

Page 690 :

(a) *1843* de son choix

Page 692 :

(a) *Dum*. Chapitre XXVIII.

(b) *1843* Henriette Mignon. *Ce nom est celui de la jeune fille en 1843.*
On ne signalera plus les variantes qui résultent de ce changement de FC.

Page 697 :

(a) *Dum*. Chapitre XXIX.

Page 701 :

(a) *Dum*. Chapitre XXX.

Page 705 :

(a) *Dum*. Chapitre XXXI.

(b) *1843* à Irun.

Page 708 :

(a) *1843* moi, je vaux bien, quoique simple chanoine, le baron de
Gœrtz.

Page 709 :

(a) *1843* dans le solide

(b) *Dum*. Chapitre XXXII.

Page 710 :

(a) *1843* le favori devient son bienfaiteur

(b) Tous les grands hommes... celui-là *add. FC (1843* Il s'appelle).

Page 712 :

(a) *1843* qui en font curée.

(b) *1843* il s'en est servi

(c) *1843* et je ne vous en voudrai pas.

Page 714 :

(a) *Dum*. Chapitre XXXIII.

Page 716 :

(a) en faisant une faillite frauduleuse *add. FC.*

Page 719 :

(a) et aussi... secret *add. FC.*

(b) *Dum.* Chapitre XXXIV.

Page 720 :

(a) ni même un religieux *add. FC.*

Page 722 :

(a) *Tous les états du texte ont* Reisibilder *qui est une faute, mais Balzac ne le savait pas.*

Page 723 :

(a) *1843* Le vent est discret

(b) *Dum.* Chapitre XXXV.

Page 724 :

(a) reprit-il... par la taille *add. FC.*

Page 725 :

(a) il n'aimait... Vermont *add. FC.*

(b) elle est grande... eh bien *add. FC.*

Page 726 :

(a) Enfant... ce n'est que *add. FC.*

(b) *Dum.* Chapitre XXXVI.

Page 730 :

(a) *Dum.* Chapitre XXXVII.

Page 737 :

(a) *Dum.* Chapitre XXXVIII.

Page 743 :

(a) *1843* Je suis le secrétaire d'un diplomate espagnol. (Je suis sa créature *add. FC*).

(b) *1843* affreuse

Page 744 :

(a) *Dum.* Chapitre XXXIX.

Page 749 :

(a) Mon successeur... moyens *add. FC.*

Page 750 :

(a) *Par.-Et., pas de titre de chapitre : éd. Dumont :* XL. Conclusion.

Page 751 :

(a) *Dans Par. - Et. et les plus anciens états, ces paragraphes sont placés dans un ordre différent, résultat d'une erreur évidente.*

(b) *1843* Après 1830 seulement

(c) *1843* En 1837

Page 752 :

(a) *1843* père de deux enfants

(b) *1843* renoncer à l'état d'inventeur (ces Moïse... d'Horeb *add. FC.*).

(c) bravement *add. FC.*

(d) *Par. - Et. om.* et recherche... dernier état.

(e) *1843 offre une conclusion que Balzac a complètement bouleversée dans FC. Elle est, en 1843 :* Cerizet, condamné à trois ans de prison pour délits politiques en 1827, fut obligé par le successeur de Petit-Claud de vendre son imprimerie d'Angoulême. Il a fait beaucoup parler de lui, car il fut un des enfants perdus du parti libéral. A la révolution de juillet, il fut nommé sous-préfet, et ne put rester plus de deux mois dans sa sous-préfecture. Après avoir été gérant d'un journal dynastique, il contracta dans la presse des habitudes de luxe. Ses besoins renaissants l'ont conduit à devenir prête-nom dans une affaire de mines en commandite, dont les faits et gestes, le prospectus et les dividendes anticipés lui ont mérité une condamnation à deux ans de prison en police correctionnelle. Il a fait paraître une justification dans laquelle il attribue ce résultat à des animosités politiques. Il se dit persécuté par les républicains.

PERSONNAGES
D'*ILLUSIONS PERDUES*
REPARAISSANT DANS
LA COMÉDIE HUMAINE

Le grand nombre des personnages d'Illusions perdues n'a pas permis de donner à ces notices l'ampleur qui lui est accordée dans les autres éditions de romans balzaciens de cette collection. On s'est borné à de brèves indications et l'on a renvoyé, non pas à tous les romans où ils reparaissent, mais seulement à ceux où ils jouent un rôle notable.

AJUDA-PINTO (marquis Miguel d'), l'une des figures les plus en vue du faubourg Saint-Germain *(Gobseck)*, amant de la vicomtesse de Beauséant *(La Duchesse de Langeais)*, se remarie avec Mlle de Grandlieu *(Splendeurs et Misères des Courtisanes)*.

ARTHEZ (Daniel d'). Succède à Louis Lambert dans la présidence du Cénacle. Il a aidé Marie Gaston comme Lucien de Rubempré *(Mémoires de deux jeunes Mariées)*. Devenu député *(Pierre Grassou)* il tombe amoureux de la princesse de Cadignan *(Les Secrets de la Princesse de Cadignan)*.

BARBET, libraire. Il est aussi escompteur *(Les Petits Bourgeois)* et se lie avec Claparon et Cérizet *(Un Homme d'Affaires)*.

BEAUDENORD (Godefroid de). Il entre dans la diplomatie *(La Maison Nucingen)*, occupe des postes en Italie et en Angleterre, revient en France en 1822. Plus tard il épouse Isaure d'Aldrigger, mais ruiné par la faillite Claparon, il reprend un emploi.

BEAUPRÉ (Fanny). Elle devient la maîtresse de Camusot *(Un Début dans la Vie)*, puis elle est entretenue par le duc d'Hérouville *(Modeste Mignon)*. Elle est en relations avec Esther Gobseck *(Splendeurs et Misères des Courtisanes)*.

BIANCHON (Horace), né à Sancerre, a fait ses études à Bourges, a vécu comme étudiant pauvre à la pension Vauquer *(Le Père Goriot)*. Il est l'élève préféré de Desplein *(La Messe de l'Athée)*. Il devient professeur à la Faculté de médecine de Paris *(La Muse du Département)*. Il se tint absolument en dehors de la politique *(Les Petits Bourgeois)* mais après avoir été matérialiste, il devint monarchiste et bien pensant *(La Cousine Bette)*.

BIXIOU (Jean-Jacques), né en 1797. Il a d'abord été caricaturiste en même temps que modeste fonctionnaire des Finances *(Les Employés)*. Il quitte ensuite l'administration et travaille pour les journaux. On le retrouve dans de nombreux romans, notamment dans *La Muse du Département, La Maison Nucingen, Un Homme d'Affaires, La Rabouilleuse, Splendeurs et Misères des Courtisanes*.

BLONDET (Émile). Né à Alençon en 1801, étudiant en droit, puis journaliste. Ses débuts à Paris furent difficiles *(Le Cabinet des Antiques)*. Il se lia à la comtesse de Montcornet *(Les Secrets de la Princesse de Cadignan)* et fut introduit par elle dans la haute société *(Une Fille d'Ève, La Maison Nucingen)*. Il fréquentait aussi le monde du théâtre et finit par épouser la comtesse de Montcornet *(Les Paysans)*.

BRAULARD, chef de claque. On le retrouve dans *La Cousine Bette*.

BRIDAU (Joseph). Il est entré à l'École des Beaux-Arts en 1812 *(La Rabouilleuse)*. Malgré son intelligence, il se met dans un mauvais pas aux yeux du comte de Sérisy *(Un Début dans la vie)*. Il s'élève à la célébrité *(Modeste Mignon, La Cousine Bette, Pierre Grassou)*.

BRIDAU (Philippe), frère du précédent. Il est compromis dans un complot militaire et relégué à Issoudun *(La Rabouilleuse)*. Il finit par se créer une situation, mène grande vie, reprend du service et est tué en Algérie en 1839.

BRUEL (Jean-François du). Fonctionnaire et vaudevilliste. Il a fait ses débuts modestes au ministère des Finances *(La Rabouilleuse)*, devient chef de bureau en 1825 *(Les Employés)*. La

Monarchie de Juillet le comble de faveurs *(Un Prince de la Bohème)*. Il devient pair de France et membre de l'Institut.

CACHAN, avoué à Angoulême et maire de Marsac. On le retrouve dans *Splendeurs et Misères des Courtisanes*.

CAMUSOT. Il a épousé en secondes noces la fille de son patron, Cardot, négociant en soieries. Il fréquente les commerçants de son quartier *(Splendeurs et Misères des Courtisanes, La Maison du Chat qui Pelote, César Birotteau)*, mais aussi les coulisses des théâtres *(La Rabouilleuse)*. Il a pour maîtresses Coralie, puis Fanny Beaupré *(La Muse du Département)*. Sous la Monarchie de Juillet, il deviendra baron et député *(Le Cousin Pons)*.

CANALIS (baron de). Ce poète est l'amant de la duchesse de Chaulieu *(Mémoires de deux jeunes Mariées)* et tente d'épouser Modeste Mignon *(Modeste Mignon)*. Il épouse la fille de Moreau de l'Oise et se lance dans la politique *(Un Début dans la Vie)*. On le retrouve député dans *Les Comédiens sans le savoir*.

CARDOT, riche commerçant, propriétaire du Cocon d'or *(Un Début dans la Vie)*. Il était l'ami de César Birotteau *(César Birotteau)*. Il devient pair de France.

CARIGLIANO (maréchal-duc de). A peine nommé dans les *Illusions perdues*, il figure notamment dans *La Maison du Chat qui Pelote*, dans *Sarrasine* et *Le Contrat de Mariage*.

CÉRIZET. Il devient, après son départ d'Angoulême, gérant de journaux *(La Maison Nucingen)*, monte un cabinet d'affaires à Paris *(Un Homme d'Affaires, Splendeurs et Misères des Courtisanes)* et finit comme usurier *(Les Petits Bourgeois)*.

CHABOISSEAU. Ce libraire-escompteur revient dans *Les Employés, Un Homme d'Affaires, Les Petits Bourgeois*.

CHARDON (Mme), mère de Lucien de Rubempré. Nous apprendrons dans *Splendeurs et Misères des Courtisanes* qu'elle meurt en 1827.

CHARDON (Lucien), *voir* Rubempré.

CHATELET (baron), qui se fait appeler à tort *du Châtelet*. Il figure dans *La Duchesse de Langeais* comme compagnon du général de Montriveau dans son expédition d'Afrique. En 1824 il est élevé à la dignité de comte et devient député gouvernemental (*Splendeurs et Misères des Courtisanes*).

CHATELET (Marie-Louise de Négrepelisse, épouse du baron). Elle reparaît dans *Les Employés* à titre épisodique.

CHAULIEU (duchesse Henri de). *Modeste Mignon* parle de ses origines royales et de son hôtel de la rue de Grenelle. Elle est au premier rang de la société parisienne. Elle a pour amant le poète Canalis. On la trouve encore dans les *Mémoires de deux jeunes Mariées*. Elle est nommée dans *Eugénie Grandet* et dans *Les Secrets de la Princesse de Cadignan*.

CHRESTIEN (Michel). Il est membre du Cénacle de Daniel d'Arthez. Il s'éprend sans le dire de la duchesse de Maufrigneuse (*Les Secrets de la Princesse de Cadignan*). Il mourra en 1832 dans le massacre du cloître Saint-Merri.

COINTET (les frères), imprimeurs à Angoulême. On les retrouve à titre épisodique dans *La Maison Nucingen* et *La Cousine Bette*.

COLLIN (Jacques), apparaît dans *Illusions perdues* sous le masque de l'abbé Carlos Herrera, comme il apparaît dans *Le Père Goriot* sous celui de Vautrin. *Splendeurs et Misères des Courtisanes* nous fera connaître sa dernière incarnation.

COLOQUINTE. Le vieux militaire reparaît dans *La Rabouilleuse*.

CONTI. Chanteur et compositeur de musique. Il n'est que nommé dans les *Illusions perdues*. Mais il joue un rôle important dans *Béatrix*.

CORALIE. Nous la voyons dans *Un Début dans la Vie*, *La Rabouilleuse* et *Une Fille d'Ève* en rapports avec Florine, Florentine et Mariette.

COURTOIS, meunier à Marsac. On le retrouvera dans *Splendeurs et Misères des Courtisanes*.

DAURIAT. Ce libraire du Palais-Royal reparaît dans *Les Employés*. Il est dans *Modeste Mignon* l'éditeur de Canalis.

DESPLEIN. Il est seulement nommé dans les *Illusions perdues*. C'est surtout dans *La Messe de l'Athée* que sa personnalité apparaît.

DESROCHES. *La Rabouilleuse* fait connaître ses commencements difficiles. On le retrouve dans *Un Début dans la Vie*. *La Femme de trente ans* et *La Maison Nucingen* font apparaître ses talents. Il finit par s'introduire dans la société parisienne *(Un Prince de la Bohème)*.

DUDLEY (lady). Son nom seul figure dans *Illusions perdues*. Mais elle joue un rôle notable dans *Le Lys dans la Vallée*. Elle est la maîtresse de De Marsay dans *Le Contrat de mariage*.

ESGRIGNON (Victurnien d'), à peine nommé dans *Illusions perdues*. *Le Cabinet des Antiques* est l'histoire de sa passion pour la duchesse de Maufrigneuse.

ESPARD (marquise d'). Son caractère apparaît dans *L'Interdiction*. De nombreux romans permettent d'apprécier la place de premier rang qu'elle occupe au Faubourg Saint-Germain. On la retrouve notamment dans *Splendeurs et Misères des Courtisanes*, *Béatrix*, *Une Fille d'Ève* et dans *Les Secrets de la princesse de Cadignan*.

FINOT (Andoche). On le voit dans *César Birotteau* rédigeant des prospectus commerciaux et occupé de théâtre. Dans *La Rabouilleuse* il dirige un petit journal. Il se pousse dans la société des viveurs *(Ursule Mirouët)* et dans le monde du théâtre *(Un Prince de la Bohème)*. Il gagne une fortune considérable *(L'Illustre Gaudissart*, *La Maison Nucingen)*.

FLORENTINE. On trouve l'histoire de sa carrière dans *Un Début dans la Vie*. On la reverra dans *La Rabouilleuse*.

FLORINE. *La Rabouilleuse*, *Une Fille d'Ève*, *Les Employés* permettent de suivre l'ascension de cette actrice. On la retrouve notamment dans *Les Comédiens sans le savoir* et *La Muse du Département*.

GAILLARD (Théodore). Ce journaliste deviendra propriétaire d'une feuille importante sous la monarchie de juillet *(Béatrix)*.

GIGONNET, de son vrai nom Bidault. *César Birotteau* nous permet

d'observer ses débuts dans la carrière d'usurier. On le retrouve dans *Les Employés*, dans *Gobseck*, dans *La Maison Nucingen*.

GIRAUD (Léon). Membre du Cénacle de Daniel d'Arthez. On le
retrouve dans *La Rabouilleuse*. *Les Comédiens sans le savoir* nous
font connaître la suite de sa carrière.

GIROUDEAU. Personnage secondaire des *Illusions perdues*, sa
physionomie se précise dans *La Rabouilleuse*. On le retrouve
encore dans *Un Début dans la vie*.

GOBSECK (Jean-Esther). Il est seulement nommé dans *Illusions
perdues*, mais il est le personnage principal de *Gobseck*. On le
retrouve dans *Les Employés*, *Le Père Goriot*, *Ursule Mirouët*,
Splendeurs et Misères des Courtisanes.

GRINDOT. C'est lui qui a arrangé le nouveau logement de César
Birotteau et qui, dans *Un Début dans la vie*, dirige les travaux
au château de Presles pour M. de Cérisy.

KELLER (les frères), riches banquiers d'origine israélite. On peut
suivre les procédés qui ne cessent d'accroître leur immense
fortune dans *César Birotteau*, dans *Les Petits Bourgeois* et *Modeste Mignon*.

LAMBERT (Louis), inspirateur du Cénacle. Son nom apparaît
dans *Illusions perdues* sans qu'il y joue aucun rôle.

LANGEAIS (duchesse de). Son nom et ses malheurs sont seulement rappelés dans *Illusions perdues*.

LENONCOURT (duchesse de). Elle est seulement nommée dans
Illusions perdues. *Le Lys dans la Vallée* permet de la mieux
connaître.

LISTOMÈRE (marquise de). Elle est la sœur de Charles et Félix
de Vandenesse. *Une Étude de femme*, *Une fille d'Ève* la montrent
mêlée aux diverses affaires qui forment la chronique du faubourg Saint-Germain.

LOUSTEAU (Étienne). Il tient une place importante dans *La Muse
du département*. On le trouve encore dans *Un Prince de la Bohème*,
dans *Béatrix* et *la Cousine Bette*. On suit la fin de sa carrière
dans *Les Comédiens sans le savoir* et dans *La Femme Auteur*.

LUPEAULX (comte des). *Gobseck* nous instruit des origines de sa fortune, mais c'est surtout dans *Les Employés* que son personnage apparaît en plein. *La Maison Nucingen* et *Splendeurs et Misères des Courtisanes* révèlent les fredaines de ce haut fonctionnaire.

MANERVILLE (Paul de). Il est nommé dans *Illusions perdues*, mais pour le connaître, il faut lire *La Fille aux Yeux d'Or* et *La Fausse Maîtresse*.

MARIETTE, de son vrai nom Marie Godeschal. Son enfance est racontée dans *La Rabouilleuse*. On la retrouve dans *Un Début dans la Vie*, *Les Employés*, *Splendeurs et Misères des Courtisanes*.

MARRON (l'abbé), curé de Marsac. Il reparaîtra dans *Splendeurs et Misères des Courtisanes*.

MARRON (le Dr), neveu du précédent. Il reparaîtra, lui aussi, dans *Splendeurs et Misères des Courtisanes*.

MARSAY (comte Henri de). *La Fille aux Yeux d'Or* nous instruit des origines de ce fils de Mme de Marsay et de lord Dudley. *Ferragus* le montre affilié aux Treize. Son élégance et son inconduite apparaissent dans les *Mémoires de deux jeunes Mariées*, dans *Splendeurs et Misères des Courtisanes*, dans *Le Cabinet des Antiques*, dans de nombreux romans de *La Comédie humaine*.

MATIFAT. On retrouve ce droguiste dans *César Birotteau*, dans *La Rabouilleuse*, dans *La Maison Nucingen*. *Un Début dans la vie* nous instruit de son association avec Joseph Cardot.

MAUCOMBE (comte de). Il apparaît dans *Modeste Mignon*, dans *Mémoires de deux jeunes Mariées*, mais toujours à titre épisodique.

MAUFRIGNEUSE (duc et duchesse de). Ces grands personnages du faubourg Saint-Germain ne font qu'apparaître dans *Illusions perdues*, mais occupent une place importante dans *La Comédie humaine*. Voir surtout, sur la duchesse, *Le Cabinet des Antiques*. Elle deviendra princesse de Cadignan.

MÉTIVIER. On retrouve ce commissionnaire en papeterie dans *Les Employés* et *Les Petits Bourgeois*.

MEYRAUX (docteur). On le retrouve dans *Louis Lambert*. On

peut se demander dans quelle mesure il convient de le nommer ici, puisqu'il s'agit d'un personnage réel, le docteur Meyranx, dont le nom était souvent écrit comme fait Balzac.

MILAUD. Ce premier substitut à Angoulême reparaît dans *La Muse du Département* où il joue un certain rôle.

MONTCORNET (comtesse de). Elle tient une place importante dans *Le Cabinet des Antiques*, mais on la voit aussi dans *Béatrix*, et son rôle dans la société après 1830 apparaît clairement dans *Une Fille d'Ève*.

MONTRIVEAU (général de). Il est le héros de *La Duchesse de Langeais*, mais n'apparaît dans *Illusions perdues* qu'au cours d'une scène rapide. Il figure aussi dans *Le Père Goriot* et *Autre Étude de femme*.

MORTSAUF (Mme de). Les *Illusions perdues* font allusion à son amour exalté pour Félix de Vandenesse, qui est le sujet du *Lys dans la Vallée*.

NATHAN (Raoul). Son caractère est étudié surtout dans *Une Fille d'Ève*. Il apparaît dans *La Rabouilleuse* lié à Philippe Brideau. On le retrouve dans *Les Employés*, dans *Un Début dans la Vie*, dans de nombreux romans de *La Comédie humaine*.

NAVARREINS (duc et duchesse de). Une des premières familles de l'aristocratie, ils sont seulement nommés dans *Illusions perdues*.

NUCINGEN (baron et baronne de). A peine nommés dans *Illusions perdues*, ils sont pourtant des personnages importants de *La Comédie humaine*. Voir surtout *La Maison Nucingen* et, pour le personnage de la baronne, *Le Père Goriot*.

PALMA. Balzac le nomme dans plusieurs romans aux côtés des autres usuriers de son œuvre, les Werbrust et les Gigonnet. On le voit dans *César Birotteau*, dans *La Maison Nucingen*, dans *Le Bal de Sceaux*, dans *Gobseck*.

POSTEL. Son nom ne reparaît que dans *Splendeurs et Misères des Courtisanes*.

RASTIGNAC (Eugène de). L'une des principales figures de *La Comédie humaine*. Il serait impossible de citer ici tous les romans où il apparaît. On lira surtout *Le Père Goriot*. *Illusions perdues* nomment aussi son père le baron de Rastignac et sa sœur Laure de Rastignac.

RHÉTORÉ (duc de), fils du duc et de la duchesse de Chaulieu. On le retrouve surtout dans *Modeste Mignon*. Son nom apparaît aussi dans *Les Employés* et dans les *Mémoires de deux jeunes Mariées*.

RIDAL (Fulgence). Membre du Cénacle, on le retrouvera dans *La Rabouilleuse* et dans *Les Comédiens sans le savoir*.

RONQUEROLLES (marquis de). Il n'apparaît qu'à peine dans *Illusions perdues*, mais il occupe une place importante dans *Histoire des Treize* et figure encore dans plusieurs romans.

RUBEMPRÉ (Lucien Chardon de). La fin de sa vie, son amour pour Esther Gobseck, son suicide sont racontés dans *Splendeurs et Misères des Courtisanes*.

SAMANON. Ce bouquiniste et prêteur sur gages joue un rôle dans plusieurs romans (*Les Employés*, *Les Petits Bourgeois*, *Un Homme d'Affaires*) et notamment dans *La Cousine Bette*.

SÉCHARD (David). Il ne reparaîtra plus que de façon très rapide dans *Splendeurs et Misères des Courtisanes*.

SÉRISY (comtesse de). Dans *Illusions perdues*, Balzac fait seulement allusion aux scandales de sa vie. Elle jouera au contraire un grand rôle dans *Splendeurs et Misères des Courtisanes*. Voir aussi sur elle *Un Début dans la Vie*, *Ursule Mirouët*, *La Maison Nucingen*, etc...

TILLET (Ferdinand du). Cet enfant trouvé a fait une fortune éblouissante dont *César Birotteau* nous fait connaître les débuts. Il est mêlé à des combinaisons financières (*La Maison Nucingen*). On le retrouve dans le monde où l'on s'amuse (*La Cousine Bette*, *Les Comédiens sans le savoir*).

TOUCHES (Félicité des). Elle est une des figures principales de *Béatrix*. On la retrouve dans de nombreux romans.

TRAILLES (Maxime de). Ce bretteur redoutable apparaît notamment dans *Le Député d'Arcis*, mais il est cité dans *César Birotteau*, dans *La Fausse Maîtresse*, dans *Un Homme d'Affaires*, etc.

TULLIA. Cette première danseuse de l'Opéra finira par épouser Du Bruel. Voir notamment sur elle *Un Prince de la Bohème*.

VANDENESSE (Félix de). Il apparaît à peine dans *Illusions perdues* mais *Le Lys dans la Vallée* a raconté sa grande passion pour Mme de Mortsauf.

VERNOU (Félicien). On retrouve ce journaliste dans *La Rabouilleuse*, dans *Une Fille d'Ève* et dans *La Cousine Bette*.

VIGNON (Claude). Cet illustre critique joue surtout un rôle dans *Béatrix* et dans *La Cousine Bette*. Il entre dans la haute administration *(La Cousine Bette)* et devient maître des requêtes au Conseil d'État.

VINET. Avocat, journaliste, procureur général. On suit sa carrière dans *Pierrette, Le Député d'Arcis, La Femme Auteur*.

WERBRUST, usurier du même type que Gobseck et Gigonnet. On le voit dans *César Birotteau, Les Employés, La Maison Nucingen*.

NOTE BIBLIOGRAPHIQUE

I

Les deux instruments de travail essentiels pour l'étude des romans de Balzac sont :

SPOELBERCH DE LOVENJOUL, *Histoire des œuvres de H. de Balzac.* (*De préférence la troisième édition,* 1888.)

F. LOTTE, *Dictionnaire biographique des personnages fictifs de la Comédie humaine,* José Corti, 1952.

II

Les textes de Balzac les plus importants à consulter pour l'étude d'*Illusions perdues* sont :

Œuvres diverses, trois volumes in-8°, Conard, 1935-1940.

Correspondance, deux volumes in-12, Calmann-Lévy, seconde édition, 1877 (*édition d'ailleurs déplorable, mais qu'il est encore nécessaire de consulter*).

Lettres à l'Étrangère, Calmann-Lévy, 1899 sqq. (*texte établi sur les autographes, de même que les volumes suivants*).

Lettres à sa famille, p. p. W. S. Hastings, un vol. in-8°, Albin-Michel, 1950.

Balzac and Souverain, correspondance, p. p. W. S. Hastings, un vol. in-8°, 1927.

Correspondance inédite avec Z. Carraud, p. p. Marcel Bouteron, Colin, 1935, (*revue et corrigée en* 1952).

Correspondance, pp. Jean A. Ducourneau, un vol. in-8°, Formes et Reflets, 1953. (*Choix de lettres importantes, texte authentique qui rectifie très souvent celui de 1877.*)

Préfaces, recueillies par J. A. Ducourneau, un vol. in-8°, Formes et Reflets, 1953.

Pensées, sujets, fragmens, pp. Jacques Crépet, 1910.

III

Les monographies, les mémoires, les articles de revue qui ont permis d'établir le commentaire d'*Illusions perdues* se trouvent cités dans ce volume auprès du texte qu'ils éclairent.